Christoph Vögele KC J12 07/08

Du bekommst 1 € wenn du ihm [illegible]
wie man solche Pfeile in die PuP. reinmacht!

elemente chemie II

Gesamtband

Unterrichtswerk für die Sekundarstufe II

von
Werner Eisner
Paul Gietz
Marianne Glaser
Axel Justus
Klaus Laitenberger
Klaus-Jürgen Liebenow
Werner Schierle
Rainer Stein-Bastuck
Michael Sternberg

Ernst Klett Verlag
Stuttgart Düsseldorf Leipzig

Das vorliegende Unterrichtswerk ist eine Neubearbeitung des Oberstufenwerkes „Elemente Chemie“ von W. Amann, W. Eisner, P. Gietz, B. Grunwald, J. Maier, K.-H. Scharf, W. Schierle und R. Stein-Bastuck.

Das Umschlagmotiv stellt ein Dipeptid aus Asparaginsäure (oben) und Glycin (unten) dar. Es sind zwei Flächen jeweils konstanter Elektronendichte gezeigt, auf denen außerdem das elektrostatische Potential durch Farbgebung erkennbar gemacht ist.
Das Dipeptid ist als Zwitterion dargestellt. Die Carboxylatgruppe (rechts in der oberen Hälfte) ist an den beiden Sauerstoffatomen (rot) erkennbar, die zusammen eine negative Elementarladung tragen. Die Ammoniumgruppe (blau) befindet sich links unten.

1. Auflage A 1 11 10 9 | 2009 08 07

Alle Drucke dieser Auflage können im Unterricht nebeneinander benutzt werden, sie sind untereinander unverändert. Die letzte Zahl bezeichnet das Jahr dieses Druckes.

Internetadresse: http://www.klett.de

ISBN 3-12-756700-6

Redaktion: Dr. Thomas Bitter, Dr. Ursula Boberlin, Annette Riederer

Herstellung: Hans Klement

Grafiken: Conrad Höllerer, Stuttgart; Helmut Klotzbücher, Stuttgart; Jörg Mair, Herrsching; Karin Mall, Berlin; Alfred Marzell, Schwäbisch Gmünd; Mathias Wosczyna, Rheinbreitbach

DTP-Satz und Satzgrafiken: E. König, Stuttgart; topset Computersatz, Nürtingen

Reproduktion: Medienhaus Lihs, Ludwigsburg

Druck: Firmengruppe APPL, aprinta druck, Wemding

Hinweise zur Benutzung

elemente chemie

ist ein Lern- und Arbeitsbuch. Es dient sowohl der **unterrichtlichen Arbeit** als auch dem **Nachbereiten** und **Wiederholen** von Lerneinheiten. Das Buch kann jedoch den Unterricht nicht ersetzen. Das **Erleben von Experimenten** und die **eigene Auseinandersetzung mit deren Ergebnissen** sind unerlässlich. Wissen muss erarbeitet werden.

Eine geeignete Aufbereitung soll den Umgang mit dem Buch erleichtern. Zu diesem Zwecke sind verschiedene Symbole und Kennzeichnungen verwendet worden, die überall im Buch die gleiche Bedeutung haben:

Praktikum. Zusammenhängende, leicht durchführbare Schülerexperimente, die das *projektorientierte Arbeiten* unterstützen.

Überprüfung und Vertiefung. Inhaltliche Vertiefungen und Aufgaben unterschiedlicher Schwierigkeit zur Überprüfung des Gelernten.

Arbeitsteil

Einige Substanzen, mit denen im Chemieunterricht umgegangen wird, sind als Gefahrstoffe eingestuft. Die alphabetische Liste der in diesem Buch vorkommenden Gefahrstoffe mit R- und S-Sätzen befindet sich im Anhang.

Vor der Durchführung eines Versuchs müssen mögliche Gefahrenquellen besprochen werden. Die geltenden Richtlinien zur Vermeidung von Unfällen beim Experimentieren sind zu beachten. Da chemisches Experimentieren grundsätzlich umsichtig erfolgen muss, wird auf die im Labor üblichen Verhaltensregeln und die Regeln für Sicherheit und Gesundheitsschutz beim Umgang mit Gefahrstoffen im Unterricht nicht jedes Mal erneut hingewiesen. Das Tragen einer Schutzbrille beim Experimentieren ist unerlässlich, weitere notwendige Schutzmaßnahmen sind beim Versuch vermerkt.

Die Versuchsanleitungen sind nach Schüler- und Lehrerversuch unterschieden und enthalten in besonderen Fällen Hinweise auf mögliche Gefahren.

V **Schülerversuch.** Die allgemeinen Hinweise zur Vermeidung von Unfällen beim Experimentieren müssen bekannt sein.
Auch Schülerversuche sind nur auf Anweisung des Lehrers auszuführen.

V **Lehrerversuch**

⚠ **Gefahrensymbol.** Bei Versuchen, die mit diesem Zeichen versehen sind, müssen vom Lehrer besondere Vorsichtsmaßnahmen getroffen werden.

A **Problem oder Arbeitsaufgabe**

▷ **Verweis auf Bild, Versuch oder Aufgabe**

↗ **Querverweis auf einen Text an anderer Stelle im Buch**

Fettdruck (schwarz) im Text **Wichtiger neuer Begriff**

(Texthinterlegung) Ergebnis vorangegangener Überlegungen, Definition, kurz: **Merksatz**

Wichtigste Begriffe eines Kapitels

Inhaltsverzeichnis

Untersuchungsmethoden der Chemie 7

1.1 Qualitative Analyse ... 8
1.2 Praktikum: Identifizierung von Ionen ... 9
1.3 Teilchenanzahl und Masse ... 10
1.4 Bestimmung des Volumens und der Stoffmenge eines Gases ... 12
1.5 Exkurs: Volumen, Druck und Temperatur bei Gasen ... 14
1.6 Gehaltsangaben für Gemische ... 15
1.7 Die Untersuchung einer organischen Verbindung ... 16
1.8 Ermittlung der Summenformel organischer Verbindungen ... 18
1.9 Chromatografie ... 20
1.10 Massenspektrometrie ... 26
1.11 Fotometrie ... 27
1.12 Infrarotspektroskopie ... 30
1.13 Strukturaufklärung durch NMR-Spektroskopie ... 32

Atombau und chemische Bindung ... 33

2.1 Kern und Elektronenhülle ... 34
2.2 Linienspektren und Atomhülle ... 36
2.3 Praktikum: Absorptions- und Emissionsspektren ... 37
2.4 Ionenbindung und Ionengitter ... 38
2.5 Ionenbindung und Ionenverbindungen ... 42
2.6 Die Bindung in Molekülen ... 44
2.7 Das Elektronenpaarabstoßungs-Modell ... 45
2.8 Die polare Atombindung ... 46
2.9 Kräfte zwischen Molekülen ... 48
2.10 Atomgitter ... 50
2.11 Übergänge zwischen Ionen- und Atombindung ... 52
2.12 Praktikum: Kräfte zwischen Molekülen ... 53
2.13 Die Bindung in Metallen ... 54
2.14 Überprüfung und Vertiefung ... 56
2.15 Exkurs: Orbitalmodell ... 57

Geschwindigkeit von Reaktionen ... 67

3.1 Die Geschwindigkeit von Reaktionen ... 68
3.2 Praktikum: Geschwindigkeit von Reaktionen ... 70
3.3 Konzentration und Reaktionsgeschwindigkeit ... 72
3.4 Reaktionsgeschwindigkeit und Zerteilungsgrad ... 75
3.5 Reaktionsgeschwindigkeit und Temperatur ... 76
3.6 Katalyse ... 78
3.7 Praktikum: Beeinflussung der Reaktionsgeschwindigkeit ... 82
3.8 Überprüfung und Vertiefung ... 84

Chemisches Gleichgewicht ... 85

4.1 Umkehrbare Reaktionen ... 86
4.2 Praktikum: Einstellung des chemischen Gleichgewichts ... 87
4.3 Das Massenwirkungsgesetz ... 88
4.4 Beeinflussung des chemischen Gleichgewichts ... 90
4.5 Praktikum: Löslichkeit und Löslichkeitsgleichgewicht ... 95
4.6 Lösungsgleichgewichte von Salzen ... 96
4.7 Die Ammoniaksynthese ... 98
4.8 Herstellung von Schwefelsäure ... 100
4.9 Aggregatzustände und Gleichgewichte ... 102
4.10 Überprüfung und Vertiefung ... 104

Energie und chemische Reaktionen ... 105

5.1 Chemische Reaktion und Wärme ... 106
5.2 Innere Energie und Enthalpie ... 108
5.3 Enthalpie und Aggregatzustände ... 110
5.4 Verbrennungsenthalpien ... 111
5.5 Bildungsenthalpien und Reaktionsenthalpien ... 112
5.6 Praktikum: Reaktionsenthalpien ... 118
5.7 Die Richtung spontaner Vorgänge ... 120
5.8 Entropie ... 122
5.9 Exkurs: Freie Enthalpie ... 126
5.10 Überprüfung und Vertiefung ... 128

Säure-Base-Reaktionen ... 129

6.1 Säure-Base-Reaktionen – Protonenübergänge ... 130
6.2 Autoprotolyse des Wassers und pH-Wert ... 134
6.3 Die Stärke von Säuren und Basen ... 136
6.4 Exkurs: Verknüpfung von Säure-Base-Gleichgewichten ... 139
6.5 Säure-Base-Reaktionen in Salzlösungen ... 140
6.6 Pufferlösungen ... 142
6.7 Säure-Base-Titrationen ... 144
6.8 Praktikum: Säuren und Basen in Produkten des Alltags ... 147
6.9 Überprüfung und Vertiefung ... 148

Redoxreaktionen und Elektrochemie ... 149

7.1 Oxidation und Reduktion als Elektronenübergänge ... 150
7.2 Oxidationszahl und Redoxgleichungen ... 152
7.3 Praktikum: Redoxtitrationen ... 154
7.4 Die Redoxreihe ... 156
7.5 Galvanische Elemente ... 157

7.6 Standardpotentiale und elektrochemische Spannungsreihe 159
7.7 Exkurs: Die Nernst-Gleichung 162
7.8 Exkurs: Leitfähigkeitstitrationen 166
7.9 Elektrolysen in wässrigen Lösungen 168
7.10 Technische Elektrolysen in wässriger Lösung 173
7.11 Elektrochemische Stromerzeugung 175
7.12 Praktikum: Batterien 180
7.13 Elektrochemische Korrosion 182
7.14 Praktikum: Korrosion und Korrosionsschutz .. 185
7.15 Aluminium 188
7.16 Überprüfung und Vertiefung 190

Eisen und Stahl 191

8.1 Erzeugung von Roheisen 192
8.2 Erzeugung von Stahl 196
8.3 Überprüfung und Vertiefung 200

Komplexverbindungen 201

9.1 Verbindungen in Verbindungen 202
9.2 Komplexe – Struktur und Bindung 204
9.3 Komplexe in Lösung 206
9.4 Praktikum: Komplexreaktionen 208
9.5 Bedeutung und Verwendung von Komplexen . 210
9.6 Überprüfung und Vertiefung 214

Radioaktivität und Kernreaktionen 215

10.1 Bindung in Atomkernen 216
10.2 Die natürliche Radioaktivität 217
10.3 Kernreaktionen 222
10.4 Strahlenmessung und Strahlenbelastung 224
10.5 Energiegewinnung durch Kernspaltung 226
10.6 Energiegewinnung durch Kernfusion 229
10.7 Überprüfung und Vertiefung 230

Silicium – Silicate – Silikone 231

11.1 Siliciumdioxid 232
11.2 Praktikum: Glas 233
11.3 Glas 234
11.4 Reinstsilicium – Herstellung und Verwendung . 236
11.5 Werkstoffe auf Siliciumbasis 238
11.6 Silikone 239
11.7 Überprüfung und Vertiefung 240

Umweltchemie 241

12.1 Atmosphäre und Klima 242
12.2 Der Treibhauseffekt 243
12.3 Chemische Reaktionen in der Atmosphäre ... 246
12.4 Luftschadstoffe 250
12.5 Verminderung von Emissionen 252
12.6 Schäden durch Immissionen 256
12.7 Praktikum: Ermittlung von Luftschadstoffen .. 257
12.8 Trinkwasser 258
12.9 Abwasserreinigung 260
12.10 Belastung und Schutz des Bodens 262
12.11 Nachwachsende Rohstoffe 264
12.12 Abfall – Quelle für Sekundärrohstoffe 268
12.13 Ökobilanzen 270
12.14 Überprüfung und Vertiefung 272

Kohlenwasserstoffe 273

13.1 Erdgas 274
13.2 Methan – Hauptbestandteil vieler natürlicher Gasgemische 275
13.3 Die Struktur des Methan- und des Ethanmoleküls 276
13.4 Die homologe Reihe der Alkane 277
13.5 Eigenschaften der Alkane 279
13.6 Reaktionen der Alkane 282
13.7 Radikalische Substitution 284
13.8 Halogenalkane 286
13.9 Exkurs: Cycloalkane 287
13.10 Alkene, ungesättigte Kohlenwasserstoffe 288
13.11 Halogenierung und elektrophile Addition 290
13.12 Isomerie bei Alkenen 292
13.13 Ethin – ein Alkin 293
13.14 Exkurs: Petrochemie 294
13.15 Überprüfung und Vertiefung 296

Organische Sauerstoffverbindungen 297

14.1 Ethanol, ein wichtiger Alkohol 298
14.2 Die homologe Reihe der Alkanole 300
14.3 Reaktionen der Alkohole 302
14.4 Mehrwertige Alkohole 304
14.5 Ether 305
14.6 Aldehyde und Ketone 306
14.7 Praktikum: Alkohole, Aldehyde, Ketone 309
14.8 Essig und Essigsäure 310
14.9 Carbonsäuren 313
14.10 Praktikum: Carbonsäuren 316
14.11 Ester 318
14.12 Überprüfung und Vertiefung 320

Aromatische Verbindungen 321

15.1 Benzol und das Benzolmolekül 322
15.2 Benzol und der aromatische Zustand 324
15.3 Elektrophile Substitution 326
15.4 Phenol und Anilin – wichtige Benzolderivate .. 328
15.5 Exkurs: Arzneimittel 330
15.6 Exkurs: ASS – ein Jahrhundertarzneimittel 331
15.7 Zweitsubstitution 332
15.8 Weitere aromatische Verbindungen 334
15.9 Synthesen mit Benzol 335
15.10 Überprüfung und Vertiefung 336

Biologisch wichtige organische Verbindungen 337

16.1 Fette 338
16.2 Praktikum: Fette 341
16.3 Spiegelbildisomerie 342
16.4 Glucose 346
16.5 Fructose 348
16.6 Weitere Monosaccharide 349
16.7 Praktikum: Monosaccharide 350
16.8 Disaccharide 352
16.9 Polysaccharide 354
16.10 Eiweiß 356
16.11 Praktikum: Eiweiß 357
16.12 Glycin – eine Aminosäure 358
16.13 Weitere Aminosäuren 360
16.14 Peptide 362
16.15 Struktur der Proteine 364
16.16 Enzyme 368
16.17 Praktikum: Enzyme 369
16.18 Nucleinsäuren – vom Gen zum Protein 370
16.19 Exkurs: DNA-Sequenzanalyse 373
16.20 Exkurs: Die Entstehung des Lebens 374
16.21 Exkurs: Die Zelle als Energiewandler 376
16.22 Überprüfung und Vertiefung 380

Kunststoffe 381

17.1 Geschichte der Kunststoffe 382
17.2 Synthesen von Kunststoffen 384
17.3 Struktur und Eigenschaften 388
17.4 Verarbeitung von Kunststoffen 390
17.5 Kunststoffe im Alltag 392
17.6 Praktikum: Kunststoffe 396
17.7 Verwertung von Kunststoffabfall 398
17.8 Überprüfung und Vertiefung 400

Tenside – Waschmittel und Kosmetika 401

18.1 Herstellung von Seife 402
18.2 Exkurs: Geschichte der Seife 403
18.3 Waschwirkung von Seifen 404
18.4 Tenside als waschaktive Substanzen 408
18.5 Zusammensetzung von Waschmitteln 410
18.6 Tenside als Emulgatoren 414
18.7 Kosmetika und ihre Inhaltsstoffe 415
18.8 Praktikum: Kosmetika selbst gemacht 417
18.9 Überprüfung und Vertiefung 418

Farbstoffe und Pigmente 419

19.1 Licht und Farbe 420
19.2 Struktur und Farbe 422
19.3 Farbmittel 424
19.4 Farbstoffklassen 425
19.5 Färbeverfahren 430
19.6 Praktikum: Farbstoffe und Färben 432
19.7 Exkurs: Farbstoffe in Lebensmitteln 436
19.8 Farbfotografie 437
19.9 Überprüfung und Vertiefung 438

Anhang 439
Tabellen 439
Gefahrstoffe 442
Stichwortregister 445
Bildquellennachweis 449

Untersuchungsmethoden der Chemie

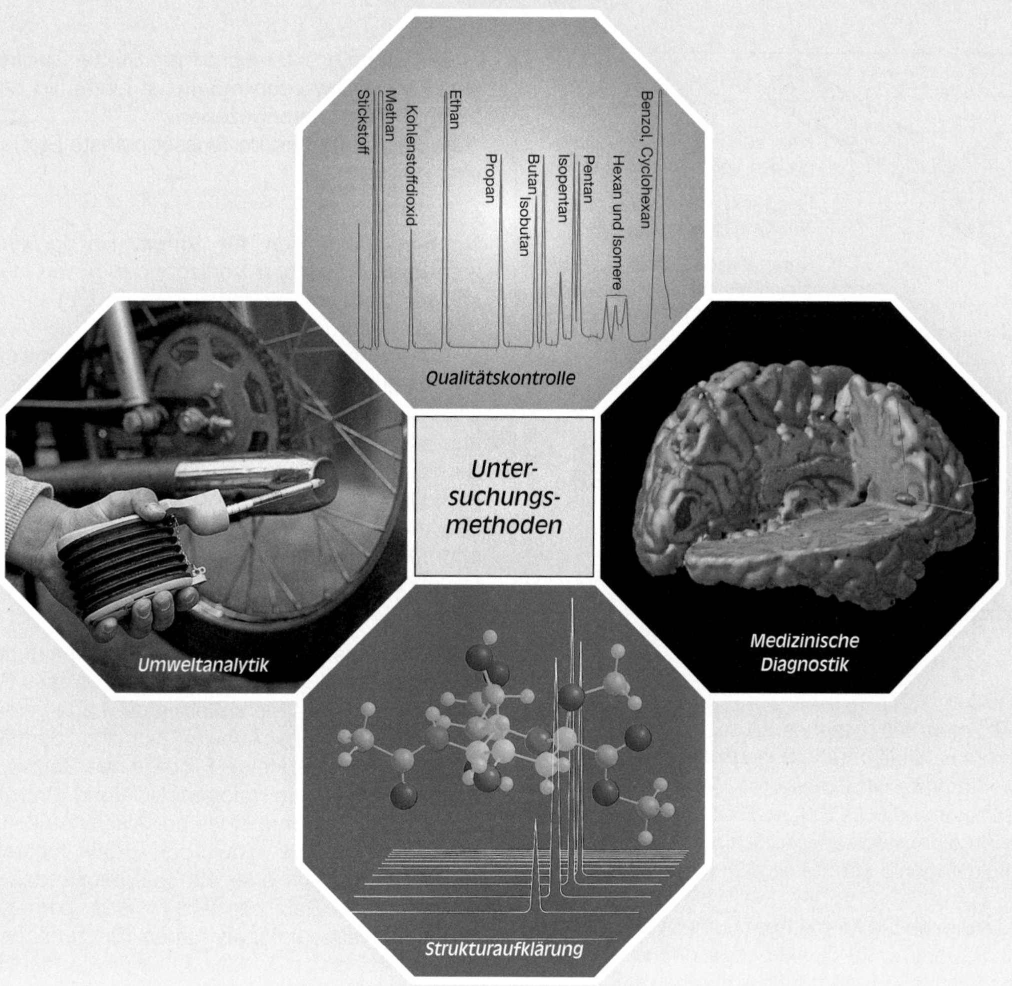

Die Chemie beschäftigt sich mit den Eigenschaften von Stoffen und stofflichen Veränderungen. Die Kenntnisse darüber sind das Ergebnis weltweiter wissenschaftlicher Forschung.

Der qualitativen und quantitativen Bestimmung von Stoffen und Teilchen kommt innerhalb der Chemie zentrale Bedeutung zu. Ziel der qualitativen Analyse ist es, die Teilchen eines Stoffes zu identifizieren, während die quantitative Analyse Auskunft über den Anteil der Teilchen in einem Gemisch oder am Aufbau einer Verbindung liefert. Die Untersuchungsmethoden beruhten lange Zeit auf der Reaktionsfähigkeit der untersuchten Stoffe. Ihr Nachweis erfolgte mit spezifischen Nachweisverfahren, wie z. B. Fällungsreaktionen oder dem Einsatz von Indikatoren. Für die quantitative Analyse waren Waagen und Volumenmessgeräte wichtige Hilfsmittel, mit denen die Massen und Volumina der untersuchten Substanzen und ihrer Reaktionsprodukte bestimmt wurden. Die Genauigkeit der meisten Untersuchungsmethoden lag in der Größenordnung von Zehntelprozenten, während heute einige Verfahren noch Genauigkeiten von 10^{-7} % und genauer erlauben. Die Leistungsfähigkeit derartiger Verfahren wird durch Neuentwicklungen auf dem Gebiet der Elektronik und durch den Einsatz der Computertechnologie noch laufend gesteigert.

Die Gaschromatografie, Fotometrie, Massenspektrometrie und Verfahren wie die IR- und NMR-Spektroskopie sind aus der Forschung, der Qualitätskontrolle, der Schadstoffanalyse und den analytischen Verfahren in der medizinischen Diagnostik nicht mehr wegzudenken. Insbesondere die spektroskopischen Verfahren, die auf der Absorption von elektromagnetischer Strahlung beruhen, liefern entscheidende Daten zur Strukturaufklärung der Verbindungen.

1.1 Qualitative Analyse

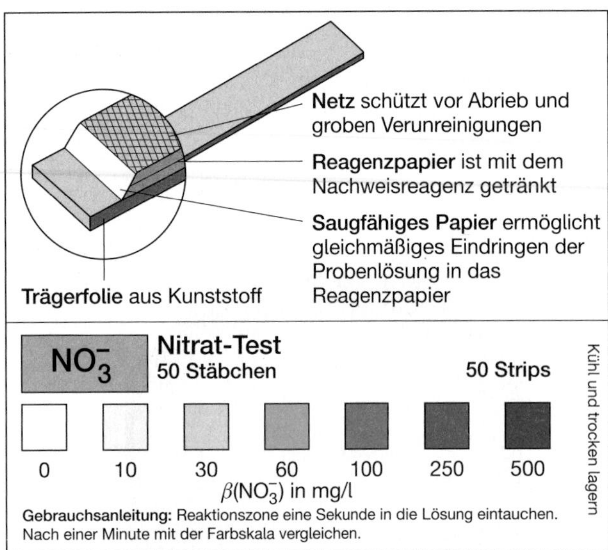
Netz schützt vor Abrieb und groben Verunreinigungen
Reagenzpapier ist mit dem Nachweisreagenz getränkt
Saugfähiges Papier ermöglicht gleichmäßiges Eindringen der Probenlösung in das Reagenzpapier
Trägerfolie aus Kunststoff
NO_3^-
Nitrat-Test
50 Stäbchen
50 Strips
Kühl und trocken lagern
0
10
30
60
100
250
500
$\beta(NO_3^-)$ in mg/l
Gebrauchsanleitung: Reaktionszone eine Sekunde in die Lösung eintauchen. Nach einer Minute mit der Farbskala vergleichen.

B 1 Teststäbchen für Nitratnachweis

In der Chemie untersucht man Stoffe. Zur Identifizierung eines Stoffes werden möglichst eindeutig beschreibbare Eigenschaften herangezogen.
Viele Feststoffe und im Wasser gelöste Stoffe sind Ionenverbindungen.

Nachweisverfahren für Ionen. Häufig können die in wässrigen Lösungen vorliegenden Ionen durch Bildung schwer löslicher Niederschläge (▷ B2) identifiziert werden. Für sehr viele Ionen und auch Molekülverbindungen sind spezifische Nachweisreagenzien entwickelt worden. Sie zeichnen sich dadurch aus, dass sie unter festgelegten Untersuchungsbedingungen für den Nachweis einer bestimmten Ionensorte oder einer Molekülverbindung eindeutig sind. Die viel verwendeten Teststäbchen (▷ B1) enthalten solche spezifischen Nachweisreagenzien. Mit den meisten Teststäbchen kann man nicht nur ganz bestimmte Teilchen nachweisen, sondern auch ihre Konzentration in einer Probe ungefähr bestimmen.

Der Nachweis von Anionen und Kationen gehört zur *qualitativen Analyse*. In der Schule kann in dieses Gebiet nur ein Einblick erfolgen. Sie sollen in die Lage versetzt werden, einen Stoff aus einer Auswahl sicher zu identifizieren. Dazu erhalten Sie eine kleine Probe eines Salzes. Bei diesem kann es sich um ein Halogenid (Chlorid, Bromid, Iodid), ein Sulfat oder Carbonat eines der Alkalimetalle Lithium, Natrium, Kalium oder eines der Erdalkalimetalle Calcium, Strontium, Barium oder ein entsprechendes Ammonium- bzw. Eisen(III)-Salz handeln (▷ B3). Zum Kennenlernen der Nachweisreaktionen führen Sie zunächst die Versuche 1 bis 5 durch (↗ Kap. 1.2). Für die Identifizierung der Alkali- und Erdalkalimetalle müssen Sie sich mit der Flammenfärbung vertraut machen (↗ Kap. 2.3).

A 1 Hält man ein Magnesiastäbchen mit einigen Körnchen eines Alkalimetallhalogenids in die rauschende Brennerflamme, wird diese rot. Tropft man zu der wässrigen Lösung dieses Salzes Silbernitratlösung, bildet sich ein weißer, flockiger Niederschlag. Um welches Alkalimetallhalogenid könnte es sich handeln?

A 2 Formulieren Sie für die Reaktion von Natriumcarbonat mit Salzsäure die Reaktionsgleichung. Bei welcher anderen Natriumverbindung entstehen bei der Reaktion mit Salzsäure die gleichen Reaktionsprodukte?

B 2 Sulfidionen bilden mit vielen Metallkationen farbige Niederschläge

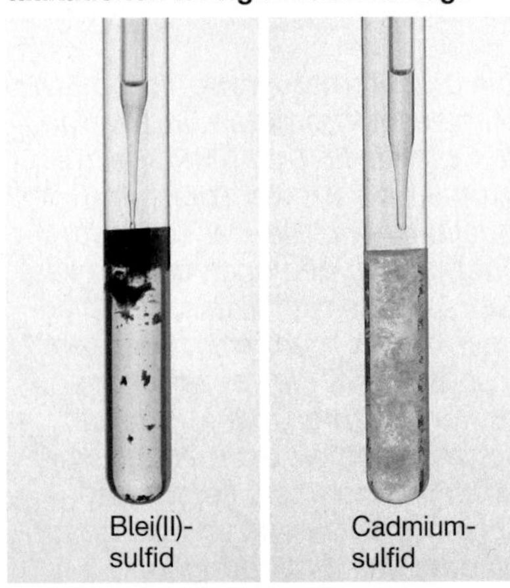
Blei(II)-sulfid
Cadmium-sulfid

B 3 Nachweisreaktionen für einige Anionen und Kationen. Viele Nachweise beruhen auf der Bildung eines Niederschlages

Ion	Nachweisreaktion
Halogenid Cl^-, Br^-, I^-	Mit Silberionen reagieren Chloridionen zu einem weißen, flockigen Niederchlag aus Silberchlorid, Bromidionen zu einem weißgelben, flockigen Niederschlag aus Silberbromid, Iodidionen zu einem gelben, flockigen Niederschlag aus Silberiodid.
Sulfat SO_4^{2-}	Sulfationen reagieren mit Bariumionen zu einem weißen, feinkristallinen Niederschlag aus Bariumsulfat.
Carbonat CO_3^{2-}	Durch saure Lösungen werden Carbonate zersetzt; dabei entsteht Kohlenstoffdioxid, das mit Kalkwasser einen weißen, flockigen Niederschlag bildet.
Ammonium-ion NH_4^+	Durch alkalische Lösungen werden Ammoniumverbindungen zersetzt; dabei entsteht Ammoniak, das feuchtes Universalindikatorpapier blau färbt und das mit Chlorwasserstoff einen weißen Rauch bildet.
Eisenionen Fe^{2+}, Fe^{3+}	Eisen(II)-Ionen bilden mit einer Lösung von Kalium-hexacyanoferrat(III) einen tiefblauen Niederschlag; Eisen(III)-Ionen bilden mit einer Lösung von Kalium-hexacyanoferrat(II) einen tiefblauen Niederschlag (Berliner Blau).

1.2 Praktikum: Identifizierung von Ionen

Versuch 1 Nachweis von Halogenidionen

Geräte und Chemikalien: Spatel, 3 Reagenzgläser oder Tüpfelplatte, Silbernitratlösung (c = 0,1 mol/l) in Tropfflasche, verd. Salpetersäure (c = 1 mol/l) in Tropfflasche, Natriumchlorid, Kaliumbromid, Kaliumiodid

Durchführung: Lösen Sie eine Spatelspitze des Alkalimetallhalogenids in wenig dest. Wasser in einem kleinen Reagenzglas oder der Vertiefung einer Tüpfelplatte. Säuern Sie die Lösung mit einigen Tropfen Salpetersäure an. Geben Sie anschließend tropfenweise Silbernitratlösung zu. Warten Sie nach jedem Tropfen einen Moment. Lassen Sie die Proben einige Zeit stehen.

Versuch 2 Nachweis von Sulfationen

Geräte und Chemikalien: Spatel, Reagenzglas, Natriumsulfat, Bariumchloridlösung (β = 10 g/(100 ml)) in Tropfflasche, verd. Salzsäure (c = 1 mol/l) in Tropfflasche

Durchführung: Lösen Sie eine Spatelspitze Natriumsulfat in wenig Wasser in einem Reagenzglas und säuern Sie die Lösung mit einigen Tropfen verd. Salzsäure an. Geben Sie zu dieser Lösung einige Tropfen Bariumchloridlösung.

Versuch 3 Nachweis von Carbonationen

Geräte und Chemikalien: Spatel, 2 Reagenzgläser, durchbohrter Stopfen mit Gasableitungsrohr, Natriumcarbonat, Salzsäure (c = 1 mol/l), Kalkwasser

Durchführung: Lösen Sie drei bis vier Spatelspitzen Natriumcarbonat in etwa 5 ml Wasser. Geben Sie etwa 2 ml verd. Salzsäure zu. Verschließen Sie sofort das Reagenzglas und leiten Sie das sich bildende Gas durch Kalkwasser.

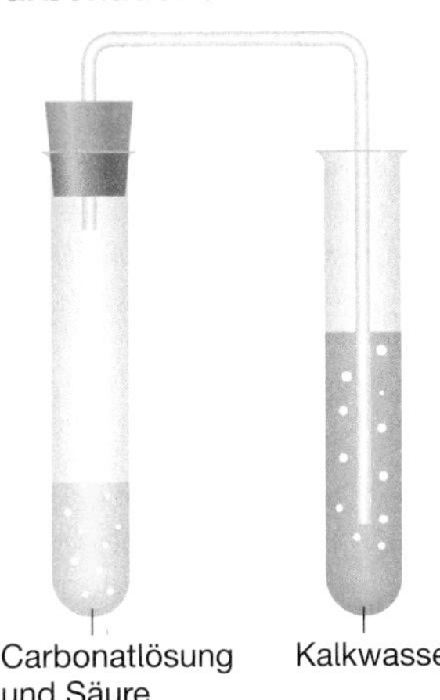

Versuch 4 Nachweis von Eisenionen

Geräte und Chemikalien: Spatel, 2 Reagenzgläser, Kalium-hexacyanoferrat(II)-Lösung (β = 0,5 g/(100 ml)), Kalium-hexacyanoferrat(III)-Lösung (β = 0,5 g/(100 ml)) in Tropfflaschen, Eisen(II)-sulfat, Eisen(III)-chlorid

Durchführung: a) Lösen Sie drei Spatelspitzen Eisen(II)-sulfat in ca. 5 ml Wasser und tropfen Sie zu der Lösung etwa 0,5 ml Kalium-hexacyanoferrat(III)-Lösung. b) Lösen Sie drei Spatelspitzen Eisen(III)-chlorid in ca. 5 ml Wasser und tropfen Sie zu der Lösung etwa 0,5 ml Kalium-hexacyanoferrat(II)-Lösung.

Versuch 5 Nachweis von Ammoniumionen

Geräte und Chemikalien: Spatel, Reagenzglas, Glasstab, Universalindikatorpapier, Natronlauge (c = 1 mol/l), konz. Salzsäure, Ammoniumchlorid

Durchführung: Lösen Sie in ca. 5 ml Wasser drei bis vier Spatelspitzen Ammoniumchlorid. Geben Sie (unter dem Abzug) zu der Lösung 2 ml verd. Natronlauge. Halten Sie in den Gasraum ein angefeuchtetes Universalindikatorpapier und anschließend einen Glasstab, an dessen Ende ein Tropfen konzentrierter Salzsäure hängt.

Versuch 6 Bestimmung der Nachweisgrenze von Eisen(III)-Ionen mit Thiocyanationen

Eisen(III)-Ionen reagieren mit Thiocyanationen zu rotem, in Wasser löslichem Eisen(III)-thiocyanat.

$$Fe^{3+}(aq) + 3\,SCN^{-}(aq) \longrightarrow Fe(SCN)_3(aq)$$

Geräte und Chemikalien: Waage, 9 Messkolben (50 ml) (oder 1 Messkolben und 8 Erlenmeyerkolben), Bürette, Vollpipette (5 ml), Eisen(III)-chlorid, Ammoniumthiocyanatlösung (β = 3,8 g/(100 ml)), verd. Salzsäure (c = 1 mol/l)

Durchführung: a) Lösen Sie 8,1 g Eisen(III)-chlorid in ca. 40 ml Wasser in einem 50-ml-Messkolben. Fügen Sie 1 ml verd. Salzsäure zu und füllen Sie die Lösung mit Wasser auf 50 ml auf.
Entnehmen Sie dieser Lösung mit einer Vollpipette genau 5 ml und geben Sie diese in einen 50-ml-Messkolben. Füllen Sie mit Wasser auf 50 ml auf.

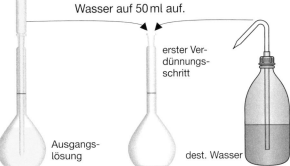

erster Verdünnungsschritt
Ausgangslösung
dest. Wasser

Setzen Sie diese Verdünnungsreihe wie beschrieben fort, bis Sie eine Lösung erhalten, die 8,1 · 10^{-8} g Eisen(III)-chlorid gelöst enthält (dies entspricht etwa 2,8 · 10^{-8} g Eisen(III)-Ionen).
b) Entnehmen Sie der Ausgangslösung mit einer Vollpipette 5 ml Lösung und geben Sie aus einer Bürette genau 2 ml Ammoniumthiocyanatlösung zu.
Überprüfen Sie bei jeder Lösung der Verdünnungsreihe, ob der Nachweis noch gelingt.

1.3 Teilchenanzahl und Masse

Aus Masse m und Dichte ϱ lässt sich das Volumen V berechnen.

$m(\text{Schwefel}) = 48{,}00\,\text{g}$

$$V(\text{Schwefel}) = \frac{m(\text{Schwefel})}{\varrho(\text{Schwefel})} = \frac{48{,}00\,\text{g}}{2{,}07\,\text{g}\cdot\text{cm}^{-3}} = 23{,}19\,\text{cm}^3$$

Ist ferner die Teilchenmasse bekannt, können Stoffmenge n und Teilchenanzahl N ermittelt werden.

$m(1\,\text{S}) = 32{,}066\,\text{u}$

$$M(\text{S}) = 32{,}066\,\frac{\text{g}}{\text{mol}}$$

$$n(\text{S}) = \frac{m(\text{Schwefel})}{M(\text{S})} = \frac{48{,}00\,\text{g}}{32{,}066\,\text{g}\cdot\text{mol}^{-1}} = 1{,}497\,\text{mol}$$

$$N(\text{S}) = \frac{m(\text{Schwefel})}{m(1\,\text{S})} = \frac{48\,\text{g}}{32{,}066\,\text{u}} = 1{,}497\,\frac{\text{g}}{\text{u}}$$

$$= 1{,}497 \cdot 6{,}022 \cdot 10^{23} = 9{,}015 \cdot 10^{23}$$

B1 Wichtige Größen zur Beschreibung einer Stoffportion (m, V, n, N) und eines Stoffes (ϱ, M) am Beispiel des Schwefels

A 1 Die Masse einer Aluminiumoxidportion beträgt 153 g. Berechnen Sie die Anzahl bzw. die Stoffmenge der Al_2O_3-Elementargruppen.

A 2 Bei der Zerlegung von 2 g eines Chromoxids werden 1,368 g Chrom und 0,632 g Sauerstoff gebildet. Welche Verhältnisformel hat das Chromoxid?

A 3 Die Verhältnisformel eines Eisenoxids ist Fe_3O_4. Welche Masse hat das Eisen, das sich aus 1 t dieses Oxids gewinnen lässt?

B2 Stoffportion und Teilchenanzahl

Stoffportion	Teilchen (bzw. Elementargruppe)	Teilchenmasse (u)	molare Masse M (g/mol)	Teilchenanzahl N	Stoffmenge n
12 g Kohlenstoff	C	12	12	$6{,}022 \cdot 10^{23}$	1 mol
3,2 g Sauerstoff	O_2	32	32	$6{,}022 \cdot 10^{22}$	0,1 mol
9 g Wasser	H_2O	18	18	$3{,}011 \cdot 10^{23}$	0,5 mol
80 g Natriumhydroxid	NaOH	40	40	$1{,}2044 \cdot 10^{24}$	2 mol

Bei Getränken wird meist das Volumen (V) als Maß für die Flüssigkeitsmenge angegeben. Bei Feststoffen ist die Masse (m) eine sinnvolle Größe zur Erfassung einer Stoffportion. Häufiger ist weniger die Masse oder das Volumen einer Stoffportion interessant, sondern eher die Anzahl (N) der Atome, Moleküle oder Ionen, die sie enthält (▷ B1). Allerdings sind diese Teilchen sehr klein, man kann sie nicht wie Geldstücke oder Erbsen zählen. Im Labor stehen Waagen zur Bestimmung der Massen und Geräte wie Pipetten oder Gasspritzen zur Bestimmung der Volumina von Stoffportionen zur Verfügung. Im Folgenden wird der Zusammenhang zwischen Masse und Teilchenanzahl einer Stoffportion beschrieben.

Teilchenanzahl in Stoffportionen. Atome haben eine sehr kleine Masse. Da eine Angabe der Atommasse in Gramm (g) deshalb sehr umständlich ist, wurde die **atomare Masseneinheit u** (von engl. unit, Einheit) eingeführt.

Es gilt: $1\,\text{u} = 1{,}66054 \cdot 10^{-24}\,\text{g}$,
bzw.: $1\,\text{g} = 6{,}02214 \cdot 10^{23}\,\text{u}$.

Ein Kohlenstoffatom hat die Masse 12 u, ein Schwefelatom die Masse 32 u. Hat man die sehr kleine Kohlenstoffportion mit der Masse 120 u, so weiß man, dass sie 10 Kohlenstoffatome enthält. 10 Schwefelatome haben dementsprechend die Masse 320 u. Sind die Atommassen bekannt, kann man also Massen für Elementportionen angeben, die jeweils gleich viele Atome enthalten. Es ist sehr zweckmäßig, die Masse so zu wählen, dass ihr Zahlenwert in g dem der Atommasse in u entspricht, also z. B. 12 g Kohlenstoff oder 32 g Schwefel.

Da gilt: $\frac{1\,\text{g}}{1\,\text{u}} = 6{,}022 \cdot 10^{23}$,

enthalten diese Stoffportionen jeweils $6{,}022 \cdot 10^{23}$ Teilchen.

Also: 12 g Kohlenstoff oder 32 g Schwefel enthalten jeweils $6{,}022 \cdot 10^{23}$ Atome. Bei bekannter Verhältnisformel lassen sich auch Stoffportionen von Verbindungen angeben, die diese Anzahl von Elementargruppen (Formeleinheiten) oder Molekülen enthalten.
Die Verhältnisformel z. B. von Kupfer(I)-sulfid lautet: Cu_2S. Der Zahlenwert der Masse einer Kupfer(I)-sulfid-Gruppe (Cu_2S) in u entspricht dem der Masse in g von $6{,}022 \cdot 10^{23}$ Cu_2S-Gruppen. Die Masse einer Cu_2S-Gruppe ergibt sich durch Addition der Atommassen, also:

$$m(1\,Cu_2S) = 2 \cdot 63{,}5\,\text{u} + 32{,}1\,\text{u} = 159{,}1\,\text{u}$$

Die Stoffmenge. Die Größe einer Stoffportion kann mit der Masse, dem Volumen oder jetzt auch noch mit der Teilchenanzahl angegeben werden. Allerdings ist diese selbst in sehr kleinen Stoffportionen riesig groß, deshalb fasst man eine sehr große Anzahl zu einer neuen Einheit zusammen (▷ B2).

So wie man z. B. die Anzahl 12 zu der „Zähleinheit Dutzend" oder die Anzahl 144 zu einem „Gros" zusammenfassen kann, so bildet die Anzahl $6{,}022 \cdot 10^{23}$ die Zähleinheit **Mol** (Einheitenzeichen: mol).

Das Mol ist eine weitere Einheit der Größe Anzahl.
Es gilt: 1 mol: = $6{,}022 \cdot 10^{23}$.

Wird für die Teilchenanzahl die Einheit Mol verwendet, spricht man von der Stoffmenge (n).

Mit der Teilchenanzahl N bzw. der Stoffmenge n besitzen wir neben der Masse und dem Volumen eine weitere Größe zur Beschreibung einer Stoffportion. Wie für jede Teilchenanzahl muss auch für die Teilchenanzahl in mol, also für die Stoffmenge, die Teilchenart (Atome, Moleküle bzw. Elementargruppen für Ionenverbindungen) angegeben werden.

Für die Umrechnung von beliebigen Teilchenanzahlen in die Stoffmenge verwendet man die Avogadro-Konstante $N_A = 6{,}022 \cdot 10^{23}\ \mathrm{mol^{-1}}$:

$$n = \frac{N}{N_A}$$

Die molare Masse. Teilchenanzahlen bzw. Stoffmengen in Stoffportionen können nicht durch Abzählen der Teilchen bestimmt werden. Allerdings ist die Masse einer Stoffportion proportional zu ihrer Teilchenanzahl. Eine Kohlenstoffportion mit der Masse $m = 12\,\mathrm{g}$ enthält 1 mol Kohlenstoffatome. Natürlich besitzt eine Kohlenstoffportion mit der doppelten bzw. dreifachen Masse die doppelte bzw. dreifache Stoffmenge. Bildet man für unterschiedliche Kohlenstoffportionen den Quotienten aus der Masse und der Stoffmenge, so erhält man immer denselben Wert:

$$\frac{m(\text{Kohlenstoffportion})}{n(\mathrm{C})} = 12\,\frac{\mathrm{g}}{\mathrm{mol}}$$

Den Quotienten aus der Masse m und der Stoffmenge n einer Stoffportion nennt man molare Masse (M):

$$M = \frac{m}{n} \quad \text{Einheit: } \frac{\text{Gramm}}{\text{Mol}} \ (\text{Einheitenzeichen: } \frac{\mathrm{g}}{\mathrm{mol}})$$

Die molare Masse ist identisch mit der Teilchenmasse, denn wird die Masse der Stoffportion durch die Teilchenanzahl dividiert, erhält man die Masse des einzelnen Teilchens.

Mithilfe der Teilchenanzahl bzw. Stoffmenge und der molaren Masse lassen sich viele Aufgabenstellungen aus Labor, Alltag und Umwelt übersichtlich lösen (▷ B 3, ▷ B 4).

Bei der Zerlegung von 0,800 g Silbersulfid werden 0,696 g Silber gebildet.

Frage: Welche Verhältnisformel hat das Silbersulfid?

Lösungsweg: Die Verhältnisformel gibt das Anzahlverhältnis der am Aufbau der Verbindung beteiligten Atome bzw. Ionen an. Die Anzahl ist proportional zur Stoffmenge. Es genügt also, aus den Massen die Stoffmengen zu berechnen und das Stoffmengenverhältnis aufzustellen.

$$n(\mathrm{Ag}) = \frac{0{,}696\,\mathrm{g}}{107{,}868\,\mathrm{g \cdot mol^{-1}}} = 0{,}00645\,\mathrm{mol} = 6{,}45\,\mathrm{mmol}$$

$$m(\text{Schwefel}) = m(\text{Silbersulfid}) - m(\text{Silber}) = 0{,}800\,\mathrm{g} - 0{,}696\,\mathrm{g} = 0{,}104\,\mathrm{g}$$

$$n(\mathrm{S}) = \frac{0{,}104\,\mathrm{g}}{32{,}066\,\mathrm{g \cdot mol^{-1}}} = 0{,}00324\,\mathrm{mol} = 3{,}24\,\mathrm{mmol}$$

$$\frac{n(\mathrm{Ag})}{n(\mathrm{S})} = \frac{6{,}45\,\mathrm{mmol}}{3{,}24\,\mathrm{mmol}} = \frac{1{,}99}{1} \approx \frac{2}{1}$$

Ergebnis: Die Verhältnisformel lautet: Ag_2S

B 3 Bestimmung der Verhältnisformel mithilfe der molaren Masse und der Stoffmenge

B 4 Berechnung der Masse eines Reaktionsproduktes mithilfe der Stoffmenge und der molaren Masse

Die Verhältnisformel eines Eisenoxids ist Fe_2O_3.
Frage: Welche Masse hat das Eisen, das sich aus 1 t dieses Oxids gewinnen lässt?

Lösungsweg: Aus 1 Elementargruppe dieses Eisenoxids lassen sich 2 Eisenatome gewinnen, also lassen sich aus 1 mol Eisenoxid 2 mol Eisen gewinnen.

$$\frac{n(\mathrm{Fe})}{n(\mathrm{Fe_2O_3})} = \frac{2}{1}, \quad n(\mathrm{Fe}) = 2 \cdot n(\mathrm{Fe_2O_3}); \quad n = \frac{m}{M}$$

$$\frac{m(\text{Eisen})}{M(\mathrm{Fe})} = 2 \cdot \frac{m(\text{Eisenoxid})}{M(\mathrm{Fe_2O_3})}$$

$$m(\text{Eisen}) = 2 \cdot \frac{m(\text{Eisenoxid})}{M(\mathrm{Fe_2O_3})} \cdot M(\mathrm{Fe})$$

$$m(\text{Eisen}) = 2 \cdot \frac{1\,000\,000\,\mathrm{g}}{159{,}7\,\mathrm{g \cdot mol^{-1}}} \cdot 55{,}9\,\mathrm{g \cdot mol^{-1}} = 700\,063\,\mathrm{g} \approx 700\,\mathrm{kg}$$

Ergebnis: Aus 1 t Eisenoxid lassen sich ca. 700 kg Eisen gewinnen.

1.4 Bestimmung des Volumens und der Stoffmenge eines Gases

V 1 Ermittlung der Summenformel eines gasförmigen Oxids.
a) Geben Sie in das Reaktionsrohr einer Apparatur gemäß ▷ B2 etwa 100 mg (Überschuss) Kohlenstoff (Graphit) und füllen Sie den Kolbenprober K I mit 80 ml Sauerstoff. Erhitzen Sie den Kohlenstoff zum Glühen, entfernen Sie schnell den Brenner und drücken Sie langsam den Sauerstoff über den glühenden Kohlenstoff. Leiten Sie anschließend das Gas nach K I zurück. Lesen Sie nach dem Abkühlen das Volumen ab.
b) Saugen Sie mit einem Kolbenprober ca. 100 ml Luft aus einer Gaswägekugel und bestimmen Sie ihre Masse. Lassen Sie in die Kugel das Gas aus (a) einströmen und bestimmen Sie die Masse. Berechnen Sie die molare Masse des Gases und ermitteln Sie die Summenformel (▷ B 4).

A 1 Berechnen Sie die Anzahl der Moleküle, die Masse und das Volumen (0 °C, 1013 hPa) einer Stoffportion der Stoffmenge $n(O_2) = 0{,}25\,mol$.

A 2 Die qualitative Analyse eines gasförmigen Stoffes hat ergeben, dass dessen Moleküle nur aus Stickstoff- und Sauerstoffatomen aufgebaut sind. 100 ml des Gases (Zimmertemperatur, Normdruck) haben die Masse $m = 0{,}192\,g$. Ermitteln Sie die Summenformel. Gehen Sie von einem molaren Volumen $V_m = 24\,l/mol$ aus.

A 3 100 g Kupfer(II)-oxid (CuO) sollen mit Wasserstoff reduziert werden. Berechnen Sie a) das Volumen des benötigten Wasserstoffs (Zimmertemperatur, Normdruck, $V_m = 24\,l/mol$), b) die Masse des gebildeten Kupfers und c) die Masse des gebildeten Wassers.

Ein Stoff im gasförmigen Zustand besteht aus einzelnen frei beweglichen Teilchen, die im Vergleich zu ihrer eigenen Größe sehr weit voneinander entfernt sind. Man weiß sogar, wie viele Heliumatome in 1 l Helium oder Methanmoleküle in 1 m³ Erdgas enthalten sind (▷ B 1). Im Folgenden werden wir dem Zusammenhang zwischen dem *Volumen* und der *Stoffmenge* der Teilchen in einer Gasportion nachgehen.

Das Verhalten von Gasportionen bei Temperatur- und Druckänderungen. Erwärmt man z. B. 30 cm³ Helium, Sauerstoff oder Luft von 0 °C auf 90 °C, so weisen alle drei Gasportionen ein Volumen von etwa 39 cm³ auf. Erwärmt man Portionen gleichen Volumens verschiedener Gase, so beobachtet man bei gleicher Temperaturerhöhung immer die gleiche Volumenvergrößerung. Portionen verschiedener Flüssigkeiten und Feststoffe gleichen Volumens dehnen sich im Gegensatz zu den Gasen unterschiedlich stark aus. Auch bei gleicher Druckänderung ist die Änderung des Volumens bei allen Gasen gleich groß, wenn die Temperatur gleich bleibt.

Volumengesetz von GAY-LUSSAC. Eine Besonderheit von Gasen gegenüber festen und flüssigen Stoffen zeigt sich auch bei chemischen Reaktionen. So reagieren z. B. Wasserstoff und Sauerstoff immer im Volumenverhältnis *V*(Wasserstoff) : *V*(Sauerstoff) = 2 : 1. Ähnlich einfache Volumenverhältnisse der Gasportionen liegen bei allen chemischen Reaktionen vor, an denen Gase beteiligt sind. Es gilt eine Gesetzmäßigkeit, die von dem französischen Chemiker und Physiker J. L. GAY-LUSSAC in Zusammenarbeit mit A. VON HUMBOLDT erkannt worden ist:

Bei chemischen Reaktionen stehen die Volumina der Gase im Verhältnis kleiner ganzer Zahlen zueinander.

B 1 Die Teilchenanzahl und das molare Volumen

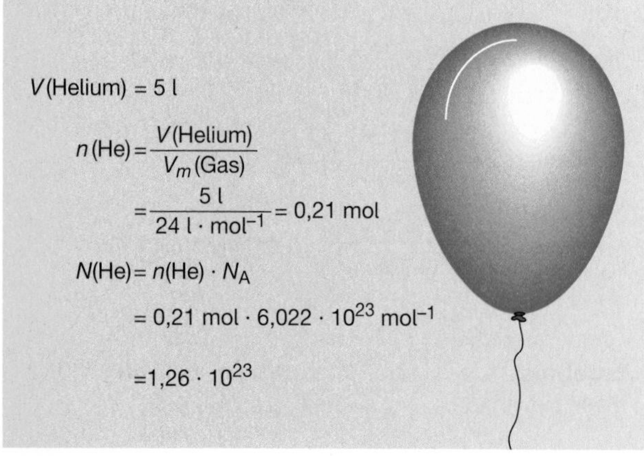

B 2 Verbrennen von Kohlenstoff zur Bestimmung des Verhältnisses *V*(Sauerstoff) : *V*(Kohlenstoffoxid)

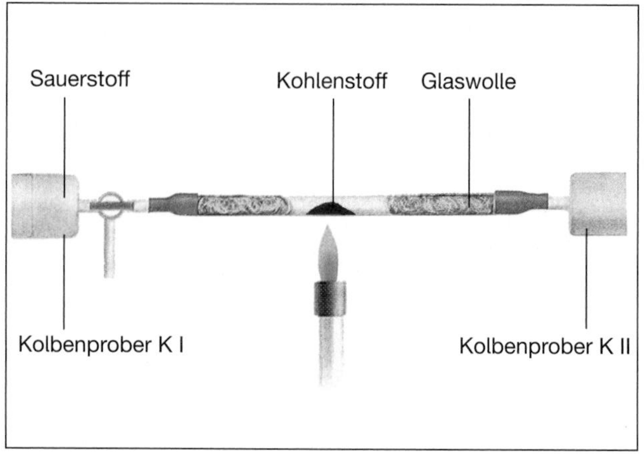

Zur Erklärung dieser einfachen Volumenverhältnisse bei Gasreaktionen stellte 1811 der italienische Physiker A. AVOGADRO die folgende Hypothese auf:

In gleichen Volumina verschiedener Gase sind gleich viele Teilchen enthalten, wenn gleicher Druck und gleiche Temperatur vorliegen.

Das molare Volumen. Gasportionen mit gleichen Teilchenanzahlen besitzen demnach auch gleiche Volumina. Da das Volumen jedoch von Druck und Temperatur abhängt, müssen beide jeweils angegeben werden. Unter den gleichen Bedingungen (Druck und Temperatur) nehmen 1 mol ($6{,}022 \cdot 10^{23}$) Wasserstoffmoleküle also das gleiche Volumen ein wie 1 mol Heliumatome oder 1 mol Methanmoleküle. Charakteristisch für gasförmige Stoffe ist also, dass der Quotient aus dem Volumen und der Stoffmenge für verschiedene Gase denselben Wert hat. Diesen Quotienten bezeichnet man als molares Volumen V_m.

$$V_m = \frac{V}{n} \qquad \text{Einheit: } \frac{\text{Liter}}{\text{Mol}} \text{ (Einheitenzeichen: } \frac{\text{l}}{\text{mol}}\text{)}$$

Bei Normbedingungen (0 °C, 1013 hPa) ist das molare Volumen von Gasen V_{mn} = 22,414 l/mol. Bei Zimmertemperatur (etwa 20 °C) und einem Luftdruck, der nicht weit vom Normdruck (1013 hPa) abweicht, kann mit dem Wert 24 l/mol gerechnet werden. Bei einigen Gasen beträgt das molare Normvolumen nicht 22,4 l/mol, es ist ein wenig kleiner (▷ B5). Dies beruht darauf, dass die Moleküle dieser Gase deutlich wirksame Anziehungskräfte aufeinander ausüben. Der Bewegungsraum dieser Moleküle ist damit ein wenig kleiner als der von Molekülen, zwischen denen keine Anziehungskräfte herrschen.

Der Ausstoß von Kohlenstoffdioxid erhöht den Treibhauseffekt. Bei der vollständigen Verbrennung von Benzin werden Kohlenstoffdioxid und Wasser gebildet. Der Tank eines Pkw fasst 100 l Benzin. Die Masse und das Volumen des Kohlenstoffdioxids, das bei der Verbrennung von 100 l Benzin der durchschnittlichen Zusammensetzung C_7H_{16} (ϱ = 0,68 g/cm³) entsteht, sollen berechnet werden.

Lösungsweg: Aufstellen der Reaktionsgleichung:

$$C_7H_{16} + 11\ O_2 \longrightarrow 7\ CO_2 + 8\ H_2O$$

Aus 1 Molekül Heptan werden 7 Moleküle Kohlenstoffdioxid gebildet, also werden auch aus 1 mol Heptan 7 mol Kohlenstoffdioxid gebildet.

$$\frac{n(CO_2)}{n(C_7H_{16})} = \frac{7}{1},\quad n(CO_2) = 7\, n(C_7H_{16})$$

$$n(CO_2) = \frac{m(\text{Kohlenstoffdioxid})}{M(CO_2)} \text{ und } n(C_7H_{16}) = \frac{m(\text{Heptan})}{M(C_7H_{16})}$$

$$\frac{m(\text{Kohlenstoffdioxid})}{M(CO_2)} = 7 \cdot \frac{m(\text{Heptan})}{M(C_7H_{16})}$$

Mit $m(\text{Heptan}) = \varrho(\text{Heptan}) \cdot V(\text{Tank})$ wird

$$m(\text{Kohlenstoffdioxid}) = 7 \cdot \frac{M(CO_2)}{M(C_7H_{16})} \cdot \varrho(\text{Heptan}) \cdot V(\text{Tank})$$

$$m(\text{Kohlenstoffdioxid}) = 7 \cdot \frac{44\,\text{g} \cdot \text{mol}^{-1}}{100\,\text{g} \cdot \text{mol}^{-1}} \cdot 0{,}68 \frac{\text{g}}{\text{cm}^3} \cdot 10^5\,\text{cm}^3$$

$$= 209{,}44\ \text{kg}$$

$$V(\text{Kohlenstoffdioxid}) = n(CO_2) \cdot V_m = \frac{m(\text{Kohlenstoffdioxid})}{M(CO_2)} \cdot V_m$$

$$= \frac{209{,}44\,\text{kg}}{44\,\text{g} \cdot \text{mol}^{-1}} \cdot 24\,\text{l} \cdot \text{mol}^{-1} = 114{,}24\,\text{m}^3$$

Ergebnis: Bei der Verbrennung von 100 l Benzin (Heptan) werden ca. 209 kg bzw. 114 m³ Kohlenstoffdioxid gebildet.

B3 Größengleichungen ermöglichen übersichtliche Rechnungen

B4 Zusammenhang zwischen molarer Masse, molarem Volumen und der Dichte eines Gases

Berechnung der Dichte eines Gases mit bekannter molarer Masse

$$\varrho = \frac{m}{V}$$

$$m = n \cdot M \text{ und } V = n \cdot V_m$$

$$\varrho = \frac{n \cdot M}{n \cdot V_m} = \frac{M}{V_m}$$

Beispiel:

$$\varrho(\text{Helium}) = \frac{4{,}003\,\text{g} \cdot \text{mol}^{-1}}{22{,}41\,\text{l} \cdot \text{mol}^{-1}} = 0{,}1786\,\text{g} \cdot \text{l}^{-1}$$

Berechnung der molaren Masse (Teilchenmasse) aus der Dichte eines Gases

$$M = \varrho \cdot V_m$$

Sind die Atome, die die Moleküle aufbauen, durch die qualitative Analyse bekannt, lassen sich Rückschlüsse auf die Summenformel ziehen.

$$M(N_xO_y) = 2{,}054\,\text{g} \cdot \text{l}^{-1} \cdot 22{,}41\,\text{l} \cdot \text{mol}^{-1} = 46{,}01\,\text{g} \cdot \text{mol}^{-1}$$

$$m(1\ N_xO_y) = 46{,}01\,\text{u}$$

$$46{,}01\,\text{u} = 14{,}01\,\text{u} + 2 \cdot 16{,}00\,\text{u} = m(1\ NO_2)$$

Summenformel: NO_2

B 5 Das molare Normvolumen verschiedener Gase

Gas	Teilchen X	molare Masse M (g/mol)	Dichte ϱ_n(Gas) (g/l)	molares Volumen V_{mn} (l/mol)
Wasserstoff	H_2	2,016	0,0899	22,42
Stickstoff	N_2	28,01	1,251	22,39
Sauerstoff	O_2	32,00	1,429	22,39
Helium	He	4,003	0,1786	22,41
Kohlenstoffdioxid	CO_2	44,01	1,977	22,26
Schwefeldioxid	SO_2	64,06	2,926	21,89

1.5 Exkurs: Volumen, Druck und Temperatur bei Gasen

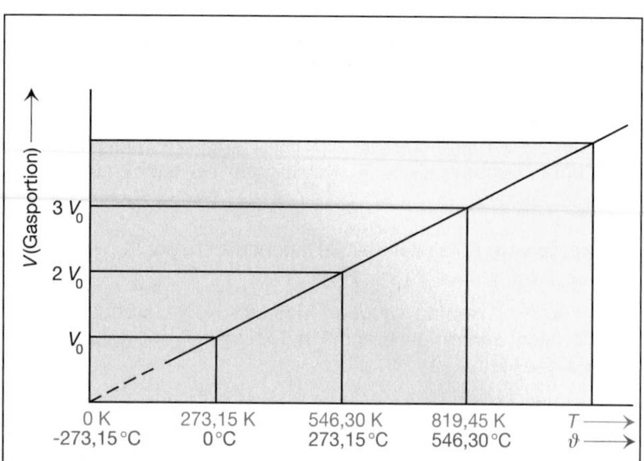

B 1 Das Volumen einer Gasportion ist proportional zur Temperatur *T* bei konstantem Druck

A 1 Rechnen Sie in Kelvin-Temperaturen T um: $\vartheta = 25\,°C$, $\vartheta = 0\,°C$, $\vartheta = -25\,°C$, $\vartheta = -100\,°C$, $\vartheta = 1000\,°C$.

A 2 Eine Wasserstoffportion nimmt bei $T = 295{,}15\,K$ (22 °C) und $p = 1012\,hPa$ ein Volumen V(Wasserstoff) = 100 ml ein. Berechnen Sie ihr Normvolumen.

A 3 Berechnen Sie das molare Volumen V_m eines Gases für $T = 293{,}15\,K$ (20 °C) und $p = 1013{,}25\,hPa$.

Bei Normbedingungen beträgt das molare Volumen V_{mn} eines Gases 22,414 $l \cdot mol^{-1}$ (↗ Kap. 1.4). Die Volumina von Gasen und das molare Volumen lassen sich aber auch für andere Drücke und Temperaturen berechnen.

Gasgesetze. Trägt man das Volumen einer Gasprobe bei konstantem Druck gegen die Temperatur auf, so erhält man eine Gerade. Extrapoliert man diese Gerade, so erhält man mathematisch für $\vartheta = -273{,}15\,°C$: $V = 0$ (▷ B 1). Die niedrigste Temperatur einer Stoffportion ist −273,15 °C. Diese Temperatur ist der Nullpunkt einer neuen Temperaturskala T, die in Kelvin angegeben wird; −273,15 °C entspricht 0 K (▷ B 2). Das Volumen einer Gasportion ist bei konstantem Druck proportional zur Temperatur T: $V \sim T$ (Gesetz von GAY-LUSSAC).

Den Zusammenhang zwischen Druck und Volumen bei konstanter Temperatur beschreibt das Gesetz von R. BOYLE und E. MARIOTTE. Danach gilt, dass das Volumen sich umgekehrt proportional zum Druck verhält: $V \sim 1/p$.

Die beiden Gasgesetze lassen sich zu einer allgemeinen Gasgleichung zusammenfassen (▷ B 3), mit der sich das Volumen einer Gasportion von der Temperatur und dem Druck, unter der sie vorliegt, auf andere Drücke und Temperaturen umrechnen lässt:

$$p \cdot V = n \cdot R \cdot T \text{ (allgemeines Gasgesetz)}$$

B 2 Die Kelvin-Temperaturskala

Die Kelvin-Skala mit der Temperatureinheit 1 Kelvin (1 K) hat LORD KELVIN (1834–1907) vorgeschlagen. Bei dieser Skala kann der Nullpunkt nicht unterschritten werden. Auf der Celsius-Skala ist der Schmelztemperatur des Wassers 0 °C und seiner Siedetemperatur 100 °C zugeordnet worden. Der Abstand zwischen den beiden Fixpunkten wird nach dem Vorschlag des Schweden A. CELSIUS (1701–1744) in 100 gleiche Teile eingeteilt. Die Temperaturdifferenz 1 K ist genauso groß wie die Differenz 1 °C. Temperaturdifferenzen werden in Technik und Wissenschaft heute meist in K angegeben. Man kann die Temperaturangaben umrechnen:

T in Kelvin = ϑ in Grad Celsius + 273,15

$$\frac{T}{K} = \frac{\vartheta}{°C} + 273{,}15$$

Beispiel: Für $\vartheta = 20\,°C$ ist:

$$T = \left(\frac{20\,\cancel{°C}}{\cancel{°C}} + 273{,}15\right) K = 293{,}15\,K$$

B 3 Herleitung des allgemeinen Gasgesetzes

Beispiel:

$V = 2{,}00\,l$ $p = 1008{,}00\,hPa$ $T = 293{,}15\,K$	$p \longrightarrow p_n$ T: konstant	$V' = 1{,}99\,l$ $p_n = 1013{,}25\,hPa$ $T = 293{,}15\,K$	$T \longrightarrow T_n$ p_n: konstant	$V_n = 1{,}85\,l$ $p_n = 1013{,}25\,hPa$ $T_n = 273{,}15\,K$

Nach dem Gesetz von BOYLE und MARIOTTE gilt: $p \cdot V = p_n \cdot V'$

Nach dem Gesetz von GAY-LUSSAC gilt: $\frac{V'}{T} = \frac{V_n}{T_n}$

Zusammenfassung der beiden Gasgesetze: $V' = \frac{p \cdot V}{p_n}$ und $V' = \frac{V_n \cdot T}{T_n} \Longrightarrow \frac{p \cdot V}{p_n} = \frac{V_n \cdot T}{T_n}$ bzw. $\boldsymbol{\frac{p \cdot V}{T} = \frac{p_n \cdot V_n}{T_n}}$

p_n: Normdruck, T_n: Normtemperatur, V_n: Volumen bei Normbedingungen

Es gilt: $V_n = V_{mn} \cdot n$. (V_{mn}: molares Volumen bei Normbedingungen)

Daraus folgt: $\frac{p \cdot V}{T} = \frac{p_n \cdot V_n}{T_n} = \frac{p_n \cdot V_{mn}}{T_n} \cdot n = \frac{1013{,}25\,hPa \cdot 22{,}414\,l \cdot mol^{-1}}{273{,}15\,K} \cdot n$

$= 83{,}145\,hPa \cdot l \cdot mol^{-1} \cdot K^{-1} \cdot n$

Man setzt: $83{,}145\,hPa \cdot l \cdot mol^{-1} \cdot K^{-1} = R$ (Gaskonstante)

Daraus folgt: $\frac{p \cdot V}{T} = n \cdot R$ bzw. $\boldsymbol{p \cdot V = n \cdot R \cdot T}$

1.6 Gehaltsangaben für Gemische

Es gibt unterschiedliche Gehaltsangaben für Gemische. Die Angaben richten sich nach dem Zweck.

Der Massenanteil. In der Medzin wird in Notfällen bei hohem Blutverlust eine 0,9%ige Kochsalzlösung (physiologische Kochsalzlösung) als Ersatzstoff in die Venen übertragen. Ein höherer oder niedrigerer Salzgehalt würde die roten Blutkörperchen schädigen oder gar zerstören. Die Gehaltsangabe 0,9 % bedeutet, dass in 100 g Kochsalzlösung 0,9 g Natriumchlorid gelöst sind. Bei dieser Gehaltsangabe wird die Masse $m(A)$ eines Bestandteils A als Anteil der Gesamtmasse m_S des Gemisches angegeben.

Beispiel:

$$w(\text{Kochsalz}) = \frac{0{,}9\,\text{g}}{100\,\text{g}} = 0{,}009$$

Allgemein gilt:

$$w(A) = \frac{m(A)}{m_S}$$

$m(A)$: Masse des Bestandteils
m_S: Gesamtmasse (Summe der Massen)

Soll der Massenanteil in % angegeben werden, muss dieser mit 100 % (= 1) multipliziert werden, im Beispiel also $w(\text{Kochsalz}) = 0{,}009 \cdot 100\,\% = 0{,}9\,\%$.

Die Massenkonzentration. Der Gehalt an Kationen und Anionen in einem Mineralwasser wird meist in Milligramm in 1 l Mineralwasser (mg/l), der Gehalt eines Schadstoffes in der Luft in Mikrogramm in 1 m^3 Luft ($\mu g/m^3$) angegeben. Bei solchen Gehaltsangaben handelt es sich jeweils um die Angabe der Massenkonzentration. Die Massenkonzentration ist der Quotient aus der Masse $m(A)$ eines Bestandteils A und dem Volumen des Gemisches V_{Ls}.

$$\beta(A) = \frac{m(A)}{V_{Ls}}$$

$m(A)$: Masse des Bestandteils A
V_{Ls}: Volumen des Gemisches (der Lösung)

(übliche Einheiten von β: kg/m^3, mg/m^3, g/l, mg/l, $\mu g/m^3$)

Die Stoffmengenkonzentration. Natronlauge kann bei gleicher Temperatur heftig oder sehr langsam mit Aluminium reagieren, entscheidend ist die Anzahl der Hydroxidionen in einem bestimmten Natronlaugevolumen. Für die Teilchenanzahl verwendet man die Angabe in Mol, die Stoffmenge. Der Quotient aus der Stoffmenge der gelösten Stoffportion und dem Volumen der Lösung ist die Stoffmengenkonzentration c. Für diese wichtigste Gehaltsgröße der Chemie gilt:

$$c(X) = \frac{n(X)}{V_{Ls}}$$

$n(X)$: Stoffmenge der Teilchenart X
V_{Ls}: Volumen der Lösung

(übliche Einheit: mol/l)

Zur Herstellung z. B. von 1 l Natronlauge der Stoffmengenkonzentration $c(NaOH) = 2$ mol/l werden 80 g Natriumhydroxid möglichst genau abgewogen und in einen 1-l-Messkolben mit destilliertem Wasser gegeben. Nachdem sich das gesamte Natriumhydroxid gelöst hat, wird der Messkolben mit destilliertem Wasser auf 1 l aufgefüllt. Es sind im Handel allerdings auch Lösungen erhältlich, die nur verdünnt werden müssen. Die Lösung muss am Ende ihrer Herstellung die Temperatur 20 °C aufweisen; auf diese Temperatur sind Volumenmessgeräte in der Regel eingestellt.
Aus der Stoffmengenkonzentration lässt sich auch die Masse eines gelösten Stoffes ermitteln (▷ B1). Die Stoffmengen- und die Massenkonzentration lassen sich ineinander umrechnen (▷ B2).

1. $n(X) = \frac{m(A)}{M(X)} \Longleftrightarrow m(A) = n(X) \cdot M(X)$

2. $c(X) = \frac{n(X)}{V_{Ls}} \Longleftrightarrow n(X) = c(X) \cdot V_{Ls}$

3. a) $m(A) = c(X) \cdot V_{Ls} \cdot M(X)$

   b) $c(X) = \frac{m(A)}{M(X) \cdot V_{Ls}}$

n: Stoffmenge; m: Masse; V: Volumen
M: stoffmengenbezogene (molare) Masse
c: Stoffmengenkonzentration
A: Stoff A; Ls: Lösung;
X: Teilchenart (des Stoffes A)

B1 Größengleichungen zur Berechnung der Stoffmengenkonzentration und der Masse eines gelösten Stoffes

A1 a) In 2 l Natronlauge sind 4 mol Natriumhydroxid gelöst. Welche Stoffmengenkonzentration hat die Lösung? b) Welche Stoffmengenkonzentration weist die Lösung nach ihrer Verdünnung auf 10 l auf?

A2 Welche Masse muss eine Natriumchloridportion haben, damit 100 ml Lösung mit $c(NaCl) = 1$ mol/l hergestellt werden können?

A3 10%ige Salzsäure hat die Dichte $\varrho = 1{,}0474\,g/cm^3$ bei 20 °C und 1013 hPa. Wie groß sind die Stoffmengen- und die Massenkonzentration?

B2 Beziehung zwischen der Massen- und der Stoffmengenkonzentration

$$\beta(A) = \frac{m(A)}{V_{Ls}} \Longleftrightarrow V_{Ls} = \frac{m(A)}{\beta(A)}$$

$$c(X) = \frac{n(X)}{V_{Ls}} \Longleftrightarrow V_{Ls} = \frac{n(X)}{c(X)}$$

$$\frac{m(A)}{\beta(A)} = \frac{n(X)}{c(X)} \Longleftrightarrow \frac{m(A)}{n(X)} = \frac{\beta(A)}{c(X)}$$

$$\frac{m(A)}{n(X)} = M(X) = \frac{\beta(A)}{c(X)}$$

$$\beta(A) = M(X) \cdot c(X)$$

oder $c(X) = \frac{\beta(A)}{M(X)}$

1.7 Die Untersuchung einer organischen Verbindung

V 1 Nachweis von Kohlenstoff- und Wasserstoffatomen in Verbindungen. Entzünden Sie eine kleine Portion Isopropylalkohol (2-Propanol) und saugen Sie die Verbrennungsgase durch ein gekühltes U-Rohr und eine Waschflasche mit Kalkwasser (▷ B2). Bestreuen Sie die Flüssigkeit im U-Rohr mit weißem Kupfer(II)-sulfat.

V 2 Hinweis auf Sauerstoffatome in Verbindungen. In ein Reagenzglas füllt man 2 cm hoch Sand und tränkt diesen mit Isopropylalkohol. Man bringt in das waagerecht eingespannte Reagenzglas eine Magnesiarinne mit Magnesiumpulver und verschließt mit einem durchbohrten Stopfen mit Gasableitungsrohr (▷ B3). Zunächst wird das Magnesiumpulver stark erhitzt, danach werden durch gleichzeitiges schwaches Erhitzen des Sandes Isopropylalkoholdämpfe darüber geleitet. Die aus dem Rohr entweichenden Gase werden über Wasser aufgefangen und entzündet. (Schutzbrille!) Man gibt das feste Reaktionsprodukt in Wasser und prüft den pH-Wert.

A 1 Die Summenformel einer organischen Verbindung lautet: $C_1H_4O_1$. Formulieren Sie die Reaktionsgleichung für die vollständige Oxidation der Verbindung. Wie lassen sich die Elemente, die am Aufbau der Verbindung beteiligt sind, nachweisen?

A 2 Die Untersuchung einer organischen Verbindung hat ergeben, dass die Moleküle dieser Verbindung aus Kohlenstoff-, Wasserstoff- und Sauerstoffatomen aufgebaut sind. Ein Molekül hat die Masse 60 u.
a) Ermitteln Sie mögliche Summenformeln.
b) Bauen Sie mithilfe eines Molekülbaukastens verschiedene mögliche Molekülmodelle. Wie viele verschiedene Molekülmodelle erhalten Sie?
c) Formulieren Sie die zugehörigen Strukturformeln.

B 1 Schritte der Analyse einer organischen Verbindung

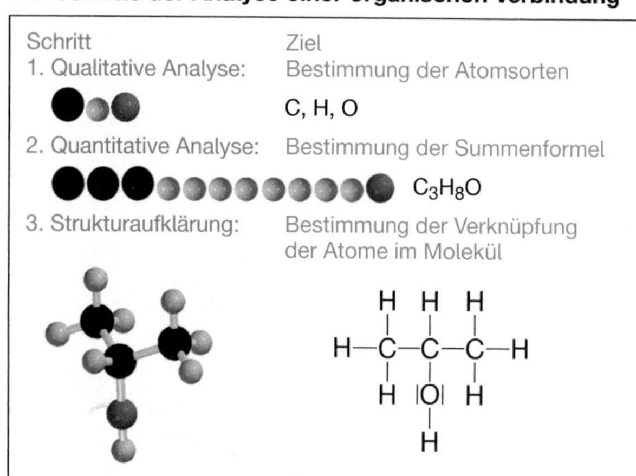

Schritt
Ziel
1. Qualitative Analyse:
Bestimmung der Atomsorten
C, H, O
2. Quantitative Analyse:
Bestimmung der Summenformel
C3H8O
3. Strukturaufklärung:
Bestimmung der Verknüpfung der Atome im Molekül
H H H
H—C—C—C—H
H |O| H
H

Verbindungen, die aus Kohlenstoff und weiteren Elementen – die häufigsten sind neben dem *Kohlenstoff: Wasserstoff, Sauerstoff und Stickstoff* – aufgebaut sind, gehören zur **Organischen Chemie**. Neben diesen vier Elementen spielen noch Schwefel, Phosphor, die Halogene und einige Metalle (Eisen, Magnesium, Kupfer) in manchen organischen Verbindungen eine Rolle. Einige Kohlenstoffverbindungen wie z. B. die Kohlensäure und ihre Salze und die Oxide des Kohlenstoffs werden aufgrund ihrer Eigenschaften zu den anorganischen Verbindungen gezählt. Auffallend ist, dass nur wenige Elemente mehr als 15 Millionen beschriebene organische Verbindungen bilden. Dagegen sind von allen übrigen Elementen zusammen nur einige hunderttausend Verbindungen bekannt. Diese Vielfalt beruht im Wesentlichen darauf, dass Kohlenstoffatome nicht nur mit anderen Atomen, sondern auch untereinander Bindungen eingehen können, wobei kettenförmige oder auch ringförmige Moleküle gebildet werden können. Die Kohlenstoffatome können untereinander durch Einfach-, Doppel- oder Dreifachbindungen verknüpft sein.

Schritte der Analyse einer organischen Verbindung (▷ B1). Eine unbekannte organische Verbindung wird zunächst einer **qualitativen Analyse** unterzogen. Das Ziel dieser Analyse besteht darin, die Elemente, die am Aufbau der Verbindung beteiligt sind, zu identifizieren. Der nächste Schritt besteht darin, mithilfe der **quantitativen Analyse** die *Summenformel* der Verbindung zu bestimmen. Dazu müssen das Anzahlverhältnis der Atome der am Aufbau beteiligten Elemente und die Molekülmasse bestimmt werden. Die Summenformel gibt allerdings noch keine Auskunft über die Verknüpfung der Atome im Molekül. Dazu sind besondere Verfahren der **Strukturaufklärung** notwendig, die zur *Strukturformel* führen. Der räumliche Aufbau der Moleküle, ihre Struktur, bestimmt im Wesentlichen die Stoffeigenschaften einer Verbindung.

Nachweis von C-, H- und O-Atomen in organischen Verbindungen. Beim Erhitzen von manchen organischen Verbindungen bleibt Kohlenstoff zurück. Die meisten organischen Verbindungen können verbrannt werden. Häufig leuchtet die Flamme durch die in ihr glühenden Kohlenstoffpartikel oder sie rußt. Auch dies ist ein sehr direkter Hinweis auf Kohlenstoffatome. Verbrennt eine Verbindung, so bildet sich Kohlenstoffdioxid (▷ V1, ▷ B2), das mit Kalkwasser nachgewiesen werden kann.

$$CO_2(g) + Ca^{2+}(aq) + 2\ OH^-(aq) \longrightarrow CaCO_3(s) + H_2O(l)$$

Meist entsteht bei der Verbrennung der organischen Verbindung auch Wasser, das mit weißem Kupfer(II)-sulfat zu blauem Kupfer(II)-sulfat reagiert (▷ V1, ▷ B2).

$$CuSO_4(s) + 5\ H_2O(l) \longrightarrow CuSO_4 \cdot 5\ H_2O(s)$$

Entstehen Kohlenstoffdioxid und Wasser bei der Verbrennung, ist dies ein Nachweis für Kohlenstoff- und Wasserstoffatome in den Molekülen. Die Bildung von Magnesiumoxid bei der Reaktion einer organischen Verbindung unter Ausschluss von Sauerstoff aus der Luft lässt auf Sauerstoffatome in der Verbindung schließen (▷ V2, ▷ B3).

Nachweis weiterer Atomsorten in organischen Verbindungen. Beim Erhitzen einer organischen Halogenverbindung mit einem Kupferdraht bilden sich Kupferhalogenide, die der Flamme eine grüne bis blaugrüne Farbe verleihen (▷ V3). Dieser Nachweis wird nach dem Chemiker F. BEILSTEIN als *Beilsteinprobe* bezeichnet.

Aus vielen organischen *Stickstoffverbindungen* entwickelt sich beim Erhitzen mit Natriumhydroxid Ammoniak, das ein feuchtes Universalindikatorpapier blau färbt (▷ V4b) und mit Chlorwasserstoff einen weißen Rauch bildet (▷ V4c). Ebenso wie Stickstoffatome können *Schwefelatome* in organischen Verbindungen häufig nachgewiesen werden, wenn diese Verbindungen mit konzentrierter Natronlauge erhitzt werden. Es entstehen Sulfidionen (S^{2-}-Ionen), die mit Bleiionen (Pb^{2+}-Ionen) einen schwarzen Niederschlag von Blei(II)-sulfid (PbS) bilden (▷ V4d).

Organische *Schwefelverbindungen* lassen sich auch durch die Sulfationen nachweisen, die in der oxidierend wirkenden Schmelze von Kaliumnitrat entstehen. Sulfationen bilden in saurer Lösung mit Bariumionen einen weißen Niederschlag von Bariumsulfat (▷ V5).

Phosphorverbindungen werden in der Kaliumnitratschmelze zu Phosphationen oxidiert. Phosphationen erkennt man an dem gelben Niederschlag, der beim Versetzen mit salpetersaurer Ammoniummolybdatlösung entsteht (▷ V5).

V 3 Nachweis der Halogenatome in Verbindungen. Glühen Sie einen dicken Kupferdraht aus, spießen Sie ein Stückchen PVC mit dem Draht auf und bringen Sie dieses in die nicht leuchtende Brennerflamme. (Abzug!)

V 4 Nachweis von Stickstoff- und Schwefelatomen in Verbindungen. (Abzug! Schutzbrille!)
a) Erhitzen Sie im Reagenzglas eine kleine Portion gekochtes Hühnereiweiß mit etwa 3 ml konz. Natronlauge kurz zum Sieden. Nehmen Sie das Reagenzglas aus der Flamme. b) Halten Sie mit der Pinzette ein feuchtes Universalindikatorpapier in die entweichenden Dämpfe über der Reagenzglasöffnung. c) Halten Sie in die Dämpfe anschließend einen Glasstab mit einem Tropfen konz. Salzsäure. d) Geben Sie ein bis zwei Tropfen Flüssigkeit aus dem Reagenzglas auf Bleiacetatpapier, das auf einem Uhrglas liegt.

V 5 Nachweis von Schwefel- und Phosphoratomen in Verbindungen. (Vorsicht! Schutzbrille! Abzug!) In einem Reagenzglas wird ein Gemisch aus einem halben Spatel Casein und drei Spateln Kaliumnitrat langsam zum Schmelzen gebracht. Sobald die Schmelze nur noch schwach gelb ist, lässt man erkalten, gibt etwa 10 ml Wasser zu, löst unter leichtem Erwärmen und filtriert. Zu der einen Hälfte der Lösung gibt man Salzsäure und Bariumchloridlösung, zur anderen Hälfte konz. Salpetersäure und Ammoniummolybdatlösung und erwärmt.

A 3 Beim Durchleiten der Verbrennungsgase einer organischen Verbindung durch Kalkwasser bildet sich eine weiße Suspension. Werden die Verbrennungsgase sehr lange durchgeleitet, wird die Flüssigkeit wieder klar. Deuten Sie diesen Sachverhalt.

B 2 Nachweis von Kohlenstoffdioxid und Wasser als Verbrennungsprodukte organischer Verbindungen

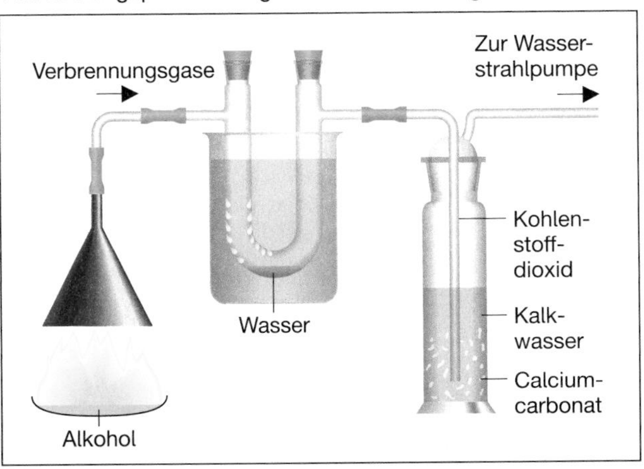

B 3 Nachweis der Sauerstoffatome. Die organische Verbindung oxidiert Magnesium

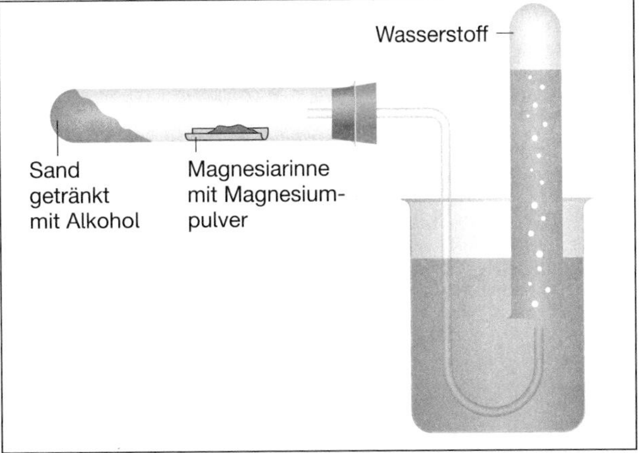

1.8 Ermittlung der Summenformel organischer Verbindungen

V 1 Qualitative Analyse von Ethanol. Es werden die Versuche ▷ V 1 und ▷ V 2 des ↗Kap. 1.7 mit Ethanol anstelle von Isopropylalkohol durchgeführt.

V 2 Quantitative Analyse von Ethanol (▷ B 1). In das Gläschen aus dem Reaktionsrohr werden 0,5 g bis 1 g Ethanol (Masse genau bestimmen!) eingewogen. Vorher werden die Massen des gefüllten U-Rohrs und der gefüllten Waschflasche bestimmt. Man leitet einen schwachen Sauerstoffstrom durch die Apparatur und erhitzt das Kupferoxid stark (Schutzbrille! Schutzscheibe!). Wenn das gesamte Ethanol verdampft und oxidiert worden ist, lässt man im Sauerstoffstrom abkühlen und bestimmt erneut die Massen von U-Rohr und Waschflasche.
Wozu dienen das Calciumchlorid im U-Rohr und die Kalilauge in der kleinen Waschflasche?

V 3 Molare Masse von Ethanol. Versuchsaufbau wie in ▷ B 2. Saugen Sie in die Kunststoffspritze etwa 0,1 ml Ethanol ein und bestimmen Sie die Gesamtmasse. Spritzen Sie das Ethanol in den Kolben. Schwenken Sie den Kolben zur Beschleunigung der Verdunstung das Ethanols und lesen Sie die Volumenänderung am Kolbenprober ab. Bestimmen Sie anschließend die Masse der leeren Spritze.

A 1 Bei der vollständigen Oxidation von 0,3 g einer Verbindung, die nur aus Kohlenstoff-, Wasserstoff- und Sauerstoffatomen aufgebaut ist, werden 0,66 g Kohlenstoffdioxid und 0,36 g Wasser gebildet. 0,12 g der unbekannten Verbindung nehmen nach dem Verdunsten ein Volumen von 48 ml bei Zimmertemperatur und 1013 hPa ein. Bestimmen Sie die Summenformel der Verbindung. Stellen Sie einige mögliche Strukturformeln auf.

Am Beispiel des Ethanols soll die Ermittlung einer Summenformel einer organischen Verbindung dargelegt werden.

Vorprobe. Ethanol ist eine leicht verdunstende Flüssigkeit, die mit fast farbloser Flamme verbrennt. Schon die Farbe der Flamme und der Aggregatzustand lassen Vermutungen auf die Zusammensetzung der Ethanolmoleküle zu. Eine Flüssigkeit wie z. B. das Heptan, dessen Moleküle nur aus Kohlenstoff- und Wasserstoffatomen aufgebaut sind, verbrennt an der Luft mit einer rußenden Flamme. Die Verbrennung ist unvollständig. Sind am Aufbau der Moleküle eines Stoffes noch Sauerstoffatome beteiligt, so tragen diese neben den Sauerstoffmolekülen aus der Luft zur Oxidbildung bei. Die Betrachtung der Flamme des nicht rußend verbrennenden Ethanols im Zusammenhang mit seinem Aggregatzustand lassen vermuten, dass am Aufbau der Ethanolmoleküle auch Sauerstoffatome beteiligt sind.

Qualitative Analyse. Bei der Analyse einer organischen Verbindung wird zuerst auf Kohlenstoff- und Wasserstoffatome geprüft. Dazu verbrennt man Ethanol unter einem Trichter und saugt die bei der Verbrennung gebildeten Gase durch ein gekühltes U-Rohr und Kalkwasser (▷ V 1). Die Nachweise für Kohlenstoffdioxid und Wasser sind positiv, also sind am Aufbau der Ethanolmoleküle Kohlenstoff- und Wasserstoffatome beteiligt. Leitet man die Ethanoldämpfe über erhitztes Magnesiumpulver, entsteht Magnesiumoxid (↗Kap. 1.7, ▷ V 2). Da kein Sauerstoff aus der Luft zugegen gewesen ist, lässt die Bildung von Magnesium-oxid aus Ethanol und Magnesium den Schluss zu, dass auch Sauerstoffatome am Aufbau der Ethanolmoleküle beteiligt sind. Weitere Atome sind am Aufbau der Ethanolmoleküle nicht beteiligt.

B 1 Quantitative Elementaranalyse einer organischen Verbindung am Beispiel des Ethanols

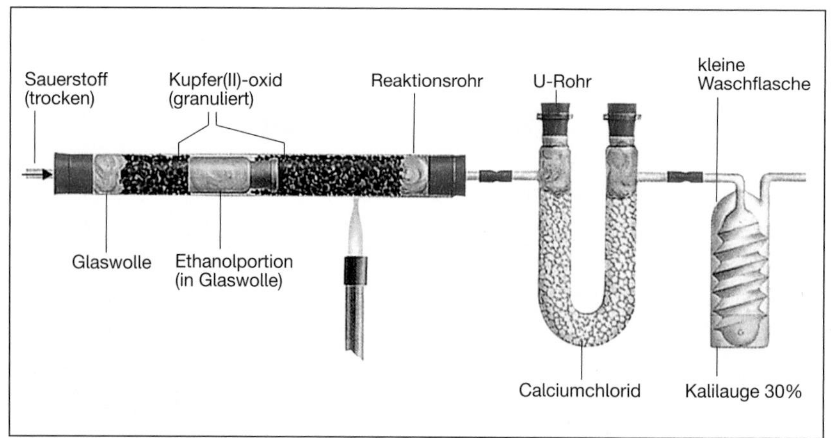

B 2 Bestimmung der molaren Masse leicht verdampfbarer Flüssigkeiten

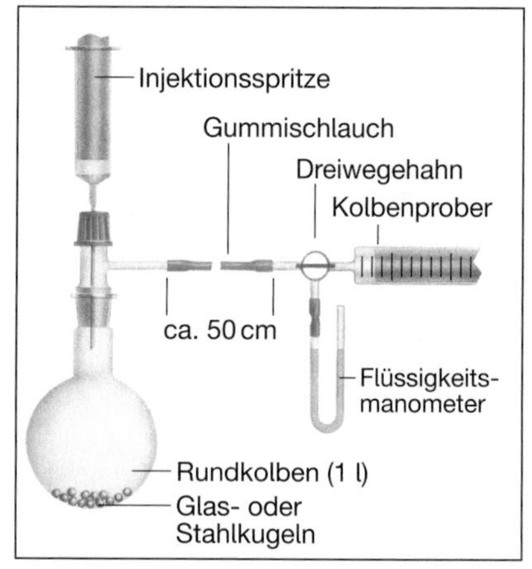

Quantitative Analyse. Die qualitative Analyse ergibt, dass Ethanolmoleküle aus Kohlenstoff-, Wasserstoff- und Sauerstoffatomen aufgebaut sind. Es gilt nun, das *Anzahlverhältnis* dieser Atome zu ermitteln.

Hierzu wird eine *quantitative Elementaranalyse* durchgeführt. Bei dieser wird das Ethanol vollständig oxidiert, anschließend werden die Oxidationsprodukte Kohlenstoffdioxid und Wasser durch Wägung bestimmt (▷ V2, ▷ B1). Die Auswertung der Messergebnisse, die zur **Verhältnisformel** C_2H_6O führt, ist in ▷ B3 dargestellt. Diese Verhältnisformel gibt nur Auskunft über das Anzahlverhältnis der Atome im Molekül. Sie macht jedoch keine Aussage über die Anzahl der Atome im Molekül, denn dasselbe Anzahlverhältnis $N(C) : N(H) : N(O) = 2 : 6 : 1$ ist auch bei den Formeln $C_4H_{12}O_2$, $C_6H_{18}O_3$ usw. gegeben.

Erst die **Summenformel** gibt die Anzahl der Atome der verschiedenen Atomsorten in einem Molekül an. Welche Summenformel für das Ethanolmolekül zutrifft, kann bei Kenntnis der molaren Masse (Teilchenmasse) entschieden werden. Die Bestimmung der molaren Masse kann bei leicht verdampfbaren oder verdunstenden Flüssigkeiten dadurch erfolgen, dass man eine Stoffportion bekannter Masse verdampft bzw. verdunsten lässt und das Gasvolumen bestimmt (▷ V3, ▷ B2). Aus $n = V/V_m$ und $n = m/M$ lässt sich die molare Masse bestimmen (▷ B4). Diese beträgt für Ethanol M(Ethanol) = 46 g/mol. Die Molekülmasse ist damit 46 u und die Summenformel C_2H_6O. Denn es ist: $2 \cdot 12\,u + 6 \cdot 1\,u + 1 \cdot 16\,u = 46\,u$. Die Summenformel gibt keine Auskunft über die Verknüpfung der Atome im Molekül. Dazu muss eine *Strukturaufklärung* erfolgen.

B3 Beispiel für die Berechnung der Verhältnisformel von Ethanol

Die Verbrennung von 0,525 g Ethanol ergibt 0,603 g Wasser und 1,022 g Kohlenstoffdioxid.

1. Ermittlung der Stoffmengen der Kohlenstoffatome und der Wasserstoffatome

$$n(CO_2) = \frac{m(\text{Kohlenstoffdioxidportion})}{M(CO_2)} = \frac{1{,}022\,g}{44\,g \cdot mol^{-1}} = 23{,}22\,mmol$$

$$n(H_2O) = \frac{m(\text{Wasserportion})}{M(H_2O)} = \frac{0{,}603\,g}{18\,g \cdot mol^{-1}} = 33{,}5\,mmol$$

Da am Aufbau eines Kohlenstoffdioxidmoleküls ein Kohlenstoffatom beteiligt ist, ist die Stoffmenge der Kohlenstoffatome gleich der Stoffmenge der Kohlenstoffdioxidmoleküle. Am Aufbau eines Wassermoleküls sind aber zwei Wasserstoffatome beteiligt, die Stoffmenge der Wasserstoffatome ist deshalb doppelt so groß wie die Stoffmenge der Wassermoleküle.

$n(C) = n(CO_2) = 23{,}22\,mmol \quad n(H) = 2\,n(H_2O) = 2 \cdot 33{,}5\,mmol = 67\,mmol$

2. Ermittlung der Stoffmenge der Sauerstoffatome

Es wird zunächst die Gesamtmasse der Sauerstoffatome benötigt.

$m(\text{Sauerstoffatome}) = m(\text{Ethanolportion}) - m(\text{Kohlenstoffatome}) - m(\text{Wasserstoffatome})$

Die Massen der Kohlenstoff- und Wasserstoffatome lassen sich berechnen: $m = n \cdot M$

$m(\text{Kohlenstoffatome}) = 23{,}22\,mmol \cdot 12\,g \cdot mol^{-1} = 0{,}02322\,mol \cdot 12\,g \cdot mol^{-1} = 0{,}279\,g$

$m(\text{Wasserstoffatome}) = 67\,mmol \cdot 1\,g \cdot mol^{-1} = 0{,}067\,mol \cdot 1\,g \cdot mol^{-1} = 0{,}067\,g$

$m(\text{Sauerstoffatome}) = 0{,}525\,g - 0{,}279\,g - 0{,}067\,g = 0{,}179\,g$

$$n(O) = \frac{m(\text{Sauerstoffatome})}{M(\text{Sauerstoffatome})} = \frac{0{,}179\,g}{16\,g \cdot mol^{-1}} = 11{,}19\,mmol$$

3. Aufstellen der Verhältnisformel aus dem Stoffmengenverhältnis

Stoffmengenverhältnis: $n(C) : n(H) : n(O) = 23{,}22\,mmol : 67\,mmol : 11{,}19\,mmol$

Division durch die kleinste Stoffmenge: $= 2{,}08 : 5{,}99 : 1$

Das Stoffmengenverhältnis gibt das Atomzahlverhältnis im Ethanolmolekül wieder, damit ist die Verhältnisformel: C_2H_6O

B4 Beispiel für die Ermittlung der Summenformel des Ethanols

87 mg Ethanol nehmen nach dem Verdunsten bei Zimmertemperatur und etwa 1013 hPa ein Volumen von 45 ml ein (molares Volumen: $V_m = 24\,l/mol$ bei Zimmertemperatur und einem Druck nahe dem Normdruck).

1. Berechnung der molaren Masse des Ethanols

Für die Stoffmenge der Moleküle eines Gases gilt:

$$n = \frac{V}{V_m} \text{ und } n = \frac{m}{M} \Leftrightarrow M = \frac{m}{n}$$

$$n(\text{Ethanolmoleküle}) = \frac{V(\text{Ethanolportion})}{V_m} = \frac{0{,}045\,l}{24\,l \cdot mol^{-1}} = 1{,}9\,mmol$$

$$M(\text{Ethanolmoleküle}) = \frac{m(\text{Ethanolportion})}{n(\text{Ethanolmoleküle})} = \frac{87\,mg}{1{,}9\,mmol} = 45{,}8\,g \cdot mol^{-1}$$

2. Ermittlung der Anzahl der Atome eines Moleküls

$m(1\ \text{Ethanolmolekül}) = 46\,u$

Die Verhältnisformel ergibt als kleinstmögliche Molekülmasse

$m(1\ C_2H_6O_1) = m(2\ C) + m(6\ H) + m(1\ O) = 24\,u + 6\,u + 16\,u = 46\,u$

$m(1\ \text{Ethanolmolekül}) = m(1\ C_2H_6O_1)$

Die Summenformel ist damit: C_2H_6O

1.9 Chromatografie

V 1 Chromatografie der Blattfarbstoffe. Verreiben Sie klein geschnittenes, frisches Gras mit Seesand, einer Spatelspitze Calciumcarbonat und 2-Propanol. Dekantieren Sie die grüne Lösung und tragen Sie diese mit einer Kapillare unter jeweiligem Antrocknen immer auf die gleichen Stellen in ca. 2 cm Höhe auf eine mit Kieselgel bestrichene Platte. Stellen Sie sie in eine kleine Chromatografiekammer, die etwa 1 cm hoch mit einem Gemisch aus Petroleumbenzin, Petrolether und 2-Propanol (Volumenverhältnis 5 : 5 : 1) gefüllt ist.

V 2 Verteilung eines farbigen Stoffs. Füllen Sie zu 25 ml Eisen(III)-thiocyanat-Lösung ($c(Fe(SCN)_3) = 2{,}5 \cdot 10^{-3}$ mol/l) im Scheidetrichter 25 ml (mit Wasser gesättigten) Ethansäureethylester. Schütteln Sie kräftig und lassen Sie das Gemisch stehen.

A 1 300 mg Iod sind in 1 l wässriger Lösung gelöst. Das Iod soll mithilfe von 1 l Heptan extrahiert werden. Für die Verteilung von Iod in Heptan und Wasser gelte das folgende Verteilungsgleichgewicht:

$$\frac{\text{Konzentration von Iod in Heptan}}{\text{Konzentration von Iod in Wasser}} = 5$$

Berechnen Sie die Masse des Iods, das sich noch im Wasser befindet, wenn a) mit der gesamten Heptanportion (1 l) auf einmal ausgeschüttelt wird, b) die Heptanportion auf vier Portionen (jeweils 250 ml) aufgeteilt wird. Nach jedem Ausschütteln wird die Heptanlösung von der wässrigen Lösung getrennt. Die wässrige Lösung wird dann erneut mit einer frischen Heptanportion ausgeschüttelt. Kleine Hilfe: Im Gleichgewichtszustand ist die (unbekannte) Masse des Iods in Heptan m_H, die Masse des Iods in Wasser beträgt $m_{WA} - m_H$ (m_{WA}: Masse des Iods in Wasser vor dem Ausschütteln, also vor dem 1. Ausschütteln 300 mg).

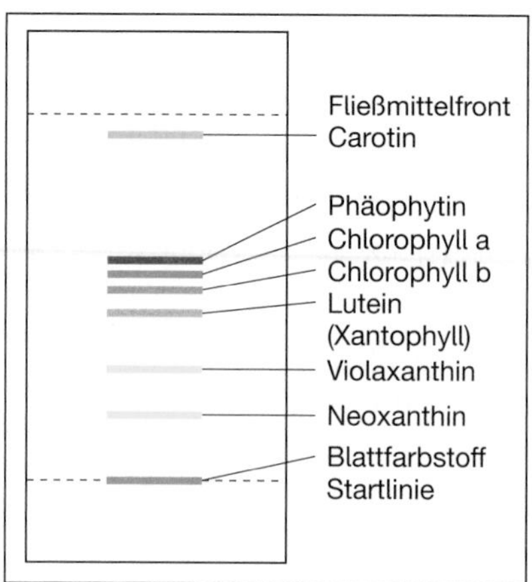

B 1 Trennung eines Pflanzenfarbstoffs durch Chromatografie

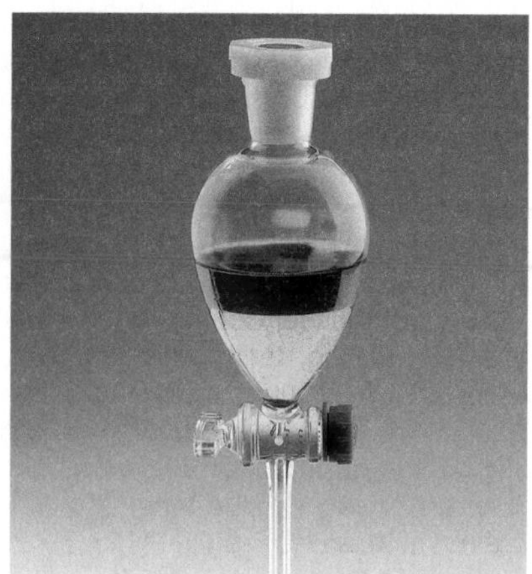

B 2 Verteilung eines Farbstoffs auf zwei Phasen

Ein Verfahren, mit dem sich viele Gemische schnell und schonend trennen und die Gemischbestandteile identifizieren lassen, ist die **Chromatografie** (von griech. chroma, Farbe; graphein, schreiben). Die Namensgebung rührt daher, dass dieses Verfahren zunächst zur Trennung von farbigen Stoffen (Blattfarbstoffen) angewandt wurde (▷ V 1, ▷ B 1). Es gibt unterschiedliche Chromatografieverfahren, jedoch beruht bei allen die Trennung auf gleichen Prinzipien, der **Adsorption** und **Verteilung**.

Adsorption. Wird Parfüm auf die Haut getropft oder gesprüht, so haften die Teilchen des Geruchsstoffs auf der Hautoberfläche, sie werden *adsorbiert*. Sie lösen sich aber auch wieder von der Hautoberfläche und gelangen in die Luft und in die Nase.
Bei der *Adsorption* haften dieTeilchen an der Oberfläche eines Feststoffs. Dieser sollte deshalb eine große Oberfläche aufweisen. Häufig verwendete Stoffe sind Aktivkohle, Kieselgel und Aluminiumoxid. Die Teilchen werden meist durch Van-der-Waals-Kräfte, aber auch durch Dipol-Dipol-Kräfte, durch die Ausbildung von Wasserstoffbrücken oder Ionenbindungen festgehalten. Die Adsorption verläuft exotherm, mit steigender Temperatur werden weniger Teilchen adsorbiert.

Verteilung und Verteilungsquotient. Gibt man zu einer wässrigen Eisen(III)-thiocyanat-Lösung Ethansäureethylester und schüttelt, so bilden sich zwei Flüssigkeitsschichten, die unterschiedlich rot gefärbt sind (▷ V 2, ▷ B 2). Ethansäureethylester ist nur wenig in Wasser löslich und weist eine kleinere Dichte als Wasser auf. Er bildet die obere Schicht. Das Eisen(III)-thiocyanat hat sich auf die beiden Flüssigkeiten *verteilt*. An der *Grenzfläche* wandern Teilchen des gelösten Stoffes vom Wasser in den Ester und vom Ester in das Wasser. Es ist ein Zustand eingetreten, bei dem genau so viele Teilchen des Eisen(III)-thiocyanats vom Wasser in den Ester wie vom Ester in das Wasser wandern. Die Konzentrationen des Eisen(III)-thiocyanats im Wasser und im Ester ändern sich nicht mehr. Es hat sich ein **Verteilungsgleichgewicht** eingestellt, für das gilt:

$$\frac{\text{Konzentration des Eisen(III)-thiocyanats im Ester}}{\text{Konzentration des Eisen(III)-thiocyanats in Wasser}} = \text{konstant}$$

Ein solches Verteilungsgleichgewicht kann sich nur einstellen, wenn zwei nicht ineinander lösliche Flüssigkeiten, eine Flüssigkeit und ein Feststoff, ein Gas und eine Flüssigkeit oder ein Gas und ein Feststoff eine gemeinsame Grenzfläche ausbilden. Der homogene Bereich eines Stoffsystems wird als *Phase* bezeichnet. Allgemein gilt das von W. NERNST formulierte Verteilungsgesetz:

$$\frac{c(\text{A in Phase I})}{c(\text{A in Phase II})} = K$$

Bei der Verteilung eines Stoffes zwischen zwei Phasen ist das Verhältnis der Konzentrationen bei unveränderter Temperatur konstant.

Die multiplikative Verteilung. Will man das in z. B. 100 ml Wasser gelöste Eisen(III)-thiocyanat durch Extraktion mit Ethansäureethylester aus dem Wasser entfernen, kann man z. B. 100 ml Ester zugeben, schütteln und abwarten, bis sich das Verteilungsgleichgewicht eingestellt hat. Das Gemisch kann dann getrennt werden, und zu der wässrigen Lösung können erneut 100 ml Ester gegeben werden. Eine bessere Abtrennung der Eisenverbindung erreicht man dadurch, dass man diese Esterportion z. B. auf fünf Portionen mit jeweils 20 ml aufteilt und fünfmal hintereinander extrahiert. Eine noch bessere Abtrennung wird durch die Aufteilung des Esters auf noch kleinere Portionen erreicht. Es stellt sich dann nicht nur einmal, sondern vielfach nacheinander ein Verteilungsgleichgewicht ein. Durch eine solche *multiplikative Verteilung* lassen sich sogar Teilchen trennen, die eine sehr ähnliche Struktur und ähnliche Eigenschaften haben. Die Bezeichnung als multiplikative Verteilung rührt von folgendem Sachverhalt: Bei einmaliger Extraktion verringert sich die Ausgangskonzentration um einen bestimmten Faktor. Bei mehrfacher Extraktion ist die Ausgangskonzentration entsprechend oft mit diesem Faktor zu multiplizieren.

Verteilung und Chromatografie. Bei allen chromatografischen Trennverfahren wird das zu trennende Substanzgemisch mithilfe einer Flüssigkeit oder eines Gases, der **mobilen Phase**, an einem Feststoff oder einer Flüssigkeit, die an ein festes Trägermaterial gebunden ist, vorbeigeführt. Bewegt sich die mobile Phase durch die **stationäre** (unbewegliche) **Phase**, so können die Teilchen des zu trennenden Substanzgemisches unterschiedlich stark adsorbiert oder beim Vorhandensein eines Flüssigkeitsfilms gelöst werden. Die Teilchen lösen sich aber auch wieder von der stationären Phase und gehen in die mobile Phase über. Der Übergang von einer Phase in die andere ist umkehrbar (reversibel).

Bei der Chromatografie findet eine Verteilung eines Stoffes oder Stoffgemisches zwischen stationärer und mobiler Phase statt.

Simulationsbedingungen: Die unteren Kästchen sollen die untere Phase und die oberen Kästchen die obere Phase darstellen. Zunächst sind jeweils 243 Teilchen eines blauen und 243 Teilchen eines roten Stoffes in der oberen Phase. Es stellen sich die Verteilungsgleichgewichte ein. Für diese soll gelten:

$$\frac{\text{Konzentration des blauen Stoffes in der oberen Phase}}{\text{Konzentration des blauen Stoffes in der unteren Phase}} = \frac{1}{2}$$

$$\frac{\text{Konzentration des roten Stoffes in der oberen Phase}}{\text{Konzentration des roten Stoffes in der unteren Phase}} = \frac{2}{1}$$

Im nächsten Schritt wandert die obere Phase eine Station weiter, gleichzeitig wird frische obere Phase (leeres Kästchen) nachgeliefert. Gleichgewichtseinstellung und Wanderung wiederholen sich.

Einfüllen der Teilchen	243 243					
1. Verteilungsgleichgewicht	81 162					
	162 81					
Wandern der oberen Phase		81 162				
	162 81					
2. Verteilungsgleichgewicht	54 54	27 108				
	108 27	54 54				
Wandern der oberen Phase		54 54	27 108			
	108 27	54 54				
3. Verteilungsgleichgewicht	36 18	36 72	9 72			
	72 9	72 36	18 36			
Wandern der oberen Phase		36 18	36 72	9 72		
	72 9	72 36	18 36			
4. Verteilungsgleichgewicht	24 6	36 36	18 72	3 48		
	48 3	72 18	36 36	6 24		
Wandern der oberen Phase		24 6	36 36	18 72	3 48	
	48 3	72 18	36 36	6 24		
5. Verteilungsgleichgewicht	16 2	32 16	24 48	8 64	1 32	
	32 1	64 8	48 24	16 32	2 16	

B3 Rechnerische Simulation einer multiplikativen Verteilung in fünf Schritten

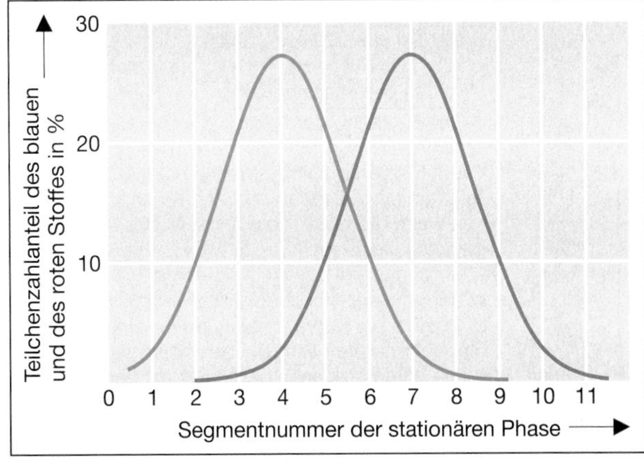

B4 Verteilung eines blauen und eines roten Farbstoffs nach der Einstellung von zehn Verteilungsgleichgewichten

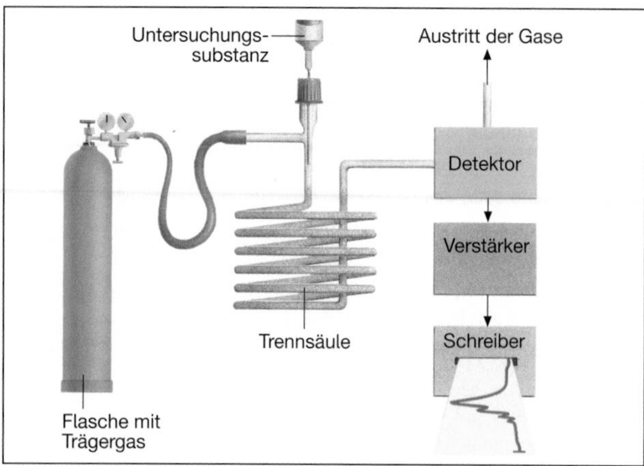

B5 Apparatur zur Gaschromatografie (schematisch). Auftrennung von Feuerzeuggas

B6 Gaschromatogramm eines Feuerzeuggases mit Auswertungsmöglichkeiten

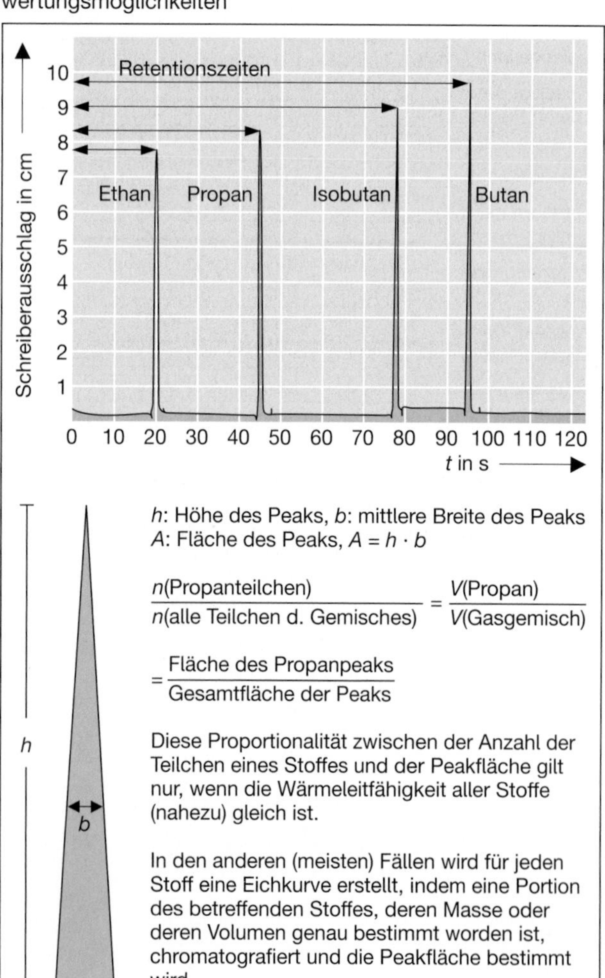

h: Höhe des Peaks, b: mittlere Breite des Peaks
A: Fläche des Peaks, $A = h \cdot b$

$$\frac{n(\text{Propanteilchen})}{n(\text{alle Teilchen d. Gemisches})} = \frac{V(\text{Propan})}{V(\text{Gasgemisch})}$$

$$= \frac{\text{Fläche des Propanpeaks}}{\text{Gesamtfläche der Peaks}}$$

Diese Proportionalität zwischen der Anzahl der Teilchen eines Stoffes und der Peakfläche gilt nur, wenn die Wärmeleitfähigkeit aller Stoffe (nahezu) gleich ist.

In den anderen (meisten) Fällen wird für jeden Stoff eine Eichkurve erstellt, indem eine Portion des betreffenden Stoffes, deren Masse oder deren Volumen genau bestimmt worden ist, chromatografiert und die Peakfläche bestimmt wird.

Ein chromatografisches Verfahren, mit dem sich Gemische von Gasen, leicht verdampfbaren Flüssigkeiten und Feststoffen in die Reinstoffe trennen und die Reinstoffe identifizieren lassen, ist die **Gaschromatografie**.

Die Gaschromatografie. Ein Gaschromatograf enthält ein Glas-, Kunststoff- oder Metallrohr, das aus Gründen der Platzersparnis meist gebogen ist (▷ B5). In diesem Rohr befindet sich in der Regel ein feinkörniges Pulver. Häufig ist die Oberfläche der Körnchen mit einem dünnen Film einer schwer flüchtigen Flüssigkeit bedeckt. Da in diesem Rohr die Trennung der Bestandteile eines Stoffgemisches erfolgt, wird es als **Trennsäule** bezeichnet. Durch die Trennsäule transportiert oder „trägt" ein Gas, das **Trägergas**, das gasförmige Stoffgemisch. Das Trägergas ist die *mobile* (bewegliche) *Phase* und die Füllung der Trennsäule die *stationäre* (unbewegliche) *Phase*.

Das vor der Trennsäule injizierte Stoffgemisch wird beim Durchgang durch die Säule in seine Komponenten getrennt. Ursache für die Trennung sind Wechselwirkungen zwischen der stationären Phase und den Teilchensorten der Bestandteile des Gemisches. Die Teilchen der verschiedenen Bestandteile haften unterschiedlich fest an der festen oder flüssigen Oberfläche der stationären Phase, sie werden unterschiedlich stark adsorbiert oder beim Vorhandensein eines Flüssigkeitsfilms gelöst (absorbiert). Die Teilchen trennen sich aber auch wieder von der stationären Phase, gehen in die mobile Phase über, werden weitertransportiert und an einer anderen Stelle wieder von der stationären Phase festgehalten. Der Übergang von einer Phase in die andere Phase ist umkehrbar, er wiederholt sich beim Durchgang des Stoffgemisches durch die stationäre Phase immer wieder. Teilchensorten, die von der stationären Phase fester gebunden werden, bleiben gegenüber Teilchensorten zurück, die nur locker gebunden werden. Da die einzelnen Bestandteile unterschiedlich lange in der Trennsäule verweilen, treten sie nacheinander aus ihrem Ende heraus.

Wird Wasserstoff als Trägergas verwendet, kann dieses entzündet werden. Beim Austritt der einzelnen Bestandteile des Stoffgemisches wird die Veränderung der Flamme als erster Hinweis auf die Bestandteile des Stoffgemisches genutzt. Häufig verwendete *Detektoren* (Messzellen), bei denen sich auch andere Gase, z.B. Helium, als Trägergas einsetzen lassen, sprechen auf die unterschiedliche Wärmeleitfähigkeit des reinen Trägergases und des mit anderen Stoffen vermischten Trägergases an. Wenn eine Komponente den Detektor passiert, entsteht ein elektrisches Signal. Dieses kann verstärkt zu einem Schreiber gelangen, der auf einen mit konstanter Geschwindigkeit bewegten Papierstreifen eine Kurve zeichnet. Diese bezeichnet man als **Chromatogramm**.

Jede einzelne Dreiecksfläche des Chromatogramms, **Peak** genannt (von engl. peak, Spitze), entspricht einem Bestandteil des Gemisches. Anhand des Gaschromatogramms lässt sich auch eine Angabe über die Anteile der einzelnen Komponenten des Gasgemisches machen, da zwischen der Fläche unter einem Peak und der Stoffmenge der zugehörigen Komponente eine Proportionalität besteht (▷ B6). Um zu erkennen, welcher Peak einem Stoff zuzuordnen ist, kann man zu dem zu trennenden Stoffgemisch noch einen Reinstoff geben, von dem man vermutet, dass er Bestandteil des Gemisches ist. Im Chromatogramm erscheint dann eine Peakfläche vergrößert. Bei konstanten Bedingungen (Art des Trägergases und der stationären Phase, Gasdruck, Temperatur, Säulenlänge) besitzt jede Teilchensorte eine charakteristische Verweildauer in der Säule (Retentionszeit, von lat. retinere, zurückhalten). Die Identifikation kann dann durch Vergleich mit dem bekannten Stoff erfolgen.
Die Trennsäule eines Chromatografen kann beheizt werden, sodass sich auch flüssige Stoffgemische und Feststoffe trennen und identifizieren lassen, sofern ihre Komponenten unzersetzt verdampfbar sind.

Papier- und Dünnschichtchromatografie. Bei der *Papierchromatografie* ist saugfähiges Papier bzw. Papier, das Wasser (Massenanteil bis zu 10 %) enthält, die stationäre Phase. Übliche stationäre Phasen der *Dünnschichtchromatografie* sind dünne Schichten aus Aluminiumoxid, Kieselgel oder Cellulose auf Glas- oder Kunststoffplatten. Stellt man saugfähiges Papier oder eine Dünnschichtplatte einige Millimeter tief in eine Flüssigkeit, so wandert diese aufgrund der Kapillarität des Materials langsam nach oben. Die *Flüssigkeit* ist die *mobile Phase*. Befindet sich auf dem Papier oder der Schicht nahe dem unteren Rand ein Stoffgemisch, z. B. mehrere Farbstoffe, so werden seine Komponenten unterschiedlich schnell wandern. Es erfolgt eine Trennung. Ursache für die Trennung sind die unterschiedlichen Wechselwirkungen der Teilchensorten des zu trennenden Gemisches mit der stationären und der mobilen Phase. Steigt die mobile Phase in der stationären auf, so werden die Farbstoffe beim Erreichen der aufgetragenen Proben gelöst. Gleichzeitig mit dem Lösen eines Stoffes im Fließmittel werden seine Teilchen mehr oder weniger stark von der stationären Phase adsorbiert bzw. gelöst. Im nachsteigenden Fließmittel lösen sich wiederum Teilchen aus der stationären Phase. Wandern und Adsorbieren oder Lösen wiederholen sich vielfach.

V 3 Gaschromatografische Trennung von Feuerzeuggas. a) Man drückt eine kleine Gasportion aus einer Feuerzeuggaspatrone in die Trennsäule eines Gaschromatografen und erstellt ein Chromatogramm. b) Man wiederholt den Versuch (a) und gibt zu dem Feuerzeuggas Butan.

V 4 Trennung von Filzschreiber-Farbstoffen. Tragen Sie auf die Startlinie (Bleistift) eines Filterpapierrechtecks im Abstand von etwa 2 cm Punkte verschiedenfarbiger, wasserlöslicher Filzschreiber auf und lassen Sie eintrocknen. Biegen Sie das Papier zu einem Zylinder und stellen Sie ihn in eine Trennkammer, die etwa 1 cm hoch mit Wasser, Aceton oder Methanol gefüllt ist. Verschließen Sie die Kammer. Wenn die Fließmittelfront fast oben angekommen ist, nehmen Sie das Chromatogramm heraus.

A 2 In die Trennsäule eines Gaschromatografen werden 4 ml Feuerzeuggas gedrückt. Die Gesamtfläche der Peaks beträgt 2 cm^2, die Fläche des „Propan-Peaks" 0,8 cm^2. Berechnen Sie den Volumenanteil des Propans in diesem Feuerzeuggas.

B 7 Trennung eines Substanzgemisches durch Papier- oder Dünnschichtchromatografie

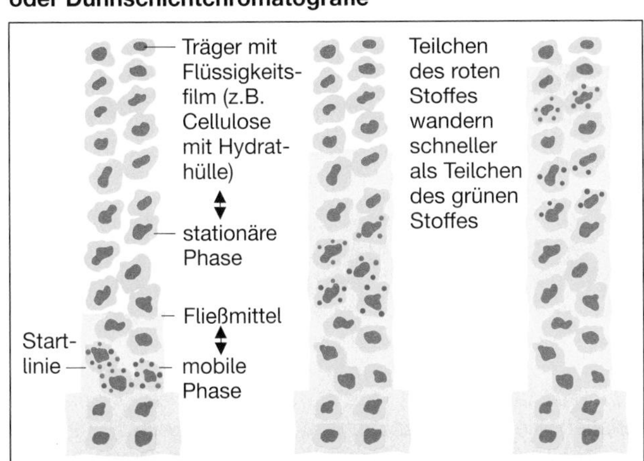

B 8 Herstellung eines Chromatogramms. Prinzip: Verschiedene Stoffe wandern unterschiedlich schnell

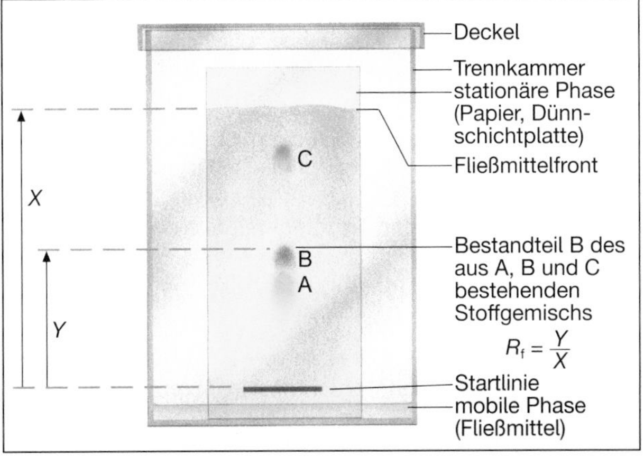

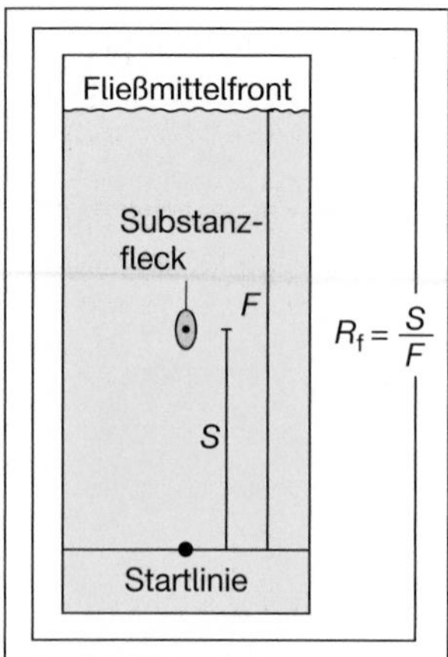

B9 Auswertung eines Chromatogramms einer Papier- oder Dünnschichtchromatografie

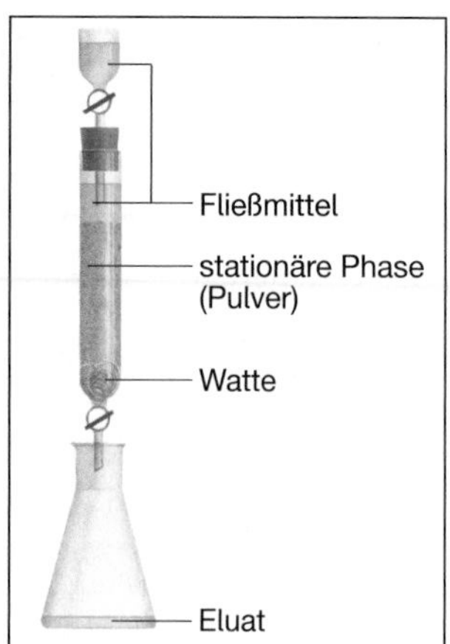

B10 Säulenchromatografie

V 5 Identifizierung der Komponenten eines Universalindikators. Tragen Sie mithilfe von Kapillarröhrchen auf eine Kieselgel-Dünnschichtplatte Lösungen folgender Indikatoren auf: Universalindikator, Methylrot, Phenolphthalein, Bromthymolblau, Thymolblau, Thymolphthalein und Methylorange. Stellen Sie die Platte nach dem Antrocknen der Proben in eine Trennkammer, die als Fließmittel eine Lösung aus Natronlauge (c(NaOH) = 0,1 mol/l) und Methanol im Volumenverhältnis 10 : 1 enthält. Fahren Sie dann fort wie in ▷ V4. Halten Sie das fertige Chromatogramm (das Fließmittel muss verdunstet sein) in Chlorwasserstoff- und anschließend in Ammoniakgas (Abzug!).

V 6 Trennung zweier Farbstoffe durch Säulenchromatografie. Füllen Sie ein Glasrohr (Länge etwa 30 cm, Durchmesser 2 cm) mit „basischem Aluminiumoxid zur Säulenchromatografie", indem Sie dieses in Ethanol (Volumenanteil 96 %) aufschlämmen und portionsweise in das Rohr einbringen. Lassen Sie überschüssige Flüssigkeit ablaufen, bis der Flüssigkeitsspiegel 1 bis 2 cm über dem Trennkörper steht. Bringen Sie dann ein Farbstoffgemisch, z. B. je 20 mg Natriumfluoresceinat (Fluorescein-Natrium) und Methylenblau in 20 ml Ethanol vorsichtig auf die Säule und lassen Sie das Gemisch in das Aluminiumoxid eindringen. Setzen Sie auf das Rohr einen Tropftrichter, aus dem Sie Ethanol kontinuierlich nachfließen lassen (▷ B 10) und beobachten Sie die Wanderung der Farbstoffe.

A 3 Warum muss der Gasraum der Trennkammer bei der Papier- und Dünnschichtchromatografie mit dem Dampf der mobilen Phase gesättigt sein?

Die zu trennenden Stoffe sind meist nicht farbig und müssen deshalb auf der stationären Phase sichtbar gemacht werden. Dazu wird das Chromatogramm mit einem Stoff besprüht, der mit den zu identifizierenden Stoffen farbige Verbindungen bildet. Manche Stoffe werden erkennbar, wenn sie mit ultraviolettem Licht bestrahlt werden. Die Beschichtung der Dünnschichtplatten enthält häufig einen Indikator, der farblose Stoffe im UV-Licht anzeigt.

Unter gleichen Versuchsbedingungen ist die Wanderungsgeschwindigkeit eine für einen bestimmten Stoff charakteristische Größe. Deshalb können die getrennten Verbindungen durch direkten Vergleich mit Testproben, die ebenfalls von der Startlinie aus gleichzeitig mitwandern, identifiziert werden. Eine weitere Möglichkeit besteht im Vergleich mit R_f-Werten (Retentionsfaktor) aus Tabellen. Für den R_f-Wert gilt:

$$R_f = \frac{\text{Entfernung des Substanzflecks von der Startlinie}}{\text{Entfernung der Fließmittelfront von der Startlinie}}$$

Falls innerhalb eines Stoffgemisches Bestandteile durch ein Fließmittel unzureichend getrennt worden sind, kann eine bessere Trennung dadurch erreicht werden, dass das Chromatogramm um 90 ° gedreht und ein zweites Mal mit einem anderen Fließmittel chromatografiert wird. Dies nennt man eine *zweidimensionale Chromatografie*.

Säulenchromatografie. Um größere Stoffportionen von Verunreinigungen oder anderen Stoffen zu trennen, benutzt man die Säulenchromatografie. In eine Trennsäule wird als stationäre Phase Material eingefüllt, das auch auf Dünnschichtplatten zur Anwendung gelangt. Außerdem wird in die Säule ein Fließmittel gegeben, sodass die Körnchen der Säulenfüllung vollständig von Flüssigkeit umgeben sind. Das gelöste Substanzgemisch wird auf die Säule gebracht und durch diese hindurchgeschickt, indem Fließmittel kontinuierlich von oben nach unten nachgeliefert wird. Die aus der Säule austretende Lösung, das **Eluat** (von lat. eluere, tilgen, entfernen), kann nun in einzelnen Fraktionen gesammelt und – falls die Substanzen nicht farbig sind – mit verschiedenen Methoden identifiziert werden. Ist es z. B. möglich, die eluierten Stoffe durch Reagenzien in farbige Verbindungen umzuwandeln, so kann der Farbton und die Farbintensität zum qualitativen und quantitativen Nachweis einer Verbindung dienen.

Die **Hochdruck-Flüssigkeits-Chromatografie** (**HPLC**, **H**igh **P**ressure **L**iquid **C**hromatography) ist noch leistungsfähiger als die Gaschromatografie. Mit ihr können Substanzen in sehr kleinen Anteilen (1 ng/kg) getrennt, identifiziert und quantitativ bestimmt werden.

Als stationäre Phasen werden Säulen mit ähnlichen Materialien wie in der Gaschromatografie eingesetzt. Jedoch sind die Partikel in diesen Säulen mit einem Durchmesser von 5 bis 50 µm wesentlich kleiner, sodass sie einen erheblich höheren Strömungswiderstand haben. Daher muss die mobile, flüssige Phase mit hohem Druck (bis zu 400 MPa) und somit mit hoher Geschwindigkeit (etwa 5 cm/s) durch die Säule gepresst werden. Die Bedeutung und Leistungsfähigkeit der HPLC geht aus ihrer vielseitigen Einsatzmöglichkeit in allen Bereichen chemischer Analytik in der Medizin, Bio- und Lebensmittelchemie, der Umwelt- und der Produktüberwachung hervor.

Bei der **Gel-Chromatografie** besteht die stationäre Phase aus porösen Stoffen, in welche die Moleküle des Fließmittels, aber auch die des gelösten Stoffes eindringen, falls sie klein genug sind. Je kleiner die Moleküle sind, desto leichter diffundieren sie in die Poren der stationären Phase und werden dadurch aufgehalten. Bei diesem Verfahren, das auch **Molekularsieb-Chromatografie** genannt wird, erfolgt die Stofftrennung also nach der Molekülgröße.

Ionenaustausch-Chromatografie. Zur Entkalkung und sonstigen Demineralisierung von Wasser, zur Anreicherung wertvoller oder Entfernung unerwünschter Metallionen oder auch zur Trennung von Aminosäuregemischen benutzt man u. a. Ionenaustauscher. Organische Ionenaustauscher sind in Wasser unlösliche Kunstharze, die in der Lage sind, eigene Ionen gegen Fremdionen auszutauschen. Es gibt Kationen- und Anionenaustauscher (▷ B 11), die in Form kleiner, poröser Perlen mit großer Oberfläche in den Handel kommen.

B 11 Gewinnung von demineralisiertem Wasser. Prinzip

In der Schule und in kleinen Labors wird demineralisiertes (entsalztes) Wasser meist mit Ionenaustauschern gewonnen. Die Kationen- und Anionenaustauscher liegen in einem Kunststoffbehälter vermischt vor (Mischbettpatrone). Das zu entsalzende Wasser, meist Leitungswasser, fließt von oben auf das Mischbett.

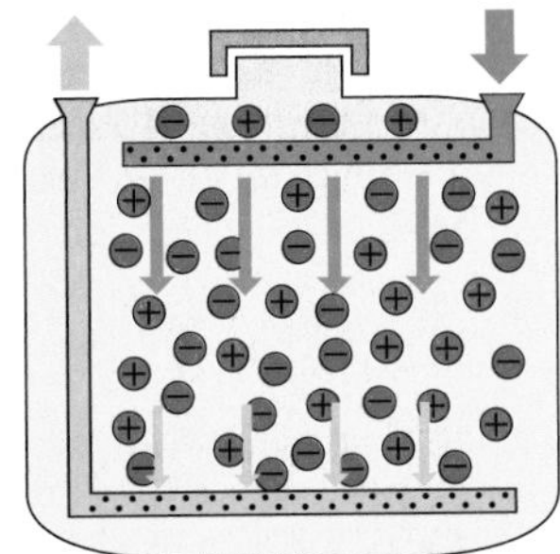

Das entsalzte Wasser wird auf dem Boden gesammelt und durch das nachfließende Wasser aus der Patrone gedrückt. Die Qualität des demineralisierten Wassers kann durch die Messung der elektrischen Leitfähigkeit überprüft werden.

Vorher: Ionen einiger Salze in Wasser, z. B. $2\ Na^+ + Ca^{2+} + 2\ Cl^- + 2\ HCO_3^-$

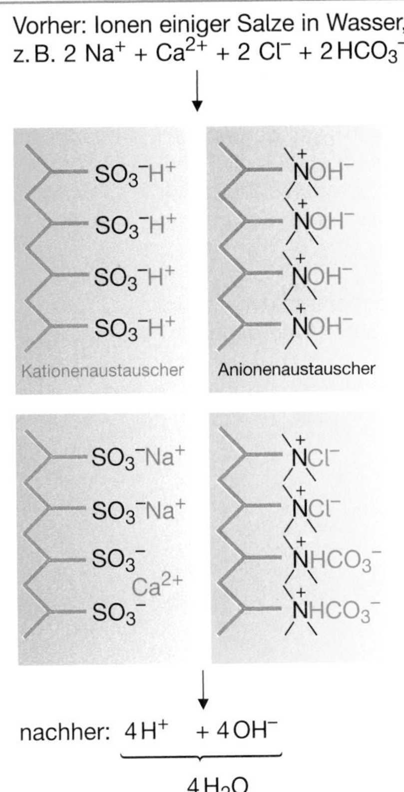

nachher: $4\ H^+ \quad + 4\ OH^-$ → $4\ H_2O$

Wirkunsweise der Ionenaustauscher. Bei den **Kationenaustauschern** sind meist Carboxyl- oder Sulfonsäuregruppen (-COOH, $-SO_3H$) an ein makromolekulares Gerüst von Kohlenstoffatomen gebunden. Beim Quellen in Wasser bilden sich aus den funktionellen Gruppen und Wassermolekülen Oxoniumionen (im Bild vereinfacht als H^+-Ionen dargestellt), die elektrostatisch an die Säurerestanionen gebunden sind. Fließt Leitungswasser durch den Kationenaustauscher, werden die Oxoniumionen gegen z. B. Natrium-, Calcium- und Magnesiumionen ausgetauscht. **Anionenaustauscher** weisen als funktionelle Gruppen oft quartäre Ammoniumgruppen wie $-N^+(CH_3)_3$ auf, deren Ladung durch Hydroxidionen kompensiert wird. Beim Austausch werden diese Hydroxidionen durch die Anionen des zu entsalzenden Wassers ersetzt.
Aus den Oxonium- und den Hydroxidionen bilden sich Wassermoleküle.

Zur **Regeneration** werden die Ionenaustauscher aus der Patrone geschüttet, anschließend werden die Kationen- und die Anionenaustauscher unter Nutzung ihrer unterschiedlichen Dichte getrennt. Durch den Kationenaustauscher lässt man eine Säure, z.B. Salzsäure, und durch den Anionenaustauscher eine Lauge, meist Natronlauge, fließen. Die Kationen werden durch Oxoniumionen und die Anionen durch Hydroxidionen ersetzt. Die regenerierten Ionenaustauscher können erneut gemischt und eingesetzt werden.

1.10 Massenspektrometrie

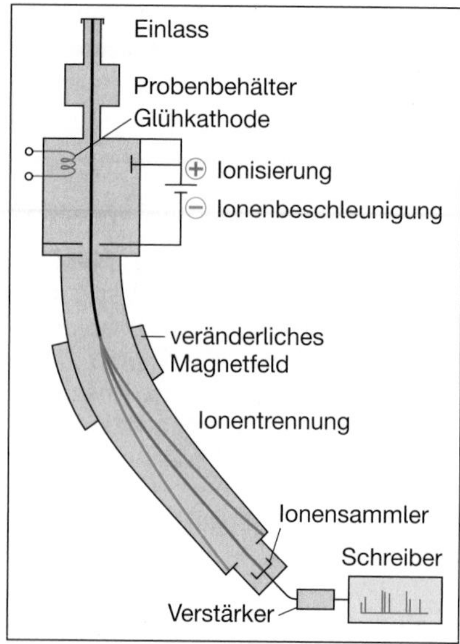

B1 Schematische Darstellung eines Massenspektrometers

A 1 Welches Signal des Massenspektrums eines Reinstoffes ist der Molekülmasse (der Moleküle des Reinstoffs) zuzuordnen?

A 2 Die massenspektrometrische Untersuchung einer Chlorprobe zeigt bei 35 u ein Signal mit der Intensität 100 % und bei 37 u ein Signal mit der Intensität 32 %. Berechnen Sie das Anzahlverhältnis $N(^{35}Cl) : N(^{37}Cl)$.

Die Massenspektrometrie ist ein Analyseverfahren, das es ermöglicht, die Masse von Molekülen und Atomen sehr genau zu bestimmen.

Das Prinzip der massenspektrometrischen Untersuchung. Eine gasförmige Stoffprobe, die sich unter einem sehr geringen Druck (etwa 10^{-4} Pa) in einem Vorratsgefäß befindet, strömt durch eine Düse in eine *Ionisationskammer*. In dieser werden die Moleküle oder Atome der Probe ionisiert. Dafür gibt es verschiedene Verfahren, am häufigsten wird die Elektronenstoßionisation angewendet. Bei diesem Verfahren stoßen die aus einem aufgeheizten Draht (Glühkathode) austretenden Elektronen mit den Teilchen der Probe zusammen und „schlagen" aus den Atomen oder Molekülen meist jeweils ein Elektron heraus.

Beispiele: $Ne + e^- \longrightarrow Ne^+ + 2\,e^-$ $\qquad CH_4 + e^- \longrightarrow CH_4^+ + 2\,e^-$

Da die Energie der schnell fliegenden Elektronen die Ionisierungsenergie übertrifft, werden bei Molekülen meist zusätzlich noch Bindungen gespalten, sodass auch Molekülbruchstücke entstehen.
Die positiv geladenen Ionen werden dann in einem elektrischen Feld beschleunigt und zu einem Ionenstrahl gebündelt. Anschließend wird der Ionenstrahl in einem *Magnetfeld abgelenkt*, dabei hängt die Stärke der Ablenkung von der Masse (*m*) eines Teilchens, seiner Ladung (*q*) und der Stärke des Magnetfeldes ab. Da in der weit überwiegenden Zahl der Fälle einfach geladene Ionen gebildet werden, ist die Ablenkung eines Teilchens in einem Magnetfeld nur von seiner Masse abhängig.
Durch Veränderung der Feldstärke des Magnetfeldes kann man die Teilchen mit den unterschiedlichen Massen nacheinander durch den Austrittsspalt auf einen *Ionensammler* auftreffen lassen. Dadurch werden elektrische Signale erzeugt, deren Höhe der Intensität des jeweils registrierten Ionenstromes proportional ist.

Massenspektren werden zur übersichtlichen Darstellung als Strichspektren (▷ B2) wiedergegeben. In einem Strichspektrum werden auf der Abszisse die Masse und auf der Ordinate die zugehörige relative Häufigkeit eines Teilchens aufgetragen, wobei der Peak mit der höchsten Intensität willkürlich gleich 100 % gesetzt wird.

B2 Massenspektrum des Ethanols

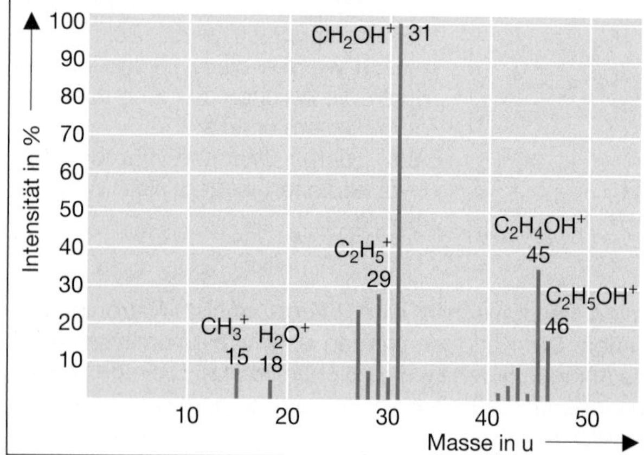

Zuordnung der Signale des Massenspektrums. Werden die Moleküle eines Stoffes nur wenig fragmentiert, so erhält man von den unzersetzten Molekülen ein starkes Signal. In diesem Fall lässt sich die Molekülmasse direkt dem Massenspektrum entnehmen. In vielen Fällen können aus den Informationen über die Fragmente der Aufbau des Moleküls und dessen Masse ermittelt werden. Die Signale beständiger (stabiler) Molekülbruchstücke weisen höhere Intensitäten auf. Bei der Ionisierung gebildete Fragmente können sich auch zu neuen Molekülionen vereinigen (aus dem Ethanolmolekül z. B. ein H_2O^+-Ion aus einer OH-Gruppe und einem H^+-Ion). Signale, die um 1 u unter- oder oberhalb eines Fragmentmoleküls mit relativ hoher Intensität liegen, sind meist Molekülionen, die ein H-Atom weniger oder mehr als das Fragmentmolekül aufweisen.

1.11 Fotometrie

Zur Bestimmung der Konzentration vieler gelöster Stoffe gibt es Teststäbchen, mit denen sich schnell eine Grobeinschätzung der Konzentration vornehmen lässt. Im Folgenden werden Verfahren zur Konzentrationsbestimmung vorgestellt, die genauer sind und mit denen sehr kleine Konzentrationen bestimmt werden können.

Kolorimetrie. Eine wässrige Kupfer(II)-sulfat-Lösung ist blau. Ihre Farbintensität hängt von der Konzentration des gelösten Kupfer(II)-sulfats ab. Die Bestimmung der Konzentration kann durch einen Farbintensitätsvergleich mit Kupfer(II)-sulfat-Lösungen bekannter Konzentrationen erfolgen.
Es ist auch möglich, die Konzentrationen von farblosen Lösungen zu bestimmen. Dazu müssen die gelösten Verbindungen durch geeignete Reaktionen in farbige Verbindungen überführt werden.
In den im Handel erhältlichen Testsets befinden sich in der Regel Nachweislösungen und Messgefäße. Zum Farbvergleich dienen Farbkarten (▷ B1), die das Herstellen der Vergleichslösungen ersparen und haltbarer sind. Bei diesem Verfahren hängt die Bestimmung immer vom Farbempfinden der Untersuchenden ab. Eine objektive Bestimmung ermöglicht die **Fotometrie**. Bei dieser wird die Farbintensität durch eine Messung bestimmt. Vor der Vorstellung dieses Verfahrens ist es sinnvoll, sich zunächst mit dem Zustandekommen der Farbe eines Stoffes zu beschäftigen.

Farbe und Licht. Aus der Physik ist bekannt, dass im Regenbogen das Sonnenlicht in ein Spektrum von Rot bis Violett zerlegt ist. Wir wissen auch, dass es infrarotes und ultraviolettes Licht gibt, obwohl unser Auge dieses nicht wahrnimmt. Das menschliche Auge registriert nur einen sehr kleinen Teil der gesamten elektromagnetischen Strahlung. Es ist ungefähr der Bereich der Wellenlängen von λ = 380 nm bis λ = 780 nm (▷ B2). Gelangt das sichtbare Licht mit hinreichender Intensität ins Auge, so werden dem Gehirn Signale übermittelt, die zu Farbeindrücken führen. Im Wesentlichen wird zwischen den Farben Rot, Orange, Gelb, Grün, Blau und Violett unterschieden. Alle Farben zusammen ergeben bei richtigem Mischungsverhältnis den Eindruck Weiß (additive Farbmischung).

Wird aber **sichtbares Licht** einer bestimmten Wellenlänge oder eines Wellenlängenbereichs von einem Stoff absorbiert, so ergibt das Restlicht des weißen Lichts eine neue Mischfarbe (▷ B3), die **Komplementärfarbe** (von frz. complementaire, ergänzend; absorbierte Farbe und Komplementärfarbe ergänzen sich zu Weiß), der Stoff ist farbig. Kupfer(II)-Ionen, die von Wassermolekülen umhüllt sind, absorbieren z. B. gelboranges Licht, eine Kupfer(II)-sulfat-Lösung erscheint deshalb blau.

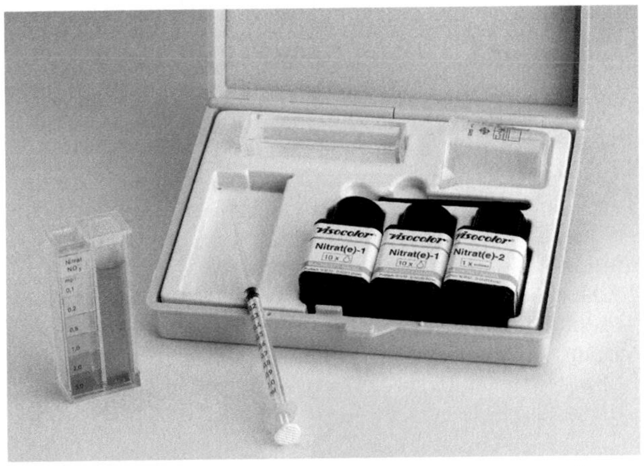

B1 Kolorimetrische Bestimmung der Nitratkonzentration

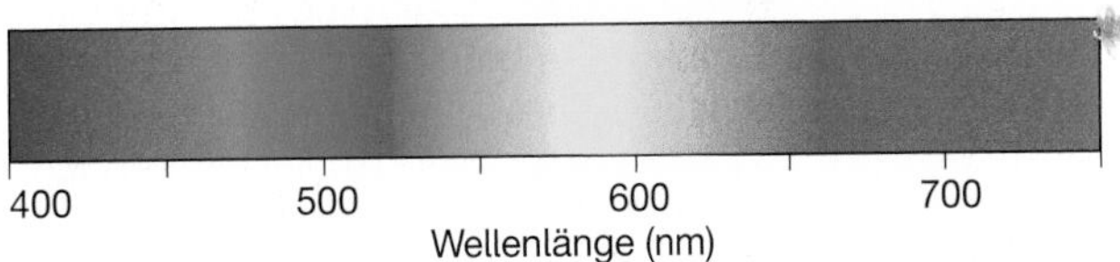

B2 Spektralfarben und Wellenlängen des sichtbaren Spektrums

A 1 Welche Farbe weist eine Lösung auf, die rotes Licht absorbiert?

B3 Absorption und Komplementärfarbe

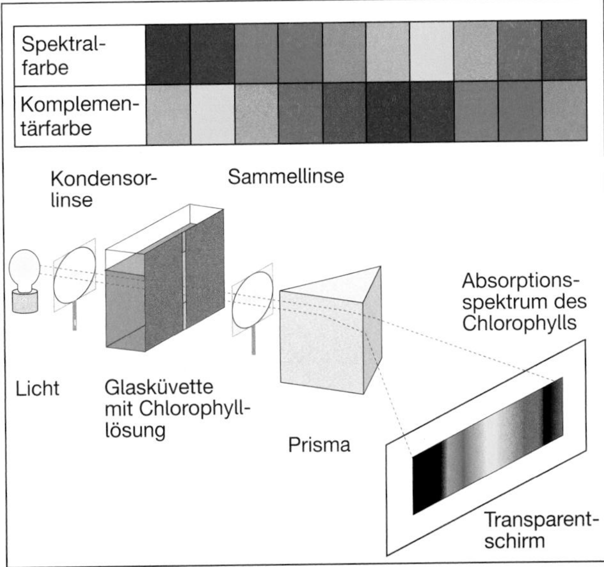

V 1 Aufnahme einer Absorptionskurve. Pipettieren Sie 10 ml Kupfer(II)-sulfat-Lösung ($c(CuSO_4)$ = 0,1 mol/l) in einen 100-ml-Messkolben, fügen Sie 15 ml 5%ige Ammoniaklösung zu und füllen Sie mit dest. Wasser auf 100 ml auf. Bestimmen Sie mit einem Fotometer den Transmissionsgrad und die Extinktion dieser ammoniakalischen Kupfer(II)-sulfat-Lösung bei verschiedenen Wellenlängen.
a) Ermitteln Sie aus dem Transmissionsgrad auch den Absorptionsgrad. b) Tragen Sie die Messwerte in eine Tabelle ein. c) Werten Sie die Tabelle grafisch aus, indem Sie den Transmissiongrad, den Absorptionsgrad bzw. die Extinktion in Abhängigkeit von der Wellenlänge darstellen.

V 2 Abhängigkeit der Extinktion von der Konzentration. Stellen Sie ammoniakalische Kupfer(II)-sulfat-Lösungen der Konzentrationen $c(Cu^{2+})$: 0,02 mol/l; 0,01 mol/l; 0,005 mol/l; 0,0025 mol/l; 0,00125 mol/l her. Messen Sie die Extinktionen bei *einer* Wellenlänge des folgenden Bereichs: 560 nm $\leq \lambda \leq$ 620 nm.
a) Tragen Sie die Extinktionen in Abhängigkeit von den Konzentrationen in ein Koordinatensystem ein.
b) Bestimmen Sie daraus grafisch den Extinktionskoeffizienten ε.
c) Welche Extinktion hat die Lösung der Konzentration $c(Cu^{2+})$ = 0,004 mol/l ?

A 2 Die Extinktion einer Kaliumpermanganatlösung der Konzentration $c(KMnO_4)$ = $2 \cdot 10^{-3}$ mol/l beträgt 0,64, die einer Kaliumpermanganatlösung unbekannter Konzentration 0,44. Die Messungen erfolgten unter gleichen Bedingungen. Berechnen Sie die unbekannte Konzentration.

B4 Das Absorptionsspektrum einer ammoniakalischen Kupfer(II)-sulfat-Lösung, $c(Cu^{2+})$ = 0,01 mol/l

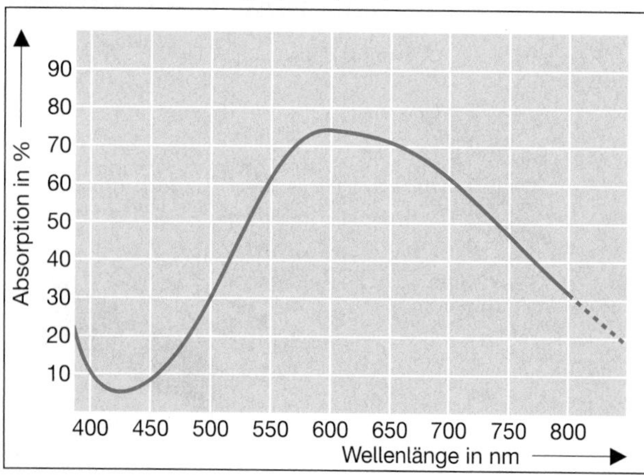

In der *Fotometrie* werden mithilfe des sichtbaren Lichts die Konzentrationen von farbigen Lösungen bestimmt.
Zunächst wird der Wellenlängenbereich des Lichts bestimmt, das von den Molekülen oder Ionen einer Lösung absorbiert wird.
Licht nur einer Wellenlänge oder eines sehr engen Wellenlängenbereichs bezeichnet man als **monochromatisches Licht** (von griech. monos, eins und griech. chroma, Farbe). Bestrahlt man die Lösung eines Stoffes mit monochromatischem Licht, das absorbiert werden kann, so hängt das Ausmaß der Absorption im Wesentlichen von zwei Faktoren ab, die zunächst dargestellt werden sollen.

Transmissionsgrad und Absorptionsgrad. Nach M. PLANCK und A. EINSTEIN kann die elektromagnetische Strahlung als ein Strom von Energieportionen (Photonen) beschrieben werden. Somit kann man sich einen Strahl monochromatischen Lichts als einen Strom von Photonen gleicher Energie vorstellen. Tritt ein Lichtstrahl in die Lösung des Licht absorbierenden Stoffes ein, so können die Teilchen des Photonenstroms absorbiert werden, wenn sie auf die Teilchen des gelösten Stoffes treffen. Es ist offensichtlich, dass der in eine Lösung eintretende Photonenstrom umso mehr geschwächt wird, je höher die Konzentration des absorbierenden Stoffes und je größer der Weg ist, den der Photonenstrom durch die Lösung zurücklegt.

Ein Photonenstrom kann z.B. mit einer Fotozelle gemessen werden. Um das Ausmaß der Absorption zu erfassen, betrachtet man den **Transmissionsgrad** (Durchlässigkeitsgrad) τ oder den **Absorptionsgrad** α.
Der *Transmissionsgrad* (von lat. transmittere, hindurchschicken) ist der Anteil der Strahlung, der nicht absorbiert, also von der Probe durchgelassen wird.

$$\tau = \frac{\text{Intensität des durchgelassenen Lichts } (I_{tr})}{\text{Intensität des eingestrahlten Lichts } (I_0)}$$

Die Intensität ist der Quotient aus der Zahl der Photonen und dem Produkt aus der Zeit und der Fläche, z.B. der Fläche der Fotozelle, auf die die Photonen auftreffen:

$$I = \frac{\text{Anzahl der Photonen}}{\text{Zeit} \cdot \text{Fläche}} = \frac{N(\text{Photonen})}{t \cdot A}$$

Setzt man zwei Intensitäten wie oben beschrieben ins Verhältnis, so kürzen sich Zeit und Fläche heraus, wenn sie im Zähler und Nenner jeweils gleiche Werte haben. τ gibt also an, welcher Anteil der eingestrahlten Photonen durchgelassen wird.

Der Zahlenwert von τ liegt zwischen 0 und 1. Der Transmissionsgrad wird häufig in Prozent angegeben.
τ = 0,4 oder 40 % bedeutet, dass 40 % des eingestrahlten Lichts von der Probe durchgelassen werden.

Der *Absorptionsgrad* α ist der Quotient aus der Intensität des absorbierten Lichts und der Intensität des eingestrahlten Lichts:

$$\alpha = \frac{\text{Intensität des absorbierten Lichts } (I_{abs})}{\text{Intensität des eingestrahlten Lichts } (I_0)}$$

Entsprechend der Überlegung zum Transmissionsgrad kann für den Absorptionsgrad festgestellt werden, dass er angibt, welcher Anteil der eingestrahlten Photonen absorbiert wird.
Auch der Zahlenwert von α liegt zwischen 0 und 1. Wie der Transmissionsgrad wird auch der Absorptionsgrad häufig in Prozent angegeben.
Aus dem Transmissionsgrad kann der Absorptionsgrad berechnet werden und umgekehrt: $\alpha = 1 - \tau$. Denn der Anteil α an absorbierten Photonen und der Anteil τ an durchgelassenen Photonen müssen zusammen 100 % ergeben: $\alpha + \tau = 1$.

Bei der Konzentrationsbestimmung wird zweimal gemessen:
1. Bei der Referenzmessung (Vergleichsmessung oder Messung des Leerwertes) wird das Licht nur durch das Lösungsmittel oder eine Vergleichsprobe geschickt und der Messwert auf 1 eingestellt.
2. Die „wirkliche Messung" erfolgt bei den gleichen Bedingungen (Lichtquelle, Probenbehälter, Lösungsmittel, Strahlungsempfänger) wie die Referenzmessung, jedoch mit der zu untersuchenden Lösung.

Lambert-Beer-Gesetz. Untersucht man den Transmissionsgrad in Abhängigkeit von der Schichtdicke bzw. der Konzentration der Lösung, so ergibt sich eine exponentielle Abnahme des Transmissionsgrades mit steigender Schichtdicke bzw. Konzentration (▷ B5). Das heißt: Erhöht man die Konzentration durch schrittweises Hinzufügen immer des gleichen Wertes, so verringert sich die Transmission bei jedem Schritt um denselben *Faktor*.

In der Praxis ist es sinnvoll, einen linearen (proportionalen) Zusammenhang zwischen der zu erfassenden Größe (die mit dem Transmissionsgrad zusammenhängt) und der Konzentration bzw. Schichtdicke zu erhalten. Man wählt deshalb anstelle des Transmissionsgrades den mit −1 multiplizierten dekadischen Logarithmus von τ, die **Extinktion** E (von lat. ex(s)tingere, auslöschen):

$E = -\lg \tau = -\lg I_{tr}/I_0 = \lg I_0/I_{tr}$.

Die Extinktion E ist der Schichtdicke d und der Konzentration c direkt proportional:

$E \sim d$ und $E \sim c$.

Zusammengefasst ergibt sich damit, dass die Extinktion E direkt proportional zum Produkt aus d und c ist:

$E \sim d \cdot c$ oder $E = \varepsilon \cdot d \cdot c$.

ε heißt molarer dekadischer Extinktionskoeffizient. ε hängt von der Wellenlänge des verwendeten Lichtes und vom absorbierenden Stoff ab. Dieses Gesetz wird nach dem Physiker J. H. LAMBERT und dem Mathematiker A. BEER, die die aufgezeigten Zusammenhänge zwischen der Konzentration, der Schichtdicke und der Absorption bzw. Extinktion erkannten, als Lambert-Beer-Gesetz bezeichnet.

Bei konstanter Schichtdicke ist die Extinktion der Konzentration einer Lösung direkt proportional: $E \sim c$.

Die Proportionalität zwischen der Extinktion E und der Konzentration c (▷ B6) gilt streng nur in verdünnten Lösungen ($c < 10^{-2}$ mol/l).

B5 Der Transmissionsgrad nimmt exponentiell mit der Konzentration ab

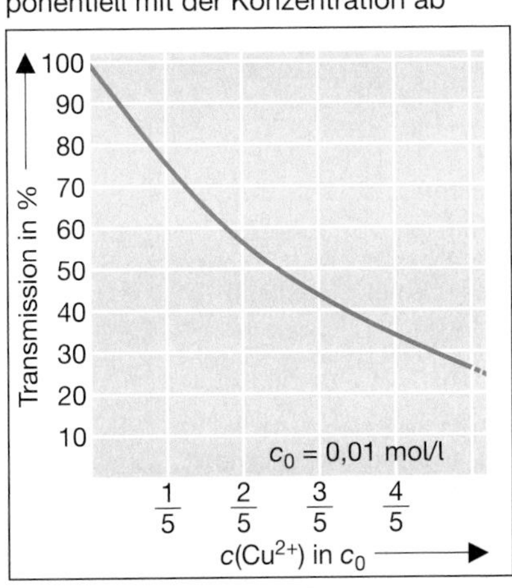

B6 Die Extinktion ist direkt proportional zur Konzentration

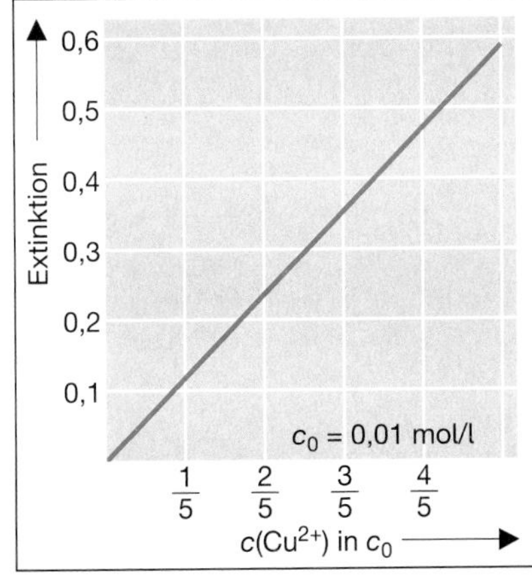

B7 Prinzip der Fotometrie. Ein Teil des einfallenden Lichtes wird absorbiert

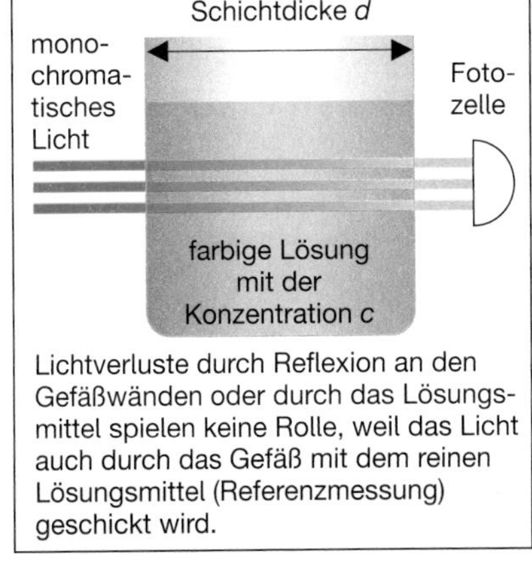

Lichtverluste durch Reflexion an den Gefäßwänden oder durch das Lösungsmittel spielen keine Rolle, weil das Licht auch durch das Gefäß mit dem reinen Lösungsmittel (Referenzmessung) geschickt wird.

1.12 Infrarotspektroskopie

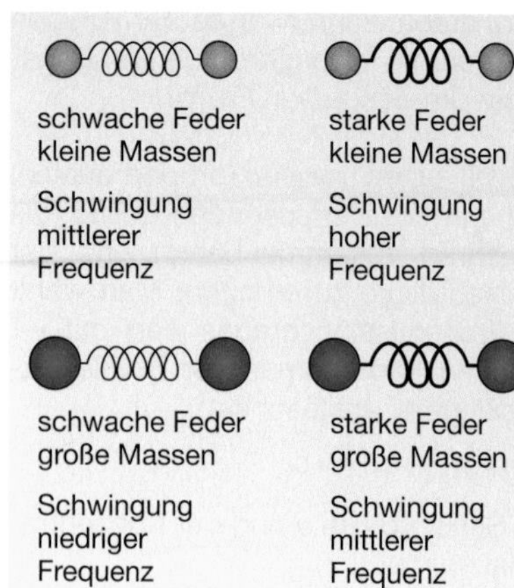

B1 Die Frequenz der Schwingung hängt von der Masse und der Federstärke ab

A 1 Beschreiben Sie die Lage der Absorptionsbanden der C-C-Bindungen (Einfach-, Doppel- und Dreifachbindungen) im IR-Spektrum und geben Sie eine Erklärung für die unterschiedliche Lage.

B2 Zusammenhang zwischen Wellenzahl, Wellenlänge und Frequenz

$$\tilde{\nu} = \frac{1}{\lambda} = \frac{f}{c}$$

$\tilde{\nu}$: Wellenzahl, λ: Wellenlänge
f: Frequenz, c: Lichtgeschwindigkeit

Eine häufig eingesetzte Methode zur Strukturbestimmung von Molekülen und Identifizierung von Verbindungen ist die **Infrarotspektroskopie**. Sie untersucht die Absorption von infraroter Strahlung (IR-Strahlung) durch gasförmige, flüssige und feste Stoffe.

Grundlagen der Infrarotspektroskopie. Bei der Absorption von IR-Strahlung werden in Molekülen *Schwingungen* angeregt. Die Schwingungen von Atomen in Molekülen kann man sich wie die Schwingungen von Kugeln vorstellen, die über Federn miteinander verbunden sind (▷ B1). Zwei über eine Feder miteinander verbundene Kugeln schwingen nur mit *einer* Frequenz. Diese *Eigenfrequenz* der Schwingung ist umso höher, je stärker die Feder ist. Diese Schwingungsfrequenz ist umso niedriger, je größer die Masse der Kugeln ist. Die Stärke der Feder lässt sich mit der Bindungsstärke und die Masse der Kugeln mit den Atommassen vergleichen.

Zur Anregung der Schwingung von Atomen in Molekülen wird stets IR-Strahlung der Frequenz absorbiert, die der Frequenz der Schwingung der Atome entspricht.

Schwingungen, die in Richtung der aneinander gebundenen Atome (Valenzrichtung) erfolgen und zu einer periodischen Verkürzung und Verlängerung der Bindungsabstände der Atome führen, werden als *Valenzschwingungen* bezeichnet (▷ B3). Davon unterschieden werden die *Deformationsschwingungen*, bei denen die Atomabstände beibehalten, aber die Bindungswinkel periodisch vergrößert und verkleinert werden. Außer Schwingungen können auch Rotationen angeregt werden.

Aufnahme eines IR-Spektrums. Ein IR-Spektrum wird mit einem Doppelstrahlspektrometer aufgenommen (▷ B4). Die Strahlungsquelle, meist ein elektrisch aufgeheizter Zirconiumoxid- oder Siliciumcarbidstab, gibt infrarote Strahlung ab. Diese wird mithilfe von Spiegeln in zwei Strahlen geteilt, von denen der eine, der Messstrahl, durch die zu untersuchende Substanz geht, während der andere, der Vergleichsstrahl, unbeeinflusst bleibt. Die beiden Strahlen werden wieder zusammengeführt und gelangen abwechselnd auf einen Monochromator, z. B. ein sich langsam drehendes Prisma, der aus dem Infrarotspektrum Licht eines engen Wellenlängenbereichs „herausfiltert", und danach auf den Detektor.

B3 Schwingungsformen eines Moleküls aus drei Atomen

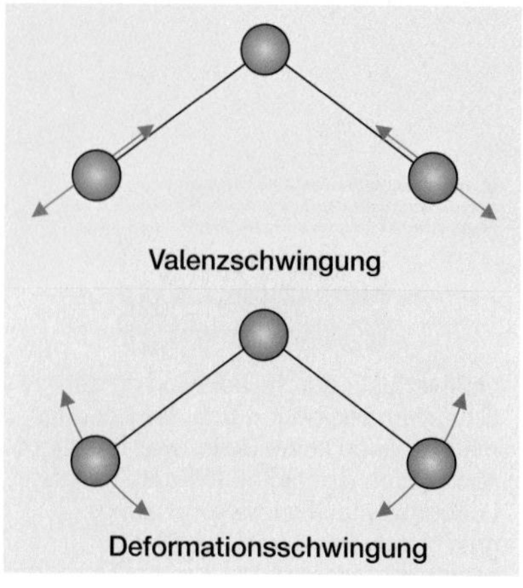

B4 Schematische Darstellung des Aufbaus eines Doppelstrahlspektrometers

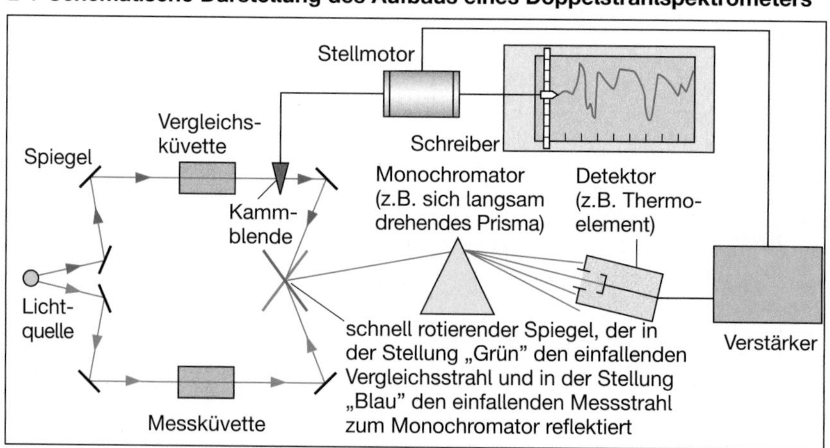

Der Vergleichsstrahl löst im Detektor ein starkes Signal aus. Wird der Messstrahl durch die Probe abgeschwächt, ruft er im Detektor ein schwächeres Signal hervor. Im Gerät wird dann der Vergleichsstrahl z.B. mithilfe einer Kammblende so weit abgeschwächt, dass beide Strahlen die gleiche Intensität aufweisen. Diese Bewegung der Blende, die ein Maß für die Stärke der Absorption des Messstrahles ist, wird verstärkt und vom Schreiber oder Computer erfasst.
In IR-Spektren wird der Transmissionsgrad oder die Durchlässigkeit in % (↗ Kap. 1.11) meist gegen die Wellenzahl $\tilde{\nu}$ (▷ B2) aufgetragen. IR-Spektren erstrecken sich meist über den Wellenzahlbereich 400 cm^{-1} bis 4000 cm^{-1}. Bei Wellenzahlen, bei denen die IR-Strahlung Schwingungen anregt, wird die Transmission vermindert.

Auswertung eines IR-Spektrums. Aus dem Vergleich vieler IR-Spektren lassen sich einige Regeln der Zuordnung von Absorptionsbanden zu Atomgruppen ableiten.
1. Atomgruppen, z.B. C–C-, C–H-, O–H-Gruppen, absorbieren IR-Strahlung in einem bestimmten Frequenz- bzw. Wellenzahlbereich weitgehend unabhängig von benachbarten Atomen im Molekül.
2. Die Wellenzahl der Strahlung zur Anregung einer Schwingung steigt mit der Bindungsstärke. So absorbieren C≡C-Dreifachbindungen IR-Strahlung höherer Wellenzahlen als C=C-Doppelbindungen und C–C-Einfachbindungen (▷ B5).
3. Atomgruppen ähnlicher Massen absorbieren auch IR-Strahlung etwa gleicher Frequenzen und damit des gleichen Wellenzahlbereichs. Bei deutlich größerer Masse eines Bindungspartners einer Atomgruppe verschiebt sich die Absorption zu IR-Strahlung niedrigerer Frequenzen bzw. Wellenzahlen (▷ B5).
4. Deformationsschwingungen werden bei niedrigeren Wellenzahlen angeregt als Valenzschwingungen.

Unterscheiden sich Moleküle in ihrem Aufbau nur geringfügig, so weisen die Spektren doch meist deutliche Unterschiede auf. Infrarotstrahlung unter 1500 cm^{-1} regt nicht mehr einzelne Atome in Atomgruppen zu Schwingungen an, sondern ganze Molekülgerüste. Dieser Bereich wird oft als „Fingerprintbereich" bezeichnet, weil sich durch die Anregung des Moleküls ein für das betreffende Molekül charakteristisches Spektrum ergibt (▷ B6).

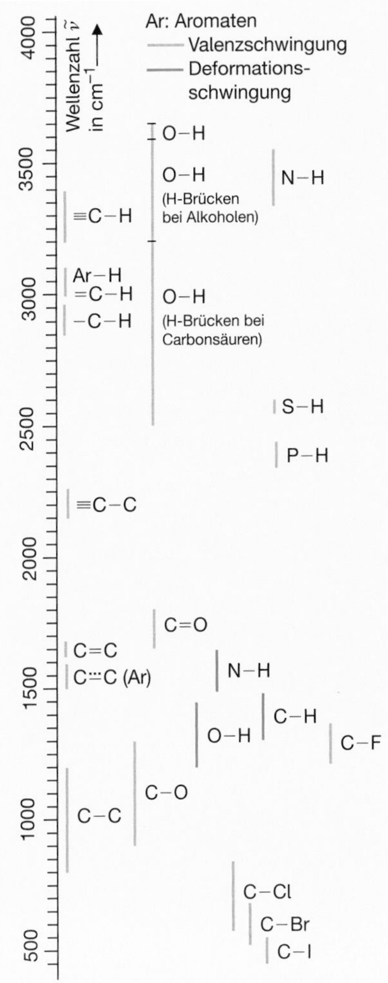

B5 Lage der Absoprtionsbanden einiger Bindungen im IR-Spektrum

B6 IR-Spektren der Isomere Propanal (Propionaldehyd) und Propanon (Aceton) im gasförmigen Zustand

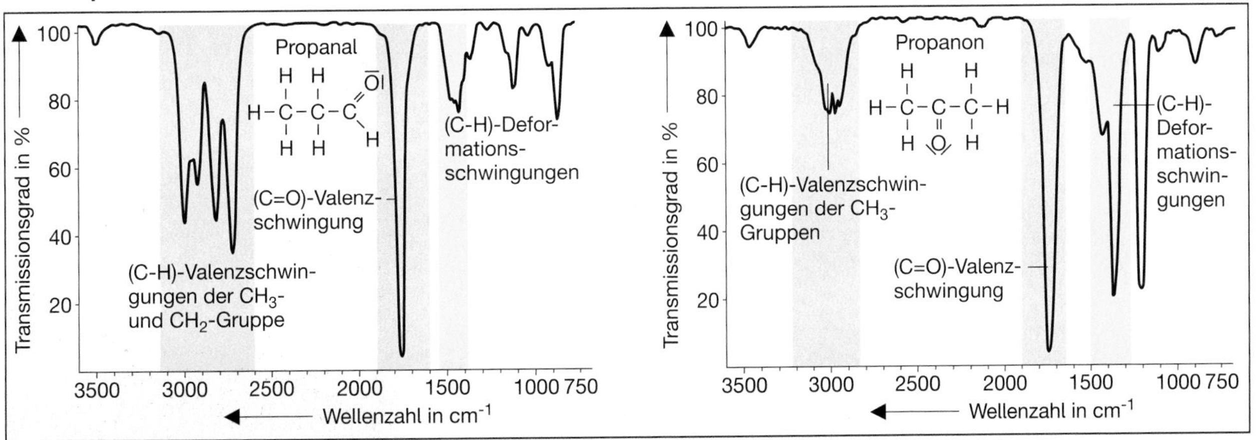

1.13 Strukturaufklärung durch NMR-Spektroskopie

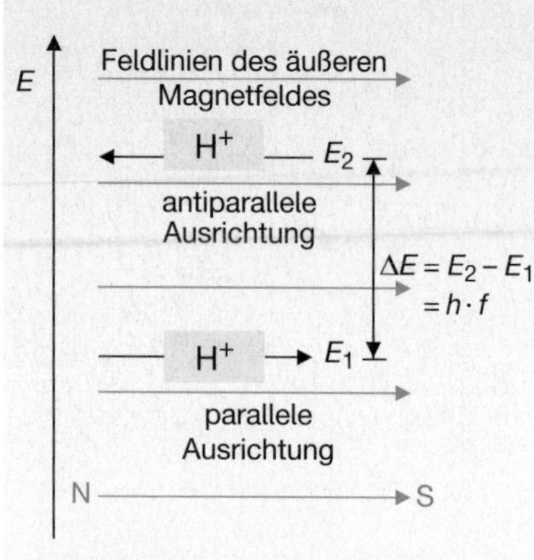

B1 Die Ausrichtung von magnetischen Atomkernen zu den Feldlinien

B2 Die chemische Verschiebung der NMR-Signale

Für die Lage der NMR-Signale lässt sich keine absolute Skala angeben, da die Frequenz der absorbierten Radiowellen auch von der Stärke des äußeren Magnetfeldes abhängt. Man bezieht deshalb die Signallage auf eine Referenzsubstanz, meist Tetramethylsilan $(CH_3)_4Si$ (TMS). Aufgrund der geringen Abschirmung der Protonen in den Tetramethylsilanmolekülen absorbiert diese Substanz Radiowellen niedrigerer Frequenz (f_{stan}) als die meisten untersuchten organischen Verbindungen (f_{sub}).
Die chemische Verschiebung δ ist definiert:

$$\delta = \frac{f_{sub} - f_{stan}}{f_{stan}} \cdot 10^6 \text{ ppm}$$

(ppm, von engl. **p**arts **p**er **m**illion)
Diese Skala hat den Vorteil, dass die mit ihr angegebenen Verschiebungen unabhängig vom äußeren Magnetfeld sind, weil sowohl die Zählergrößen als auch die Nennergröße proportional zu diesem Feld sind.

In der folgenden Tabelle ist die chemische Verschiebung einiger Protonensignale zusammengestellt.

Stoff	Molekülgruppe	δ in ppm
Alkane	H−C−	0,6– 1,8
Alkene	H−C=	3,5– 7,5
Alkanale	H−C=O	9,4– 9,9
Alkanole	−O−H	1,0– 4,8
Alkansäuren	−COO−H	9,2–13,2

Eine der wichtigsten Methoden zur Strukturaufklärung organischer Verbindungen ist heute die **NMR-Spektroskopie** (von engl. nuclear magnetic resonance spectroscopy, kernmagnetische Resonanzspektroskopie).

Diese beruht darauf, dass sich einige Atomkerne wie kleine Stabmagnete verhalten. Unter dem Einfluss eines starken Magnetfeldes können sich magnetische Atomkerne parallel oder antiparallel zu den Feldlinien eines äußeren Magnetfeldes ausrichten. Dabei ist die parallele Ausrichtung energieärmer als die antiparallele (▷ B1). Der Energieunterschied zwischen beiden Ausrichtungen entspricht bei den meist verwendeten Feldstärken der Energie elektromagnetischer Strahlung im Frequenzbereich der Radiowellen (ca. 50 bis 750 MHz). Wird eine Stoffprobe in einem Magnetfeld mit Radiowellen bestrahlt, so werden diese absorbiert, wenn ihre Energie genau dem Energieunterschied der beiden Ausrichtungen entspricht. Diese Absorption wird als NMR-Signal erfasst und aufgezeichnet. Die Kerne des Wasserstoffatoms (^1H) und des Kohlenstoffisotops ^{13}C sind von besonderer Bedeutung für die Strukturaufklärung.

Der Energieunterschied zwischen den beiden Ausrichtungen ist nicht bei allen Wasserstoffatomkernen (Protonen) gleich. Die Elektronenhülle eines Protons bewirkt eine Abschirmung des angelegten Magnetfeldes. Der Atomkern des Wasserstoffatoms z. B. einer OH-Gruppe ist aufgrund der höheren Elektronegativität des Sauerstoffatoms weniger abgeschirmt als der eines Wasserstoffatoms einer CH-Gruppe. Dies führt dazu, dass die Atomkerne Radiowellen unterschiedlicher Frequenz absorbieren. Protonen können also je nach den vorhandenen Nachbargruppen unterschieden werden. Dieser Effekt wird als **chemische Verschiebung δ** bezeichnet. Da die Frequenz der absorbierten Strahlung auch von der Stärke des angelegten Magnetfeldes abhängt, wird die Verschiebung δ als Abstand zur Frequenz der aborbierten Strahlung einer Bezugssubstanz angegeben (▷ B2).

Kernspintomografie. Auf der Absorption von Radiowellen durch Atomkerne beruht die Kernspintomografie. Es absorbieren die Protonen der Wassermoleküle in den verschiedenen Geweben. Diese unterscheiden sich in ihrem Wasseranteil. In Abhängigkeit vom Wasseranteil bzw. der Protonendichte erhält man NMR-Signale, die mithilfe eines Computers so aufbereitet werden, dass sich einzelne Organe und Körperteile dreidimensional darstellen lassen (▷ B4).

B3 NMR-Spektren von Methanol und Essigsäure. Peakflächen entsprechen dem Anzahlverhältnis der H-Atome

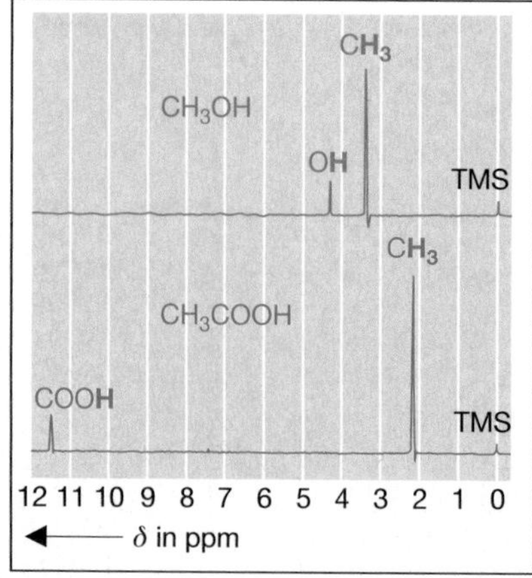

B4 Die Kernspintomografie erlaubt dreidimensionale Darstellungen einzelner Organe und Körperteile

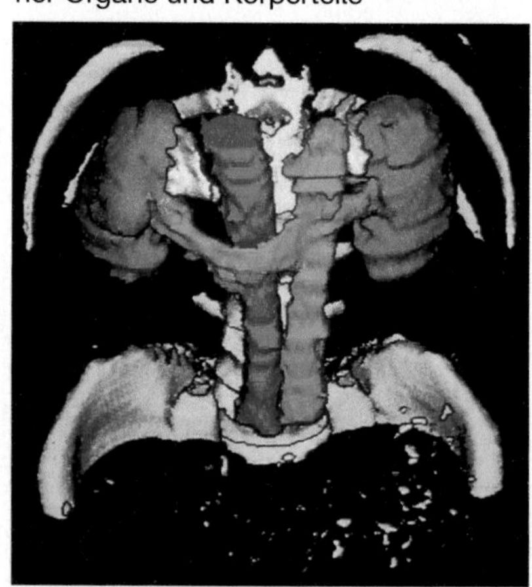

Atombau und chemische Bindung

Bei der optischen Wahrnehmung unserer Umwelt sind uns im makroskopischen wie auch im mikroskopischen Bereich Grenzen gesetzt. Zum Betrachten von Gegenständen, die kleiner sind als 0,1 mm, benötigen wir Mikroskope, zunächst ein Lichtmikroskop und für noch kleinere Objekte Elektronenmikroskope.
Mit dem Raster-Tunnel-Elektronenmikroskop können heute einzelne Atome, jedoch nicht ihre Bausteine, beobachtet werden. Die Grenze der Beobachtbarkeit liegt im Bereich von 100 pm.

Alle Erkenntnisse über die Bausteine der Atome stammen aus Ergebnissen von Experimenten über das Verhalten von Materie bei bestimmten Versuchsbedingungen. Um diese experimentellen Ergebnisse erklären zu können, entwickelte man Vorstellungen vom Aufbau der Atome. Ein solches Modell stellt also kein reales Abbild eines Atoms dar, sondern macht nur das Zustandekommen dieses Versuchsergebnisses verständlich.
Liegen neue gesicherte Versuchsergebnisse vor, die sich mit einem vorhandenen Modell nicht deuten lassen, muss dieses Modell erweitert oder ein neues Modell geschaffen werden. So sind nacheinander verschiedene Atommodelle entstanden. Keine der Vorstellungen, die von den hier abgebildeten Personen entwickelt wurden, entspricht ganz unseren heutigen Kenntnissen. Ein Modell kann jedoch auch bei der Entwicklung neuerer Modelle seine Gültigkeit für den Teilbereich der Erscheinungen behalten, den es zu deuten vermag.

DEMOKRIT

J. DALTON

J. J. THOMSON

Historisch bedeutsame Atommodelle

DEMOKRIT (460–371 v. Chr.) Atome sind die kleinsten, unteilbaren Einheiten aller stofflichen Dinge (von griech. atomos, unteilbar). Diese Vorstellung war aus philosophischer Spekulation, nicht aus naturwissenschaftlichen Erkenntnissen abgeleitet.

JOHN DALTON (1766–1844) Atome sind unveränderlich und unzerstörbar. Die Atome eines Elements sind untereinander gleich. Sie unterscheiden sich von den Atomen anderer Elemente in ihrer Masse. Bei chemischen Reaktionen werden Atome nicht verändert, sondern lediglich miteinander verknüpft oder voneinander getrennt.

JOSEPH JOHN THOMSON (1856–1940) Atome sind Kugeln, bei denen Masse und positive Ladung gleichmäßig über das gesamte Volumen verteilt sind. In diese sind negativ geladene Teilchen, die Elektronen, eingebettet. Sie kompensieren die positive Ladung.

ERNEST RUTHERFORD (1871–1937) Atome bestehen aus einem sehr kleinen, positiv geladenen Kern und einer kugelförmigen Elektronenhülle, die den Kern umgibt. Die Elektronen bewegen sich mit hoher Geschwindigkeit um den Kern.

NIELS BOHR (1885–1962), ARNOLD SOMMERFELD (1868–1951) Elektronen bewegen sich auf bestimmten kreis- oder ellipsenförmigen Bahnen um den Atomkern. Die Elektronen auf den verschiedenen Bahnen besitzen unterschiedliche Energie. Elektronen können von einer Bahn auf die andere wechseln, damit ist eine Absorption bzw. Emission von Licht verbunden.

E. RUTHERFORD

N. BOHR

A. SOMMERFELD

2.1 Kern und Elektronenhülle

Elementarteilchen	Ladung	Masse
Proton	$+1{,}60218 \cdot 10^{-19}\,C$	$1{,}67262 \cdot 10^{-27}\,kg$ $= 1{,}007275\,u$
Neutron	—	$1{,}67493 \cdot 10^{-27}\,kg$ $= 1{,}008665\,u$
Elektron	$-1{,}60218 \cdot 10^{-19}\,C$	$9{,}10939 \cdot 10^{-31}\,kg$ $= 0{,}0005486\,u$

B1 Ladung und Masse von Elementarteilchen

B2 Kennzeichnung eines Atoms und seines Kerns durch Angabe der Protonen- und Nukleonenzahl

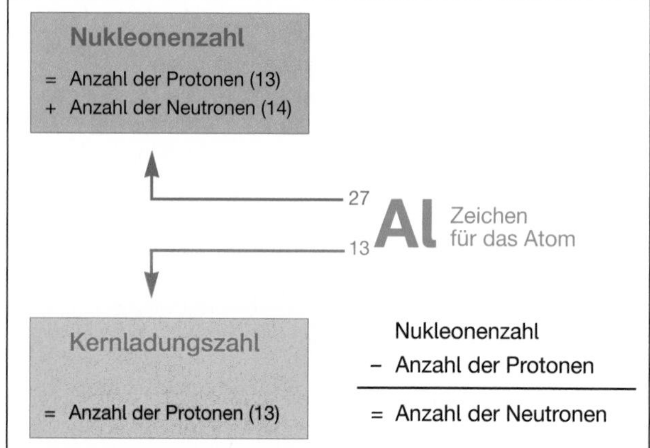

B3 Kern-Hülle-Modell und Aufenthaltswahrscheinlichkeit. Diese nimmt mit zunehmender Entfernung vom Kern ab

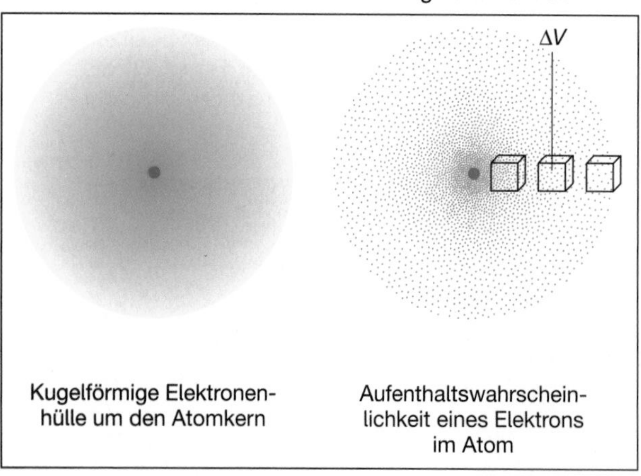

Zu Beginn dieses Abschnitts sollen zunächst einige wichtige Aspekte des Themas Atombau wiederholt werden.

Das Kern-Hülle-Modell. Der neuseeländische Physiker E. RUTHERFORD bestrahlte dünne Metallfolien mit α-Strahlen, also mit Teilchen der Masse 4 u, die zwei positive Elementarladungen tragen. Als experimenteller Befund ergab sich, dass nahezu alle α-Teilchen ungehindert die Metallfolie durchdrangen. Nur ein sehr geringer Anteil wurde deutlich abgelenkt. RUTHERFORD ging davon aus, dass die α-Teilchen abgelenkt werden, wenn sie in die Nähe von positiven Teilchen gelangen. Aus den Versuchsergebnissen schloss er, dass die gesamte positive Ladung und fast die ganze Masse eines Atoms in einem winzigen Bereich im Zentrum des Atoms vereinigt sind, dem **Atomkern**. Die positive Ladung des Atomkerns wird durch die negativ geladenen Elektronen ausgeglichen, die sich in der **Elektronenhülle** bewegen, einem kugelförmigen Raum, der den Atomkern umgibt.

Der Atomkern. Im Vergleich zum gesamten Atom ist der Kern sehr klein, sein Durchmesser beträgt nur etwa ein Hunderttausendstel vom Durchmesser des ganzen Atoms. Der Kern eines Atoms besteht aus positiv geladenen **Protonen** und den ungeladenen **Neutronen**. Die Kernbausteine Proton und Neutron bezeichnet man zusammenfassend auch als **Nukleonen** (von lat. nucleus, Kern). Die Masse eines Protons und eines Neutrons beträgt jeweils ungefähr 1 u (▷ B1).
Die Atomkerne verschiedener Atomsorten unterscheiden sich in der Protonenanzahl. Bei den Atomen der Elemente, die im Periodensystem der Elemente aufeinanderfolgen, nimmt die Anzahl der Protonen jeweils um 1 zu. Der Kern des Wasserstoffatoms besteht nur aus einem Proton. Der Kern des Heliumatoms (Masse 4 u) enthält 2 Protonen und 2 Neutronen. Zur Kennzeichnung eines Atoms und seines Kerns wird die in ▷ B2 erläuterte Schreibweise verwendet. Atome des gleichen Elements, also mit derselben Protonenanzahl, können sich in ihrer Neutronenanzahl und damit in ihrer Atommasse unterscheiden. Man nennt diese Atome **Isotope** (von griech. isos, gleich und griech. topos, Ort, Stelle).
Wegen der geringen Masse der Elektronen ist die Masse des Atomkerns nahezu gleich der Masse des gesamten Atoms.

Der Atomkern ist aus Protonen und Neutronen aufgebaut. Die Anzahl der Protonen im Kern eines Atoms ist gleich der Ordnungszahl des Elements.

Die Elektronenhülle des Wasserstoffatoms. Für die Chemie sind Kenntnisse über den Aufbau der Elektronenhülle besonders interessant, da ein Zusammenhang besteht zwischen stofflichen Veränderungen bei chemischen Reaktionen und Veränderungen in der Elektronenhülle. Hierzu betrachten wir zunächst die Elektronenhülle des einfachsten Atoms: In einem kugelförmigen Raum bewegt sich ein Elektron um den Atomkern. Es kann überall in dieser Elektronenhülle angetroffen werden. Der Physiker W. HEISENBERG konnte zeigen, dass es prinzipiell nicht möglich ist, gleichzeitig Ort und Geschwindigkeit eines Elektrons exakt anzugeben. Es ist nur möglich, die Wahrscheinlichkeit ΔW anzugeben, das Elektron in einem bestimmten Raumbereich ΔV anzutreffen (▷ B3). Man gelangt so zur Angabe der Wahrscheinlichkeitsdichte $\Delta W/\Delta V$. Diese ist durch unterschiedliche Punktedichten veranschaulicht (▷ B3). Die Wahrscheinlichkeitsdichte nimmt mit zunehmender Entfernung vom Kern ab.

Energie der Elektronen. Da sich Elektronen in der Hülle im Anziehungsbereich des Kerns bewegen, besitzen sie sowohl kinetische Energie (Bewegungsenergie) als auch potentielle Energie (Lageenergie). Die *Gesamtenergie* der Elektronen ist umso größer, je weiter sie im Mittel vom Kern entfernt sind. Genauere Aufschlüsse über Energien in der Elektronenhülle erhält man aus den Ionisierungsenergien und aus den Atomspektren.

Ionisierungsenergie. Wird einem Atom Energie zugeführt, kann ein Elektron diese Energie aufnehmen. Dabei vergrößert sich der mittlere Abstand des Elektrons vom Kern. Übersteigt die Energiezufuhr einen bestimmten Wert, verlässt das Elektron den Anziehungsbereich des Kerns, und es entsteht ein einfach positiv geladenes Ion. Die Energie, die gerade ausreicht, um ein Elektron aus einem Atom oder aus einem bereits vorliegenden Ion abzuspalten, bezeichnet man als *Ionisierungsenergie*. Je weiter das Elektron im Mittel vom Kern entfernt ist, desto geringer ist der Energieaufwand, um dieses Elektron abzuspalten.

Energiestufen und Schalenmodell. Werden von einem Atom nacheinander alle Elektronen entfernt, so ergibt sich für alle Atomsorten eine auffallende Gemeinsamkeit. Dies ist am Beispiel der Kohlenstoff-, Magnesium- und Aluminiumatome ersichtlich (▷ B4). Bekommt das *zuletzt* entfernte Elektron jeweils die Nummer 1, so stellt man fest, dass bei jeder Atomsorte mit ausreichender Elektronenanzahl die Ionisierungsenergie zwischen den Elektronen Nr. 3 und Nr. 2 sowie zwischen den Elektronen Nr. 11 und Nr. 10 sprunghaft ansteigt. Es ergeben sich so Gruppen von Elektronen, die sich verschiedenen Energiestufen zuordnen lassen. Diese Energiestufen entsprechen kugelschalenförmigen Raumbereichen in der Elektronenhülle („Elektronenschalen"), in denen die Aufenthaltswahrscheinlichkeit des Elektrons groß ist.

Die Elektronenhülle eines Atoms lässt sich in schalenförmige Bereiche untergliedern, in denen die Elektronen eine große Aufenthaltswahrscheinlichkeit besitzen. Die Elektronen in den verschiedenen Bereichen haben unterschiedliche Energie.

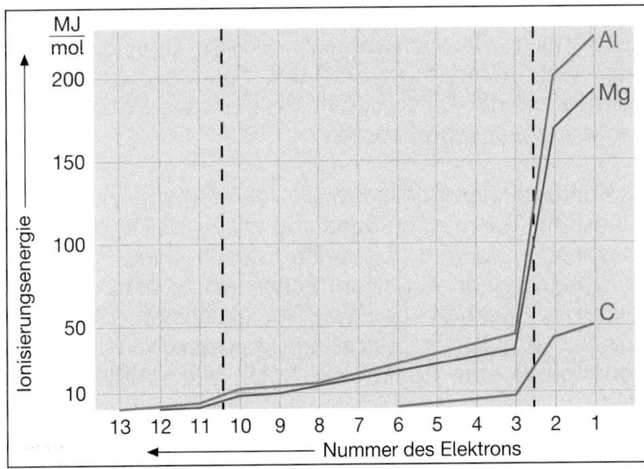

B4 Vergleich der Ionisierungsenergien entsprechender Elektronen von drei verschiedenen Atomsorten

A 1 Im Folgenden sind die aufzuwendenden Energiebeträge (in MJ/mol) für die schrittweise Ionisierung der Atome verschiedener Elemente aufgeführt, beginnend mit dem jeweils zuerst entfernten Elektron:
Mg: 0,7; 1,5; 7,7; 11; 14; 18; 22; 26; 32; 36; 170; 190
Na: 0,5; 5; 7; 10; 13; 17; 20; 26; 29; 141; 159
C: 1,1; 2,4; 4,6; 6,2; 38; 47
a) Ordnen Sie den einzelnen Beträgen die Nummer des jeweils entfernten Elektrons zu. Das zuerst entfernte Elektron erhält die höchste Nummer.
b) Übertragen Sie die Werte in ein Diagramm. Abszisse: Elektronennummer, beginnend mit 1; Ordinate: Ionisierungsenergie (1 cm ≙ 10 MJ/mol). Verbinden Sie die zum selben Atom gehörenden Punkte und vergleichen Sie die so erhaltenen Kurven.

B5 Energiestufen (a) und Schalenmodell (b) eines Atoms

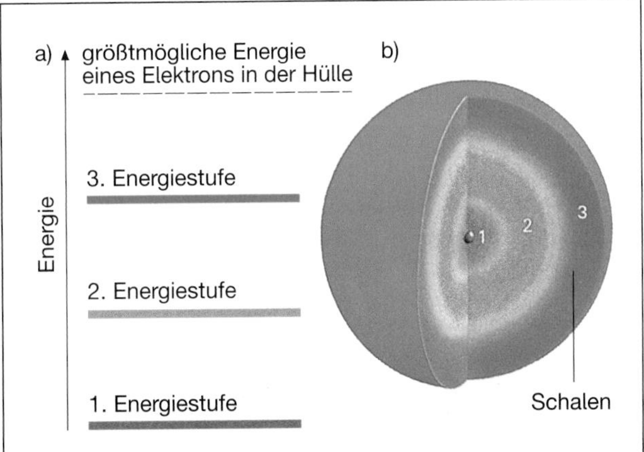

2.2 Linienspektren und Atomhülle

Genauere Aufschlüsse über die Elektronenhülle liefert die Auswertung von *Atomspektren*. Solche Spektren erhält man, wenn man einem Stoff und damit seinen Atomen Energie zuführt. Dies soll am Beispiel des Wasserstoffs genauer beschrieben werden.

Kontinuierliches Spektrum. Schickt man das Licht einer Glühlampe durch einen Spalt und anschließend durch ein Glasprisma, so wird das weiße Licht in seine Farbkomponenten zerlegt. Auf einem Schirm erhält man eine Abfolge der Spektralfarben von Rot bis Violett, die kontinuierlich ineinander übergehen. Man spricht von einem **kontinuierlichen Spektrum**. Nach dem Wellenmodell wird Licht durch elektromagnetische Wellen beschrieben. Eine Welle ist charakterisiert durch ihre *Frequenz f* oder durch die *Wellenlänge* λ, dem Abstand zwischen zwei aufeinanderfolgenden Wellenbergen. Die Frequenz gibt die Anzahl der Schwingungen pro Sekunde an.
Frequenz und Wellenlänge sind miteinander durch die Beziehung $f \cdot \lambda = c$ (Lichtgeschwindigkeit $c = 299\,792\,458$ m/s, ca. $3 \cdot 10^8$ m/s) verknüpft. Die Lichtgeschwindigkeit ist unabhängig von der Wellenlänge. Die verschiedenen Farben des Spektrums werden unterschiedlichen Wellenlängen zugeordnet. Das sichtbare Licht von Rot bis Violett umfasst den Wellenlängenbereich von etwa 380 nm bis 780 nm. Licht unterschiedlicher Frequenz unterscheidet sich auch in seiner Energie. Der Physiker M. PLANCK hat entdeckt, dass Licht einer Frequenz nur in bestimmten, sehr kleinen Portionen, den Quanten, emittiert wird und dass die Energie eines Lichtquants zur Frequenz proportional ist. Er ermittelte 1900 die Proportionalitätskonstante und stellte folgende grundlegende Gleichung auf:

$$E = h \cdot f$$

Die fundamentale Konstante $h = 6{,}6261 \cdot 10^{-34}$ J · s wird als Planck-Konstante bezeichnet.

Linienspektrum. Wird an eine mit Wasserstoff gefüllte Spektralröhre Hochspannung angelegt, so leuchtet das Gas auf. Untersucht man dieses Licht mit einem Spektroskop, erhält man anstelle eines kontinuierlichen Spektrums eine Reihe farbiger Spaltbilder in Form von Linien, ein **Linienspektrum**. Durch die zugeführte Energie werden die Wasserstoffmoleküle gespalten. Wenn die Wasserstoffatome zusätzlich Energie aufnehmen, geben sie diese sofort wieder in Form von Licht ab. Das Auftreten von Linien bei der spektralen Zerlegung des ausgesandten Lichts bedeutet, dass ein Wasserstoffatom nur ganz bestimmte Energiebeträge aufnehmen und wieder abgeben kann. Ein Atom kann zusätzlich zu seinem Zustand vor der Energiezufuhr weitere, aber nur ganz bestimmte Zustände höherer Energie annehmen. In einem vereinfachten Modell können diese Energiezustände den Elektronen zugeordnet werden. Einen Zustand bestimmter Energie bezeichnet man als **Energieniveau**. Jede Spektrallinie entspricht einem Elektronenübergang von einem höheren auf ein tieferes Energieniveau.

Mit geeigneten Apparaturen lässt sich erkennen, dass Wasserstoff ein Spektrum liefert, das auch Linien außerhalb des sichtbaren Bereichs besitzt (▷ B1). Eine Auswertung des vollständigen Spektrums ergibt ein Energieniveauschema, das zeigt, welche Niveaus das Elektron im Wasserstoffatom einnehmen kann (▷ B2).

Beim Übergang eines Elektrons von höheren Niveaus auf das tiefste Niveau mit $n = 1$ entsteht eine Serie von Linien, die Lyman-Serie. Entsprechende Serien gibt es auch für Übergänge auf das Niveau mit $n = 2$ usw. Die Serien sind nach ihren jeweiligen Entdeckern benannt. Die Abfolge der Energieniveaus hat nach oben eine Grenze, die Ionisierungsgrenze, oberhalb der das Elektron das Atom verlässt.

B1 Linienspektrum des Wasserstoffatoms unter Hinzunahme nicht sichtbarer Bereiche. Jede Serie hat unendlich viele Linien, die sich bis zur Seriengrenze verdichten

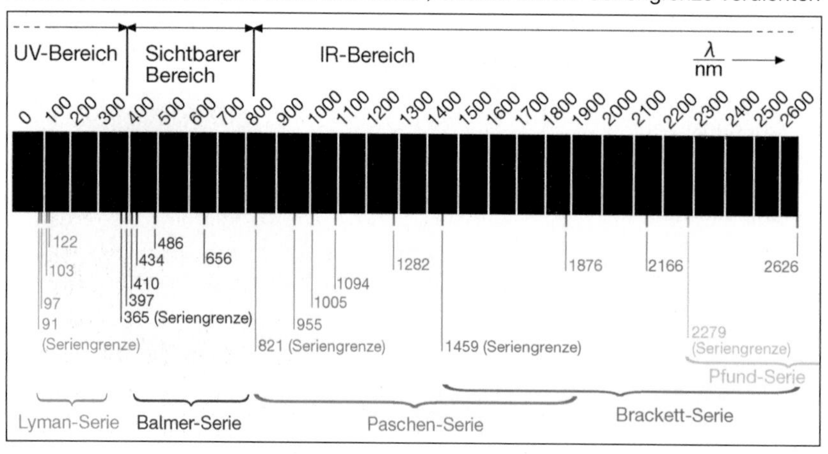

B2 Deutung des Spektrums von B1 durch Übergänge zwischen Energiestufen

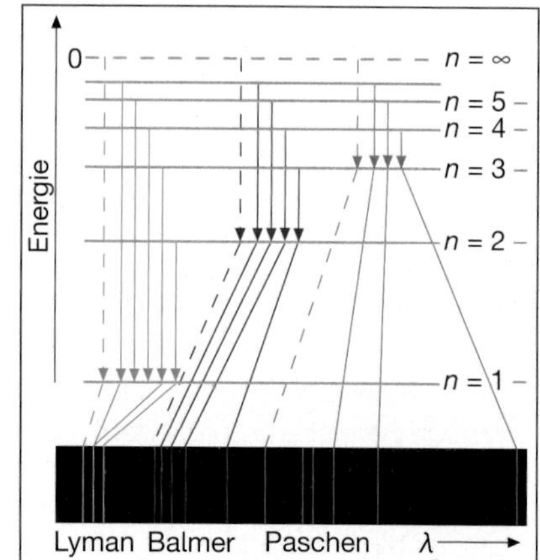

2.3 Praktikum: Absorptions- und Emissionsspektren

Mithilfe eines Spektroskops kann Licht in seine spektralen Bestandteile aufgespalten werden und die entstehenden Spektren können betrachtet werden. Aufgrund von charakteristischen Linien in einem Spektrum lassen sich bestimmte Atomsorten in einer Probe nachweisen. Dieses Verfahren bezeichnet man als Spektroskopie.

Einstellen des Spektroskops bei jedem Versuch:
Der zunächst weit geöffnete Spalt muss jeweils so weit verkleinert werden, dass das Spektrum einerseits scharf abgebildet wird, andererseits die Helligkeit noch zur guten Betrachtung ausreicht.

Versuch 1 Spektrum einer Glühlampe, Absorption von Cobaltglas

Geräte: Glühlampe (4 V), Spannungsquelle, Spektroskop, schwarze Pappe mit Loch als Blendschutz

Durchführung: Bringen Sie die Glühlampe direkt vor den Spalt des Spektroskops und betrachten Sie das entstehende Spektrum. Halten Sie das Cobaltglas zwischen die Glühbirne und das Spektroskop und beobachten Sie die Veränderung des Spektrums (Dunkeladaptation des Auges abwarten).

Aufgabe: Beschreiben Sie das Aussehen des Spektrums und die Veränderung durch das Cobaltglas.

Versuch 2 Spektren von Alkali- und Erdalkalimetallen

Geräte und Chemikalien: Schutzbrille! Gasbrenner, Becherglas (100 ml) mit ca. 10 ml verdünnter Salzsäure, Magnesiastäbchen, Proben von Lithium-, Natrium-, Kalium-, Strontium- und Bariumchlorid, Probe einer unbekannten Alkali- oder Erdalkalimetallverbindung

Durchführung: Tauchen Sie die Spitze des Magnesiastäbchens kurz in die Salzsäure und bringen Sie es anschließend in der rauschenden Brennerflamme (Brenner schräg eingespannt) zum Glühen, bis keine Flammenfärbung mehr zu sehen ist. Das erkaltete Magnesiastäbchen wird mit etwas Salzsäure befeuchtet und in die Probe getaucht. Halten Sie die am Magnesiastäbchen haftende Probe etwas oberhalb der Spitze des Innenkegels in die Brennerflamme. Betrachten Sie zunächst die Flammenfarbe und anschließend das Spektrum mit dem Spektroskop.
Halten Sie bei der Untersuchung der Kaliumverbindung das Cobaltglas zwischen die Flamme und das Spektroskop.

Aufgaben:
a) Ordnen Sie die beobachteten Spektren jeweils den in ▷ B1 abgebildeten Spektren zu.
b) Identifizieren Sie das Kation in der unbekannten Verbindung.

Versuch 3 Spektrum des Sonnenlichts

Geräte: Handspektroskop, weißes Papier

Durchführung: Richten Sie das Spektroskop gegen den hellen Himmel (nicht direkt in die Sonne sehen!) oder auf ein weißes Papier. Betrachten Sie das Spektrum mit möglichst engem Spalt.

Aufgabe: Beschreiben Sie das Spektrum und geben Sie eine Erklärung.

Versuch 4 Leuchtstoffröhren

Geräte: Spektroskop

Durchführung: Richten Sie das Spektroskop auf die im Chemiesaal installierten Leuchtstoffröhren und auf eine Natriumdampflampe (Leuchtmittel in den gelb leuchtenden Straßenlaternen).

Aufgaben:
a) Beschreiben und erklären Sie den Unterschied zum Spektrum einer Glühlampe (▷ Versuch 1).
b) Wie lässt sich mithilfe des Spektrums erkennen, ob es sich bei der Straßenlaterne tatsächlich um eine Natriumdampflampe handelt oder um eine auch sehr häufig verwendete Quecksilberdampflampe?

B1 Spektren

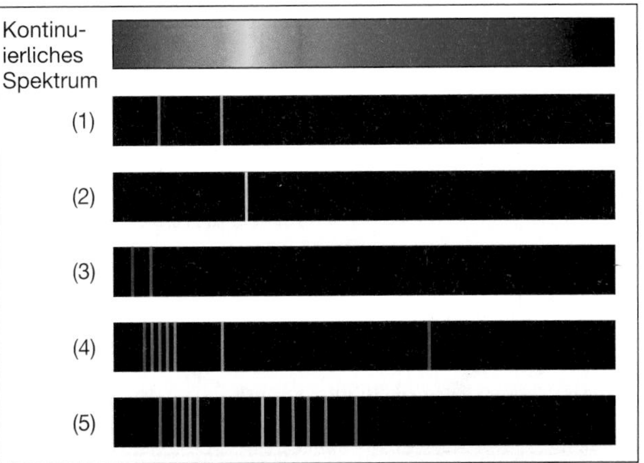

2.4 Ionenbindung und Ionengitter

Viele Verbindungen mit hohen Schmelztemperaturen, wie z. B. Natriumchlorid, leiten im geschmolzenen Zustand den elektrischen Strom. Bei diesen Stoffen sind, im Gegensatz zu den Elektronenleitern (Metalle und Graphit), positive und negative Ionen die Ladungsträger.

Verbindungen, die aus Ionen aufgebaut sind (Ionenverbindungen), bezeichnet man als Salze.

Die elektrische Leitfähigkeit von Salzen. Tauchen die mit den Polen einer Gleichspannungsquelle verbundenen Elektroden in eine Salzschmelze, wandern die Ionen jeweils zu der Elektrode, deren Ladung der Ionenladung entgegengesetzt ist. Bei farbigen Ionenverbindungen lässt sich die **Ionenwanderung** direkt beobachten. Die positiv geladenen Kationen wandern zur negativ geladenen Kathode, die negativ geladenen Anionen zur positiv geladenen Anode. Die Ionen werden an den Elektroden entladen. Beim Stromdurchgang erfolgt eine chemische Reaktion an den Elektroden, an denen sich die Produkte abscheiden, eine **Elektrolyse**.

Das Ionengitter von Natriumchlorid. Natrium reagiert in einer exothermen Reaktion mit Chlor zu Natriumchlorid (▷ B3). Dieses ist aus einfach positiv geladenen Natriumionen und einfach negativ geladenen Chloridionen aufgebaut. Die mit der Veränderung der Teilchen verbundenen stofflichen und energetischen Veränderungen lassen sich durch gedachte Teilschritte veranschaulichen (▷ B1).
Kationen und Anionen bilden sich jeweils gleichzeitig, indem ein Elektron von einem Natriumatom auf ein Chloratom übertragen wird. Die entgegengesetzt geladenen Ionen ziehen sich an und bilden einen regelmäßigen Verband, ein **Ionengitter**. Dabei wird so viel Energie frei, dass die Salzbildung aus den Elementen exotherm ist.

Die Differenz der Energieinhalte der im Gitter gebundenen Ionen und der freien Ionen ist die Gitterenergie.

Die Bildung des Kochsalzes aus den Elementen ist exotherm, weil zur Bildung der Kationen und Anionen aus den Teilchenverbänden der Elemente weniger Energie aufgewendet werden muss, als durch die Gitterbildung freigesetzt wird (▷ B4).

Natrium- und Chloridionen ziehen sich gegenseitig an. Da Ladungen allseitig wirken, ist ein Kation von mehreren Anionen, ein Anion von mehreren Kationen umgeben.
Die Anzahl der nächsten Nachbarn in einem Ionengitter bezeichnet man als **Koordinationszahl**. Sie beträgt im Ionengitter des Natriumchlorids für Natrium- und Chloridionen jeweils sechs. Insgesamt ist die *Anzahl der Natriumionen* in einem *Ionenverband* gleich der *Anzahl der Chloridionen*, die *Verhältnisformel* ist NaCl. Für positive und negative Ionen ist die Anordnung in einem Gitter der energetisch günstigste Zustand.

Die Bindung, die entgegengesetzt geladene Ionen in einem Ionengitter zusammenhält, bezeichnet man als Ionenbindung.

Das Modell des Natriumchloridgitters (▷ B2) zeigt, dass die Ionen an den Ecken von Würfeln sitzen, die durch die Verbindungslinien zwischen den Mittelpunkten der Ionen gebildet werden. Berücksichtigt man, dass die Natriumionen nur etwa den halben Durchmesser der Chloridionen haben, und beachtet man außerdem die tatsächlichen Abstände zwischen den Ionen, so ergibt sich ein Modell, das die Raumerfüllung im Natriumchloridgitter veranschaulicht (▷ B5).

B1 Bildung des Natriumchloridgitters. Die Reaktion eines Verbands aus Natriumatomen mit Chlormolekülen lässt sich in gedachte Teilschritte zerlegen

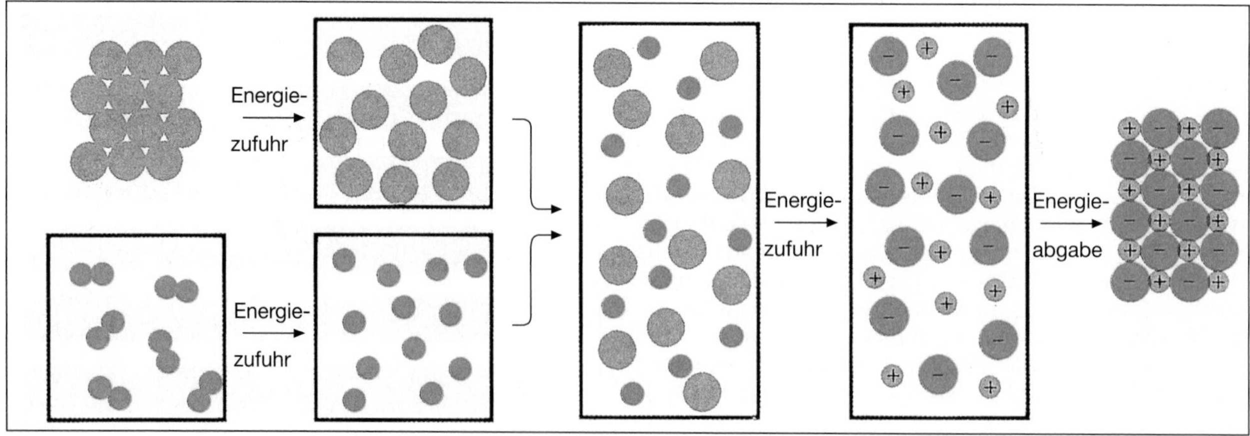

Ionenbindung und Ionengitter

Es gibt eine ganze Reihe von Ionenverbindungen, bei denen die Ionen so angeordnet sind wie die Natrium- und Chloridionen im festen Natriumchlorid. Dazu gehören viele Halogenide, z. B. Lithiumchlorid und Kaliumbromid, deren Struktur daher auch als **Natriumchloridstruktur** bezeichnet wird.

Ionenladung und Edelgaskonfiguration. Bei der Reaktion eines Alkalimetalls mit einem Halogen entstehen immer einfach positiv geladene Metallionen und einfach negativ geladene Halogenidionen. Jedes Alkalimetallatom gibt dabei ein Außenelektron ab und bildet ein Ion mit einer vollständig besetzten äußeren Schale. Damit hat es die *Elektronenkonfiguration* eines Edelgasatoms. Auch Halogenatome bilden durch Aufnahme jeweils eines Elektrons Ionen mit *Edelgaskonfiguration*.

Auch bei vielen anderen Salzen stellt man fest, dass die Ionen Edelgaskonfiguration besitzen. So bilden z. B. Erdalkalimetallatome stets zweifach positiv geladene Ionen, Aluminiumatome geben bei der Ionenbildung ihre drei Außenelektronen ab. Andererseits nehmen Schwefel- bzw. Sauerstoffatome jeweils zwei Elektronen auf und bilden S^{2-} bzw. O^{2-}-Ionen.

In vielen Fällen lässt sich also die Ionenladung aus der Zugehörigkeit eines Atoms zu einer bestimmten Hauptgruppe des Periodensystems ableiten. Offenbar ist gerade die Bildung von Ionen mit Edelgaskonfiguration begünstigt. Dies erscheint zunächst verwunderlich, da die Bildung eines Ca^{2+}-Ions eine wesentlich höhere Ionisierungsenergie erfordert als die Bildung eines Ca^{+}-Ions. Andererseits ist bei der Bildung eines Ionengitters der Betrag der frei werdenden Gitterenergie viel größer, wenn zweifach positiv geladene Ionen vorliegen. Bei der Bildung eines Ionengitters mit Ca^{3+}-Ionen wäre der Energieaufwand zur Entfernung des dritten Elektrons aus einem Calciumatom zu groß, da ein Elektron aus einer energieärmeren Schale entfernt werden müsste. Im Gegensatz zur Bildung einfach positiver Metallionen verläuft die Aufnahme von Elektronen zu einfach negativ geladenen Halogenidionen exotherm. Zur Aufnahme weiterer Elektronen muss Energie zugeführt werden.
Der Energieaufwand bei der Ionenbildung und die Energieabgabe bei der Bildung des Ionengitters führt zu einem stabilen Zustand, wenn Ionen mit Edelgaskonfiguration entstehen.

B2 Gittermodell des Ionengitters von Natriumchlorid

A 1 Zeichnen Sie einen Ausschnitt aus dem Natriumchloridgitter, der zugleich die Umgebung eines Natrium- und eines Chloridions zeigt.

A 2 Nennen Sie sechs verschiedene Ionen, die in Ionengittern vorliegen können und die Konfiguration des Neonatoms besitzen.

A 3 Warum ist die Bildung der Alkalimetallhalogenide aus den Elementen exotherm, obwohl für die Bildung der Ionen insgesamt viel Energie erforderlich ist?

B3 Natrium reagiert heftig mit Chlor

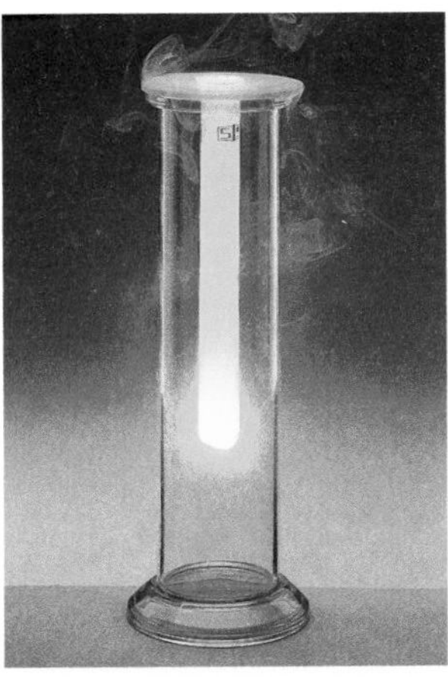

B4 Energiebilanz für die Bildung von 1 mol Natriumchlorid

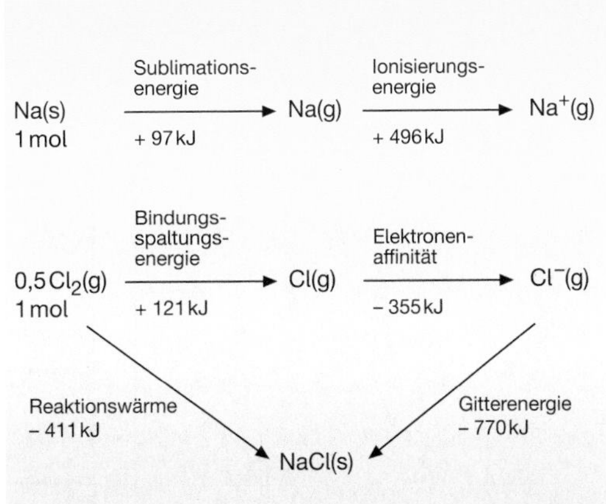

B5 Raumerfüllung im Natriumchloridgitter

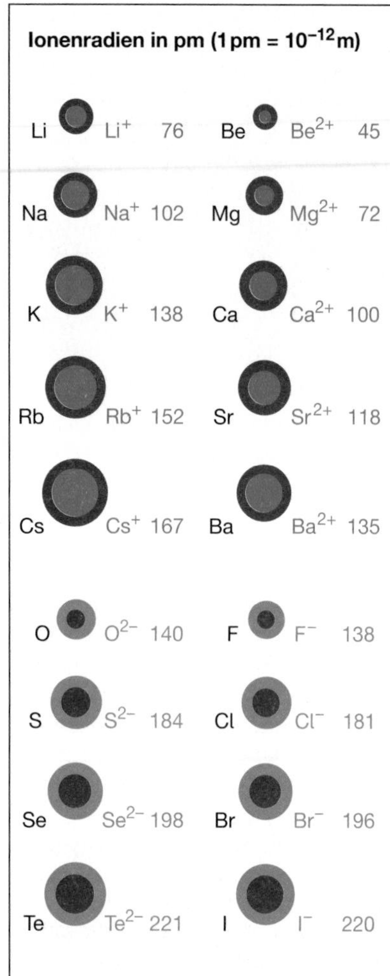

B6 Atom- und Ionenradien im Vergleich

Ionenladung und Formeln von Ionenverbindungen. Die Ladung der Kationen und die der Anionen bestimmen das Anzahlverhältnis der Ionen im Gitter. Die Anzahl der positiven Ladungen muss insgesamt mit der Anzahl der negativen Ladungen übereinstimmen. Bei gleicher Ladungszahl der Kationen und Anionen ergeben sich Verhältnisformeln vom Typ AB, wie z. B. NaCl, KCl, LiBr, MgO, CaS. Werden einfach geladene mit zweifach geladenen Ionen kombiniert, erhält man Verhältnisformeln des Typs A_2B oder AB_2, z. B. Li_2O, Na_2S, $MgCl_2$, $CaBr_2$. Entsprechend lassen sich auch Verhältnisformeln für andere Kombinationen ermitteln.

Ionenradien. Entstehen Ionen aus Atomen, so ändert sich die Größe der Teilchen. Gibt ein Atom ein Elektron ab, so ist das Kation kleiner als das Atom, aus dem es entstanden ist. Dagegen nimmt der Radius zu, wenn aus einem Atom ein Anion entsteht (▷ B6).
Innerhalb der Elementgruppe der Alkalimetalle ist zu erkennen, daß die Radien der Alkalimetallionen in der Reihe vom Li^+ bis Cs^+ zunehmen. Entsprechendes gilt für die Reihe der Erdalkalimetallionen. Auch bei den Anionen nimmt der Radius mit zunehmender Anzahl der Elektronenschalen zu (▷ B6).

Typen von Ionengittern. Obwohl es zahlreiche Ionenverbindungen gibt, lassen sich diese einer vergleichsweise geringen Anzahl von Gittertypen zuordnen. Die Art der Anordnung der Ionen im Gitter wird einerseits durch die Verhältnisformel und andererseits durch das Größenverhältnis der Kationen zu den Anionen bedingt, das durch das Radienverhältnis $r(\text{Kation}):r(\text{Anion})$ angegeben wird. In Ionenverbindungen mit der Verhältnisformel AB können die Ionen eine Natriumchloridstruktur bilden. Voraussetzung ist jedoch, dass das Verhältnis der Ionenradien einen bestimmten Grenzwert nicht unterschreitet. Ein solches Unterschreiten liegt z. B. beim Zinksulfid vor. Nach oben besteht für die Natriumchloridstruktur keine scharfe Grenze. Jedoch gibt es eine weitere untere Grenze für einen anderen Gittertyp, der von diesem Grenzwert an eingenommen werden kann. So bildet z. B. Caesiumchlorid keine Natriumchloridstruktur, da die Caesiumionen viel größer als Natriumionen sind. Die Koordinationszahl im Caesiumchloridgitter beträgt für ein Kation und ein Anion jeweils 8 (▷ B7).

B7 Caesiumchloridgitter. Die Koordinationszahl ist jeweils 8

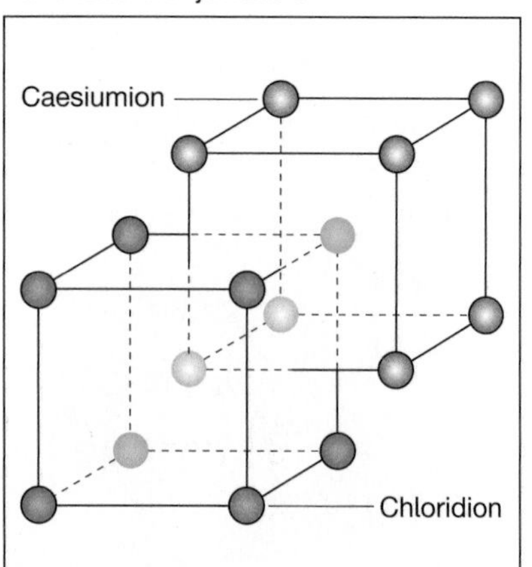

B8 Berechnung eines Grenzradienverhältnisses

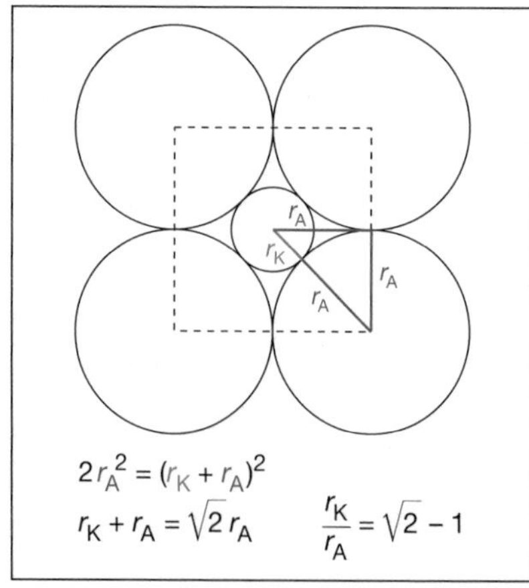

B9 Gittertyp und Radienverhältnis

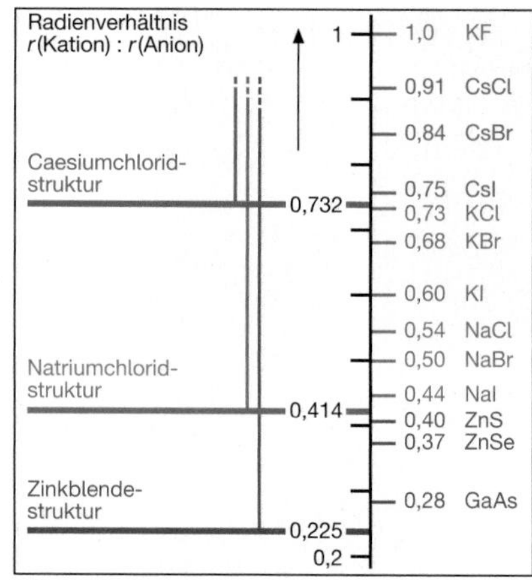

Ionenverbindungen mit der Verhältnisformel AB können nur dann ein Gitter mit Natriumchloridstruktur bilden, wenn das Radienverhältnis r(Kation):r(Anion) nicht unter 0,414 ($= \sqrt{2} - 1$) liegt. Die optimale Voraussetzung für eine Natriumchloridstruktur ist dann gegeben, wenn das Kation gerade in die Lücke passt, die von den sechs umgebenden, sich berührenden Anionen gebildet wird (*Oktaederlücke* ▷ B8). Das Kation darf zwar auch größer sein, dann berühren sich die Anionen nicht mehr, aber nicht kleiner, als es dem Radienverhältnis für die Oktaederlücke entspricht. Dies ist somit das kleinstmögliche Radienverhältnis zur Ausbildung einer Natriumchloridstruktur. Von dieser geometrischen Anordnung ausgehend lässt sich das Verhältnis berechnen (▷ B8). Solche Grenzwerte gibt es auch für andere Gittertypen. So kann ab einem Radienverhältnis von 0,732 ($= \sqrt{3} - 1$) ein Caesiumchloridgitter gebildet werden, wie durch eine ähnliche Überlegung gezeigt werden kann. Bei Radienverhältnissen ab 0,225 können Zinksulfidgitter entstehen. Kationen und Anionen sind hier jeweils tetraedrisch von den entgegengesetzt geladenen Ionen umgeben. Das Zinksulfidgitter ist wie das Diamantgitter aufgebaut (↗Kap. 2.10). Den Zusammenhang zwischen Gittertyp, Verhältnisformel und Radienverhältnis zeigt ▷ B9.

Auch Salze mit Ionen, die aus mehreren Atomen zusammengesetzt sind, bilden Ionengitter. Im Gitter des Kalkspats (Calciumcarbonat) ist die Koordinationszahl für Ca^{2+}-Ionen und CO_3^{2-}-Ionen jeweils sechs. Durch die Form und den großen Raumbedarf dieser Ionen liegt ein deformiertes Natriumchloridgitter vor. In diesem rhomboedrischen Gitter haben alle Ionen zu ihren nächsten Nachbarn die gleichen Abstände (▷ B10).

Kristallform und Gittertyp. Die in den Ionengittern auftretenden charakteristischen Winkel findet man auch in den entsprechenden Kristallen des Salzes wieder. So entsprechen die Winkel z. B. bei Natriumchlorid- oder Kalkspatkristallen den in den Ionengittern vorliegenden Winkeln zwischen den Ebenen, die durch die Ionen gebildet werden. Dass auch beim Zerkleinern quaderförmiger Natriumchloridkristalle wieder quaderförmige Bruchstücke auftreten, ist durch die Gitterstruktur bedingt. Die Einwirkung einer Kraft auf den Kristall führt zu einer Verschiebung der Ionen einer bestimmten Ebene. Stehen sich dadurch gleich geladene Ionen gegenüber, so erfolgt wegen der gegenseitigen Abstoßung eine Spaltung entlang dieser Ebene. Dies ist zugleich der Grund für die Sprödigkeit von Natriumchlorid und aller anderen Salze.

B 10 Kalkspat und Kalkspatgitter

A 4 Welche Verhältnisformeln haben folgende Verbindungen: Bariumsulfid, Calciumfluorid, Aluminiumoxid, Magnesiumnitrid?

A 5 Welche Oxide der Erdalkalimetalle können keine Caesiumchloridstruktur haben?

A 6 Warum bilden die Spaltebenen bei einem Kochsalzkristall einen Winkel von 90°? Wie ist es zu erklären, dass bei einer Verschiebung längs einer Ebene, die durch gleich geladene Ionen gebildet wird, keine Spaltung erfolgt?

Das Coulomb-Gesetz. Das elektrische Feld einer positiv bzw. negativ geladenen Kugel lässt sich durch radiale Feldlinien beschreiben. Sie beginnen an der positiven und enden an der negativen Ladung. Die Pfeile geben die Richtung der Kraft an, die eine positive Ladung q im elektrischen Feld erfährt. Die Feldstärke E ist der Ladung Q proportional und dem Quadrat des Abstandes r vom Zentrum der geladenen Kugel umgekehrt proportional: $E \sim Q/r^2$. Eine in das elektrische Feld der Ladung Q_1 gebrachte Ladung Q_2 erfährt eine Kraft, die zur Ladung Q_2 und der Feldstärke proportional ist: $F \sim Q_2 \cdot Q_1/r^2$. Diese Gesetzmäßigkeit wird nach ihrem Entdecker als *Coulomb-Gesetz* bezeichnet. Zwischen einem Kation und einem Anion wirkt die *Coulomb-Anziehungskraft*. Nähern sich die Ionen, verringert sich zunächst die potentielle Energie dieses Systems. Mit der Annäherung wird auch die Abstoßung der Elektronenhüllen wirksam. Dies führt bei sehr kleinen Abständen zu einem starken Anstieg der potentiellen Energie. Bei der Annäherung zweier entgegengesetzt geladener Ionen, nimmt die potentielle Energie zunächst ab, durchläuft ein Minimum und nimmt wieder zu. Der Abstand beider Ionen im Energieminimum ist der *Bindungsabstand*. Im Gitter sind zusätzlich die Einflüsse aller umgebenden Ionen zu berücksichtigen.

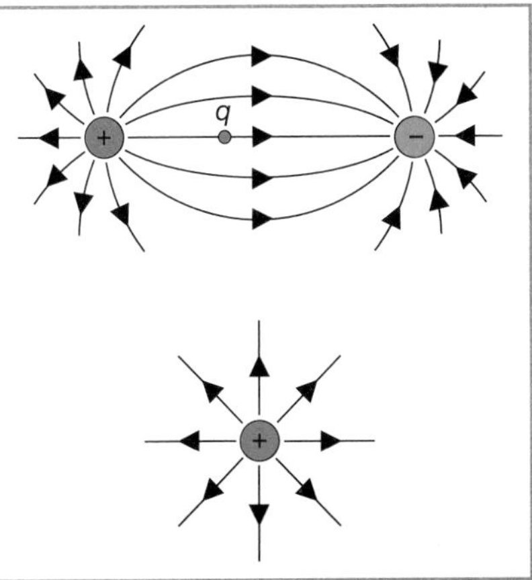

2.5 Ionenbindung und Ionenverbindungen

LiF	LiCl	LiBr	LiI	BeO
870	613	550	460	2530
NaF	NaCl	NaBr	NaI	MgO
992	800	747	650	2800
KF	KCl	KBr	KI	CaO
855	770	730	686	2600
RbF	RbCl	RbBr	RbI	SrO
775	720	690	647	2430
CsF	CsCl	CsBr	CsI	BaO
683	645	636	626	1920

B 1 Schmelztemperaturen einiger Ionenverbindungen in °C

A 1 Welche gemeinsamen Eigenschaften haben Salze?

A 2 Warum hat Natriumchlorid eine höhere Gitterenergie als Natriumiodid und Kaliumchlorid?

A 3 Begründen Sie die Unterschiede der Gitterenergien a) der Alkalimetallfluoride b) der Lithiumhalogenide.

A 4 Begründen Sie mit dem Coulomb-Gesetz (↗Kap. 2.4) den großen Unterschied der Gitterenergien von Natriumchlorid und Magnesiumoxid.

Neben der elektrischen Leitfähigkeit ihrer Lösungen und Schmelzen besitzen Ionenverbindungen noch einige weitere charakteristische, gemeinsame Eigenschaften.

Gitterenergie und Schmelztemperatur. Salze haben im Vergleich zu molekularen Stoffen hohe Schmelztemperaturen. Zum Schmelzen von Salzen sind große Schmelzwärmen notwendig, um die Kräfte zwischen den verschieden geladenen Ionen so weit zu überwinden, dass diese ihre Plätze im Gitter verlassen können und in der Schmelze beweglich sind. In der Reihe der Natriumhalogenide nehmen die Schmelztemperaturen vom Natriumfluorid zum Natriumiodid ab. Entsprechendes gilt auch für die anderen Alkalimetallhalogenide (▷ B 1).

Betrachtet man die Gitterenergien dieser Salze (▷ B 2), so erkennt man eine Abnahme der Beträge in der gleichen Reihenfolge. Dies lässt sich durch die Tatsache erklären, dass die Gitterenergie von den elektrostatischen Kräften zwischen den Ionen abhängt. Je geringer der Abstand zwischen den Ladungsschwerpunkten der entgegengesetzt geladenen Ionen ist (▷ B 3), desto größer sind die Coulomb-Anziehungskräfte und desto stabiler ist das Gitter des Alkalimetallhalogenids. Zur Vergrößerung des Abstandes zwischen den Ionen müssen die Anziehungskräfte überwunden werden. Damit nimmt auch die Energie und mit dieser die Temperatur zu, die erforderlich ist, um die Ionen aus dem Gitterverband in den beweglichen Zustand der Schmelze zu überführen.

Von großem Einfluss sind die Ionenladungen. Mit zunehmender Ladungszahl der Ionen nehmen die Beträge der Gitterenergien stark zu, wie die Beispiele der Oxide der Erdalkalimetalle zeigen. Auch die Schmelztemperaturen sind sehr viel höher als die der Halogenide der Alkalimetalle.
Während die Halogenide der Erdalkalimetalle ebenfalls hohe Gitterenergien aufweisen, sind ihre Schmelztemperaturen viel niedriger als die der Oxide. Die Schmelztemperatur des Calciumchlorids ist mit 772 °C niedriger als die des Natriumchlorids. Die Ursache ist das Anzahlverhältnis 1 : 2 von Kationen und Anionen. Da außerdem die Calciumionen viel kleiner als die Chloridionen sind, beeinflussen sich die negativen Ladungen im Gitter viel stärker als in der Schmelze.

B 2 Gitterenergien von Ionenverbindungen bei 25 °C in kJ/mol

Kation \ Anion	F^-	Cl^-	Br^-	I^-	O^{2-}	S^{2-}
Li^+	-1029	-849	-804	-753		
Na^+	-915	-781	-743	-699		
K^+	-813	-710	-679	-643		
Rb^+	-779	-685	-656	-624		
Ag^+	-943	-890	-877	-867		
Mg^{2+}	-2883	-2489	-2414	-2314	-3933	-3255
Ca^{2+}	-2582	-2197	-2125	-2038	-3523	-3021
Sr^{2+}	-2427	-2109	-2046	-1954	-3310	-2874
Ba^{2+}	-2289	-1958	-1937	-1841	-3125	-2745
Al^{3+}					-15110	

B 3 Abstand der Ladungsschwerpunkte in den Ionengittern von Natrium- und Kaliumhalogeniden

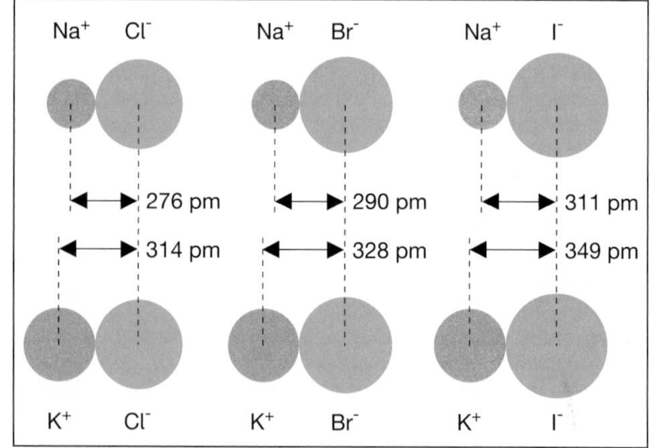

Die hohe Siedetemperatur des Calciumchlorids von über 1600 °C weist darauf hin, dass in der Schmelze noch große Anziehungskräfte wirksam sind. Dies ist bei allen Salzen der Fall, da zum Schmelzen nicht die gesamte Gitterenergie aufgebracht werden muss.
Die Beobachtung, dass zunehmenden Schmelztemperaturen zunehmende Beträge der Gitterenergie entsprechen, gilt in vielen Fällen für Salze mit der Verhältnisformel des Typs AB.

Hydratisierung. Beim Lösen eines Salzkristalls in Wasser werden die Ionen des Gitters voneinander getrennt; sie sind dann in der Lösung beweglich. Dies geschieht ohne äußere Energiezufuhr, was zunächst überrascht, da die Ionen durch starke Anziehungskräfte auf ihren Gitterplätzen gehalten werden.
Da Wassermoleküle Dipole sind, werden sie von den Ionen angezogen und lagern sich an der Oberfläche des Gitters entsprechend ihren Teilladungen an (▷ B4). Bei dieser Anlagerung und der anschließenden vollständigen Umhüllung der Ionen durch die Dipolmoleküle wird Energie frei. Diese sich wiederholenden Vorgänge liefern die erforderliche Energie, um das Ionengitter Schicht um Schicht abzubauen.

In der Lösung besitzen alle Ionen eine Hülle von Wassermolekülen, die **Hydrathülle**. Sie besteht nicht nur aus einer einzigen Schicht von Wassermolekülen. Unter dem weitreichenden Einfluss der Ionenladung werden weitere Wassermoleküle orientiert und angelagert. Diese bilden dabei zusätzlich Wasserstoffbrücken untereinander aus. Um hydratisierte Ionen zu kennzeichnen, verwendet man das Zeichen aq (von lat. aqua, Wasser) und schreibt z. B. $Na^+(aq)$ bzw. $Cl^-(aq)$.

Die Bildung einer Hydrathülle durch Anlagerung von Wassermolekülen an ein Ion nennt man Hydratisierung.

Der Einfluss der Ladung eines Ions auf Wassermoleküle zur Ausbildung einer Hydrathülle ist umso größer, je größer die **Ladungsdichte** des Ions ist. Ionen mit einer großen Ladungszahl und einem kleinen Volumen (kleinen Ionenradius) haben eine große Ladungsdichte. Mit der Größe der Hydrathülle wächst auch der Betrag der bei der Hydratation frei werdenden Energie. Sie wird als **Hydratisierungsenergie** (oder *Hydratationsenergie*) bezeichnet.

Hydratisierungsenergie und Gitterenergie. Um die Ionen eines Gitters vollständig voneinander zu trennen, muss die Gitterenergie aufgewendet werden. Dagegen wird bei der Hydratation die Hydratisierungsenergie frei. Viele Lösungsvorgänge verlaufen exotherm. Hier ist die Hydratisierungsenergie dem Betrag nach größer als die Gitterenergie. Durch den Energieüberschuss erwärmt sich die Lösung, d. h., sie nimmt die Lösungswärme auf. Erstaunlicherweise beobachtet man aber beim Lösen vieler Salze eine *Abkühlung*. In diesen Fällen wird die Gitterenergie nicht ganz von der Hydratisierungsenergie aufgebracht. Den fehlenden Energiebetrag liefert das Wasser durch Wärmeabgabe, es kühlt sich ab. Ist die Gitterenergie dem Betrage nach viel größer als die Hydratisierungsenergie, ist die Löslichkeit der Salze sehr gering.

Die Unterschiede der Löslichkeiten bei Salzen sind hauptsächlich auf die unterschiedlichen Gitterenergien zurückzuführen.

B4 Zerteilung eines Ionengitters durch Wassermoleküle

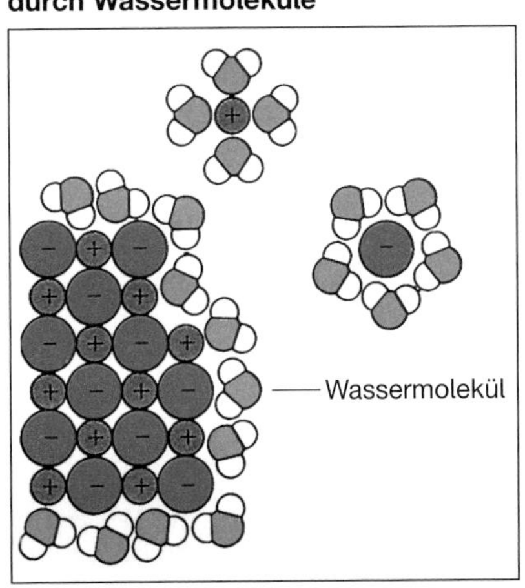

B5 Hydratationsenergien einiger Ionen in kJ/mol

H_3O^+	–1085	OH^-	–365
Li^+	–510	F^-	–510
Na^+	–400	Cl^-	–380
K^+	–325	Br^-	–340
Rb^+	–300	I^-	–300
Cs^+	–270	NO_3^-	–256
Be^{2+}	–2500		
Mg^{2+}	–1910		
Ca^{2+}	–1580		
Sr^{2+}	–1430		
Ba^{2+}	–1290		
Al^{3+}	–4610		

A 5 Lithiumchlorid löst sich exotherm, Kaliumchlorid endotherm in Wasser. Beschreiben Sie den Unterschied mit den Begriffen Gitterenergie, Hydratationsenergie und Lösungswärme.

A 6 Wie ist es zu erklären, dass man beim Auflösen von Kochsalz keine Temperaturänderung feststellen kann ?

A 7 Ist das Auflösen von Lithium-, Natrium- bzw. Kaliumbromid in Wasser exotherm oder endotherm (▷ B2, ▷ B5)?

2.6 Die Bindung in Molekülen

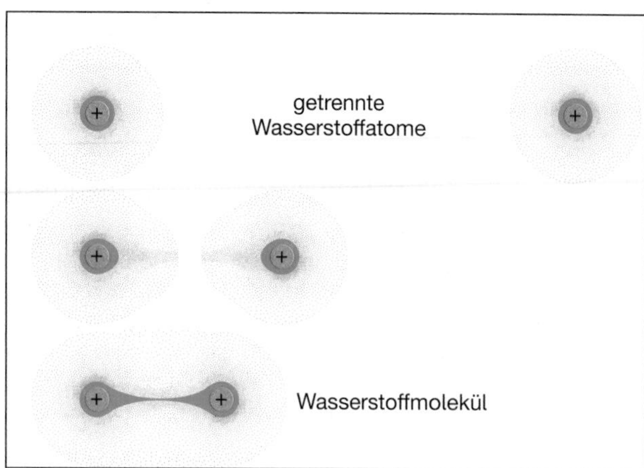

B 1 Bildung des Wasserstoffmoleküls

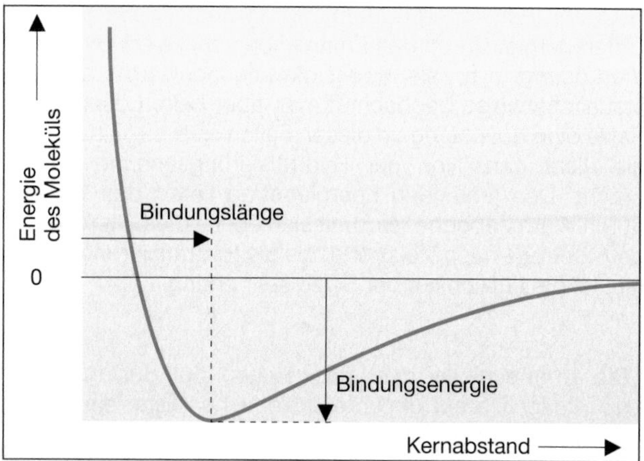

B 2 Verlauf der Gesamtenergie eines Wasserstoffmoleküls

B 3 Bildung von Molekülen aus Atomen (a); Anwendung der Oktettregel (a, b)

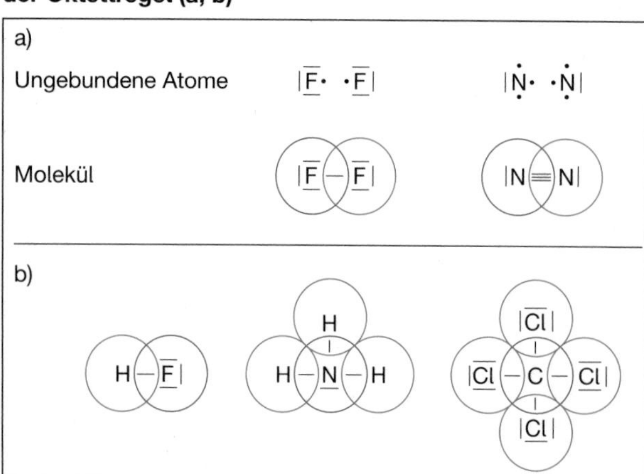

Wir werden in diesem Abschnitt der Frage nachgehen, wie Atome in Molekülen zusammenhalten.

Das Wasserstoffmolekül. Zwei Wasserstoffatome können so zusammentreffen, dass sich ihre Elektronenwolken durchdringen. Die beiden Elektronen bilden eine gemeinsame Elektronenwolke um beide Kerne (▷ B 1). Die beiden Elektronen, die diese Elektronenpaarbindung (Atombindung) bewirken, bezeichnet man als bindendes Elektronenpaar: H : H oder H–H.

Energie des Wasserstoffmoleküls. Das Wasserstoffmolekül besitzt bei einem bestimmten Abstand der beiden Atomkerne ein Energieminimum (▷ B 2). Die Energiedifferenz zwischen zwei getrennten Wasserstoffatomen, deren Energie hier gleich Null gesetzt ist, und dem Wasserstoffmolekül, bezeichnet man als **Bindungsenergie**. Sie wird bei der Bildung des Moleküls frei und muss zu dessen Spaltung zugeführt werden.

Bei Atomen, die eine Elektronenpaarbindung eingehen, definiert man den halben Kernabstand zwischen gleichartigen Atomen in einem Molekül als **Atomradius**. Der Kernabstand ist die **Bindungslänge** dieser Bindung.

Das Heliumatom. Die Elektronenwolke eines Heliumatoms wird von zwei Elektronen gebildet. Es hat sich gezeigt, dass *eine Elektronenwolke aus höchstens zwei Elektronen bestehen kann*. Daher gibt es keine Heliummoleküle. Das Elektronenpaar wird durch einen Strich am Atomzeichen angegeben: He|.

Elektronenanordnung weiterer Atome. Bei den Atomen der zweiten Periode sind insgesamt vier Elektronenwolken möglich. Deshalb können diese Atome maximal acht Außenelektronen haben. *Entsprechend der Hauptgruppennummer* werden die Elektronenwolken zunächst von *einzelnen Elektronen*, dann, beginnend mit den Atomen des Stickstoffs, von *Elektronenpaaren* gebildet.

Von den jeweils sieben Außenelektronen eines Halogenatoms beteiligt sich nur eines an der Bildung des gemeinsamen Elektronenpaars. Eine Formel in Elektronenpaar-Schreibweise (*Lewis-Schreibweise, Lewis-Formel*) mit bindenden und **freien Elektronenpaaren** zeigt ▷ B 3a. Zwischen bestimmten Atomen kann die Bindung auch durch zwei oder drei Elektronenpaare erfolgen. Man spricht von einer **Doppel-** oder **Dreifachbindung**.

Oktettregel. In der äußersten Schale, z. B. eines *gebundenen* Halogenatoms, befinden sich acht Elektronen wie bei Edelgasatomen. Dies gilt für viele Moleküle und wird als *Oktettregel* bezeichnet (▷ B 3b). Sie ermöglicht das Aufstellen von Lewis-Formeln.

Die Anzahl der Elektronen der bindenden und freien Elektronenpaare um einen Atomrumpf beträgt oft acht.

2.7 Das Elektronenpaarabstoßungs-Modell

Besteht ein Molekül aus mehr als zwei Atomen, so sind *verschiedene räumliche Anordnungen* der Atome denkbar.

Elektronenpaare und Molekülstruktur. Zur Vorhersage bzw. Deutung der Struktur der Moleküle geht man davon aus, dass die Elektronenpaare um ein gebundenes Atom sich gegenseitig abstoßen. Daher nennt man dieses Modell **Elektronenpaarabstoßungs-Modell (EPA-Modell)**. Man stellt sich vor, dass sich die bindenden und freien Elektronenpaare aufgrund dieser Abstoßung so um ein Atom anordnen, dass sie möglichst weit voneinander entfernt sind (▷ B1).
Die Bindungswinkel im Ammoniak- bzw. Wassermolekül betragen allerdings 107,5° bzw. 104,5°, sind also kleiner als der zu erwartende Tetraederwinkel. Das EPA-Modell erklärt dies durch die Annahme einer größeren Raumbeanspruchung eines freien Elektronenpaares gegenüber einem bindenden, da sich letzteres im Einflussbereich zweier Kerne befindet. Deshalb ist die Abstoßung zwischen einem freien und einem bindenden Elektronenpaar größer als zwischen zwei bindenden Elektronenpaaren. Dies führt zu einer Verkleinerung des Winkels zwischen den bindenden Elektronenpaaren, also des Bindungswinkels.

Moleküle mit Mehrfachbindungen. Mit dem Modell der Elektronenpaarabstoßung ist es auch möglich, die Struktur von Molekülen mit Doppel- oder Dreifachbindungen zu bestimmen. Die Elektronenwolken (-paare) einer Doppelbindung wirken auf weitere Elektronenwolken fast wie eine einzige Wolke. Zur Bestimmung der Bindungswinkel behandelt man deshalb eine Doppelbindung wie eine Einfachbindung. Jedoch hebt die Doppelbindung die freie Drehbarkeit um diese Bindungsachse auf und fixiert die sechs betroffenen Atome in einer Ebene. So führt die gegenseitige Abstoßung im Ethenmolekül zu einem Bindungswinkel von 120°, die Doppelbindung zu einer planaren Anordnung. Die gegenseitige Abstoßung der beiden Doppelbindungen im Kohlenstoffdioxidmolekül führt zu einer linearen Anordnung mit einem Bindungswinkel von 180° (▷ B2).
Entsprechendes gilt auch für eine Dreifachbindung (▷ B2).

Oktetterweiterung. In Molekülen mit Atomen ab der dritten Periode können auch mehr als vier Elektronenpaare auftreten. So führen sechs Elektronenpaare, z. B. die des SF_6-Moleküls, zu einer oktaedrischen Anordnung (▷ B1e).

Mit den Regeln des EPA-Modells lassen sich auch die Strukturen von zusammengesetzten Ionen (Molekülionen) ermitteln (▷ B2).
Bei den Lewis-Formeln des Nitrat- und Sulfations treten jeweils an einigen Atomen ganze *formale Ladungen* auf. Da es bei diesen Ionen jedoch nicht möglich ist, den Bindungszustand mit einer einzigen Lewis-Formel wiederzugeben, können die formalen Ladungen in verschiedenen Formeln bei verschiedenen Atomen auftreten.

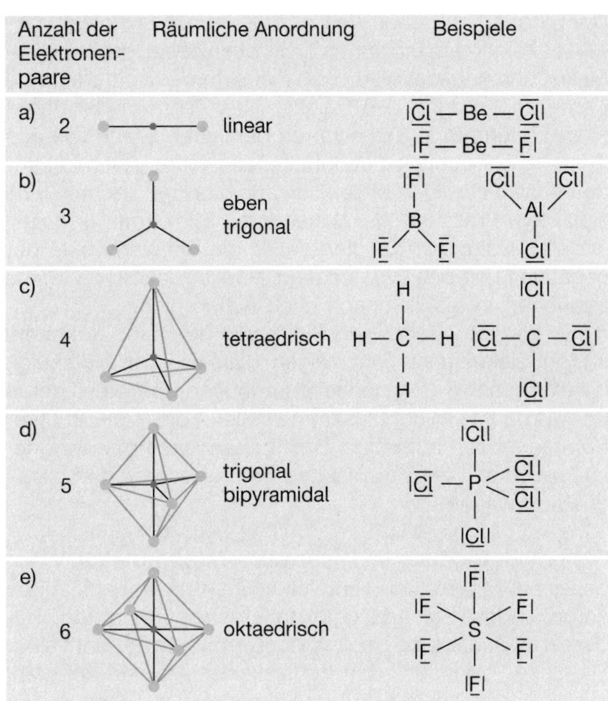

	Anzahl der Elektronenpaare	Räumliche Anordnung	Beispiele
a)	2	linear	$BeCl_2$ (Cl — Be — Cl), BeF_2 (F — Be — F)
b)	3	eben trigonal	BF_3, $AlCl_3$
c)	4	tetraedrisch	CH_4, CCl_4
d)	5	trigonal bipyramidal	PCl_5
e)	6	oktaedrisch	SF_6

B1 Molekülstruktur und Anzahl der Elektronenpaare

B2 Strukturformeln und Bindungswinkel einiger Moleküle und Molekülionen

2.8 Die polare Atombindung

Die Bindung zwischen den Atomen im Chlormolekül beruht auf einer gemeinsamen Elektronenwolke, die von zwei Elektronen gebildet wird. Diese ist symmetrisch um beide Kerne angeordnet (▷ B1, links). Das Zentrum der negativen Ladung liegt demnach an derselben Stelle wie das Zentrum der positiven Ladung beider Kerne. Auch bei anderen zweiatomigen Molekülen aus gleichen Atomen, wie z. B. dem Wasserstoff-, Sauerstoff-, Stickstoff- und den anderen Halogenmolekülen, fallen die Schwerpunkte der negativen und positiven Ladung jeweils zusammen. Diese Ladungen treten demnach nach außen nicht in Erscheinung. Es gibt jedoch viele Stoffe, die durch ihr Verhalten, z. B. im elektrischen Feld, zeigen, dass an ihren Molekülen jeweils positive und negative Ladungen auftreten, deren Schwerpunkte nicht zusammenfallen, die sich in ihrer Summe jedoch aufheben. Das Zustandekommen solcher Ladungen soll am Beispiel des Chlorwasserstoffmoleküls erläutert werden.

Die polare Bindung im Chlorwasserstoffmolekül. Wenn bei einem Molekül aus verschiedenen Atomen nach außen entgegengesetzte Ladungen in Erscheinung treten, bedeutet dies, dass die Ladungsschwerpunkte getrennt sind. Da diese Ladungen nicht bei isolierten Atomen aufreten, sondern erst im Molekül, ist anzunehmen, dass dieser Sachverhalt mit dem bei der Bindungsbildung neu auftretenden bindenden Elektronenpaar zusammenhängt. Um dessen Einfluss verdeutlichen zu können, betrachten wir das System aus einem Wasserstoff- und einem Chloratom zunächst ohne diese beiden Elektronen. Dies bedeutet, dass beide Atome jeweils einfach positiv geladen sind. Der daraus resultierende Schwerpunkt der positiven Ladung liegt genau in der Mitte zwischen beiden Atomkernen. Die Elektronenwolke des bindenden Elektronenpaares liegt nun nicht genau zwischen den beiden Kernen, sondern ist in Richtung des Chloratoms verschoben und damit auch der negative Ladungsschwerpunkt (▷ B1, rechts). Dadurch erhält das Molekül ein positiv und ein negativ geladenes Ende, es ist ein **Dipolmolekül**. Diese Ladungen sind jedoch kleiner als eine Elementarladung, man bezeichnet sie deshalb als positive und negative Partialladung (von lat. pars, Teil; Zeichen: δ+ bzw. δ–). Solche Partialladungen können in Molekülen vorliegen, wenn zwei unterschiedliche Atome durch eine Atombindung miteinander verbunden sind. Diese Bindung bezeichnet man als **polare Atombindung**. Bei ähnlicher Bindungslänge sind die Bindungsenergien polarer Atombindungen deutlich höher als die unpolarer Bindungen.

Elektronegativität. Zur Erklärung der polaren Atombindung mit den auftretenden Teilladungen schreibt man den verschiedenen Atomen eine unterschiedliche Fähigkeit zu, das bindende Elektronenpaar anzuziehen. Diese Eigenschaft eines Atoms nennt man Elektronegativität. Die Elektronegativität wird durch eine Zahl angegeben, die auf den Chemiker L. PAULING zurückgeht (▷ B2). Da von allen Atomen das Fluoratom die Elektronen einer Atombindung am stärksten anzuziehen vermag, wurde ihm der höchste Wert zugeordnet. Dafür wählte Pauling die Zahl 4.

Die Elektronegativität ist ein Maß für die Fähigkeit eines Atoms Bindungselektronen anzuziehen.

Der Elektronegativitätsunterschied bestimmt das Vorzeichen und die Größe der Partialladung zweier miteinander verbundener Atome. Die Bindung wird umso polarer, je größer die Differenz der Elektronegativitätswerte ist.
Die Elektronegativität eines Atoms hängt von seiner Stellung im Periodensystem ab. Innerhalb einer Periode

B1 Ladungsschwerpunkte im Chlor- und Chlorwasserstoffmolekül

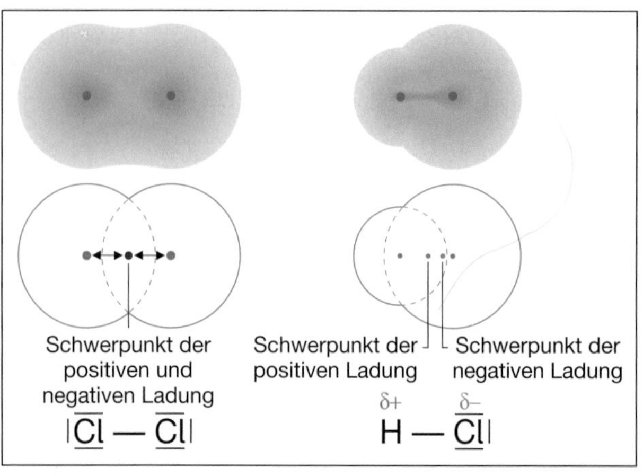

B2 Elektronegativitätsskala nach PAULING

Periode	I	II	III	IV	V	VI	VII	VIII
1	H 2,1							He
2	Li 1,0	Be 1,5	B 2,0	C 2,5	N 3,0	O 3,5	F 4,0	Ne
3	Na 0,9	Mg 1,2	Al 1,5	Si 1,8	P 2,1	S 2,5	Cl 3,0	Ar
4	K 0,8	Ca 1,0	Ga 1,6	Ge 1,8	As 2,0	Se 2,4	Br 2,8	Kr
5	Rb 0,8	Sr 1,0	In 1,7	Sn 1,8	Sb 1,9	Te 2,1	I 2,5	Xe
6	Cs 0,7	Ba 0,9	Tl 1,8	Pb 1,8	Bi 1,9	Po 2,0	At 2,2	Rn
7	Fr 0,7	Ra 0,9						

nimmt die Elektronegativität von links nach rechts zu, innerhalb einer Hauptgruppe von oben nach unten ab (▷ B2).

Weitere Moleküle mit polaren Bindungen. Alle Halogenwasserstoffmoleküle (Hydrogenhalogenidmoleküle) sind wie das Chlorwasserstoffmolekül Dipole. Da die Elektronegativität vom Fluor- zum Iodatom abnimmt, ist das Fluorwasserstoffmolekül von allen Halogenwasserstoffmolekülen der stärkste Dipol.
Im Kohlenstoffdioxidmolekül liegen zwei polare Bindungen vor. Die elektronegativeren Sauerstoffatome tragen jeweils eine negative Partialladung. Das Kohlenstoffatom trägt die positive Partialladung, die so groß ist wie der Betrag der beiden negativen Partialladungen zusammen. Bei der Angabe von Partialladungen wird nur das Vorzeichen, jedoch nicht die Größe der Ladung berücksichtigt (▷ B3). Obwohl die Bindungen im Kohlenstoffdioxidmolekül polar sind, ist es kein Dipol, da der Schwerpunkt der negativen Partialladungen mit dem Zentrum der positiven Ladung zusammenfällt (▷ B3). Dies ist bei allen Molekülen der Fall, bei denen die Partialladungen symmetrisch angeordnet sind. Deshalb kann man vom Molekül ⟨O=C=O⟩ auch ohne Betrachtung der einzelnen Bindungspolaritäten sagen, dass es wegen seiner Symmetrie kein Dipol sein kann.

Auch das tetraedrisch gebaute CCl_4-Molekül ist deshalb kein Dipol. Durch den gewinkelten Bau des Wassermoleküls liegen dessen positive Partialladungen jedoch auf einer Seite des Moleküls. Ihr Schwerpunkt liegt auf der Winkelhalbierenden des Bindungswinkels und fällt nicht mit der negativen Partialladung zusammen. Das Wassermolekül ist also ein Dipol. Auch beim Ammoniakmolekül fallen die Schwerpunkte der positiven und negativen Ladung nicht zusammen (▷ B3).

B3 Ladungsverteilung in Molekülen. Die Schwerpunkte der Ladungen sind durch Punkte gekennzeichnet

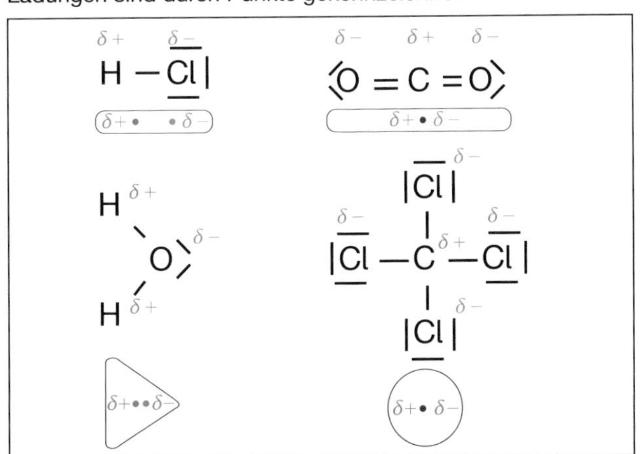

Exkurs: Elektronegativitätsskala von LINUS PAULING

PAULING ging von der Feststellung aus, dass bei den von ihm zunächst untersuchten zweiatomigen Molekülen die Bindungsenergie umso größer ist, je polarer die Moleküle sind. Er versuchte einen quantitativen Zusammenhang für diese Tatsache zu finden. Um die Polarität einer Bindung aus den an ihr beteiligten Atomen ableiten zu können, wollte PAULING jedem Atom einen Zahlenwert zuordnen, der dessen Fähigkeit ausdrückt, Elektronen einer Atombindung anzuziehen, die Elektronegativität *(EN)*. Dazu benutzte er die Abweichung „Δ" der experimentell bestimmbaren Bindungsenergie („Dissoziationsenergie" *D)* eines zweiatomigen polaren Moleküls, z. B. H−F, von der Bindungsenergie des hypothetischen unpolaren Moleküls. PAULING postulierte, dass die Bindungsenergie z. B. des hypothetisch unpolaren H−F-Moleküls das geometrische Mittel aus den Bindungsenergien des H_2- und F_2-Moleküls ist. Damit ergibt sich für diese Abweichung

$$\Delta(\mathrm{HF}) = D(\mathrm{HF})_{\mathrm{experimentell}} - D(\mathrm{HF})_{\mathrm{hypothetisch}}$$
$$= D(\mathrm{HF})_{\mathrm{exp.}} - \sqrt{D(\mathrm{H{-}H}) \cdot D(\mathrm{F{-}F})}$$

Durch die Setzung
Elektronegativitätsdifferenz = $\sqrt{\Delta}$, z. B.
$\sqrt{\Delta(\mathrm{HF})} = EN(\mathrm{F}) - EN(\mathrm{H})$
erhält man Elektronegativitätsdifferenzen, die sich additiv verhalten. Die Zahlenwerte für die Elektronegativitätsdifferenzen ergeben sich aus der Verwendung der Energieeinheit Elektronvolt (eV).
Mit der (willkürlichen) Festlegung $EN(\mathrm{F}) = 4{,}0$ ist in diesem Beispiel $EN(\mathrm{H})$ berechenbar und in analoger Weise auch die Werte für weitere Atome.

A 1 a) Ordnen Sie die folgenden Bindungen nach steigender Polarität: N–H, C–H, F–H, O–H.
b) Nennen Sie Moleküle, in denen diese Bindungen vorkommen.
c) Welche dieser Moleküle sind Dipole?

A 2 Wie ändert sich die Elektronegativität der Atome
a) innerhalb einer Periode des Periodensystems,
b) innerhalb einer Hauptgruppe?
Begründen Sie.

A 3 Wo befinden sich im Periodensystem Atome mit
a) besonders hoher,
b) besonders niedriger Elektronegativität?

2.9 Kräfte zwischen Molekülen

Wasserstoff	−253 °C		
Stickstoff	−196 °C		
Sauerstoff	−183 °C		
		Helium	−269 °C
Fluor	−188 °C	Neon	−246 °C
Chlor	−35 °C	Argon	−186 °C
Brom	59 °C	Krypton	−152 °C
Iod	184 °C	Xenon	−107 °C

B 1 Siedetemperaturen einiger Elemente

Um eine Flüssigkeit zu verdampfen, muss man Energie zuführen. Dadurch können die Anziehungskräfte zwischen den Teilchen überwunden werden, die Teilchen sind im Gas dann frei beweglich. Je größer die Anziehungskräfte zwischen den Teilchen sind, desto höher liegt die Siedetemperatur des Stoffes. Sind die Teilchen der Flüssigkeit Dipole, ist deren Zusammenhalt durch die gegenseitige Anziehung der Partialladungen vergleichsweise stark. Da sich aber auch alle Gase kondensieren lassen, müssen sogar zwischen Edelgasatomen und zwischen unpolaren Molekülen Anziehungskräfte wirken.

Van-der-Waals-Kräfte. Die tiefen Siedetemperaturen der Edelgase zeigen, dass zwischen den Atomen dieser Stoffe nur sehr geringe Kräfte wirken. Dies gilt auch für unpolare Moleküle (▷ B 1). Die zwischen diesen Teilchen herrschenden Kräfte erklärt man durch eine nicht immer symmetrische Verteilung der Elektronen in der Hülle. So entstehen für kurze Zeit schwache spontane Dipole, die auf die Elektronenhüllen benachbarter Teilchen Anziehungs- bzw. Abstoßungskräfte ausüben und diese dadurch ebenfalls polarisieren. Diese so entstandenen Dipole nennt man **induzierte Dipole**, die daraus resultierenden schwachen Anziehungskräfte **Van-der-Waals-Kräfte** (▷ B 2).

Die Siedetemperaturen der Edelgase und Halogene zeigen, dass die Van-der-Waals-Kräfte mit zunehmender Elektronenanzahl größer werden (▷ B 1). Bei gleicher Elektronenanzahl nehmen sie mit der Teilchenoberfläche zu. Bei großer Elektronenanzahl der Teilchen können die Van-der-Waals-Kräfte so groß werden, dass die Teilchen bei Zimmertemperatur nicht mehr verschiebbar sind und sich in einem **Molekülgitter** regelmäßig anordnen. Dies ist z. B. beim Iod der Fall, das bei Zimmertemperatur fest ist (▷ B 3).

Dipol-Dipol-Wechselwirkungen. Die Siedetemperatur von Methan lässt erkennen, dass zwischen den unpolaren Molekülen nur geringe Kräfte wirken (▷ B 4). Dies gilt auch für die ebenfalls tetraedrischen Moleküle SiH_4, GeH_4 und SnH_4. Da die Elektronenanzahl in dieser Reihe zunimmt, steigen die Siedetemperaturen der Verbindungen ebenfalls an.
Obwohl Germaniumwasserstoffmoleküle doppelt so viele Elektronen besitzen wie Chlorwasserstoffmoleküle, ähneln sich die Siedetemperaturen der Verbindungen (▷ B 4). Entsprechendes findet man beim Vergleich von Zinnwasserstoff mit Bromwasserstoff.

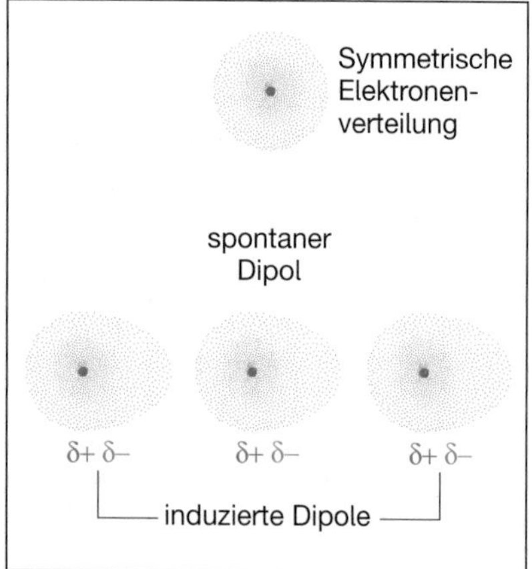

B 2 Van-der-Waals-Kräfte

B 3 Molekülgitter des Iods

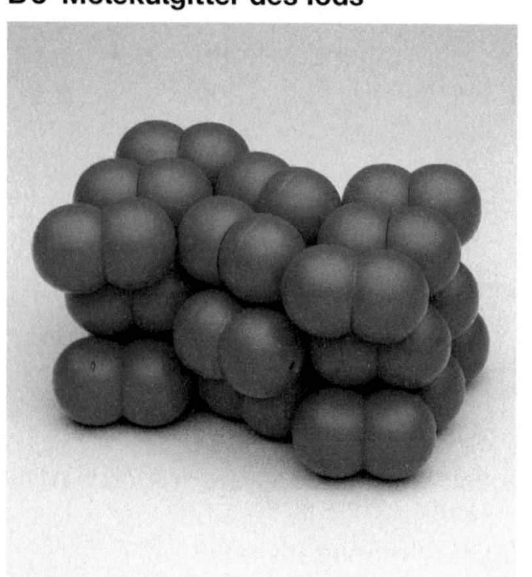

B 4 Siedetemperaturen einiger Wasserstoffverbindungen

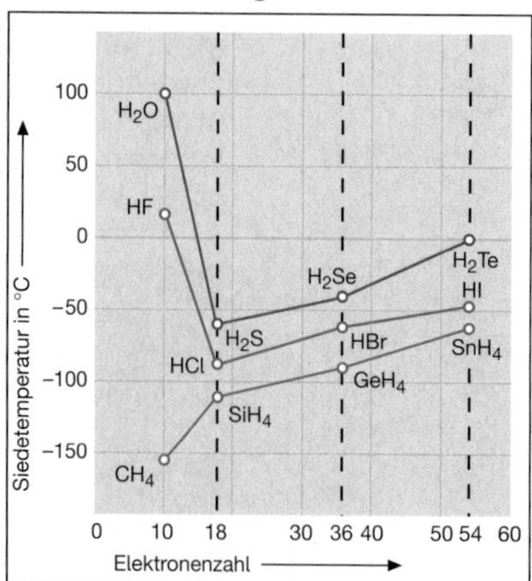

B 5 Wasserstoffbrücken

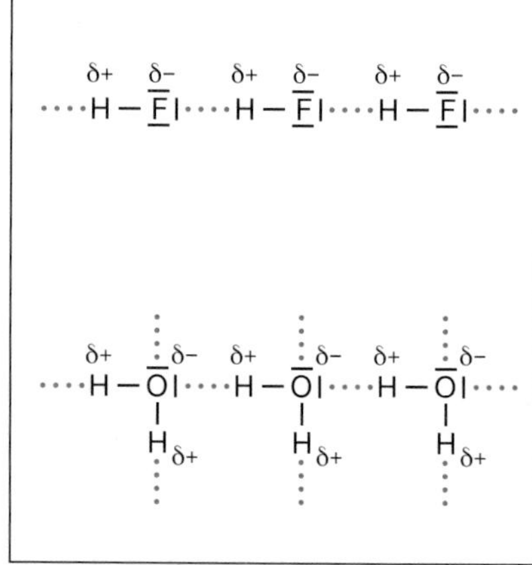

Zwischen den Chlor- bzw. Bromwasserstoffmolekülen sind neben den Van-der-Waals-Kräften die schon erwähnten Anziehungskräfte zwischen Partialladungen wirksam, wie sie in Dipolmolekülen vorliegen. Im Gegensatz zu den Van-der-Waals-Kräften zwischen spontanen und induzierten Dipolen, die an einem Teilchen nur kurzfristig auftreten, handelt es sich bei Halogenwasserstoffmolekülen um Kräfte zwischen **permanenten Dipolen**, die man **Dipol-Dipol-Kräfte** nennt.

Wasserstoffbrücken. Die relativ hohen Siedetemperaturen von Wasser und Fluorwasserstoff (▷ B4) lassen darauf schließen, dass zwischen den Molekülen dieser Stoffe ein besonders starker Zusammenhalt besteht. Dieser ist auf die Ausbildung einer besonderen Bindung zwischen den Molekülen zurückzuführen, die man als **Wasserstoffbrücke** bezeichnet. Eine Wasserstoffbrücke wird von einem Wasserstoffatom mit positiver Partialladung gebildet, das sich zwischen zwei stark elektronegativen Atomen mit negativer Partialladung befindet (▷ B5). In neutralen Molekülen können dies Fluor-, Sauerstoff- oder Stickstoffatome sein. Zur Ausbildung von solchen starken zwischenmolekularen Bindungen sind nur Wasserstoffatome befähigt. Da sie sehr klein sind, können sich die positivierten Wasserstoffatome den Atomen mit der negativen Partialladung sehr stark nähern und eine Wechselwirkung mit einem freien Elektronenpaar eingehen. Die Energie, die zur Trennung von Wasserstoffbrücken aufgebracht werden muss, ist viel größer als die zur Überwindung von Dipol-Dipol-Kräften. Wasserstoffbrücken sind selbst noch zwischen Molekülen mancher Stoffe im gasförmigen Zustand anzutreffen. Gasförmiger Fluorwasserstoff enthält noch kurze Ketten aus HF-Molekülen, die über Wasserstoffbrücken zusammengehalten werden. Beim Sieden von Essigsäure liegen im Dampf Doppelmoleküle vor. Dabei sind zwei Essigsäuremoleküle über zwei Wasserstoffbrücken verbunden.

```
          /Ō| ·········· H—Ō\
CH₃—C                          C—CH₃
          \Ō—H ·········· |Ō/
```

Zwischen unpolaren Molekülen herrschen nur Van-der-Waals-Kräfte. Bei Dipolmolekülen kommen Dipol-Dipol-Kräfte hinzu. Moleküle mit H–F-, H–O- und H–N-Bindungen können Wasserstoffbrücken ausbilden.

Das Molekülgitter von Eis. Im Eis ist jedes Sauerstoffatom tetraedrisch von vier Wasserstoffatomen umgeben (▷ B6 links). Zu zwei Wasserstoffatomen führt je eine Atombindung, zu den beiden anderen, etwas weiter entfernten je eine Wasserstoffbrücke. Diese Anordnung ergibt ein weitmaschiges Gitter mit durchgängigen Hohlräumen von sechseckigem Querschnitt (▷ B6 rechts). Wegen dieser weiträumigen Struktur besitzt Eis eine geringere Dichte als flüssiges Wasser und schwimmt auf diesem. Im Gegensatz dazu haben fast alle anderen Stoffe im festen Zustand eine größere Dichte als im flüssigen.
Wenn Eis schmilzt, bricht das Gitter zusammen, und die Dichte nimmt zu. Allerdings existieren im flüssigen Wasser immer noch Bruchstücke des Eisgitters, d.h. Zusammenlagerungen von Wassermolekülen zu Strukturen, wie sie im Eis vorliegen. Man nennt diese Molekülverbände *Cluster*. Mit steigender Temperatur nimmt die Größe dieser Cluster ab. Dadurch steigt die Dichte des Wassers bis 4 °C an. Dies bezeichnet man als die Anomalie des Wassers. Bei weiterer Temperaturerhöhung dehnt sich Wasser wie jede andere Flüssigkeit aus.

B6 Molekülgitter von Eis. Die verschiedenen Blickrichtungen lassen die typische Anordnung der Wassermoleküle erkennen (H-Brücken gestrichelt)

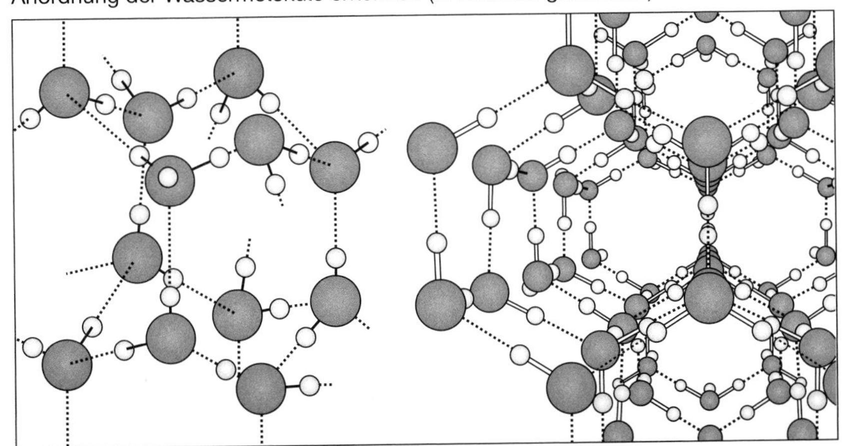

A 1 In welcher Reihenfolge sieden die Hauptbestandteile der Luft bei der Destillation von flüssiger Luft? Begründen Sie.

A 2 Skizzieren Sie analog der Darstellung in ▷ B4 den Verlauf der Siedetemperaturen in der Reihe der Wasserstoffverbindungen der Elemente der 5. Hauptgruppe.

A 3 Geben Sie eine Erklärung dafür, dass Wasser beim Erwärmen von 0 °C auf 6 °C ein Dichtemaximum durchläuft.

2.10 Atomgitter

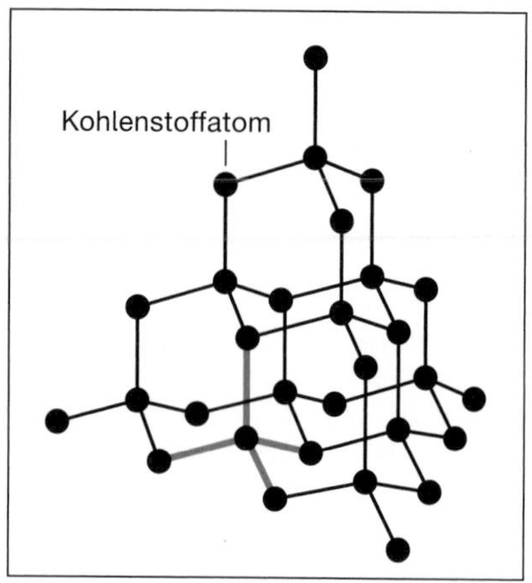

B 1 Aufbau von Diamant

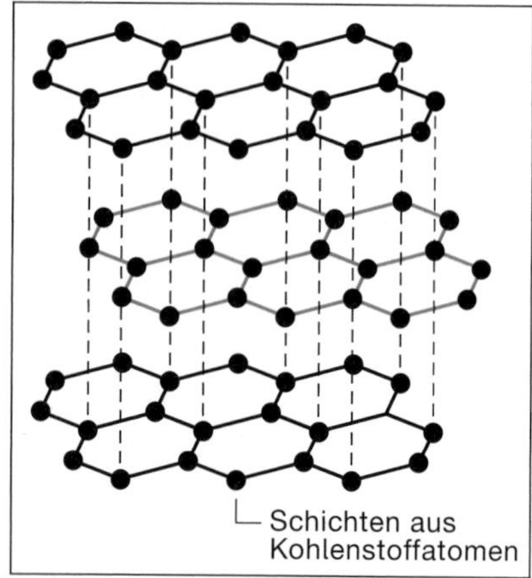

B 2 Aufbau von Graphit

B 3 Buckminsterfulleren. Das Molekül ist aus 60 C-Atomen aufgebaut

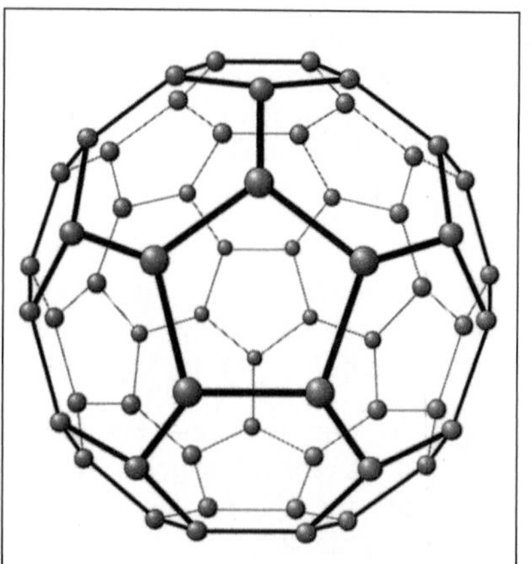

In den Molekülen der bisher besprochenen Stoffe sind jeweils nur wenige Atome über Atombindungen miteinander verbunden. Es gibt jedoch Stoffe, die aus riesigen Atomverbänden aufgebaut sind, in denen die Atome durch Atombindungen verbunden sind. Eine solche Struktur nennt man **Atomgitter**. Die Eigenschaften solcher Stoffe werden wesentlich durch die Art der Bindung, den daraus resultierenden Kräften zwischen den Atomen und durch die Anordnung der Atome in einem solchen Gitter bestimmt.

Diamant und Graphit. Der durchsichtige Diamant und der schwarze Graphit unterscheiden sich außerordentlich stark in vielen ihrer Eigenschaften (▷ B 4). Beide haben jedoch eine Gemeinsamkeit: Graphit ist wie Diamant aus Kohlenstoffatomen aufgebaut. Gibt es für ein Element oder eine Verbindung mehrere Erscheinungsformen, so werden diese als **Modifikationen** bezeichnet. Die Stoffe Graphit und Diamant sind demnach zwei Modifikationen des Elements Kohlenstoff, das als *Stoff* jedoch *nicht existent* ist. Es erscheint daher sinnvoll, den *Elementbegriff* nicht auf den *Stoff*, sondern auf die **Atomsorte** zu beziehen. Man kann unter einem Element eine Atomsorte verstehen, deren Mitglieder in der Anzahl ihrer Protonen übereinstimmen. Die Stoffe, die den so definierten Elementen zugeordnet sind, werden zur Unterscheidung **elementare Stoffe** genannt. Graphit und Diamant sind verschiedene elementare Stoffe, die beide aus dem Element Kohlenstoff aufgebaut sind.

Im **Diamantgitter** (▷ B 1) gehen von jedem Kohlenstoffatom tetraedrisch vier Atombindungen aus. Dadurch ergibt sich ein sehr regelmäßiges, stabiles Gitter. Diamant ist das härteste Mineral. Seine große Härte beruht darauf, dass die Atome im Gitter nicht gegeneinander verschoben werden können, da sie durch starke Atombindungen auf ihren Gitterplätzen gehalten werden. Der ganze Kristall ist ein einziges durch Atombindungen zusammenhängendes Riesenaggregat von Atomen. Zur Spaltung des Gitters müssen immer viele Atombindungen getrennt werden, gleichgültig in welcher Richtung die Spaltung verläuft.
Aufgrund seiner Eigenschaften wird der größte Teil der Diamanten als Industriediamanten z. B. bei der Bestückung von Bohrköpfen und Schneidwerkzeugen eingesetzt.

B 4 Diamant, Graphit und Fullerit. Eigenschaften und Verwendung

Diamant	Graphit	Fullerit
farblos, durchsichtig, stark lichtbrechend	schwarz, glänzend	schwarz glänzende Kristalle
sehr hart, härtestes Mineral	sehr weich	weicher als Graphit; elastisch
schwer spaltbar	leicht in Blättchen spaltbar	leicht spaltbar
keine elektrische Leitfähigkeit	gute elektrische Leitfähigkeit	Halbleiter
Dichte 3,5 g/cm^3	Dichte 2,3 g/cm^3	Dichte 1,65 g/cm^3
wandelt sich bei hohen Temperaturen in Graphit um	Schmelztemperatur ca. 3700 °C	Sublimation ab ca. 600 °C
Verwendung in Bohrkronen, Schleifscheiben, Glasschneidern. Brillanten sind klare, geschliffene Diamanten. Diamantstaub dient als Schleifpulver.	Verwendung zur Herstellung von Elektroden, Schmelzwannen, Bleistiftminen (zusammen mit Ton). Graphitstaub dient als Schmiermittel.	Zukünftige Verwendung zur Herstellung von Industriediamanten und Laserschutzbrillen. Einsatz beim Lesen optischer Speicher, in Hochspannungsschaltern, Fotokopierern und in der Fotovoltaik.

Seit 1955 lassen sich Diamanten unter hohem Druck (10 GPa) und bei hohen Temperaturen (1800 °C) künstlich aus Graphit herstellen. Es handelt sich dabei um kleinere, teilweise dunkel gefärbte Diamantsplitter, die in der Industrie Verwendung finden.

Das **Graphitgitter** besteht aus vielen übereinander liegenden ebenen Schichten (▷ B2). Jedes Atom einer Schicht ist mit drei gleich weit entfernten Atomen verbunden. Die Bindungswinkel betragen alle 120°. Die Kohlenstoffatome sitzen also in den Ecken regelmäßiger Sechsecke. Zur Ausbildung dieser Atombindungen werden pro Kohlenstoffatom drei Elektronen benötigt; das vierte Elektron ist keiner Bindung zugeordnet, sondern kann sich über die gesamte Schicht hinweg bewegen. Man spricht deshalb von **delokalisierten Elektronen**. In einem elektrischen Feld können sich diese Elektronen längs einer Schicht bewegen. Dies erklärt die elektrische Leitfähigkeit des Graphits innerhalb einer Schicht. Man verwendet ihn daher zur Herstellung von Elektroden. Auch sein metallischer Glanz ist auf diese leicht beweglichen Elektronen zurückzuführen. Diamant ist im Gegensatz zu Graphit ein Isolator, da alle Außenelektronen in Atombindungen lokalisiert sind.
Zwischen den Schichten liegen keine Atombindungen vor. Dort wirken nur Van-der-Waals-Kräfte. Deshalb lassen sich die relativ weit auseinander liegenden Schichten leicht gegeneinander verschieben. Dies erklärt die geringe Härte des Graphits und seine Verwendung als Gleit- und Schmiermittel sowie in Bleistiften. Der große Abstand zwischen den einzelnen Schichten bedingt auch die geringere Dichte des Graphits.

Fullerene. Seit 1985 ist eine dritte Modifikation des Kohlenstoffs bekannt. Sie konnte aus Graphit durch Verdampfung im elektrischen Lichtbogen hergestellt werden. Nach einem amerikanischen Ingenieur (BUCKMINSTER FULLER), der durch den Bau von Kuppeln bekannt wurde, werden die käfigartigen Moleküle Fullerene genannt. Die aus ihnen aufgebauten Stoffe heißen **Fullerite**. Sie sind bei Zimmertemperatur kristallin, weich und elastisch (▷ B4). Fullerite müssen sich demnach in ihrer Anordnung der Kohlenstoffatome von denen des Graphits und Diamants unterscheiden.
Das bekannteste Fulleren ist das Buckminsterfulleren („Buckyball"), ein aus 60 Kohlenstoffatomen aufgebautes kugelförmiges Molekül, das eine Struktur aufweist, wie sie von einem Fußball her bekannt ist (▷ B3). Jedes Atom ist mit drei Nachbaratomen verbunden. Das vierte Elektron eines jeden Atoms ist über die ganze Oberfläche beweglich. Die einzelnen Moleküle sind im Kristall *nicht* durch Atombindungen verbunden. Die in dem *Molekülgitter* herrschenden vergleichsweise schwachen Van-der-Waals-Kräfte bedingen die relativ niedere Sublimationstemperatur, die gering ausgeprägte Härte sowie die vorhandene Löslichkeit z. B. in Toluol (↗ Kap. 15.8). Aufgrund der Hohlkörperstruktur besitzen Fullerite eine geringere Dichte als Graphit.

Diamantartige Stoffe. Neben Diamant gibt es weitere Stoffe mit einer analogen Kristallstruktur und damit ähnlichen Eigenschaften. Ein wichtiger Werkstoff ist z. B. **Siliciumcarbid** (Carborund, SiC), in dessen Atomgitter die Hälfte der Kohlenstoffatome des Diamantgitters durch Siliciumatome ersetzt ist. Siliciumcarbid ist sehr hart und thermisch sehr widerstandsfähig. Verwendung findet es zur Herstellung feuerfester Rohre und Tiegel, von Heizelementen in Hochtemperaturöfen, Lagern von Wasserpumpen (▷ B5) sowie Wärmetauschern und Schleifmitteln. **Quarz** (SiO_2) ist außerordentlich hart und besitzt eine Schmelztemperatur von etwa 1700 °C. Im Atomgitter ist jedes Siliciumatom tetraedrisch von vier Sauerstoffatomen umgeben (↗ Kap. 11.1).

A 1 a) Wie könnte man nachweisen, dass so unterschiedliche Stoffe wie Graphit, Diamant und Fullerit aus Kohlenstoffatomen aufgebaut sind? Schlagen Sie einen qualitativen Versuch vor.
b) Wie müsste eine quantitative Versuchsdurchführung erfolgen, mit der man zweifelsfrei beweisen kann, dass Graphit, Diamant und Fullerit ausschließlich aus Kohlenstoffatomen aufgebaut sind?

A 2 Warum leiten Graphitelektroden den elektrischen Strom in alle Richtungen gleich gut?

A 3 Vergleichen Sie Härte, Spaltbarkeit und Dichte von Graphit, Diamant und Fullerit. Wie sind die Unterschiede zu erklären?

A 4 Vergleichen und beschreiben Sie a) die Bindungsverhältnisse im Quarzgitter und in einem Ionengitter und b) die Bindungen und Anordnung der Atome im Diamantgitter und im Quarzgitter.

A 5 Das Gitter von Bornitrid (BN) besitzt ebenfalls Diamantstruktur, wobei jeweils die Hälfte der Kohlenstoffatome durch Bor- bzw. Stickstoffatome ersetzt ist. Erläutern Sie die Bindungsverhältnisse an den Atomen dieses Gitters.

B5 Maschinenteile aus Siliciumcarbid

2.11 Übergänge zwischen Ionen- und Atombindung

	Verbindung	ΔEN	Schmelztemperatur in °C	Dipolmoment in der Gasphase in 10^{-30} C·m	Bindungstyp
a)	NaCl	2,1	800	30	Ionenbindung
	$MgCl_2$	1,8	717	0	
	$AlCl_3$	1,5	129 (subl)	6,6	Polare Atombindung
	$SiCl_4$	1,2	−70	0	
	PCl_3	0,9	−94	2,6	
	SCl_2	0,5	−122	2,0	
	Cl_2	0	−101	0	Unpolare Atombindung
b)	KF	3,2	855	28,7	Ionenbindung
	LiF	3,0	848	21,1	
	CsCl	2,3	645	34,8	
	KI	1,7	686	30,8	
	HF	1,9	−83	6,1	Polare Atombindung
	HCl	0,9	−114	3,6	
	HBr	0,7	−87	2,6	
	HI	0,4	−51	1,3	
	H_2	0	−259	0	Unpolare Atombindung

B1 Eigenschaften und Bindungstyp. a) Chlorverbindungen der Elemente der dritten Periode und b) weitere Verbindungen

Exkurs: Dipolmoleküle und Dipolmomente
In einer Vielzahl von Bindungen sind *verschiedene* Atome miteinander verbunden. Besitzen diese Bindungspartner eine unterschiedliche Elektronegativität, so kann dies aufgrund der unsymmetrischen Ladungsverteilung in einem Molekül zu einem permanenten Dipol führen (↗Kap. 2.9). Ein Maß für die Unsymmetrie der Ladungsverteilung in einem zweiatomigen Molekül ist das Dipolmoment p, das als Produkt aus der Entfernung l (in m), die gleiche (hypothetisch punktförmige) Ladungen entgegengesetzten Vorzeichens trennt, und der Größe der Ladung Q (in C) definiert ist. Die Zahlenwerte werden meist in 10^{-30} C·m angegeben.

$$p = Q \cdot l$$

Bei mehratomigen Molekülen kann aus dem Dipolmoment nicht auf die Polarität der Bindungen geschlossen werden.

B2 Übergänge zwischen den Bindungstypen

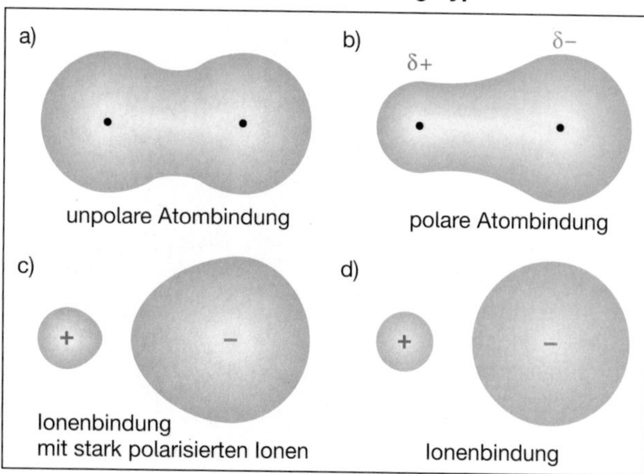

Häufig werden Ionenbindung und Atombindung als zwei völlig verschiedene Bindungstypen betrachtet. In diesem Abschnitt werden wir erkennen, dass sie zwei Extremfälle darstellen und dass es einen kontinuierlichen Übergang zwischen den beiden Bindungstypen gibt. Die verschiedenen Bindungstypen führen auch zu unterschiedlichen Eigenschaften der entsprechenden Verbindungen.

Eigenschaften und Bindungstyp. Einige Eigenschaften verschiedener Verbindungen zeigt ▷ B1a und b.
Die Dipolmomente gelten für *Moleküle* in der Gasphase. Hohe Schmelztemperaturen und hohe Dipolmomente weisen auf Verbindungen mit Ionenbindung hin, mit starken elektrostatischen Kräften zwischen den Ionen. Ein weiterer Hinweis ist die hohe Elektronegativitätsdifferenz. Sie führt bei der Bindungsbildung zwischen einem Metallatom (mit geringer *EN*) und einem Nichtmetallatom (mit hoher *EN*) zu einem *vollständigen Elektronenübergang*.
Demgegenüber besitzen Verbindungen mit unpolaren Atombindungen *kein* Dipolmoment und sehr niedrige Schmelztemperaturen. Es liegen *unpolare* Moleküle mit *symmetrischer Ladungsverteilung* vor, zwischen denen nur Van-der-Waals-Kräfte herrschen.
Die Verbindungen im Übergangsbereich besitzen gegenüber den Ionenverbindungen niedrigere Schmelztemperaturen und kleinere Dipolmomente. Es sind Verbindungen mit polaren Atombindungen in ihren Molekülen. Aufgrund der vorhandenen, kleineren *EN*-Differenz kommt es zu einer unsymmetrischen Ladungsverteilung. Abhängig von der Struktur liegen meist permanente Dipole vor.

Übergänge zwischen den Bindungen. Sind verschiedene Atome aneinander gebunden, so liegen meist polare Atombindungen vor (▷ B2), die umso polarer sind, d.h. deren Ladungsverteilung umso unsymmetrischer ist, je größer die *EN*-Differenzen der Bindungspartner sind. Im Extremfall können die Bindungselektronen *vollständig* auf das elektronegativere Atom übergehen, es kommt zur Bildung von Ionen. *Die EN-Differenz bedingt also den entsprechenden Bindungstyp.* Häufig kommt es ab einer *EN*-Differenz von 1,8 bis 2 zur Ausbildung einer Ionenbindung.
Der Übergang lässt sich auch von der Seite der Ionen beschreiben. Positive Ionen deformieren, *polarisieren* die Elektronenhülle der Anionen. Im Extremfall kann diese Polarisierung zur Ausbildung einer polaren Atombindung führen. Besonders *stark polarisierend* wirken kleine, hochgeladene Kationen. Besonders *leicht zu polarisieren* sind große, hochgeladene Anionen. Daher besitzt z.B. Aluminiumfluorid (Schmelztemperatur 1290 °C) eine Ionenbindung und Aluminiumbromid (97 °C) polare Atombindungen, Blei(II)-chlorid (501 °C) eine Ionenbindung und Blei(IV)-chlorid (−15 °C) polare Atombindungen. Auch die abnehmende Löslichkeit der Silberhalogenide ist auf den Übergang zu polaren Atombindungen durch starke Polarisierung der (hypothetischen) Ionen zurückzuführen.

2.12 Praktikum: Kräfte zwischen Molekülen

Viele Eigenschaften von molekularen Stoffen werden wesentlich durch die Art und Größe der zwischenmolekularen Kräfte geprägt. Beispiele hierfür sind Viskosität, Siedetemperatur, Oberflächenspannung (▷ B2), Verdampfungswärme, Verdunstungsgeschwindigkeit und das Lösungsverhalten. Mit den folgenden Experimenten kann der Einfluss der zwischenmolekularen Kräfte auf einzelne Eigenschaften untersucht werden.

Versuch 1 Oberflächenspannung

a) Tropfengröße

Geräte und Chemikalien: Jeweils 5 ml Wasser, Ethanol und Hexan in je einem Becherglas (100 ml), Pipette (1 ml), Pipettierhilfe

Durchführung: Bestimmen Sie die Tropfenanzahl für jeweils 1 ml Flüssigkeit.

Auswertung: Stellen Sie einen Zusammenhang her zwischen der Tropfengröße und den jeweiligen zwischenmolekularen Kräften.

b) Abreißkraft

Geräte und Chemikalien: Federkraftmesser (Skalierung 10 mN), Drahtring mit Bügel, Wasser, Ethanol und Hexan, 3 Petrischalen

Durchführung: Tauchen Sie den am Federkraftmesser hängenden Drahtring (▷ B1) vorsichtig in die mit Wasser gefüllte Petrischale. Ziehen Sie den Drahtring langsam nach oben und lesen Sie am Federkraftmesser die maximale Anzeige kurz vor dem Abreißen der Flüssigkeitslamelle ab. Wiederholen Sie den Versuch mit Ethanol und mit Hexan.

Auswertung: Welcher Zusammenhang besteht zwischen der Abreißkraft und der Größe der zwischenmolekularen Kräfte?

Versuch 2 Lösungsverhalten

Geräte und Chemikalien: 6 Reagenzgläser, Wasser, Ethanol, Heptan, Pflanzenöl

Durchführung: Geben Sie jeweils zwei der Flüssigkeiten in ein Reagenzglas und versuchen Sie durch Schütteln eine Lösung herzustellen. Testen Sie alle möglichen Kombinationen.

Auswertung:

1. Halten Sie die Ergebnisse in einer Übersicht fest.
2. Machen Sie für jeden der verwendeten Stoffe eine Aussage über die Polarität der Moleküle und die überwiegend herrschenden zwischenmolekularen Kräfte.
3. Beschreiben Sie einen Zusammenhang zwischen den in Aufgabe 2 gemachten Aussagen und dem experimentell ermittelten Lösungsverhalten.

Versuch 3 Verdunstungsdauer

Geräte und Chemikalien: 3 Petrischalen (Durchmesser 4 cm), 3 Messpipetten (10 ml), Föhn, Stativ mit Muffe und Klemme, Stoppuhr, Wasser, Ethanol, Hexan

Durchführung: Geben Sie in eine Petrischale 1 ml Wasser, in die beiden anderen jeweils eine Stoffportion Ethanol bzw. Hexan in gleichen Stoffmengen (benutzen Sie zur Berechnung dieser Mengen die Dichten und die molaren Massen der Stoffe). Befestigen Sie den Föhn so am Stativ, dass dieser von oben Warmluft auf die Flüssigkeit in der Petrischale blasen kann (Abstand ca. 40 cm). Bestimmen Sie die Zeit vom Einschalten des Föhns bis zum völligen Verdunsten der Flüssigkeit. Führen Sie den Versuch nacheinander mit jeder der Flüssigkeiten durch (mit Wasser zuletzt). Achten Sie dabei auf jeweils gleiche Platzierung der Petrischalen unter dem Föhn.

Auswertung: Beschreiben und deuten Sie das Versuchsergebnis.

B1 Messung der Abreißkraft

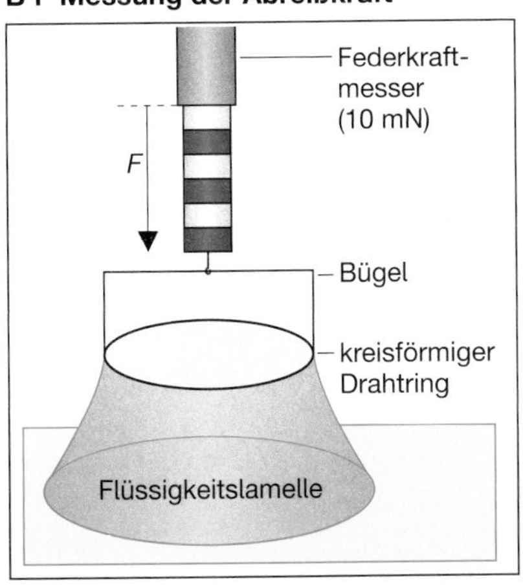

B2 Tropfenkrone. Die Tropfen bilden sich wegen der Oberflächenspannung

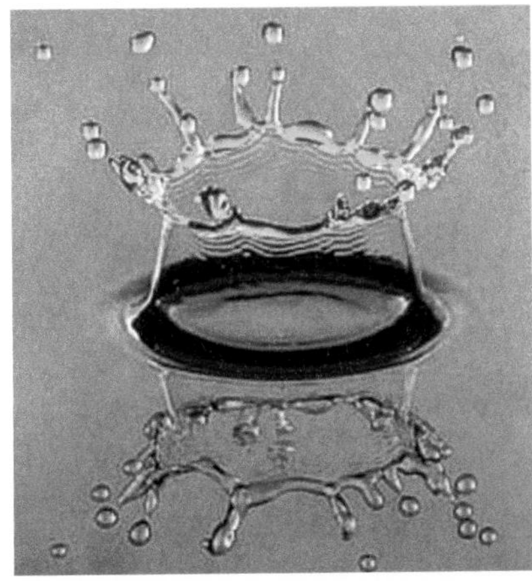

B3 Ermittlung der Verdunstungsdauer

2.13 Die Bindung in Metallen

Die meisten Elemente sind Metalle. Alle Metalle sind gute Wärmeleiter, sie leiten den elektrischen Strom im festen wie im flüssigen Zustand. Dabei nimmt die elektrische Leitfähigkeit mit steigender Temperatur ab. Metallschmelzen sowie Metallstücke mit glatter Oberfläche zeigen den typischen metallischen Glanz. Die besondere Bedeutung vieler Metalle als Werkstoffe ist vor allem auf deren hohe mechanische Festigkeit, kombiniert mit plastischer Verformbarkeit (Duktilität), zurückzuführen. Gerade diese Eigenschaften waren es, die manchen Metallen eine hohe kulturhistorische Bedeutung zukommen ließen (z. B. in der „Bronze"- oder „Eisenzeit").
Diese charakteristischen Eigenschaften sind auf die besondere Art der chemischen Bindung und auf die Anordnung der Atome im festen Metall zurückzuführen.

Metallgitter. In einem Metallkristall sind die Atome regelmäßig angeordnet. Sie nehmen, ähnlich wie bei den Ionengittern der Salze, feste Gitterplätze ein. Man spricht deshalb von einem *Metallgitter*. Die Strukturverhältnisse in Gittern reiner Metalle sind gegenüber Ionengittern dadurch vereinfacht, dass alle Bausteine des Gitters gleiche Größe und Ladung besitzen. Während in Ionengittern die Anordnung der Ionen zusätzlich durch deren Ladungsverhältnis mitbestimmt wird, können sich die Metallatome zu sehr viel dichteren Strukturen zusammenlagern. Die Koordinationszahlen in Metallgittern sind deshalb meist höher als in Ionengittern. Wegen dieser einfacheren Verhältnisse findet man im Wesentlichen nur drei Strukturtypen, denen man die meisten Metallgitter zuordnen kann.
Im Metall betrachtet man vereinfacht die Metallatome als gleich große Kugeln. Ordnet man diese möglichst dicht in einer Ebene, so ist jede Kugel von sechs anderen umgeben. Beim Darüberlegen einer zweiten Schicht kommt jede hinzukommende Kugel in einer Vertiefung der ersten Schicht zu liegen. Für die Kugeln der dritten Schicht ergeben sich zwei Anordnungsmöglichkeiten. Diese Kugeln können sich zum einen genau senkrecht über denen der ersten Schicht befinden. Setzt sich dieses Anordnungsprinzip fort, so ergibt sich für das Gitter die in ▷ B2 links dargestellte Schichtfolge AB-AB-AB.
Die zweite Möglichkeit zur Anordnung der Kugeln der dritten Schicht zeigt ▷ B2 rechts. In diesem Fall liegen erst die Kugeln der vierten Schicht in einer zur ersten Schicht identischen Lage. Die Schichtfolge ist hier ABC-ABC-ABC. Die Koordinationszahl ist in beiden Gittern 12. Solche Anordnungen nennt man **dichteste Kugelpackungen**. Die unterschiedliche Schichtfolge hat unterschiedliche Symmetrieverhältnisse in diesen Kugelpackungen zur Folge (▷ B1a und b). Diese Symmetrie findet man im makroskopischen Bereich bei den entsprechenden Metallkristallen wieder. Wegen der hexagonalen Symmetrie bezeichnet man ein Gitter mit der Schichtfolge AB-AB als **hexagonal dichteste Kugelpackung** (Magnesiumtyp), die Folge ABC-ABC ergibt die **kubisch dichteste Kugelpackung** (Kupfertyp). Da sich hierbei die Kugeln an den Ecken eines Würfels und in der Mitte der Würfelseiten befinden, spricht man auch von einem **kubisch flächenzentrierten Gitter**. Die kubische Symmetrie ist dabei eher erkennbar, wenn man die Schichten ABC um 45° nach rechts kippt (▷ B3).
Neben diesen beiden kommt bei Metallen häufig ein dritter Gittertyp, das **kubisch innenzentrierte Gitter** mit der Koordinationszahl 8 vor (Wolframtyp, ▷ B1c), das jedoch keine dichteste Kugelpackung ist.

Mit dem Modell der Kugelpackungen lässt sich die Duktilität der Metalle und deren gute Wärmeleitfähigkeit erklären. Durch äußeren Druck können die einzelnen, durch die Kugeln gebildeten Ebenen des Gitters gegeneinander

B1 Gittertypen bei Metallen.
a) hexagonal dichteste Kugelpackung, b) kubisch dichteste Kugelpackung, c) kubisch innenzentriertes Gitter

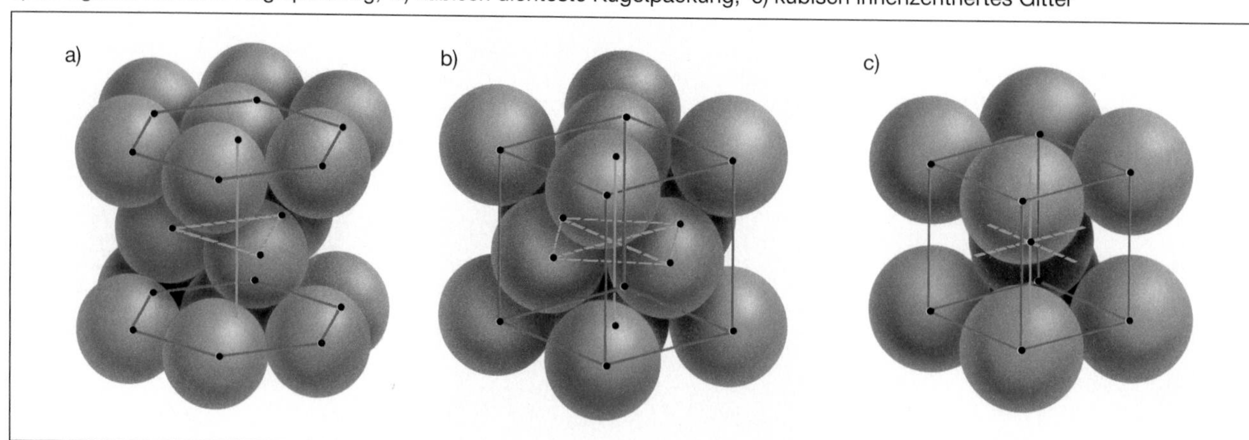

verschoben werden, ohne dass dabei das Gitter zerstört wird. Aufgrund der dichten Packung der Atome können auch Schwingungen des Gitters rasch vom einen zum anderen Ende weitergeleitet werden.

Das Elektronengasmodell. Zum Verständnis der guten elektrischen Leitfähigkeit von Metallen benötigt man ein Modell, das das Fließen von Elektronen durch ein Metallstück deuten kann. Metallatome besitzen im Gegensatz zu Nichtmetallatomen geringe Ionisierungsenergien für die Valenzelektronen. Die Anzahl der Valenzelektronen pro Atom ist meist gering. Man kann modellhaft annehmen, dass die im Gitter dicht beieinander sitzenden Metallatome ihre Valenzelektronen nicht im Einflussbereich jeweils eines Kerns halten. Diese Elektronen können sich zwischen den positiven Atomrümpfen im ganzen Kristall bewegen. Sie bilden ein „Elektronengas“, das die positiven Atomrümpfe im Gitter zusammenhält. Beim Anlegen einer Spannung können diese Elektronen im elektrischen Feld fließen. Da mit höherer Temperatur das Schwingen der Atomrümpfe um die Gitterplätze zunimmt, wird dieser Elektronenfluss immer stärker behindert, sodass die elektrische Leitfähigkeit des Metalls mit steigender Temperatur abnimmt.

Halbleiter. Gerade entgegengesetzt verhält sich die Temperaturabhängigkeit der Leitfähigkeit bei einer Gruppe von Elementen, die in ihren Eigenschaften und auch im Periodensystem der Elemente zwischen den Metallen und den Nichtmetallen stehen. Diese *Halbmetalle* genannten Elemente, z. B. Silicium, Germanium, Arsen oder Bor, besitzen bei Zimmertemperatur eine geringe Leitfähigkeit, die jedoch mit zunehmender Temperatur ansteigt. Man bezeichnet die Halbmetalle auch als Halbleiter.

Halbleiter kristallisieren nicht in Metallgittern, sondern in Atomgittern. So besitzen z.B. Silicium- und Germaniumkristalle ein Atomgitter analog dem des Diamanten, mit vier Atombindungen zu den tetraedrisch angeordneten Nachbaratomen. Aufgrund der im Vergleich zu C–C-Bindungen geringeren Bindungsenergien können sich einzelne Bindungen lösen, die Elektronen wandern im elektrischen Feld in Richtung zum positiven Pol. Die frei werdenden „Elektronenfehlstellen“ oder „Elektronenlöcher“ können von Elektronen benachbarter Atome aufgefüllt werden. Die Elektronenlöcher („Defektelektronen“) wandern so zum negativen Pol. Bei höheren Temperaturen brechen mehr Bindungen, die Anzahl der beweglichen Elektronen nimmt zu. Diese, aufgrund von Störstellen im Kristall hervorgerufene elektrische Leitfähigkeit nennt man **Eigenleitfähigkeit**.

Dotierung. Zur Erhöhung der Leitfähigkeit bei Zimmertemperatur kann man Halbleiter dotieren (von lat. dotare, ausstatten), d.h. Fremdatome in das Gitter einbauen. Wenn man z.B. im Siliciumgitter einzelne Siliciumatome (4 Außenelektronen) durch Phosphoratome (5 Außenelektronen) ersetzt, so werden nur vier Außenelektronen zur Bindungsbildung im Gitter benötigt. Das fünfte Elektron kann im Gitter leicht verschoben werden. Die durch das überzählige **n**egativ geladene Elektron hervorgerufene Leitfähigkeit bezeichnet man als **n-Leitung**.
Die zweite Variante der Dotierung ist der Einsatz von Atomen mit einer zu geringen Anzahl von Valenzelektronen, also z. B. der Ersatz von Siliciumatomen im Siliciumgitter durch Galliumatome mit drei Außenelektronen, die zunächst zu drei Atombindungen führen. Im Gitter entsteht ein Elektronenloch, das dann wie bei der Eigenleitfähigkeit von benachbarten Elektronen besetzt werden kann. Es tritt **p-Leitung** auf (**p**ositive Störstellen).

B2 Schichtfolge bei dichtesten Kugelpackungen (links: AB-AB; rechts: ABC-ABC)

B3 Schichtfolge ABC und kubisch dichteste Kugelpackung (kubisch flächenzentriertes Gitter)

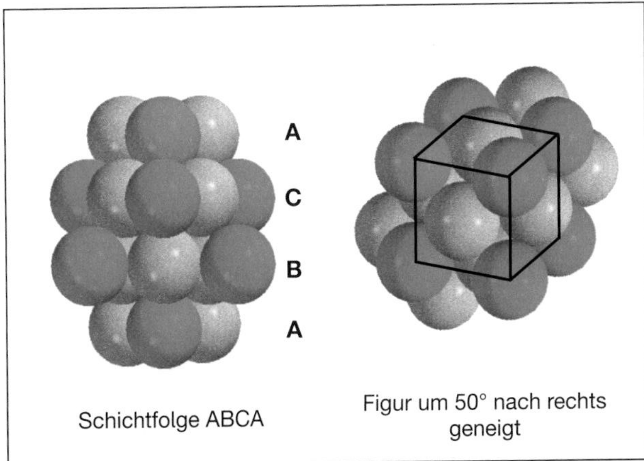

2.14 Überprüfung und Vertiefung

Verhältnis- bzw. Molekülformel	Schmelz-temperatur (°C)	Siede-temperatur (°C)
NaF	992	1695
MgF_2	1261	2239
AlF_3	1291 *)	—
SiF_4	−90	−86
PF_5	−83	−75
SF_6	−64 *)	—
ClF	−156	−101

*) Sublimation

B 1 Zu Aufgabe 5

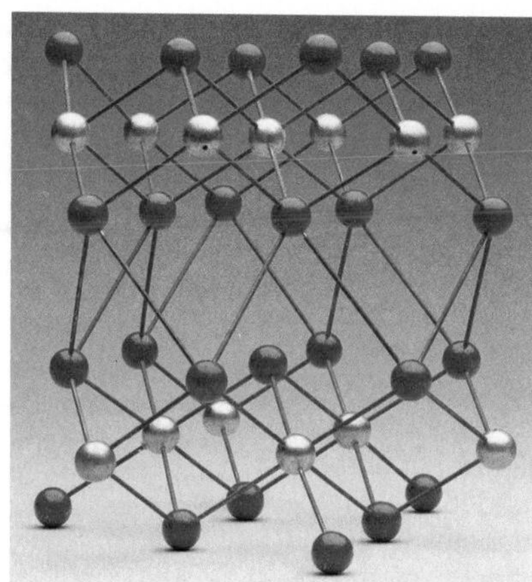

B 2 Zu Aufgabe 7: Magnesiumchlorid-Gittermodell

1 Zeichnen Sie die Strukturformel des Propinmoleküls (C_3H_4). Welche Bindungswinkel ergeben sich nach dem EPA-Modell?

2 Zeichnen Sie
a) ein Propanonmolekül $(CH_3)_2CO$,
b) ein Methanalmolekül (CH_2O),
c) ein Ethinmolekül (C_2H_2),
d) ein Wasserstoffperoxidmolekül (H_2O_2) und
e) ein Kohlensäuremolekül (H_2CO_3) in der Lewis-Schreibweise. Welche Bindungswinkel liegen jeweils vor? Beschreiben Sie die räumliche Anordnung der Atome.

3 Warum gibt es keine Edelgasmoleküle?

4 Beschreiben Sie das Ozonmolekül (O_3) mit dem Elektronenpaarabstoßungsmodell. Der Bindungswinkel beträgt 116,5°.
Welche Struktur erwarten Sie für das Schwefeldioxidmolekül?

5 ▷ B1 zeigt die Schmelz- und Siedetemperaturen von Fluorverbindungen der Elemente der 3. Periode des Periodensystems. Erklären Sie die Veränderung der Werte in dieser Reihe unter Berücksichtigung der Bindungsverhältnisse.

6 Wasser ist nicht nur ein gutes Lösungsmittel für viele Salze, sondern auch für Stoffe, die aus Molekülen mit polaren Gruppen aufgebaut sind. Die Löslichkeit beruht hier meist auf der Anlagerung von Wassermolekülen über Wasserstoffbrücken. Aber auch Stoffe aus unpolaren Molekülen weisen aufgrund zwischenmolekularer Wechselwirkungen eine Löslichkeit in Wasser auf. Versuchen Sie dies am Beispiel der für viele im Wasser lebende Tiere wichtigen Löslichkeit von Sauerstoff in Wasser zu erklären.

7 Die Schmelztemperatur von Magnesiumchlorid ist mit 714 °C niedriger als die des Natriumchlorids. Das Gitter des Magnesiumchlorids unterscheidet sich von dem des Natriumchlorids u. a. durch die Ladung und die Größe der Kationen und durch das Anzahlverhältnis von Kationen und Anionen. Welcher dieser Unterschiede ist verantwortlich für die niedrigere Schmelztemperatur des Magnesiumchlorids? Verwenden Sie hierzu auch ▷ B2.

8 Von welchen Faktoren hängt die Ausbildung eines bestimmten Gittertyps einer Ionenverbindung ab?

9 Durch Mischen verschiedener flüssiger Metalle lassen sich Legierungen herstellen. Beim Erkalten bildet sich ein Metallgitter aus, in dem je nach Mischungsverhältnis unterschiedliche Anteile an Atomen verschiedener Größe eingebaut sind. Größen- und Anzahlverhältnis der verschiedenen Atomsorten beeinflussen die Eigenschaften der Legierung.
a) Erklären Sie, warum Goldlegierungen härter sind als reines Gold.
b) Warum besitzen Legierungen keine durch den Atombau eindeutig festgelegten Verhältnisformeln wie z. B. die Ionenverbindungen?

10 Erklären Sie folgenden Sachverhalt: Bei Zimmertemperatur ist Chlor gasförmig, Brom flüssig und Iod fest. Welche Kräfte treten auf?

11 Die Leitfähigkeit eines Metalls nimmt mit steigender Temperatur ab, die eines Halbleiters zu. Erklären Sie dies auf der Basis der entsprechenden Bindungsmodelle.

12 Obwohl sowohl Graphit als auch Diamant aus Kohlenstoffatomen aufgebaut sind, ergeben sich in ihrer Verwendung große Unterschiede. So wird z. B. Graphit als Schmiermittel, Diamant dagegen zum Bohren und Schleifen eingesetzt. Erklären Sie.

Wichtige Begriffe

Kern-Hülle-Modell, Isotope, Ionisierungsenergie, Schalenmodell, Aufenthaltswahrscheinlichkeit, Linienspektrum, Ionenbindung, Ionengitter, Koordinationszahl, Gitterenergie, Hydratation, Hydratationsenergie, Hydrathülle, Lösungswärme, Bindungsenergie, Oktettregel, EPA-Modell, unpolare und polare Atombindung, Elektronegativität, Van-der-Waals- Kräfte, induzierte und permanente Dipole, Molekülgitter, Dipol-Dipol-Wechselwirkungen, Wasserstoffbrücken, Atomgitter, Modifikationen, Metallgitter, dichteste Kugelpackungen, Elektronengasmodell, Halbleiter, Dotierung, p- und n-Leitung

die **Magnetquantenzahl** m sind alle ganzzahligen Werte von $-l$ bis $+l$ möglich. Durch Kombination dieser Quantenzahlen lässt sich jede mögliche stehende Welle im *Wasserstoffatom* charakterisieren, so ist z. B. im Grundzustand: $n = 1$, $l = 0$, $m = 0$. In ▷ B 11 sind alle möglichen Quantenzahlkombinationen bis $n = 4$ angegeben.

Einen Schwingungszustand eines Elektrons, der durch eine Kombination der Quantenzahlen charakterisiert ist, bezeichnet man als **Orbital**. Jeder Kombination lässt sich ein Orbital zuordnen. Die Orbitale werden durch die Hauptquantenzahl und durch jeweils einen der Buchstaben s, p, d, f gekennzeichnet. Diese stammen von Bezeichnungen für Spektrallinien, deren Auswertung erste Aufschlüsse über Energiestufen der Atome ergaben.

Orbitale des Wasserstoffatoms. Zur Darstellung der Orbitale werden Flächen gleicher Auslenkung der Elektronenwelle verwendet (▷ B 12). Für den Zustand geringster Energie, das 1 s-Orbital, ergeben sich Kugeloberflächen. Zur Charakterisierung wird nur *eine* Oberfläche gezeichnet. Der Auslenkung Null entspricht die Oberfläche einer Kugel mit dem Radius $r \rightarrow \infty$. Der Ort größter Auslenkung lässt sich durch einen Punkt im Zentrum der Kugel angeben.
Der nächst höhere Energiezustand ergibt sich für $n = 2$. Dieser umfasst vier Orbitale, die beim Wasserstoffatom energiegleich sind und jeweils eine Knotenfläche besitzen.

Bei $l = 0$, d. h. beim 2 s-Orbital, ist die Knotenfläche eine Kugeloberfläche, die Amplituden mit entgegengesetztem Vorzeichen begrenzt. Für s-Orbitale ergeben sich immer kugelsymmetrische Flächen.

Für $l = 1$ sind drei Orbitale möglich, die jeweils eine Knotenebene aufweisen. Solche Orbitale werden p-Orbitale genannt. Sie sind jeweils zu einer Koordinatenachse rotationssymmetrisch und werden als p_x-, p_y- bzw. p_z-Orbital bezeichnet. Die Nebenquantenzahl bestimmt die Symmetrie der Orbitale. Für $l = 0$ ergeben sich immer s-Orbitale, für $l = 1$ p-Orbitale. Die Anzahl der für eine bestimmte Nebenquantenzahl möglichen Magnetquantenzahlen ist gleich der Anzahl der Orbitale. So ergeben sich für $l = 2$ fünf d-Orbitale.

Atome mit mehreren Elektronen. Die Tatsache, dass beim Vorhandensein mehrerer Elektronen deren gegenseitige Wechselwirkung mitberücksichtigt werden muss, führt zu sehr komplizierten Sachverhalten. Aus diesem Grund überträgt man als Näherung die bei der Behandlung des Wasserstoffatoms gewonnenen Erkenntnisse auf die übrigen Atome, d. h., man schreibt ihnen die gleichen Orbitalformen zu. Die Zuordnung der Elektronen („Besetzung") beginnt beim energieärmsten Orbital und wird nach steigender Energie fortgesetzt. Bei derselben Hauptquantenzahl haben die s-, p-, d- und f-Orbitale jeweils in dieser Reihenfolge zunehmende Energien.

Es hat sich ferner gezeigt, dass bei Mehrelektronensystemen die Quantenzahlen n, l und m nicht ausreichen, um ein Elektron zu beschreiben. Man benötigt eine weitere Quantenzahl, die **Spinquantenzahl *s***. Bei einem gegebenen Orbital sind zwei Spinquantenzahlen möglich, die sich nur durch das Vorzeichen unterscheiden. Es gilt allgemein, dass sich zwei Elektronen in mindestens einer Quantenzahl unterscheiden müssen. Diesen Zusammenhang bezeichnet man als **Pauli-Prinzip**. Damit lassen sich einem Orbital (das durch die Quantenzahlen n, l und m definiert ist) höchstens zwei Elektronen zuordnen, die dann unterschiedliche Spinquantenzahlen haben. Die beiden Elektronen eines Orbitals bilden ein Elektronenpaar.

B 12 s- und p-Orbitale. Zur Darstellung werden Flächen gleicher Auslenkung verwendet. Bei den s-Orbitalen sind zusätzlich Schnittdarstellungen über den räumlichen Abbildungen angegeben

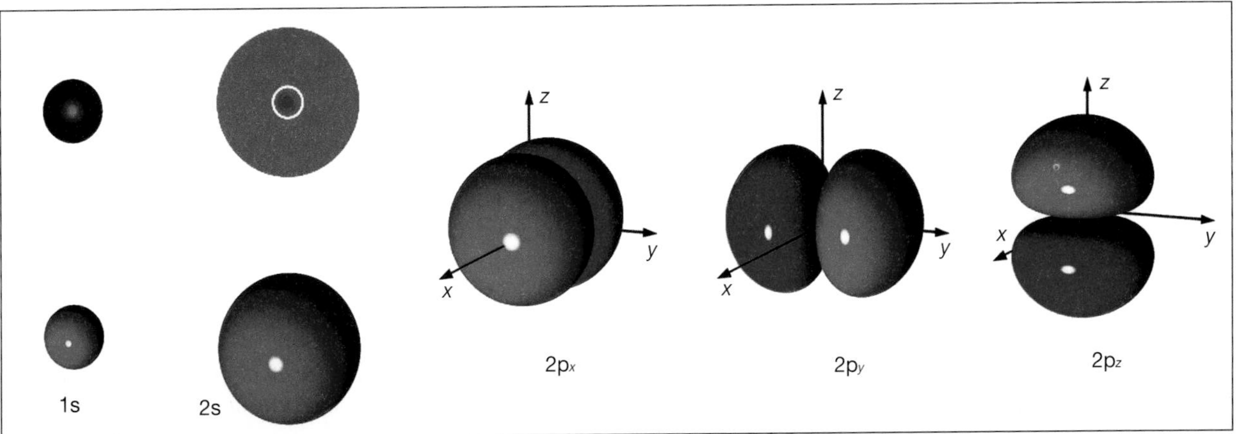

Atom \ Orbitale	1s	2s	2p		
H	↑				
He	↑↓				
Li	↑↓	↑			
Be	↑↓	↑↓			
B	↑↓	↑↓	↑		
C	↑↓	↑↓	↑	↑	
N	↑↓	↑↓	↑	↑	↑
O	↑↓	↑↓	↑↓	↑	↑
F	↑↓	↑↓	↑↓	↑↓	↑

B 13 Elektronenkonfiguration in der Pauling-Schreibweise

B 14 Energie der Orbitale in Mehrelektronenatomen

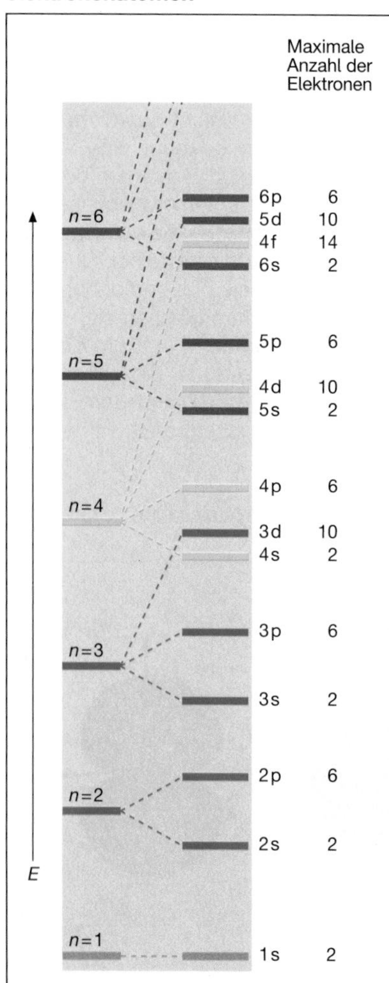

Aufbau der Elektronenhüllen. Die Zuordnung aller Elektronen eines Atoms zu Orbitalen, die **Elektronenkonfiguration**, ist in ▷ B 13 für die Grundzustände der Atome bis zur Kernladungszahl 9 in einer Schreibweise, die auf den Chemiker L. Pauling zurückgeht, dargestellt. Jedes Kästchen entspricht dabei einem Orbital. Die Elektronen werden durch Pfeile symbolisiert, deren entgegengesetzte Richtung für die beiden möglichen Spinquantenzahlen steht. Orbitale mit gleicher Haupt- und Nebenquantenzahl, d. h. energiegleiche Orbitale, werden als zusammenhängende Kästchen geschrieben.
Für das Kohlenstoffatom ist einerseits die in ▷ B 13 dargestellte Elektronenkonfiguration denkbar, andererseits wäre eine Konfiguration mit einem doppelt besetzten 2p-Orbital möglich. Für die Zuordnung muss hier die **Regel von Hund** berücksichtigt werden, nach der Orbitale gleicher Haupt- und Nebenquantenzahl zunächst einfach besetzt werden.

Die Elektronenkonfiguration eines Atoms lässt sich auch in einer vereinfachten Schreibweise angeben. Dabei wird die Hauptquantenzahl mit der Angabe des Orbitals kombiniert, die Anzahl der Elektronen der jeweiligen s-, p-, d-, ... Orbitale wird als Hochzahl geschrieben, z. B.:

He: $1s^2$ Li: $1s^2\,2s^1$ C: $1s^2\,2s^2\,2p^2$

Die Wechselwirkung der einzelnen Elektronen eines Atoms untereinander führt dazu, dass die im Wasserstoffatom noch energiegleichen („entarteten") s-, p-, d- und f-Orbitale derselben Hauptquantenzahl sich in ihrer Energie unterscheiden. Dies führt bei Atomen mit einer größeren Elektronenanzahl auch dazu, dass die Energiestufen der zu den höheren Hauptquantenzahlen zählenden Orbitale nicht mehr alle in der Reihenfolge zunehmender Hauptquantenzahlen angeordnet sind (▷ B 14).
So besitzen z. B. die Elektronen in einem 4s-Orbital eine geringere Energie als die Elektronen in einem 3d-Orbital. Als Faustregel gilt, dass die Energiestufe eines Orbitals umso höher liegt, je größer der Zahlenwert der Summe von $n + l$ ist. Für ein 3d-Orbital ist $n + l = 5$, für ein 4s-Orbital $n + l = 4$.

Im Periodensystem der Elemente (↗ hintere Umschlaginnenseite) spiegelt sich der Aufbau der Elektronenhülle wider. Die Anzahl der in einer Periode stehenden Atome bzw. Elemente entspricht der maximalen Anzahl der bei einer Hauptquantenzahl n möglichen Quantenzahlkombinationen. In der ersten Periode finden wir deshalb nur zwei Elemente, entsprechend der maximalen Anzahl von Elektronen des 1s-Orbitals. Die zweite Periode umfasst acht Elemente, entsprechend der maximalen Gesamtzahl der Elektronen in den s- und p-Orbitalen derselben Hauptquantenzahl. Bei den Atomen in den acht **Hauptgruppen** sind die energetisch höchsten besetzten Orbitale s- oder p-Orbitale.

Die untereinander, d. h. in einer Gruppe des Periodensystems stehenden Elemente besitzen oft ähnliche chemische Eigenschaften. Betrachtet man die Elektronenkonfiguration der Atome von Elementen einer Hauptgruppe, so stellt man fest, dass die Verteilung der Elektronen auf die Orbitale der jeweils höchsten Hauptquantenzahl gleich ist. Da die Elektronenkonfiguration in der äußersten Schale offenbar entscheidend ist für das chemische Verhalten der Atome, genügt es oft, nur die Konfiguration der Außenelektronen *(Valenzelektronen)* anzugeben. So besitzen z. B. alle Halogenatome die Außenkonfiguration $n\,s^2\,n\,p^5$, alle Alkalimetalle die Außenkonfiguration $n\,s^1$.
Jedoch darf die Aussage über die Ähnlichkeit der Elemente einer Gruppe nicht überbewertet werden. Vor allem die Verbindungen dieser Elemente können sich in ihren Eigenschaften erheblich unterscheiden.

Die Bindung im Wasserstoffmolekül. Das Zustandekommen einer Atombindung lässt sich mithilfe des Modells der stehenden Elektronenwellen erklären. Bilden zwei Atome ein Molekül, so vergrößert sich für jedes Bindungselektron der Aufenthaltsraum. Im Kastenmodell bedeutet dies eine Verlängerung des Kastens in eine Richtung und eine Zunahme der Wellenlänge des Elektrons. Für die stehende Elektronenwelle eines Elektrons gilt die bereits abgeleitete Beziehung (für $n_x = n_y = n_z = 1$):

$$E = \frac{h^2}{8m}\left(\frac{1}{l_x^2} + \frac{1}{l_y^2} + \frac{1}{l_z^2}\right)$$

Der im Vergleich zum Atom größeren Kastenlänge in einer Richtung, z. B. l_x, entspricht eine geringere Energie des Elektrons. Zur Darstellung der stehenden Welle können wieder Flächen gleicher Auslenkung herangezogen werden (▷ B 15). Im Schnitt sind diese als Linien erkennbar.

Mit dem Kastenmodell lässt sich auch der Zusammenhalt des einfachsten Moleküls, des H_2^+-Moleküls erklären. Hier ist durch den größeren Aufenthaltsbereich des Elektrons dessen Energie geringer als im Atom. Da dies für ein einziges Elektron gilt, wird deutlich, dass die Bindung durch ein einziges Elektron bewirkt wird. Ihrem Ursprung nach ist die chemische Bindung nicht an Elektronenpaare geknüpft.

Durch die beiden Kerne ist das Elektron auch hier auf einen bestimmten Raumbereich konzentriert. Flächen gleicher Auslenkung erscheinen im Schnittbild durch die beiden Kerne als Linien (▷ B 16). Die Auslenkung besitzt an den beiden Kernen jeweils den maximalen Betrag.

Schwingungszustände von Elektronenwellen in Molekülen werden als **Molekülorbitale** bezeichnet. Im Wasserstoffmolekül H_2 wird das energieärmste Molekülorbital von zwei Elektronen entgegengesetzter Spinquantenzahl gebildet. Jedes der beiden Elektronen leistet *unabhängig* vom anderen einen Beitrag zur Energieverringerung gegenüber den isolierten Atomen und damit zur Bindung. Wegen der gegenseitigen Abstoßung der Elektronen erreicht der Betrag der Bindungsenergie im Vergleich zum H_2^+-Molekül nicht ganz den doppelten Wert. In ▷ B 17 sind die Energiestufen der beiden energieärmsten Molekülorbitale des Wasserstoffmoleküls im Vergleich mit den beiden 1 s-Atomorbitalen der Wasserstoffatome dargestellt. Dabei wird die geringere Energie des Wasserstoffmoleküls deutlich.

Da jedes H-Atom nur ein Elektron besitzt, wird nur das energieärmste Molekülorbital „besetzt“, während das nächst höhere frei bleibt. Diese Energiestufe müsste bei der Bildung eines He_2-Moleküls besetzt werden, was zu einer Energieerhöhung führen würde. Dadurch kommt keine Bindung zustande. Das energieärmere Molekülorbital bezeichnet man daher als *bindend*, das energiereichere als *antibindend*.

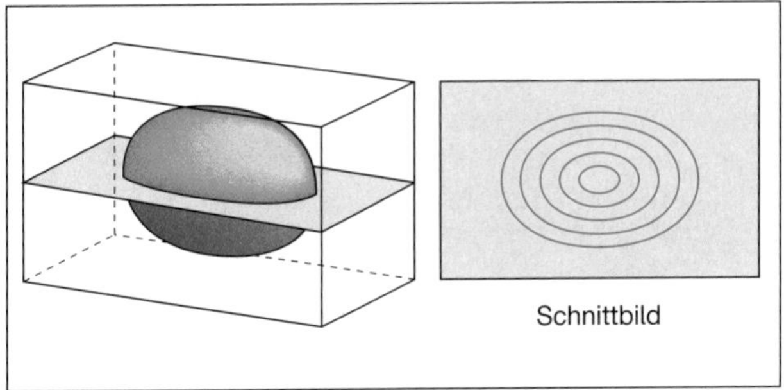

B 15 Kastenmodell der stehenden Elektronenwelle im H_2^+-Molekül

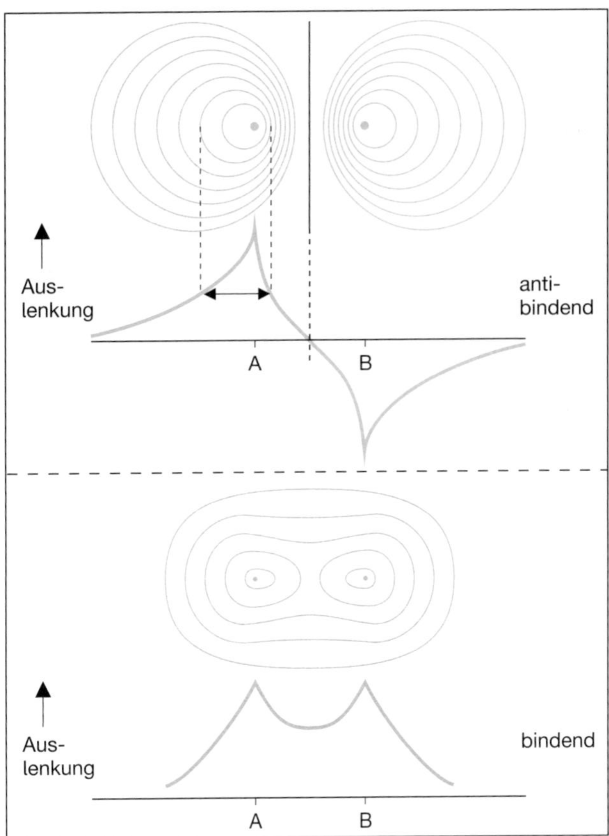

B 16 Stehende Wellen im H_2^+-Molekül

B 17 Energiestufenschema des Wasserstoffmoleküls

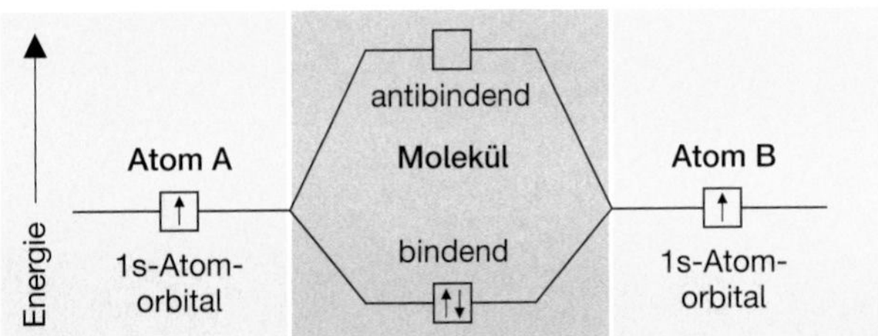

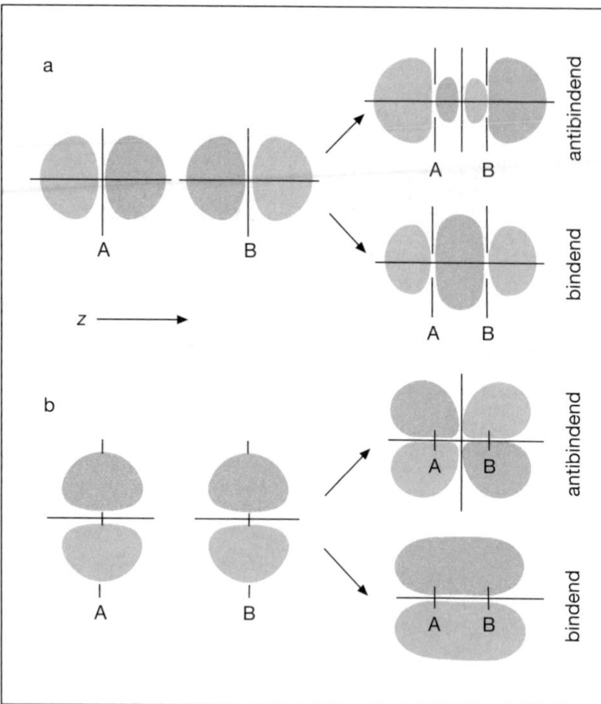

B 18 Bildung von Molekülorbitalen aus p-Orbitalen

B 19 MO-Schema des Sauerstoffmoleküls

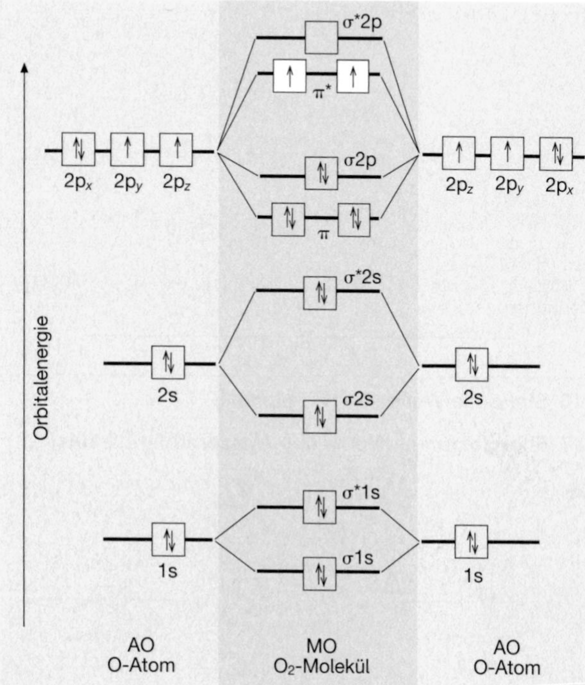

Das Molekülorbitalmodell (MO-Modell). Um Bindung in zweiatomigen Molekülen zu beschreiben, kann man davon ausgehen, dass sich Molekülorbitale aus Atomorbitalen bilden. Diese Modellbetrachtung (MO-Modell) geht im einfachsten Fall davon aus, dass Molekülorbitale aus zwei Atomorbitalen entstehen.

Das MO-Modell des Sauerstoffmoleküls. Das Sauerstoffatom besitzt die Elektronenkonfiguration $1s^2\,2s^2\,2p^4$. Wir gehen davon aus, dass sich jeweils aus den beiden 1s-, 2s-, $2p_x$-, $2p_y$- und $2p_z$-Orbitalen Molekülorbitale bilden. Dies führt zu zehn Molekülorbitalen. Aus den s-Orbitalen ergibt sich jeweils ein bindendes und ein antibindendes Orbital. Diese Orbitale entsprechen in ihrer Symmetrie den Molekülorbitalen des Wasserstoffmoleküls (▷ B 16). Molekülorbitale, die rotationssymmetrisch zu der durch die Kerne verlaufenden Achse sind, werden als σ-Orbitale bezeichnet. Bei der Bildung entstehen ein bindendes σ- und ein antibindendes σ*-Molekülorbital.

Da p-Orbitale einzeln nicht kugelsymmetrisch sind, nimmt man eine parallele räumliche Orientierung der p-Orbitale der beiden Atome an. Dadurch lassen sich energiearme Molekülorbitale so konstruieren, dass die Symmetrieachsen von je einem p-Orbital der beiden Atome auf einer Geraden liegen. Diese Gerade legt die *z*-Richtung fest (▷ B 18a). Die Kombination der beiden p_z-Orbitale ergibt zwei zur Verbindungsachse der beiden Kerne rotationssymmetrische MO, das bindende σ- sowie das antibindende σ*-Orbital.

Die beiden $2p_x$-Orbitale ergeben zwei Molekülorbitale, die nicht rotationssymmetrisch zur Molekülachse sind (▷ B 18b). Diese MO sind gekennzeichnet durch eine Knotenebene, die durch beide Kerne verläuft. Entsprechendes gilt für die beiden MO aus den $2p_y$-Orbitalen. Molekülorbitale, die diese Symmetrieverhältnisse aufweisen, nennt man π-Orbitale. Die durch Kombination der entsprechenden Atomorbitale resultierenden Molekülorbitale des Sauerstoffmoleküls sind in ▷ B 19 dargestellt. Auf diese 10 MO werden unter Berücksichtigung des Pauli-Prinzips 16 Elektronen verteilt. Insgesamt liegen fünf doppelt besetzte bindende Orbitale und zwei doppelt besetzte antibindende Orbitale vor. Außerdem sind die beiden entarteten π*-Orbitale nach der Regel von Hund einfach besetzt. Die aus den s-Orbitalen gebildeten Molekülorbitale leisten hier keinen Beitrag zum Zusammenhalt des Moleküls. Den drei aus den p-Atomorbitalen gebildeten bindenden Molekülorbitalen stehen zwei einfach besetzte antibindende gegenüber. Insgesamt entspricht dies energetisch einer Doppelbindung. Die Besonderheit, dass dabei ungepaarte Elektronen im Sauerstoffmolekül vorliegen, kann experimentell nachgewiesen werden und spielt für das Reaktionsverhalten des Moleküls eine wichtige Rolle.

Hybridisierung. Die Kombination zweier doppelt besetzter Atomorbitale führt auch zur Besetzung von antibindenden Molekülorbitalen, sodass insgesamt kein Beitrag zur Bindung erfolgt. In einer vereinfachten Modellbetrachtung kombiniert man daher lediglich einfach besetzte Atomorbitale, da dies nur zur Besetzung bindender Molekülorbitale führt. Die Anzahl der von einem Atom ausgehenden Bindungen entspricht damit der Anzahl der einfach besetzten Atomorbitale.

Das Kohlenstoffatom besitzt im Grundzustand in der äußersten Schale ein Elektronenpaar und zwei ungepaarte Elektronen. Die Voraussetzung für vier völlig gleiche Bindungen, nämlich vier gleichartige Orbitale, wird durch den modellhaften Vorgang der *Hybridisierung* erreicht. Man erhält durch Kombination der einfach besetzten s- und p-Orbitale des angeregten Zustands vier formgleiche Hybridorbitale (▷ B20, ▷ B21). Diese auf rechnerischem Wege erhaltenen Hybridorbitale zeigen die gleiche räumliche Orientierung (Tetraeder) wie die Bindungen im Methanmolekül, dessen Bildung man sich nach diesem Modell durch Kombination der Hybridorbitale mit den 1s-Atomorbitalen von vier Wasserstoffatomen vorstellen kann (▷ B22a). Diese bindenden Orbitale sind hier aus Gründen der Übersichtlichkeit schematisch dargestellt. Da bei der Anpassung des Modells für die Erklärung des Methanmoleküls zur Hybridisierung ein s- und drei p-Orbitale herangezogen wurden, bezeichnet man die Hybridorbitale auch als sp^3-Hybridorbitale, den Vorgang als sp^3-Hybridisierung.

Da die Bindungswinkel im Ammoniak- bzw. Wassermolekül nur wenig vom Tetraederwinkel abweichen, kann man auch diese Molekülstrukturen durch eine sp^3-Hybridisierung am Stickstoff- bzw. Sauerstoffatom beschreiben (▷ B22b und c).

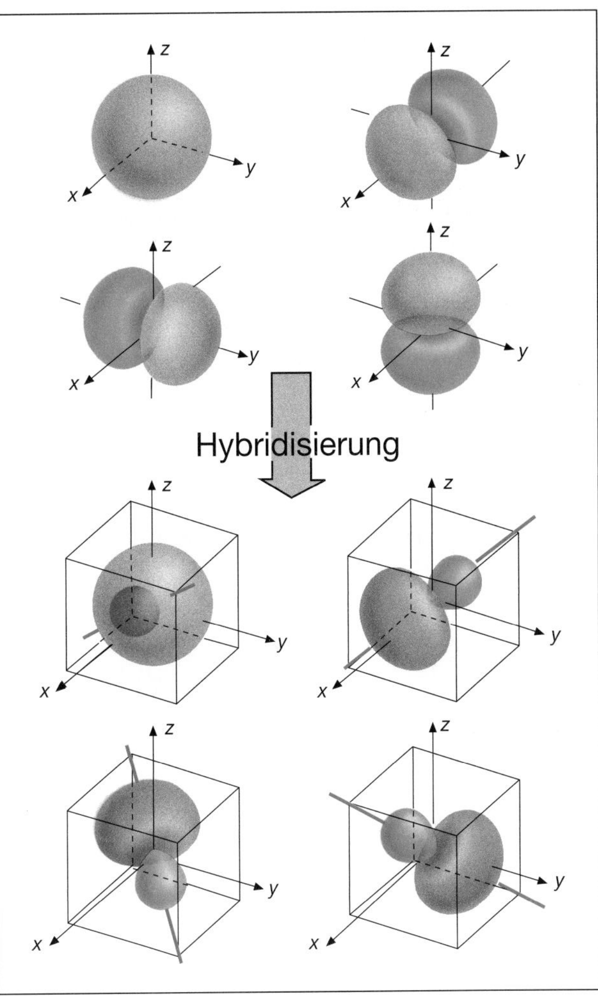

B20 Bildung der sp^3-Hybridorbitale

B21 Elektronenkonfiguration der äußersten Schale des Kohlenstoffatoms bei der Hybridisierung

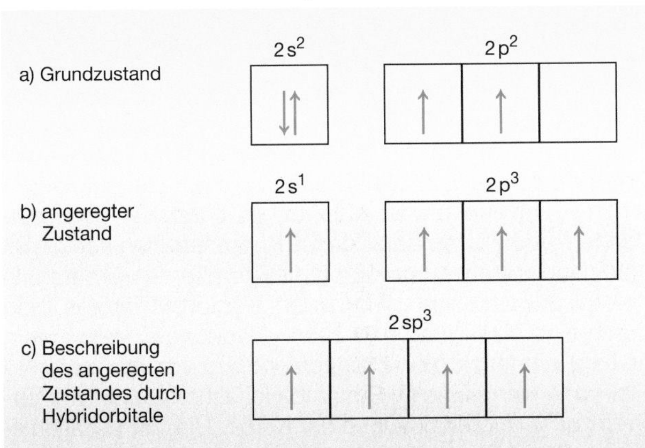

B22 Orbitale nach dem Hybridisierungsmodell (sp^3-Hybridisierung), schematisiert

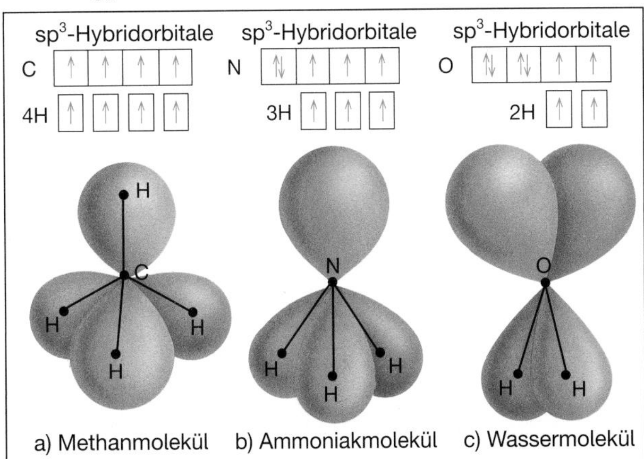

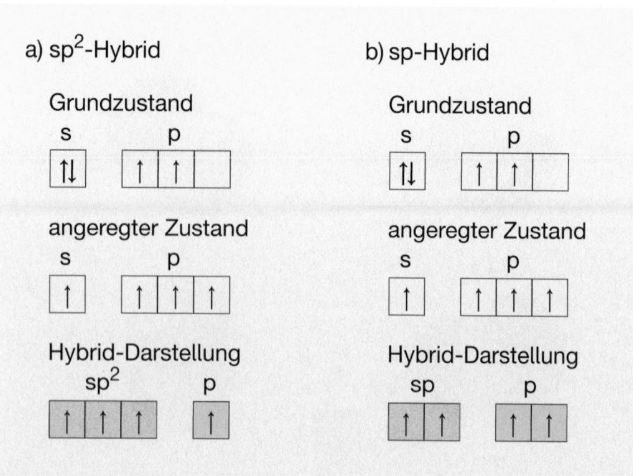

B 23 Orbitale des Kohlenstoffatoms. sp^2- und sp-Hybridisierung

B 24 Orbitalmodell für das Ethenmolekül

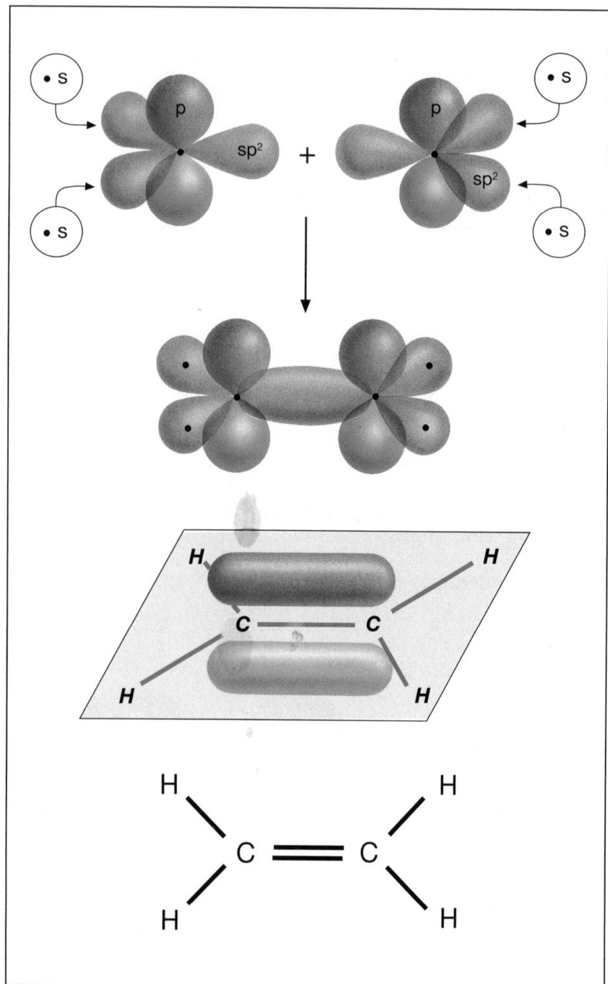

Das Ethenmolekül. Es gibt Moleküle wie z. B. das Ethenmolekül, C_2H_4, die planar gebaut sind, d. h., die Kohlenstoffatome und die damit verbundenen Atome liegen in einer Ebene. Die Bindungswinkel im Ethenmolekül betragen etwa 120°.

Die Bindungsverhältnisse im Ethenmolekül kann man ebenfalls mit dem Hybridisierungsmodell beschreiben, indem man, ausgehend vom angeregten Zustand des Kohlenstoffatoms, ein s- mit zwei p-Orbitalen kombiniert (▷ B 23a). Die drei Hybridorbitale liegen in einer Ebene und bilden Winkel von 120°.
Das dritte p-Orbital, das nicht zur Hybridisierung herangezogen wird, steht senkrecht zu dieser Ebene (▷ B 24). Zwischen den beiden Kohlenstoffatomen im Ethenmolekül lässt sich durch Kombination zweier sp^2-Hybridorbitale eine σ-Bindung konstruieren. Die Bindung zu den Wasserstoffatomen wird durch Kombination von deren 1 s-Orbitalen mit den verbleibenden sp^2-Hybridorbitalen gebildet. Die beiden nicht hybridisierten p-Orbitale können ebenfalls zu einem bindenden Molekülorbital kombiniert werden. Dazu müssen die Achsen der beiden p-Orbitale parallel zueinander stehen. Dadurch gelangen alle Atome des Moleküls in eine Ebene, in der sie fixiert sind. Das entstehende MO besitzt eine durch die Kerne der beiden Kohlenstoffatome verlaufende Knotenebene, es ist damit ein π-Molekülorbital. Die dadurch gebildete Bindung nennt man **π-Bindung**. Innerhalb einer Doppelbindung lassen sich σ- und π-Bindung jedoch experimentell nicht voneinander unterscheiden.

Das Ethinmolekül. Einen weiteren Strukturtyp, wie er bei Molekülen aus Kohlenstoffatomen vorkommt, findet man beim Ethinmolekül C_2H_2. Alle Atome des Moleküls liegen auf einer Geraden. Ausgehend vom angeregten Zustand des Kohlenstoffatoms kombiniert man ein s- und ein p-Orbital zu zwei sp-Hybridorbitalen (▷ B 23b), die einen Winkel von 180° bilden. Zwischen den beiden Kohlenstoffatomen bildet sich durch Kombination von je einem sp-Hybridorbital eine σ-Bindung aus. Die restlichen Hybridorbitale ergeben je eine σ-Bindung mit den s-Orbitalen der beiden Wasserstoffatome.
Die an jedem Kohlenstoffatom verbleibenden, senkrecht aufeinander stehenden p-Orbitale können zwei weitere Bindungen zwischen den Kohlenstoffatomen ausbilden. Dabei sind jeweils zwei p-Orbitale, die parallel ausgerichtet sind, miteinander kombiniert. Es entstehen zwei bindende π-Molekülorbitale, deren Knotenebenen senkrecht aufeinander stehen und durch die Atomkerne verlaufen. In diesem Modell sind die beiden Kohlenstoffatome also durch eine σ-Bindung und zwei π-Bindungen verbunden, es liegt demnach eine *Dreifachbindung* vor. Die gesamte Elektronenverteilung im Ethinmolekül ist rotationssymmetrisch zur Verbindungsachse der Kerne. Dies ist bei allen linearen Molekülen mit Dreifachbindungen der Fall.

Geschwindigkeit von Reaktionen

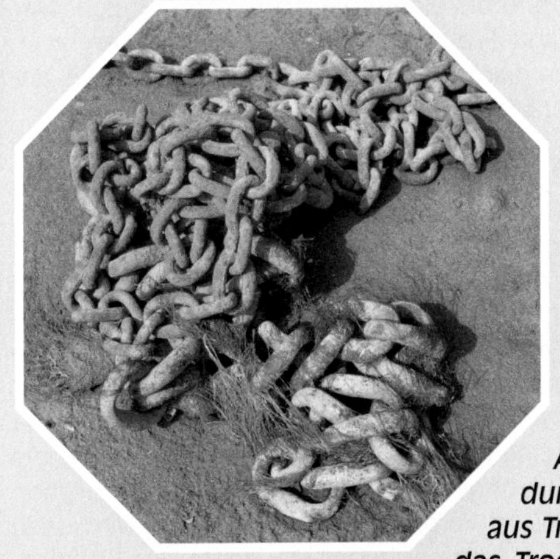

Chemische Reaktionen können mit unterschiedlichen Geschwindigkeiten verlaufen. Das Reifen eines Apfels, die Bildung von Wein aus Traubensaft, das „Trocknen" einer Ölfarbe benötigen eine beträchtliche Reaktionszeit. Auch das Rosten von Eisen ist ein langsamer Prozess. Dagegen können Sprengstoffe in sehr kurzer Zeit zur Reaktion gebracht werden. Die Neutralisation von Natronlauge mit Salzsäure und die Ausfällung von Silberchlorid aus einer Kochsalzlösung mit Silbernitratlösung erfolgen so rasch, dass die Geschwindigkeiten dieser Vorgänge kaum gemessen werden können.

Warum verlaufen nicht alle Reaktionen gleich schnell? Warum kann ein Wasserstoff-Sauerstoff-Gemisch wochenlang ohne Veränderung aufbewahrt werden, während das Zünden genügt, um die Umsetzung zu Wasser in kurzer Zeit zu vollenden?

J.C. Maxwell

L. Boltzmann

Wovon die Geschwindigkeiten der chemischen Reaktionen abhängen und welche Beeinflussungsmöglichkeiten es gibt, wird in diesem Kapitel erörtert. Dabei wird sich zeigen, dass die kinetische Energie der Teilchen Bedeutung für die Geschwindigkeit einer Reaktion hat.

Wesentliche Erkenntnisse über die kinetischen Energien von Teilchen in einem Gas haben James Clerk Maxwell und Ludwig Boltzmann durch theoretische Überlegungen gewonnen. Diese Erkenntnisse sind fundamental für die Beantwortung der angeschnittenen Fragen.

3.1 Die Geschwindigkeit von Reaktionen

Reaktion	Temperatur in K	Halbwertszeit
(1) $H^+ + OH^- \longrightarrow H_2O$	298	$6{,}7 \cdot 10^{-11}$ s
(2) $2I \longrightarrow I_2$	296	$1{,}4 \cdot 10^{-9}$ s
(3) $2N_2O \longrightarrow 2N_2 + O_2$	1000	0,9 s
(4) $2NO_2 \longrightarrow 2NO + O_2$	573	18,5 s
(5) $CH_3COOC_2H_5 + OH^- \longrightarrow CH_3COO^- + C_2H_5OH$	293	9,2 min
(6) Cyclopropan $\longrightarrow$ Propen	773	16,6 min
(7) $2N_2O_5 \longrightarrow 4NO_2 + O_2$	298	6,1 h
(8) $CH_3Br + OH^- \longrightarrow CH_3OH + Br^-$	298	9,9 h
(9) $C_{12}H_{22}O_{11} + H_2O \longrightarrow 2C_6H_{12}O_6$	290	3,7 h
(10) $H_2 + I_2 \longrightarrow 2HI$	500	269 d
	600	6,3 h
	700	2,6 min
	800	3,8 s

B1 Halbwertszeiten einiger chemischer Reaktionen (Anfangskonzentration $c_0 = 0{,}1$ mol/l)

V 1 Unterschiedlich schnelle Reaktionen. a) Geben Sie zu einer Lösung von Natriumcarbonat einige Tropfen Calciumchloridlösung. b) Geben Sie zu Natronlauge (c = 1 mol/l) einige Tropfen Phenolphthaleinlösung.

V 2 Reaktion von Zink mit Salzsäure. Geben Sie in eine Apparatur nach ▷ B2 bei offenem Dreiwegehahn 5 ml Salzsäure (c = 2 mol/l). Starten Sie den Magnetrührer und geben Sie 2 g Zinkpulver zu, verschließen Sie schnell den Kolben, verbinden Sie ihn über den Dreiwegehahn mit dem Kolbenprober und starten Sie die Uhr. Bestimmen Sie das Wasserstoffvolumen in Abhängigkeit von der Zeit. Berechnen Sie daraus $c(H_3O^+)$ und $c(Zn^{2+})$ zu den jeweiligen Zeitpunkten (▷ B3) und zeichnen Sie die drei Größen in ein Schaubild.

B2 Reaktion von Zink mit Salzsäure. Versuchsaufbau

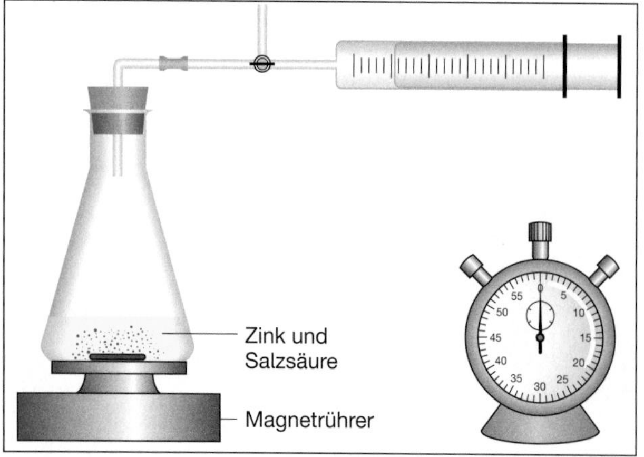

Chemische Reaktionen können unterschiedlich schnell verlaufen. Während bei einem bewegten Körper sich dessen Geschwindigkeit aus Weg und Zeit bestimmen lässt, müssen bei chemischen Reaktionen neben der Zeit andere Größen herangezogen werden.

Schnelle und langsame Reaktionen. Die Reaktion von Carbonat- mit Calciumionen verläuft so schnell, dass man die Zeit zwischen Beginn und Ende der Reaktion mit einfachen Mitteln nicht messen kann (▷ V1a). Die Reaktion von Phenolphthalein mit Natronlauge verläuft dagegen langsam (▷ V1b). Mit dem Zeitpunkt der mit dem Auge beobachtbaren Entfärbung ist die Reaktion noch nicht vollständig abgelaufen. Um die Geschwindigkeit langsamer Reaktionen erfassen zu können, ist es zweckmäßig, die Zeit bis zur Bildung einer bestimmbaren Stoffportion heranzuziehen. Zum Vergleich von Reaktionen wird dazu häufig die Zeit genommen, in der die Hälfte der Stoffportionen reagiert hat, die **Halbwertszeit von Reaktionen** (▷ B1).

Der zeitliche Verlauf einer Reaktion. Reagiert verdünnte Salzsäure mit Zinkpulver (▷ V2, ▷ B2), lässt sich der Reaktionsfortschritt am Volumen des entstehenden Wasserstoffs verfolgen. In ▷ B4 ist das Volumen des gebildeten Wasserstoffs in Abhängigkeit von der Reaktionszeit dargestellt. Die zunächst starke Volumenzunahme wird im Verlauf der Reaktion immer geringer, d.h., für gleiche Zeitintervalle Δt wird die zugehörige Volumenzunahme ΔV immer kleiner. Der Quotient aus ΔV und Δt kann zur Beschreibung der Reaktionsgeschwindigkeit herangezogen werden. Da bei dieser Reaktion der Volumenzunahme des Wasserstoffs eine Abnahme der Oxoniumionenkonzentration $c(H_3O^+)$ entspricht, kann auch deren zeitliche Veränderung zur Erfassung der Reaktionsgeschwindigkeit dienen (▷ B4). Sowohl $c(H_3O^+)$ als auch die Konzentrationsabnahme Δc lassen sich aus den Versuchsdaten berechnen (▷ B3). Da bei diesem Beispiel die Konzentration der Oxoniumionen im Verlauf der Reaktion abnimmt, besitzt $\Delta c = c(t_1 + \Delta t) - c(t_1)$ ein negatives Vorzeichen.
Anstelle der Abnahme der Oxoniumionenkonzentration kann man auch die Zunahme der Zinkionenkonzentration verfolgen. Allgemein wird man bei einer Reaktion dasjenige Edukt oder Produkt zur Messung heranziehen, das sich am einfachsten quantitativ bestimmen lässt.

Reaktionsgeschwindigkeit. Verfolgt man z.B. die Konzentration eines sich bildenden Stoffes (▷ B4), so kann man die mittlere Reaktionsgeschwindigkeit $\bar{v}$ im Zeitintervall Δt angeben durch:

$$\bar{v} = \frac{c(t_1 + \Delta t) - c(t_1)}{\Delta t} = \frac{\Delta c}{\Delta t}$$

Die auf diese Weise ermittelte Reaktionsgeschwindigkeit ist ein Mittelwert, dessen Größe von der gewählten Zeitspanne Δt abhängt. Wird die Konzentrationsabnahme eines reagierenden Stoffes bestimmt, so ist Δc negativ. Damit die Geschwindigkeit einen positiven Wert annimmt, wird in diesem Fall definiert:

$$\bar{v} = -\frac{\Delta c}{\Delta t}$$

Häufig interessiert nicht die über eine bestimmte Zeitspanne gemittelte Reaktionsgeschwindigkeit, sondern die *momentane Geschwindigkeit* zu einem bestimmten Zeitpunkt der Reaktion. Dazu müsste das Zeitintervall Δt beliebig klein gewählt werden, was mathematisch durch die Gleichung

$$v = \lim_{\Delta t \to 0} \frac{\Delta c}{\Delta t} = \frac{dc}{dt}$$

ausgedrückt wird. Grafisch bedeutet dies den Übergang von der Steigung der Sekante zwischen zwei Kurvenpunkten zu der Steigung der Tangente in einem Punkt der Kurve (▷ B5).

Auf diese Art kann zu jedem Zeitpunkt t eine Geschwindigkeit $v(t)$ angegeben werden, die nicht von der willkürlichen Größe eines gewählten Zeitintervalls abhängt.

Für eine Reaktion A + B ⟶ C + D gilt:

$$\frac{dc(C)}{dt} = \frac{dc(D)}{dt} = -\frac{dc(A)}{dt} = -\frac{dc(B)}{dt}$$

Es ist daher in diesem Falle unerheblich, welche Teilchen man zur Bestimmung der Reaktionsgeschwindigkeit auswählt. Bei der Reaktion 1A + 2B ⟶ 3C + 4D kann man eine ähnliche Gleichheit erreichen, wenn man die Konzentrationsänderungen noch durch die zugehörigen stöchiometrischen Zahlen ν_i dividiert:

$$\frac{1}{3}\frac{dc(C)}{dt} = \frac{1}{4}\frac{dc(D)}{dt} = -\frac{1}{1}\frac{dc(A)}{dt} = -\frac{1}{2}\frac{dc(B)}{dt}$$

Die so erhaltene Geschwindigkeit hängt nicht mehr vom gewählten Reaktionspartner ab:

$$v = \frac{1}{\nu_i}\frac{dc_i}{dt}$$

Der Index i nummeriert die Reaktionspartner.

Bei vielen Reaktionen können nicht für alle beteiligten Stoffe Konzentrationsänderungen gemessen oder berechnet werden. Dies trifft z. B. für den Wasserstoff zu, der bei der Reaktion von Metallen mit sauren Lösungen entsteht (▷ V1). Aus der Änderung des Volumens kann man jedoch die Stoffmengenänderung wie folgt berechnen. Die Definition der *Umsatzgeschwindigkeit*

$$\omega = \frac{1}{\nu_i}\frac{dn_i}{dt}$$

ergibt für alle beteiligten Stoffe einer Reaktion zum selben Zeitpunkt denselben Wert. Der Quotient $\frac{dn_i}{\nu_i}$ ist der Zuwachs $d\xi$ einer Größe, die den Reaktionsfortschritt beschreibt, der Umsatzvariablen ξ (↗ Kap. 5.8). Die umfassendste Definition der Reaktionsgeschwindigkeit ist:

$$\omega = \frac{d\xi}{dt}$$

Für die Reaktion des Zinks mit Salzsäure

$Zn + 2\,H_3O^+ \longrightarrow Zn^{2+} + 2\,H_2O + H_2$

ergibt sich: $\Delta n(H_3O)^+ = -2\,\Delta n(H_2) = -2\,\frac{\Delta V(\text{Wasserstoff})}{V_m(H_2)}$

und damit folgende Konzentrationsänderung $\Delta c(H_3O^+)$:

$$\Delta c(H_3O^+) = \frac{\Delta n(H_3O^+)}{V(\text{Salzsäure})} = -2\,\frac{\Delta V(\text{Wasserstoff})}{V_m(H_2)\cdot V(\text{Salzsäure})}$$

Die Konzentration $c_t(H_3O^+)$ zu einem bestimmten Zeitpunkt t lässt sich mithilfe der Ausgangskonzentration $c_0(H_3O^+)$ berechnen:

$$c_t(H_3O^+) = c_0(H_3O^+) + \Delta c(H_3O^+)$$

Aus $\Delta n(Zn^{2+}) = \Delta n(H_2)$ erhält man

$$c_t(Zn^{2+}) = \frac{V_t(\text{Wasserstoff})}{V_m(H_2)\cdot V(\text{Salzsäure})}$$

B3 Berechnung von $c(H_3O^+)$ und $c(Zn^{2+})$ aus V(Wasserstoff) bei der Reaktion von Zink mit Salzsäure

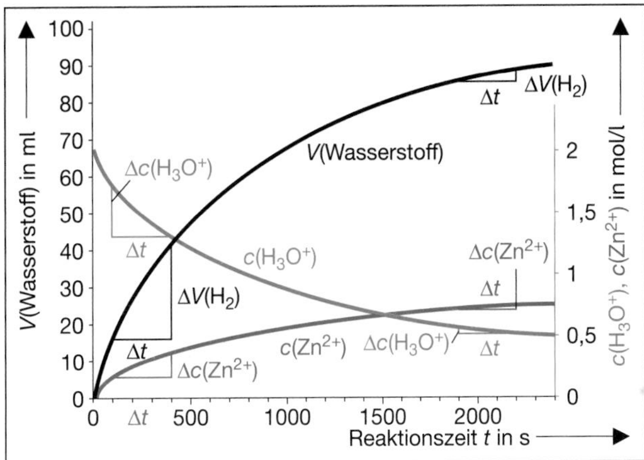

B4 Volumen- bzw. Konzentrations-Zeit-Diagramm der Reaktion von Zink mit Salzsäure

B5 Mittlere Geschwindigkeit $\bar{v}$ im Zeitabschnitt Δt **und momentane Geschwindigkeit** v im Zeitpunkt t_1

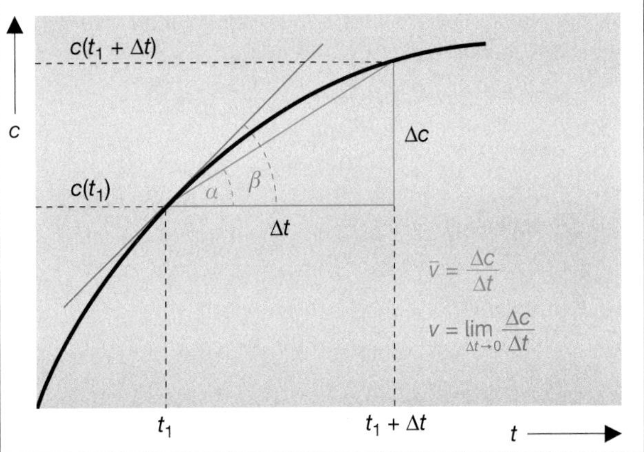

3.2 Praktikum: Geschwindigkeit von Reaktionen

Um die Geschwindigkeiten von Reaktionen zu vergleichen, kann man z. B. die Zeit messen, bis sich eine bestimmte Portion eines Stoffes umgesetzt hat (Versuch 1). Verfolgt man den zeitlichen Verlauf der Messwerte einer Größe, so lässt sich die Veränderung der Reaktionsgeschwindigkeit berechnen. Geeignete Größen sind das Volumen (Versuch 2) und konzentrationsabhängige Größen wie z. B. die elektrische Leitfähigkeit (Versuch 3), die Farbintensität und der pH-Wert (Versuch 4).

Versuch 1 Die Reaktion von Fuchsin mit Natronlauge

Geräte und Chemikalien: 4 Reagenzgläser, 2 Pipetten (2 ml), Messpipette (5 ml), Pipettierhilfe, Stoppuhr, Fuchsinlösung (c = 0,001 mol/l), Natronlauge verschiedener Konzentration (c = 0,5 mol/l; c = 0,1 mol/l; c = 0,05 mol/l), dest. Wasser

Durchführung: Verdünnen Sie im Reagenzglas eine Lösung aus 1 ml Fuchsinlösung mit 3 ml Wasser. Diese Lösung dient als Vergleichslösung bei den weiteren Versuchen. Geben Sie in 3 Reagenzgläser jeweils 2 ml Fuchsinlösung. Fügen Sie dem ersten Reagenzglas 2 ml der Natronlauge mit der geringsten Konzentration zu, schütteln Sie und starten Sie gleichzeitig die Uhr. Messen Sie die Zeit, bis die Farbintensität der Vergleichslösung erreicht ist. Wiederholen Sie jeweils den Versuch mit Natronlauge der nächst höheren Konzentration.

Auswertung: Vergleichen Sie die Reaktionsdauer bis zur jeweils gleichen Fuchsinkonzentration und stellen Sie einen qualitativen Zusammenhang zwischen den ermittelten Zeiten und der jeweiligen Konzentration der Natronlauge her.

B1 Zerfall von Wasserstoffperoxid. Berechnung der Konzentrationen und der mittleren Reaktionsgeschwindigkeiten

Für den Zerfall des Wasserstoffperoxids folgt mithilfe der Reaktionsgleichung $2\,H_2O_2 \longrightarrow 2\,H_2O + O_2$

$$\Delta n(H_2O_2) = -2\,\Delta n(O_2) = -2\,\frac{\Delta V(\text{Sauerstoff})}{V_m(O_2)}$$

$$\Delta c(H_2O_2) = -2\,\frac{\Delta V(\text{Sauerstoff})}{V_m(O_2)\cdot V(\text{Lösung})}$$

Mit $\Delta c(H_2O_2) = c(H_2O_2) - c_0(H_2O_2)$ und $\Delta V(\text{Sauerstoff}) = V(\text{Sauerstoff})$ ergibt sich:

$$c(H_2O_2) = c_0(H_2O_2) - 2\,\frac{V(\text{Sauerstoff})}{V_m(O_2)\cdot V(\text{Lösung})}$$

Für die mittlere Reaktionsgeschwindigkeit $\overline{v} = \frac{\Delta c(H_2O_2)}{\Delta t}$ im Zeitintervall Δt gilt demnach:

$$\overline{v} = -2\,\frac{\Delta V(\text{Sauerstoff})/\Delta t}{V_m(O_2)\cdot V(\text{Lösung})}$$

Versuch 2 Zersetzung von Wasserstoffperoxid

Grundlagen: In einer wässrigen, bei Zimmertemperatur beständigen Lösung des Wasserstoffperoxids zersetzt sich dieses bei höherer Temperatur langsam in Sauerstoff und Wasser. Schon durch Spuren von Verunreinigungen unterschiedlichster Art kommt es bei Zimmertemperatur zur Zersetzung. Versetzt man verdünnte Wasserstoffperoxidlösung mit Kaliumiodid, lässt sich der Zerfall durch Messung des zunehmenden Sauerstoffvolumens in einem geeigneten Zeitraum untersuchen.

Geräte und Chemikalien: Erlenmeyerkolben (100 ml), Gummistopfen mit Loch, Glasrohr, Schlauchstück, Kolbenprober mit Dreiwegehahn, Messzylinder (25 ml), Pipette (10 ml), Pipettierhilfe, Magnetrührer, Stoppuhr, Wasserstoffperoxidlösung (w = 3 %), Kaliumiodidlösung (gesättigt), dest. Wasser

Durchführung: Bauen Sie die Apparatur wie in ↗ Kap. 3.1, ▷ B2 zusammen. Geben Sie mit der Pipette 8 ml Wasserstoffperoxidlösung in den Messzylinder, verdünnen Sie mit Wasser auf 24 ml und gießen Sie die Lösung in den Kolben. Fügen Sie 1 ml Kaliumiodidlösung zu und verschließen Sie den Kolben bei zunächst nach außen geöffnetem Dreiwegehahn. Starten Sie den Magnetrührer. Lassen Sie das entstehende Gas durch Drehen des Hahns in den Kolbenprober strömen und starten Sie gleichzeitig die Stoppuhr. Lesen Sie im Abstand von 15 Sekunden das Volumen ab.
Wiederholen Sie den Versuch mit der halben Anfangskonzentration der Wasserstoffperoxidlösung.

Auswertung: a) Berechnen Sie für jede Messung die Wasserstoffperoxidkonzentration und die mittleren Reaktionsgeschwindigkeiten in den jeweiligen Zeitabschnitten (▷ B1).
b) Zeichnen Sie jeweils den Verlauf der Wasserstoffperoxidkonzentration und der mittleren Reaktionsgeschwindigkeit als Funktion der Zeit.
c) Ermitteln Sie die mittleren Konzentrationen in den jeweiligen Zeitintervallen und zeichnen Sie in ein Diagramm die mittleren Reaktionsgeschwindigkeiten (Ordinate) und die zugehörenden mittleren Konzentrationen (Abszisse). Zeichnen Sie eine Ausgleichskurve.

Versuch 3 Die Reaktion des Essigsäureethylesters mit Natronlauge

Grundlagen: Essigsäureethylester reagiert mit Natronlauge zu Natriumacetat und Ethanol:

$$CH_3COOC_2H_5 + Na^+ + OH^- \longrightarrow CH_3COO^- + Na^+ + C_2H_5OH$$

Obwohl sich im Verlauf der Reaktion die Anzahl der Ionen nicht verändert, nimmt die elektrische Leitfähigkeit ab, da die beweglicheren Hydroxidionen durch Acetationen ersetzt werden. Aus Messwerten der Stromstärke lassen sich die entsprechenden Konzentrationen der Hydroxidionen ermitteln und damit auch die jeweils gleichen Esterkonzentrationen, wenn gleiche Stoffmengen der Edukte eingesetzt werden.

Geräte und Chemikalien: Spannungsquelle, Spannungsmessgerät, Stromstärkemessgerät, 2 Graphitelektroden, Elektrodenhalter, 5 Experimentierkabel, 3 Bechergläser (100 ml), Becherglas (250 ml), 2 Messzylinder (25 ml), Messzylinder (50 ml), Stoppuhr, Essigsäureethylesterlösung (c = 0,1 mol/l), Natronlauge (c = 0,1 mol/l), Natriumacetatlösung (c = 0,1 mol/l), dest. Wasser

Durchführung: Bauen Sie die Apparatur nach ▷ B2 zusammen. Bei allen Versuchen ist darauf zu achten, dass der Elektrodenabstand und die Eintauchtiefe unverändert bleiben.
a) Zur Ermittlung der Hydroxid- bzw. der Esterkonzentrationen aus den Messwerten der Stromstärke wird eine Eichkurve erstellt.
Messen Sie die Anfangsstromstärke I_0 in einer Mischung aus je 25 ml Natronlauge und Wasser ($c_0(OH^-)$). Wählen Sie die Wechselspannung so, dass diese Stromstärke 60 bis 100 mA beträgt.

Messen Sie für folgende Mischungen, die jeweils mit 25 ml Wasser versetzt werden, die Stromstärken:

Natronlauge	20 ml	15 ml	10 ml	5 ml	0 ml
Natriumacetatlösung	5 ml	10 ml	15 ml	20 ml	25 ml
$c(OH^-)$	$0{,}8c_0$	$0{,}6c_0$	$0{,}4c_0$	$0{,}2c_0$	0

b) Mischen Sie je 25 ml der Lösung des Essigsäureethylesters und der Natronlauge. Messen Sie den zeitlichen Verlauf der Stromstärke bei unveränderten Versuchsbedingungen. Nehmen Sie über zehn Minuten Messwerte im Abstand von einer halben Minute auf.

Auswertung: a) Zeichnen Sie die Eichkurve.
b) Ermitteln Sie aus den während der Reaktion gemessenen Stromstärken mithilfe der Eichkurve die entsprechenden Konzentrationen des Esters und zeichnen Sie ein Diagramm des zeitlichen Verlaufs dieser Konzentration. Berechnen Sie die mittleren Reaktionsgeschwindigkeiten für die jeweiligen Zeitintervalle. Zeichnen Sie in ein Diagramm die mittleren Reaktionsgeschwindigkeiten (Ordinate) und die zugehörenden mittleren Konzentrationen (Abszisse).
c) Zeichnen Sie ein Diagramm, das den Zusammenhang zwischen der mittleren Reaktionsgeschwindigkeit und dem Quadrat der Konzentration zeigt.

Versuch 4 Die Reaktion von Magnesium mit Salzsäure

Grundlagen: Die Reaktion von unedlen Metallen mit sauren Lösungen lässt sich sowohl durch Messung des sich ändernden Wasserstoffvolumens (↗ Kap. 3.1, ▷ V2) als auch mithilfe des pH-Wertes verfolgen. Aus diesem kann die jeweilige Oxoniumionenkonzentration ermittelt werden.

Geräte und Chemikalien: Becherglas (100 ml), Messzylinder, Magnetrührer, Zeitmesser, Glaselektrode (Einstabmesskette), pH-Meter bzw. Computer mit Messwerterfassungssystem, Magnesiumband, Salzsäure (c = 0,01 mol/l)

Durchführung: Geben Sie in das Becherglas ca. 200 mg blanke Magnesiumbandstücke (2 bis 3 cm lang) und fügen Sie ca. 40 ml Salzsäure zu. Verfolgen Sie unter Rühren den pH-Wert. Beginnen Sie mit der Erfassung der Messwerte bei pH = 2 und beenden Sie den Versuch, wenn pH = 3 erreicht ist.

Auswertung: Erstellen Sie ein Diagramm, das den zeitlichen Verlauf des pH-Wertes ab pH = 2 (t = 0) zeigt, und zeichnen Sie eine Ausgleichskurve. Entnehmen Sie aus dieser die pH-Werte für Abstände von 30 Sekunden und berechnen Sie die jeweiligen Oxoniumionenkonzentrationen. Zeichnen Sie deren zeitlichen Verlauf in ein Diagramm (Ordinate von $c = 1 \cdot 10^{-3}$ mol/l bis $10 \cdot 10^{-3}$ mol/l). Überlegen Sie anhand von einigen Rechenbeispielen, wie sich ein Fehler in der pH-Wert-Bestimmung auf die Werte der Oxoniumionenkonzentration auswirkt.

B2 Messung der Stromstärke zur Verfolgung der Esterhydrolyse

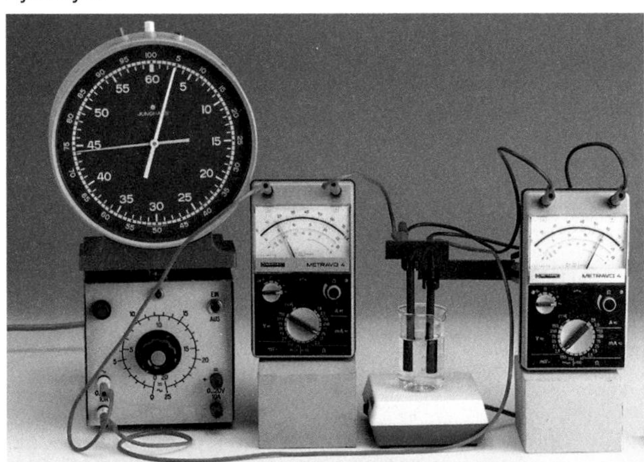

3.3 Konzentration und Reaktionsgeschwindigkeit

V 1 Abhängigkeit der Reaktionsdauer von der Konzentration. Geben Sie in drei Reagenzgläser jeweils 5 ml Salzsäure der Konzentrationen 1 mol/l, 0,5 mol/l und 0,1 mol/l. Geben Sie zu jeder Säureportion gleichzeitig jeweils ein 1 cm langes Magnesiumband. Vergleichen Sie die Zeiten bis zur vollständigen Umsetzung des Magnesiums. Schütteln Sie die Reagenzgläser während des Versuchs.

V 2 Fotometrische Untersuchung der Entfärbung von Malachitgrün mit Natronlauge. Stellen Sie eine wässrige Lösung von Malachitgrün (M = 365 g/mol) der Konzentration $c = 10^{-4}$ mol/l her. Geben Sie zu einem bestimmten Volumen der Lösung das gleiche Volumen Wasser. Bestimmen Sie mit einem Spektralfotometer bei der Wellenlänge 590 nm die Extinktion E_0 (↗Kap. 1.11). Geben Sie zu Malachitgrünlösung das gleiche Volumen Natronlauge der Konzentration $c = 2 \cdot 10^{-2}$ mol/l. Zur Ermittlung der Extinktion werden die Transmissionswerte im Abstand von einer halben Minute sechs Minuten lang abgelesen.
Berechnen Sie die Extinktionen und mit $c = c_0 \cdot E/E_0$ die Konzentrationen. Geben Sie die mittleren Reaktionsgeschwindigkeiten in den jeweiligen Zeitabschnitten an und ermitteln Sie die Konzentrationen nach 0,25; 0,75; 1,25; ... Minuten. Zeichnen Sie ein Diagramm, das die Abängigkeit der Reaktionsgeschwindigkeit von der Konzentration zeigt.

A 1 Bei einer Reaktion entsteht aus zwei Edukten ein Reaktionsprodukt. Was gilt für die Reaktionsgeschwindigkeit, wenn die Konzentration des Produktes linear mit der Zeit zunimmt?

Bei der Reaktion von Zink mit Salzsäure (↗Kap. 3.1) verändert sich während der Reaktion mit der Konzentration auch die Reaktionsgeschwindigkeit. Im Folgenden soll die Abhängigkeit der Reaktionsgeschwindigkeit von der Konzentration der beteiligten Stoffe betrachtet werden.

Ausgangskonzentration und Reaktionsdauer. Lässt man gleiche Magnesiumportionen mit Salzsäure verschiedener Konzentration bei gleicher Temperatur reagieren, so stellt man fest, dass die Reaktionsdauer mit zunehmender Ausgangskonzentration abnimmt (▷ V 1). Dieser Zusammenhang lässt sich bei den meisten chemischen Reaktionen feststellen. Die aus der Reaktionsdauer und einer Ausgangskonzentration berechenbare mittlere Reaktionsgeschwindigkeit ist z. B. von Bedeutung, wenn eine gewünschte Portion eines Reaktionsprodukts in einer bestimmten Zeit entstehen soll. Da sich jedoch während einer Reaktion die Konzentrationen der beteiligten Stoffe verändern, ändert sich auch die Reaktionsgeschwindigkeit ständig.

Abhängigkeit der Reaktionsgeschwindigkeit von der Konzentration eines Reaktionspartners. Verfolgt man bei der Entfärbung von Malachitgrün mit Natronlauge (▷ V 2) die zeitliche Veränderung der Konzentration des Malachitgrüns, so erhält man einen Zusammenhang, wie ihn ▷ B 1 zeigt. Nach der Halbwertszeit $T_{1/2}$ ist die Konzentration auf die Hälfte der Ausgangskonzentration zurückgegangen. Auffällig ist, dass sich wiederum nach der Zeit $T_{1/2}$ die Konzentration halbiert hat. Diese Gesetzmäßigkeit setzt sich fort. Bei vielen chemischen Reaktionen treten solche *konstanten Halbwertszeiten* auf.

B 1 Reaktionen mit konstanten Halbwertszeiten.
a) Konzentrations-Zeit-Diagramm: Die Konzentration fällt exponentiell ab
b) Reaktionsgeschwindigkeits-Zeit-Diagramm
c) Reaktionsgeschwindigkeits-Konzentrations-Diagramm

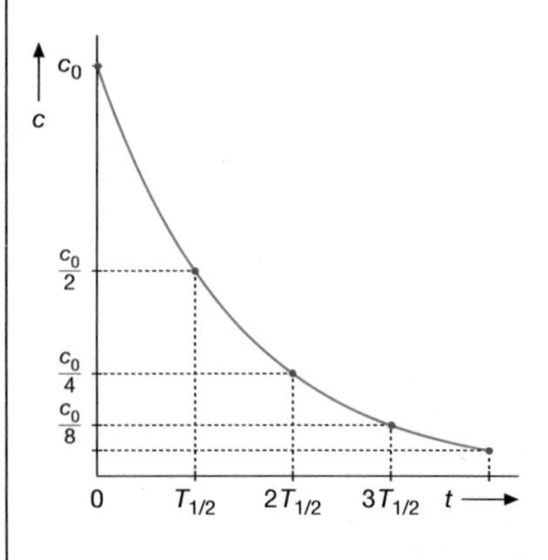

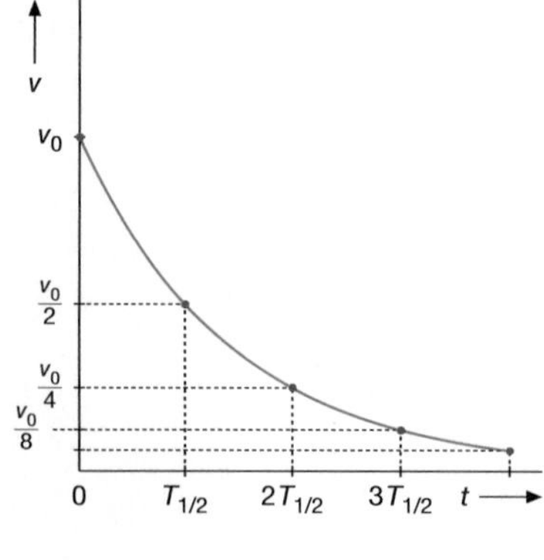

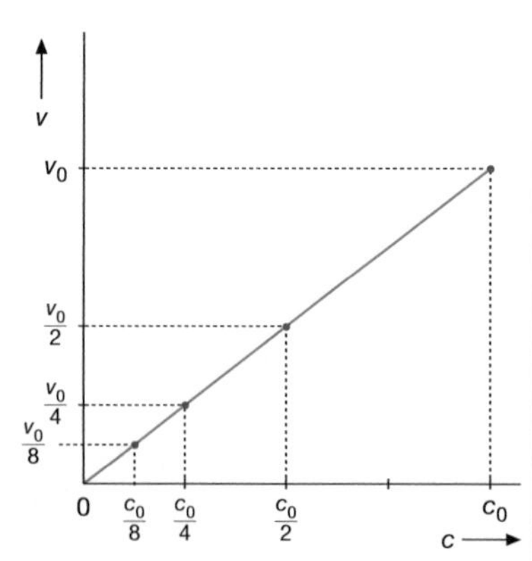

In diesen Fällen nimmt die Reaktionsgeschwindigkeit ($-\Delta c/\Delta t = v$) in gleicher Weise wie die Konzentration mit der Zeit ab (▷ B 1 a, b). Trägt man die Reaktionsgeschwindigkeit gegen die Konzentration auf, lässt sich eine Proportionalität zwischen der Reaktionsgeschwindigkeit und der Konzentration erkennen (▷ B 1 c). Es gilt: $v = k \cdot c$.

Die Konstante k wird als *Geschwindigkeitskonstante* bezeichnet. Sie hängt von der Art der Reaktionspartner ab. Der Zusammenhang zwischen Reaktionsgeschwindigkeit und Konzentration wird als *Geschwindigkeitsgesetz* bezeichnet. Ist die Reaktionsgeschwindigkeit proportional zur Konzentration nur *eines* Reaktionspartners, spricht man von einer **Reaktion 1. Ordnung.**
Oft ergibt sich experimentell eine Reaktion von scheinbar 1. Ordnung, wenn ein Reaktionspartner in großem Überschuss vorliegt, da die Konzentration dieses Stoffes nahezu konstant bleibt. Wird die Ausgangskonzentration in einem neuen Ansatz geändert, ändert sich auch die Geschwindigkeits-„konstante". In ihrer Nichtkonstanz äußert sich die Abhängigkeit der Reaktionsgeschwindigkeit von einer *zweiten* Konzentration.

Reaktion 2. Ordnung. Bei der Verseifung von Estern mit Natronlauge reagieren Estermoleküle mit Hydroxidionen:

$$RCOOR' + OH^- \longrightarrow RCOO^- + R'OH$$

Vielfach erhält man dabei

$$v \sim c(RCOOR') \quad \text{und} \quad v \sim c(OH^-).$$

Damit gilt folgendes Geschwindigkeitsgesetz:

$$v = k \cdot c(RCOOR') \cdot c(OH^-)$$

Dieses Geschwindigkeitsgesetz $v = k \cdot c_1 \cdot c_2$ gilt auch für viele weitere Reaktionen. Sie werden als *Reaktionen 2. Ordnung* bezeichnet.
Die Reaktionsordnung ergibt sich aus der Summe der Exponenten der Konzentrationen.

A 2 Bei der in wässriger Lösung verlaufenden Reaktion mit Peroxodisulfationen

$$S_2O_8^{2-} + 2\,I^- \longrightarrow 2\,SO_4^{2-} + I_2$$

wurde die Geschwindigkeit der Iodbildung in Abhängigkeit von den Konzentrationen der Edukte bestimmt:

$c(S_2O_8^{2-})$ in mol/l	$c(I^-)$ in mol/l	v in mol/(l·min)
0,0001	0,010	$0{,}65 \cdot 10^{-6}$
0,0002	0,010	$1{,}30 \cdot 10^{-6}$
0,0002	0,005	$0{,}65 \cdot 10^{-6}$

Formulieren Sie das Geschwindigkeitsgesetz für diese Reaktion und berechnen Sie die Geschwindigkeitskonstante k.

Modellversuch zur Reaktion 1. Ordnung

In einen Messzylinder ($V = 100$ ml) wird ein Glasrohr (Innendurchmesser 10 mm) gestellt. Es wird eine farbige Lösung eingefüllt, bis die Füllhöhe 20,0 cm beträgt. Das im Glasrohr enthaltene Flüssigkeitsvolumen wird in das erste Reagenzglas übertragen. Vor Entnahme der nächsten Portion wird der Flüssigkeitsstand gemessen. Insgesamt werden nacheinander zehn Portionen entnommen. Die Flüssigkeiten in den Reagenzgläsern 2 bis 10 werden mit Wasser versetzt, bis jeweils das Volumen demjenigen im ersten Reagenzglas entspricht.

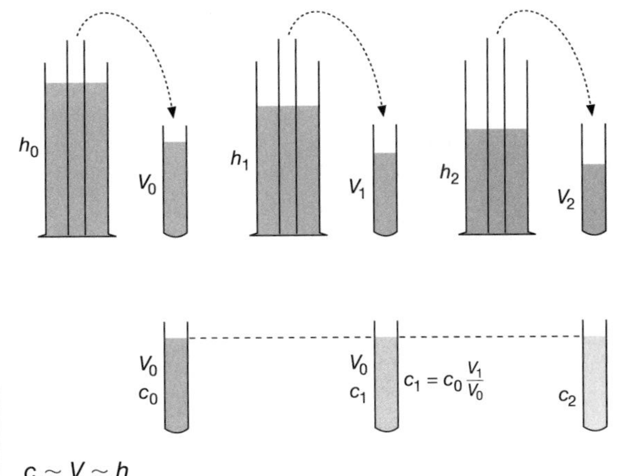

Nr. i	0	1	2	3	4	5	6	7	8	9
h_i in cm	20,0	16,8	14,1	11,8	9,9	8,3	7,0	5,9	5,0	4,2
Δh_i in cm	3,2	2,7	2,3	1,9	1,6	1,3	1,1	0,9	0,8	
$\overline{h_i}$ in cm	18,4	15,45	12,95	10,85	9,1	7,65	6,45	5,45	4,6	

h: Höhe der Flüssigkeitssäule
$\Delta h_i = (h_{i+1} - h_i)$
mittlere Höhe $\overline{h_i} = (h_{i+1} + h_i) / 2$

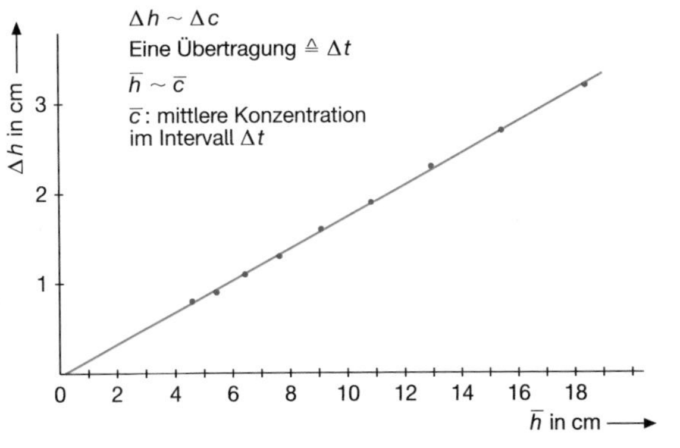

Erfolgt in einem gegebenen Volumen durchschnittlich ein Zusammenstoß zwischen je einem Teilchen A und B in der Zeit Δt, so ...

... sind es in der gleichen Zeit 4 Kollisionen bei der jeweils doppelten Anzahl der Teilchen A und B.

... sind es in der gleichen Zeit 8 Kollisionen bei der doppelten Anzahl der Teilchen A und der vierfachen Anzahl der Teilchen B.

... sind es in der gleichen Zeit 16 Kollisionen bei der vierfachen Anzahl der Teilchen A und der vierfachen Anzahl der Teilchen B.

B2 Kollisionsmodell. Die Anzahl der Zusammenstöße wächst mit den Konzentrationen

A 3 Für die Reaktion

$$2\,N_2O_5 \longrightarrow 4\,NO_2 + O_2$$

wurden bei 65 °C für folgende Ausgangskonzentrationen die Anfangsgeschwindigkeiten bestimmt.

Ausgangskonzentration in mol/l	Anfangsgeschwindigkeit in mol/(l·s)
0,08	$0{,}42 \cdot 10^{-3}$
0,06	$0{,}31 \cdot 10^{-3}$
0,03	$0{,}16 \cdot 10^{-3}$
0,01	$0{,}05 \cdot 10^{-3}$

Entscheiden Sie, ob eine Reaktion 1. oder 2. Ordnung vorliegt.

Kollisionsmodell. Die Geschwindigkeit einer Reaktion ist umso größer, je mehr Zusammenstöße in einer bestimmten Zeiteinheit in einem bestimmten Volumen stattfinden. Bei der Erhöhung der Anzahl jeder Teilchenart A und B erfolgt eine proportionale Zunahme der Anzahl der Zusammenstöße (▷ B 2). Diese ist für eine Reaktion zwischen den Teilchenarten A und B proportional zum Produkt aus den Konzentrationen dieser Teilchen. Mit der Annahme, dass die Reaktionsgeschwindigkeit zur Anzahl der Zusammenstöße proportional ist, ergibt sich:

$$v = k \cdot c(\mathrm{A}) \cdot c(\mathrm{B}).$$

Reaktionen, bei denen die Anzahl der Zusammenstöße von je einem Teilchen A und B die Reaktionsgeschwindigkeit bestimmt, bezeichnet man als **bimolekulare Reaktionen**. In diesem Fall erhält man das Geschwindigkeitsgesetz einer Reaktion 2. Ordnung.

Elementarreaktionen und Reaktionsordnung. Ob und wie die Reaktionsgeschwindigkeit von den Konzentrationen der Reaktionspartner abhängt, kann niemals aus der Reaktionsgleichung geschlossen, sondern muss jeweils experimentell ermittelt werden. Eine Reaktion kann nur durch Zusammentreffen von Teilchen eintreten, doch ist ein gleichzeitiger Zusammenstoß von drei oder gar mehr Teilchen sehr unwahrscheinlich. Eine Gesamtreaktion läuft häufig über mehrere *Elementarreaktionen*, bei denen jeweils nur zwei Teilchen zusammenstoßen. Jede Elementarreaktion besitzt eine individuelle Reaktionsgeschwindigkeit. Die langsamen Elementarreaktionen bestimmen das Geschwindigkeitsgesetz der gesamten Reaktion. Dies wird am Beispiel der Reaktion des Wasserstoffperoxids mit Iodwasserstoffsäure deutlich.

$$H_2O_2 + 2\,H_3O^+ + 2\,I^- \longrightarrow I_2 + 4\,H_2O$$

Experimentell stellt man eine Reaktion 2. Ordnung fest, d.h., die geschwindigkeitsbestimmende Elementarreaktion wird bimolekular erfolgen. Die Reaktion verläuft in folgenden Teilschritten:

$$H_2O_2 + I^- \longrightarrow H_2O + IO^-$$

$$IO^- + 2\,H_3O^+ + I^- \longrightarrow I_2 + 3\,H_2O$$

Da der erste Schritt sehr viel langsamer verläuft als der zweite, der fast momentan erfolgt, bestimmt nur die erste Elementarreaktion die Geschwindigkeit der Gesamtreaktion. Da es sich bei dem geschwindigkeitsbestimmenden Schritt um eine bimolekulare Reaktion handelt, ergibt sich experimentell eine Reaktion zweiter Ordnung.
Handelt es sich bei dem geschwindigkeitsbestimmenden Schritt einer Reaktion um den Zerfall *einer* Teilchensorte (AB $\longrightarrow$ A + B), man spricht von einer *monomolekularen Reaktion*, so ergibt sich experimentell eine Reaktion 1. Ordnung.

3.4 Reaktionsgeschwindigkeit und Zerteilungsgrad

Bei Reaktionen zwischen Stoffen in verschiedenen Phasen können nur *die* Teilchen reagieren, die an der Grenzfläche miteinander zusammenstoßen. Je größer diese ist, desto mehr Zusammenstöße können erfolgen. Mit der Zerteilung einer festen oder flüssigen Stoffportion wächst ihre Oberfläche. Daher nimmt auch die Reaktionsgeschwindigkeit mit dem Zerteilungsgrad zu (▷ V1).

Die Bedeutung vergrößerter Oberflächen. Das Prinzip, durch eine Vergrößerung der Oberfläche eine Steigerung der Reaktionsgeschwindigkeit herbeizuführen, ist in der Technik, in lebenden Systemen und auch im Alltag häufig verwirklicht.
Bei Kohlefeuerungsanlagen konnten sowohl die Wirtschaftlichkeit als auch die Schadstoffreduzierung durch Vergrößerung der Oberfläche der eingesetzten Komponenten erhöht werden. So werden in der **Wirbelschichtfeuerung** Kohle und Kalkstein (Calciumcarbonat) staubfein gemahlen und durch starke Luftströme dem Brennraum zugeführt. In einer schwebenden Wirbelschicht aus Kohle und Kalk verbrennt die Kohle zu 99 %.
Der Schadstoff Schwefeldioxid reagiert mit dem aus dem Calciumcarbonat gebildeten Calciumoxid und Sauerstoff zu Calciumsulfat („Gips"), das mit der Asche abgezogen wird (▷ B1).

Die Natur zeigt eindrucksvoll und in vielfältigen Formen, wie chemische Reaktionen zwischen verschiedenen Phasen in Organismen an sehr großen Phasengrenzflächen vollzogen werden. Die bei Lebewesen unterschiedlichster Art anzutreffenden filigranen Strukturen, die sich durch feine Verästelungen ergeben, gehen mit großen Oberflächen des betreffenden Organs einher. So wird die atmungsfähige Gesamtoberfläche der Lunge eines erwachsenen Menschen auf 70 bis 90 m^2 geschätzt (▷ B2).

Bei Lösungsvorgängen erfolgt ein Übertritt von Teilchen aus der einen in die andere Phase. Beim Lösen von z. B. Zucker in Wasser ist es offensichtlich, dass der Zerteilungsgrad wesentlich die Geschwindigkeit des Vorgangs beeinflusst. Auch hier liegt die Ursache für unterschiedliche Geschwindigkeiten in der unterschiedlich großen Oberfläche.

V 1 Änderung des Zerteilungsgrads von Magnesium bei Reaktion mit Salzsäure.
Versuchsaufbau wie bei ↗ Kap. 3.1, ▷ V1.
Bringen Sie jeweils 0,5 g Magnesiumpulver, Magnesiumspäne und Magnesiumband mit verdünnter Salzsäure (c = 0,5 mol/l) zur Reaktion. Bestimmen Sie das Volumen des entstehenden Wasserstoffs in Abhängigkeit von der Zeit und stellen Sie die Ergebnisse grafisch dar.

A 1 Vor dem Übergießen mit heißem Wasser werden Kaffeebohnen gemahlen; zur Entzündung eines Holzstoßes werden zunächst einige Holzspäne angebrannt; um auslaufendes Öl zu adsorbieren, benutzt man Kohlenstaub. Nennen Sie weitere Beispiele für Prozesse, bei denen eine Geschwindigkeitserhöhung durch Vergrößerung der Phasengrenzfläche bewirkt wird.

A 2 Bei speziellen Löscheinsätzen der Feuerwehr wird Wasser durch Sprengstoff oder mithilfe von Turbinen in feinste Tröpfchen zerteilt. Welchen Vorteil besitzt dieses Verfahren gegenüber dem Löschen mit einem Wasserstrahl?

B1 Oberflächenvergrößerung von Kalkstein und Kohle beim Wirbelschichtverfahren

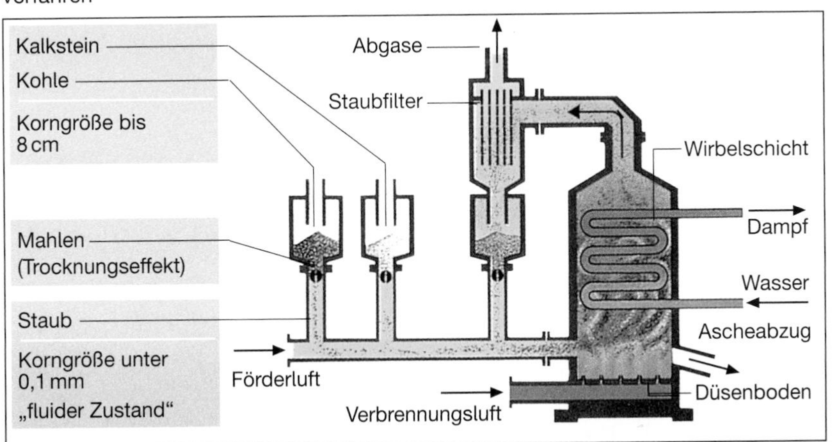

B2 Lungenbläschen. Die gesamte Innenfläche der Lunge beträgt ca. 90 m^2

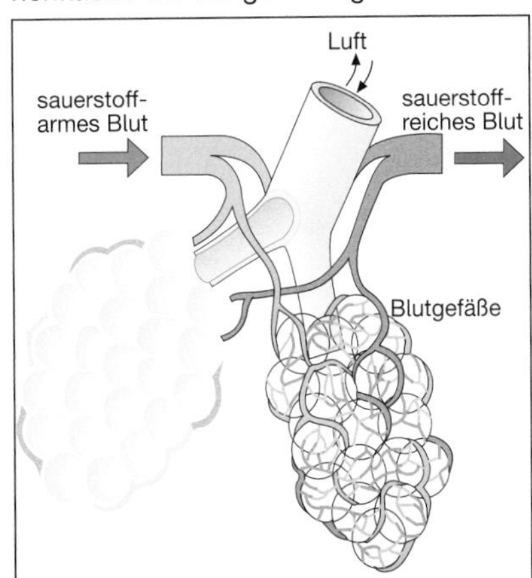

3.5 Reaktionsgeschwindigkeit und Temperatur

Es ist eine alltägliche Erfahrung, dass die Geschwindigkeit von Vorgängen, an denen chemische Reaktionen beteiligt sind, von der Temperatur abhängt. Nahrungsmittel verderben bei Kühlung viel langsamer, Metalle werden bei hoher Temperatur bedeutend schneller oxidiert.
Eine höhere Temperatur bedeutet höhere mittlere Geschwindigkeit der Teilchen. Der genannte Einfluss der Temperatur auf die Reaktionsgeschwindigkeit wird also mit der Geschwindigkeit bzw. der kinetischen Energie der Teilchen zusammenhängen.

Mindestgeschwindigkeit und Aktivierungsenergie. Der schnelle Ablauf der Neutralisationsreaktion gibt eine ungefähre Vorstellung davon, wie oft Teilchen in einer bestimmten Zeit zusammenstoßen. Hatte man jeweils 1 l Lösung der Konzentration 1 mol/l, so sind sich – wenn die Durchmischung der Lösungen rasch erfolgt – in wenigen Sekunden je etwa $6 \cdot 10^{23}$ Oxonium- und Hydroxidionen begegnet. Dabei sind die Zusammenstöße dieser Ionen mit Lösungsmittelmolekülen nicht mitgerechnet.
Führt, wie bei der Neutralisation, jeder Zusammenstoß zweier Eduktteilchen zu einer Reaktion, so ist die Geschwindigkeitskonstante sehr groß. Bei den meisten Reaktionen ist sie viel kleiner. In solchen Fällen führt nicht jeder Zusammenstoß zu einer Reaktion. Die Anzahl der Zusammenstöße, die zu einem Produkt führen, ist von der Art der Reaktionspartner und von der Temperatur abhängig (▷ V1).
Um zur Reaktion zu gelangen, müssen die Eduktteilchen einen bestimmten Mindestbetrag an kinetischer Energie besitzen. Dieser wird als *Aktivierungsenergie* bezeichnet. Erst wenn diese erreicht oder überschritten ist, kann der Zusammenstoß zu einem Produktteilchen führen. Die Geschwindigkeit, die dieser *kinetischen Energie* entspricht, ist die Mindestgeschwindigkeit v_A der Teilchen (▷ B3).

Die Tatsache, dass bei der Reaktion von zwei Teilchen eine Energiebarriere zu überwinden ist, kann an der Reaktion von Stickstoffdioxid mit Kohlenstoffmonooxid veranschaulicht werden (▷ B1, ▷ B2).
Für die Übertragung des Sauerstoffatoms vom NO_2- auf das CO-Molekül muss zunächst Energie zur Lockerung der N–O-Bindung aufgewandt werden. Auf diesem *Reaktionsweg* wird ein energiereicher *Übergangszustand* durchlaufen, in dem sich das zu übertragende Sauerstoffatom im Anziehungsbereich beider Moleküle befindet.

Das Beispiel der Reaktion von NO_2 mit CO zeigt außerdem, dass für einen erfolgreichen Zusammenstoß die richtige Orientierung dieser Teilchen zueinander gegeben sein muss. Das CO-Molekül muss mit dem Kohlenstoffatom auf das Sauerstoffatom des NO_2-Moleküls treffen.

Ein erfolgreicher Zusammenstoß setzt eine Mindestenergie und die richtige Orientierung der Teilchen zueinander voraus.

Die Geschwindigkeit von Teilchen. Hätten alle Teilchen bei einer bestimmten Temperatur die gleiche Geschwindigkeit, so würde bei einer niedrigen Temperatur kein Teilchen die Mindestgeschwindigkeit besitzen und damit auch nicht die Aktivierungsenergie erreichen. Alle Zusammenstöße wären unwirksam, die Reaktion dürfte nicht stattfinden. Bei Temperaturerhöhung müssten alle Teilchen gleichzeitig die Mindestenergie für einen wirksamen Zusammenstoß erreichen, die Reaktion müsste schlagartig ablaufen. Kinetische Untersuchungen zeigen jedoch, dass bei den meisten chemischen Reaktionen die Reaktionsgeschwindigkeit mit steigender Temperatur exponentiell ansteigt. Dies lässt vermuten, dass die Teilchen einer Stoffportion *unterschiedliche* Geschwindigkeiten besitzen.

B1 Energiediagramm der Reaktion $NO_2 + CO \longrightarrow CO_2 + NO$. Es muss ein „Berg" überwunden werden

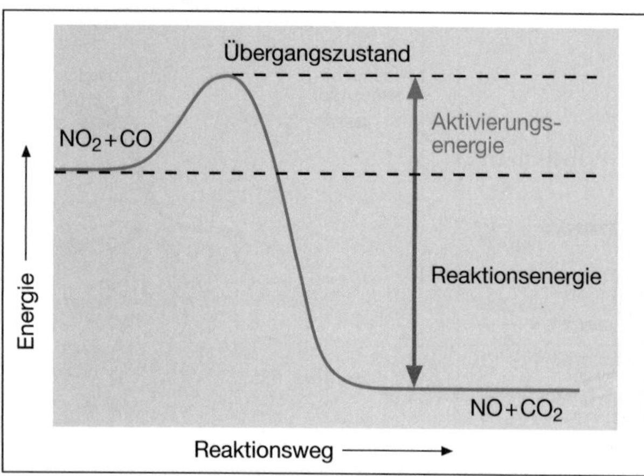

B2 Übergangszustand der Reaktion zwischen den Molekülen NO_2 + CO

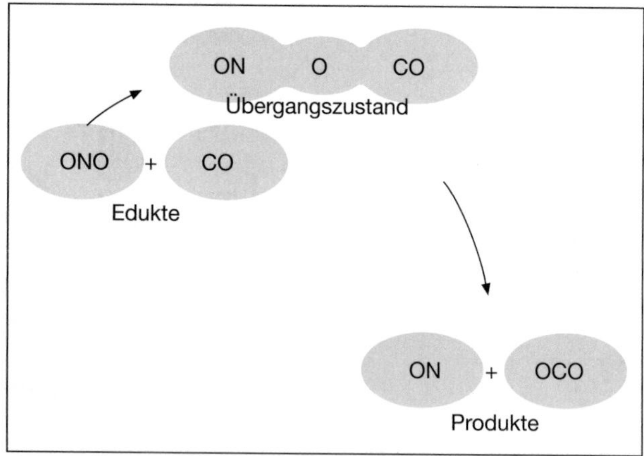

Geschwindigkeitsverteilung von Teilchen. Die Veranschaulichung der unterschiedlichen Teilchengeschwindigkeiten kann in einem Modellversuch erfolgen (▷ B4). Kleine Stahlkugeln werden in heftige Bewegung versetzt, wodurch ein ähnlicher Zustand entsteht, wie er von Molekülen eines Gases eingenommen wird. Die durch eine seitliche Öffnung austretenden Kugeln zeigen durch ihre Flugweite an, welche Geschwindigkeit sie innerhalb des Modell-Gasraumes hatten. Durch die Unterteilung des Auffangbehälters wird der gesamte Geschwindigkeitsbereich in Intervalle der Größe Δv zerlegt. Die Anzahl ΔN der Kugeln, die jeweils in ein Intervall Δv fallen, hängt stark von der Geschwindigkeit v ab.

Diese Abhängigkeit konnte für Gasmoleküle von J. C. MAXWELL und L. BOLTZMANN theoretisch hergeleitet werden. Es zeigt sich, dass die Anzahl der Teilchen, die eine Mindestgeschwindigkeit überschreiten, mit steigender Temperatur wächst (▷ B3).

Eine chemische Reaktion verläuft langsam, wenn nur ein geringer Anteil der Teilchen, die für einen erfolgreichen Zusammenstoß notwendige Mindestgeschwindigkeit aufweisen. Mit steigender Temperatur nimmt der Anteil dieser Teilchen und damit auch die Reaktionsgeschwindigkeit zu.

Bei Zimmertemperatur besitzt z. B. nur ein sehr geringer Anteil der Teilchen eines Wasserstoff-Sauerstoff-Gemischs die erforderliche Mindestgeschwindigkeit bzw. Mindestenergie, sodass die Reaktion auch in einem großen Zeitraum ohne erkennbaren Stoffumsatz verläuft. Energiezufuhr bewirkt über die Erhöhung der Anzahl erfolgreicher Zusammenstöße eine größere Reaktionsgeschwindigkeit. Durch die Freisetzung von Reaktionsenergie werden weitere Teilchen aktiviert. Damit steigt die Reaktionsgeschwindigkeit so an, dass es zu einer Explosion kommt.

Aus der Erfahrung ergibt sich folgende Regel: Bei vielen Reaktionen bewirkt eine Temperaturerhöhung um 10 °C etwa eine Verdoppelung der Reaktionsgeschwindigkeit. Man nennt dies die **R**eaktions**g**eschwindigkeits-**T**emperatur-Regel, kurz **RGT-Regel**.

V 1 Temperaturabhängigkeit der Reaktionsgeschwindigkeit. Führen Sie den Versuch mit folgenden Lösungen durch:
Lösung I: 10 ml konz. Salzsäure in 50 ml Wasser;
Lösung II: 1 g Natriumthiosulfat-Pentahydrat in 50 ml Wasser.
Geben Sie in je ein Reagenzglas 2 ml der Lösung I bzw. 10 ml der Lösung II. Geben Sie die Lösung I zu der Lösung II, schütteln Sie kurz und messen Sie die Zeit, bis eine schwache Opaleszenz sichtbar wird. Beobachten Sie vor einem schwarzen Hintergrund. Messen Sie bei Versuchsende die Temperatur der Flüssigkeit.
Führen Sie den Versuch mit Lösungen von Zimmertemperatur, mit im Kühlschrank oder in Eiswasser gekühlten Lösungen und mit im Wasserbad auf ca. 40 °C erwärmten Lösungen durch.

A 1 Eine Reaktion habe bei 10 °C eine bestimmte Reaktionsgeschwindigkeit. Mit welchem Faktor vergrößert sich die Reaktionsgeschwindigkeit, wenn die Reaktion bei 100 °C durchgeführt wird und eine Temperaturerhöhung um 10 °C eine Verdoppelung bewirkt?

B3 Maxwell-Boltzmann-Verteilung bei drei Temperaturen. Je höher die Temperatur, desto mehr Teilchen überschreiten eine gegebene Geschwindigkeit v_A

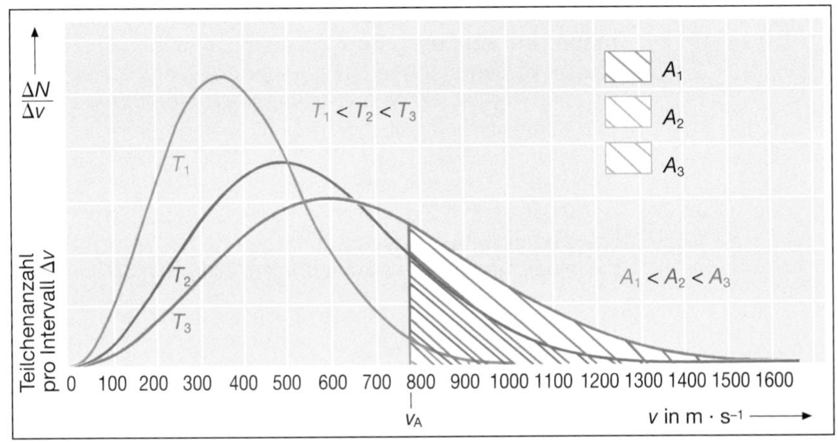

B4 Modellversuch zur Geschwindigkeitsverteilung in einem Gas

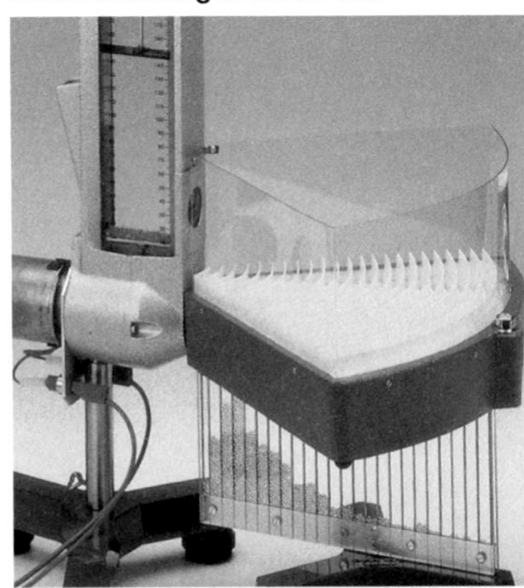

3.6 Katalyse

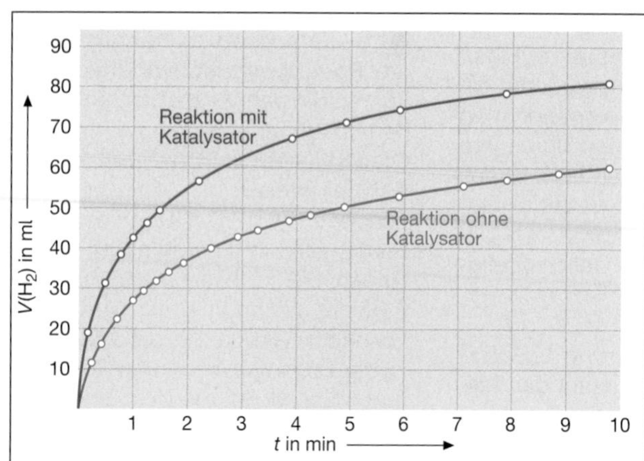

B1 Wasserstoffentwicklung bei der Reaktion von Zink mit Salzsäure ohne und mit Katalysator (ϑ = 20 °C)

V 1 Reaktion verdünnter Salzsäure mit Zink ohne und mit Katalysator. Führen Sie die Versuche entsprechend dem in ↗ Kap. 3.1, ▷ V2 beschriebenen Experiment durch. Setzen Sie jeweils 1,3 g Zinkpulver und 3 ml verdünnte Salzsäure (30 ml konz. Salzsäure + 70 ml Wasser) ein. Versetzen Sie bei der Wiederholung des Versuchs das Zinkpulver mit etwas Kupferpulver.

V 2 Reaktion von Wasserstoff mit Sauerstoff. Ein zur Hälfte mit Wasserstoff gefülltes großes Reagenzglas wird mit der Öffnung nach unten mit einer Aluminiumfolie verschlossen, auf der sich eine Platinkatalysatorkugel befindet (Vorsicht! Schutzbrille!). Das Reagenzglas wird waagerecht gehalten und die Katalysatorkugel hin und her bewegt. Man prüft mit Wassertestpapier.

B2 Energiediagramm einer Reaktion ohne und mit Katalysator

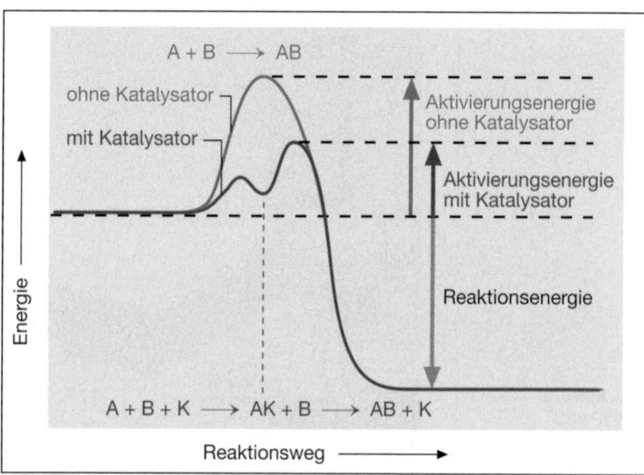

Die Geschwindigkeit von Reaktionen kann außer durch Erhöhung von Konzentration und Temperatur auch durch Zusatz von Katalysatoren vergrößert werden.

Bedeutung der Katalyse. Katalysatoren sind von großer Bedeutung in Alltag, in der Technik und in der Industrie. Bei der Herstellung der wichtigsten Grundchemikalien wie z. B. Schwefelsäure, Ammoniak, Salpetersäure, Ethen und Methanol spielen Katalysatoren eine wichtige Rolle. Große Bereiche der Umwelttechnik beruhen auf katalytischen Verfahren. In Kraftfahrzeugen wird durch den Abgaskatalysator (↗ Kap. 12.5) die Schadstoffemission vermindert. Katalysatoren sind auch entscheidend bei chemischen Reaktionen, die in Organismen ablaufen.

Katalysatoren lassen sich zur Beschleunigung von Reaktionen einsetzen, die z. B. nicht bei hohen Temperaturen durchgeführt werden können. In Stoffgemischen können Katalysatoren bei einer Vielzahl von möglichen Reaktionen *eine spezielle Reaktion* beschleunigen, sodass hauptsächlich die gewünschte Reaktion abläuft. Durch Temperaturerhöhung wäre eine solche selektive Begünstigung nicht möglich.

Da Katalysatoren bei einer Reaktion nicht verbraucht werden, genügt bereits eine kleine Portion, um die Umsetzung großer Portionen der reagierenden Stoffe zu beeinflussen. So wird z. B. die Reaktion von Zink mit verdünnter Salzsäure durch eine winzige Kupferportion stark beschleunigt, was an der Wasserstoffentwicklung deutlich zu sehen ist (▷ V1 und ▷ B1).

Die Wirkungsweise eines Katalysators. Bei der Annäherung von Eduktteilchen und zur Spaltung vorhandener Bindungen muss die Aktivierungsenergie aufgewendet werden. Sie ist häufig so groß, dass keine oder nur wenige Teilchen diese Energiebarriere überwinden können. Man bezeichnet ein Eduktgemisch aus solchen Teilchen, die bei den gegebenen Bedingungen nicht reagieren, als **metastabil**. So können z. B. Wasserstoff und Sauerstoff gemischt vorliegen, ohne zu reagieren. Metastabil sind Benzin-Luft-Gemische, ein Stickstoff-Wasserstoff-Gemisch und auch ein Holzstoß an der Luft.

Die Wirkung eines Katalysators beruht meist darauf, dass er mit einem der Edukte eine oder mehrere Zwischenverbindungen bildet, sodass damit ein neuer Reaktionsweg mit einer niedrigeren Aktivierungsenergie ermöglicht wird (▷ B2).

Bei der Bildung des Produkts aus den Zwischenverbindungen wird der Katalysator wieder freigesetzt. Er geht also in die Gesamtbilanz der Reaktion, wie sie in der Bruttoreaktionsgleichung dargestellt wird, nicht ein.

Aufgrund der herabgesetzten Aktivierungsenergie überschreiten bei gegebener Temperatur mehr Teilchen die Mindestenergie für einen erfolgreichen Zusammenstoß, und die Reaktionsgeschwindigkeit steigt. Verläuft zum Beispiel die Reaktion A + B ⟶ AB mit einem Katalysator K über zwei Stufen

$$A + K \longrightarrow AK \quad \text{und} \quad AK + B \longrightarrow AB + K,$$

so benötigt jede für sich eine kleinere Aktivierungsenergie als die nicht katalysierte Reaktion.
Damit besitzt bei beiden Teilschritten eine größere Anzahl von Teilchen die erforderliche Mindestenergie. Die beiden Teilreaktionen und folglich die Gesamtreaktion verlaufen schneller.

Katalysatoren verringern die Aktivierungsenergie einer chemischen Reaktion und erhöhen damit die Geschwindigkeit der Reaktion.

Die heterogene Katalyse. Liegen Katalysator und die reagierenden Stoffe in einander sich berührenden, jedoch verschiedenen Phasen vor, so spricht man von *heterogener Katalyse*. Die Reaktion von Wasserstoff mit Sauerstoff am Platinkatalysator ist dafür ein Beispiel (▷ V2).

Die Wirkungsweisen von Katalysatoren bei der heterogenen Katalyse sind je nach Reaktion und Katalysator sehr verschieden und vielfach noch nicht im Detail geklärt.

Metalle, z. B. Eisen, Nickel und vor allem die Edelmetalle Platin und Palladium, katalysieren Reaktionen, an denen Gase beteiligt sind. Die Metalle liegen dabei in fein verteilter Form, meist auf einem Trägermaterial, vor (▷ B3). Dabei werden die Gase an der Oberfläche der Metalle in erheblichem Maße adsorbiert und in einen reaktionsbereiten Zustand versetzt. Die Gase reagieren dann mit größerer Reaktionsgeschwindigkeit als im gewöhnlichen, unaktivierten Zustand. Man geht davon aus, dass die Katalysatoren an ihrer Oberfläche Stellen aufweisen, in welchen ein Elektronenüberschuss oder Elektronenmangel vorherrscht. Dadurch werden die Bindungen der adsorbierten N_2-, H_2-, O_2- und anderer Moleküle gelockert. Außerdem erhalten die Moleküle eine für die Reaktion günstige räumliche Orientierung.

Bei dem an Metallen adsorbierten Wasserstoff konnte nachgewiesen werden, dass er in atomarer Form vorliegt und damit besonders reaktionsfähig ist.
Zusammen mit der Feststellung, dass die Adsorptionsstellen stets je zwei Stickstoffatome enthalten, nimmt man für die katalysierte Ammoniaksynthese gemäß

$$3\,H_2(g) + N_2(g) \longrightarrow 2\,NH_3(g)$$

heute den in ▷ B4 dargestellten Ablauf über mehrere Zwischenreaktionen an.

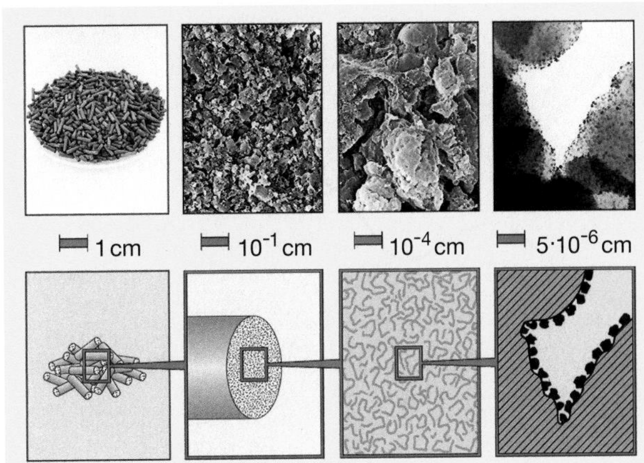

B3 Aufbau eines Trägerkatalysators. Mikroskopische Aufnahmen (oben) und Modelldarstellung (unten)

B4 Synthese von Ammoniak an einer Katalysatoroberfläche

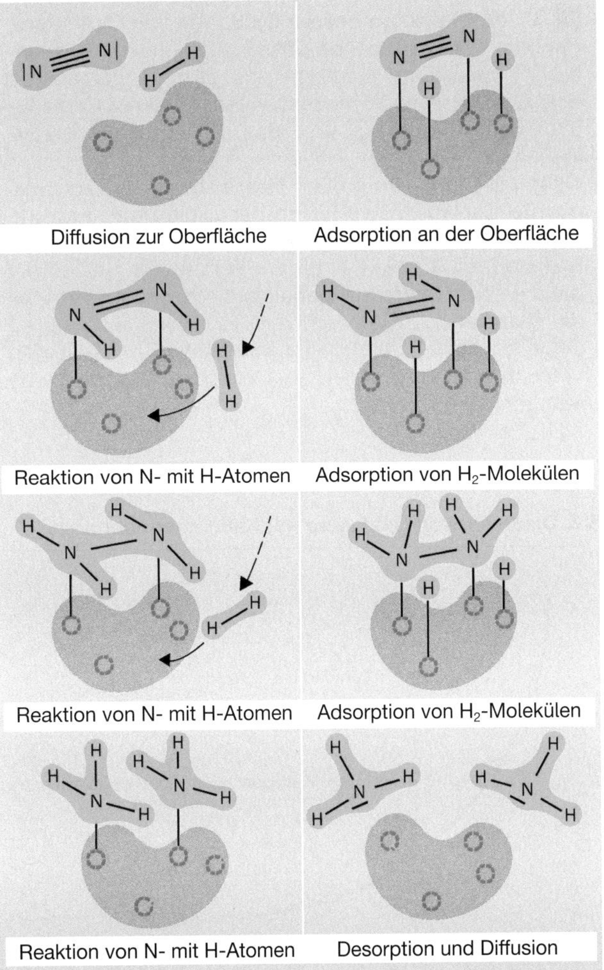

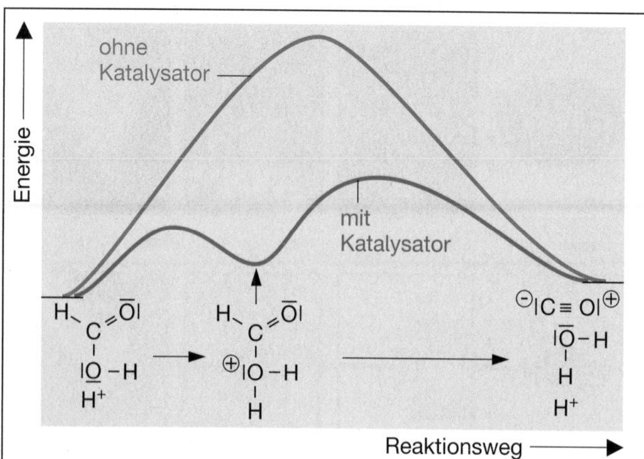

B5 Energiediagramm der Zersetzung von Ameisensäure ohne und mit Katalysator

V 3 Autokatalyse bei der Oxidation von Oxalsäure. Benötigt werden folgende wässrige Lösungen: Verdünnte Schwefelsäure (Gemisch aus 25 ml konzentrierter Schwefelsäure mit 75 ml dest. Wasser), 100 ml Oxalsäurelösung ($w = 6\,\%$) sowie eine Kaliumpermanganatlösung ($w = 0{,}6\,\%$).
Geben Sie in einem großen Reagenzglas zu 25 ml verdünnter Schwefelsäure 12,5 ml der Oxalsäurelösung und 20 ml Wasser. Setzen Sie 5 ml Permanganatlösung zu und stoppen Sie die Zeit bis zur Entfärbung. Setzen Sie dann erneut 5 ml Permanganatlösung zu und messen Sie die Reaktionszeit. Wiederholen Sie diesen Vorgang so lange, bis keine Entfärbung mehr eintritt. Setzen Sie den Versuch erneut an, fügen aber gleich zu Beginn etwas Mangan(II)-sulfat hinzu.

B6 Oxidation von Oxalsäure mit Kaliumpermanganat

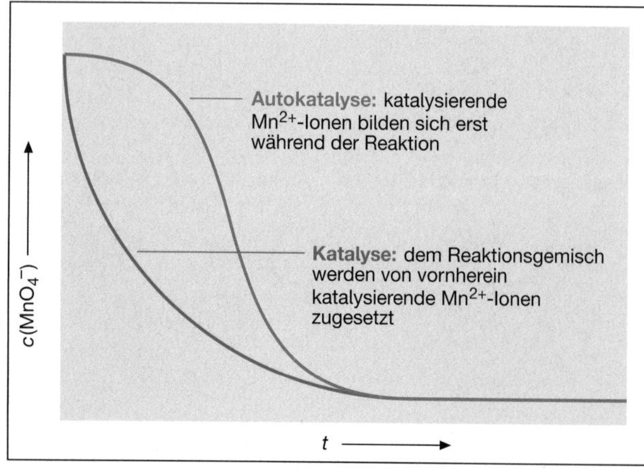

Die homogene Katalyse. Bei der *homogenen Katalyse* liegen die Edukte und der Katalysator in *einer* Phase vor. Für viele homogene Katalysen lassen sich reaktive Zwischenverbindungen formulieren und zum Teil auch nachweisen. So wird bei einer „säurekatalysierten Reaktion" ein Proton an ein freies Elektronenpaar eines Eduktteilchens gebunden. Ein Beispiel hierfür ist die katalytische Zersetzung der Ameisensäure (↗ Kap. 14.9). Durch die Protonierung verläuft die Reaktion nach einem anderen Mechanismus mit Zwischenstufen, zu deren Bildung eine im Vergleich zur nicht katalysierten Reaktion geringere Aktivierungsenergie erforderlich ist.

Der Zerfall von Wasserstoffperoxid in wässriger Lösung, der eine Aktivierungsenergie von 75,4 kJ/mol benötigt, wird durch viele Katalysatoren, die leicht ihre Oxidationszahl wechseln, beschleunigt, z. B. durch Iodidionen, die die Aktivierungsenergie auf 56,5 kJ/mol absenken (↗ Kap. 3.2, Versuch 2).

$$I^- + H_2O_2 \longrightarrow IO^- + H_2O$$
$$IO^- + H_2O_2 \longrightarrow I^- + H_2O + O_2$$
$$2\,H_2O_2 \longrightarrow 2\,H_2O + O_2$$

Autokatalyse. Ein besonderes Beispiel zur homogenen Katalyse ist die Oxidation von Oxalsäure durch Kaliumpermanganat in saurer Lösung, wobei die Permanganationen (violette Lösung) zu Mangan(II)-Ionen (farblose Lösung) reduziert werden (▷ V3):

$$2\,MnO_4^- + 16\,H_3O^+ + 5\,C_2O_4^{2-} \longrightarrow 2\,Mn^{2+} + 24\,H_2O + 10\,CO_2$$

Gibt man zur Oxalsäurelösung ein wenig Permanganatlösung, so wird diese nur langsam verbraucht. Eine anschließend zugegebene, gleich große Portion wird dagegen in viel kürzerer Zeit reduziert, obwohl dabei die Konzentrationen aller Edukte kleiner sind als am Anfang. Diese Erhöhung der Geschwindigkeit im Laufe der Reaktion steht scheinbar im Widerspruch zu früher erhaltenen Ergebnissen. Das Problem lässt sich durch ein Experiment erklären. Dabei wird dem Reaktionsgemisch von vornherein etwas Mangan(II)-sulfat zugesetzt. Die dadurch sehr rasch ablaufende Reaktion zeigt, dass Mangan(II)-Ionen katalytisch wirken. Da diese Ionen bei der ersten Durchführungsart im Laufe der Reaktion gebildet werden, spricht man von *Autokatalyse*. Verfolgt man die Abnahme der Permanganationen-Konzentration in einem Fotometer, so erhält man ein Diagramm, wie es ▷ B6 zeigt.

Die Katalyse einer Reaktion durch ein Reaktionsprodukt bezeichnet man als Autokatalyse.

Biokatalysatoren. Katalysatoren von außerordentlicher Effektivität, die *Enzyme*, findet man in lebenden Zellen. Sie haben die Funktion, die Aktivierungsenergien der Reaktionen in einer Zelle so abzusenken, dass die chemischen Vorgänge in einem ganz engen, relativ niedrigen Temperaturbereich, dem der Körpertemperatur, in angemessener Zeit ablaufen können. Enzyme sind Eiweißstoffe, die hoch spezialisiert nur ganz bestimmte Reaktionen katalysieren (▷ V4, ▷ V5).

In einem ersten Reaktionsschritt bilden das Enzym- und das Substratmolekül einen Enzym-Substrat-Komplex. Anschließend wird das Substratmolekül zu den Produkten umgesetzt, das Enzymmolekül wird wieder frei.
Im Vergleich zur Reaktion des Substrates ohne Enzym wird auf diesem Reaktionsweg die Aktivierungsenergie so weit herabgesetzt, dass z. B. die Körpertemperatur für eine schnelle Reaktion ausreicht.
Die Bindungsstelle des Enzymmoleküls ist eine Passform für das umzusetzende Substratmolekül. Andere Moleküle können in der Regel nicht entsprechend gebunden werden. Man bezeichnet diese Eigenschaft als **Substratspezifität** (▷ B7). Aufgrund der Bindungsverhältnisse am aktiven Zentrum katalysiert das Enzym nur eine von mehreren möglichen Reaktionen des Substrats, d. h., das Enzym wirkt auf eine ganz bestimmte Art und Weise. Diese Eigenschaft nennt man **Wirkungsspezifität** (▷ B7).

Nach der Bildung der Produkte wird das Enzymmolekül wieder frei und steht für die Reaktion mit dem nächsten Substratmolekül zur Verfügung. Setzt ein Enzym das Substratmolekül schnell um, so kann es auch schnell zum nächsten Substratmolekül wechseln. Man definiert daher eine **Wechselfrequenz**, die angibt, wie viele Substratmoleküle von einem Enzymmolekül pro Minute umgesetzt werden. Sie liegt etwa zwischen 10^3 und 10^6 pro Minute. Damit übertreffen die Enzyme entsprechende anorganische Katalysatoren in der Geschwindigkeit erheblich. Ein besonders schnell arbeitendes Enzym ist die Katalase, die das für Zellen giftige Wasserstoffperoxid zu Wasser und Sauerstoff zerlegt. Mit ihrer Wechselfrequenz von über 10^6/min übertrifft dieses Enzym z. B. Platin um den Faktor 10^5 (▷ V4).

Temperatur und Enzymwirkung. Durch hohe Temperaturen werden Enzyme unwirksam. Die Tatsache, dass die Reaktionsgeschwindigkeit mit steigender Temperatur zunimmt, gilt zunächst auch für enzymatische Reaktionen. Allerdings werden mit zunehmender Temperatur immer mehr Enzymmoleküle durch Denaturierung (↗ Kap. 16.15) unwirksam (▷ V5). Aus diesen beiden Effekten ergibt sich eine Optimumskurve für die Enzymwirkung (▷ B8). Auch durch bestimmte Metallionen und **Inhibitoren** (von lat. inhibere, hemmen, unterbinden), d. h. Moleküle, die das aktive Zentrum blockieren, verlieren Enzyme ihre Wirksamkeit.

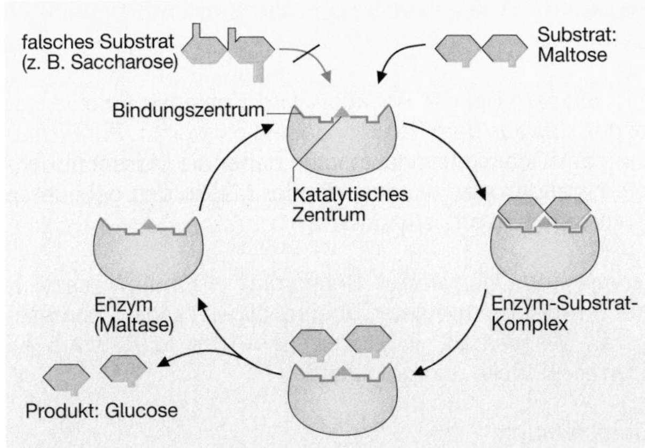

B7 Schema zur Substrat- und Wirkungsspezifität

V 4 Anorganische Katalysatoren und Biokatalysatoren. Geben Sie in drei Reagenzgläser mit je 3 ml Wasserstoffperoxidlösung (w = 3 %)
a) einen Platindraht, b) einen Spatel frisch geriebene Kartoffel, c) 5 ml nicht konserviertes Schlachtblut (kann überschäumen!).

V 5 Biokatalyse bei verschiedenen Temperaturen. Lösen Sie ca. 1 g Harnstoff und etwas Phenolphthaleinlösung in 10 ml Wasser, teilen Sie die Lösung in zwei Reagenzgläser auf und stellen Sie beide Gläser in ein Wasserbad von ca. 35 °C. Geben Sie zum ersten Reagenzglas eine Spatelspitze Urease, zum zweiten eine gleich große, jedoch vorher in wenig Wasser aufgekochte Portion Urease.

B8 Enzymwirkung und Temperatur. Die Kurve ergibt sich aus Versuchsansätzen bei verschiedenen Temperaturen

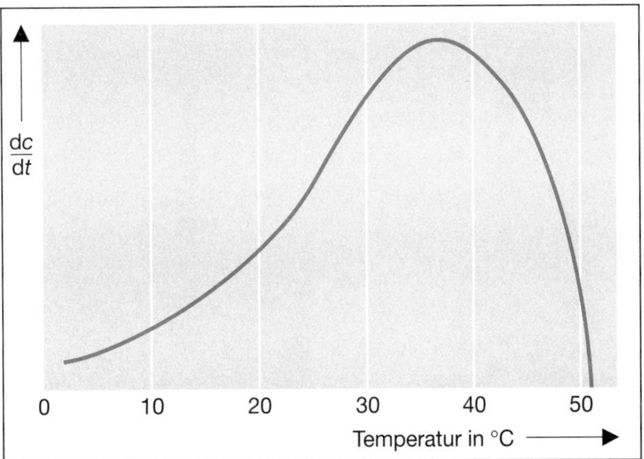

3.7 Praktikum: Beeinflussung der Reaktionsgeschwindigkeit

Versuch 1 Die Reaktion von Salzsäure mit Calciumcarbonat

Grundlagen: Bei der Reaktion wird Kohlenstoffdioxid gebildet, das aus dem Reaktionsgefäß entweicht. Zur Ermittlung des Reaktionsverlaufs kann daher die Massenabnahme herangezogen werden, die der Masse des gebildeten Kohlenstoffdioxids entspricht.

Geräte und Chemikalien: Becherglas (100 ml), Messzylinder (25 ml), Thermometer, oberschalige Waage, Zeitmessgerät, Wasserbad, Salzsäure ($w = 10\,\%$ und $w = 5\,\%$), Marmor (Stücke und granuliert)

Durchführung:

a) *Konzentrationsabhängigkeit*
Geben Sie in das Becherglas 10 g Marmor (granuliert) und in den Messzylinder 25 ml Salzsäure ($w = 5\,\%$) und stellen Sie beide Gefäße auf die Waage. Stellen Sie die Anzeige auf Null, gießen Sie die Salzsäure in das Becherglas, starten Sie gleichzeitig die Zeitmessung und stellen Sie den leeren Messzylinder auf die Waage zurück. Notieren Sie 10 min lang im Abstand von 30 s die Masse des gebildeten Kohlenstoffdioxids. Wiederholen Sie den Versuch mit der Salzsäure höherer Konzentration.

b) *Temperaturabhängigkeit*
Führen Sie den Versuch wie in (a) mit Salzsäure ($w = 5\,\%$) durch, die jedoch zuvor im Kühlschrank aufbewahrt bzw. im Wasserbad auf 30 bis 40 °C erwärmt wurde.

c) *Abhängigkeit vom Zerteilungsgrad*
Führen Sie den Versuch wie in (a) mit Salzsäure ($w = 10\,\%$) durch, jedoch mit einem Marmorstück mit $m \approx 10$ g (genau gewogen). Wiederholen Sie den Versuch mit einer Portion Marmorgranulat gleicher Masse.

B1 Zersetzung von Wasserstoffperoxid. Heterogene Katalyse

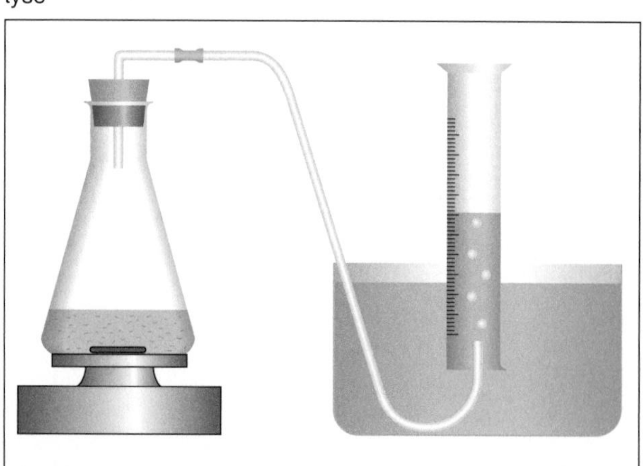

Auswertung: Zeichnen Sie jeweils die Messwerte in Diagramme und interpretieren Sie diese.

Versuch 2 Die Reaktion von Iodat mit Sulfit (Landolt-Reaktion) bei verschiedenen Temperaturen

Grundlagen: Die Reaktion läuft in mehreren Teilschritten ab:

a) $IO_3^- + 3\,SO_3^{2-} \longrightarrow I^- + 3\,SO_4^{2-}$

b) $IO_3^- + 5\,I^- + 6\,H_3O^+ \longrightarrow 3\,I_2 + 9\,H_2O$

c) $I_2 + SO_3^{2-} + 3\,H_2O \longrightarrow 2\,I^- + SO_4^{2-} + 2\,H_3O^+$

Die Reaktion (a) verläuft langsam, die Reaktion (b) schnell und (c) sehr schnell. Dadurch entsteht eine nachweisbare Iodportion erst, wenn alle Sulfitionen verbraucht, jedoch noch Iodationen vorhanden sind. Dieser Zeitpunkt wird durch die Iod-Stärke-Reaktion angezeigt.

Geräte und Chemikalien: 2 Bechergläser (250 ml), 2 Messzylinder (100 ml), Thermometer, Messpipette (10 ml), Pipettierhilfe, Wasserbad, Zeitmessgerät, Stärkelösung ($w = 2\,\%$), Lösung I: 0,1 g Kaliumiodat in 200 ml Wasser, Lösung II: 0,1 g Natriumsulfit in 150 ml Wasser und 50 ml Schwefelsäure ($c(H_3O^+) = 1$ mol/l)

Durchführung: Geben Sie 50 ml Lösung II und 5 ml Stärkelösung in ein Becherglas. Gießen Sie zügig 50 ml Lösung I aus dem zweiten Becherglas dazu und starten Sie gleichzeitig die Zeitmessung. Bestimmen Sie die Zeit bis zum Auftreten der Blaufärbung. Wiederholen Sie den Versuch mit Lösungen, die im Kühlschrank aufbewahrt bzw. im Wasserbad auf 30 bis 40 °C erwärmt wurden. Bestimmen Sie vor den Versuchen jeweils die Temperatur der Lösungen.

Auswertung: Vergleichen und interpretieren Sie die Messwerte.

Versuch 3 Homogene Katalyse bei der Zersetzung von Wasserstoffperoxid

Geräte und Chemikalien: 4 Reagenzgläser (30 mm × 200 mm) in Reagenzglasständer, 3 Tropfpipetten, Wasserstoffperoxidlösung ($w \approx 10\,\%$), wässrige Lösungen gleicher Konzentration von Eisen(II)-sulfat, Eisen(III)-chlorid und Kaliumiodid

Durchführung: Füllen Sie die Reagenzgläser zu je einem Drittel mit Wasserstoffperoxidlösung. Geben Sie in die Reagenzgläser jeweils die gleiche Tropfenanzahl von einer der Salzlösungen und schütteln Sie kurz.

Auswertung: Vergleichen Sie die Wirksamkeit der verschiedenen Katalysatoren durch Vergleich der Heftigkeit der Sauerstoffentwicklung.

Versuch 4 Heterogene Katalyse bei der Zersetzung von Wasserstoffperoxid

Geräte und Chemikalien: Erlenmeyerkolben (250 ml), Gummistopfen mit Loch, Glasrohr, Schlauchstück, Gaseinleitungsrohr, 2 Messzylinder (100 ml), Glaswanne, Magnetrührer, Waage, Wägeglas, Spatel, Zeitmessgerät, Wasserstoffperoxidlösung ($w \approx 3\,\%$), Mangan(IV)-oxid

Durchführung: Bauen Sie die Apparatur nach ▷ B1 zusammen. Geben Sie in den Erlenmeyerkolben 10 ml Wasserstoffperoxidlösung und 40 ml Wasser und starten Sie den Rührer. Fügen Sie 100 mg Mangan(IV)-oxid zu, verschließen Sie den Kolben und starten Sie die Zeitmessung. Messen Sie die Zeit, bis sich 80 ml Sauerstoff gebildet haben. Wiederholen Sie den Versuch mit 200 mg Mangan(IV)-oxid.

Auswertung: Vergleichen und interpretieren Sie die Messwerte.

Versuch 5 Enzymatischer Abbau von Harnstoff

Grundlagen: Fügt man einer Harnstofflösung das Enzym Urease zu, so erhält man eine Lösung, die im Gegensatz zur Ausgangslösung den elektrischen Strom leitet. Aus Harnstoff- und Wassermolekülen entsteht ein Gemisch aus Ammoniak- und Kohlenstoffdioxidmolekülen sowie Hydroxid-, Hydrogencarbonat- und Ammoniumionen. Der Ablauf der Reaktion kann durch die Veränderung der elektrischen Leitfähigkeit verfolgt werden.

Geräte und Chemikalien: Becherglas (100 ml, hohe Form), Becherglas (400 ml, breite Form, als Wasserbad) bzw. kleines Dewargefäß mit ebenem Boden, 2 Messzylinder, Thermometer, Magnetrührer, Leitfähigkeitsprüfer, Zeitmesser, Spannungsquelle, Stromstärkemessgerät bzw. Messwerterfassungssystem mit Computer, frisch hergestellte Harnstofflösung ($w = 1\,\%$), Ureaselösung ($w = 0{,}1\,\%$)

Durchführung: Versuchsaufbau entsprechend ▷ B2. Geben Sie 50 ml Harnstofflösung und 20 ml Ureaselösung in das Reaktionsgefäß und verfolgen Sie unter Rühren zehn Minuten lang den zeitlichen Verlauf der Stromstärke bzw. der elektrischen Leitfähigkeit. Wiederholen Sie den Versuch bei Temperaturen von ca. 40 °C, 50 °C, 60 °C und 80 °C.

Auswertung: Erstellen Sie ein Diagramm, aus dem der zeitliche Verlauf der Stromstärke bzw. Leitfähigkeit bei verschiedenen Temperaturen hervorgeht. Erläutern Sie die Unterschiede zwischen den Kurven und geben Sie dafür eine Erklärung.

Aufgabe: Bei einer Reaktion nullter Ordnung ist die Reaktionsgeschwindigkeit konstant. Überprüfen Sie die erhaltenen Kurven unter diesem Gesichtspunkt und geben Sie eine Erklärung.

B2 Enzymatischer Abbau von Harnstoff. Messung der Stromstärke

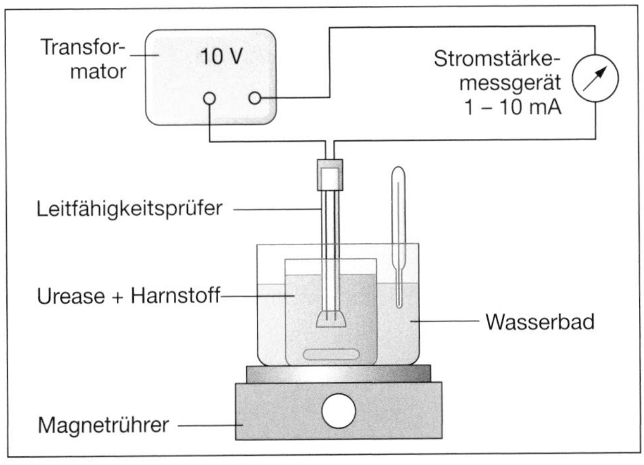

B3 Enzymatischer Abbau von Harnstoff. Messwerterfassung mit dem Computer

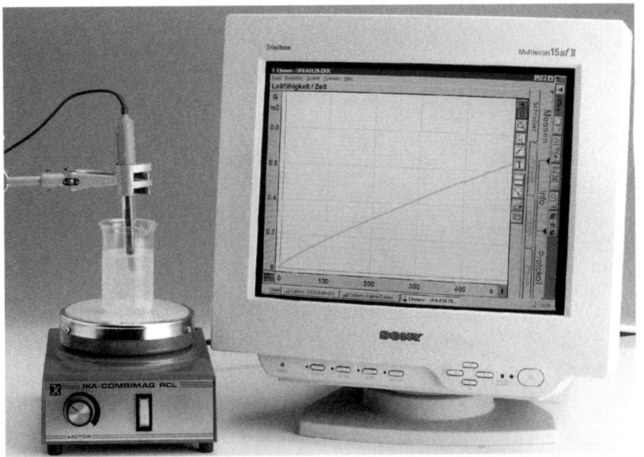

3.8 Überprüfung und Vertiefung

1 Ein Stück Zink reagiert bei einer bestimmten Temperatur mit Salzsäure. Es wird
a) ein Zinkstück zerkleinert,
b) die Temperatur erhöht,
c) die Konzentration der Säure erhöht,
d) das Volumen der Säure vergrößert,
e) das Reaktionsgefäß geschüttelt.
Erläutern Sie die jeweilige Wirkung auf die Geschwindigkeit der Reaktion.

2 Ammoniak wird an einem glühenden Nickeldraht in Stickstoff und Wasserstoff gespalten. Für die Reaktionsgeschwindigkeit ergibt sich:

$$\frac{dc(NH_3)}{dt} = k \cdot c^0(NH_3)$$

Dieses Geschwindigkeitsgesetz entspricht einer Reaktion nullter Ordnung.
a) Wie ist es zu erklären, dass die Reaktionsgeschwindigkeit unabhängig von der Ammoniakkonzentration ist?
b) Von welchen Größen hängt die Geschwindigkeitskonstante ab?
c) Woran erkennt man eine Reaktion nullter Ordnung in einem Reaktionsgeschwindigkeits-Zeit-Diagramm?

3 Der Einfluss der Temperatur auf die Reaktionsgeschwindigkeit erfolgt über die Temperaturabhängigkeit der Geschwindigkeitskonstanten k.
Basierend auf Untersuchungen von S. ARRHENIUS konnte diese Abhängigkeit durch die Gleichung

$$k = A \cdot e^{-\frac{E_A}{R \cdot T}}$$

beschrieben werden. A enthält die Häufigkeit von Molekülzusammenstößen. Wenn A und E_A (Aktivierungsenergie) als unabhängig von der Temperatur angesehen werden können, zeigt die Abhängigkeit von $k(T)$ den in ▷ B1 dargestellten Verlauf.
R hat den Wert $8{,}31\ J \cdot K^{-1} \cdot mol^{-1}$. Rechnen Sie für $E_A = 50\ kJ \cdot mol^{-1}$ und $T = 300\ K$ aus, um welchen Faktor die Geschwindigkeitskonstante wächst, wenn die Temperatur um $\Delta T = 10\ K$ erhöht wird.
Welcher Faktor ergibt sich bei $E_A = 100\ kJ \cdot mol^{-1}$?

4 Die in Aufgabe 3 genannte Gleichung ermöglicht eine experimentelle Bestimmung der Aktivierungsenergie E_A, wenn zusammengehörige Daten zu k und T verfügbar sind.
Gemäß

$$\ln k = \ln A - \frac{E_A}{R \cdot T}$$

sollte das Auftragen von $\ln k$ gegen $1/T$ eine Gerade ergeben, aus deren Steigung E_A bestimmt werden kann (▷ B2).
Für die Temperaturen $\vartheta_1 = 0\,°C$ und $\vartheta_1 = 25\,°C$ wurde das Verhältnis der Geschwindigkeitskonstanten zu $k_2 = 10 k_1$ ermittelt. Wie groß ist die Aktivierungsenergie?
Hinweis:

$$\ln \frac{k_2}{k_1} = \ln k_2 - \ln k_1 = -\frac{E_A}{R}\left(\frac{1}{T_2} - \frac{1}{T_1}\right)$$

5 SIR HUMPHREY DAVY (1778–1829) entwickelte eine Sicherheitslampe für Bergleute, bei der der Raum um die Flamme einer Öllampe von einem feinmaschigen Drahtnetz umgeben war, das verhinderte, dass explosive Methan-Luft-Gemische gezündet wurden. Damit die Lampe nach versehentlichem Verlöschen der Flamme noch weiterhin etwas Licht spendete, brachte DAVY über der Flamme ein Büschel aus feinen Platindrähten an. Dieses glühte dann noch längere Zeit hell weiter. Geben Sie eine Erklärung.

6 Bei einer Reaktion erster Ordnung besteht zwischen der Halbwertszeit $T_{1/2}$ und der Geschwindigkeitskonstante k ein einfacher Zusammenhang: $k \cdot T_{1/2} = \ln 2$.
a) Leiten Sie diesen aus dem Konzentrations-Zeit-Gesetz her.
b) Bei einer Zerfallsreaktion erster Ordnung habe die Konzentration der zerfallenden Komponente nach einer Stunde um ein Viertel abgenommen. Wie groß ist die Halbwertszeit; wie groß ist die Geschwindigkeitskonstante der Reaktion?

B1 Zu Aufgabe 3

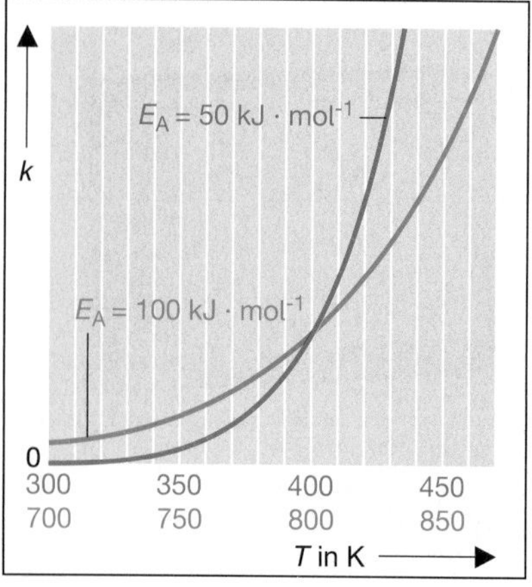

B2 Zu Aufgabe 4

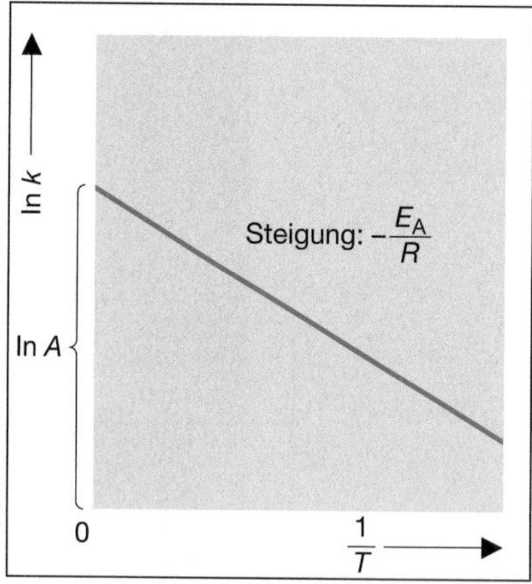

Wichtige Begriffe

Reaktionsgeschwindigkeit, Halbwertszeit, Geschwindigkeitskonstante, Reaktionsordnung, Molekularität, Elementarreaktion, Aktivierungsenergie, RGT-Regel, Katalysator, homogene und heterogene Katalyse, Autokatalyse, Biokatalysator, Enzym, Substrat- und Wirkungsspezifität, Inhibitor

Das Massenwirkungsgesetz

Setzt man die beiden Geschwindigkeiten gleich und bildet den Quotienten der beiden Geschwindigkeitskonstanten als neue Konstante K_c, so erhält man die Gleichung:

$$\frac{k_{hin}}{k_{rück}} = K_c = \frac{c^2(HI)}{c(H_2) \cdot c(I_2)}$$

Diese Gleichung sagt also aus, dass der Quotient $c^2(HI)/(c(H_2) \cdot c(I_2))$ z. B. unabhängig von den Ausgangskonzentrationen ist.

M. v. BODENSTEIN konnte für diese Reaktion 1893 durch verschiedene Messungen zeigen (▷ B4), dass bei 448 °C die Gleichgewichtskonstante $K_c = 50$ ist. Für andere Temperaturen ergeben sich andere Werte. Die Gleichgewichtskonstante K_c ist also abhängig von der Temperatur und unabhängig von den Stoffmengen bzw. Konzentrationen der beteiligten Stoffe. Gleichgültig welche Stoffmengen an Iod, Wasserstoff oder Iodwasserstoff zu Beginn gewählt werden, immer stellt sich das Gleichgewicht bei 448 °C so ein, dass der obige Quotient den Wert 50 annimmt.

Für jedes chemische Gleichgewicht ist das Produkt aus den Konzentrationen der rechts in der Reaktionsgleichung stehenden Teilchen dividiert durch das Produkt aus den Konzentrationen der links stehenden Teilchen bei *einer* Temperatur konstant.

Stehen in der Reaktionsgleichung von einer Teilchenart z. B. *zwei* Teilchen wie bei der oben beschriebenen Bildung von Iodwasserstoff, so ist das Produkt von zwei gleichen Konzentrationen, also das *Quadrat* zu nehmen.

Für eine allgemeine Reaktion: $aA + bB \rightleftharpoons cC + dD$ in einem homogenen System gilt:

$$\frac{c^c(C) \cdot c^d(D)}{c^a(A) \cdot c^b(B)} = K_c$$

Bei der Formulierung des Quotienten müssen die Konzentrationen der Teilchen mit den zugehörigen stöchiometrischen Koeffizienten der Reaktionsgleichung potenziert werden.

Die Beschreibung eines homogenen chemischen Gleichgewichts durch einen Quotienten wie den obigen bezeichnet man als **Massenwirkungsgesetz** (kurz MWG). Der Name stammt von der alten Bezeichnung für die Stoffmengenkonzentration: „aktive Masse". Das MWG wurde 1867 von den Norwegern C. M. GULDBERG und P. WAAGE formuliert und gilt auch, wenn die Reaktionsgeschwindigkeiten der Hin- und Rückreaktion nicht in so einfacher Weise von den Konzentrationen der Reaktionspartner abhängen wie beim $I_2/H_2/HI$-Gleichgewicht. Es gibt auch eine von der Reaktionsgeschwindigkeit unabhängige Herleitung des Massenwirkungsgesetzes.

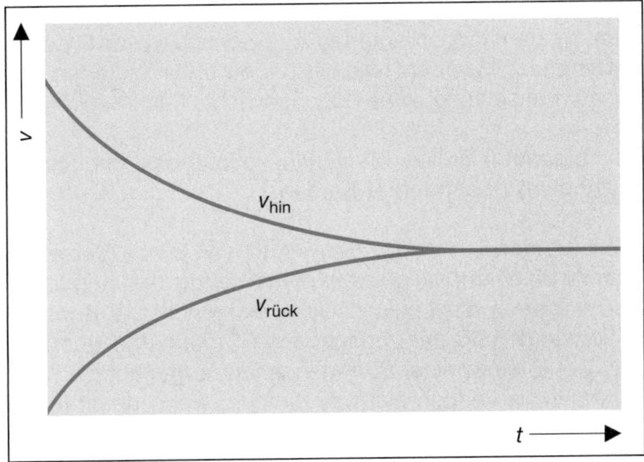

B3 Geschwindigkeiten von Hin- und Rückreaktion im Laufe der Reaktion

A 1 Warum ändern sich im Gleichgewicht die Konzentrationen der Reaktionsteilnehmer nicht, obwohl die Hin- und die Rückreaktion weiter ablaufen?

A 2 8,10 mol Wasserstoff und 2,94 mol Iod werden in einem Gefäß ($V = 2{,}5\,l$) auf 448 °C erhitzt. Nach der Einstellung des Gleichgewichts ist $n(HI) = 5{,}64$ mol. Berechnen Sie die Gleichgewichtskonstante K_c. (Kleine Hilfe: 5,64 mol Iodwasserstoff werden aus 2,82 mol Wasserstoff und 2,82 mol Iod gebildet.)

A 3 In einer Lösung betragen die Ethansäure- und die Propanolkonzentration vor der Reaktion jeweils 9 mol/l. Berechnen Sie die Konzentrationen der Säure, des Alkohols, des Esters und des Wassers im Gleichgewicht. Die Gleichgewichtskonstante soll $K_c = 4$ sein.

B4 Experimentell ermittelte Ergebnisse zur Gleichgewichtsreaktion $H_2 + I_2 \rightleftharpoons 2\,HI$

$c(H_2)$ in mol/l	$c(I_2)$ in mol/l	$c(HI)$ in mol/l	K_c bei 448 °C
$18{,}14 \cdot 10^{-3}$	$0{,}41 \cdot 10^{-3}$	$19{,}38 \cdot 10^{-3}$	50,50
$10{,}94 \cdot 10^{-3}$	$1{,}89 \cdot 10^{-3}$	$32{,}61 \cdot 10^{-3}$	51,34
$4{,}57 \cdot 10^{-3}$	$8{,}69 \cdot 10^{-3}$	$46{,}28 \cdot 10^{-3}$	53,93
$2{,}23 \cdot 10^{-3}$	$23{,}95 \cdot 10^{-3}$	$51{,}30 \cdot 10^{-3}$	49,27
$0{,}86 \cdot 10^{-3}$	$67{,}90 \cdot 10^{-3}$	$53{,}40 \cdot 10^{-3}$	48,83
$0{,}65 \cdot 10^{-3}$	$87{,}29 \cdot 10^{-3}$	$52{,}92 \cdot 10^{-3}$	49,35

Mittelwert: $K_c = 50{,}54$

Temperatur in °C	356	393	448	508
K_c	67	60	50	40

4.4 Beeinflussung des chemischen Gleichgewichts

Viele chemische Reaktionen, die in der Natur ablaufen oder in einem Industriebetrieb zur Gewinnung von Produkten eingesetzt werden, sind Gleichgewichtsreaktionen. Die Zusammensetzung eines Gleichgewichts kann beeinflusst werden.
Im Folgenden sollen die Einflüsse auf das chemische Gleichgewicht betrachtet werden.

Stoffmengenänderung. Beim Auflösen eines Salzes in Wasser bestimmt die gewählte Stoffmenge unmittelbar die Konzentration der Lösung. Dabei entspricht die Konzentrationsänderung der zugegebenen Stoffmenge des Salzes. Der Einfluss einer Stoffmengenänderung auf die Konzentration ist jedoch nicht so einfach, wenn damit in ein chemisches Gleichgewicht eingegriffen wird.

Eisen(III)-Ionen reagieren mit Thiocyanationen in einer Gleichgewichtsreaktion zu Eisen(III)-thiocyanat (▷ V1). Aus der Farbe der Lösung lassen sich Aussagen zu den Konzentrationen der Reaktionspartner der Gleichgewichtsreaktion folgern.

$$\underset{\text{gelb}}{Fe^{3+}(aq)} + \underset{\text{farblos}}{3\,SCN^-(aq)} \rightleftharpoons \underset{\text{blutrot}}{Fe(SCN)_3(aq)}$$

Gibt man zu der im Gleichgewicht befindlichen Reaktion farbloses Kaliumthiocyanat, so vertieft sich die Farbe der Lösung. Die Eisen(III)-thiocyanat-Konzentration ist also gestiegen. Die Zugabe von Thiocyanationen bewirkt – ebenso wie die von Eisen(III)-Ionen – eine Erhöhung der Konzentration des Reaktionsproduktes. Dies lässt sich mit dem Massenwirkungsgesetz leicht erklären.

$$\frac{c(Fe(SCN)_3)}{c(Fe^{3+}) \cdot c^3(SCN^-)} = K_c$$

Wird die Konzentration der Thiocyanationen, eines Reaktionspartners im Nenner des MWG, durch Zugabe von Thiocyanat erhöht, so stellt sich das Gleichgewicht nach dieser Einwirkung dadurch wieder ein, dass ein Teil der zugeführten Thiocyanationen mit Eisen(III)-Ionen zu Eisen(III)-thiocyanat reagiert. Die Konzentration des Stoffes im Zähler des MWG steigt also auch.

Die Neueinstellung des Gleichgewichts durch Erhöhung oder Erniedrigung der Konzentration(en) eines oder auch mehrerer Reaktionsprodukte im Gleichgewicht nach einer Einwirkung (von außen) bezeichnet man auch als *Verschiebung des Gleichgewichts*. Im obigen Beispiel ist eine Gleichgewichtsverschiebung nach rechts erfolgt.

Die Zugabe des Kaliumthiocyanats hat zwar zu einer Erhöhung der Konzentration der Thiocyanationen geführt, durch die Gleichgewichtsverschiebung fällt diese Konzentrationserhöhung aber kleiner als ohne Gleichgewichtsverschiebung aus.

Die Gleichgewichtsverschiebung vermindert also die Auswirkung der Stoffzugabe auf die Erhöhung der entsprechenden Konzentration (▷ B1).

Soll eine Gleichgewichtsreaktion vollständig zugunsten eines Produkts ablaufen, muss dieses bzw. ein Produktpartner aus dem Reaktionsgemisch entfernt werden. Dadurch wird die Rückreaktion unterbunden. So verläuft z. B. folgende Reaktion im geschlossenen Gefäß unvollständig:

$$H_2SO_4 + NaCl \rightleftharpoons HCl + NaHSO_4$$

Doch kann man den vollständigen Ablauf herbeiführen, indem man den leicht flüchtigen Chlorwasserstoff durch Öffnen des Gefäßes entweichen lässt (▷ V2).

B1 Beeinflussung eines chemischen Gleichgewichts durch Stoffmengenänderung

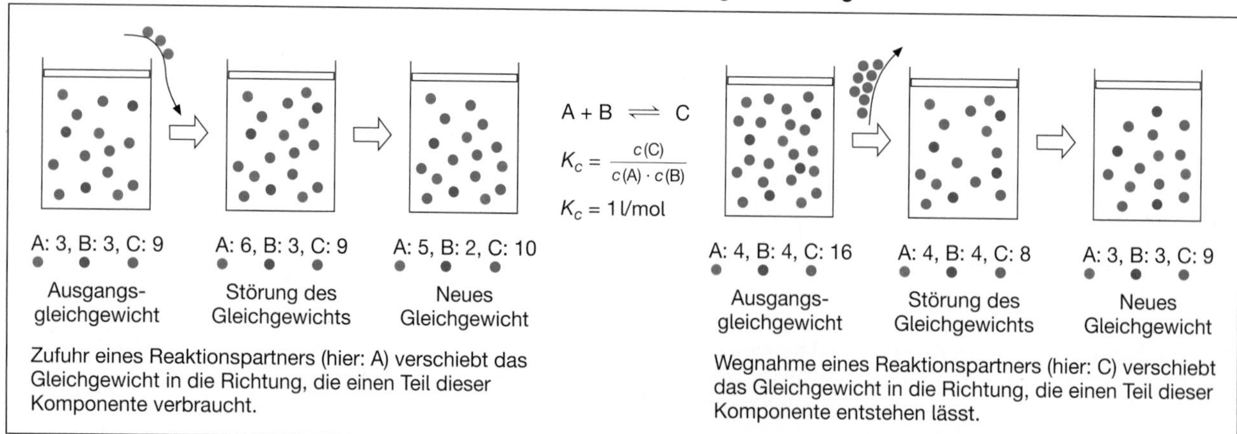

Zufuhr eines Reaktionspartners (hier: A) verschiebt das Gleichgewicht in die Richtung, die einen Teil dieser Komponente verbraucht.

Wegnahme eines Reaktionspartners (hier: C) verschiebt das Gleichgewicht in die Richtung, die einen Teil dieser Komponente entstehen lässt.

Die Zufuhr eines Reaktionspartners verschiebt ein Gleichgewicht in die Richtung, die einen Teil dieser Komponente verbraucht. Die Wegnahme eines Reaktionspartners verschiebt ein Gleichgewicht in die Richtung, die einen Teil dieser Komponente entstehen lässt.

Zufuhr bzw. Entzug von Wärme. Das braune Gas Stickstoffdioxid steht bei 27 °C mit dem farblosen Gas Distickstofftetraoxid in einem Gleichgewicht. Bei dieser Temperatur besteht das zugehörige Gemisch zu $\varphi = 20\,\%$ aus Stickstoffdioxid und zu $\varphi = 80\,\%$ aus Distickstofftetraoxid. Die Bildung des farblosen Distickstofftetraoxids ist exotherm, seine Spaltung endotherm.

$$\underset{\text{braun}}{2\,NO_2\,(g)} \underset{\text{endotherm}}{\overset{\text{exotherm}}{\rightleftharpoons}} \underset{\text{farblos}}{N_2O_4\,(g)}$$

Führt man dem im Gleichgewicht befindlichen Gemisch Wärme zu, so erhöht sich die Intensität der braunen Farbe, d.h., der Anteil des Stickstoffdioxids im Gemisch nimmt zu (▷ B3). Ein Teil der zugeführten Wärme bewirkt also keine Temperaturerhöhung des Gasgemisches, sondern begünstigt die wärmeverbrauchende (endotherme) Teilreaktion. Der Anteil des Stoffes mit dem höheren Energieinhalt nimmt dadurch im Gleichgewicht zu. Bei 100 °C beträgt der Volumenanteil des Distickstofftetraoxids nur noch 11 %. Die Zunahme des Anteils des Stoffes mit der höheren Energie bewirkt, dass die Temperatur sich nicht so stark erhöht, wie dies bei gleicher Wärmezufuhr ohne Gleichgewichtsverschiebung erfolgen würde.
Die Gleichgewichtsverschiebung vermindert also die Auswirkung der Wärmezufuhr auf die Erhöhung der Temperatur.

Kühlt man das im Gleichgewicht befindliche Gemisch der beiden Gase ab, so wird dieses heller, d.h., der Anteil des energieärmeren Distickstofftetraoxids im Gemisch nimmt zu. Die Abkühlung, der Wärmeentzug, begünstigt also die wärmeliefernde (exotherme) Teilreaktion. Die dabei frei werdende Wärme bewirkt, dass sich die Temperatur des Gasgemisches nicht so stark erniedrigt, wie dies bei gleichem Wärmeentzug ohne Gleichgewichtsverschiebung eintreten würde.

Der an diesem Beispiel beschriebene Sachverhalt der Gleichgewichtsverschiebung durch Wärmezufuhr bzw. Wärmeentzug tritt bei allen Gleichgewichtsreaktionen auf.

Wärmeentzug begünstigt die exotherme Reaktion, Wärmezufuhr die endotherme Reaktion, sodass die Temperaturänderung des Systems geringer ausfällt als ohne Gleichgewichtsverschiebung.

V 1 Verschiebung des Gleichgewichts bei einer Eisen(III)-thiocyanat-Lösung. Mischen Sie 2 ml verd. Eisen(III)-chlorid-Lösung mit 2 ml verd. Kaliumthiocyanat-Lösung. Verdünnen Sie die blutrote Lösung so weit, dass sie nur noch rosa erscheint. Verteilen Sie diese Lösung auf zwei Reagenzgläser und geben Sie in das eine festes Eisen(III)-chlorid, in das andere festes Kaliumthiocyanat.

V 2 Verschiebung eines Gleichgewichts durch Entfernung eines Stoffes. In ein dickwandiges Reagenzglas werden 2 bis 3 ml konz. Schwefelsäure gefüllt. Nach dem Einbringen eines etwa erbsengroßen Brockens Kochsalz wird das Glas mit einem Stopfen gut verschlossen und der Stopfen mit dem Daumen so festgehalten, dass in dem Glas ein leichter Überdruck entstehen kann. Man beobachtet die Gasentwicklung und lockert nach etwa 2 min vorsichtig den Stopfen. (Schutzbrille! Abzug!)

V 3 Abhängigkeit des Gleichgewichts der Reaktion $2\,NO_2 \rightleftharpoons N_2O_4$ von Wärmeentzug und Wärmezufuhr.
Drei Waschflaschen werden wie in ▷ B2 mit einem Stickstoffdioxid-Distickstofftetraoxid-Gemisch gefüllt. Anschließend wird die eine Waschflasche mit Eiswasser gekühlt und die andere mit heißem Wasser erwärmt.

A 1 Zwischen Chromat- und Dichromationen besteht in wässriger Lösung folgendes Gleichgewicht:

$$2\,CrO_4^{2-} + 2\,H_3O^+ \rightleftharpoons Cr_2O_7^{2-} + 3\,H_2O$$

Begründen Sie, wie sich die Konzentrationen der Chromat- und Dichromationen im Gleichgewicht bei Zugabe von Natronlauge verändern.

B2 Abhängigkeit des Gleichgewichts $2\,NO_2 \rightleftharpoons N_2O_4$ von Wärmezufuhr und Wärmeentzug

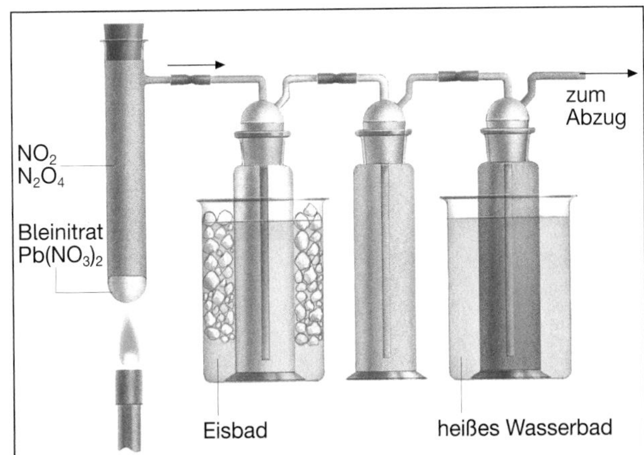

Temperatur	27 °C	100 °C
$\varphi(NO_2)$	20 % bzw. 0,2	89 % bzw. 0,89
$\varphi(N_2O_4)$	80 % bzw. 0,8	11 % bzw. 0,11
V_m (bei 1013 hPa)	24,6 l/mol	30,6 l/mol
$c(NO_2)$ in mol/l	0,2 : 24,6 $= 8{,}1 \cdot 10^{-3}$	0,89 : 30,6 $= 2{,}9 \cdot 10^{-2}$
$c(N_2O_4)$ in mol/l	0,8 : 24,6 $= 3{,}2 \cdot 10^{-2}$	0,11 : 30,6 $= 3{,}6 \cdot 10^{-3}$
$K_c = \frac{c(N_2O_4)}{c^2(NO_2)}$	$\frac{3{,}2 \cdot 10^{-2}\,\text{mol/l}}{(8{,}1 \cdot 10^{-3}\,\text{mol/l})^2}$ = 490 l/mol	$\frac{3{,}6 \cdot 10^{-3}\,\text{mol/l}}{(2{,}9 \cdot 10^{-2}\,\text{mol/l})^2}$ = 43 l/mol

B3 Die Temperaturabhängigkeit einer Gleichgewichtskonstante

B4 Gasblasen und Kohlenstoffdioxidgleichgewicht

Wird eine Coladose oder Limonadenflasche geöffnet, bildet sich über der Öffnung ein feiner, weißer Nebel, gleichzeitig bilden sich Gasblasen. Woher rühren diese Phänomene?

Das Getränk wird bei einem Druck von 2000 bis 3000 hPa verschlossen, in der Dose oder Flasche stellt sich ein Gleichgewicht zwischen dem gelösten und dem gasförmigen Kohlenstoffdioxid ein:

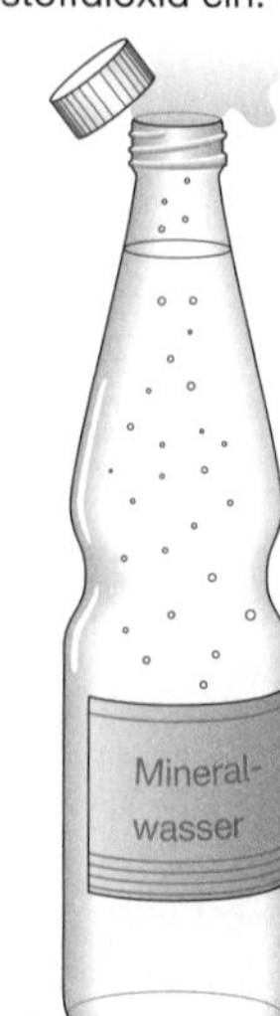

$$CO_2(g) \rightleftharpoons CO_2(aq)$$

Wird der Verschluss geöffnet, fällt der Druck schlagartig auf den Atmosphärendruck ab, etwa 1013 hPa, und das Gas dehnt sich aus, da ihm jetzt ein größerer Raum zur Verfügung steht. Die Temperatur des Kohlenstoffdioxids und der Umgebung sinkt dadurch sehr stark, Wasserdampf kondensiert und bildet den feinen Nebel. Das Entweichen des Kohlenstoffdioxids aus der Flasche führt dazu, dass sich das Gleichgewicht zugunsten des ungelösten Kohlenstoffdioxids verschiebt. In der Lösung bilden viele Kohlenstoffdioxidmoleküle Mikrobläschen, diese vereinigen sich zu größeren Blasen, die nach oben steigen. Wird die Flasche oder Dose geschlossen, stellt sich erneut das Gleichgewicht zwischen gelöstem und gasförmigem Kohlenstoffdioxid ein.

Temperatur und Gleichgewichtskonstante. Für die Gleichgewichtsreaktion:

$$2\,NO_2 \rightleftharpoons N_2O_4 \quad | \text{ exotherm}$$

lässt sich das MWG formulieren: $K_c = \frac{c(N_2O_4)}{c^2(NO_2)}$

Bei Wärmezufuhr steigen die Temperatur des Gasgemisches und der Anteil und damit die Konzentration des Stickstoffdioxids im Gasgemisch. Der Anteil und damit die Konzentration des Distickstofftetraoxids sinkt. Wird der Nenner des Massenwirkungsgesetzes größer, der Zähler aber kleiner, muss K_c kleiner werden.

Bei Wärmeentzug sinkt dementsprechend die Temperatur des Gasgemisches, die Gleichgewichtskonstante aber wird größer.

Es hängt von der Formulierung der Gleichgewichtsreaktion ab, ob die Konzentration eines Stoffes im Nenner oder Zähler des Massenwirkungsgesetzes steht. Damit hängt auch die Richtung der Änderung von K_c bei einer Temperaturänderung ab. Im obigen Beispiel ist die Gleichgewichtsreaktion so formuliert worden, dass sie von links nach rechts exotherm verläuft. Dieses ist häufig der Fall, aber nicht immer üblich. Zur eindeutigen Zuordnung von K_c gehört immer die Gleichgewichtsreaktion bzw. der Massenwirkungsquotient.

Gleichgewicht und Katalysator. Eine Temperaturänderung bewirkt eine Änderung der Gleichgewichtszusammensetzung. Ein Katalysator führt wie eine Temperaturerhöhung zu einer schnelleren Einstellung des Gleichgewichts, aber er beeinflusst *nicht* die Gleichgewichtszusammensetzung, weil durch einen Katalysator die Gleichgewichtskonstante grundsätzlich nicht verändert werden kann.

Volumenänderung. Verkleinert man den mit Kohlenstoffdioxid gefüllten Gasraum über einer mit diesem Gas gesättigten Lösung rasch, so erhöht sich im ersten Augenblick der Druck entsprechend der Volumenverkleinerung. Doch bleibt dieser Druck nicht erhalten, sondern verringert sich in kurzer Zeit, da ein Teil des Gases in Wasser gelöst wird und davon ein Teil mit Wasser zu Oxonium- und Hydrogencarbonationen weiterreagiert:

$$CO_2(g) \rightleftharpoons CO_2(aq)$$
$$CO_2(aq) + 2\,H_2O(l) \rightleftharpoons H_3O^+(aq) + HCO_3^-(aq)$$

Die anfängliche Druckerhöhung wird durch eine Verschiebung des bestehenden Gleichgewichts abgeschwächt.

Entsprechendes ist bei dem System $2\,NO_2 \rightleftharpoons N_2O_4$ zu beobachten. Verringert man schnell das Volumen, so vertieft sich zunächst die braune Farbe infolge der Konzentrationserhöhung, hellt sich aber dann wieder etwas auf.

Das heißt, dass das Gleichgewicht sich zugunsten der Bildung von Distickstofftetraoxid verschiebt. Damit verringert das System die durch die Volumenveränderung erzeugte Druckerhöhung, indem es das Gleichgewicht zugunsten der Seite verschiebt, die die geringere Teilchenzahl aufweist und somit das kleinere Volumen benötigt. Bei einer Volumenvergrößerung verschiebt sich das Gleichgewicht zugunsten der Seite mit der größeren Teilchenzahl.

Eine von außen bewirkte Volumenänderung beeinflusst chemische Gleichgewichte ohne Beteiligung von Gasen kaum. Auch Gleichgewichtsreaktionen, bei denen gasförmige Stoffe auftreten, werden nur dann beeinflusst, wenn sich die Teilchenzahl in der Gasphase durch Gleichgewichtsverschiebungen ändert. So ist z. B. eine Erhöhung der Ausbeute an Iodwasserstoff nicht durch eine Volumenänderung des Systems $\mathbf{1}\,H_2 + \mathbf{1}\,I_2 \rightleftharpoons \mathbf{2}\,HI$ zu erzielen, da die Gesamtstoffmenge der Gase bei dieser Reaktion nicht verändert wird.
Wird durch die Reaktion die Gesamtstoffmenge wie z. B. bei $\mathbf{2}\,NO_2 \rightleftharpoons \mathbf{1}\,N_2O_4$ verändert, so bewirkt eine Volumenänderung eine Druckänderung, die weniger stark ausfällt, als allein aus dem Gasgesetz $p \cdot V = n \cdot R \cdot T$ bei konstanter Gesamtstoffmenge n zu erwarten wäre.

Eine von außen bewirkte Volumenänderung beeinflusst chemische Gleichgewichte, bei denen gasförmige Stoffe auftreten, immer dann, wenn sich die Teilchenzahl in der Gasphase durch Gleichgewichtsverschiebung ändert.

Bei einem chemischen Gleichgewicht bewirkt eine Volumenänderung immer eine Konzentrationsänderung, die Gleichgewichtskonstante ändert sich aber nicht.

Das Prinzip von Le Chatelier und Braun. In den Jahren 1887 und 1888 formulierten der deutsche Physiker F. Braun und der französische Chemiker H. Le Chatelier ein Prinzip, das die Gesetzmäßigkeiten bei der Verschiebung eines Gleichgewichtes zusammenfasste:

Übt man auf ein im Gleichgewicht befindliches chemisches System Zwang aus durch Zufuhr bzw. Entzug von Wärme, durch Änderung des Volumens oder der Stoffmengen, so verschiebt sich das Gleichgewicht in die Richtung, in der die Folgen des Zwanges (Temperatur-, Druck- und Konzentrationsänderung) verringert werden.

Mit diesem „Prinzip vom kleinsten Zwang“ lässt sich also die Richtung der Gleichgewichtsverschiebungen bei einer Beeinflussung des Gleichgewichts angeben. Mit dem Massenwirkungsgesetz lassen sich Gleichgewichte und Gleichgewichtsverschiebungen quantitativ beschreiben.

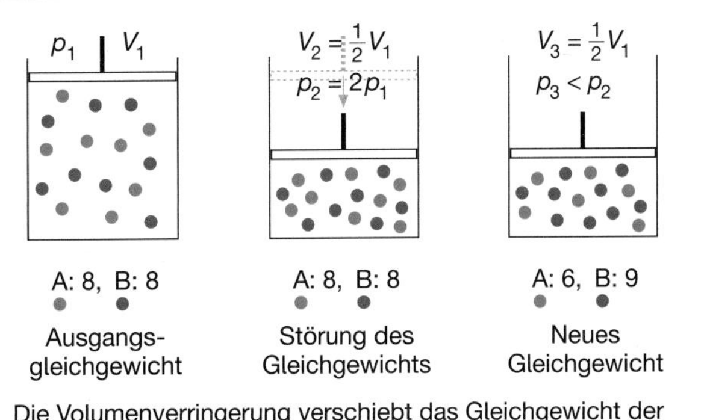

B5 Beeinflussung eines chemischen Gleichgewichts durch Volumenänderung

V 4 Verschiebung der Gleichgewichtslage des Systems $CO_2 + 2\,H_2O \rightleftharpoons HCO_3^- + H_3O^+$.
Lassen Sie in einen Kolbenprober mit Hahn 80 ml Kohlenstoffdioxid strömen. Saugen Sie anschließend noch 20 ml Wasser ein, das mit Universalindikator versetzt worden ist, und schließen Sie den Hahn. Schütteln Sie gut durch. Pressen Sie das Gasvolumen kräftig zusammen und halten Sie den Stempel einige Minuten fest. Lassen Sie den Stempel wieder los und ziehen Sie ihn noch ein wenig heraus. Halten Sie den Stempel wieder einige Minuten fest.

V 5 Abhängigkeit des Gleichgewichts $2\,NO_2 \rightleftharpoons N_2O_4$ vom Volumen des Gasraumes. Ein sehr dicht schließender Kolbenprober mit Hahn wird mit einem Stickstoffdioxid-Distickstofftetraoxid-Gemisch gefüllt. Man verringert rasch das Gasvolumen des Kolbens durch kräftiges Hineindrücken des Stempels und wartet zwei bis drei Minuten. Anschließend zieht man den Stempel schnell heraus und wartet wieder zwei bis drei Minuten.

A 2 Entscheiden Sie bei folgenden im Gleichgewicht befindlichen Reaktionen, in welche Richtung das System bei Volumenverringerung ausweicht:
a) $2\,NO(g) + O_2(g) \rightleftharpoons 2\,NO_2(g)$
b) $C(s) + CO_2(g) \rightleftharpoons 2\,CO(g)$
c) $CO(g) + NO_2(g) \rightleftharpoons CO_2(g) + NO(g)$
d) $CaCO_3(s) \rightleftharpoons CaO(s) + CO_2(g)$

A 3 Formulieren Sie für die folgende Gleichgewichtsreaktion das Massenwirkungsgesetz:
$3\,H_2 + N_2 \rightleftharpoons 2\,NH_3$ | exotherm
Wie ändert sich K_c bei einer Temperaturerhöhung bzw. einer Temperaturerniedrigung?

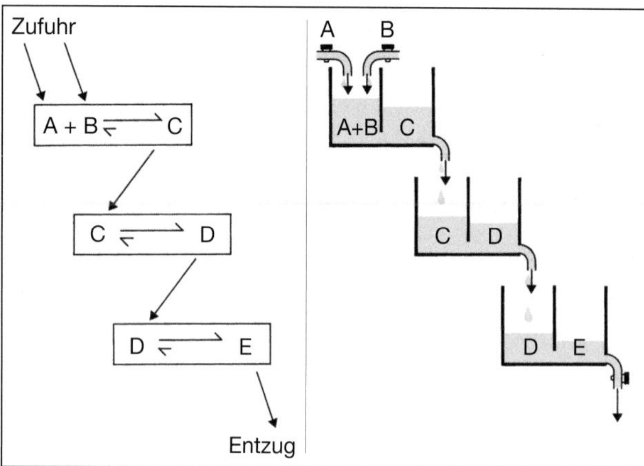

B6 Fließgleichgewicht im Modell

A 4 Warum stellen sich bei einem Fließgleichgewicht relativ konstante Konzentrationen ein, obwohl die daran beteiligten Reaktionen sich nicht im chemischen Gleichgewicht befinden?

A 5 Wie lange dauert es ungefähr, bis ein Stalaktit eine Länge von 5 m erreicht?

Das Fließgleichgewicht. Die meisten chemischen Reaktionen in lebenden Systemen sind Gleichgewichtsreaktionen. Meist sind mehrere chemische Reaktionen miteinander in der Weise gekoppelt, dass die Produkte einer Gleichgewichtsreaktion als Ausgangsstoffe in die nächste Gleichgewichtsreaktion eingehen.

Die Gleichgewichtszustände der Einzelreaktionen werden nie erreicht. Die Reaktionen laufen insgesamt nur in einer Richtung ab. Dennoch ergeben sich für alle Reaktionspartner relativ konstante Konzentrationen, da die Bildung und der Verbrauch der Reaktionspartner etwa gleich schnell verlaufen. Da die Höhe der Konzentrationen der Reaktionspartner von der Höhe des „Zuflusses" bzw. des „Abflusses" der Stoffe und nicht von der Gleichgewichtszusammensetzung, die durch das MWG beschrieben wird, abhängen, spricht man von einem **Fließgleichgewicht**. Bei einem Fließgleichgewicht liegt ein offenes System vor. Auch in Gefäßen, denen Wasser von oben zufließt und die durch eine Öffnung ständig Wasser abgeben, stellen sich nach einiger Zeit bestimmte Wasserhöhen ein; diese gehen bei Veränderungen des Zu- oder Abflusses in andere *stationäre* Zustände über. Die Konzentration z. B. der Glucose im Blut ist relativ konstant, weil die Aufnahme ebenso schnell erfolgt wie die Abgabe. Die gleichbleibende Konzentration ist das Ergebnis eines Fließgleichgewichts.

B7 Stalaktiten und Stalagmiten – Kohlenstoffdioxid im natürlichen Kreislauf

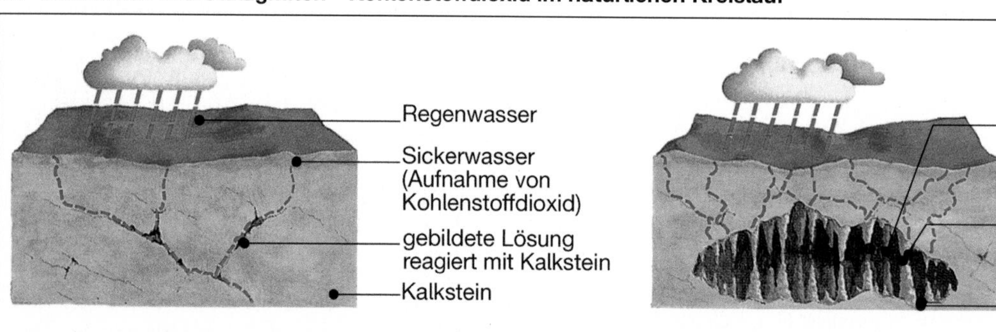

$$CaCO_3(s) + CO_2(aq) + H_2O(l) \rightleftharpoons Ca^{2+}(aq) + 2\,HCO_3^-(aq)$$

In Landschaften, die aus mächtigen Schichten aus Calciumcarbonat (Kalkstein) bestehen, finden sich häufig Spalten und Höhlen mit Stalaktiten und Stalagmiten. Stalaktiten sind Eiszapfen ähnelnde Gebilde, die von der Höhlendecke herabhängen, während die Säulen ähnelnden Stalagmiten vom Höhlenboden emporwachsen.

Regenwasser nimmt beim Durchgang durch die Luft Kohlenstoffdioxid auf und erhält dadurch einen pH-Wert von etwa 5,7. Das Bodenwasser ist darüber hinaus durch Huminsäuren und durch Kohlenstoffdioxid aus dem Abbau organischen Materials sauer. Kommt dieses saure Wasser mit dem Kalkgestein in Berührung, reagiert das schwer lösliche Calciumcarbonat zu hydratisierten Calcium- und Hydrogencarbonationen. Hierbei reagiert das Kohlenstoffdioxid jedoch nicht vollständig, es stellt sich ein Gleichgewicht ein.

Es entstehen tiefe Furchen und Spalten, die über längere Zeiträume zur Bildung von Höhlen führen. Erreicht ein Tropfen Sickerwasser die Decke der Höhle, so tritt Kohlenstoffdioxid aus der Lösung heraus in die Atmosphäre der Höhle, da diese Atmosphäre nicht gesättigt an Kohlenstoffdioxid ist. Durch das Entweichen des Kohlenstoffdioxids aus der Lösung verschiebt sich das Gleichgewicht nach links; damit verbunden ist die Ablagerung von Calciumcarbonat. Fällt ein Tropfen auf den Höhlenboden, läuft diese Gleichgewichtsverschiebung am Boden ab, es bilden sich Stalagmiten. Stalaktiten und Stalagmiten wachsen im Jahr um etwa 0,2 mm.

Spuren von Metallionen, meistens Eisen(III)-Ionen, die sich im Sickerwasser befinden, bilden ebenfalls schwer lösliche Carbonate und verleihen den Stalaktiten und Stalagmiten Farbigkeit.

4.5 Praktikum: Löslichkeit und Löslichkeitsgleichgewicht

Versuch 1 Löslichkeit und Stoffmengenänderung

Geräte und Materialien: 5 Reagenzgläser, Reagenzglasständer, Trichter, Filterpapier, Becherglas (100 ml), 5 Tropfpipetten

Chemikalien: gesättigte Lösungen der folgenden Salze: Kaliumnitrat, Kaliumchlorid, Natriumnitrat, Natriumchlorid. Suspension von Kupfer(II)-carbonat; verd. Salzsäure, verd. Ammoniaklösung (w = 10 %)

Durchführung:
a) Filtrieren Sie die Kaliumnitratlösung und verteilen Sie das Filtrat so auf drei Reagenzgläser, dass diese zu etwa einem Drittel gefüllt sind. Geben Sie zu der Lösung im 1. Reagenzglas tropfenweise gesättigte Kaliumchloridlösung, zu der im 2. Reagenzglas gesättigte Natriumnitratlösung und zu der Lösung im 3. Reagenzglas gesättigte Natriumchloridlösung (je ca. 10 Tropfen).
b) Füllen Sie zwei Reagenzgläser zu etwa einem Drittel mit der Kupfer(II)-carbonat-Suspension. Tropfen Sie zum Inhalt im 1. Reagenzglas Ammoniaklösung und zur Suspension im 2. Reagenzglas Salzsäure.

Aufgabe:
Beschreiben und deuten Sie Ihre Beobachtungen.

Versuch 2 Löslichkeit und Wärmezufuhr bzw. Wärmeentzug

Geräte/Materialien: 3 Reagenzgläser, Reagenzglasständer, Trichter, Filterpapier, Thermometer, Becherglas mit heißem Wasser (ca. 80 °C), Becherglas mit Eiswasser, Spatel

Chemikalien: Kaliumnitrat, Calciumacetat

Durchführung:
a) Geben Sie in zwei Reagenzgläser je 10 ml dest. Wasser, messen Sie dessen Temperatur.
b) Lösen Sie im ersten Reagenzglas Kaliumnitrat in kleinen Portionen unter Schütteln bis zum Vorliegen eines Bodenkörpers. Verfolgen Sie die Temperatur während des Lösens. Stellen Sie das Reagenzglas mit der gesättigten Lösung in heißes Wasser und anschließend in den Reagenzglasständer.
c) Lösen Sie im zweiten Reagenzglas Calciumacetat in kleinen Portionen unter Schütteln bis zum Vorliegen eines Bodenkörpers. Verfolgen Sie die Temperatur während des Lösens. Filtrieren Sie die Lösung vom Bodenkörper ab. Stellen Sie das Reagenzglas mit der gesättigten Lösung in heißes Wasser und anschließend in Eiswasser.

Aufgabe:
Beschreiben und deuten Sie Ihre Beobachtungen.

Versuch 3 Bestimmung des Löslichkeitsproduktes von Bariumhydroxid (↗ Kap 4.6)

Geräte und Materialien: 2 Bechergläser (150 ml), Glasstab, Bürette, Stativ, Bürettenklammer, Spannungsquelle, Stromstärkemessgerät, Leitfähigkeitsprüfer, 3 Experimentierkabel, Vollpipette (10 ml) mit Pipettierhilfe

Chemikalien: gesättigte Bariumhydroxidlösung, Salzsäure (c = 0,5 mol/l), Schwefelsäure (c = 0,25 mol/l)

Skizze des Versuchsaufbaus:

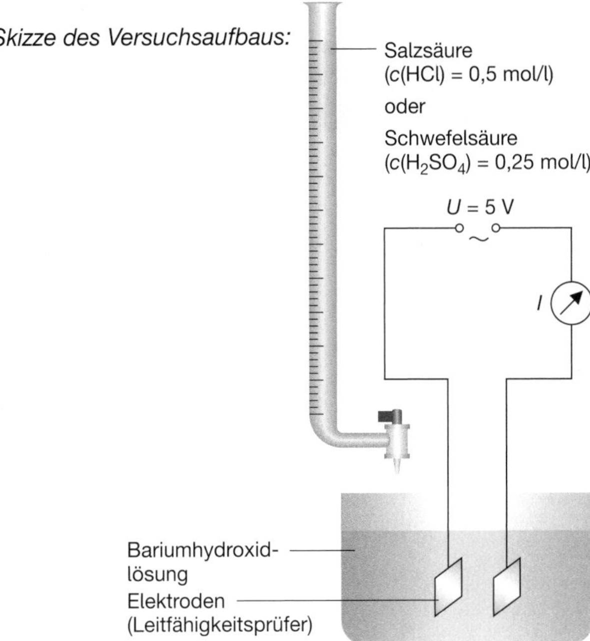

Durchführung:
a) Pipettieren Sie genau 10 ml gesättigte Bariumhydroxidlösung in ein Becherglas mit etwa 100 ml dest. Wasser. Rühren Sie um und messen Sie die Stromstärke bei etwa 5 V Wechselspannung.
b) Lassen Sie 1 ml Salzsäure aus der Bürette zufließen, rühren Sie um und messen Sie wieder die Stromstärke. Beenden Sie die Versuchsreihe nach der Zugabe von 15 ml Salzsäure. Erfassen Sie die gemessenen Stromstärken tabellarisch.
c) Wiederholen Sie die Versuchsreihe (Schritte (a) und (b)) mit Schwefelsäure anstelle von Salzsäure.

Auswertung:
a) Werten Sie die beiden Versuchsreihen grafisch aus, indem Sie die gemessenen Stromstärken in Abhängigkeit vom Volumen der zugegebenen Säuren in ein Diagramm eintragen.
b) Deuten Sie das Diagramm (und Ihre Beobachtungen).
c) Berechnen Sie das Löslichkeitsprodukt des Bariumhydroxids.

4.6 Lösungsgleichgewichte von Salzen

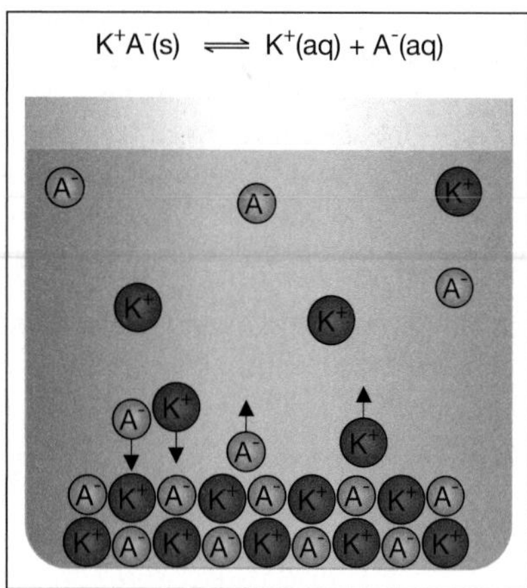

B 1 In einer gesättigten Lösung liegt ein Gleichgewicht vor

A 1 Wie groß sind die Stoffmengenkonzentrationen
a) der Silberionen in einer gesättigten Silberiodidlösung,
b) der Hydroxidionen in der gesättigten Magnesiumhydroxidlösung?

B 2 Löslichkeitsprodukte einiger Salze

Salz	K_L bei 25 °C	pK_L
AgBr	$5 \cdot 10^{-13}$ $mol^2 \cdot l^{-2}$	12,3
AgCl	$2 \cdot 10^{-10}$ $mol^2 \cdot l^{-2}$	9,7
Ag_2CO_3	$8 \cdot 10^{-12}$ $mol^3 \cdot l^{-3}$	11,1
AgI	$8 \cdot 10^{-17}$ $mol^2 \cdot l^{-2}$	16,1
Ag(OH)	$2 \cdot 10^{-8}$ $mol^2 \cdot l^{-2}$	7,7
Ag_2S	$6 \cdot 10^{-50}$ $mol^3 \cdot l^{-3}$	49,2
$BaCO_3$	$5 \cdot 10^{-9}$ $mol^2 \cdot l^{-2}$	8,3
$Ba(OH)_2$	$5 \cdot 10^{-3}$ $mol^3 \cdot l^{-3}$	2,3
$BaSO_4$	$1 \cdot 10^{-10}$ $mol^2 \cdot l^{-2}$	10,0
$CaCO_3$	$9 \cdot 10^{-9}$ $mol^2 \cdot l^{-2}$	8,0
$Ca(OH)_2$	$4 \cdot 10^{-6}$ $mol^3 \cdot l^{-3}$	5,4
$CaSO_4$	$2 \cdot 10^{-5}$ $mol^2 \cdot l^{-2}$	4,7
$CdCO_3$	$5 \cdot 10^{-12}$ $mol^2 \cdot l^{-2}$	11,3
CdS	$2 \cdot 10^{-28}$ $mol^2 \cdot l^{-2}$	27,7
CuS	$6 \cdot 10^{-36}$ $mol^2 \cdot l^{-2}$	35,2
$Fe(OH)_3$	$4 \cdot 10^{-40}$ $mol^4 \cdot l^{-4}$	39,4
FeS	$5 \cdot 10^{-18}$ $mol^2 \cdot l^{-2}$	17,3
$Mg(OH)_2$	$1 \cdot 10^{-11}$ $mol^3 \cdot l^{-3}$	11,0
NiS	$1 \cdot 10^{-24}$ $mol^2 \cdot l^{-2}$	24,0
$PbCl_2$	$2 \cdot 10^{-5}$ $mol^3 \cdot l^{-3}$	4,7
PbI_2	$1 \cdot 10^{-9}$ $mol^3 \cdot l^{-3}$	9,0
PbS	$1 \cdot 10^{-28}$ $mol^2 \cdot l^{-2}$	28,0
$PbSO_4$	$2 \cdot 10^{-8}$ $mol^2 \cdot l^{-2}$	6,7

Wird ein Salz in Wasser gegeben, so lagern sich die Dipolmoleküle des Wassers an die Ionen des Salzes an, umhüllen diese besonders an Ecken und Kanten des Kristalls und führen die Ionen im Zuge der Molekularbewegung in die flüssige Phase. Treffen dagegen hydratisierte, d.h. von Wassermolekülen umhüllte Ionen auf die Oberfläche des festen Salzes, so können Ionen wieder in das Ionengitter eingelagert werden. Zunächst gehen mehr Ionen in Lösung als Ionen in das Gitter eingebaut werden. Mit steigender Konzentration der Ionen in der Lösung steigt die Kristallisationsgeschwindigkeit an. Nach einiger Zeit stellt sich ein Gleichgewicht zwischen dem Lösungs- und dem Kristallisationsvorgang ein (▷ B 1). Die Konzentrationen der Ionen in der Lösung ändern sich nicht mehr. Man sagt, dass „die Lösung gesättigt ist". Bei einem solchen **Lösungsgleichgewicht** handelt es sich um ein *heterogenes Gleichgewicht*. Der Bodenkörper liegt als feste Phase vor, die Lösung als homogene, flüssige Phase. Im Folgenden sollen die Gesetzmäßigkeiten eines Gleichgewichtes für gesättigte Lösungen untersucht werden.

Einflüsse auf ein Lösungsgleichgewicht. Wird eine gesättigte Lösung von Kaliumnitrat, das sich endotherm in Wasser löst, erwärmt, geht ein Teil des Bodenkörpers in Lösung. Erwärmt man dagegen eine gesättigte Lösung von Lithiumchlorid, das sich exotherm in Wasser löst, so fällt Lithiumchlorid aus. Diese Beispiele lassen sich verallgemeinern.

Ist der Lösungsvorgang exotherm, so sinkt die Löslichkeit eines Salzes bei Wärmezufuhr; ist der Lösungsvorgang endotherm, so steigt die Löslichkeit bei Wärmezufuhr.

Verdünnt man eine gesättigte Kaliumnitratlösung mit Wasser, so löst sich aus dem Bodenkörper so viel Salz, bis die anfängliche Ionenkonzentration wieder erreicht ist. Verdunstet Wasser, so vermehrt sich die Menge des Bodenkörpers auf Kosten der in der Lösung befindlichen Ionen. Die Konzentration der Ionen einer gesättigten Lösung eines Salzes ist bei einer bestimmten Temperatur also gegen Volumenänderungen konstant, wenn eine Gleichgewichtsnachstellung erfolgt.

Gibt man zu einer gesättigten Kaliumnitratlösung konzentrierte Lösungen von Kaliumchlorid bzw. Natriumnitrat, so fällt Kaliumnitrat aus. Zufuhr (bzw. Wegnahme) einer Ionenart der Lösung verschiebt das Gleichgewicht in die Richtung, die einen Teil dieser Komponente verbraucht (bzw. entstehen lässt), d.h., ein Teil des Salzes fällt aus (ein Teil des Bodenkörpers löst sich auf).

Das Löslichkeitsprodukt. Auch für Lösungsgleichgewichte lässt sich das Massenwirkungsgesetz formulieren. Allerdings hat der Bodenkörper keinen Einfluss auf die Konzentrationen der gelösten Ionen. Das Massenwirkungsgesetz vereinfacht sich dementsprechend für dieses heterogene Gleichgewicht.

$$AgCl \rightleftharpoons Ag^+ + Cl^- \qquad c(Ag^+) \cdot c(Cl^-) = K_L = 10^{-9,7}\,mol^2/l^2$$
$$PbI_2 \rightleftharpoons Pb^{2+} + 2\,I^- \qquad c(Pb^{2+}) \cdot c^2(I^-) = K_L = 10^{-9,0}\,mol^3/l^3$$
$$Pb_3(PO_4)_2 \rightleftharpoons 3\,Pb^{2+} + 2\,PO_4{}^{3-} \qquad c^3(Pb^{2+}) \cdot c^2(PO_4{}^{3-}) = K_L = 10^{-54}\,mol^5/l^5$$
$$K_nA_m \rightleftharpoons n\,K^{m+} + m\,A^{n-} \qquad c^n(K^{m+}) \cdot c^m(A^{n-}) = K_L$$

Das **Löslichkeitsprodukt** (K_L) ist abhängig von der Temperatur und stellt ein Maß dar für die Löslichkeit eines Salzes bei der gegebenen Temperatur. Je kleiner das Löslichkeitsprodukt ist, desto geringer ist die Konzentration der gelösten Ionen in der gesättigten Lösung.

Bei leicht löslichen Salzen und somit hohen Sättigungskonzentrationen gilt diese einfache Beziehung nicht mehr, weil die hohen Konzentrationen zu Wechselwirkungen zwischen den Ionen führen.

Um einfachere Zahlenwerte für das Löslichkeitsprodukt zu erhalten, gibt man anstelle des K_L-Wertes häufig den **pK_L-Wert** an: $pK_L = -\lg\{K_L\}$ (▷ B2). Der pK_L-Wert ist der mit –1 multiplizierte dekadische Logarithmus des Zahlenwertes des K_L-Wertes.

Wird zu einer gesättigten Silberchloridlösung eine Kaliumiodidlösung getropft, bildet sich sofort ein Niederschlag von Silberiodid (▷ V1), da dessen Löslichkeitsprodukt wesentlich kleiner ist als das von Silberchlorid.

In einer gesättigten Salzlösung verbleiben immer nur so viele Kationen und Anionen, dass das Produkt ihrer Konzentrationen dem Löslichkeitsprodukt entspricht.

Filtriert man die gesättigte Lösung eines Salzes vom Bodenkörper ab und dampft das Filtrat ein, so lässt sich aus der Masse des ausgeschiedenen Salzes das Löslichkeitsprodukt berechnen (▷ B3). Umgekehrt kann aus dem Löslichkeitsprodukt eines Salzes seine Sättigungskonzentration (▷ B4) ermittelt werden.

V 1 Fällung schwer löslicher Silbersalze. Tropfen Sie zu einer verd. Silbernitratlösung einige Tropfen verd. Natriumchloridlösung und filtrieren Sie den Niederschlag ab. Tropfen Sie zum Filtrat verd. Kaliumiodidlösung und filtrieren Sie erneut. Prüfen Sie nun, ob mithilfe einer Natriumsulfidlösung noch Silbersulfid auszufällen ist.

A 2 In einer gesättigten Aluminiumhydroxidlösung beträgt die Hydroxidionenkonzentration $c(OH^-) = 7{,}4 \cdot 10^{-9}$ mol/l. Berechnen Sie das Löslichkeitsprodukt von Aluminiumhydroxid.

A 3 Berechnen Sie die Masse der gelösten Bleiionen in 1 l gesättigter Bleichlorid- bzw. Bleiiodidlösung.

A 4 Silberionen sollen aus einer Lösung möglichst vollständig entfernt werden. Es liegen drei Vorschläge vor:
a) Man gibt Natriumiodid hinzu, bis $c(I^-) = 0{,}01$ mol/l;
b) man macht die Lösung alkalisch, bis $c(OH^-) = 0{,}1$ mol/l;
c) man fügt Natriumsulfid hinzu, bis $c(S^{2-}) = 0{,}001$ mol/l.
Berechnen Sie die jeweils in der Lösung verbleibende Silberionenkonzentration.

B3 Bestimmung eines Löslichkeitsprodukts

100 ml gesättigte Blei(II)-chlorid-Lösung werden vom Bodenkörper abfiltriert und eingedampft. Die Masse des Bleichlorids beträgt 0,473 g.

Frage: Wie groß ist das Löslichkeitsprodukt von Blei(II)-chlorid?

Lösungsweg:

$$PbCl_2 \rightleftharpoons Pb^{2+} + 2\,Cl^-$$

$$K_L = c(Pb^{2+}) \cdot c^2(Cl^-);\quad c(Cl^-) = 2c(Pb^{2+})$$

$$K_L = c(Pb^{2+}) \cdot (2c(Pb^{2+}))^2 = 4c^3(Pb^{2+})$$

$$c(Pb^{2+}) = \frac{n(Pb^{2+})}{V(\text{Lsg})}$$

$$n(Pb^{2+}) = n(PbCl_2) = \frac{m(\text{Blei(II)-chlorid})}{M(PbCl_2)}$$

$$c(Pb^{2+}) = \frac{m(\text{Blei(II)-chlorid})}{M(PbCl_2) \cdot V(\text{Lsg})} = \frac{0{,}473\,\text{g}}{278{,}10\,\text{g} \cdot \text{mol}^{-1} \cdot 0{,}1\,\text{l}}$$

$$= 1{,}7 \cdot 10^{-2}\,\text{mol} \cdot \text{l}^{-1}$$

$$K_L = 4 \cdot (1{,}7 \cdot 10^{-2}\,\text{mol} \cdot \text{l}^{-1})^3 = 1{,}97 \cdot 10^{-5}\,\text{mol}^3 \cdot \text{l}^{-3}$$

Ergebnis: Das Löslichkeitsprodukt von Blei(II)-chlorid ist (etwa) $K_L = 2 \cdot 10^{-5}\,\text{mol}^3 \cdot \text{l}^{-3}$.

B4 Berechnung der Sättigungskonzentration

Es liegen 100 ml gesättigte Silberchloridlösung vor.

Frage: Wie groß ist die Masse der gelösten Silber- und Chloridionen?

Lösungsweg:

$$AgCl \rightleftharpoons Ag^+ + Cl^-$$

$$K_L = c(Ag^+) \cdot c(Cl^-) = 2 \cdot 10^{-10}\,\text{mol}^2 \cdot \text{l}^{-2}$$

$$c(Ag^+) = c(Cl^-)$$

$$c^2(Ag^+) = c^2(Cl^-) = 2 \cdot 10^{-10}\,\text{mol}^2 \cdot \text{l}^{-2}$$

$$c(Ag^+) = c(Cl^-) = \sqrt{2 \cdot 10^{-10}\,\text{mol}^2 \cdot \text{l}^{-2}}$$

$$= 1{,}4 \cdot 10^{-5}\,\text{mol} \cdot \text{l}^{-1}$$

$$c = \frac{n}{V} = \frac{m}{M \cdot V},\quad m = c \cdot M \cdot V$$

m(Silberionen)

$$= 1{,}4 \cdot 10^{-5}\,\text{mol} \cdot \text{l}^{-1} \cdot 107{,}87\,\text{g} \cdot \text{mol}^{-1} \cdot 0{,}1\,\text{l}$$

$$= 1{,}5 \cdot 10^{-4}\,\text{g} = 1{,}5 \cdot 10^{-1}\,\text{mg} = 0{,}15\,\text{mg}$$

m(Chloridionen)

$$= 1{,}4 \cdot 10^{-5}\,\text{mol} \cdot \text{l}^{-1} \cdot 35{,}45\,\text{g} \cdot \text{mol}^{-1} \cdot 0{,}1\,\text{l}$$

$$= 5 \cdot 10^{-5}\,\text{g} = 5 \cdot 10^{-2}\,\text{mg} = 0{,}05\,\text{mg}$$

Ergebnis: In 100 ml gesättigter Silberchloridlösung liegen 0,15 mg Silberionen und 0,05 mg Chloridionen gelöst vor.

4.7 Die Ammoniaksynthese

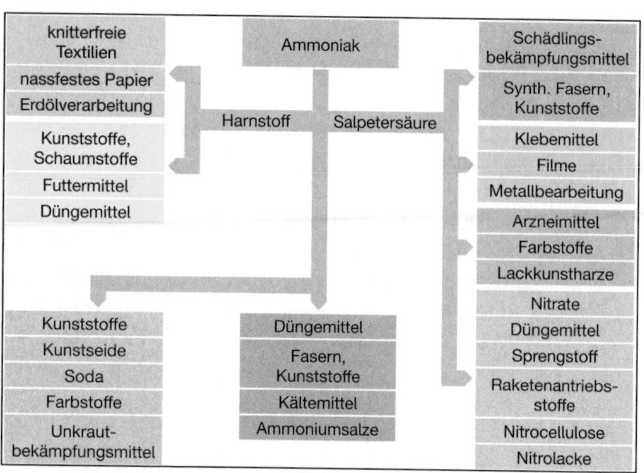

B1 Verwendung von Ammoniak, einem der wichtigsten Ausgangsstoffe der chemischen Industrie

A 1 Erläutern Sie die Einflüsse von Temperatur, Katalysator und Druck auf die Ammoniaksynthese.

A 2 Wie groß kann der Volumenanteil an Ammoniak im Gleichgewicht höchstens sein bei a) 400 °C und 20 MPa, b) 400 °C und 60 MPa, c) 300 °C und 30 MPa, d) 500 °C und 30 MPa?

A 3 Im Sekundärreformer findet eine partielle Oxidation des im Primärreformer nicht umgesetzten Methans statt. Warum wird nicht die vollständige Oxidation durchgeführt?

A 4 Warum verzichtet man im Synthesereaktor auf die Einstellung des Gleichgewichts, obwohl der Volumenanteil des Ammoniaks dann größer wäre?

B2 Fritz Haber (1868–1934)

B3 Carl Bosch (1874–1940)

Ammoniak ist neben der Schwefelsäure eine der bedeutendsten anorganischen Grundchemikalien. Die jährliche Produktion beläuft sich weltweit auf etwa 120 Millionen Tonnen. Etwa 80 % der Produktion werden zur Herstellung von Stickstoffverbindungen für Düngemittel verwendet. Pflanzen nehmen Stickstoffverbindungen z. B. in Form von Ammoniumionen oder Nitrationen auf. Aus Ammoniak werden Verbindungen gewonnen, die Pflanzen nutzen können. Daneben werden aus Ammoniak z. B. Salpetersäure, Kunst-, Farb- und Sprengstoffe, Pflanzenschutzmittel und Medikamente hergestellt (▷ B1).

Reaktionsbedingungen für die Ammoniaksynthese. Der Synthese von Ammoniak aus den Elementen liegt die folgende Gleichgewichtsreaktion zugrunde:

$$3\,H_2(g) + N_2(g) \rightleftharpoons 2\,NH_3(g) \quad | \ \Delta_rH = -92{,}5\,kJ$$

In einem geschlossenen System stellt sich ein chemisches Gleichgewicht ein, das stark temperatur- und druckabhängig ist. Es müsste sich nach dem Prinzip von Le Chatelier und Braun umso mehr Ammoniak bilden, je niedriger die Temperatur und je höher der Druck ist. Bei Zimmertemperatur ist jedoch keine Umsetzung zwischen Wasserstoff und Stickstoff zu beobachten, da bei dieser Temperatur die Reaktionsgeschwindigkeit zu gering und damit die Zeit bis zur Einstellung des Gleichgewichts zu groß ist. Eine Temperaturerhöhung würde zwar zu einer schnelleren Einstellung des Gleichgewichts führen, jedoch würde sich dadurch die Gleichgewichtslage zu den Ausgangsstoffen hin verschieben.

Die Reaktionsgeschwindigkeit kann mit einem geeigneten Katalysator erhöht werden. Die Reaktionstemperatur wird dann durch den Temperaturbereich bestimmt, in dem der Katalysator aktiv ist. Die schließlich gewählte Temperatur (z. B. 500 °C) ergibt sich somit aus einem Kompromiss zwischen dem Ziel einer günstigen Gleichgewichtslage und dem Ziel einer hohen Reaktionsgeschwindigkeit. Selbst mit einem Katalysator entsteht bei Atmosphärendruck nur wenig Ammoniak. Dessen Anteil im Reaktionsgemisch kann jedoch durch Druckerhöhung erheblich gesteigert werden.

Die großtechnische Ammoniaksynthese. Die grundlegenden Forschungsarbeiten für die Ammoniaksynthese lieferte F. Haber bis 1909. Die Übertragung dieser Reaktion in den großtechnischen Maßstab war wegen der neuen Technologie eine weitere herausragende Leistung, vollbracht von C. Bosch. 1913 konnte die Badische Anilin- und Sodafabrik (BASF) in Ludwigshafen die erste großtechnische Ammoniaksynthese nach dem Haber-Bosch-Verfahren mit einer Tagesleistung von 30 Tonnen Ammoniak in Betrieb nehmen. Heute produzieren die Anlagen über 1500 Tonnen Ammoniak pro Tag, einige sogar über 2000 Tonnen.

Destillation eines Flüssigkeitsgemisches. Wird eine Lösung mit einem Stoffmengenanteil χ(Ethanol) = 10 % und χ(Wasser) = 90 % erhitzt, so siedet das Gemisch bei etwa 87 °C. Die Siedetemperatur und die Zusammensetzung des zugehörigen Dampfes können dem Siedediagramm (▷ B4) entnommen werden. Der Dampf, der mit dem Gemisch der obigen Zusammensetzung im Gleichgewicht steht, weist einen Stoffmengenanteil von χ(Ethanol) ≈ 41 % und χ(Wasser) ≈ 59 % auf. Lässt man diesen Dampf kondensieren, so enthält die Flüssigkeit also einen höheren Anteil des Stoffes mit der niedrigeren Siedetemperatur. Man erhält also eine teilweise Trennung der beiden Flüssigkeiten. Bringt man den kondensierten Dampf zum Sieden, so siedet diese Flüssigkeit bei einer niedrigeren Temperatur; außerdem ist der Anteil der niedriger siedenden Flüssigkeit im Dampf wieder größer als in der Ausgangsflüssigkeit. So siedet das Gemisch mit einem Stoffmengenanteil χ(Ethanol) ≈ 41 % bei etwa 81 °C, und der damit im Gleichgewicht stehende Dampf enthält Ethanol mit dem Stoffmengenanteil χ(Ethanol) ≈ 61 %.

Wiederholt man das Verdampfen und Kondensieren mehrfach, erreicht man bei vielen Gemischen eine (fast) vollständige Trennung der Stoffe. Dieser Prozess der wiederholten Abfolge der Schritte findet bei der **fraktionierenden Destillation** statt (▷ B5), die in der Technik und im Alltag häufig als *fraktionierte* Destillation bezeichnet wird.

Ein Gemisch aus Ethanol und Wasser lässt sich durch Destillation nicht vollständig trennen, da bei einem Stoffmengenanteil χ(Ethanol) ≈ 89 % (w ≈ 96 %) die Flüssigkeit und der Dampf die gleiche Zusammensetzung aufweisen. Ein solches Gemisch bezeichnet man als *azeotropes Gemisch*. Um absoluten Alkohol zu erhalten, kann das restliche Wasser mithilfe eines wasserbindenden Stoffes, z. B. Calciumoxid, entfernt werden.

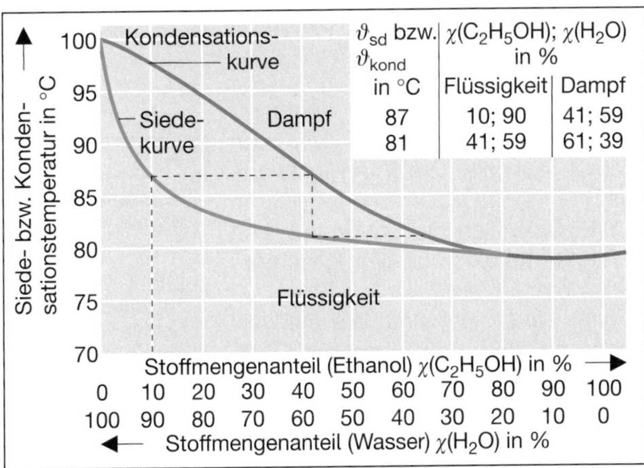

B4 Siedediagramm des Ethanol-Wasser-Gemisches bei 1013,25 hPa

B5 Destillation mit einer Glockenbodenkolonne

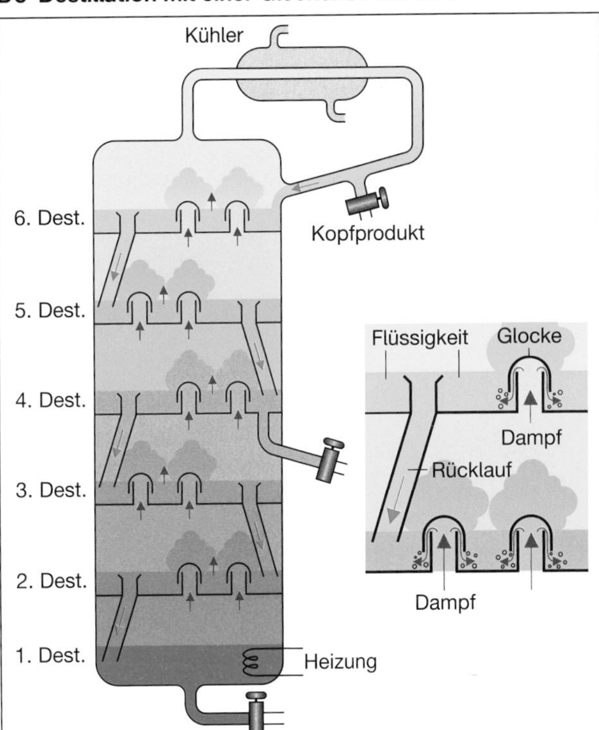

Die fraktionierende Destillation findet häufig in einer Glockenbodenkolonne statt. Der aufsteigende Dampf des Gemisches kondensiert an der ersten Glocke und fließt auf den dazugehörigen Boden. Der Anteil der leichter flüchtigen Komponenten ist höher als in der Ausgangslösung. Durch aufsteigende Dämpfe wird das Destillat zum Sieden gebracht, es kondensiert an der nächsten Glocke, der Anteil der leichter flüchtigen Komponenten ist im 2. Destillat noch höher. Durch das mehrfache Verdampfen und Kondensieren kann das Ausgangsgemisch (weitgehend) in die Reinstoffe getrennt werden.

V 1 Mehrfache Destillation von Weißwein. Destillieren Sie von 500 ml Weißwein 250 ml Flüssigkeit ab. Unterwerfen Sie dieses Destillat wiederum einer Destillation, bei der 125 ml Flüssigkeit abgetrennt werden. Destillieren Sie von diesen 125 ml Destillat etwa 60 ml Flüssigkeit ab. Bestimmen Sie die Dichte des jeweiligen Destillates und untersuchen Sie seine Entflammbarkeit. Sie können diese Destillation auch mit einer Glockenbodenkolonne durchführen.

A 1 Bei welcher Temperatur siedet ein Gemisch aus Wasser und Ethanol mit einem Stoffmengenanteil χ(Ethanol) = 30 %? Welche Zusammensetzung weist der damit im Gleichgewicht stehende Dampf auf?

4.10 Überprüfung und Vertiefung

1 Es liegt die folgende Gleichgewichtsreaktion vor:

$CO(g) + H_2O(g) \rightleftharpoons CO_2(g) + H_2(g) \mid$ exotherm

a) Wie wirkt sich die Zufuhr von Wärme auf die Gleichgewichtslage aus?

b) Wie wirkt sich die Entfernung von Kohlenstoffdioxid aus dem geschlossenen System aus?

c) Wie wirkt sich eine Volumenverringerung des geschlossenen Systems aus?

2 In 1 l acetonischer Lösung liegen 1 mol Ethanol, 0,0625 mol Ethansäure, 0,5 mol Ethansäureethylester und 0,5 mol Wasser miteinander im Gleichgewicht vor.
Stellen Sie das Massenwirkungsgesetz auf und berechnen Sie K_c.

3 Formulieren Sie für folgende Reaktionen, die alle in gasförmiger Phase ablaufen, das Massenwirkungsgesetz sowohl für K_c als auch für K_p. Geben Sie die Einheiten der Konstanten an. Für welche Reaktionen stimmen K_c und K_p überein?

$2\,H_2 + O_2 \rightleftharpoons 2\,H_2O$

$NO + CO_2 \rightleftharpoons NO_2 + CO$

$CH_4 + H_2O \rightleftharpoons CO + 3\,H_2$

$2\,NO_2 \rightleftharpoons N_2O_4$

4 Ein Kolbenprober enthält bei 1000 hPa und 40 °C Stickstoffdioxid mit einem Volumenanteil $\varphi(NO_2) = 60\,\%$ im Gleichgewicht mit Distickstofftetraoxid, $\varphi(N_2O_4) = 40\,\%$.
Berechnen Sie die Gleichgewichtskonstante K_p.
Der Kolbenprober wird nun unter Beibehaltung der Temperatur rasch auf die Hälfte des Volumens zusammengepresst. Berechnen Sie die Zusammensetzung des Gemisches (Volumenanteile) nach erneuter Einstellung des Gleichgewichts.

5 Zeigen Sie, dass die folgende Aussage gilt: Erhält man eine Reaktionsgleichung durch Addition zweier Teilgleichungen, so ist die Massenwirkungskonstante für die Gesamtreaktion gleich dem Produkt der Massenwirkungskonstanten der Teilreaktionen. Nutzen Sie dazu das folgende Beispiel:

(1) $4\,HCl \rightleftharpoons 2\,H_2 + 2\,Cl_2$

(2) $2\,H_2 + O_2 \rightleftharpoons 2\,H_2O$

$4\,HCl + O_2 \rightleftharpoons 2\,Cl_2 + 2\,H_2O$

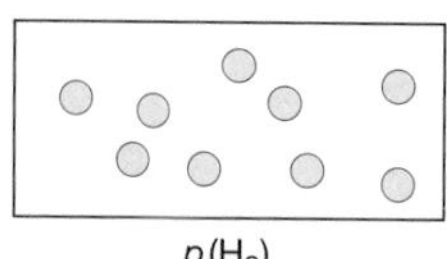

$p(H_2)$

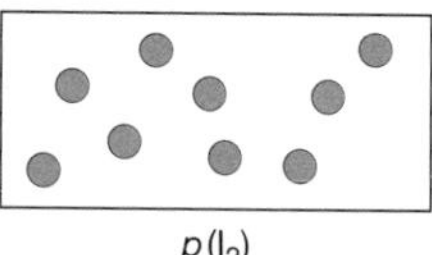

$p(I_2)$

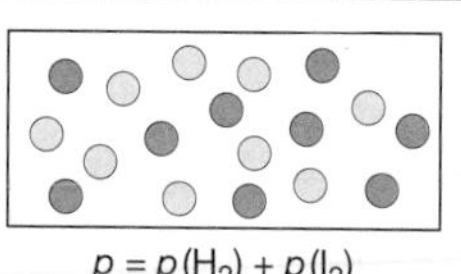

$p = p(H_2) + p(I_2)$

Massenwirkungsgesetz für Gasreaktionen. Für Reaktionen von Gasen sind Druck, Temperatur und Volumen unmittelbar messbare Größen. Bei konstanter Temperatur ist die Konzentration eines Gases seinem Partialdruck (Teildruck) proportional, d. h. dem Druck, den das Gas ausüben würde, falls ihm der ganze Raum allein zur Verfügung stünde. Daher ersetzt man bei Gleichgewichten mit gasförmigen Komponenten häufig die Konzentrationen durch die Partialdrücke der beteiligten Gase. Damit kann für eine Gasreaktion: $a\,A + b\,B \rightleftharpoons c\,C + d\,D$ das Massenwirkungsgesetz mit den Partialdrücken des Gleichgewichtszustandes formuliert werden:

$$K_p = \frac{p^c(C) \cdot p^d(D)}{p^a(A) \cdot p^b(B)}$$

Für das Iod-Wasserstoff-Gleichgewicht lautet das MWG:

$$K_p = \frac{p^2(HI)}{p(H_2) \cdot p(I_2)}$$

K_p ist konstant bezüglich Partialdruckänderungen. In diesem Beispiel spielt der Gesamtdruck, also der auf das Gasgemisch ausgeübte Druck, keine Rolle. Dies ist immer dann der Fall, wenn sich bei einer Reaktion die Teilchenanzahl nicht ändert. Dann sind K_c und K_p gleich. Im anderen Fall haben beide Größenwerte sogar unterschiedliche Einheiten.

6 Bei der experimentellen Bestimmung – insbesondere im Schulexperiment – von Gleichgewichtskonstanten oder Löslichkeitsprodukten erhält man häufig Werte, die von tabellierten Werten deutlich abweichen. Dies liegt meist daran, dass die Lösungen nicht ideal sind. In *idealen Lösungen* liegen die Ionen oder Moleküle einzeln vor. Dies trifft meist auf Lösungen zu, bei denen die Konzentration des gelösten Stoffes kleiner als $c = 0{,}01$ mol/l ist. In konzentrierteren Lösungen machen sich zwischen den gelösten Teilchen Anziehungskräfte bemerkbar, die z. B. von der Größe und der Ladung der Ionen oder der Polarität von Bindungen in Molekülen abhängen; es bilden sich Ionen- oder Molekülschwärme. Somit scheinen die Lösungen weniger konzentriert, als es ihrer Einwaage entspricht. Man ersetzt deshalb die „wahren" Konzentrationen *c* durch die wirksamen Konzentrationen, welche man als **Aktivitäten** *a* bezeichnet. Bei konzentrierteren Lösungen müssten also die Stoffmengenkonzentrationen durch die Aktivitäten ersetzt werden, um die zutreffenden Gleichgewichtskonstanten oder Löslichkeitsprodukte zu erhalten.
Warum ist die Aktivität einer Kupfer(II)-sulfat-Lösung der Konzentration $c(CuSO_4) = 0{,}1$ mol/l wesentlich geringer als die Aktivität einer Kaliumchloridlösung gleicher Konzentration?

Wichtige Begriffe

Umkehrbare Reaktion, Hinreaktion, Rückreaktion, Geschwindigkeit der Hinreaktion, Geschwindigkeit der Rückreaktion, Gleichgewichtszustand, dynamisches Gleichgewicht, Gleichgewichtskonzentration, Massenwirkungsgesetz, Gleichgewichtskonstante, Gleichgewichtsverschiebung, Prinzip des kleinsten Zwangs, Fließgleichgewicht, Löslichkeitsprodukt, Ammoniakgleichgewicht, Haber-Bosch-Verfahren, SO_2/SO_3-Gleichgewicht, Gleichgewicht und Aggregatzustand, fraktionierende Destillation

Energie und chemische Reaktionen

Mit chemischen Reaktionen sind nicht nur stoffliche Veränderungen, sondern auch Energieumsätze verbunden. Brennt ein Stoff, wird Energie in Form von Licht und Wärme freigesetzt. Der mit einer chemischen Reaktion verknüpfte Energieumsatz kann auch als Bewegungsenergie in Erscheinung treten. So bringt die Zündung eines Benzin-Luft-Gemisches im Zylinder eines Motors den Kolben in Bewegung.

Um manche Reaktionen zu ermöglichen, muss dauernd Wärme, meist bei hohen Temperaturen, zugeführt werden. Es gibt auch Reaktionen, die bei Zimmertemperatur der Umgebung Wärme entziehen, sodass eine Abkühlung erfolgt. Wie solche Reaktionswärmen gemessen werden können, ist ein wichtiger Inhalt dieses Kapitels.

Um zu erfahren, was den Ablauf einer chemischen Reaktion bestimmt, ist es erforderlich, die Ordnung von Ausgangs- und Endzuständen bei chemischen Reaktionen zu vergleichen. Erstaunlicherweise kommt man zu den gleichen Ergebnissen, wenn man Münzen wirft und die Kombinationsmöglichkeiten sowie die Häufigkeit Zahl oder Wappen zu erhalten registriert.

5.1 Chemische Reaktion und Wärme

Bei chemischen Reaktionen findet nicht nur eine Stoffumwandlung, sondern auch ein Energieumsatz statt. Die Energie kann dabei in verschiedenen Formen auftreten. So liefert z. B. eine Flamme nicht nur Wärme, sondern auch Licht. Durch chemische Reaktionen in einer Batterie entsteht elektrische Energie, Sprengstoffe können mechanische Arbeit verrichten.

System und Umgebung. Will man Energieumsätze bei chemischen Reaktionen bestimmen, so muss man sich zunächst darüber im Klaren sein, in welchem räumlichen Bereich die Untersuchung erfolgen soll. Einen solchen begrenzten Ausschnitt des Raumes nennt man ein *System*, den verbleibenden Rest *Umgebung*.

Ein System kann der Inhalt eines Reagenzglases, eine Destillationsapparatur oder eine ganze Raffinerie sein. Der Inhalt einer gut gekühlten und verschlossenen Mineralwasserflasche, die in eine dicke Styroporverpackung eingebettet ist, stellt ein isoliertes oder abgeschlossenes System dar. Entfernt man die Verpackung, so besitzt man ein geschlossenes System, aus dem durch das Öffnen des Verschlusses ein offenes System wird. Ein **offenes System** kann mit seiner Umgebung Stoffe und Energien austauschen. Bei einem **geschlossenen System** werden keine Stoffe zugeführt oder entnommen, und beim **isolierten System** ist zusätzlich jeglicher Energieaustausch mit der Umgebung unterbunden (▷ B 1).

Im isolierten System kann die Gesamtenergie weder zunehmen noch abnehmen.

Diese nie widerlegte Aussage wird als **Satz von der Erhaltung der Energie** bezeichnet. Bei Energieaustausch oder Energieumwandlungen im System oder zwischen System und Umgebung ist die Summe der Energien konstant.

B 1 Chemische Systeme

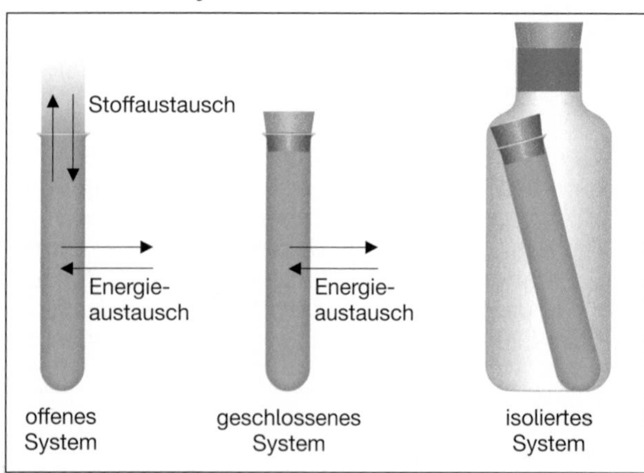

Reaktionswärme. Chemischen Reaktionen gemeinsam ist die Abgabe oder Aufnahme von Wärme. Man nennt sie *Reaktionswärme*. Wird sie an die Umgebung abgegeben, spricht man von *exothermen* Reaktionen, bei *endothermen* Reaktionen wird Wärme zugeführt. Die vom System abgegebene Wärme erhält ein negatives Vorzeichen.
Je nach Art der Reaktion benennt man Reaktionswärmen, z. B. *Verbrennungswärme* oder *Neutralisationswärme*. Die Bildungswärme ergibt sich aus der Reaktionswärme, die bei der Bildung einer Verbindung aus den Elementen auftritt. Während bei vielen Reaktionen die Reaktionsprodukte von wirtschaftlicher oder wissenschaftlicher Bedeutung sind, ist bei anderen Reaktionen die Reaktionswärme der entscheidende Aspekt, z. B. bei der Verbrennung von Holz, Kohle, Heizöl oder Wasserstoff.
Für den Einsatz von Brennstoffen sind sowohl Kenntnisse über die Reaktionsprodukte als auch über die Größe der Reaktionswärme bedeutsam. Die Messung von Reaktionswärmen liefert überdies grundlegende Erkenntnisse über Eigenschaften und Reaktionsverhalten von Stoffen.

Bestimmung der Reaktionswärme. Die Reaktionswärme erhöht die Temperatur der Reaktionsprodukte und führt zu einer Temperaturdifferenz zwischen diesen und der Umgebung. Die von ihr aufgenommene Wärme erhöht die Temperatur, d. h. die kinetische Energie der dort vorhandenen Teilchen. Wählt man die Umgebung so, dass sie aus einer bestimmten Stoffportion besteht, z. B. 100 g Wasser, so lässt sich aus deren Temperaturerhöhung $\Delta\vartheta$ die aufgenommene Wärme Q bestimmen. Diese ist proportional zur Temperaturerhöhung:

$$Q = C \cdot \Delta\vartheta$$

Der Proportionalitätsfaktor C ist die *Wärmekapazität*; sie ist abhängig von der Masse und vom Stoff der erwärmten Stoffportion. Die Wärmekapazität C einer aus nur *einem* Stoff bestehenden Stoffportion ist ihrerseits der Masse m proportional: $C = c \cdot m$. Dabei ist c die *spezifische Wärmekapazität*, sie ist stoffabhängig. Für eine homogene Stoffportion gilt also insgesamt: $Q = c \cdot m \cdot \Delta\vartheta$. Sofern keine Energie verloren geht, entspricht die ermittelte Wärmemenge der Reaktionswärme. Reaktionswärmen werden in **Kalorimetern** gemessen. Dies sind Gefäße, die die gesamte Wärme einer Reaktion aufnehmen sollen, ohne etwas davon an die Umgebung abzugeben. Diese Forderung erfüllen die in der Praxis benutzten Kalorimeter mehr oder weniger gut. Als Gefäß benutzt man meist eine Art Thermosflasche (Dewargefäß), bei der die Wärmeleitung nach außen durch eine evakuierte Doppelglaswand unterbunden wird (▷ B 2). Um Wärmestrahlung auszuschließen, ist die Doppelglaswand innen verspiegelt. Die Reaktionswärme wird auf das Gefäß und eine Flüssigkeit, meist Wasser, übertragen. Dabei gilt: Die vom gesamten System aufgenommene und experimentell bestimmbare Wärme ist dem Betrage nach gleich der Reaktionswärme Q. Sie setzt sich aus der vom Wasser aufgenommenen Wärme Q_W und der vom Kalorimetergefäß aufgenommenen Wärme Q_K zusammen.

$$Q = Q_W + Q_K = c_W \cdot m_W \cdot \Delta\vartheta + C_K \cdot \Delta\vartheta = (c_W \cdot m_W + C_K) \cdot \Delta\vartheta$$

Es bedeuten m_W: Masse des Wassers; $\Delta\vartheta$: Temperaturdifferenz zwischen Endtemperatur ϑ_2 und Anfangstemperatur ϑ_1: $\Delta\vartheta = \vartheta_2 - \vartheta_1$; $c_W = 4{,}1868\,\mathrm{J \cdot g^{-1} \cdot K^{-1}}$: spezifische Wärmekapazität des Wassers. C_K ist die Wärmekapazität des Kalorimetergefäßes. Sie wird vor den eigentlichen Messungen experimentell ermittelt.

Bestimmung der Wärmekapazität eines Kalorimeters. Gießt man 100 g Wasser von 60 °C in ein mit 100 g Wasser von 20 °C gefülltes Kalorimeter, so erhält man nicht 200 ml Wasser von 40 °C, sondern von einer etwas niedrigeren Temperatur. Das warme Wasser erwärmt nicht nur das kalte Wasser, sondern auch das Kalorimeter. Nimmt dieses bei einer Temperaturerhöhung um $\Delta\vartheta$ die Wärme Q auf, so ist der Quotient $Q/\Delta\vartheta = C_K$ die Wärmekapazität. Um diese zu bestimmen, wird Wasser der Masse m_1 und der Temperatur ϑ_1 eingefüllt. Danach wird eine gleich große Portion warmen Wassers der Temperatur ϑ_2 hinzugefügt und die Mischungstemperatur ϑ_{misch} gemessen.
Das warme Wasser gibt die Wärme Q_2 ab (Q_2 ist negativ):

$$Q_2 = c_W \cdot m_2 \cdot (\vartheta_{misch} - \vartheta_2)$$

Das kältere Wasser und das Gefäß nehmen Wärme auf:

$$Q_1 = (c_W \cdot m_1 + C_K) \cdot (\vartheta_{misch} - \vartheta_1)$$

Mit $Q_1 + Q_2 = 0$ (Energieerhaltung) ergibt sich eine Gleichung, die nach C_K aufgelöst werden kann:

$$C_K = -\frac{c_W \cdot m_2 \cdot (\vartheta_{misch} - \vartheta_2)}{(\vartheta_{misch} - \vartheta_1)} - c_W \cdot m_1$$

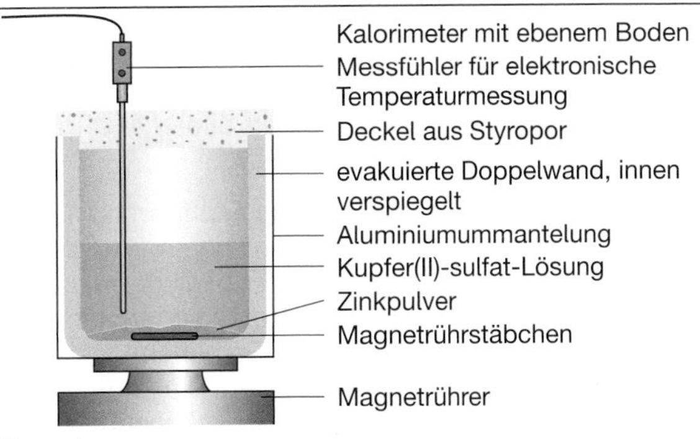

Versuch:
Füllung des Kalorimeters mit 100 ml Kupfer(II)-sulfat-Lösung
$c(Cu^{2+}) = 0{,}1\,\mathrm{mol/l}$, $n(Cu^{2+}) = 0{,}01\,\mathrm{mol}$
Ausgangstemperatur $\vartheta_1 = 22{,}1\,°C$
Zugabe von Zinkpulver im Überschuss m(Zinkportion) ≈ 2 g
Höchste Temperatur nach 150 s; $\vartheta_2 = 26{,}7\,°C$
Wärmekapazität des Kalorimeters:
1. Wasserportion $m_1 = 50\,\mathrm{g}$; $\vartheta_1 = 21{,}5\,°C$
2. Wasserportion $m_2 = 50\,\mathrm{g}$; $\vartheta_2 = 37{,}0\,°C$
Mischungstemperatur $\vartheta_{misch} = 28{,}3\,°C$
Wärmekapazität

$$C_K = \frac{4{,}19\frac{\mathrm{J}}{\mathrm{g \cdot K}} \cdot 50\,\mathrm{g} \cdot (37{,}0 - 28{,}3)\,\mathrm{K}}{(28{,}3 - 21{,}5)\,\mathrm{K}} - 4{,}19\frac{\mathrm{J}}{\mathrm{g \cdot K}} \cdot 50\,\mathrm{g} = 58{,}5\frac{\mathrm{J}}{\mathrm{K}}$$

Beim Einsatz von 100 ml verdünnter Kupfer(II)-sulfat-Lösung kann mit 100 g Wasser als Kalorimeterflüssigkeit gerechnet werden. Die Reaktionswärme Q_r ergibt sich als das Negative der vom Kalorimeter aufgenommenen Wärme Q zu:

$$Q_r = -(4{,}19\frac{\mathrm{J}}{\mathrm{g \cdot K}} \cdot 100\,\mathrm{g} + 58{,}5\frac{\mathrm{J}}{\mathrm{K}}) \cdot 4{,}6\,\mathrm{K} = -2197\,\mathrm{J}$$

	$Cu^{2+}(aq) + Zn$	⟶	$Cu + Zn^{2+}(aq)$	$Q_r = -2{,}197\,\mathrm{kJ}$
n	0,01 mol		0,01 mol	$Q_r = -2{,}197\,\mathrm{kJ}$
n	1,00 mol		1,00 mol	$Q_r = -219{,}7\,\mathrm{kJ}$

B2 Bestimmung der Reaktionswärme einer Redoxreaktion in wässriger Lösung

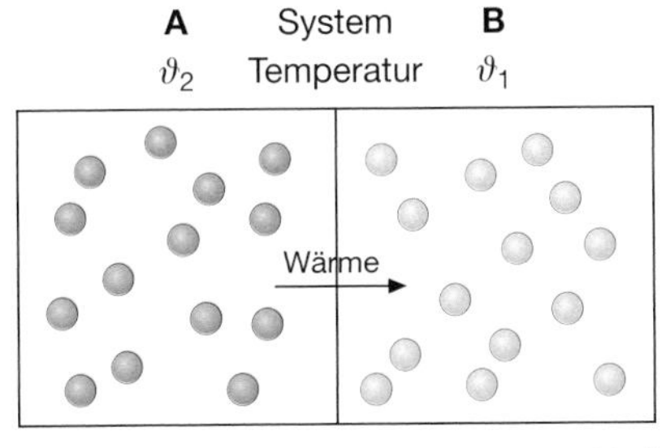

Anfangszustand mit Temperaturunterschied; er bewirkt Wärmeübergang.
Dabei wird die thermische Bewegung der Teilchen:
schwächer heftiger

A System B
ϑ_{misch} Temperatur ϑ_{misch}

Endzustand mit gleichen Temperaturen: Die mittlere kinetische Energie der Teilchen ist in beiden Systemen gleich.
D.h., die thermische Bewegung ist links und rechts gleich heftig.

Exkurs: Wärmeübergang von einem System auf ein anderes

Energie wird in Form von Wärme übertragen, wenn zwischen Systemen eine Temperaturdifferenz besteht. Dabei kann auch die Umgebung ein System darstellen. Bei Wärmeabgabe wird die mittlere Teilchengeschwindigkeit geringer und bei Wärmeaufnahme größer. Der Endzustand ist erreicht, wenn die mittlere kinetische Energie der Teilchen in beiden Systemen gleich ist. Da bei einer bestimmten Temperatur nicht alle Teilchen die gleiche kinetische Energie besitzen, sind sie in unterschiedlicher Farbtiefe gekennzeichnet.

5.2 Innere Energie und Enthalpie

Bei einer exothermen Reaktion wird Wärme an die Umgebung abgegeben. Diese Wärme muss bei der Reaktion aus einer anderen Energieform entstehen, die in den Ausgangsstoffen „gespeichert" ist. Dabei bilden sich Produkte mit einem geringeren Energieinhalt.

Innere Energie. Betrachten wir eine Stoffportion als Teilchenaggregat, wird deutlich, dass an deren Energieinhalt ganz verschiedene Energiearten beteiligt sind. Dazu gehören die potentiellen Energien der Atome, Ionen und Moleküle in den entsprechenden Teilchenverbänden, aber auch Schwingungs- und Rotationsenergien. Die Summe aller Energien, über die ein System in seinem Innern verfügt, heißt *innere Energie U* des Systems. Die Kenntnis ihres absoluten Wertes ist in der Regel nicht erforderlich, doch ist die mit der Reaktion verbundene *Änderung* der inneren Energie leicht messbar. Man versteht unter der Änderung der inneren Energie ΔU eines Systems die Differenz aus der inneren Energie U_2 nach der Reaktion und der inneren Energie U_1 vor der Reaktion: $\Delta U = U_2 - U_1$. Wird bei einer Reaktion Energie abgegeben, so ist ΔU negativ.

Reaktionswärme und Volumenarbeit. Gibt man Zink in verdünnte Salzsäure, so bilden sich Wasserstoff und eine wässrige Lösung von Zinkchlorid. Dabei erwärmt sich die Lösung. Der Versuch lässt sich grundsätzlich auf zwei Arten durchführen (▷ B1):

a) Die Reaktion erfolgt in einer Apparatur, deren Volumen sich so ändert, dass der Druck im Innern während der Reaktion konstant bleibt (Hahn geöffnet).

b) Die Reaktion erfolgt in einem Gefäß, dessen Volumen konstant bleibt (Hahn geschlossen). Durch die Wasserstoffentwicklung erhöht sich der Druck.

Für die beiden Fälle ergeben sich unterschiedliche Reaktionswärmen. Misst man jeweils die Reaktionswärme, die bei der quantitativen Umsetzung von einem Mol Zink freigesetzt wird, so erhält man bei konstantem Volumen: $Q_V = -156{,}5\,kJ$ und bei konstantem Druck: $Q_p = -154{,}0\,kJ$. Bei konstantem Druck ist die Reaktionswärme dem Betrage nach um 2,5 kJ geringer als bei konstantem Volumen, obwohl die Differenz der inneren Energie in beiden Fällen gleich ist. Dies liegt daran, dass bei konstantem Druck nicht nur Reaktionswärme auftritt, sondern auch Arbeit verrichtet wird. Der entstehende Wasserstoff drückt den Kolben des Kolbenprobers gegen den Luftdruck nach außen und verrichtet dadurch Volumenarbeit. Auch ohne trennende Wand wird die gleiche Volumenarbeit gegen den Luftdruck verrichtet.

> Bei exothermen Reaktionen, die bei konstantem Volumen ablaufen, entspricht die Änderung der inneren Energie des Systems ausschließlich der Reaktionswärme $\Delta U = Q_V$. Diese Reaktionswärme nennt man Reaktionsenergie.

Wird dagegen bei einer Reaktion der Druck konstant gehalten und gibt das System nicht nur Wärme Q_p ab, sondern verrichtet durch Volumenvergrößerung auch noch Arbeit W, so ist die Änderung der inneren Energie: $\Delta U = Q_p + W$ (▷ B3). Dem Betrage nach ist Q_p kleiner als ΔU, da vom System Arbeit verrichtet wird. Umgekehrt wird bei einer exothermen Reaktion mit einer Volumenabnahme dem System Arbeit zugeführt, die Reaktionswärme ist dem Betrage nach größer als die Änderung der inneren Energie. Die Kombinationsmöglichkeiten für die Beziehung zwischen innerer Energie, Reaktionswärme bei konstantem Druck und Reaktionsarbeit sind in ▷ B4 veranschaulicht. Bei der von einem System aufgenommenen bzw. abgegebenen Arbeit kann es sich z. B. um eine durch Volumenänderung bewirkte Arbeit (Volumenarbeit) oder auch um elektrische Arbeit handeln.

B1 Bildung eines gasförmigen Reaktionsprodukts: bei konstantem Volumen (Hahn geschlossen), bei konstantem Druck (Hahn geöffnet)

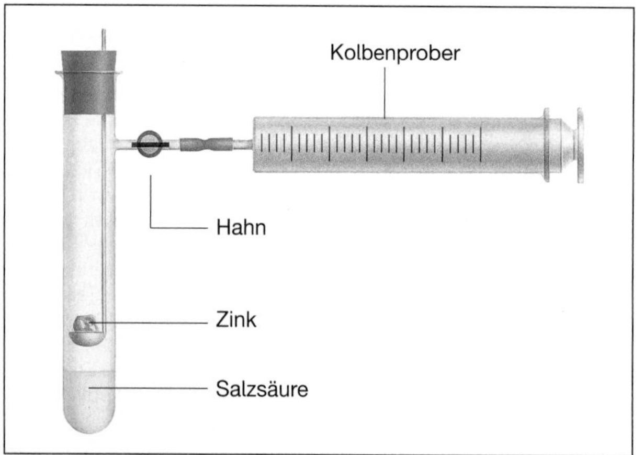

B2 Zusammenhang zwischen innerer Energie und Enthalpie. Die Reaktion ist exotherm und Volumen vergrößernd

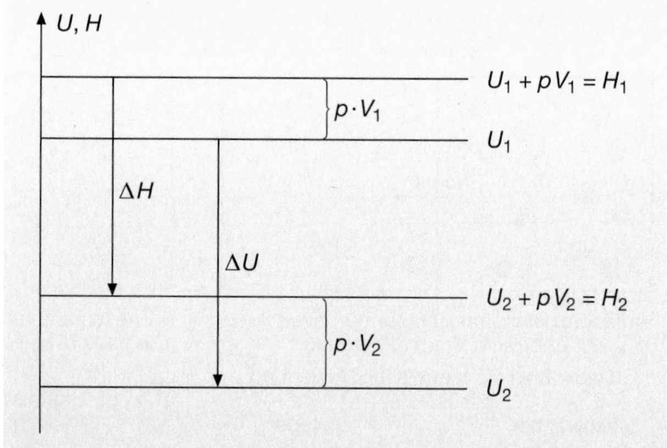

Innere Energie und Enthalpie

Enthalpie. Da chemische Reaktionen häufig in offenen Systemen und damit bei konstantem Druck ablaufen, wird in vielen Fällen Volumenarbeit verrichtet. Diese ergibt sich aus der Volumenänderung ΔV bei konstantem Druck (▷ B3). Allgemein erhält die von einem System *abgegebene Energie ein negatives Vorzeichen*. Da $\Delta V = V_2 - V_1$ für eine Volumenvergrößerung positiv ist, wird Arbeit vom System abgeführt, deshalb wird die Volumenarbeit mit einem negativen Vorzeichen definiert:

$$W = -p \cdot \Delta V$$

Damit wird: $\Delta U = Q_p - p \cdot \Delta V$

oder: $Q_p = \Delta U + p \cdot \Delta V$

d. h.: $Q_p = U_2 - U_1 + p(V_2 - V_1)$

$$Q_p = U_2 + p \cdot V_2 - (U_1 + p \cdot V_1)$$

Q_p ist die Differenz zweier Energieterme, die jeweils durch die innere Energie und das Produkt aus Druck und Volumen bestimmt sind. Ein solcher Energieterm wird als *Enthalpie* (H) bezeichnet (▷ B2). Es ist also:

$$H = U + p \cdot V$$

Damit wird: $Q_p = H_2 - H_1 = \Delta H$

Die Änderung der Enthalpie ΔH eines Systems entspricht der vom System bei konstantem Druck aufgenommenen oder abgegebenen Wärme.

Für die Änderung der Enthalpie H bei konstantem Druck gilt:

$$\Delta H = \Delta U + p \cdot \Delta V$$

Die Änderung der Enthalpie enthält die Volumenarbeit.

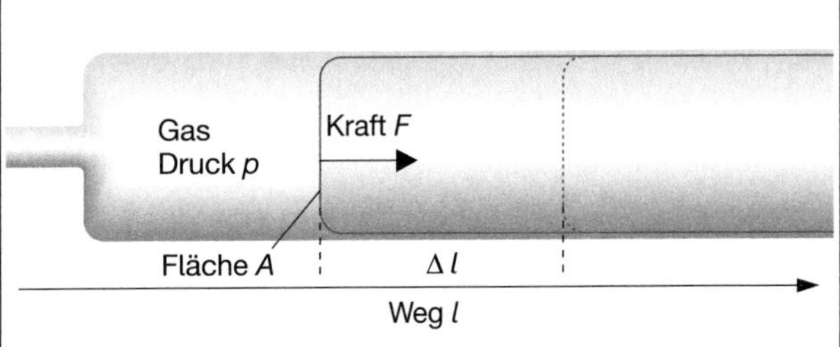

Das Gas übt auf den Kolben mit der Fläche A die Kraft $F = p \cdot A$ aus. Wird der Kolben um die Wegstrecke Δl verschoben, ist die Arbeit $W = -F \cdot \Delta l = -p \cdot A \cdot \Delta l$.

Ferner ist $A \cdot \Delta l = \Delta V$. Bei Volumenzunahme ($\Delta V > 0$) wird Arbeit an die Umgebung abgeführt und erhält damit ein negatives Vorzeichen:

$$W = -p \cdot \Delta V$$

Bei Volumenabnahme ist ΔV negativ und damit W positiv.

B3 Volumenarbeit wird bei konstantem Druck zu- oder abgeführt, wenn sich bei Reaktionen Gasvolumina ändern

A 1 Zeichnen Sie ein ▷ B4 entsprechendes Diagramm für den Zusammenhang zwischen den Änderungen der inneren Energie und der Enthalpie sowie der Volumenarbeit für die Verbrennung von Kohlenstoffmonooxid.

A 2 Nennen Sie Beispiele für Reaktionen, bei denen
a) vom System Volumenarbeit abgegeben wird und
b) dem System Volumenarbeit zugeführt wird.

B4 Zusammenhang zwischen innerer Energie, Reaktionswärme bei konstantem Druck und Volumenarbeit

a)

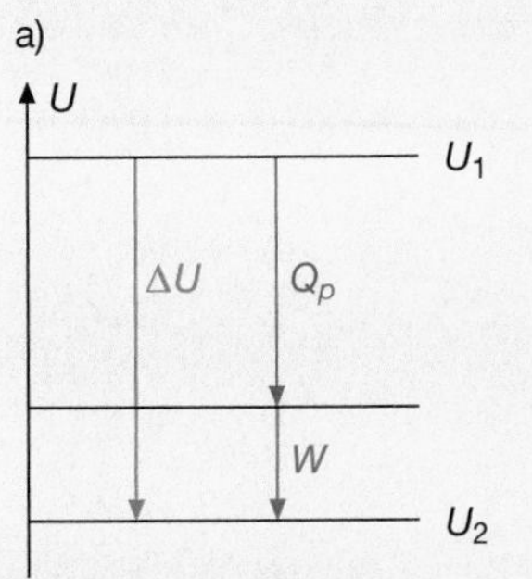

Beispiel: Reaktion von Zink mit Salzsäure (exotherm, Volumen vergrößernd)

b)

Beispiel: Wassersynthese (exotherm, Volumen verkleinernd)

c)

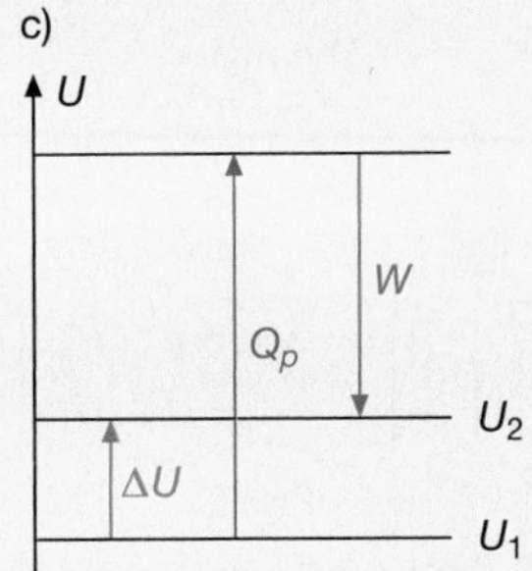

Beispiel: Ammoniakzerlegung, Kalkbrennen (endotherm, Volumen vergrößernd)

d)

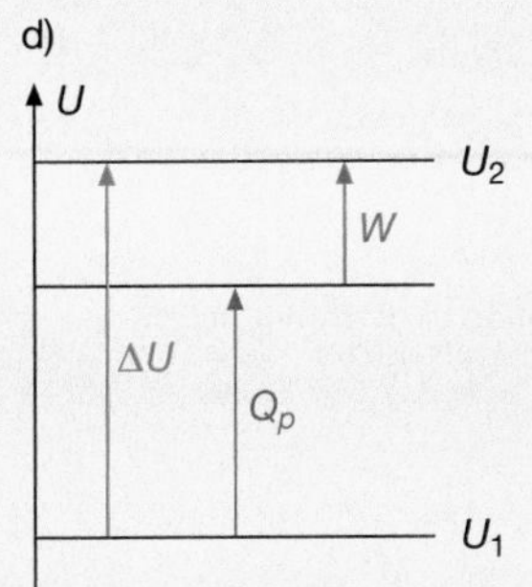

Beispiel: Fotosynthese (endotherm, Volumen verkleinernd)

5.3 Enthalpie und Aggregatzustände

V 1 Bestimmung der molaren Schmelzenthalpie von Wasser. Füllen Sie ein Kalorimeter (▷ B 1) nach Ermittlung der Wärmekapazität C_K (↗ Kap. 5.1) etwa bis zur Hälfte mit Wasser (m_2, ϑ_2). Geben Sie einige abgetrocknete Stücke von schmelzendem Eis dazu (m_1, ϑ_1). Zeichnen Sie ein Diagramm für den zeitlichen Temperaturverlauf (↗ Kap. 5.6, ▷ B 1) und ermitteln Sie daraus die Mischungstemperatur ϑ_{misch}. Die Masse des Eises ergibt sich durch Abwiegen des Kalorimeters vor und nach der Zugabe.
Die Eisportion nimmt zum Schmelzen und bei der weiteren Erwärmung bis zur Mischungstemperatur Wärme auf, die vom warmen Wasser und vom Kalorimeter abgegeben wird. Es gilt somit:
$(C_K + c_W \cdot m_2) \cdot (\vartheta_2 - \vartheta_{misch}) = \Delta_S H + c_W \cdot m_1 \cdot \vartheta_{misch}$

Die molare Schmelzenthalpie ist $\Delta_S H_m = \frac{M(H_2O)}{m_1} \cdot \Delta_S H$.

A 1 a) Berechnen Sie die Wärmemenge, die bei der Bildung einer durchschnittlich 10 cm dicken Eisschicht auf dem Bodensee entsteht (Fläche des Sees 539 km^2, Dichte von Eis $\varrho = 0{,}916\,g/cm^3$).
b) Welche Wärmemenge muss von der Sonnenstrahlung aufgebracht werden, um eine 1 mm dicke Wasserschicht des Sees zu verdampfen ($\Delta_V H_m = 44\,kJ/mol$ bei 25 °C)?
c) Welche Auswirkung haben die Wasserverdunstung und die Eisbildung auf das Bodenseeklima?

A 2 Vergleichen Sie die Werte der molaren Schmelzenthalpien folgender Stoffe: Aluminium, Silicium, Wasser, Schwefelwasserstoff und geben Sie für die Unterschiede eine Erklärung.

Bei jeder Änderung des Aggregatzustands einer Stoffportion wird entweder Wärme an die Umgebung abgegeben oder es wird von dieser Wärme aufgenommen.

Verdampfungsenthalpie. Um einen flüssigen Reinstoff bei der Siedetemperatur zu verdampfen, benötigt man Verdampfungswärme zur Überwindung der Anziehungskräfte zwischen den Teilchen und zu deren räumlichen Trennung. Bestimmt man diese Wärme bei konstantem Druck, so erhält man die *Verdampfungsenthalpie* $\Delta_V H$. Umgekehrt wird bei der Kondensation der gleiche Betrag als *Kondensationsenthalpie* an die Umgebung abgegeben (▷ B 2). Die Verdampfungsenthalpie ist der Masse und damit der Stoffmenge einer Stoffportion proportional. Um vergleichen zu können, werden in Tabellen stoffmengenbezogene Werte angegeben. Dazu wird die für eine bestimmte Stoffportion ermittelte Verdampfungsenthalpie durch die Stoffmenge dividiert. Für Wasser ist die molare Verdampfungsenthalpie bei der Siedetemperatur unter Normdruck $\Delta_V H_m = 41\,kJ/mol$.

Schmelzenthalpie. Wird ein fester Reinstoff bei konstantem Druck geschmolzen, benötigt man zur Umwandlung des geordneten Teilchenverbands in den Zustand der ungeordneten Teilchenbewegung der Flüssigkeit die Schmelzenthalpie. Erfolgt das Erstarren der Flüssigkeit beim gleichen Druck, so gibt dieselbe Stoffportion die Schmelzenthalpie an die Umgebung wieder ab. Auch Schmelzenthalpien $\Delta_S H_m$ werden in kJ/mol angegeben. Die Unterschiede der Schmelzenthalpien von z. B. Wasserstoff, Chlorwasserstoff und Natriumchlorid lassen sich durch die unterschiedlichen Kräfte zwischen den jeweils vorliegenden Teilchen erklären (▷ B 2).

Die Schmelz- und Verdampfungsenthalpien sind ein Maß für den Zusammenhalt der Teilchen.

B 1 Bestimmung der molaren Schmelzenthalpie von Wasser. Q_{auf}: vom Eis aufgenommene, Q_{ab}: abgegebene Wärmemenge

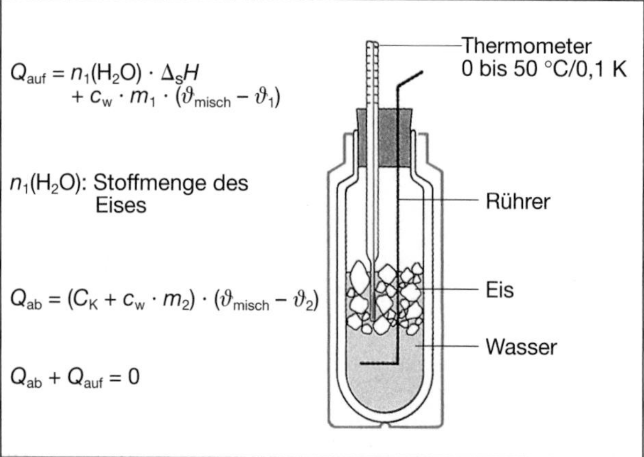

B 2 Molare Schmelz- und Verdampfungsenthalpien

Stoff	Schmelztemperatur in °C	molare Schmelzenthalpie $\Delta_S H_m$ in $kJ \cdot mol^{-1}$	Siedetemperatur in °C	molare Verdampfungsenthalpie $\Delta_V H_m$ in $kJ \cdot mol^{-1}$
Natrium	98	2,6	883	97
Magnesium	649	8,9	1107	127,4
Aluminium	660	10,7	2467	294
Silicium	1410	50,2	2355	384,5
Phosphor (weiß)	44	0,66	280	63,7
Schwefel (rhomb.)	113	1,7	444	53,3
Chlor	−101	6,4	−35	20,4
Wasserstoff	−259	0,12	−253	0,92
Wasser	0	6	100	40,7
Schwefelwasserstoff	−86	2,4	−60	18,7
Chlorwasserstoff	−114	2	−85	16,1
Natriumchlorid	800	28,1	1460	207
Magnesiumchlorid	712	43,1	1418	198

5.4 Verbrennungsenthalpien

Viele Reaktionen werden ausschließlich zur Nutzung der Reaktionswärme durchgeführt. Große Mengen von Stoffen werden verbrannt, um unseren Energiebedarf zu decken.

Messung von Verbrennungsenthalpien. In einem Verbrennungskalorimeter (▷ B2, links) kann die Reaktionsenthalpie beim Verbrennen eines Stoffs ermittelt werden. Dieser reagiert im Sauerstoffstrom zu heißen, gasförmigen Verbrennungsprodukten. Diese werden durch eine Kühlspirale geleitet und geben dabei Wärme an das Wasser ab. Die Reaktion verläuft bei diesem Versuch unter konstantem Druck. Allerdings wird ein kleiner Teil der Verbrennungsenthalpie nicht erfasst, z. B. beim Einbringen der brennenden Stoffportion und beim Ableiten der nicht vollständig abgekühlten Verbrennungsgase.

Da sich die Anfangs- und die Endtemperatur nur wenig von der Standardtemperatur unterscheiden, ist die dadurch bedingte Abweichung von der Standardverbrennungsenthalpie gering.

Die Verbrennungswärme lässt sich in einem Bombenkalorimeter (▷ B2, rechts) vollständig erfassen. Die Probe wird unter hohem Sauerstoffdruck verbrannt. Die abgegebene Wärme wird vom Druckgefäß und vom Kalorimeter aufgenommen. Da bei dieser Durchführung das Volumen konstant bleibt, liefert der Versuch die *Reaktionsenergie* (↗ Kap. 5.2) und nicht die *Reaktionsenthalpie*. Aus der Verbrennungsenergie kann jedoch die Verbrennungsenthalpie berechnet werden. Sie wird für Standardbedingungen $\vartheta = 25\,°C$ und $p = 1013\,hPa$ angegeben.

Da bei einer exothermen Reaktion die Enthalpie der Produkte H_2 kleiner ist als die der Edukte H_1, ist die Differenz $\Delta H = H_2 - H_1 < 0$. Deshalb erhält die Reaktionsenthalpie für exotherme Reaktionen ein negatives, für endotherme Reaktionen ein positives Vorzeichen.

Brennstoffe. Bei Brennstoffen (▷ B1) findet man fast nur Stoffe organischen Ursprungs. Ein großer Teil von ihnen ist in Jahrmillionen durch *anaerobe Zersetzung*, d. h. durch Zersetzung ohne Beteiligung von Sauerstoff, aus pflanzlichem und tierischem Material entstanden. Die Stoffe sind ergiebige Energiequellen, da sie beim Verbrennen in die relativ energiearmen Stoffe Wasser und Kohlenstoffdioxid umgewandelt werden. Zu den gleichen Produkten führt der Abbau von Kohlenhydraten und Fetten in pflanzlichen und tierischen Zellen. Die angegebenen Verbrennungsenthalpien sind bei festen und flüssigen Stoffen auf die Masse und bei Gasen auf das Volumen bezogen (▷ B1). In neuerer Zeit gewinnt jedoch ein anorganischer Brennstoff an Bedeutung: der Wasserstoff. Die Verbrennung von Wasserstoff mit Sauerstoff wird dabei nicht direkt, sondern elektrochemisch vorgenommen (↗ Kap. 7.11).

Energieträger	spezifische Verbrennungsenthalpie in $MJ \cdot kg^{-1}$
Benzin	−43,5
Benzol	−40,0
Braunkohlenbriketts	−20,1
Brenntorf	−12,6
Erdöl	−42,3
Ethanol	−29,7
Fette	ca. −39
Heizöl	−41,4
Holz	ca. −15
Holzkohle	−26,0
Methanol	−19,0
Steinkohle	−29,3
Traubenzucker	−15,6

Energieträger	volumenbezogene Verbrennungsenthalpie in $MJ \cdot m^{-3}$
Butan	−124
Erdgas	−32
Ethin	−57
Generatorgas	−5
Kohlenstoffmonooxid	−13
Methan	−36
Propan	−93
Stadtgas	−16
Wassergas	−12
Wasserstoff	−11

B1 Spezifische und volumenbezogene Verbrennungsenthalpien (25 °C, 1013 hPa)

V 1 Bestimmung der molaren Verbrennungsenthalpie $\Delta_C H_m$ von Holzkohle. Bestimmen Sie die Wärmekapazität C_K eines einfachen Verbrennungskalorimeters (▷ B2 links). Füllen Sie dieses anschließend mit einer abgewogenen Wasserportion der Masse m und messen Sie die Temperatur ϑ_1 nach dem Temperaturausgleich. Erhitzen Sie ein Stück Holzkohle von etwa 0,5 g (genau abgewogen) zum Glühen und legen Sie die glühende Kohle rasch in die vorgesehene Halterung. Regulieren Sie den Luftstrom so, dass die Kohle ruhig abbrennt. Zeichnen Sie den zeitlichen Temperaturverlauf auf und ermitteln Sie daraus die Endtemperatur ϑ_2. Die molare Verbrennungsenthalpie für die eingesetzte Kohleportion ergibt sich aus:
$\Delta_C H_m = (c_W \cdot m + C_K) \cdot (\vartheta_1 - \vartheta_2) \cdot M(C)/m$

B2 Verbrennungskalorimeter (links) und Bombenkalorimeter (rechts) (zur Bestimmung von Q_V)

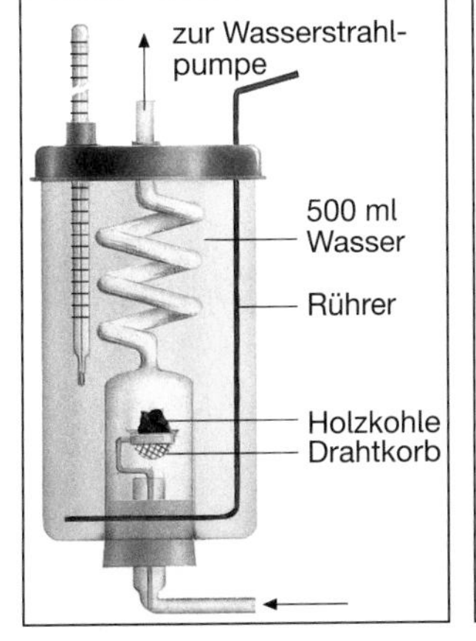

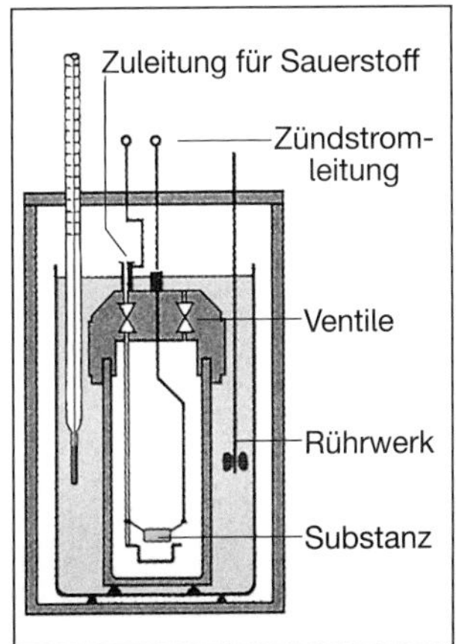

5.5 Bildungsenthalpien und Reaktionsenthalpien

$2\,CuO$	$\longrightarrow$	$2\,Cu + 1\,O_2$	
2 mol		2 mol 1 mol	$\mid \Delta H_{I} = +312\,kJ$
$2\,Zn + 1\,O_2$	$\longrightarrow$	$2\,ZnO$	
2 mol 1 mol		2 mol	$\mid \Delta H_{II} = -700\,kJ$
$2\,CuO + 2\,Zn$	$\longrightarrow$	$2\,Cu + 2\,ZnO$	
2 mol 2 mol		2 mol 2 mol	$\mid \Delta H_{III} = \Delta H_{I} + \Delta H_{II}$
			$= -388\,kJ$

B1 Formale Zerlegung einer Reaktion in Teilschritte

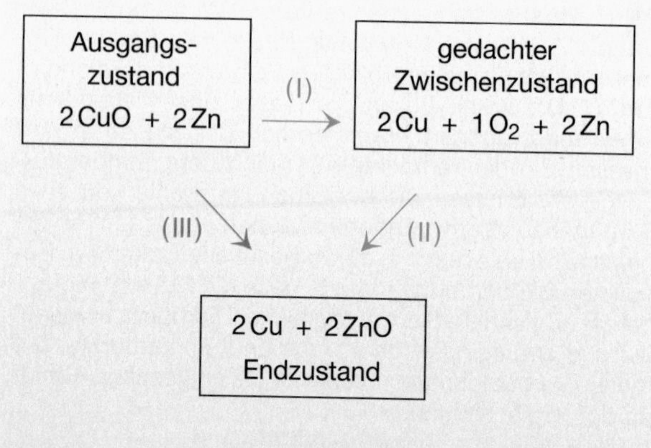

B2 Zwei verschiedene Reaktionswege von einem Ausgangszustand zu einem Endzustand
B3 Die gesamte Enthalpieänderung hängt nur vom Ausgangs- und Endzustand ab

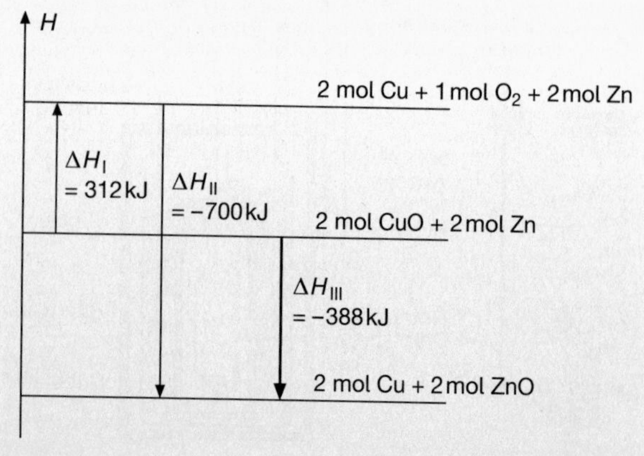

Viele Reaktionen können formal in Teilschritte zerlegt werden. Für die Reaktion von Kupfer(II)-oxid mit Zink ist dies in ▷ B1 dargestellt. Die Addition der Reaktionsgleichungen für die Teilschritte ergibt die Gleichung für die Gesamtreaktion. Entsprechendes gilt für die Reaktionsenthalpien. Die Summe der Werte für die Teilschritte ergibt die Reaktionsenthalpie für die Gesamtreaktion. Im angegebenen Beispiel sind alle Werte experimentell zugänglich.

Satz von Hess. Die Reaktion lässt sich auch so formulieren, dass von einem Ausgangszustand auf zwei verschiedenen Wegen jeweils der gleiche Endzustand erreicht wird (▷ B2). Die Enthalpieänderung auf den beiden Wegen I und II einerseits bzw. III andererseits hängt nur vom Ausgangs- und Endzustand ab. Diese Tatsache wurde bereits 1840 von G. H. HESS erkannt.

Satz von Hess: Die Enthalpieänderung zwischen zwei Zuständen ist unabhängig vom Reaktionsweg.

Diesen Sachverhalt veranschaulicht ein Enthalpiediagramm, das die verschiedenen Zustände enthält (▷ B3). Außerdem erkennt man, dass die Enthalpieänderungen für die Hin- und Rückreaktion dem Betrag nach gleich sein müssen und sich also nur durch das Vorzeichen unterscheiden.

Der Satz von Hess, der sich nur auf chemische Reaktionen bezieht, wurde später für alle Energieänderungen in einem isolierten System verallgemeinert und von H. v. HELMHOLTZ 1847 wie folgt formuliert:

Die Summe aller Energieformen in einem isolierten System ist konstant.

Diese Aussage bezeichnet man als **Energieerhaltungssatz** oder als den **Ersten Hauptsatz der Energetik**. Daraus ergibt sich, dass die Summe aller Energieänderungen bei einer Folge von chemischen Reaktionen gleich null ist, wenn am Ende der Ausgangszustand wieder vorliegt (▷ B4). Eine solche Reaktionsfolge bezeichnet man als **Kreisprozess**.
Bei einem Kreisprozess kann keine von null verschiedene Energieänderung resultieren, da es sonst möglich wäre, Energie zu gewinnen oder zu zerstören, ohne dass irgendeine sonstige Änderung (z.B. Verbrennung von Stoffen) eingetreten wäre.

Bildungsenthalpie. Mithilfe des Satzes von Hess lassen sich Reaktionsenthalpien berechnen, die experimentell nicht bestimmbar oder schwer zugänglich sind. Dafür müssen jedoch die Reaktionsenthalpien für Teilschritte bekannt sein. Besonders geeignet sind Reaktionsenthalpien für die Bildung von Verbindungen aus den Elementen.

Bildungsenthalpien und Reaktionsenthalpien

Da nur Enthalpie*differenzen* für chemische Reaktionen bedeutsam sind und absolute Werte nicht benötigt werden, kann ein beliebiger Zustand als Bezugspunkt gewählt werden. In ▷ B3 kann z. B. die Enthalpie des Ausgangszustandes das Bezugsniveau darstellen. Dieses Niveau ist hier die Summe der Enthalpien der verwendeten Portionen von Kupfer, Sauerstoff und Zink. Es ist zweckmäßig, diesem Niveau den Enthalpiewert null zuzuordnen.

Als Bezugszustand wird der Zustand der Elemente gewählt, bei dem diese sich unter Standardbedingungen ($\vartheta = 25\,°C$, $p = 1013\,hPa$) in der energieärmsten Form befinden. Diesem Zustand wird für jedes Element der Wert null zugeordnet. Zum Beispiel ist bei den Kohlenstoffmodifikationen (Diamant, Graphit und Fullerite) der Graphit die energieärmste Form.

Nach der Festsetzung von Standardenthalpien für Elemente sind die Bildungsenthalpien chemischer Verbindungen festgelegt. Die **molare Standard-Bildungsenthalpie** $\boldsymbol{\Delta_f H^0_m}$ (f von engl. formation, Bildung; die hochgestellte Null steht für Standardbedingungen) einer Verbindung ist die auf die Stoffmenge bezogene Enthalpieänderung, die sich unter Standardbedingungen bei der Bildung einer Verbindung aus den Elementen ergibt.
Beispiel: Bei der Synthese von 2 mol Wasser aus den Elementen nach der Gleichung

$$2\,H_2(g) + O_2(g) \longrightarrow 2\,H_2O(l)$$

ermittelt man eine Standard-Reaktionsenthalpie von

$$\Delta_r H^0 = -570\,kJ,$$

die molare Standard-Bildungsenthalpie beträgt daher

$$\Delta_f H^0_m = -570\,kJ/(2\,mol) = -285\,kJ/mol.$$

Molare Standard-Bildungsenthalpien sind für viele Verbindungen tabelliert, einige sind in ▷ B6 aufgeführt.

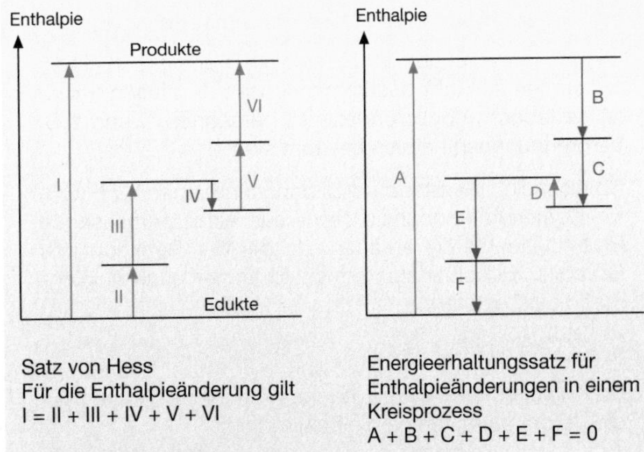

B4 Enthalpieänderung in einem Kreisprozess

V 1 Bildungsenthalpie von Eisen(II)-sulfid. Mischen Sie in einer Reibschale Schwefel- und Eisenpulver (ferrum reductum) im Stoffmengenverhältnis 1 : 1 und geben Sie etwa 4 g (genau gewogen: m) in ein Reagenzglas, das in einen Metallzylinder passt. Füllen Sie das Kalorimeter (▷ B5) mit Wasser (m_W, ϑ_1). Zünden Sie (Schutzbrille) mit einer glühenden Eisenkugel und ermitteln Sie aus dem zeitlichen Temperaturverlauf die Endtemperatur ϑ_2. Bestimmen Sie die Wärmekapazität C_K des Kalorimeters und berücksichtigen Sie dabei die Temperaturzunahme durch die glühende Eisenkugel.

Die molare Bildungsenthalpie ergibt sich aus:

$$\Delta_f H^0_m = (C_K + c_W\, m_W) \cdot (\vartheta_2 - \vartheta_1) \cdot \frac{M(FeS)}{m}$$

B5 Bestimmung der Bildungsenthalpie von Eisensulfid. Kalorimeter und Ausschnitt aus einem Versuchsprotokoll

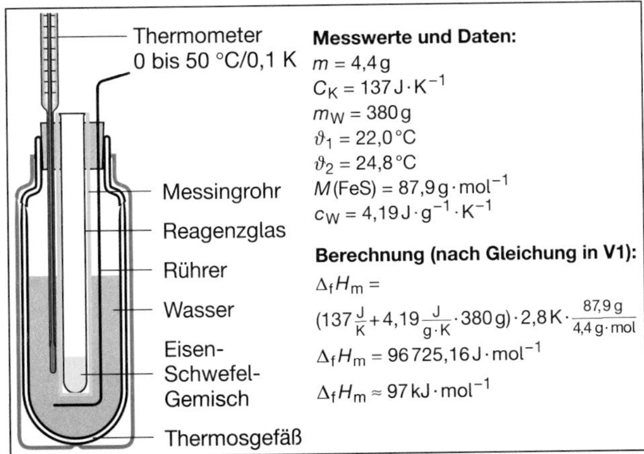

Messwerte und Daten:
$m = 4{,}4\,g$
$C_K = 137\,J \cdot K^{-1}$
$m_W = 380\,g$
$\vartheta_1 = 22{,}0\,°C$
$\vartheta_2 = 24{,}8\,°C$
$M(FeS) = 87{,}9\,g \cdot mol^{-1}$
$c_W = 4{,}19\,J \cdot g^{-1} \cdot K^{-1}$

Berechnung (nach Gleichung in V1):
$\Delta_f H_m =$
$(137\,\frac{J}{K} + 4{,}19\,\frac{J}{g \cdot K} \cdot 380\,g) \cdot 2{,}8\,K \cdot \frac{87{,}9\,g}{4{,}4\,g \cdot mol}$
$\Delta_f H_m = 96\,725{,}16\,J \cdot mol^{-1}$
$\Delta_f H_m \approx 97\,kJ \cdot mol^{-1}$

B6 Molare Standard-Bildungsenthalpien einiger Verbindungen und Teilchenarten

Formel	$\Delta_f H^0_m$ in $kJ \cdot mol^{-1}$	Formel	$\Delta_f H^0_m$ in $kJ \cdot mol^{-1}$	Formel	$\Delta_f H^0_m$ in $kJ \cdot mol^{-1}$
$HF(g)$	−273	$N_2H_4(g)$	+95	$SO_2(g)$	−297
$HCl(g)$	−92	$CO(NH_2)_2$	−246	$Al_2O_3(s)$	−1676
$HBr(g)$	−36	C(s, Diamant)	+2	$CuO(s)$	−157
$H_2O(l)$	−285	$CO(g)$	−111	$FeS(s)$	−100
$H_2O(g)$	−242	$CO_2(g)$	−393	$Fe_2O_3(s)$	−824
$NH_3(g)$	−46	$CH_4(g)$	−75	$MgO(s)$	−602
$NO(g)$	+90	$C_2H_6(g)$	−84	$NaCl(s)$	−411
$NO_2(g)$	+33	$CH_3OH(l)$	−239	$ZnO(s)$	−350
$N_2O_4(g)$	+9	$C_2H_5OH(l)$	−277		

Bildungsenthalpien aus Verbrennungsenthalpien

Es gibt Verbindungen, für die sich die Bildungsenthalpien experimentell nicht bestimmen lassen. In diesen Fällen ist es jedoch möglich, diese zu berechnen, wenn z. B. Verbrennungsenthalpien bekannt sind.

So lässt sich die Standard-Bildungsenthalpie $\Delta_f H^0(CO)$ für Kohlenstoffmonooxid nicht aus einer gemessenen Reaktionsenthalpie erhalten, da bei der Reaktion des Graphits zu Kohlenstoffmonooxid immer auch Kohlenstoffdioxid entsteht.

I) $2\,C\,(Graphit) + O_2(g) \longrightarrow 2\,CO(g) \mid \Delta_r H^0_I = ?$

Da Kohlenstoffmonooxid jedoch brennbar ist, kann man die Verbrennungsenthalpie bestimmen:

II) $2\,CO(g) + O_2(g) \longrightarrow 2\,CO_2(g) \mid \Delta_r H^0_{II} = -564\,kJ$

Diese Enthalpieangabe gilt für die Bildung von 2 mol Kohlenstoffdioxid.
Auch für die folgende Reaktion lässt sich die Verbrennungsenthalpie bestimmen:

III) $C\,(Graphit) + O_2(g) \longrightarrow CO_2(g)$
$\mid \Delta_f H^0(CO_2) = -393\,kJ$

Nach dem Satz von Hess macht es keinen Unterschied, ob Graphit zuerst nur bis zum Kohlenstoffmonooxid und dieses dann zu Kohlenstoffdioxid verbrannt wird oder ob Graphit direkt zu Kohlenstoffdioxid verbrannt wird.

$$\Delta_r H^0_I + \Delta_r H^0_{II} = \Delta_r H^0_{III}$$
$$\Delta_r H^0_I = \Delta_r H^0_{III} - \Delta_r H^0_{II}$$
$$= -786\,kJ - (-564\,kJ) = -222\,kJ$$

Mit $\Delta_r H^0_I = 2\,mol \cdot \Delta_f H^0_m(CO)$ ergibt sich:

$$\Delta_f H^0_m(CO) = -111\,kJ/mol$$

B7 Bestimmung der Verbrennungsenthalpie von Propan

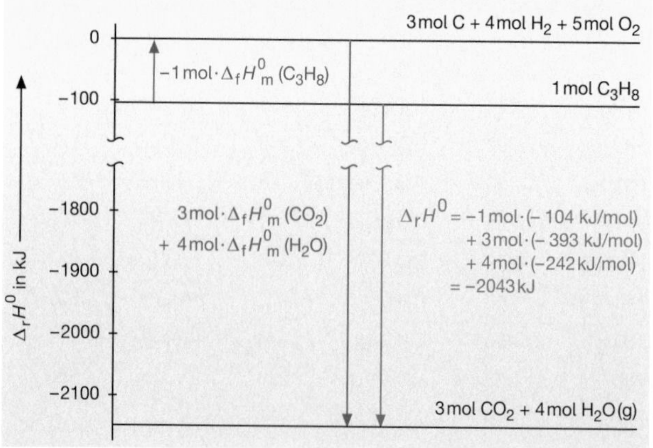

Zusammenhang von Reaktions- und Bildungsenthalpien. Eine chemische Reaktion kann bei energetischer Betrachtung als ein Vorgang aufgefasst werden, bei dem einerseits eine Zerlegung der Ausgangsstoffe in die Elemente erfolgt und andererseits Reaktionsprodukte aus den Elementen gebildet werden. Dies ermöglicht es, einen Zusammenhang zwischen Reaktionsenthalpien $\Delta_r H$ und molaren Bildungsenthalpien $\Delta_f H_m$ herzustellen, der am Beispiel einer Verbrennung erläutert und anschließend verallgemeinert wird.

Die Reaktionsgleichung für die Verbrennung von Propan

$$C_3H_8 + 5\,O_2 \longrightarrow 3\,CO_2 + 4\,H_2O$$

denkt man sich in folgende Teilschritte zerlegt (▷ B7):

I) $C_3H_8 \longrightarrow 3\,C + 4\,H_2$

II) $3\,C + 4\,H_2 + 5\,O_2 \longrightarrow 3\,CO_2 + 4\,H_2O$

In Schritt I wird die Spaltung des Propans in die Elemente formuliert. Wenn dabei 1 mol Propan eingesetzt und durch die Reaktion verbraucht wird, ist die Änderung Δn der Stoffmenge: $\Delta n = -1\,mol$. Für die Reaktionsenthalpie lässt sich damit formulieren:

$$\Delta_r H_I = \Delta n(C_3H_8) \cdot \Delta_f H_m(C_3H_8) = -1\,mol \cdot \Delta_f H_m(C_3H_8)$$

Zur Reaktionsenthalpie leisten die Elemente keinen Beitrag, da ihre Bildungsenthalpien definitionsgemäß null sind. Die Änderungen der Stoffmengen bei der Bildung von Kohlenstoffdioxid und Wasser aus den Elementen in Schritt II sind $\Delta n(CO_2) = 3\,mol$ und $\Delta n(H_2O) = 4\,mol$. Die Reaktionsenthalpie für den zweiten Teilschritt ist:

$$\Delta_r H_{II} = \Delta n(CO_2) \cdot \Delta_f H_m(CO_2) + \Delta n(H_2O) \cdot \Delta_f H_m(H_2O)$$
$$= +3\,mol \cdot \Delta_f H_m(CO_2) + 4\,mol \cdot \Delta_f H_m(H_2O)$$

Da sich die betrachtete Gesamtreaktion als Summe der beiden Teilreaktionen I und II ergibt, erhält man die Reaktionsenthalpie der Gesamtreaktion als Summe der Reaktionsenthalpien beider Teilreaktionen:

$$\Delta_f H = \Delta_r H_I + \Delta_r H_{II} = -1\,mol \cdot \Delta_f H_m(C_3H_8) +$$
$$+ 3\,mol \cdot \Delta_f H_m(CO_2) + 4\,mol \cdot \Delta_f H_m(H_2O)$$

Werden Standard-Bildungsenthalpien eingesetzt, ergibt sich die Standard-Reaktionsenthalpie $\Delta_r H^0$ (▷ B7).
Für die Verbrennung einer beliebigen Propanportion gilt:

$$\Delta_r H = \Delta n(C_3H_8) \cdot \Delta_f H_m(C_3H_8) + \Delta n(CO_2) \cdot \Delta_f H_m(CO_2) +$$
$$+ \Delta n(H_2O) \cdot \Delta_f H_m(H_2O)$$

Auch hier hat die Stoffmengenänderung des Propans einen negativen Wert.
Der Zusammenhang zwischen der Reaktionsenthalpie und den molaren Bildungsenthalpien der an einer Reaktion beteiligten Stoffe lässt sich für jede andere Reaktion in entsprechender Weise formulieren.

Berechnung von Reaktionsenthalpien aus Bildungsenthalpien. Für die Abhängigkeit der Reaktionsenthalpie $\Delta_r H$ von den molaren Bildungsenthalpien $\Delta_f H_m$ der an einer Reaktion beteiligten Stoffportionen gilt:

$$\Delta_r H = \sum_i \Delta n_i \cdot \Delta_f H_{m_i}$$

Die Reaktionsenthalpie ist die Summe der Produkte aus Stoffmengenänderung und molarer Bildungsenthalpie der Reaktionsteilnehmer.

Die Stoffmengenänderung hat für die Edukte jeweils ein negatives, für die Produkte ein positives Vorzeichen.
Für die riesige Anzahl von möglichen Reaktionen ist es nicht erforderlich, Reaktionsenthalpien experimentell zu bestimmen, da sie in einfacher Weise mithilfe der tabellierten molaren Standard-Bildungsenthalpien berechnet werden können.

Berechnung einer Standard-Reaktionsenthalpie. Die Vorgehensweise soll am Beispiel der Reduktion von Eisen(III)-oxid mit Kohlenstoffmonooxid erläutert werden (▷ B8):

$$Fe_2O_3(s) + 3\,CO(g) \longrightarrow 2\,Fe(s) + 3\,CO_2(g)$$

Der Angabe einer Reaktionsenthalpie liegt immer eine Reaktionsgleichung zugrunde. Es ist zweckmäßig, die Reaktionsenthalpie für die Stoffmengen anzugeben, deren Beträge den Faktoren der Reaktionsgleichung entsprechen.

Reagiert 1 mol Eisen(III)-oxid mit 3 mol Kohlenstoffmonooxid, so ist
$\Delta n(Fe_2O_3) = -1\,mol$ und $\Delta n(CO) = -3\,mol$.
Dabei werden 2 mol Eisen und 3 mol Kohlenstoffdioxid gebildet, es ist also
$\Delta n(Fe) = +2\,mol$ und $\Delta n(CO_2) = +3\,mol$.
Die Standard-Reaktionsenthalpie $\Delta_r H^0$ für die Reaktion ergibt sich mit den Tabellenwerten der molaren Standard-Bildungsenthalpien aus folgender Summe:

$$\begin{aligned}\Delta_r H^0 &= -1\,mol \cdot \Delta_f H^0_m(Fe_2O_3) - 3\,mol \cdot \Delta_f H^0_m(CO) + 2\,mol \cdot \Delta_f H^0_m(Fe) \\ &\quad + 3\,mol \cdot \Delta_f H^0_m(CO_2) \\ &= -1\,mol \cdot (-824\,kJ/mol) - 3\,mol \cdot (-111\,kJ/mol) + 2\,mol \cdot 0\,kJ/mol \\ &\quad + 3\,mol \cdot (-393\,kJ/mol) = -22\,kJ\end{aligned}$$

B8 Berechnung der Reaktionsenthalpie durch Zerlegung der Edukte in die Elemente und Bildung der Produkte aus den Elementen

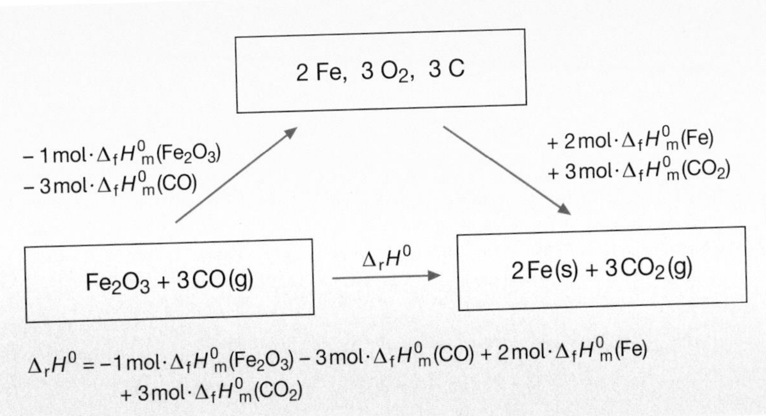

A 1 Kupfer(II)-oxid kann durch Wasserstoff reduziert werden. Berechnen Sie die Standard-Reaktionsenthalpie für 2,5 g Kupfer(II)-oxid. Führen Sie die Berechnung für die beiden unterschiedlichen Bildungsenthalpien des Wassers durch. Vergleichen Sie die Werte.

A 2 Berechnen Sie für die Verbrennung des Methanols die Standard-Reaktionsenthalpie.
Veranschaulichen Sie den Zusammenhang von Reaktionsenthalpie und den Bildungsenthalpien durch ein Schema, wie es ▷ B8 zeigt.

A 3 Formulieren Sie die Reaktionen des Ethans und des Ethanols mit Sauerstoff. Berechnen Sie die Standard-Reaktionsenthalpie $\Delta_r H^0$ für jeweils 1 mol der eingesetzten Verbindung. Wie lassen sich die Unterschiede der erhaltenen Werte erklären?

A 4 Als Flüssigtreibstoff in Raketen wird häufig Hydrazin, $H_2N{-}NH_2$, verwendet, das zu Stickstoff und Wasserdampf verbrannt wird. Als Oxidationsmittel dienen Sauerstoff oder Distickstofftetraoxid, N_2O_4. Formulieren Sie für beide Reaktionsarten die Gleichungen und berechnen Sie die Reaktionsenthalpien unter Standardbedingungen. Welches Oxidationsmittel setzt auf die Stoffmenge an Hydrazin bezogen mehr Wärme frei?

A 5 Ein Heizgas, das als Wärmequelle für Industrieanlagen dient, ist „Wassergas", ein Gemisch aus Kohlenstoffmonooxid und Wasserstoff in gleichen Stoffmengen. Zur Herstellung von Wassergas wird Wasserdampf über glühenden Koks geleitet. Formulieren Sie die Reaktionsgleichung und entscheiden Sie, ob diese Reaktion unter Standardbedingungen exotherm oder endotherm ist. Welche Wärme wird frei, wenn Wassergas, das aus 1 mol Kohlenstoff (Graphit) gewonnen wurde, verbrannt wird?

Bildungsenthalpien der Kohlenwasserstoffe. Reaktionsenthalpien lassen sich nicht nur aus Bildungsenthalpien berechnen, auch der umgekehrte Weg kann beschritten werden. Viele der tabellierten Bildungsenthalpien konnten nicht experimentell ermittelt werden. Dazu gehören auch die Bildungsenthalpien der Kohlenwasserstoffe, da sich diese nicht aus Kohlenstoff und Wasserstoff als Reinstoffe erhalten lassen. Dagegen können die Verbrennungsenthalpien von Kohlenwasserstoffen sehr genau bestimmt werden. Zusammen mit den Bildungsenthalpien von Kohlenstoffdioxid und Wasser können damit die gesuchten molaren Bildungsenthalpien ermittelt werden. Die Berechnung wird in ▷ B 10 am Beispiel des Methans erläutert.

Molare Standard-Bildungsenthalpien für Ionen in wässriger Lösung. Um Reaktionsenthalpien für Reaktionen in wässriger Lösung, an denen Ionen beteiligt sind, berechnen zu können, müssen die Bildungsenthalpien der hydratisierten Ionen bekannt sein. Diese lassen sich allerdings nicht direkt bestimmen, da mit einem Kation immer auch ein Anion entsteht. Auch die Berechnung der Bildungsenthalpie mithilfe einer experimentell bestimmbaren Reaktionsenthalpie führt nicht zum Erfolg, da bei Ionenreaktionen jeweils nicht nur eine Ionensorte beteiligt ist. So lässt sich z. B. bei der Reaktion

$$2\,Br^-(aq) + Cl_2 \longrightarrow 2\,Cl^-(aq) + Br_2$$

der Beitrag der Bromidionen zur Reaktionsenthalpie nicht berechnen, wenn die Bildungsenthalpie der Chloridionen nicht bekannt ist.
Um auch für nur eine Sorte hydratisierter Ionen Bildungsenthalpien angeben zu können, hat man ein Bezugssystem für Ionen in wässriger Lösung definiert:

$$\Delta_f H^0_m(H_3O^+(aq)) = \Delta_f H^0_m(H_2O(l))$$

Die Reaktionsenthalpie für die Anlagerung von Protonen an Wassermoleküle wird gleich null gesetzt. Mit dieser Festlegung lässt sich nun die Bildungsenthalpie einer Ionensorte berechnen, wenn bei einer Reaktion mit bekannter Reaktionsenthalpie als zweite Ionensorte Oxoniumionen beteiligt sind. Dies trifft z. B. für die Reaktion von Chlorwasserstoff mit Wasser zu:

$$HCl(g) + H_2O(l) \longrightarrow H_3O^+(aq) + Cl^-(aq) \quad | \quad \Delta_r H^0 = -75\,kJ$$

Damit ist die molare Standard-Bildungsenthalpie hydratisierter Chloridionen $\Delta_f H^0_m(Cl^-(aq)) = -167\,kJ \cdot mol^{-1}$.

Denn nur so wird:

$$\begin{aligned}\Delta_r H^0 &= -1\,mol \cdot \Delta_f H^0_m(HCl) - 1\,mol \cdot \Delta_f H^0_m(H_2O)\\ &\quad + 1\,mol \cdot \Delta_f H^0_m(H_3O^+(aq))\\ &\quad + 1\,mol \cdot \Delta_f H^0_m(Cl^-(aq)) = -75\,kJ\end{aligned}$$

Nach der getroffenen Festsetzung sind auch die molaren Standard-Bildungsenthalpien anderer Ionen in wässriger Lösung bestimmbar (▷ B 9). So kann die molare Standard-Bildungsenthalpie hydratisierter Natriumionen aus der Lösungsenthalpie von 1 mol Kochsalz errechnet werden:

$$NaCl(s) \longrightarrow Na^+(aq) + Cl^-(aq) \quad | \quad \Delta_r H^0 = 4\,kJ$$

$$\begin{aligned}\Delta_r H^0 &= -1\,mol \cdot \Delta_f H^0_m(NaCl)\\ &\quad + 1\,mol \cdot \Delta_f H^0_m(Na^+(aq))\\ &\quad + 1\,mol \cdot \Delta_f H^0_m(Cl^-(aq))\end{aligned}$$

Daraus ergibt sich:

$$\begin{aligned}\Delta_f H^0_m(Na^+(aq)) &= \frac{4\,kJ}{1\,mol} - \Delta_f H^0_m(Cl^-(aq)) + \Delta_f H^0_m(NaCl)\\ &= (4 + 167 - 411)\,kJ \cdot mol^{-1} = -240\,kJ \cdot mol^{-1}\end{aligned}$$

B 9 Molare Standard-Bildungsenthalpien für hydratisierte Ionen

Formel	$\Delta_f H^0_m$ in $kJ \cdot mol^{-1}$
$H_3O^+(aq)$	−285
$OH^-(aq)$	−230
$Na^+(aq)$	−240
$K^+(aq)$	−252
$Mg^{2+}(aq)$	−467
$Ca^{2+}(aq)$	−543
$Cu^{2+}(aq)$	+65
$Ag^+(aq)$	+106
$NH_4^+(aq)$	−133
$Cl^-(aq)$	−167
$Br^-(aq)$	−122
$NO_3^-(aq)$	−205
$SO_4^{2-}(aq)$	−909

B 10 Ermittlung der Bildungsenthalpie von Methan aus der Verbrennungsenthalpie

Gesucht ist die molare Standard-Bildungsenthalpie von Methan $\Delta_f H^0_m(CH_4)$.
Experimentell bestimmbar ist die Verbrennungsenthalpie:

$$CH_4(g) + 2\,O_2(g) \longrightarrow CO_2(g) + 2\,H_2O(l) \quad | \quad \Delta_r H^0 = -888\,kJ$$

Es gilt:

$$\begin{aligned}\Delta_r H^0 &= -1\,mol \cdot \Delta_f H^0_m(CH_4) - 2\,mol \cdot \Delta_f H^0_m(O_2) + 1\,mol \cdot \Delta_f H^0_m(CO_2)\\ &\quad + 2\,mol \cdot \Delta_f H^0_m(H_2O)\end{aligned}$$

$$\begin{aligned}1\,mol \cdot \Delta_f H^0_m(CH_4) &= 1\,mol \cdot \Delta_f H^0_m(CO_2) + 2\,mol \cdot \Delta_f H^0_m(H_2O)\\ &\quad - 2\,mol \cdot \Delta_f H^0_m(O_2) - \Delta_r H^0\end{aligned}$$

$$\begin{aligned}\boldsymbol{\Delta_f H^0_m(CH_4)} &= \Delta_f H^0_m(CO_2) + 2\,\Delta_f H^0_m(H_2O) - 2\,\Delta_f H^0_m(O_2) - \Delta_r H^0 \cdot mol^{-1}\\ &= (-393 - 2 \cdot 285 - 0 + 888)\,kJ \cdot mol^{-1} = \boldsymbol{-75\,kJ \cdot mol^{-1}}\end{aligned}$$

Temperaturabhängigkeit von Reaktionsenthalpien. Bisher wurden Enthalpieänderungen nur bei Standardbedingungen betrachtet. Die meisten Reaktionen werden aber bei anderen Bedingungen, vor allem bei anderen Temperaturen, durchgeführt. Welche Auswirkungen hat dies auf die Reaktionsenthalpien? Untersuchungen zeigten: Bei anderen Temperaturen gemessene Enthalpieänderungen unterscheiden sich meist nur wenig von denen bei 298 K, wenn der Aggregatzustand der beteiligten Stoffe jeweils der gleiche ist.
Bei 900 K ist z. B. die molare Bildungsenthalpie für Kohlenstoffdioxid $-393\,kJ \cdot mol^{-1}$, diejenige für Chlorwasserstoff $-93\,kJ \cdot mol^{-1}$ (▷ B 6). Die Reaktionsenthalpie für die katalytische Verbrennung von 1 mol Ammoniak bei 500 K unterscheidet sich von der Standard-Reaktionsenthalpie um etwa 1 kJ. Die Standard-Reaktionsenthalpien lassen sich mit einem kleinen Verlust an Genauigkeit auf die entsprechenden Reaktionen bei anderen Temperaturen übertragen.

Bindungsenthalpien. Die bei einer Reaktion auftretende Enthalpieänderung ist im Wesentlichen bedingt durch den Unterschied zwischen der Energie, die zur Bindungsspaltung der Edukte aufgebracht werden muss, und der Energie, die bei der Bindungsbildung der Produkte freigesetzt wird. Es besteht daher ein enger Zusammenhang zwischen Reaktionsenthalpien und Bindungsenergien von Molekülen.
Durch diesen Zusammenhang ist es möglich, aus energetischen Daten wie Reaktionsenthalpien und bereits bekannten Bindungsenergien unbekannte Bindungsenergien von Molekülen zu bestimmen. In der Energetik ist es dabei zweckmäßig, Bindungs*enthalpien* zu verwenden (▷ B 12).

Unter der molaren **Standard-Bindungsenthalpie** zweiatomiger Moleküle versteht man die auf die Stoffmenge der Moleküle bezogene Standard-Reaktionsenthalpie der Spaltung in Atome.
Diese Definition ist auch auf mehratomige Moleküle mit lauter gleichen Bindungen übertragbar. Die Reaktionsenthalpie der Spaltung in Atome ist dann durch die Anzahl dieser Bindungen zu dividieren.
Das folgende Beispiel zeigt die Bestimmung der molaren Standard-Bindungsenthalpie einer OH-Bindung im Wassermolekül.

$$2\,H_2O(g) \longrightarrow 2\,H_2(g) + O_2(g) \quad | \; \Delta_r H^0 = +484\,kJ$$
$$2\,H_2(g) \longrightarrow 4\,H(g) \quad | \; \Delta_r H^0 = +872\,kJ$$
$$O_2(g) \longrightarrow 2\,O(g) \quad | \; \Delta_r H^0 = +498\,kJ$$
$$2\,H_2O(g) \longrightarrow 4\,H(g) + 2\,O(g) \quad | \; \Delta_r H^0 = 1854\,kJ$$

Die durch die Stoffmenge $n(H_2O) = 2\,mol$ dividierte Reaktionsenthalpie ist $927\,kJ \cdot mol^{-1}$; durch die Anzahl der Bindungen dividiert ergibt sich die gesuchte molare Standard-Bindungsenthalpie zu $463{,}5\,kJ \cdot mol^{-1}$.

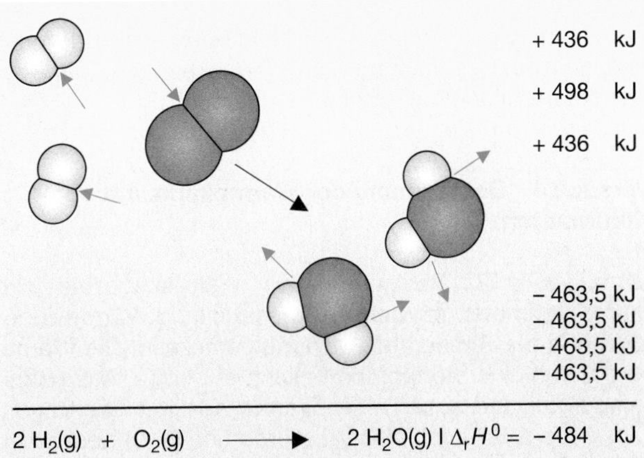

B 11 Enthalpiebilanz der molaren Standard-Bindungsenthalpien für die Wassersynthese

A 6 Deuten Sie die Unterschiede zwischen den molaren Bindungsenthalpien der folgenden Bindungen (▷ B 12).
a) C−C, C=C, C≡C b) N−N, N=N, N≡N
c) C−C, C−O, C−F d) H−C, H−O, H−F
e) H−F, H−Cl, H−Br, H−I

A 7 Ethen verbrennt zu Kohlenstoffdioxid und gasförmigem Wasser. a) Formulieren Sie die Reaktionsgleichung. b) Berechnen Sie die ungefähre Reaktionsenthalpie durch Aufstellen einer Enthalpiebilanz von allen zu spaltenden und zu knüpfenden Bindungen. c) Vergleichen Sie den erhaltenen Wert mit dem, den Sie mithilfe der $\Delta_f H^0_m$-Werte berechnen können.
$\Delta_f H^0_m(C_2H_4) = +53\,kJ \cdot mol^{-1}$

B 12 Durchschnittliche molare Standard-Bindungsenthalpien in $kJ \cdot mol^{-1}$

	−H	−C	=C	≡C	−N	=N	≡N	−O	=O
C	413	348	614	839	305	615	891	358	745
N	391	305	615	891	163	418	945	201	607
O	464	358	745*		201	607		146	498
F	567	489			278			193	
Cl	431	339			192			208	
Br	366	285						234	
I	298	218						234	
P	323	264						335	
S	367	272	536						
Si	318	285						451	

* in CO_2: 803

5.6 Praktikum: Reaktionsenthalpien

Vorbereitung: Vor der Durchführung der einzelnen Versuche zur Bestimmung von Reaktionsenthalpien muss jeweils eine Bestimmung der Wärmekapazität der verwendeten Kalorimeter erfolgen (▷ Versuch 1).

Versuch 1 Bestimmung der Wärmekapazität von Kalorimetern

Grundlagen: Zur Bestimmung der Wärmekapazität wird dem Kalorimeter und dessen Wasserfüllung Wärme zugeführt und die Temperaturerhöhung gemessen. Die Wärme wird durch eine Stoffportion bekannter Masse, Ausgangstemperatur und spezifischer Wärmekapazität übertragen. Dies kann z. B. durch eine Wasserportion (a, b) oder einen Metallkörper (c) erfolgen. Es ist zu beachten, dass die Gesamtmasse der Wasserfüllung so gewählt wird, dass sie derjenigen bei der späteren Bestimmung einer Reaktionsenthalpie entspricht.

Geräte und Materialien: Verschiedene Kalorimeter, Thermometer (Teilung 1/10 K), Aluminiumkörper, Becherglas, Waage, Brenner, Dreifuß, Keramikdrahtnetz

Durchführung:
a) Füllen Sie die Hälfte der benötigten Wasserportion, deren Masse genau bestimmt wird, in das Kalorimeter (jeweils Zimmertemperatur). Messen Sie die Ausgangstemperatur des Wassers. Erwärmen Sie die zweite Hälfte der Wasserportion auf 40–50 °C, messen Sie die genaue Temperatur und gießen Sie die Wasserportion in das Kalorimeter. Messen Sie die Mischungstemperatur des Wassers.
b) Ändern Sie die Versuchsdurchführung, indem Sie zuerst das warme Wasser in das Kalorimeter füllen und anschließend Wasser von Zimmertemperatur zugeben.

B1 Grafische Ermittlung von Temperaturdifferenzen

Der Wärmeaustausch im Kalorimeter erfordert eine bestimmte Zeit. Diese ist umso größer, je langsamer der Stoffumsatz bei der Reaktion erfolgt. Dadurch wird schon während des Versuchs Wärme vom Kalorimeter an die Umgebung abgegeben und die gemessene Temperaturerhöhung ist geringer als ohne diesen Wärmeverlust.
Um dennoch das Temperaturmaximum zu ermitteln, zeichnet man den Temperaturverlauf auf und extrapoliert so, dass die beiden Flächen A_1 und A_2 etwa gleich groß sind.

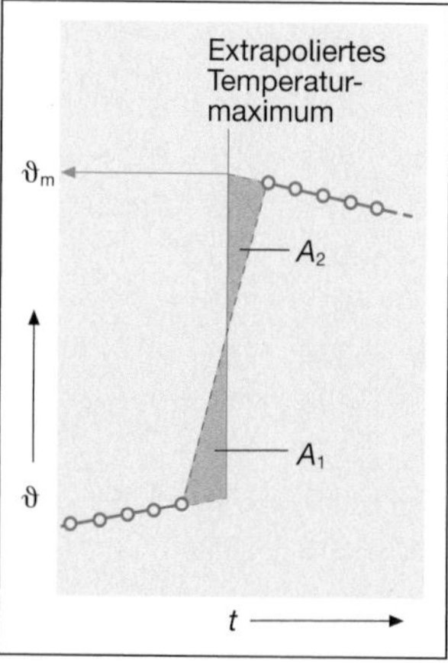

c) Durchführung wie bei (a). Verwenden Sie jedoch anstelle des warmen Wassers einen Aluminiumkörper bekannter Masse, der zuvor in siedendem Wasser dessen Temperatur angenommen hat. (Vorsicht! Bei Kalorimetern aus Glas muss der Aluminiumkörper z. B. mithilfe eines Bindfadens vorsichtig in das Gefäß eingetaucht werden.)

Auswertung: Berechnen Sie die Wärmekapazität des Kalorimeters. Verwenden Sie dazu die Informationen in ↗Kap. 5.1. Die spezifische Wärmekapazität des Aluminiums ist $c = 0{,}9\,J/(g \cdot K)$.

Aufgabe: Vergleichen Sie die Ergebnisse der verschiedenen Versuchsvarianten und geben Sie jeweils mögliche Fehlerquellen an.

Versuch 2 Neutralisationsenthalpie

Geräte und Chemikalien: Kalorimeter mit Thermometer (Teilung 1/10 K) und Rührer, 2 Messzylinder (100 ml), Natronlauge und Salzsäure (jeweils $c = 1\,mol/l$)

Durchführung: Geben Sie in das Kalorimeter mit bekannter Wärmekapazität 100 ml Natronlauge und dann unter Rühren rasch 100 ml Salzsäure. Achten Sie darauf, dass das Kalorimeter und beide Lösungen vor dem Mischen die gleiche Temperatur besitzen. Messen Sie die Temperatur nach dem Mischen.

Auswertung: Berechnen Sie die Neutralisationsenthalpie für die Bildung von 1 mol Wasser. Die spezifische Wärmekapazität der entstandenen Kochsalzlösung kann derjenigen von Wasser gleichgesetzt werden.

Aufgabe: Berechnen Sie mithilfe von Tabellenwerten die Neutralisationsenthalpie für die Bildung von 1 mol Wasser und vergleichen Sie mit dem Versuchsergebnis.

Versuch 3 Reaktionsenthalpie einer Redoxreaktion

Geräte und Chemikalien: Kalorimeter mit ebenem Boden (250 ml), Magnetrührer, Thermometer (Teilung 1/10 K), Messzylinder (100 ml), Waage, Spatel, Silbernitratlösung ($c = 0{,}2\,mol/l$), Kupferpulver (frisch reduziert)

Durchführung: Geben Sie 100 ml Silbernitratlösung in das Kalorimeter bekannter Wärmekapazität und messen Sie die Anfangstemperatur. Fügen Sie 2 g Kupferpulver zu und verfolgen Sie unter ständigem Rühren den Temperaturverlauf. Messen Sie die Temperatur im Abstand von einer halben Minute. Nehmen Sie nach dem Temperaturmaximum noch einige Werte auf.

Auswertung: a) Zeichnen Sie ein Diagramm für den zeitlichen Verlauf der Temperatur.
b) Bestimmen Sie die Temperaturdifferenz nach ▷ B 1.
c) Formulieren Sie die Reaktionsgleichung in der Ionenschreibweise und berechnen Sie die Reaktionsenthalpie aus den experimentellen Daten und aus Tabellenwerten.

Versuch 4 Bestimmung einer Verbrennungswärme

Geräte und Chemikalien: Verbrennungskalorimeter bekannter Wärmekapazität oder Getränkedose, Verbrennungslämpchen, Stativmaterial, Thermometer (Teilung 1/10 K), Wasserstrahlpumpe, Waage, flüssiger Brennstoff (z. B. Ethanol)
Durchführung: Füllen Sie eine kleine Portion des Brennstoffs in das Lämpchen und bestimmen Sie dessen Gesamtmasse sowie die Masse und die Temperatur der Wasserfüllung des Kalorimeters.
a) Verbrennungskalorimeter: Saugen Sie mit der Wasserstrahlpumpe einen schwachen Luftstrom durch die Apparatur, entzünden Sie das Lämpchen und geben Sie es rasch in den Verbrennungsraum. (Evtl. muss der Luftstrom nachreguliert werden, damit der Brennstoff gleichmäßig brennt.) Erstellen Sie eine Wertetabelle für den zeitlichen Temperaturverlauf. Löschen Sie das Lämpchen nach drei Minuten und nehmen Sie danach noch zwei Minuten weitere Temperaturwerte auf. Bestimmen Sie die Masse des verbrauchten Brennstoffs.
b) Getränkedose: Entzünden Sie das Lämpchen und stellen Sie es so unter die Dose, dass der Abstand zwischen Flammenspitze und Dosenboden etwa 1 cm beträgt. Erstellen Sie eine Tabelle für den zeitlichen Temperaturverlauf und verfahren Sie weiter wie in (a).

Auswertung: a) Zeichnen Sie ein Diagramm für den zeitlichen Verlauf der Temperatur und bestimmen Sie die Temperaturdifferenz nach ▷ B 1.
b) Formulieren Sie die Reaktionsgleichung und berechnen Sie die Reaktionsenthalpie.
c) Berechnen Sie die spezifische Verbrennungsenthalpie des Brennstoffs und vergleichen Sie mit dem Tabellenwert (↗ Kap. 5.4, ▷ B 1).

Versuch 5 Bestimmung von Lösungsenthalpien

Geräte und Chemikalien: Kleines Kalorimeter mit ebenem Boden, Magnetrührer, Thermometer (Teilung 1/10 K), Waage, Messzylinder (50 ml), Spatel, wasserfreies Kupfer(II)-sulfat, Kaliumnitrat

Durchführung:
a) Geben Sie 50 ml Wasser in das Kalorimeter bekannter Wärmekapazität und bestimmen Sie die Ausgangstemperatur. Geben Sie 1 g wasserfreies Kupfersulfat hinzu und verfolgen Sie unter Rühren den Temperaturverlauf. Bestimmen Sie die Endtemperatur, wenn sich das gesamte Salz gelöst hat.
b) Führen Sie den Versuch anstelle von wasserfreiem Kupfer(II)-sulfat mit 5 g Kaliumnitrat durch.

Auswertung:
a) Berechnen Sie jeweils die Lösungsenthalpie für die eingesetzten Stoffportionen sowie die Lösungsenthalpie für je 1 mol der eingesetzten Salze.
b) Berechnen Sie die Lösungsenthalpie mithilfe von tabellierten Bildungsenthalpien und vergleichen Sie mit Ihrem experimentellen Ergebnis.

B 2 Verschiedene Kalorimeter und Versuchsanordnungen zur Messung von Reaktionsenthalpien

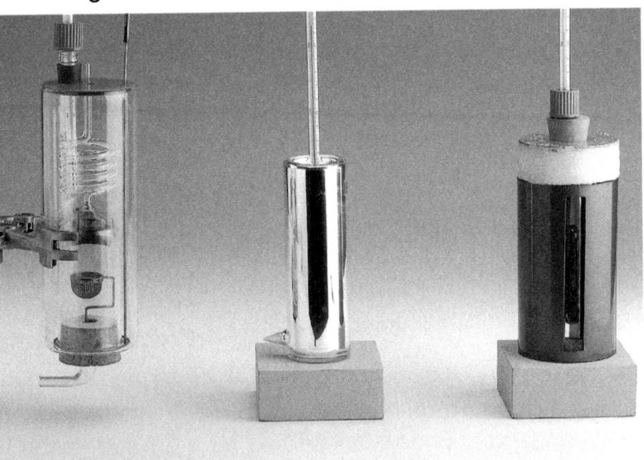

5.7 Die Richtung spontaner Vorgänge

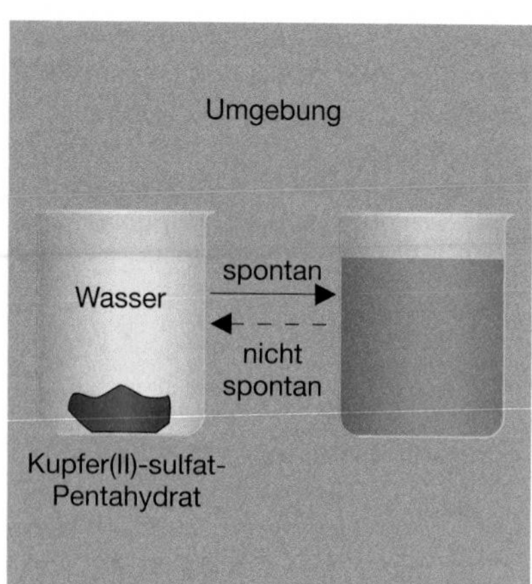

B 1 Auflösen eines Feststoffs. Die Lösung bildet sich spontan

V 1 Lösungswärmen. Lösen Sie Portionen von Kaliumchlorid und Ammoniumnitrat in etwas Wasser und beobachten Sie die Temperaturänderung.

V 2 Endotherme Vorgänge unter Abkühlung der Umgebung.
a) Mischen Sie in einem Reagenzglas jeweils 2 g Bariumhydroxid-Octahydrat und Ammoniumthiocyanat. Stellen Sie die Temperaturänderung fest und prüfen Sie den Gasraum mit Universalindikatorpapier.
b) Geben Sie etwas Pentan auf einen Wattebausch und halten Sie in diesen ein Thermometer (Abzug!).
c) Geben Sie in ein Reagenzglas je ca. 1 cm hoch Natriumcarbonat-Decahydrat und Citronensäure. Vermischen Sie und beobachten Sie die Temperaturänderung.

A 1 Ein Produkt der Reaktion von ▷ V2a ist Bariumthiocyanat ($Ba(SCN)_2$).
a) Formulieren Sie die Reaktionsgleichung.
b) Vergleichen Sie den unterschiedlichen Ordnungsgrad des Ausgangs- und Endzustands.

Aus dem Alltag sind uns viele Vorgänge vertraut, die von selbst nur in *einer* Richtung ablaufen. So kühlt sich ein heißes Getränk ab, ein Glas zerbricht, eine Kerze brennt ab, ein Lebewesen altert.
Uns sind auch Vorgänge bekannt, die in beiden Richtungen verlaufen können. Eis kann schmelzen, das Wasser kann wieder erstarren. Aus Kupfer und Sauerstoff entsteht Kupferoxid, aus dem sich bei hoher Temperatur wieder die Elemente bilden. Bei dem jeweiligen endothermen Vorgang nimmt das System Enthalpie von der Umgebung auf, die bei der Umkehrung wieder abgegeben wird. Entscheidend für die Richtung des Vorgangs ist die Temperatur des Systems.

Spontane Reaktionen. Reaktionen, die bei einer gegebenen Temperatur ohne äußere Einwirkung ablaufen, nennt man spontan. Bei der Klärung der Frage, ob bestimmte Ausgangsstoffe spontan reagieren, spielt die Geschwindigkeit keine Rolle. Eine spontane Reaktion kann so langsam erfolgen, dass eine Veränderung nicht beobachtet werden kann. Entscheidend ist, dass eine Tendenz zu reagieren besteht. Die Reaktion des Wasserstoffs mit Sauerstoff ist bei Zimmertemperatur spontan, obwohl das Gemisch beliebig lange unverändert bleibt. Erst durch einen Katalysator wird die bestehende Tendenz zu reagieren erkennbar.

Die meisten Reaktionen verlaufen bei Zimmertemperatur spontan in die exotherme Richtung. Bei hohen Temperaturen ist in vielen Fällen die Reaktion in der endothermen Richtung spontan. Es gibt auch endotherme Reaktionen, die bei niedriger Temperatur spontan ablaufen. Dies zeigt, dass der Ablauf endothermer Reaktionen nicht generell an hohe Temperaturen gebunden ist (▷ V1 und ▷ V2).

Veränderung eines Teilchensystems bei spontanen Vorgängen. Denkt man sich in den skizzierten Versuchsdarstellungen (▷ B2) die Trennwände herausgezogen, so strömt das Gas im ersten Beispiel sofort in das Vakuum und im zweiten Versuch durchmischen sich die Gase vollständig.
Liegt ein wasserlöslicher Feststoff auf dem Boden eines mit Wasser gefüllten Gefäßes, so bildet sich zunächst in der Umgebung des Feststoffs eine konzentrierte Lösung, die sich bis zum völligen Konzentrationsausgleich verdünnt. Offenbar versuchen die Teilchen eines Systems – falls sie nicht an ihren Ort fixiert sind – den ganzen ihnen zur Verfügung stehenden Raum möglichst gleichmäßig und regellos auszufüllen. Jede örtliche Anhäufung wird vermieden. Keinesfalls wird sich aus einer Salzlösung ohne Verdampfen des Wassers spontan ein Salzkristall bilden und reines Wasser zurückbleiben (▷ B1). Bei allen Beispielen verändert sich die Anordnung der Teilchen. In einem Feststoff hat jedes Teilchen einen bestimmten Platz, im Gegensatz zu Flüssigkeiten und Gasen.

Die Ordnung in Systemen. Sind Objekte in einem begrenzten Bereich an bestimmten Plätzen, so bezeichnet man diesen Zustand als geordnet. Die Ordnung wird geringer, wenn für die Objekte die Anzahl der möglichen Plätze und der Raum größer wird, an denen die einzelnen Objekte zu finden sind. Bei der Diffusion, beim Lösen und Verdunsten entsteht jeweils ein Zustand geringerer Ordnung. Dies gilt für alle spontanen Vorgänge.

Bei spontanen Vorgängen wird die Ordnung geringer.

Auch bei Vorgängen, bei denen sich die Anordnung der Teilchen nicht ändert, kann ein Zustand geringerer Ordnung entstehen. Zwischen einem heißen Körper und der umgebenden Luft findet spontan ein Temperaturausgleich statt. Der umgekehrte Vorgang, die Erwärmung eines Körpers bei gleichzeitiger Abkühlung der Umgebung wurde noch nie beobachtet. Die Abnahme der Ordnung beruht auf der Ausbreitung der zunächst konzentriert vorliegenden Energie.

Bei folgenden Vorgängen nimmt die Ordnung in einem System ab:

- wenn Teilchen sich regellos in dem verfügbaren Raum verteilen oder wenn dieser Raum vergrößert wird;
- wenn die Anzahl der Teilchen zunimmt;
- wenn die mittlere Geschwindigkeit der Teilchen, also die Temperatur zunimmt;
- wenn unterschiedliche Temperaturen, Konzentrationen oder Drücke ausgeglichen werden.

Ordnung in System und Umgebung. Die Kondensation eines Gases oder die Bildung eines Feststoffs aus dem flüssigen Aggregatzustand führt spontan zu einem höheren Ordnungszustand des Systems.
Bei der Beurteilung der Veränderung des gesamten Ordnungszustandes durch einen Vorgang müssen auch Veränderungen des Ordnungszustands in der Umgebung berücksichtigt werden. Bildet sich ein Kristall, entsteht ein System höherer Ordnung. Dagegen bewirkt die Kristallisationsenthalpie durch Erwärmung der Umgebung in dieser einen Zustand geringerer Ordnung. Trotz Zunahme der Ordnung bei der Kristallbildung kommt es durch den Wärmeübergang in die Umgebung insgesamt zu einer Abnahme der Ordnung.

Änderung der Ordnung bei chemischen Reaktionen. Auch bei chemischen Reaktionen ändert sich der Ordnungszustand. Bei der Bildung von Flüssigkeiten oder Gasen aus Feststoffen nimmt die Ordnung ab, ebenso wenn die Teilchenanzahl der Reaktionsprodukte größer ist als die der Edukte. Andererseits nimmt z. B. die Ordnung bei der Bildung von Hydrathüllen oder bei der Bildung von Ionengittern zu. Nimmt bei einer chemischen Reaktion die Ordnung des Systems zu, so verläuft die Reaktion immer exotherm. Ein Beispiel hierfür ist die Reaktion von Ammoniak mit Chlorwasserstoff (▷ V3). Durch den Wärmeübergang in die Umgebung kommt es dort zu einer Abnahme der Ordnung, die den Ablauf der Reaktion ermöglicht.

Umgekehrt muss bei endothermen Reaktionen die Ordnung im System abnehmen. Dies geschieht z. B. durch die Bildung von Sauerstoff beim starken Erhitzen von Metalloxiden oder durch die Entstehung von Kohlenstoffdioxid, wenn Carbonate zersetzt werden. Endotherme Reaktionen können bei sehr unterschiedlichen Temperaturen ablaufen. So ist z. B. zur Zersetzung von Kupfer(II)-oxid eine viel höhere Temperatur notwendig als für Silberoxid, obwohl in beiden Fällen die Ordnung in ähnlicher Weise abnimmt. Der Unterschied ist hier durch die unterschiedliche Stabilität der Oxide bedingt. Charakteristisch für bereits bei Zimmertemperatur ablaufende endotherme Reaktionen ist eine besonders starke Abnahme der Ordnung. Diese wird z. B. bei der Reaktion von Carbonsäuren mit Natriumcarbonat-Decahydrat (▷ V2c) durch die Gasentwicklung bei gleichzeitiger Freisetzung des Hydratwassers erreicht.
Allen Vorgängen ist somit gemeinsam, dass *die Ordnung insgesamt, d.h. in System und Umgebung zusammen, abnimmt*. Jedoch kann im System oder in der Umgebung jeweils für sich eine Zunahme der Ordnung eintreten, wenn die Ordnungsabnahme im anderen Teil überwiegt.

B2 Zwei spontane Vorgänge

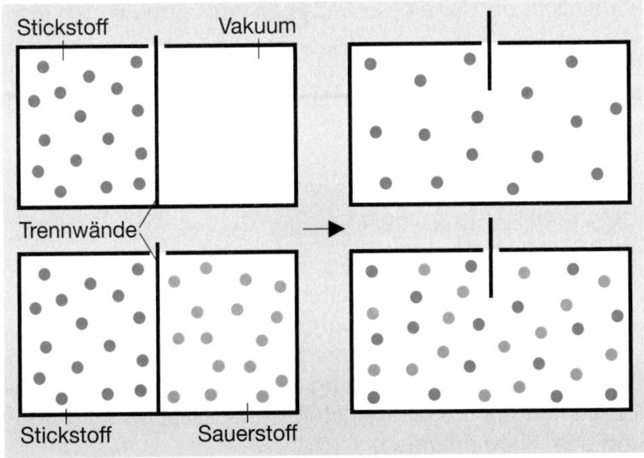

V 3 Bildung von Ammoniumchlorid.
a) Man gibt in die Mitte einer Petrischale einige Tropfen konz. Salzsäure und im Abstand von einigen Zentimetern an verschiedene Stellen einige Tropfen konz. Ammoniakwasser. Man deckt mit einer Glasplatte ab, projiziert mit dem Arbeitsprojektor und betrachtet anschließend die Petrischale.
b) (Abzug!) Die Spitze eines Thermometers wird mit Watte umwickelt, mit konz. Salzsäure getränkt und in einem kleinen Erlenmeyerkolben in den Gasraum über konzentriertes Ammoniakwasser gehalten.

A 2 Nennen Sie Beispiele für endotherme Vorgänge, die a) bei Zimmertemperatur, b) erst bei hohen Temperaturen ablaufen.

5.8 Entropie

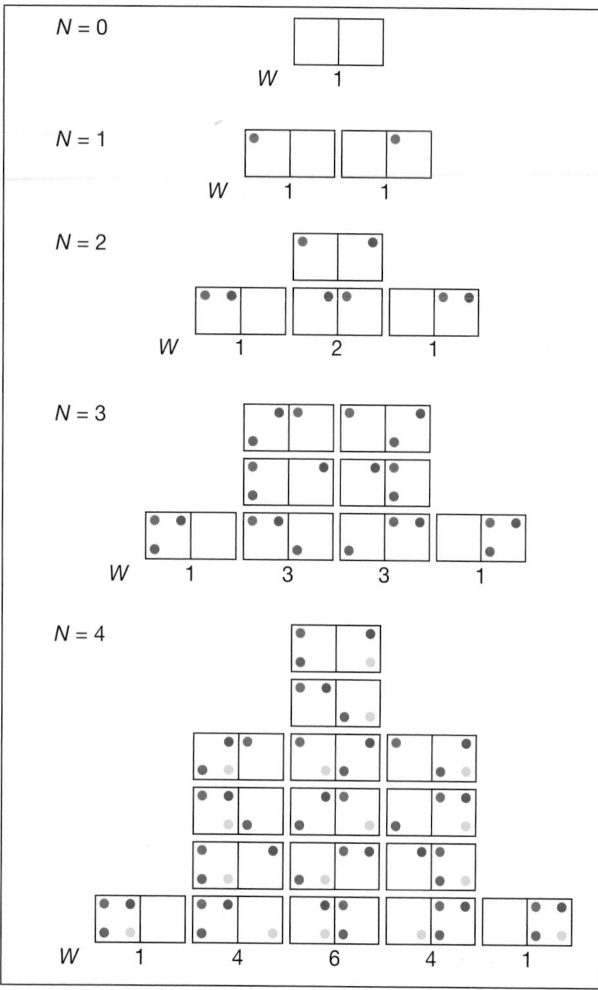

B 1 Mikro- und Makrozustände. Realisierungsmöglichkeiten von Makrozuständen

B 2 Realisierungszahl. Die Gleichverteilung wird mit zunehmender Teilchenanzahl immer wahrscheinlicher

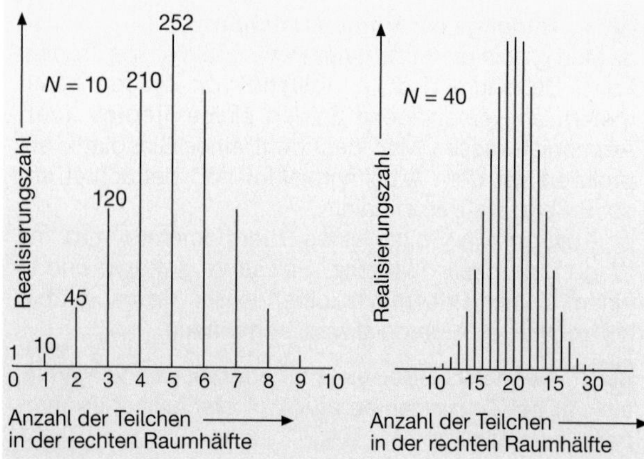

Nach der Ausdehnung eines Gases in das Vakuum oder der Vermischung zweier inerter Gase ist jeweils ein Zustand geringerer Ordnung erreicht.

Wahrscheinlichkeit und Anzahl der Mikrozustände. Bei der Ausdehnung eines (idealen) Gases in das Vakuum bleibt die innere Energie unverändert. Ursache für den spontanen Ablauf dieses Vorgangs ist eine andere Größe, die Wahrscheinlichkeit der Anordnung der Teilchen. Allgemein gilt, dass der spontane Ablauf eines Vorgangs von der Änderung der Wahrscheinlichkeit eines Zustands bestimmt wird. Zur Veranschaulichung soll der Zusammenhang zwischen der Wahrscheinlichkeit eines Endzustandes und der Richtung des Vorgangs untersucht werden.

In einem zweigeteilten Kasten sollen sich Kugeln befinden, die sich voneinander unterscheiden lassen und die sich in der linken oder rechten Hälfte aufhalten können. Die Möglichkeiten bis $N = 4$ Kugeln sind in ▷ B 1 dargestellt. Verzichtet man auf die Unterscheidung der Teilchen, lassen sich Einzelzustände mit derselben Anzahl von Kugeln, die sich in einer Hälfte befinden, zusammenfassen. Die Einzelzustände, z. B. „die rote Kugel links", nennt man **Mikrozustände**, deren Zusammenfassung, z. B. „*eine* Kugel links", **Makrozustände**. Die Anzahl der Realisierungsmöglichkeiten eines Makrozustands durch Mikrozustände wird durch die Realisierungszahl W angegeben. Für $N = 2$ lässt sich der Zustand „eine Kugel links, eine rechts" auf zwei Arten realisieren: Die Realisierungszahl ist $W = 2$. Bei drei Kugeln gibt es bereits sechs Realisierungsmöglichkeiten für den Zustand „eine Kugel in einer Hälfte". Dieser Zustand ist deshalb sechsmal so wahrscheinlich wie der Zustand „alle Kugeln in einer Hälfte". Mit zunehmender Teilchenanzahl nimmt die Anzahl der Realisierungsmöglichkeiten stark zu (▷ B 2).

Am wahrscheinlichsten sind diejenigen Makrozustände, bei denen in beiden Raumhälften gleich viele Teilchen vorliegen. Dagegen sind solche Makrozustände wenig wahrscheinlich, bei denen die Anzahlen sehr verschieden sind.

Die Kugeln in diesem Modell repräsentieren die Gasteilchen in einem zweigeteilten Raum. Jeder Mikrozustand ist gleich wahrscheinlich.

> Die Wahrscheinlichkeit eines Zustandes nimmt mit seinen Realisierungsmöglichkeiten zu.

Die Realisierungsmöglichkeiten eines Zustandes beziehen sich auch auf die Verteilung der Energie. Die einfachsten Verhältnisse liegen vor, wenn die Gasteilchen Atome sind. Da sie in ständiger Bewegung sind, ändern sich durch die fortwährenden Zusammenstöße ihre Geschwindigkeiten und damit ihre Energien.

Wird bei einem spontanen Vorgang Energie mit der Umgebung ausgetauscht, muss wieder das Gesamtsystem berücksichtigt werden, denn nur für dieses zeigt sich das Bestreben, in den wahrscheinlichsten Zustand überzugehen. Bei einem solchen Vorgang werden im abgeschlossenen System die Unterschiede der mittleren Teilchenenergien ausgeglichen.

Wahrscheinlichkeit und Entropie. Spontane Vorgänge verlaufen in Richtung zunehmender Wahrscheinlichkeit und damit abnehmender Ordnung. Der ungeordnete Zustand ist zugleich der wahrscheinlichere. Die Wahrscheinlichkeit eines *zusammengesetzten* Zustandes (z. B. beim Würfeln: zwei Würfel mit je einer Eins) ergibt sich aus dem *Produkt* der Einzelwahrscheinlichkeiten (im Beispiel: je 1/6 für die Wahrscheinlichkeit, mit einem Würfel eine Eins zu werfen). Benutzt man anstelle der Wahrscheinlichkeiten deren Logarithmen, so können die jeweiligen Werte addiert werden. Das Logarithmieren der Wahrscheinlichkeiten führt zu einer zweckmäßigen Größe, die *Entropie* genannt wird.
Der Zusammenhang von Wahrscheinlichkeit bzw. der Anzahl der Realisierungsmöglichkeiten und der Entropie S wurde 1877 von L. BOLTZMANN durch folgende Beziehung formuliert:

$$S = k \cdot \ln W$$

Die Entropie eines Zustandes ist das Produkt aus dem natürlichen Logarithmus seiner Realisierungsmöglichkeiten und der Boltzmann-Konstante $k = 1{,}38 \cdot 10^{-23}$ J/K. Die Konstante hat die Einheit der Entropie Joule/Kelvin.

Änderung der Entropie bei spontanen Vorgängen. Der Übergang in einen Zustand anderer Wahrscheinlichkeit wird durch die *Entropieänderung* ΔS beschrieben. Da der Endzustand unabhängig vom Ablauf des Prozesses ist, hängt die Änderung der Entropie nur vom Ausgangs- und Endzustand ab. Es ist daher $\Delta S = S_{II} - S_{I}$.

Kennzeichen einer spontanen Reaktion ist die Zunahme der Gesamtentropie:
$\Delta S_{gesamt} = \Delta S_{System} + \Delta S_{Umgebung} > 0$

Bei exothermen Reaktionen führt die abgegebene Wärme zu einer Erhöhung der Entropie der Umgebung. Nimmt die Entropie des Systems ab (▷ B3a), so ergibt sich dann eine Gesamtzunahme der Entropie, wenn die Entropie der Umgebung durch den Übergang einer großen Wärmemenge stark zunimmt. Dies ist z. B. bei der Reaktion von Wasserstoff oder von unedlen Metallen mit Sauerstoff der Fall.
Bei exothermen Reaktionen mit Entropiezunahme im System ist die Gesamtzunahme der Entropie immer gegeben (▷ B3b). Beispiele hierfür sind die Verbrennungen flüssiger Kohlenwasserstoffe und vieler anderer organischer Substanzen. Besonders starke Entropiezunahmen erfolgen bei Explosionen von Sprengstoffen.

Bei endothermen Reaktionen nimmt die Entropie der Umgebung durch den Wärmeübergang ab. Es muss daher die Entropie im System so stark zunehmen, dass die Gesamtentropie zunimmt (▷ B3c). Die Tatsache, dass viele endotherme Reaktionen erst bei hohen Temperaturen spontan ablaufen, lässt erkennen, dass der Einfluss der Entropieänderung beim Wärmeübergang von der Temperatur abhängt. Endotherme Reaktionen laufen bei Zimmertemperatur nur ab, wenn im System eine sehr starke Entropiezunahme erfolgt.
Der Wärmeübergang, der bei einem endothermen Vorgang von der Umgebung auf das System erfolgt, kann zu einer Abkühlung in der Umgebung führen.

B3 Entropieänderung bei spontanen Reaktionen. Die Gesamtentropie von System und Umgebung nimmt zu. Die Entropieänderungen sind durch die Richtung und Länge der Pfeile veranschaulicht

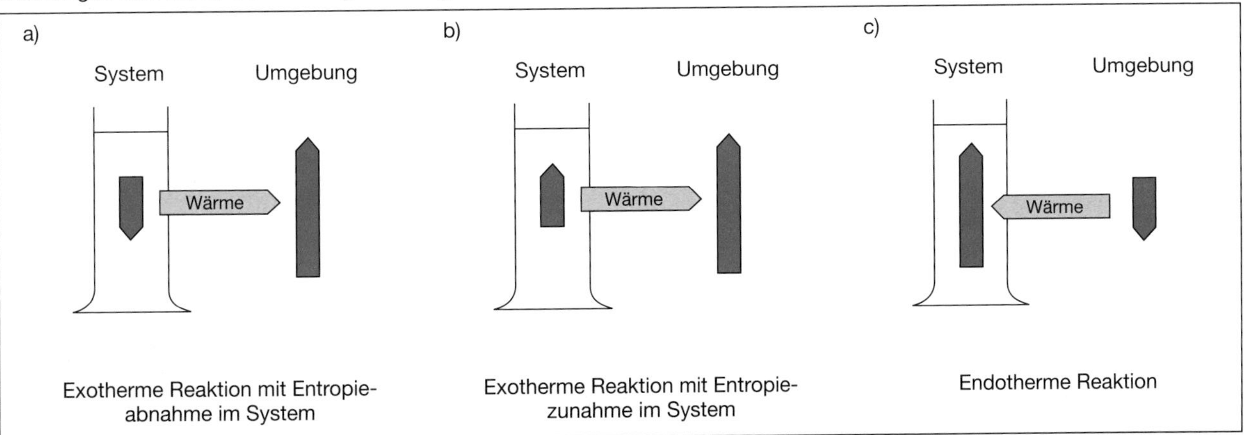

Änderung der Entropie durch Wärmezufuhr. Aus der Boltzmann-Formel erhält man für $W = 1$ ($\ln W = 0$) $S = 0$. Die Realisierungszahl 1 bedeutet, dass für das System nur ein Mikrozustand existiert. Dies ist nur der Fall, wenn die Teilchen keine Energie austauschen und in völliger Ruhe vorliegen. Damit ist auch die räumliche Anordnung völlig festgelegt. Die Teilchen bilden einen idealen Kristall.

Am Nullpunkt $T = 0$ der Kelvin-Temperatur ist die Entropie eines ideal kristallisierten Reinstoffs null.

Wird einer Substanz – ausgehend vom Nullpunkt der Temperatur T – Wärme zugeführt, so erhöht sich mit dem Temperaturanstieg die Entropie S. Sie steigt aber auch beim Schmelzen und Sieden, also bei Vorgängen, die unter Wärmezufuhr bei konstanter Temperatur ablaufen (▷ B4). Führt man einem System bei der Temperatur T die Wärme Q zu, so erhöht sich die Entropie des Systems um $\Delta S = Q/T$.
Die Zufuhr einer bestimmten Wärme Q führt also bei höherer Temperatur zu einer kleineren Entropiezunahme als bei niedrigerer Temperatur.

Die Reaktionsentropie. Jeder Stoff besitzt bei Standardbedingungen eine bestimmte molare Entropie, die für viele Stoffe bestimmt und als **molare Standard-Entropie** S^0 in der Einheit J/(K·mol) tabelliert wurde (▷ B5). Bei einer chemischen Reaktion ändern sich die Entropien der beteiligten Stoffe. Die Reaktionsentropie $\Delta_r S$ lässt sich berechnen, wenn die molaren Entropien der Edukte und der Produkte bekannt sind.
Analog zur Berechnung einer Reaktionsenthalpie (↗ Kap. 5.5) ist:

$$\Delta_r S = \sum_i \Delta n_i \cdot S_{m_i}$$

Die Reaktionsentropie ist die Summe der Produkte aus Stoffmengenänderung und molarer Entropie der Reaktionsteilnehmer.

Die Stoffmengenänderung hat für die Edukte jeweils ein negatives, für die Produkte ein positives Vorzeichen.

Beispiel: Berechnung einer Standard-Reaktionsentropie

$$2\,H_2(g) + O_2(g) \longrightarrow 2\,H_2O(l)$$

$$\Delta_r S^0 = -2\,\text{mol} \cdot S^0_m(H_2) - 1\,\text{mol} \cdot S^0_m(O_2) + 2\,\text{mol} \cdot S^0_m(H_2O)$$
$$= -2\,\text{mol} \cdot 131\,\text{J/(K} \cdot \text{mol)} - 1\,\text{mol} \cdot 205\,\text{J/(K} \cdot \text{mol)} + 2\,\text{mol} \cdot 70\,\text{J/(K} \cdot \text{mol)} = -327\,\text{J/K}$$

Die Bildung des Wassers aus den Elementen ist eine spontane Reaktion, bei der die Entropie des reagierenden Systems abnimmt. Durch eine spontane Reaktion kann die Entropie jedoch insgesamt nur zunehmen. Diese Bedingung ist auch in diesem Fall erfüllt, wenn man – wie erforderlich – das System mit seiner Umgebung betrachtet. Für die Reaktion ist $\Delta_r H^0 = -572\,\text{kJ}$. Damit kann die Entropiezunahme der Umgebung berechnet werden. Da die Standardreaktionsenthalpie bei konstanter Temperatur und konstantem Druck (298 K) von der Umgebung aufgenommen wird, erhält man für die Entropiezunahme der Umgebung:

$$\Delta S^0_{umg} = \frac{Q}{T} = \frac{-\Delta_r H^0}{T} = \frac{572\,\text{kJ}}{298\,\text{K}} = 1919\,\frac{\text{J}}{\text{K}}$$

$$\Delta S^0_{ges} = \Delta_r S^0 + \Delta S^0_{umg} = -327\,\frac{\text{J}}{\text{K}} + 1919\,\frac{\text{J}}{\text{K}} = 1592\,\frac{\text{J}}{\text{K}}$$

Die Änderung der Enthalpie trägt also über die daraus resultierende Änderung der Umgebungsentropie zur gesamten Entropieänderung bei.

B4 Zunahme der Entropie eines Stoffes bei Wärmezufuhr

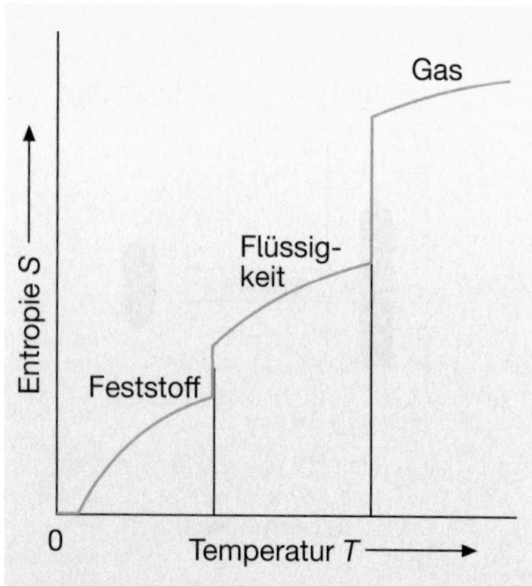

B5 Molare Standard-Entropien einiger Stoffe

Formel	S^0_m in J·K^{-1}·mol^{-1}	Formel	S^0_m in J·K^{-1}·mol^{-1}	Formel	S^0_m in J·K^{-1}·mol^{-1}
$H_2(g)$	131	$H_2O(l)$	70	$CH_4(g)$	186
$O_2(g)$	205	$H_2O(g)$	189	$C_2H_5OH(g)$	283
$N_2(g)$	192	$NH_3(g)$	193	$C_2H_2OH(l)$	161
$F_2(g)$	203	$NH_3(aq)$	111	$SO_2(g)$	248
$Cl_2(g)$	223	$NH_4Cl(s)$	95	$SO_3(g)$	257
$Br_2(g)$	245	$NH_4Cl(aq)$	170	$Mg(s)$	33
$Br_2(l)$	152	$NO(g)$	211	$Al(s)$	28
$Br_2(aq)$	175	$NO_2(g)$	240	$Fe(s)$	27
$HF(g)$	174	$N_2O_5(s)$	113	Cu	33
$HCl(g)$	187	C (Graphit)	6	$MgO(s)$	27
$HCl(aq)$	57	C (Diamant)	2	$Al_2O_3(s)$	51
$HBr(g)$	199	$CO(g)$	198	$Fe_2O_3(s)$	87
$HI(g)$	207	$CO_2(g)$	214	$CuO(s)$	43

Bei spontanen Reaktionen nimmt die Entropie eines Systems und der Umgebung insgesamt zu.

Die Mischungsentropie. Die Teilchen zweier getrennter (idealer) Gase mit jeweils gleichem Druck verteilen sich gleichmäßig auf beide Räume, wenn die Trennwand entfernt wird (↗Kap. 5.7). Bei diesem spontanen Vorgang nimmt die Entropie des Systems zu. Da bei diesem Vorgang keine Wärme mit der Umgebung ausgetauscht wird, erfolgt in der Umgebung keine Entropieänderung. Verändert man den Stoffmengenanteil einer Komponente von 0 bis 1 durch Änderung des Volumens dieser Komponente, so nimmt die Entropie des Gemisches zunächst zu, erreicht ein Maximum und nimmt wieder ab (▷ B6).

Beim Mischen von Stoffen nimmt die Entropie zu. Diese Entropiezunahme wird als Mischungsentropie bezeichnet.

Mischungsentropie und chemische Reaktion. Während einer chemischen Reaktion liegen Edukte und Produkte vermischt vor. Durch die Mischungsentropie hat das System während der Reaktion eine größere Entropie als im Ausgangs- bzw. Endzustand. Startet die Reaktion, so nimmt die Entropie des Reaktionsgemisches zu und erreicht ein Maximum. Berücksichtigt man das Gemisch und die Umgebung, so liegt das Maximum der Gesamtentropie nicht an der gleichen Stelle, da mit der Umgebung Wärme ausgetauscht wird. Hat die Entropie des Systems mit seiner Umgebung das Maximum erreicht, ändert sich die Zusammensetzung des entstandenen Gemisches nicht mehr. Ein weiterer Reaktionsfortschritt würde zu einer Entropieabnahme führen. Unter solchen Bedingungen ist eine spontane Reaktion nicht möglich.

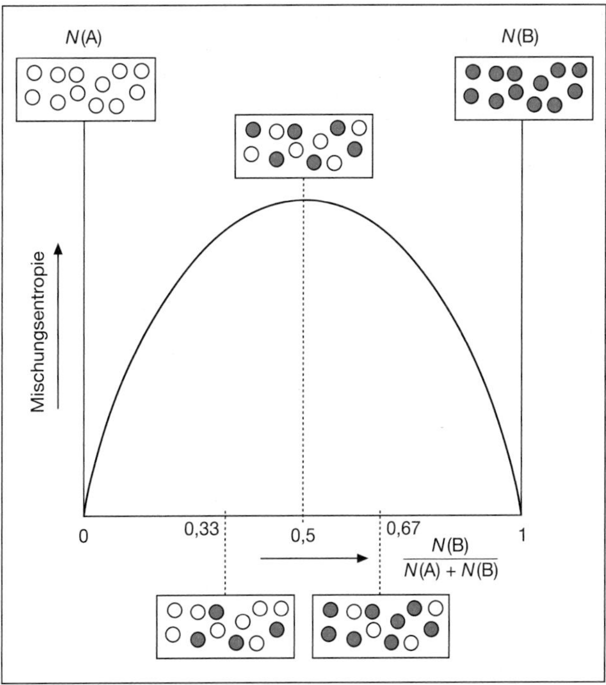

B6 Die Mischungsentropie ist abhängig von der Zusammensetzung des Gemisches. Bei idealen Gasen ist die Kurve symmetrisch

A 1 a) Berechnen Sie die Standard-Reaktionsentropie für die Synthese des Ammoniaks.
$N_2 + 3\,H_2 \longrightarrow 2\,NH_3(g)$
b) Berechnen Sie die durch diese Reaktion verursachte Änderung der Entropie in der Umgebung.

B7 Die Umsatzvariable

In einer chemischen Reaktion, zum Beispiel

$$2\,C_2H_6 + 7\,O_2 \longrightarrow 4\,CO_2 + 6\,H_2O$$

kann der Fortgang durch eine geeignete Variable, die *Umsatzvariable* ξ, beschrieben werden. Sie hat den Zweck, das Ausmaß der Reaktion unabhängig vom Umsatz eines Reaktionspartners (z. B. des Ethans) zu beschreiben. Da alle stöchiometrischen Zahlen ν_i verschieden sind (–2; –7; 4; 6) ist es nicht sinnvoll, einen Reaktionspartner auszuwählen und dessen Stoffmengenänderung Δn_i als Maß für den Fortgang der Reaktion zu nehmen.

Dividiert man aber die Stoffmengenänderung Δn_i des Reaktionspartners i durch seinen stöchiometrischen Koeffizienten ν_i, so sind die erhaltenen Quotienten unabhängig von i und alle einander gleich.

$$\Delta\xi = \Delta n_i / \nu_i$$

Auf der linken Seite der Reaktionsgleichung werden sowohl die Stoffmengenänderungen Δn_i als auch die stöchiometrischen Zahlen ν_i negativ gerechnet.

Im Beispiel ist:

$$\frac{\Delta n(C_2H_6)}{-2} = \frac{\Delta n(O_2)}{-7} = \frac{\Delta n(CO_2)}{+4} = \frac{\Delta n(H_2O)}{+6} = \Delta\xi$$

Ist z. B. $\Delta n(C_2H_6) = -1\,\text{mol}$, so ist in allen vier Fällen: $\Delta\xi = 0{,}5\,\text{mol}$.

Die Größe ξ hat die Einheit der Stoffmenge Mol. Die Umsatzvariable kann Werte von $\xi = 0\,\text{mol}$ (es liegen nur Edukte vor) bis $\xi = 1\,\text{mol}$ (es liegen nur Produkte vor) annehmen.

5.9 Exkurs: Freie Enthalpie

Eine chemische Reaktion kann auch ablaufen, wenn die Entropie des Systems abnimmt. Entscheidend ist, dass die Entropie im System und in der Umgebung insgesamt zunimmt.

Entropie und freie Enthalpie. Die Entropieänderung bei einer Reaktion ist:

$$\Delta S_{ges} = \Delta_r S + \Delta S_{umg} = \Delta_r S - Q/T > 0$$

Bei konstantem Druck und konstanter Temperatur gilt:

$$\Delta S_{ges} = \Delta_r S - \Delta_r H/T \quad | \cdot (-T)$$

$$-T\,\Delta S_{ges} = -T \cdot \Delta_r S + \Delta_r H$$

Die Änderung der Gesamtentropie lässt sich unter diesen Bedingungen aus Systemgrößen bestimmen. Damit ist es möglich, eine spontane Reaktion durch eine Größe zu beschreiben, die nur vom Ausgangs- und Endzustand des Systems abhängt.
Von dem amerikanischen Chemiker J. W. GIBBS wurde eine Zustandsgröße – die *freie Enthalpie G* – eingeführt, für die folgende Beziehung gilt:

$$G = H - T \cdot S$$

Damit lässt sich $\Delta_r H - T \cdot \Delta_r S$ zusammenfassen zu $\Delta_r G$. Daraus folgt: $\Delta S_{ges} > 0 \Leftrightarrow \Delta_r G < 0$.

Für Reaktionen, die bei konstantem Druck und konstanter Temperatur ablaufen, gibt die **Gibbs-Helmholtz-Gleichung**

$$\frac{dG}{d\xi} = \frac{dH}{d\xi} - T \cdot \frac{dS}{d\xi}$$

das Kriterium für den möglichen spontanen Ablauf. Ein negatives $dG/d\xi$ bedeutet spontane Reaktion.

Eine Reaktion verläuft bei der Temperatur T spontan, wenn die freie Enthalpie abnimmt.

A 1 Die Verbrennung von $n = 1$ mol flüssigem Ethanol ergibt Kohlenstoffdioxid und Wasser. Formulieren Sie die Reaktionsgleichung und berechnen Sie die Änderungen der Enthalpie, Entropie und freien Enthalpie bei Standardbedingungen.

A 2 Beurteilen Sie mithilfe der freien Reaktionsenthalpie die Gleichgewichtslage für folgende Reaktionen:
$C(\text{Graphit}) + 2\,H_2 \longrightarrow CH_4$
$C(\text{Graphit}) + H_2O(g) \longrightarrow CO + H_2$
a) bei Standardbedingungen, b) bei 1000 K.
Es darf davon ausgegangen werden, dass sich die $\Delta_r H$- und die $\Delta_r S$-Werte nicht wesentlich von den $\Delta_r H^0$- und den $\Delta_r S^0$-Werten unterscheiden.

Reaktionen mit $\Delta_r G < 0$ werden *exergonisch*, solche mit $\Delta_r G > 0$ *endergonisch* genannt.

Für die Bildung des flüssigen Wassers aus den Elementen ist $\Delta_r S^0 = -327$ J/K (↗ Kap. 5.8) und $\Delta_r H^0 = -572$ kJ.

$\Delta_r G^0 = -572\,\text{kJ} - 298\,\text{K} \cdot (-327\,\text{J/K}) = -475\,\text{kJ}$

Läuft die Reaktion des Wasserstoffs in einer Brennstoffzelle ab, kann elektrische Energie gewonnen werden (↗ Kap. 7.11). Wie ein Vergleich zeigt, ist die dabei maximal zu gewinnende Reaktionsarbeit unter Normbedingungen $W_{el} = -\Delta_r G$. Während bei Reaktionen die freie Enthalpie als Wärme oder bei geeigneter Versuchsdurchführung als Reaktionsarbeit abgegeben wird, kann der Entropieanteil $\Delta H - \Delta G = T \cdot \Delta S$ nur in Form von Wärme in die Umgebung übergehen.
Die Umkehrung einer spontanen Reaktion kann durch Zufuhr von freier Reaktionenthalpie, wie das Beispiel der Elektrolyse zeigt, erzwungen werden. Es gelingt auch eine endergonische Reaktion durch eine exergonische Reaktion anzutreiben, indem diese die erforderliche freie Enthalpie bereitstellt, sodass beide Reaktionen insgesamt exergonisch verlaufen (↗ Kap. 16.16).

Das Minimum der freien Enthalpie. Bei vielen Reaktionen bilden sich Gemische, deren Zusammensetzung sich nicht mehr ändert, da die Entropie des Systems und seiner Umgebung ein Maximum erreicht hat. Im Gegensatz zur Reaktionsentropie ist die Reaktionsenthalpie zum Reaktionsfortschritt proportional. Durch die Mischungsentropie ergibt sich die Abhängigkeit der freien Enthalpie von der Umsatzvariablen. Die Funktion $G(\xi)$ besitzt ein Minimum und für dieses gilt:

$$\lim_{\Delta\xi \to 0} \frac{\Delta G}{\Delta \xi} = \frac{dG}{d\xi} = 0$$

Das Minimum der freien Enthalpie entspricht dem Entropiemaximum des Reaktionsgemisches samt seiner Umgebung. Der Verlauf der Reaktionsenthalpie, der Reaktionsentropie und der daraus erhaltenen freien Enthalpie ist für die Reaktion des Wasserstoffs mit Iod dargestellt (▷ B 1).
Für $dG/d\xi < 0$ verläuft die Reaktion des Wasserstoffs mit Iod spontan. Mit dem Reaktionsfortschritt nimmt die „Spontaneität" ab und wird im Minimum null. Ein weiteres Fortschreiten der Reaktion ist unter den gegebenen Bedingungen nicht möglich, da die freie Enthalpie bei einer spontanen Reaktion nicht zunehmen kann. Geht man unter gleichen Bedingungen von Iodwasserstoff aus, so verläuft auch der Zerfall zunächst spontan, da $dG/(-d\xi) < 0$ ist. Durch Bildung und Zerfall von Iodwasserstoff wird jeweils derselbe Zustand erreicht, bei dem keine weitere Veränderung der Zusammensetzung des Gemisches erfolgt. Im Zustand minimaler freier Enthalpie befinden sich alle Reaktionsgemische im *chemischen Gleichgewicht*.

Aus Tabellenwerten lässt sich mit Hilfe der Gibbs-Helmholtz-Gleichung die freie Reaktionsenthalpie $\Delta_r G$ berechnen. Die erhaltenen Werte gelten für unvermischte Edukte und Produkte. Reaktionen mit stark negativen freien Reaktionsenthalpien verlaufen nahezu vollständig. Das Minimum der freien Enthalpie liegt nahe bei den reinen Produkten (▷ B2a). Ein vollständiger Umsatz erfolgt, wenn keine Mischphasen gebildet werden und damit keine Mischungsentropien auftreten. Dies ist z. B. der Fall, wenn ein Feststoff in ein festes und ein gasförmiges Reaktionsprodukt zerfällt.

Ist $\Delta_r G < 0$, liegt das Gleichgewicht auf der Seite der Produkte (▷ B2b). Auf der Seite der Edukte liegt das Gleichgewicht für $\Delta_r G > 0$ (▷ B2c). Für sehr kleine Beträge der freien Reaktionsenthalpien sind die Anteile der Edukte und der Produkte im Gleichgewicht nahezu gleich.

Aus den tabellierten Werten der freien Standard-Bildungsenthalpien $\Delta_f G^0$ lassen sich freie Reaktionsenthalpien berechnen. Entsprechend der Berechnung der Reaktionsenthalpien (↗Kap. 5.5) gilt:

$$\Delta_r G = \sum_i \Delta n_i \cdot \Delta_f G_{m_i}$$

Für die Bildung des Iodwasserstoffs aus den gasförmigen Elementen ist:

$$\Delta_r G^0 = 2\,\text{mol} \cdot \Delta_f G^0_m(\text{HI}) = 2\,\text{mol} \cdot 1{,}6\,\text{kJ/mol} = 3{,}2\,\text{kJ}$$

Die Edukte überwiegen im Gleichgewicht unter diesen Bedingungen geringfügig, während bei 700 K hauptsächlich Iodwasserstoff vorliegt. Ursache hierfür ist die Entropiezunahme bei der Bildung von Iodwasserstoff. Durch den Term $-T \cdot \Delta_r S$ wird $\Delta_r G < 0$.

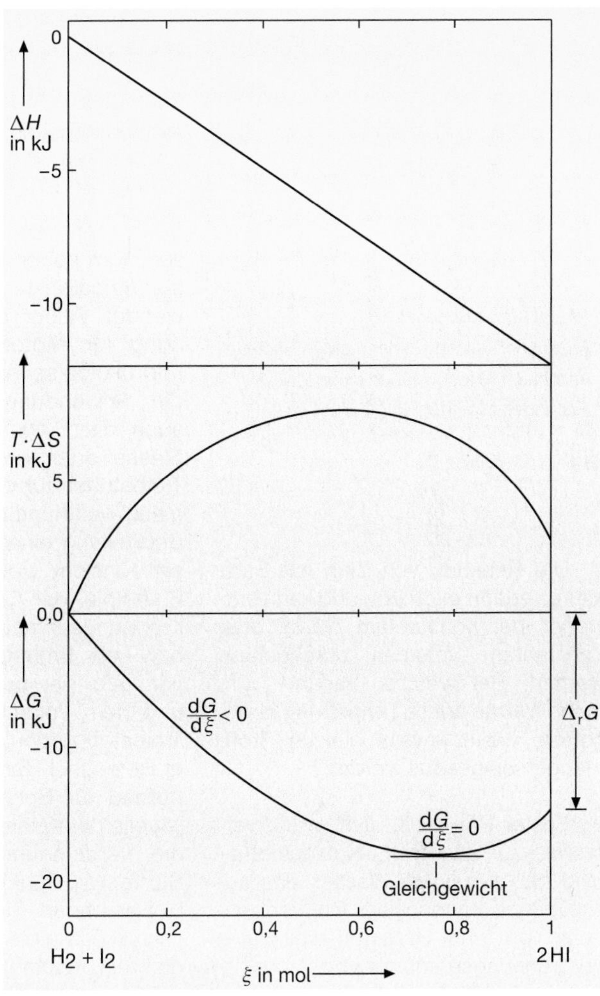

B1 Iodwasserstoff-Gleichgewicht. Verlauf der Größen H, $T \cdot S$ und G bei Bildung und Zerfall von Iodwasserstoff ($T = 700\,\text{K}$)

B2 Das Minimum der freien Enthalpie in Abhängigkeit von der Umsatzvariablen.
a) nahezu vollständige Reaktion, b) im Gleichgewichtsgemisch überwiegen die Produkte, c) im Gemisch überwiegen die Edukte

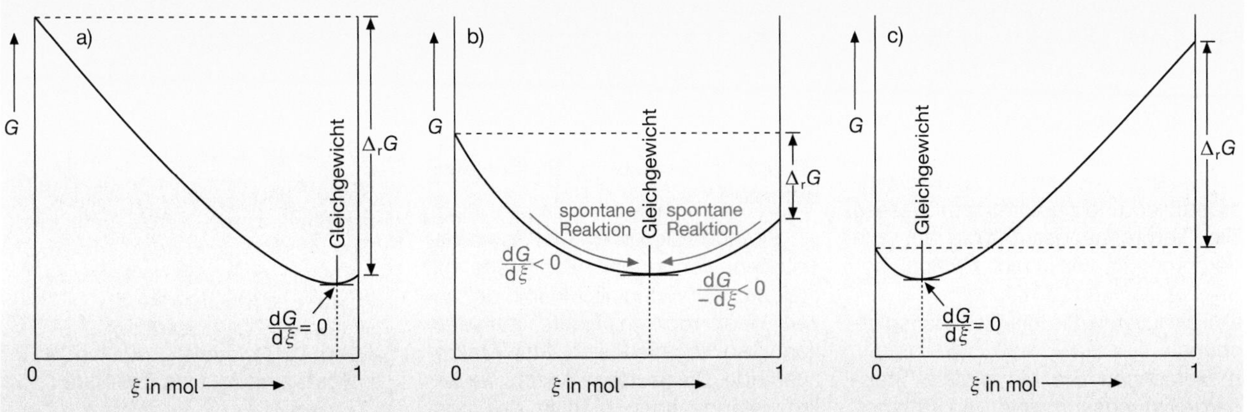

5.10 Überprüfung und Vertiefung

Anzahl der Mikrozustände für *N* = 4

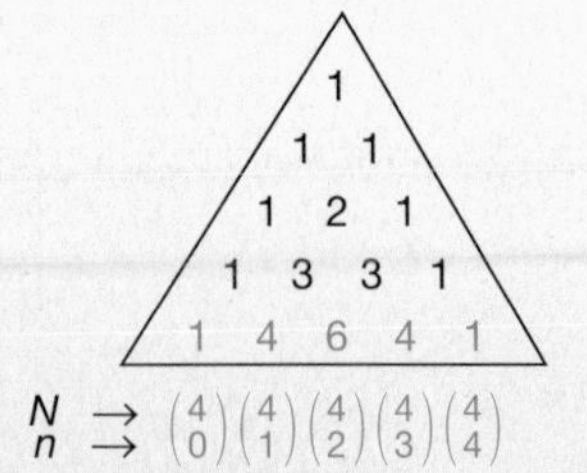

$\binom{4}{0}\binom{4}{1}\binom{4}{2}\binom{4}{3}\binom{4}{4}$

Anzahl aller Teilchen: *N*

Anzahl der Teilchen in der rechten Hälfte: *n*

Anzahl der Mikrozustände eines Makrozustandes allgemein: $\binom{N}{n}$

B1 Zu Aufgabe 7

1 Die Reaktion von Zink mit Salzsäure verläuft exotherm und kann entweder bei konstantem Druck oder konstantem Volumen durchgeführt werden. Bei welcher Variante wird mehr Wärme an die Umgebung abgegeben, wenn jeweils gleiche Stoffmengen eingesetzt werden?

2 Fester Harnstoff, $(NH_2)_2CO$, verbrennt zu Stickstoff, Kohlenstoffdioxid und flüssigem Wasser, das anschließend kondensiert. Die Verbrennung von 1 mol Harnstoff ergibt eine Verbrennungsenthalpie von $\Delta_r H^0 = -632\,kJ$.
a) Formulieren Sie die Reaktionsgleichung.
b) Kombinieren Sie die Reaktionsgleichungen für die Bildung von Kohlenstoffdioxid und Wasser aus den Elementen, sodass die Bildungsgleichung für Harnstoff resultiert.
c) Berechnen Sie die molare Standard-Bildungsenthalpie von Harnstoff.

3 Ethanol verbrennt zu Kohlenstoffdioxid und gasförmigem Wasser. Die Verbrennungsenthalpie für die Verbrennung von 1 mol Ethanol beträgt $\Delta_r H^0 = -1235\,kJ$.
a) Formulieren Sie die Reaktionsgleichung.
b) Berechnen Sie die molare Standard-Bildungsenthalpie von Ethanol.

4 Die molare Standard-Bildungsenthalpie von Silberchlorid beträgt $\Delta_f H^0_m = -127\,kJ/mol$. Berechnen Sie mithilfe von ↗Kap. 5.5, ▷ B9 die Reaktionsenthalpie für die Fällung von 1 mol Silberchlorid aus hydratisierten Silber- und Chloridionen.

5 In manchen Ländern, z. B. Brasilien, wird neben Benzin auch Ethanol als Treibstoff für Kraftfahrzeuge verwendet. Außer dem Preis, der Eignung für Motoren, wirtschaftlichen und ökologischen Aspekten spielt für die Anwendung eines Treibstoffes auch die Frage eine Rolle, welche Masse oder welches Volumen des Treibstoffes für eine bestimmte Energieumwandlung notwendig ist. Zur Beurteilung eines Treibstoffes in dieser Hinsicht werden die spezifische Enthalpie, der Quotient aus der Verbrennungsenthalpie und der Masse, bzw. die Enthalpiedichte, der Quotient aus der Verbrennungsenthalpie und dem Volumen der eingesetzten Treibstoffportion, verwendet.
a) Berechnen Sie für Octan (stellvertretend für Benzin) und für Ethanol jeweils die Verbrennungsenthalpie für die Verbrennung von 1 mol dieser Stoffe ($\Delta_f H^0_m$(Octan = $-250\,kJ/mol$).
b) Berechnen Sie jeweils die spezifische Enthalpie und die Enthalpiedichte. (ϱ(Octan) = $0{,}70\,g/cm^3$, ϱ(Ethanol) = $0{,}79\,g/cm^3$)

6 Neutralisiert man jeweils gleiche Volumina von verdünnter Salzsäure und Salpetersäure mit Natronlauge bzw. Kalilauge, so erhält man jedesmal ungefähr die gleiche Temperaturerhöhung, sofern die Säuren und die Hydroxidlösungen in gleichen Konzentrationen vorliegen und jedesmal dasselbe Kalorimeter verwendet wird. Erklären Sie diesen experimentellen Befund.

7 Befinden sich in einem Kasten vier Teilchen, von denen sich jedes mit gleicher Wahrscheinlichkeit in der linken oder rechten Hälfte aufhalten kann, so ergeben sich fünf Makrozustände. Die jeweilige Anzahl der Mikrozustände kann mithilfe des pascalschen Dreiecks ermittelt werden (▷ B1). Geben Sie an, wie viele Makrozustände es bei *fünf* Teilchen gibt, und ermitteln Sie für jeden Makrozustand die Anzahl der zugehörigen Mikrozustände aus $\binom{N}{n}$.

8 a) Wie ändert sich die Entropie, wenn eine Wasserportion von 100 g bei 25 °C und 1013 hPa verdunstet?
b) Die molare Verdampfungsenthalpie des Wassers beträgt 41 kJ/mol bei 1013 hPa. Wie ändert sich die Entropie, wenn eine Wasserportion von 100 g bei 100 °C verdampft?

9 Distickstoffpentaoxid, $N_2O_5(s)$, ist instabil und zerfällt bei Zimmertemperatur endotherm in Stickstoffdioxid und Sauerstoff. Formulieren Sie die Reaktionsgleichung und berechnen Sie die Reaktionsentropie.

10 Für die Bildung von 2 mol Wasser, $H_2O(l)$, aus den Elementen beträgt die Standard-Reaktionsenthalpie $-572\,kJ$. Entsteht unter Standardbedingungen die gleiche Wasserportion in einer Brennstoffzelle, liefert diese dem Betrage nach maximal die elektrische Energie $W_{el} = 475\,kJ$.
Der Differenzbetrag kann nur als Wärme abgegeben werden. Berechnen Sie die freie Standard-Bildungsenthalpie und die Reaktionsentropie für flüssiges Wasser.

11 Beurteilen Sie mithilfe der freien Enthalpie die Gleichgewichtslage für die Bildung des Ammoniaks aus den Elementen.

Wichtige Begriffe

System und Umgebung, Wärmekapazität, innere Energie, Enthalpie, Bildungsenthalpie, Reaktionsenthalpie, spontane Reaktion, Mikro- und Makrozustand, Entropie, Reaktionsentropie, Mischungsentropie, Umsatzvariable, freie Enthalpie

Säure-Base-Reaktionen

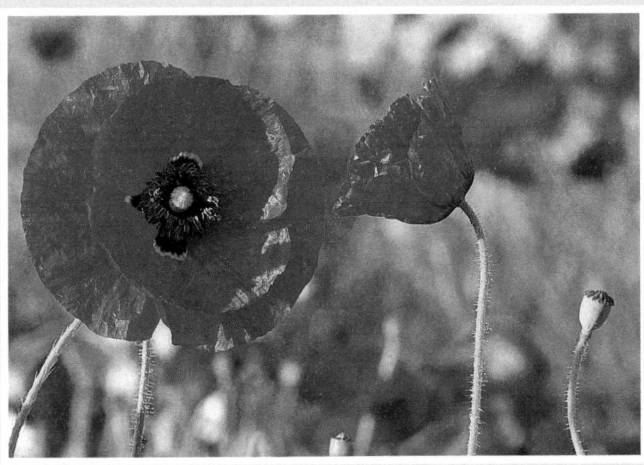

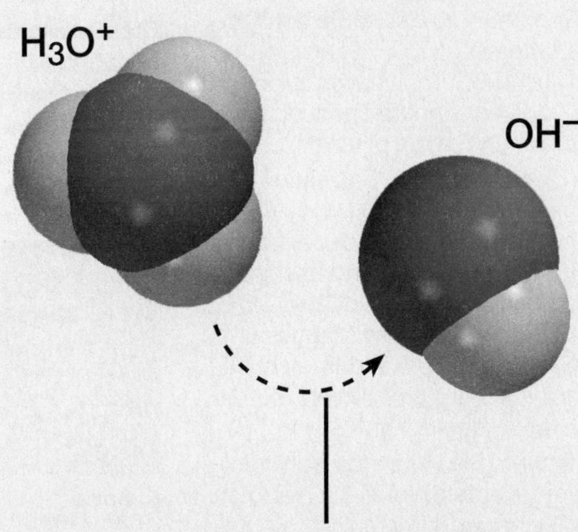

Die Beschreibung und Abgrenzung von Säuren und Basen begleitet die Chemie von ihren Anfängen an. Dies ist auch verständlich, da Säuren und Basen zum Alltag des Menschen gehörten und gehören. Heute bezieht man die Begriffe Säure und Base in Unterricht und Wissenschaft nicht mehr auf Stoffe, sondern auf Teilchen, welche die Fähigkeit haben, bei Reaktionen Protonen abzugeben bzw. aufzunehmen.

Mit dem Konzept der Protonenübertragung und der Anwendung des chemischen Gleichgewichts auf solche Reaktionen beschäftigen wir uns in diesem Kapitel. Säuren und Basen können hinsichtlich ihrer Stärke unterschieden werden.
Der pH-Wert, der zur Charakterisierung vieler Lösungen angegeben wird und der z.B. mit darüber entscheidet, dass der gleiche Farbstoff beim Klatschmohn die Farbe Rot und bei Kornblumen die Farbe Blau zeigt, ist eine messbare Eigenschaft einer wässrigen Lösung. Zur Konzentrationsbestimmung der Lösung einer Base oder Säure kann der pH-Wert verfolgt werden.

Es kann erklärt werden, warum die Lösungen vieler Salze nicht neutral sind und sich viele Tabletten sprudelnd im Wasser auflösen. Für das Leben in Böden und Gewässern, die chemischen Reaktionen in unserem Körper und viele technische Prozesse ist es wichtig, dass der pH-Wert nicht sehr großen Schwankungen unterliegt. Solche Schwankungen können durch Puffer verringert werden.

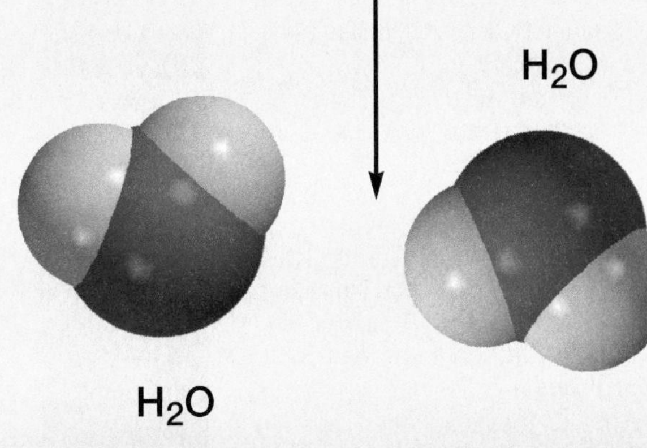

6.1 Säure-Base-Reaktionen – Protonenübergänge

V 1 Gemeinsamkeiten von Säuren bzw. sauren Lösungen.

a) Geben Sie zu Salzsäure der Konzentrationen $c(HCl)$ = 0,1 mol/l und $c(HCl)$ = 0,001 mol/l jeweils 4 Tropfen Universalindikatorlösung und bestimmen Sie die pH-Werte.

b) Geben Sie zu Salzsäure der Konzentration $c(HCl)$ = 1 mol/l, Schwefelsäure der Konzentration $c(H_2SO_4)$ = 0,5 mol/l und Essigsäure der Konzentration $c(CH_3COOH)$ = 1 mol/l jeweils einen Magnesiumstreifen, fangen Sie das sich bildende Gas auf und führen Sie die Knallgasprobe durch.

c) Geben Sie zu verd. Schwefelsäure Kupfer(II)-oxid. Erwärmen Sie leicht und filtrieren Sie die Lösung vom Bodenkörper ab. Lassen sie die Lösung einige Tage stehen.

d) Untersuchen Sie die elektrische Leitfähigkeit von Eisessig und verdünnter Essigsäure. Welche Gemeinsamkeiten von Säuren bzw. sauren Lösungen lassen sich aus den Versuchen ableiten?

V 2 Gemeinsamkeiten von alkalischen Lösungen.

a) Geben Sie zu Natronlauge der Konzentration $c(NaOH)$ = 0,1 mol/l und $c(NaOH)$ = 0,001 mol/l in einem Reagenzglas 4 Tropfen Universalindikatorlösung und bestimmen Sie die pH-Werte.

b) Untersuchen Sie die elektrische Leitfähigkeit von verd. Natronlauge bzw. Kalkwasser.

c) Füllen Sie ein Reagenzglas zu etwa einem Drittel mit Salzsäure der Konzentration $c(HCl)$ = 0,1 mol/l. Versetzen Sie die Lösung mit 4 Tropfen Bromthymolblau. Lassen Sie aus einer Bürette Natronlauge mit der Konzentration $c(NaOH)$ = 0,1 mol/l zutropfen. Schütteln Sie den Inhalt des Reagenzglases.

Welche Gemeinsamkeiten von alkalischen Lösungen lassen sich aus den Versuchen ableiten?

Im Verlauf der Entwicklung der Chemie haben die Begriffe „Säure" und „Base" weitgehende Veränderungen erfahren.

Die Entwicklung des Säure-Base-Begriffs. Schon im Altertum war der Essig bekannt, weil er bei der alkoholischen Vergärung von Früchten durch Oxidation des gebildeten Alkohols entstand. „Essig" und „sauer" sind Begriffe, die von den Griechen fast gleichbedeutend gebraucht wurden. Das griechische Wort für Essig ist oxos, für sauer oxys.

R. Boyle (1627 - 1691)

Im 17. Jahrhundert führte R. Boyle (1627–1691) eine erste allgemeine Definition für Säuren ein. Für ihn war die Farbänderung einiger Pflanzenfarbstoffe durch Säuren ein wesentliches Kennzeichen von Säuren. Andere Forscher legten besonderes Gewicht auf die Fähigkeit der Säuren, die Wirkung von alkalischen Lösungen aufzuheben. Später lernte man Stoffe kennen, die zwar keine alkalischen Lösungen bilden, aber mit Säuren zu Salzen reagieren (z. B. Kupfer(II)-oxid). Etwa ab 1730 tritt in Frankreich für diese Stoffe die Bezeichnung Base auf, da sie als Basis für die Salzbildung aufgefasst wurden.

A. L. Lavoisier (1743 - 1794)

A. L. Lavoisier (1743–1794), der Begründer der wissenschaftlichen Chemie, beobachtete, dass sich Nichtmetalle beim Verbrennen mit einem Bestandteil der Luft zu Stoffen verbinden, die sich in Wasser zu Säuren lösen. Den bei der Verbrennung gebundenen Luftbestandteil nannte er „gaz oxygène", d. h. sauermachendes oder Säure bildendes Gas. Im Deutschen wurde dafür der Name Sauerstoff eingeführt. Nach Lavoisier enthielten alle Säuren Sauerstoff. Dieser Name wurde beibehalten, obwohl es inzwischen deutlich geworden ist, dass es Säuren auch ohne das Element Sauerstoff gibt.

J. v. Liebig (1803–1873)

Ende des 18. Jahrhunderts war die Zusammensetzung einiger Säuren (z. B. Milchsäure, Citronensäure, Blausäure) bekannt. Fest stand damit, dass alle bisher bekannten Säuren Wasserstoffverbindungen, aber nicht unbedingt Sauerstoffverbindungen sind. Im Jahr 1838 hielt J. v. Liebig (1803–1873) in einem Zeitschriftenartikel fest, dass Säuren Wasserstoffverbindungen sind, in welchen Wasserstoff durch Metalle ersetzt werden kann. Hierdurch entstehen Salze der Säuren, was durch Zusammenbringen einer Säure mit einem Metalloxid erreicht werden kann. Dabei bildet sich Wasser.

S. Arrhenius (1859–1927)

S. Arrhenius (1859–1927) definierte im Jahr 1887 Säuren als Stoffe, die in Wasser Wasserstoffionen (H^+-Ionen), und Basen als Stoffe, die in Wasser Hydroxidionen (OH^--Ionen) abspalten. Die Reaktion einer Säure mit einer Base wird als Neutralisation bezeichnet, deren wesentlicher Vorgang in der Vereinigung von H^+-Ionen und OH^--Ionen zu Wassermolekülen besteht. Ein Nachteil dieses Säure-Base-Konzepts von Arrhenius bildet die Beschränkung des Base-Begriffs auf Hydroxide. Viele Stoffe, z. B. Ammoniak, bilden alkalische Lösungen, ohne Hydroxidverbindungen zu sein.

Die Neufassung der Begriffe Säure und Base. Leitet man Chlorwasserstoff in das unpolare Lösungsmittel Heptan ein (▷ V3), so ist im Gegensatz zur wässrigen Lösung keine elektrische Leitfähigkeit festzustellen. Dies bedeutet, dass im Lösungsmittel Heptan keine Bildung von Ionen stattfindet.
Das Entstehen der Ionen beim Einleiten von Chlorwasserstoff in Wasser beruht auf der Reaktion der Wassermoleküle mit den Chlorwasserstoffmolekülen. Von den polaren Chlorwasserstoffmolekülen können Protonen (H^+-Ionen) abgespalten werden. Da das Wasserstoffion keine Elektronenhülle besitzt, ist es wesentlich kleiner als alle anderen Ionen, nämlich nur höchstens 1/10 000-mal so groß. Es besitzt deshalb eine sehr hohe Ladungsdichte und ist somit als isoliertes Teilchen in Lösungsmitteln nicht existenzfähig. Protonen können nur abgegeben werden, wenn ein Reaktionspartner sie aufnimmt. Dieser muss ein freies Elektronenpaar zur Verfügung stellen und eine große Anziehungskraft auf Protonen ausüben. Die stark polaren Wassermoleküle besitzen diese Eigenschaft, die unpolaren Moleküle z. B. des Heptans nicht.
Das aus einem Proton und einem Wassermolekül gebildete **H_3O^+-Ion** heißt **Oxoniumion.** Dieses ist, wie auch andere Ionen, in wässriger Lösung von Wassermolekülen (▷ B3) umhüllt (hydratisiert). Diese hydratisierten Oxoniumionen, die H_3O^+(aq)-Ionen, werden manchmal auch *Hydroniumionen* genannt.
Leitet man Ammoniak in Wasser (▷ V3b), so leitet die Lösung ebenfalls den elektrischen Strom. Dies ist auf die Bildung von Hydroxid- und Ammoniumionen durch Protonenabgabe von Wassermolekülen auf Ammoniakmoleküle zurückzuführen. Die verhältnismäßig geringe elektrische Leitfähigkeit der Lösung zeigt, dass nur eine geringe Ionenkonzentration vorliegt. Auch bei der Salzbildung aus Chlorwasserstoff- und Ammoniakgas (▷ V4) finden Protonenabgabe und -aufnahme statt.
Um die Gemeinsamkeiten solcher Reaktionen herauszustellen, hat der Däne J. N. BRØNSTED (1879–1947) den Säure-Base-Begriff 1923 neu gefasst. Etwa zur gleichen Zeit wurde diese Neufassung auch von dem englischen Chemiker T. LOWRY (1874–1936) unabhängig von BRØNSTED vorgeschlagen.

Teilchen, die bei einer Reaktion Protonen abgeben, nennt man im Sinne von Brønsted Säuren (Protonendonatoren). Teilchen, die bei einer Reaktion Protonen binden, nennt man Brønstedbasen (Protonenakzeptoren).

B2 Chlorwasserstoff bildet mit Wasser eine saure Lösung

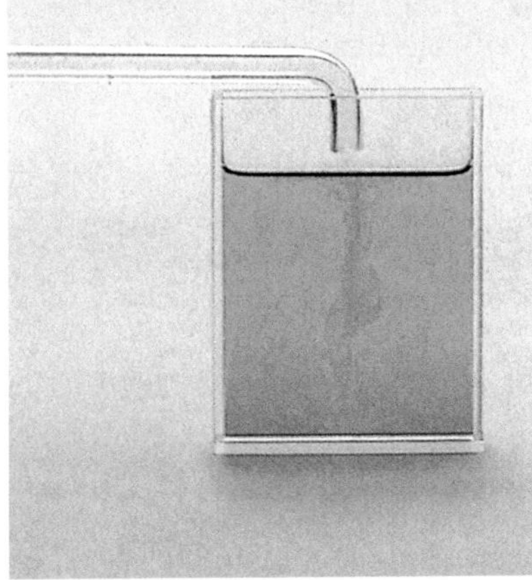

B3 H_3O^+(aq)-Ion, das hydratisierte Oxoniumion

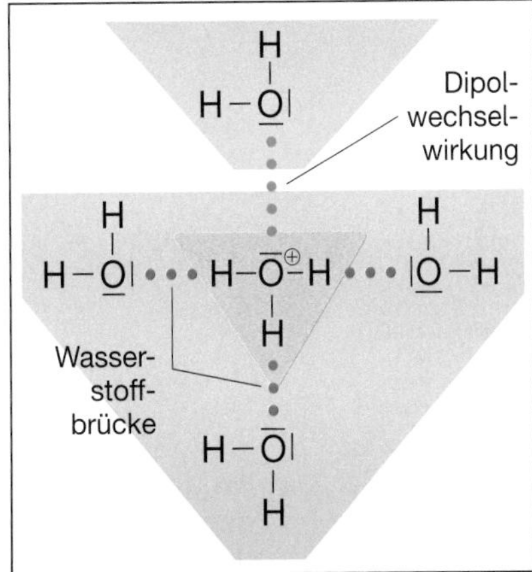

B1 J. N. BRØNSTED (1879 – 1947)

V 3 Ionenbildung und Lösungsmittel. a) Chlorwasserstoff wird in Heptan eingeleitet. Vor und während des Versuchs wird die elektrische Leitfähigkeit verfolgt.
b) Der Versuch (▷ B2) wird mit destilliertem Wasser anstelle von Heptan durchgeführt. (Abzug! Schutzbrille! Vorsicht, Chlorwasserstoff darf nur *auf* Wasser geleitet werden!)

V 4 Säure-Base-Reaktion in der Gasphase. Ein mit trockenem Chlorwasserstoff gefüllter und mit einer Glasplatte verschlossener Standzylinder wird umgekehrt auf einen mit trockenem Ammoniak gefüllten, verschlossenen Standzylinder gestellt. Dann werden die Glasplatten entfernt. (Abzug!)

A 1 Der Sauerstoff heißt Sauerstoff, obwohl er nicht sauer schmeckt. Erklären Sie.

A 2 Eine Lösung von Chlorwasserstoff in reinem Ethanol (H_5C_2–$\underline{O}$–H) leitet wie auch eine wässrige Lösung den elektrischen Strom. Formulieren Sie mit Strukturformeln die Reaktionsgleichung hierfür sowie die Reaktionsgleichungen zu den in ▷ V3 und ▷ V4 beschriebenen Reaktionen.

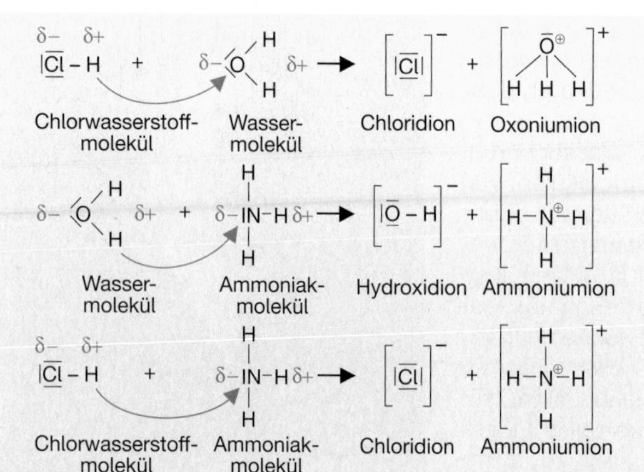

B4 Aus Molekülen entstehen durch Protonenübertragung Ionen

A 3 Ergänzen Sie folgendes Schema für korrespondierende Säure-Base-Paare:

Säure:	OH^-	b)	$H_2PO_4^-$	d)	NH_3	f)
Base:	a)	NH_3	c)	S^{2-}	e)	HO_2^-

A 4 Formulieren Sie für die folgenden Säure-Base-Reaktionen in wässriger Lösung die Reaktionsgleichungen (das jeweils zuerst angegebene Teilchen reagiert als Säure). Geben Sie die an den Reaktionen beteiligten korrespondierenden Säure-Base-Paare an.

a) $H_3PO_4 + NH_3$
b) $CH_3COOH + NH_2^-$
c) $HPO_4^{2-} + NH_3$
d) $NH_4^+ + S^{2-}$
e) $HS^- + OH^-$
f) $HSO_4^- + CO_3^{2-}$
g) $H_2S + CH_3COO^-$
h) $HCO_3^- + ClO^-$

B5 Säure-Base-Gleichgewichte. In nichtwässrigen Lösungen sind flüss. Ammoniak bzw. konz. Schwefelsäure Lösungsmittel

a) Säure-Base-Reaktionen in wässriger Lösung

$HBr + H_2O \rightleftharpoons Br^- + H_3O^+$
$HClO_4 + H_2O \rightleftharpoons ClO_4^- + H_3O^+$
$H_2O + CO_3^{2-} \rightleftharpoons OH^- + HCO_3^-$
$H_3O^+ + NH_3 \rightleftharpoons H_2O + NH_4^+$
$NH_4^+ + OH^- \rightleftharpoons NH_3 + H_2O$
$H_3O^+ + OH^- \rightleftharpoons H_2O + H_2O$

b) Säure-Base-Reaktionen in nichtwässriger Lösung

$NH_4^+ + NH_2^- \rightleftharpoons NH_3 + NH_3$
$NH_3 + H^- \rightleftharpoons NH_2^- + H_2$
$H_2SO_4 + H_3PO_4 \rightleftharpoons HSO_4^- + H_4PO_4^+$

c) Säure-Base-Reaktionen in der Gasphase

$HCl + NH_3 \rightleftharpoons NH_4Cl$

Säure-Base-Reaktionen. Die Begriffe Säure und Base beschreiben im Sinne von Brønsted keine Stoffklassen, sondern die Funktion von Teilchen (Abgabe bzw. Aufnahme von Protonen). Eine Säure muss mindestens ein als Proton abspaltbares Wasserstoffatom aufweisen. Allen Basen ist gemeinsam, dass sie freie Elektronenpaare zur Ausbildung von Atombindungen mit Protonen besitzen. Damit eine Säure ein Proton abgeben kann, muss eine geeignete Base vorhanden sein, die dieses Proton aufnimmt. Chemische Reaktionen, bei denen Protonen übertragen werden, bezeichnet man als *Säure-Base-Reaktionen* oder auch als **Protolysen** (Protonenübertragungsreaktionen, ▷ B4).

Protolysen sind chemische Reaktionen, bei denen Protonen von Säuren auf Basen übergehen.

Viele Säure-Base-Reaktionen sind umkehrbar und führen zu dynamischen chemischen Gleichgewichten, die sich sehr schnell einstellen (▷ B5).
Die häufig als typische Basen angesehenen Metallhydroxide, z. B. NaOH, $Ca(OH)_2$, oder die Metalloxide, z. B. Li_2O, CaO, sind im Sinne Brønsteds als Substanzen keine Basen, sondern in ihnen sind lediglich die Basen OH^- bzw. O^{2-} enthalten. Salzsäure ist nach Brønsted keine Säure. Salzsäure ist eine wässrige Lösung, die H_3O^+- und Cl^--Ionen enthält, wobei die Oxoniumionen als Protonendonatoren reagieren können.

Säure-Base-Paare. Betrachtet man verschiedene Säure-Base-Reaktionen, so erkennt man Teilchenpaare wie NH_4^+ und NH_3, HCl und Cl^-, H_3O^+ und H_2O, bei denen die beiden Teilchen sich jeweils um ein Proton unterscheiden. Ein solches Paar von Teilchen nennt man korrespondierendes (von mlat. correspondere, in Beziehung stehen) Säure-Base-Paar. An jeder Säure-Base-Reaktion sind stets zwei korrespondierende Säure-Base-Paare beteiligt.
Beispiel:

Säure-Base-Paar I

$HCl + NH_3 \rightleftharpoons Cl^- + NH_4^+$

Säure-Base-Paar II

Allgemeines Funktionsschema:

korrespondierend

$HA + B^- \rightleftharpoons A^- + HB$

korrespondierend

Säure 1 + Base 2 $\rightleftharpoons$ Base 1 + Säure 2

HA und HB stehen für beliebige Brønstedsäuren. Die Lage des Gleichgewichts einer Säure-Base-Reaktion hängt von der Stärke der Säuren bzw. Basen ab (↗ Kap. 6.3).

Ampholyte. Die Begriffe Brønstedsäure und Brønstedbase charakterisieren keine Stoffeigenschaften, sondern das Verhalten von Teilchen gegenüber einem Reaktionspartner. So kann sich ein Wassermolekül gegenüber einer Brønstedsäure (z. B. Chlorwasserstoffmolekül) als Brønstedbase verhalten oder mit einer Brønstedbase (z. B. Ammoniakmolekül) als Brønstedsäure reagieren.

$$\mathrm{HCl} + \underset{\text{Base}}{\mathrm{H_2O}} \rightleftharpoons \mathrm{Cl^-} + \mathrm{H_3O^+}$$

$$\underset{\text{Säure}}{\mathrm{H_2O}} + \mathrm{NH_3} \rightleftharpoons \mathrm{OH^-} + \mathrm{NH_4^+}$$

Teilchen, die je nach Reaktionspartner als Säure oder Base reagieren, bezeichnet man als amphotere Teilchen oder Ampholyte.

Es hängt vom Reaktionspartner ab, ob ein Teilchen sich als Säure oder Base verhält. Das Hydrogencarbonation reagiert z. B. gegenüber Wassermolekülen als Base, gegenüber Hydroxidionen als Säure. Bei der Reaktion der Hydrogencarbonationen mit Oxoniumionen bilden sich Moleküle der Kohlensäure, die in Kohlenstoffdioxid- und Wassermoleküle zerfallen (▷ B7).

Schrittweise Protonenabgabe. Es gibt Teilchen wie z. B. H_3PO_4, H_2SO_4 oder H_2S, die bei Abgabe eines Protons in korrespondierende Basen übergehen, die ihrerseits als Säuren reagieren können.

1. Schritt: $H_3PO_4 + OH^- \rightleftharpoons H_2PO_4^- + H_2O$

2. Schritt: $H_2PO_4^- + OH^- \rightleftharpoons HPO_4^{2-} + H_2O$

3. Schritt: $HPO_4^{2-} + OH^- \rightleftharpoons PO_4^{3-} + H_2O$

Bei der vollständigen Reaktion mit einer sehr starken Base gibt das H_3PO_4-Molekül alle drei Protonen ab. Man spricht deshalb bei solchen Teilchen auch von *mehrprotonigen Säuren*.

A 5 Welche der folgenden Teilchen halten Sie für Ampholyte? Geben Sie für jeden Ampholyten die korrespondierende Säure und die korrespondierende Base an:

Teilchen: $H_2PO_4^-$, CO_3^{2-}, NH_3, PO_4^{3-}, HS^-, H_3O^+, HNO_3.
Geben Sie auch die Namen der Teilchen an.

A 6 Gibt man eine Spatelspitze Natriumhydrogensulfat zu dest. Wasser, erhält man eine saure Lösung. Wird eine Spatelspitze Natriumhydrogencarbonat in Wasser gelöst, bildet sich hingegen eine alkalische Lösung. Deuten Sie die beschriebenen Beobachtungen.

A 7 Zu 10 ml Schwefelsäure der Konzentration $c(H_2SO_4)$ = 1 mol/l werden 10 ml Kalilauge der Konzentration $c(KOH)$ = 1 mol/l gegeben. Anschließend wird die Lösung eingedampft. Welches Salz bleibt zurück?

A 8 Überlegen Sie, welche der Teilchen der Phosphorsäure, H_3PO_4, $H_2PO_4^-$, HPO_4^{2-} und PO_4^{3-}, in stark saurer bzw. in stark alkalischer Lösung hauptsächlich vorliegen. Begründen Sie Ihre Aussage mithilfe der nebenstehenden Gleichgewichtsreaktionen.

B 6 Einige Säuren, Basen und Ampholyte mit Namen und Formeln

Chlorwasserstoff HCl	Chloridion Cl^-	Bromwasserstoff HBr	Bromidion Br^-
Perchlorsäure $HClO_4$	Perchloration ClO_4^-	Salpetersäure HNO_3	Nitration NO_3^-
Ameisensäure $HCOOH$	Formiation $HCOO^-$	Essigsäure CH_3COOH	Acetation CH_3COO^-
Schwefelwasserstoff H_2S	Hydrogensulfidion HS^-	Sulfidion S^{2-}	
Schweflige Säure H_2SO_3	Hydrogensulfition HSO_3^-	Sulfition SO_3^{2-}	
Schwefelsäure H_2SO_4	Hydrogensulfation HSO_4^-	Sulfation SO_4^{2-}	
Kohlensäure H_2CO_3	Hydrogencarbonation HCO_3^-	Carbonation CO_3^{2-}	
Phosphorsäure H_3PO_4	Dihydrogenphosphation $H_2PO_4^-$	Hydrogenphosphation HPO_4^{2-}	Phosphation PO_4^{3-}

B 7 Das Hydrogencarbonation reagiert gegenüber sauren Lösungen als Base

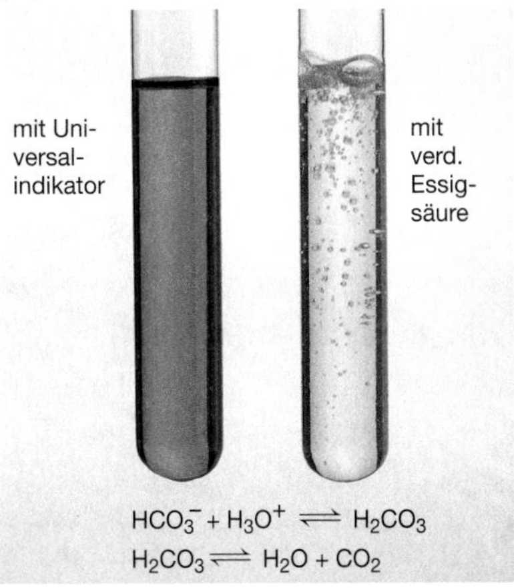

6.2 Autoprotolyse des Wassers und pH-Wert

Auch reinstes Wasser zeigt eine, wenn auch sehr geringe, elektrische Leitfähigkeit (▷ V 1). Es müssen also Ionen vorhanden sein, die offensichtlich aus den Wassermolekülen gebildet wurden.

Das Ionenprodukt des Wassers. Wassermoleküle sind amphotere Teilchen, sie können also sowohl Protonen aufnehmen als auch abgeben. Ein Protonenübergang ist zwischen den Wassermolekülen möglich, also sogar zwischen gleichen Molekülen.

$$H_2O + H_2O \rightleftharpoons H_3O^+ + OH^-$$

Diese **Autoprotolyse des Wassers** (von griech. auto, selbst) führt zu einem chemischen Gleichgewicht, das weitgehend auf der Seite der Wassermoleküle liegt. Hierfür lässt sich das Massenwirkungsgesetz formulieren:

$$\frac{c(H_3O^+) \cdot c(OH^-)}{c^2(H_2O)} = K$$

Die Konzentrationen der Oxoniumionen und der Hydroxidionen können z. B. durch Leitfähigkeitsmessungen ermittelt werden. Bei 25 °C betragen diese Konzentrationen:

$$c(H_3O^+) = c(OH^-) = 10^{-7}\ \text{mol/l}$$

Die Konzentration dieser Ionen in reinem Wasser ist also sehr klein im Vergleich zur „Konzentration" der Wassermoleküle, die sich wie folgt berechnen lässt (die Masse von 1 l Wasser bei 25 °C ist m = 997 g):

$$c(H_2O) = \frac{\beta(\text{Wasser})}{M(H_2O)} = \frac{997\,\text{g} \cdot \text{l}^{-1}}{18\,\text{g} \cdot \text{mol}^{-1}} = 55{,}4\ \text{mol} \cdot \text{l}^{-1}$$

Das Anzahlverhältnis der Wassermoleküle zu den Oxoniumionen bzw. Hydroxidionen in reinem Wassers beträgt also: $(55{,}4\ \text{mol} \cdot \text{l}^{-1}) : (10^{-7}\ \text{mol} \cdot \text{l}^{-1}) = 554\,000\,000 : 1$. Die Autoprotolyse kann deshalb bei der Berechnung der Konzentration der Wassermoleküle vernachlässigt werden, sodass deren Konzentration als konstant angesehen werden kann. Die Konzentration der Wassermoleküle lässt sich mit der Konstante K zu einer neuen Konstante K_W zusammenfassen.

$$K \cdot c^2(H_2O) = K_W = c(H_3O^+) \cdot c(OH^-)$$

Das Produkt $c(H_3O^+) \cdot c(OH^-)$ bezeichnet man kurz als **Ionenprodukt des Wassers.** Der Wert K_W des Ionenproduktes ist temperaturabhängig (▷ B 1). Bei 25 °C ist $K_W = 1{,}00 \cdot 10^{-14}\ \text{mol}^2 \cdot \text{l}^{-2}$.

Das Produkt der Konzentrationen der Oxoniumionen und der Hydroxidionen nennt man das Ionenprodukt des Wassers. Bei einer Temperatur von 25 °C ist $K_W = 10^{-14}\,\text{mol}^2 \cdot \text{l}^{-2}$.

Der pH-Wert. Die Beziehung für das Ionenprodukt des Wassers, $c(H_3O^+) \cdot c(OH^-) = 10^{-14}\ \text{mol}^2 \cdot \text{l}^{-2}$, ist nicht nur für reines Wasser, sondern mit hinreichender Genauigkeit auch für verdünnte Lösungen gültig. Daraus folgt, dass die Konzentration der Oxonium- und die der Hydroxidionen voneinander abhängen. Bei Zunahme der Konzentration einer Ionenart nimmt die Konzentration der anderen Ionenart so weit ab, dass der Wert von K_W wieder erreicht wird. In sauren Lösungen sind also nicht nur H_3O^+-, sondern auch OH^--Ionen vorhanden. In alkalischen Lösungen sind nicht nur OH^--Ionen, sondern auch H_3O^+-Ionen vorhanden.

B 1 Temperaturabhängigkeit des K_W-Wertes (Ionenprodukt des Wassers)

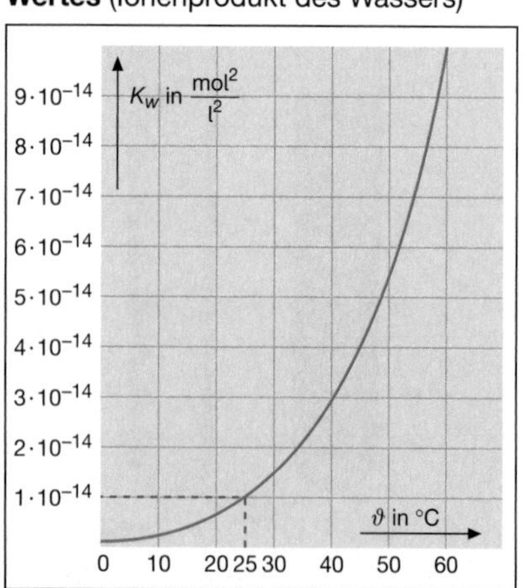

B 2 Charakterisierung saurer und alkalischer wässriger Lösungen

	wässrige Lösung		
	sauer	neutral	alkalisch
$c(H_3O^+)$ (mol/l)	$>10^{-7}$	10^{-7}	$<10^{-7}$
pH	<7	7	>7
$c(OH^-)$ (mol/l)	$<10^{-7}$	10^{-7}	$>10^{-7}$
pOH	>7	7	<7

B 3 pH-Wert-Skala und pOH-Wert-Skala in wässriger Lösung

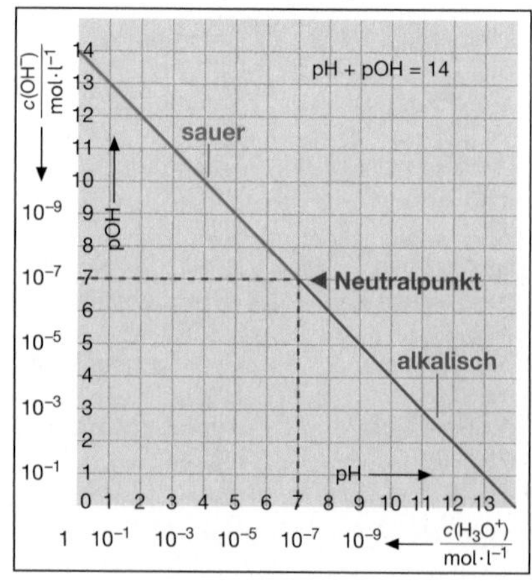

Autoprotolyse des Wassers und pH-Wert

Wässrige Lösungen kann man aufgrund ihrer Oxonium- oder Hydroxidionenkonzentration in saure, alkalische und neutrale Lösungen einteilen. Da durch die Oxoniumionenkonzentration auch die Hydroxidionenkonzentration festgelegt ist, weil diese sich aus dem Ionenprodukt berechnen lässt, genügt zur Charakterisierung einer Lösung die Angabe der Oxoniumionenkonzentration. Man nennt eine wässrige Lösung **neutral**, wenn gilt:

$$c(H_3O^+) = c(OH^-) = \sqrt{K_W} = 10^{-7}\ mol \cdot l^{-1}$$

Ist $c(H_3O^+)$ größer als $10^{-7}\ mol \cdot l^{-1}$, ist die Lösung **sauer**. Bei $c(H_3O^+)$ kleiner als $10^{-7}\ mol \cdot l^{-1}$ überwiegt also die Hydroxidionenkonzentration, und die Lösung ist **alkalisch** (▷ B2). Dieser Begriff ersetzt den durch S. ARRHENIUS (↗ Kap. 6.1) von den Metallhydroxiden abgeleiteten Begriff basisch.

Um einfachere *Zahlenwerte* zu erhalten, gibt man die Oxoniumionenkonzentration auch in Form des **pH-Wertes** an. Der pH-Wert ist der mit -1 multiplizierte dekadische Logarithmus des Zahlenwertes ({c}) der Stoffmengenkonzentration c der Oxoniumionen. Die Stoffmengenkonzentration wird dabei in mol/l angegeben.

$$pH = -\lg \{c(H_3O^+)\} \qquad \{c\} = \frac{c}{mol \cdot l^{-1}}$$

Ist der pH-Wert in einer wässrigen Lösung bekannt, so ergibt sich die Oxoniumionenkonzentration aus der Beziehung:

$$c(H_3O^+) = 10^{-pH} mol \cdot l^{-1}$$

Entsprechend definiert man den pOH-Wert:

$$pOH = -\lg \{c(OH^-)\}$$

Aus $c(H_3O^+) \cdot c(OH^-) = K_W = 10^{-14}\ mol^2 \cdot l^{-2}$ ergibt sich:

$$-[\lg \{c(H_3O^+)\} + \lg \{c(OH^-)\}] = -\lg \{K_W\} = -\lg 10^{-14}$$

$$pH + pOH = pK_W = 14 \qquad \text{(bei 25 °C)}$$

Vereinfacht wird der pH-Wert häufig in der folgenden Weise definiert:

Der pH-Wert ist der mit −1 multiplizierte Logarithmus der Oxoniumionenkonzentration.

Bei pH = 7 ist eine wässrige Lösung neutral. Der pH-Wert saurer Lösungen ist kleiner als 7, der alkalischer Lösungen größer als 7. Die gebräuchliche pH-Wert-Skala für wässrige Lösungen (▷ B3) erstreckt sich über den Bereich von pH = 0 bis pH = 14, sie endet selbstverständlich nicht bei 0 und 14.

Außer Wasser sind auch andere flüssige Stoffe, deren Teilchen Protonen aufnehmen und abgegeben können, zur Autoprotolyse fähig (▷ B4).

V 1 Leitfähigkeit von Wasser. Prüfen Sie die elektrische Leitfähigkeit von Salzsäure, Essigsäure, Natronlauge, Ammoniaklösung (Konzentration jeweils c = 0,1 mol/l) und von dest. Wasser.

A 1 Die pH-Werte wässriger Lösungen sind bei 25 °C a) 1, b) 4, c) 8, d) 12, e) 13,5. Berechnen Sie die Oxoniumionen- und die Hydroxidionenkonzentrationen. Geben Sie an, ob die Lösungen sauer, neutral oder alkalisch sind.

A 2 Die Oxoniumionenkonzentrationen wässriger Lösungen sind bei 25 °C a) 10^{-2} mol/l, b) 10^{-4} mol/l, c) $5 \cdot 10^{-7}$ mol/l, d) 10^{-8} mol/l, e) $3 \cdot 10^{-10}$ mol/l. Berechnen Sie die pH-Werte der Lösungen und geben Sie an, ob die Lösungen sauer, neutral oder alkalisch sind.

A 3 Die Hydroxidionenkonzentrationen wässriger Lösungen sind bei 25 °C a) 0,1 mol/l, b) 10^{-4} mol/l, c) 10^{-7} mol/l, d) $4 \cdot 10^{-7}$ mol/l, e) 10^{-11} mol/l. Berechnen Sie die pH-Werte der Lösungen und geben Sie an, ob die Lösungen sauer, neutral oder alkalisch sind.

A 4 Wie groß ist der pH-Wert in reinem Wasser bei 5 °C und bei 50 °C? (pK_W (5 °C) = 14,73; pK_W (50 °C) = 13,26)

A 5 a) Warum leitet auch (reine, flüssige) Essigsäure den elektrischen Strom?
b) Wie groß ist die Konzentration an Hydrogensulfationen in reiner Schwefelsäure bei 25 °C (▷ B4)?

B4 Autoprotolysen in nichtwässrigen Flüssigkeiten
(K = Wert des Ionenproduktes)

Reaktionsgleichgewicht	K ($mol^2 \cdot l^{-2}$)	ϑ (°C)
$2\ CH_3OH \rightleftharpoons CH_3OH_2^+ + CH_3O^-$	10^{-17}	18
$2\ C_2H_5OH \rightleftharpoons C_2H_5OH_2^+ + C_2H_5O^-$	$7{,}94 \cdot 10^{-20}$	18
$2\ NH_3 \rightleftharpoons NH_4^+ + NH_2^-$	10^{-22}	-33
$2\ HCOOH \rightleftharpoons HCOOH_2^+ + HCOO^-$	$6{,}31 \cdot 10^{-7}$	25
$2\ CH_3COOH \rightleftharpoons CH_3COOH_2^+ + CH_3COO^-$	10^{-13}	25
$2\ H_2SO_4 \rightleftharpoons H_3SO_4^+ + HSO_4^-$	$1{,}26 \cdot 10^{-3}$	25
$2\ HNO_3 \rightleftharpoons H_2NO_3^+ + NO_3^-$	$2 \cdot 10^{-2}$	25

6.3 Die Stärke von Säuren und Basen

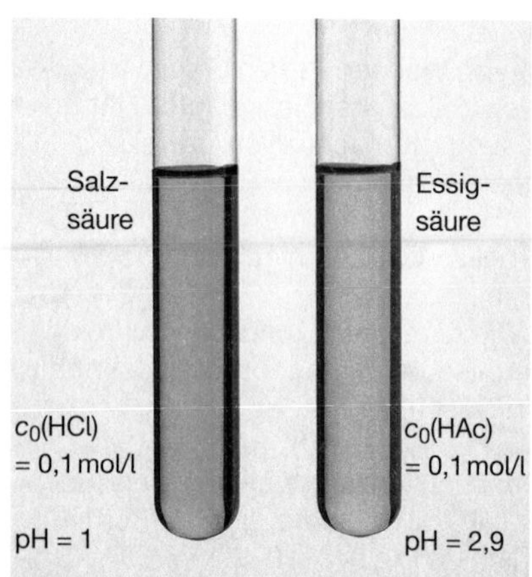

B 1 Gleiche Konzentrationen – unterschiedliche pH-Werte

V 1 pH-Werte von sauren Lösungen. Messen Sie die pH-Werte von Salzsäure und Essigsäure der folgenden Ausgangskonzentrationen: c_0(HA): 0,1 mol/l, 0,01 mol/l, 0,001 mol/l.

V 2 Verschiebung eines Säure-Base-Gleichgewichtes. Füllen Sie je zwei Reagenzgläser zu etwa einem Drittel mit Essigsäure bzw. Salzsäure (c_0(HA) = 0,1 mol/l). Geben Sie jeweils 4 Tropfen Universalindikatorlösung zu. Geben Sie zur Salzsäure festes Kochsalz und zur Essigsäure festes Natriumacetat in kleinen Portionen. Die beiden anderen Reagenzgläser dienen dem Vergleich.

A 1 Welche Teilchen liegen in a) Salzsäure (c_0(HCl) = 0,1 mol/l), b) Essigsäure (c_0(HAc) = 0,1 mol/l), c) Natronlauge (c_0(NaOH) = 0,1 mol/l) und d) Ammoniaklösung ($c_0(NH_3)$ = 0,1 mol/l) vor? Ordnen Sie die Teilchen der jeweiligen Lösung nach steigender Konzentration.

A 2 a) Propansäure (Summenformel: CH_3CH_2COOH, vereinfacht: HProp) der Konzentration c_0(HProp) = 0,1 mol/l hat den pH-Wert 2,94. Berechnen Sie den K_S-Wert und pK_S-Wert der Säure.

Salzsäure und Essigsäure gleicher Ausgangskonzentration c_0 (c_0: fiktive Konzentration der Säure vor der Säure-Base-Reaktion) weisen unterschiedliche pH-Werte auf (▷ B 1). Worauf ist dies zurückzuführen?

Protolysegleichgewicht. Der pH-Wert von Salzsäure der Ausgangskonzentration c_0(HCl) = 0,1 mol/l beträgt pH = 1 (▷ V 1). Vergleicht man die Oxoniumionenkonzentration, die sich aus dem pH-Wert berechnen lässt, mit der Ausgangskonzentration, so erkennt man, dass beide gleich sind: $c(H_3O^+) = c_0(HCl) = 0{,}1\ mol/l = 10^{-1}\ mol/l$.
Dies bedeutet, dass in dieser Salzsäure (fast) keine Chlorwasserstoffmoleküle vorliegen. Die Chlorwasserstoffmoleküle, die zu Wasser gegeben worden sind, haben ihre Protonen abgegeben. Das Gleichgewicht liegt fast vollständig auf der rechten Seite.

$$HCl + H_2O \rightleftharpoons Cl^- + H_3O^+$$

Der pH-Wert von Essigsäure (CH_3COOH, abgekürzt HAc) der Ausgangskonzentration c_0(HAc) = 0,1 mol/l beträgt pH = 2,9. Hier ist die Oxoniumionenkonzentration viel kleiner als die Ausgangskonzentration. Nur etwa jedes hundertste Essigsäuremolekül hat sein Proton abgegeben. Es liegt ein Säure-Base-Gleichgewicht vor, das auf der linken Seite liegt.

$$HAc + H_2O \rightleftharpoons Ac^- + H_3O^+$$

Von den beiden Säuren ist Chlorwasserstoff wesentlich stärker protolysiert als Essigsäure. Chlorwasserstoff ist eine viel stärkere Säure als Essigsäure. Die Stärke einer Säure und auch die einer Base lässt sich durch Anwendung des Massenwirkunsgesetzes definieren und ermitteln.

Säure- und Basekonstanten. Will man die Stärke verschiedener Säuren bzw. Basen miteinander vergleichen, muss man ihre Reaktionen mit derselben Base bzw. Säure betrachten. Als Bezugsbase und Bezugssäure hat man den Ampholyten Wasser gewählt. Wendet man das Massenwirkungsgesetz auf das Gleichgewicht einer Säure bzw. Base mit Wasser an, so erhält man:

Reaktion einer Säure HA mit Wasser:

$$HA + H_2O \rightleftharpoons A^- + H_3O^+$$

Massenwirkungsgesetz:

$$K_1 = \frac{c(H_3O^+) \cdot c(A^-)}{c(HA) \cdot c(H_2O)}$$

Reaktion einer Base B mit Wasser:

$$H_2O + B \rightleftharpoons OH^- + HB^+$$

Massenwirkungsgesetz:

$$K_2 = \frac{c(HB^+) \cdot c(OH^-)}{c(B) \cdot c(H_2O)}$$

Ähnlich wie beim Ionenprodukt des Wassers kann in verdünnter wässriger Lösung die Konzentration des Wassers als konstant angesehen werden und mit der Gleichgewichtskontanten K_1 bzw. K_2 zu einer neuen Konstanten K_S bzw. K_B zusammengefasst werden.

$$K_S = K_1 \cdot c(H_2O) = \frac{c(H_3O^+) \cdot c(A^-)}{c(HA)}$$

$$K_B = K_2 \cdot c(H_2O) = \frac{c(HB^+) \cdot c(OH^-)}{c(B)}$$

Die Stärke von Säuren und Basen

Die Gleichgewichtskonstanten K_S und K_B bezeichnet man als *Säurekonstante* bzw. *Basekonstante*. Beide Konstanten sind von der Temperatur abhängig, jedoch unabhängig von der Konzentration der Säure oder Base.

Säure- und Basekonstante sind ein Maß für die Säure- und Basestärke. Je höher der K_S- bzw. der K_B-Wert ist, desto stärker ist die Säure bzw. Base.

Statt der Konstanten K_S und K_B gibt man häufig die mit −1 multiplizierten dekadischen Logarithmen ihrer Zahlenwerte an.

Säureexponent:

$pK_S = -\lg\{K_S\}$

$K_S = 10^{-pK_S}\ mol \cdot l^{-1}$

Baseexponent:

$pK_B = -\lg\{K_B\}$

$K_B = 10^{-pK_B}\ mol \cdot l^{-1}$

Je kleiner der pK_S- bzw. pK_B-Wert ist, desto stärker ist die Säure bzw. die Base (▷ B3). pK_S- und pK_B-Werte ermöglichen eine Einteilung von Säuren und Basen nach ihrer Stärke.
Diese Einteilung ist mithilfe des pH-Wertes nicht möglich, da der pH-Wert von der Ausgangskonzentration der Säure oder Base abhängt.

Der pK_S-Wert einer Säure HA und der pK_B-Wert ihrer korrespondierenden Base A^- hängen in einfacher Weise voneinander ab:

$$HA + H_2O \rightleftharpoons A^- + H_3O^+$$

$$K_S = \frac{c(H_3O^+) \cdot c(A^-)}{c(HA)}$$

$$H_2O + A^- \rightleftharpoons OH^- + HA$$

$$K_B = \frac{c(HA) \cdot c(OH^-)}{c(A^-)}$$

$K_S \cdot K_B = c(H_3O^+) \cdot c(OH^-) = K_W = 10^{-14}\ mol^2 \cdot l^{-2}$
bzw.: $pK_S + pK_B = pK_W = 14$

Das Produkt aus K_S- und K_B-Wert eines korrespondierenden Säure-Base-Paares ergibt stets den Wert des Ionenproduktes des Wassers: $K_S \cdot K_B = K_W$.

Bei 25 °C ist dieses: $K_W = 10^{-14}\ mol^2 \cdot l^{-2}$.

Ist der pK_S-Wert einer Säure bekannt, so kann man mit der Gleichung: $pK_S + pK_B = pK_W = 14$
den pK_B-Wert der korrespondierenden Base berechnen (und umgekehrt) (▷ B3).
Aus der Gleichung geht auch hervor:

Je stärker eine Säure ist, umso schwächer ist ihre korrespondierende Base. Je stärker die Base ist, umso schwächer ist ihre korrespondierende Säure.

Essigsäure der Konzentration $c_0(HAc) = 0{,}1\ mol/l$ weist den pH-Wert pH = 2,9 auf. Wie groß ist der K_S-Wert?

Lösungsweg: $HAc + H_2O \rightleftharpoons Ac^- + H_3O^+$
Essigsäure reagiert nur in geringem Ausmaß mit Wasser, deshalb ist die Gleichgewichtskonzentration $c(HAc)$ näherungsweise gleich der Ausgangskonzentration $c_0(HAc)$. Die Oxoniumionenkonzentration aus dem Autoprotolysegleichgewicht des Wassers ist sehr klein und kann vernachlässigt werden, es gilt: $c(Ac^-) \approx c(H_3O^+)$.

$$K_S = \frac{c(Ac^-) \cdot c(H_3O^+)}{c(HAc)} \approx \frac{c^2(H_3O^+)}{c_0(HAc)}$$

$$K_S = \frac{(10^{-2,9}\ mol \cdot l^{-1})^2}{10^{-1}\ mol \cdot l^{-1}} = 10^{-4,8}\ mol \cdot l^{-1}$$

Der K_S-Wert der Essigsäure ist: $K_S \approx 10^{-4,8}\ mol \cdot l^{-1}$.

B2 Bestimmung des K_S-Wertes der Essigsäure, einer schwachen Säure

B3 pK_S- und pK_B-Werte in wässriger Lösung

pK_S	Säure	korrespondierende Base	pK_B
Vollständige Protonenabgabe	$HClO_4$	ClO_4^-	Keine Protonenaufnahme
	HI	I^-	
	HCl	Cl^-	
	H_2SO_4	HSO_4^-	
-1,74	H_3O^+	H_2O	15,74
-1,32	HNO_3	NO_3^-	15,32
1,92	HSO_4^-	SO_4^{2-}	12,08
2,13	H_3PO_4	$H_2PO_4^-$	11,87
2,22	$[Fe(H_2O)_6]^{3+}$	$[Fe(OH)(H_2O)_5]^{2+}$	11,78
3,14	HF	F^-	10,86
3,35	HNO_2	NO_2^-	10,65
3,75	$HCOOH$	$HCOO^-$	10,25
4,75	CH_3COOH	CH_3COO^-	9,25
4,85	$[Al(H_2O)_6]^{3+}$	$[Al(OH)(H_2O)_5]^{2+}$	9,15
6,52	H_2CO_3/CO_2	HCO_3^-	7,48
6,92	H_2S	HS^-	7,08
7,00	HSO_3^-	SO_3^{2-}	7,00
7,20	$H_2PO_4^-$	HPO_4^{2-}	6,80
9,25	NH_4^+	NH_3	4,75
9,40	HCN	CN^-	4,60
10,40	HCO_3^-	CO_3^{2-}	3,60
12,36	HPO_4^{2-}	PO_4^{3-}	1,64
13,00	HS^-	S^{2-}	1,00
15,74	H_2O	OH^-	-1,74
Keine Protonenabgabe	C_2H_5OH	$C_2H_5O^-$	Vollständige Protonenaufnahme
	NH_3	NH_2^-	
	OH^-	O^{2-}	
	H_2	H^-	

Säurestärke nimmt zu (↑) — Basestärke nimmt zu (↓)

Sehr starke Säuren und Basen. Wässrige Lösungen gleicher Ausgangskonzentration an Ameisensäure und Essigsäure besitzen unterschiedliche pH-Werte, während man in gleich konzentrierten wässrigen Lösungen aus Chlorwasserstoff bzw. Perchlorsäure keine pH-Unterschiede feststellen kann.
Hier macht sich der Einfluss des Lösungsmittels Wasser bemerkbar: Alle sehr starken Säuren reagieren vollständig mit Wasser.

Beispiel: $HClO_4 + H_2O \longrightarrow ClO_4^- + H_3O^+$

> Sehr starke Säuren protolysieren in verdünnter wässriger Lösung vollständig.

Wässrige Lösungen sehr starker Säuren gleicher Konzentration besitzen daher den gleichen pH-Wert. Offensichtlich ist das Oxoniumion die stärkste Säure, die in wässriger Lösung existieren kann. Für sehr starke Säuren [$pK_S < -1{,}74 = pK_S(H_3O^+)$] kann man somit in wässriger Lösung nicht das Massenwirkungsgesetz anwenden und K_S- bzw. pK_S-Werte bestimmen. Ähnliche Überlegungen gelten für sehr starke Basen [$pK_B < -1{,}74 = pK_B(OH^-)$].

Beispiel: $H_2O + O^{2-} \longrightarrow OH^- + OH^-$

Das Hydroxidion ist die stärkste Base, die in wässriger Lösung existieren kann. Für sehr starke Basen können in wässriger Lösung keine Basekonstanten bzw. pK_B-Werte ermittelt werden.

> Sehr starke Basen sind in verdünnter wässriger Lösung vollständig protoniert.

pH-Werte wässriger Lösungen von Säuren und Basen. Eine sehr **starke Säure** reagiert sogar bei Ausgangskonzentrationen der Größenordnung $c_0(HA) = 1\ mol \cdot l^{-1}$ vollständig mit Wasser. Man kann somit die Konzentration $c(A^-)$ gleich der Ausgangskonzentration $c_0(HA)$ setzen. Da man für Konzentrationen $c_0(HA) \geq 10^{-6}\ mol \cdot l^{-1}$ die Oxoniumionen aus dem Autoprotolysegleichgewicht des Wassers vernachlässigen kann, ist näherungsweise $c(H_3O^+) \approx c(A^-)$. Für den pH-Wert der Säurelösung gilt dann:

$$pH = -\lg\{c_0(HA)\}$$

Eine **schwache Säure** HA reagiert gemäß $HA + H_2O \rightleftharpoons A^- + H_3O^+$ nur in geringem Ausmaß mit Wasser. Deshalb ist die Gleichgewichtskonzentration $c(HA)$ näherungsweise gleich der Ausgangskonzentration $c_0(HA)$. Vernachlässigt man außerdem die Oxoniumionen aus dem Autoprotolysegleichgewicht des Wassers, gilt $c(A^-) \approx c(H_3O^+)$. Der pH-Wert der Säurelösung lässt sich bei Kenntnis des K_S- bzw. pK_S-Wertes der Säure berechnen:

$$K_S = \frac{c(A^-) \cdot c(H_3O^+)}{c(HA)} \approx \frac{c^2(H_3O^+)}{c_0(HA)}$$

$$c(H_3O^+) = \sqrt{K_S \cdot c_0(HA)}\ ;\ pH = -\lg\{c(H_3O^+)\}$$

$$pH = \tfrac{1}{2}\,[pK_S - \lg\{c_0(HA)\}]$$

Bei Basen erhält man für die pH-Wert-Berechnungen entsprechende Gleichungen durch Ersetzen von K_S durch K_B, von $c(H_3O^+)$ durch $c(OH^-)$ und von pH durch pOH. Der pH-Wert ergibt sich aus der Beziehung:

$$pH = pK_W - pOH = 14 - pOH$$

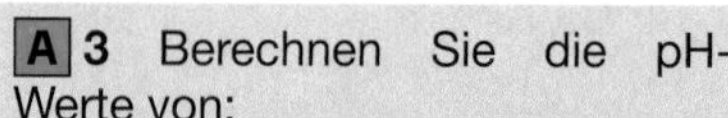

A 3 Berechnen Sie die pH-Werte von:
a) Salzsäure $c_0(HCl) = 0{,}001\ mol/l$,
b) Kalilauge $c_0(KOH) = 0{,}01\ mol/l$,
c) Kalkwasser $c_0(Ca(OH)_2) = 0{,}0005\ mol/l$,
d) Essigsäure $c_0(HAc) = 0{,}1\ mol/l$,
e) Ammoniaklösung $c_0(NH_3) = 1\ mol/l$,

A 4 Welche Aussage können Sie über den pH-Wert einer Salzsäure der Konzentration $c_0(HCl) = 10^{-8}\ mol/l$ machen?

B 4 Einteilung der Stärke von Säuren und Basen nach ihrem pK-Wert

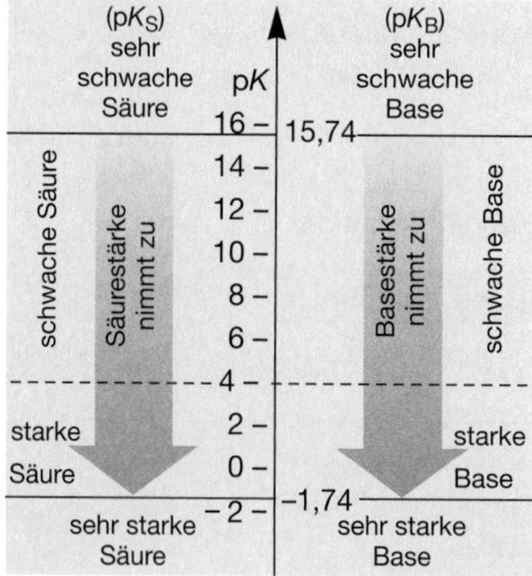

B 5 pH-Werte der Lösungen von Säuren und Basen (Beispiele)

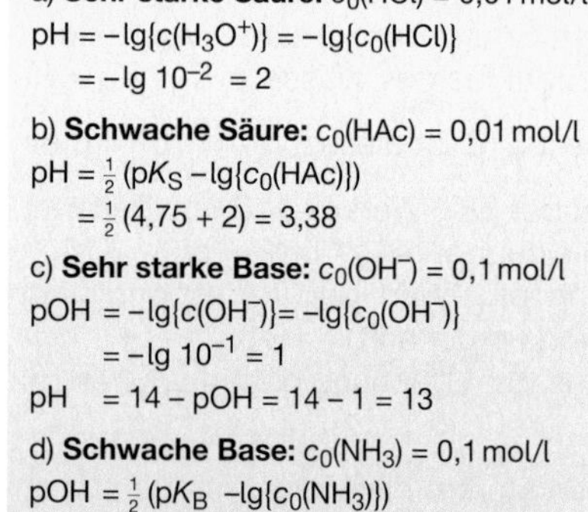

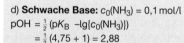

a) **Sehr starke Säure:** $c_0(HCl) = 0{,}01\ mol/l$
$pH = -\lg\{c(H_3O^+)\} = -\lg\{c_0(HCl)\}$
$= -\lg 10^{-2} = 2$

b) **Schwache Säure:** $c_0(HAc) = 0{,}01\ mol/l$
$pH = \frac{1}{2}(pK_S - \lg\{c_0(HAc)\})$
$= \frac{1}{2}(4{,}75 + 2) = 3{,}38$

c) **Sehr starke Base:** $c_0(OH^-) = 0{,}1\ mol/l$
$pOH = -\lg\{c(OH^-)\} = -\lg\{c_0(OH^-)\}$
$= -\lg 10^{-1} = 1$
$pH = 14 - pOH = 14 - 1 = 13$

d) **Schwache Base:** $c_0(NH_3) = 0{,}1\ mol/l$
$pOH = \frac{1}{2}(pK_B - \lg\{c_0(NH_3)\})$
$= \frac{1}{2}(4{,}75 + 1) = 2{,}88$
$pH = 14 - pOH = 14 - 2{,}88 = 11{,}12$

6.4 Exkurs: Verknüpfung von Säure-Base-Gleichgewichten

Die bisher betrachteten Gleichgewichte beruhen auf Reaktionen von Säuren und Basen mit Wasser. Im Folgenden werden Protonenübertragungen zwischen beliebigen Brønstedsäuren und -basen in wässrigen Lösungen betrachtet.

Beliebige Säure-Base-Gleichgewichte. Für die folgende Gleichgewichtsreaktion gilt:

$$\underset{\text{Säure 1}}{HA} + \underset{\text{Base 2}}{B^-} \rightleftharpoons \underset{\text{Base 1}}{A^-} + \underset{\text{Säure 2}}{HB} \qquad K = \frac{c(A^-)\cdot c(HB)}{c(HA)\cdot c(B^-)}$$

Die zunächst unbekannte Gleichgewichtskonstante K kann auf bekannte Gleichgewichtskonstanten zurückgeführt werden. An dem obigen Säure-Base-Gleichgewicht sind zwei korrespondierende Säure-Base-Paare beteiligt.

$$HA + H_2O \rightleftharpoons A^- + H_3O^+ \qquad K_{S_1} = \frac{c(H_3O^+)\cdot c(A^-)}{c(HA)}$$

$$HB + H_2O \rightleftharpoons B^- + H_3O^+ \qquad K_{S_2} = \frac{c(H_3O^+)\cdot c(B^-)}{c(HB)}$$

Es ist also $K = K_{S_1} / K_{S_2}$ und somit $pK = pK_{S_1} - pK_{S_2}$. Für $pK = 0$ liegt das Gleichgewicht weder auf der linken noch auf der rechten Seite, wenn man von gleichen Ausgangskonzentrationen c_0 der beiden Säure-Base-Paare ausgeht ($c_0(HA) = c(HA) + c(A^-)$; $c_0(HB) = c(HB) + c(B^-)$). Ist $pK < 0$, so liegt das Gleichgewicht (wieder unter der Voraussetzung gleicher Ausgangskonzentrationen c_0) auf der Seite der rechts stehenden Reaktionspartner, bei $pK > 0$ liegt das Gleichgewicht dann links. Ein Gleichgewicht liegt umso mehr auf der rechten Seite, je stärker die Säure und die Base sind, die auf der linken Seite der Reaktionsgleichung stehen (▷ B2).

Säure-Base-Gleichgewicht				$pK = pK_{S_1} - pK_{S_2}$
$H_2PO_4^-$	$+ ClO^-$	$\rightleftharpoons HPO_4^{2-}$	$+ HClO$	
$pK_{S_1} = 7{,}20$	$pK_{B_2} = 6{,}75$	$pK_{B_1} = 6{,}80$	$pK_{S_2} = 7{,}25$	$pK = -0{,}05$
NH_4^+	$+ HS^-$	$\rightleftharpoons NH_3$	$+ H_2S$	
$pK_{S_1} = 9{,}25$	$pK_{B_2} = 7{,}08$	$pK_{B_1} = 4{,}75$	$pK_{S_2} = 6{,}92$	$pK = +2{,}33$
HCO_3^-	$+ S^{2-}$	$\rightleftharpoons CO_3^{2-}$	$+ HS^-$	
$pK_{S_1} = 10{,}40$	$pK_{B_2} = 1{,}00$	$pK_{B_1} = 3{,}60$	$pK_{S_2} = 13{,}00$	$pK = -2{,}60$
HSO_4^-	$+ CH_3COO^-$	$\rightleftharpoons SO_4^{2-}$	$+ CH_3COOH$	
$pK_{S_1} = 1{,}92$	$pK_{B_2} = 9{,}25$	$pK_{B_1} = 12{,}08$	$pK_{S_2} = 4{,}75$	$pK = -2{,}83$
CH_3COOH	$+ NH_3$	$\rightleftharpoons CH_3COO^-$	$+ NH_4^+$	
$pK_{S_1} = 4{,}75$	$pK_{B_2} = 4{,}75$	$pK_{B_1} = 9{,}25$	$pK_{S_2} = 9{,}25$	$pK = -4{,}50$
HPO_4^{2-}	$+ HCOO^-$	$\rightleftharpoons PO_4^{3-}$	$+ HCOOH$	
$pK_{S_1} = 12{,}36$	$pK_{B_2} = 10{,}25$	$pK_{B_1} = 1{,}64$	$pK_{S_2} = 3{,}75$	$pK = +8{,}61$
HNO_3	$+ OH^-$	$\rightleftharpoons NO_3^-$	$+ H_2O$	
$pK_{S_1} = -1{,}32$	$pK_{B_2} = -1{,}74$	$pK_{B_1} = 15{,}32$	$pK_{S_2} = 15{,}74$	$pK = -17{,}06$
H_3O^+	$+ OH^-$	$\rightleftharpoons H_2O$	$+ H_2O$	
$pK_{S_1} = -1{,}74$	$pK_{B_2} = -1{,}74$	$pK_{B_1} = 15{,}74$	$pK_{S_2} = 15{,}74$	$pK = -17{,}48$

B1 pK-Werte von Säure-Base-Gleichgewichten in wässriger Lösung

A 1 a) Zeigen Sie, dass $K = K_{S_1}/K_{S_2}$ ist.
b) Ermitteln Sie die Gleichgewichtskonstante bzw. den pK-Wert für die folgende Reaktion:
$HSO_4^- + H_2PO_4^- \rightleftharpoons SO_4^{2-} + H_3PO_4$

A 2 Begründen Sie mithilfe von ▷ B3, warum die Ionen der Salze $(NH_4)_2S$, $(NH_4)_3PO_4$ und $(NH_4)_2CO_3$ im Gegensatz zu den Ionen der Salze $(NH_4)_2HPO_4$, NH_4HCO_3 und CH_3COONH_4 in wässriger Lösung nicht nebeneinander beständig sind.

B2 Verknüpfung von Säure-Base-Gleichgewichten. Die Gleichgewichtslage hängt von den Säurestärken ab

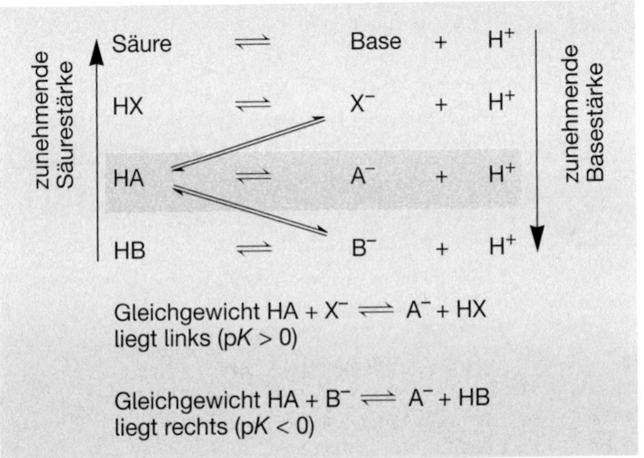

B3 pH-Wert-Bereiche, in denen verschiedene Säuren und Basen überwiegend vorliegen

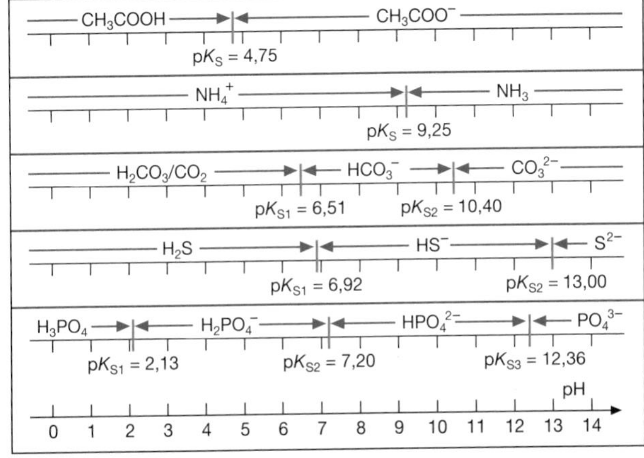

6.5 Säure-Base-Reaktionen in Salzlösungen

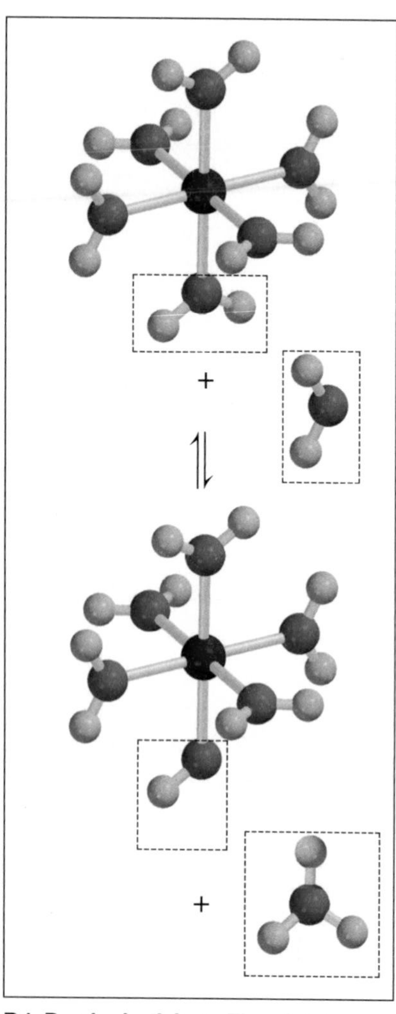

B 1 Das hydratisierte Eisen(III)-Ion als Brønstedsäure

Saure und alkalische Lösungen reagieren miteinander zu einem Salz und Wasser. Bei dieser Neutralisationsreaktion entsteht nicht unbedingt eine neutrale Lösung. *Salzlösungen* können *sauer*, *neutral* oder *alkalisch* sein. Salze sind im festen Zustand kristalline Verbindungen, die aus Ionen aufgebaut sind. Beim Lösen in Wasser können die Kationen und Anionen der Salze mit dem Ampholyten Wasser als Brønstedsäuren oder -basen reagieren.

Kationen als Säuren. Damit ein Kation als Brønstedsäure reagieren kann, muss es ein Proton abgeben können. Ammoniumionen sind Brønstedsäuren, die mit Wassermolekülen Oxoniumionen bilden.

$$NH_4^+ + H_2O \rightleftharpoons NH_3 + H_3O^+$$

Das Ammoniumion ist die korrespondierende Säure des Ammoniakmoleküls, einer schwachen Base. Einige Metallionen wie Al^{3+}(aq)- und Fe^{3+}(aq)-Ionen bilden ebenfalls saure Lösungen. Bei Metallkationen ist zu beachten, dass Ionen in wässriger Lösung stets hydratisiert vorliegen. In den folgenden Formeln für diese hydratisierten Ionen sind nur die Wassermoleküle erfasst, die die nächsten Nachbarn (↗Kap. 9.1) sind (z. B. $[Fe(H_2O)_6]^{3+}$, $[Al(H_2O)_6]^{3+}$). Hydratisierte Metallionen sind unterschiedlich starke Brønstedsäuren, z. B.:

$$[Fe(H_2O)_6]^{3+} + H_2O \rightleftharpoons [Fe(OH)(H_2O)_5]^{2+} + H_3O^+$$

Der Säurecharakter beruht darauf, dass Wassermoleküle, die die nächsten Nachbarn bilden, durch das mehrfach positiv geladene Metallion so stark polarisiert werden, dass es zur Abspaltung eines Protons kommen kann (▷ B 1). Lösungen von hydratisierten Metallionen sind umso stärker sauer, je höher die Ladung und je kleiner der Radius, d. h. je größer die Ladungsdichte des Ions ist. Hydratisierte Alkali- und Erdalkalimetallionen haben aufgrund ihrer geringen Ladungsdichte eine so geringe Säurestärke, dass man das Ausmaß der Säure-Base-Reaktion mit Wasser als vernachlässigbar klein ansehen kann.

Anionen als Basen. Ob die Lösung eines Salzes sauer, neutral oder alkalisch ist, hängt nicht nur von den Kationen, sondern auch den Anionen ab.
Anionen, die korrespondierende Basen schwacher Säuren sind, reagieren gegenüber Wasser als Brønstedbasen.

V 1 pH-Werte von Salzlösungen. Bestimmen Sie die pH-Werte von dest. Wasser und der Lösungen (c = 0,1 mol/l) von: Natriumchlorid (NaCl), Natriumacetat (CH_3COONa), Ammoniumchlorid (NH_4Cl), Ammoniumacetat (CH_3COONH_4) und Eisen(III)-chlorid ($FeCl_3$).

V 2 WC-Reiniger. Füllen Sie ein Reagenzglas zu etwa einem Drittel mit dest. Wasser, geben Sie je eine Spatelspitze Calciumcarbonat und festen WC-Reiniger zu.

B 2 Protolyse von Salzen. Abschätzung aus p*K*-Werten

Salz	Ionen nach dem Lösen des Salzes in Wasser	Säure-Base-Reaktion der Ionen
Natriumhydrogensulfat	$Na^+ + HSO_4^-$ $pK_S(HSO_4^-) = 1{,}92$	$HSO_4^- + H_2O \rightleftharpoons SO_4^{2-} + H_3O^+$ $\Rightarrow$ Die Lösung ist sauer.
Eisen(III)-chlorid	$[Fe(H_2O)_6]^{3+} + 3\ Cl^-$ $pK_S = 2{,}22$	$[Fe(H_2O)_6]^{3+} + H_2O \rightleftharpoons [Fe(OH^-)(H_2O)_5]^{2+} + H_3O^+$ $\Rightarrow$ Die Lösung ist sauer.
Kaliumcarbonat	$2\ K^+ + CO_3^{2-}$ $pK_B(CO_3^{2-}) = 3{,}60$	$CO_3^{2-} + H_2O \rightleftharpoons HCO_3^- + OH^-$ $\Rightarrow$ Die Lösung ist alkalisch.
Natriumchlorid	$Na^+ + Cl^-$	Die Ionen gehen keine Säure-Base-Reaktionen mit Wasser ein. $\Rightarrow$ Die Lösung ist neutral.
Ammoniumacetat	$NH_4^+ + Ac^-$ $pK_S(NH_4^+) = pK_B(Ac^-) = 9{,}25$	$NH_4^+ + H_2O \rightleftharpoons NH_3 + H_3O^+$ $Ac^- + H_2O \rightleftharpoons HAc + OH^-$ $\Rightarrow$ Die Lösung ist neutral.

Dies hat folgenden Grund: Am Äquivalenzpunkt liegt eine Natriumacetatlösung vor. Sie ist alkalisch. Charakteristisch ist weiterhin das Auftreten eines zweiten Kurvenwendepunktes bei pH = 4,75. Dieser Wert entspricht dem pK_S-Wert der Essigsäure. Aus dem Volumen der verbrauchten Maßlösung kann man erkennen, dass an dieser Stelle gerade die Hälfte der Essigsäuremoleküle reagiert hat, d. h., es ist $c(Ac^-) = c(HAc)$. Aus der experimentell einfach zu ermittelnden Titrationskurve einer schwachen Säure kann also deren pK_S-Wert entnommen werden.

Im Bereich des pH-Wertes, der dem pK_S-Wert entspricht, wird der Puffereffekt des Essigsäure-Acetat-Puffers wirksam (↗ Kap. 6.6).

Jenseits des Äquivalenzpunktes stimmen die Titrationskurve der Essigsäure und die der Salzsäure überein, da der pH-Wert dann nur noch von der zugegebenen Natronlauge bestimmt wird.

Da der Äquivalenzpunkt nur im Falle der Titration einer starken Säure mit einer starken Base (bzw. umgekehrt) mit dem Neutralpunkt zusammenfällt, kann beim Arbeiten mit Indikatoren nur in diesem Fall ein Indikator verwendet werden, der bei pH = 7 umschlägt. In anderen Fällen muss ein Indikator verwendet werden, dessen Umschlag bei einem pH-Wert erfolgt, der dem Äquivalenzpunkt entspricht.

Alle für die Titration von Säuren mit starken Basen getroffenen Feststellungen gelten analog für die Titrationen von Basen mit einer starken Säure (z. B. Salzsäure). Die Titrationskurven der Basen ergeben sich aus denen der Säuren (bei gleichen Ausgangskonzentrationen und gleichen pK-Werten) durch Spiegelung an der Geraden pH = 7. Der pH-Wert-Bereich wird während der Titration in entgegengesetzter Richtung durchlaufen, und auch die Indikatorumschläge erfolgen umgekehrt.

Titration von Phosphorsäure mit Natronlauge. Diese Titration verläuft schrittweise (Bildung von $H_2PO_4^-$, HPO_4^{2-} bzw. PO_4^{3-}). Es existiert eine diesen Schritten entsprechende Anzahl von drei Äquivalenzpunkten, allerdings treten nur zwei pH-Sprünge in der Titrationskurve auf (▷ B2). Der dritte Äquivalenzpunkt liegt oberhalb von pH = 12, deshalb ist eine sprunghafte pH-Änderung nicht mehr möglich.

Automatisierte Titrationen. Quantitative Bestimmungen von Säuren oder Basen gehören in vielen Forschungseinrichtungen, Untersuchungsämtern und Industriebetrieben zu den Routineuntersuchungen. Fallen viele Probebestimmungen an, werden diese durch Titrierautomaten und Computer durchgeführt. Mit dem Computer können die Messdaten erfasst, ausgewertet und archiviert werden.

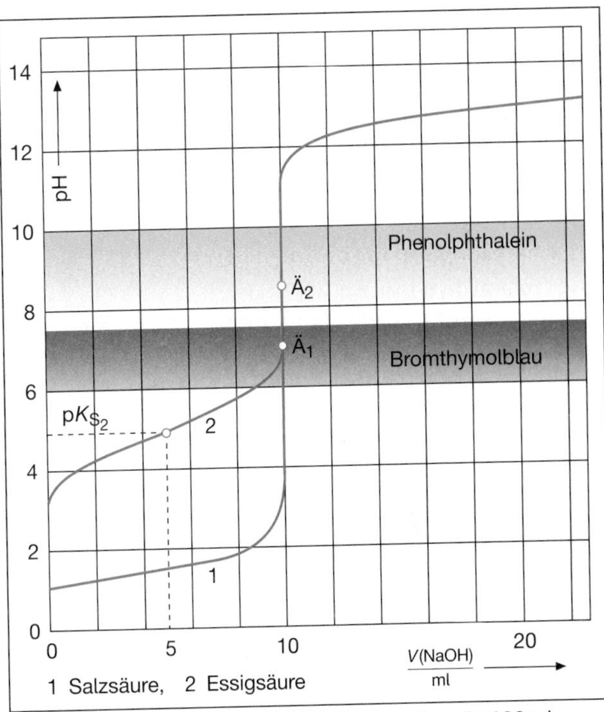

B1 Titrationskurven für die Titration von jeweils 100 ml Säure ($c_0 = 0{,}1\ mol \cdot l^{-1}$) mit Natronlauge ($c_0 = 1\ mol \cdot l^{-1}$); Ä: Äquivalenzpunkt

B2 Computereinsatz zur Erfassung und Auswertung einer Titration

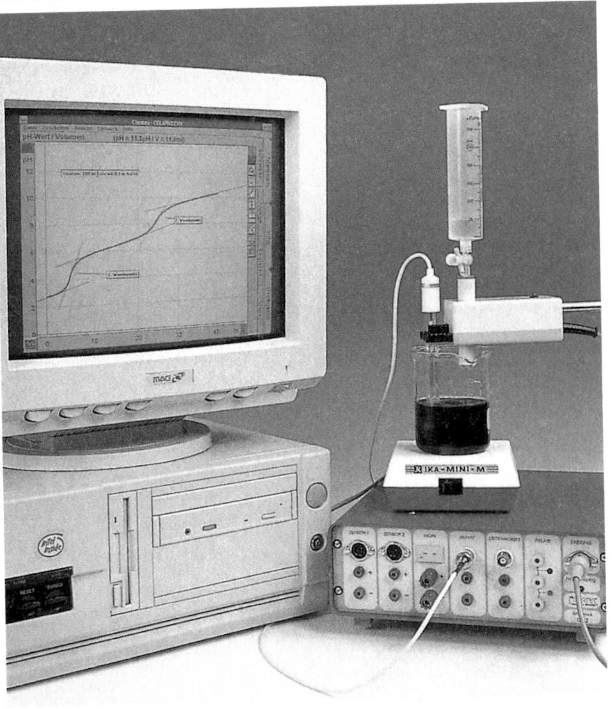

V 4 Titrationen mit unterschiedlichen Indikatoren. Pipettieren Sie genau 20 ml a) Salzsäure und b) Essigsäure der Konzentration $c_0(HA)$ = 0,1 mol/l in jeweils einen 100-ml-Erlenmeyerkolben. Geben Sie je drei Tropfen Methylorange in die Lösungen. Titrieren Sie die Säuren mit Natronlauge der Konzentration $c_0(NaOH)$ = 0,1 mol/l. Wiederholen Sie diese Titrationen mit Bromthymolblau- und Phenolphthaleinlösung als Indikatoren.

A 2 Welcher der Indikatoren aus ▷ B3 ist am besten geeignet für die Bestimmung des Äquivalenzpunktes von a) Kalilauge und b) Ammoniaklösung der Konzentration $c_0(B)$ = 0,1 mol/l mit Salzsäure der Konzentration $c_0(HCl)$ = 1 mol/l ?

A 3 50 ml Phosphorsäure werden mit 4 Tropfen Methylorange- und 4 Tropfen Thymolphthaleinlösung versetzt und anschließend mit Natronlauge der Konzentration $c_0(NaOH)$ = 2 mol/l titriert. Bis zum Auftreten einer orangegelben Farbe werden 5 ml Natronlauge und bis zum Auftreten einer hellblauen Farbe in der Probelösung 10 ml Natronlauge benötigt. Berechnen Sie die Stoffmengenkonzentration der Phosphorsäure.

Titration und Indikator. Zur Bestimmung des Äquivalenzpunktes einer Titration wird häufig der Farbumschlag eines Indikators herangezogen. Ein Säure-Base-Indikator ist im Allgemeinen eine *schwache, farbige organische Säure,* deren korrespondierende Base eine andere Farbe als die Säure aufweist. In wässriger Lösung stellt sich für einen Indikator HIn ein Säure-Base-Gleichgewicht ein, das pH-abhängig ist:

$$\underset{\text{Indikatorsäure (Farbe 1)}}{HIn} + H_2O \rightleftharpoons \underset{\text{korrespondierende Indikatorbase (Farbe 2)}}{In^-} + H_3O^+$$

$$K_S = \frac{c(H_3O^+) \cdot c(In^-)}{c(HIn)} \qquad pH = pK_S + \lg \frac{c(In^-)}{c(HIn)}$$

Da die Empfindlichkeit des Auges für die verschiedenen Farben unterschiedlich und begrenzt ist, muss die Konzentration der Base etwa das Zehnfache der Indikatorsäure betragen, damit die Farbe der Base wahrzunehmen ist.
Die umgekehrte Feststellung gilt für die Indikatorsäure HIn. Ein Indikator hat also einen Umschlagsbereich von etwa $\Delta pH \approx 2$ ($pH = pK_S \pm 1$).

Indikatoren (z. B. Methylrot) mit *unterschiedlichen Farben* auf beiden Seiten des Umschlagsbereiches zeigen im Umschlagsbereich eine *Mischfarbe*. Phenolphthalein ist ein Beispiel für einen Indikator, der nur auf einer Seite seines Umschlagsbereiches eine Farbe aufweist, auf der anderen Seite dagegen farblos ist.

Ein Indikator ist dann für eine Titration geeignet, wenn innerhalb seines Umschlagsbereiches der pH-Wert des Äquivalenzpunktes liegt. Für die Titration von Salzsäure mit Natronlauge ist dies z. B. bei Bromthymolblau der Fall. Man kann aber auch Methylorange oder Phenolphthalein verwenden, in deren Umschlagsbereichen der Äquivalenzpunkt zwar nicht liegt, die aber innerhalb des pH-Sprungs ihre Farben ändern, sodass der Fehler in der Anzeige des Äquivalenzpunktes vernachlässigbar klein bleibt. Je kleiner der pH-Sprung ist, umso geringer ist die Anzahl der für die betreffende Titration geeigneten Indikatoren. Ist der pH-Sprung kleiner als $\Delta pH = 2$ oder ist er nicht steil genug, kann ein Äquivalenzpunkt mit einem Indikator nicht mehr ermittelt werden. Da Indikatoren ebenfalls Maßlösung verbrauchen, darf stets nur eine geringe Menge des Indikators zur Probelösung gegeben werden.

B3 Farbumschläge von Säure-Base-Indikatoren

Indikator	Farbe der Säure	pH-Bereich des Farbumschlags	Farbe der Base	$pK_S(HIn)$
Thymolblau	rot	1,2 – 2,8	gelb	1,7
Methylorange	rot	3,0 – 4,4	gelb-orange	3,4
Bromkresolgrün	gelb	3,8 – 5,4	blau	4,7
Methylrot	rot	4,2 – 6,2	gelb	5,0
Lackmus	rot	5,0 – 8,0	blau	6,5
Bromthymolblau	gelb	6,0 – 7,6	blau	7,1
Thymolblau	gelb	8,0 – 9,6	blau	8,9
Phenolphthalein	farblos	8,2 – 10,0	purpur	9,4
Thymolphthalein	farblos	9,3 – 10,5	blau	10,0
Alizaringelb R	gelb	10,1 – 12,1	rot	11,2

B4 a) Thymolblau in wässrigen Lösungen mit verschiedenen pH-Werten; **b) Farben eines Universalindikators**

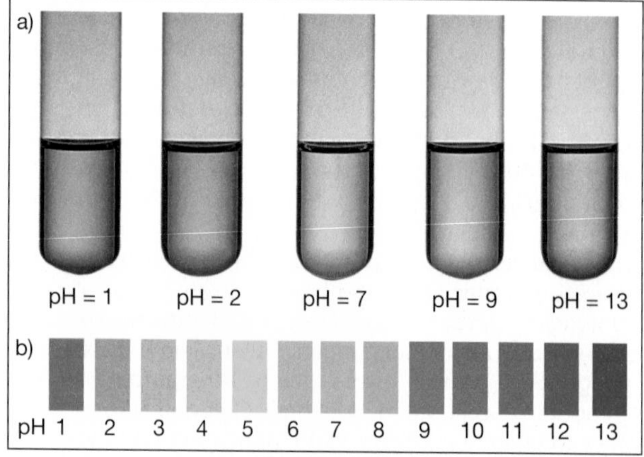

6.8 Praktikum: Säuren und Basen in Produkten des Alltags

Versuch 1 Bestimmung von Säuren in Lebensmitteln

Geräte und Chemikalien: Bürette, Vollpipetten (10 ml, 20 ml), Pipettierhilfe, Messkolben (100 ml), Weithalserlenmeyerkolben (50 ml), Präparategläschen, Waage, Schutzbrille,
Natronlauge (c = 0,1 mol/l), Phenolphthaleinlösung, Bromthymolblaulösung, Essig, Weinsäure, Weißwein

1.1 Durchführung: Essigsäureanteil in Essig

a) Pipettieren Sie genau 10 ml Essig in einen 100-ml-Messkolben und füllen Sie mit dest. Wasser unter Schütteln bis zur Ringmarke auf (100 ml Lösung).
b) Überführen Sie 20 ml verd. Essig in einen kleinen Erlenmeyerkolben und geben Sie 2 bis 3 Tropfen Phenolphthaleinlösung in den verdünnten Essig. Titrieren Sie die Probe bis zur beginnenden Rotviolettfärbung der Lösung.
c) Ermitteln Sie die Dichte des Essigs, indem Sie die Masse von genau 20 ml Essig bestimmen.

Auswertung: Berechnen Sie die Stoffmengenkonzentration c und den Massenanteil w der Essigsäure im Essig.

1.2 Durchführung: Säurekonzentration in Weißwein

a) Pipettieren Sie genau 20 ml Weißwein in einen kleinen Erlenmeyerkolben und geben Sie 2 bis 3 Tropfen Bromthymolblaulösung in den Wein. Titrieren Sie die Probe mit Natronlauge (c(NaOH) = 0,1 mol/l) bis zur Blaugrünfärbung der Lösung.
b) Stellen Sie 50 ml Weinsäurelösungen der Konzentrationen c = 0,025 mol/l, c = 0,05 mol/l und c = 0,1 mol/l her. Titrieren Sie jeweils 20 ml dieser Lösungen mit Natronlauge (c(NaOH) = 0,1 mol/l) und Bromthymolblaulösung als Indikator bis zur Blaugrünfärbung der Lösung.

Auswertung: a) Tragen Sie in ein Diagramm (Abszisse: Stoffmengenkonzentration der Weinsäure, Ordinate: Volumen der Natronlauge) die Werte für die Titrationen der Weinsäurelösungen ein und zeichnen Sie den Graphen. Ermitteln Sie aus dem Diagramm die Stoffmengenkonzentration der Weinsäure im Weißwein unter der Annahme, dass außer Weinsäure keine Säuren im Wein enthalten sind (siehe auch Hinweis unten).
b) Berechnen Sie aus der Stoffmengenkonzentration der Weinsäure im Weißwein die Massenkonzentration der Weinsäure (M(Weinsäure) = 150,09 g/mol).

Hinweis: Weine enthalten unterschiedliche Säuren, die Säurekonzentration wird so berechnet, als ob nur Weinsäure vorläge. Man sagt auch: Die Säure wird „als Weinsäure berechnet".

Versuch 2 Bestimmung der Hydroxid- und Carbonationen in einem festen Rohrreiniger

Information: Ein fester Rohrreiniger ist ein Gemisch aus Natriumhydroxid, Natriumcarbonat, Aluminium und Natriumnitrat. Für die Bildung der alkalischen Lösung beim Lösen des Rohrreinigers sind die Carbonat- und die Hydroxidionen verantwortlich.

Geräte und Chemikalien: Bürette, Vollpipette (20 ml), Messpipette (10 ml), Pipettierhilfe, Messkolben (100 ml), Becherglas (100 ml), Erlenmeyerkolben (100 ml und 50 ml), Waage, Wägegläschen, Pinzette, Filterpapier, Spatel, Schutzbrille, Schutzhandschuhe,
Salzsäure (c = 1 mol/l), Bariumnitratlösung (c = 0,2 mol/l), Oxalsäurelösung (c = 0,5 mol/l), Methylorangelösung, Phenolphthaleinlösung

Durchführung:
a) Wiegen Sie etwa 4 g Rohrreiniger ab (Masse genau bestimmen!). Entfernen Sie mit einer Pinzette alle Aluminiumkörner. Lösen Sie den Rohrreiniger ohne Aluminiumkörner in ca. 80 ml dest. Wasser unter Kühlen. Geben Sie diese Lösung anschließend in einen 100-ml-Messkolben und füllen Sie mit dest. Wasser bis zur Ringmarke auf.

b) Pipettieren Sie genau 20 ml der Rohrreinigerlösung in einen kleinen Erlenmeyerkolben und geben Sie 2 bis 3 Tropfen Methylorangelösung zu der Lösung. Titrieren Sie die Lösung mit Salzsäure (c = 1 mol/l), bis die Lösung einen kräftigen Orangeton aufweist.

c) Versetzen Sie eine zweite 20-ml-Probe der Rohrreinigerlösung mit etwa 7 ml neutraler Bariumnitratlösung (c = 0,2 mol/l) und schütteln Sie die Lösung.
Geben Sie zu dieser Lösung nach etwa 10 Minuten 2 bis 3 Tropfen Phenolphthaleinlösung und titrieren Sie mit Oxalsäurelösung (c = 0,5 mol/l) langsam und unter ständigem Umschwenken bis zur ersten bleibenden Entfärbung der gesamten Lösung.

Auswertung: a) Analysieren Sie die Schritte der Durchführung und erläutern Sie deren Zweck.
b) Berechnen Sie die Stoffmenge des Hydroxids, die Stoffmenge des Carbonats, den Massenanteil des Natriumcarbonats und Natriumhydroxids des Rohrreinigers.
c) Begründen Sie, warum Sie für mehrere Proben eventuell unterschiedliche Massenanteile für Natriumcarbonat und Natriumhydroxid erhalten. Wodurch könnten solche Unterschiede vermieden werden?
d) Erläutern Sie die Funktion, die das Aluminium im Rohrreiniger hat.
e) Welchen Zweck erfüllt das Natriumnitrat?

6.9 Überprüfung und Vertiefung

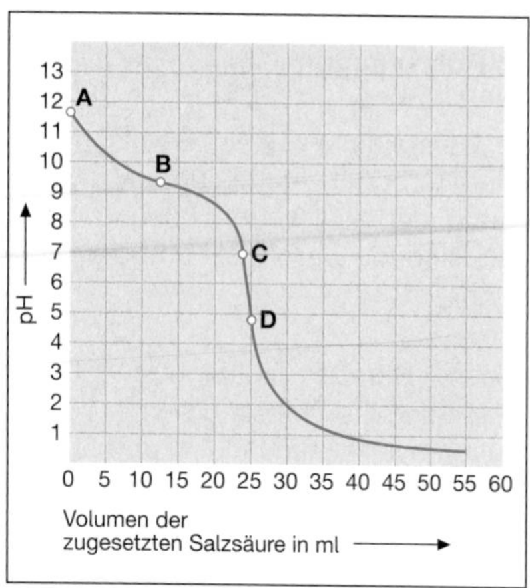

B1 Titrationskurve (Ammoniaklösung mit Salzsäure)

1 Säuren wie Schwefelsäure oder Chlorwasserstoff protolysieren in verdünnten, wässrigen Lösungen vollständig. In ihrer Säurestärke ist kein Unterschied erkennbar. Will man die sehr starken Säuren unterscheiden, muss man eine schwächere Base als das Wasser, z.B. die Essigsäure, als Bezugsbase wählen. In Essigsäure unterscheiden sich auch die in Wasser sehr starken Säuren voneinander. Aus der elektrischen Leitfähigkeit solcher Lösungen lässt sich eine Abstufung der sehr starken Säuren nach ihrer Säurestärke ermitteln.

H_2SO_4 HCl HI $HClO_4$ →
Säurestärke nimmt zu

Formulieren Sie für die Reaktion von Chlorwasserstoff mit Essigsäure die Säure-Base-Reaktion und kennzeichnen Sie die Säure-Base-Paare.

2 In der Lösung einer schwachen Säure liegt das folgende Gleichgewicht vor:

$HA + H_2O \rightleftharpoons A^- + H_3O^+$

Zur Angabe des Anteils der Säuremoleküle, die bei der Zugabe der Säure der Ausgangskonzentration $c_0(HA)$ zu Wasser ihre Protonen abgegeben haben, kann der **Protolysegrad** α gewählt werden. Dies ist der Quotient aus der Konzentration der A^--Ionen im Gleichgewicht und der Ausgangskonzentration der Säure:

$\alpha = c(A^-)/c_0(HA)$, mit $0 \leq \alpha \leq 1$

Unter Vernachlässigung der Konzentration der H_3O^+-Ionen aus der Autoprotolyse des Wassers kann als Zählergröße auch die Oxoniumionenkonzentration gewählt werden:

$\alpha = c(H_3O^+)/c_0(HA)$

Der Protolysegrad kann Werte zwischen 0 und 1 annehmen, er wird auch in Prozent angegeben.

Eine schwache Säure hat den pK_S-Wert 5,0. Berechnen Sie den Protolysegrad α bei der Konzentration $c_0(HA) = 0{,}1$ mol/l und $c_0(HA) = 0{,}01$ mol/l.

3 In ▷ B1 ist die Titrationskurve für die Titration von 25 ml Ammoniaklösung mit Salzsäure ($c_0(HCl) = 1$ mol/l) dargestellt.
a) Ordnen Sie den Punkten A bis D die Begriffe Äquivalenzpunkt und „Neutralpunkt" zu. Erläutern Sie den Kurvenverlauf im Bereich des Punktes B.
b) Berechnen Sie die Ausgangskonzentration der Ammoniaklösung.
c) Geben Sie einen zur Anzeige des Äquivalenzpunktes geeigneten Indikator an.

4 Beschreiben Sie die Pufferwirkung für den Fall, dass Hydroxidionen in das Blut gelangen (▷ B2).

Wichtige Begriffe

Brønstedsäure (Protonendonator), Brønstedbase (Protonenakzeptor), korrespondierende Säure-Base-Paare, Säure-Base-Reaktionen, Protolysen (Protonenübergänge), Ampholyte, amphotere Teilchen, Autoprotolyse des Wassers, Ionenprodukt des Wassers, pH-Wert, pOH-Wert, pK_W-Wert, Protolysegrad, Säurekonstante, Basekonstante, K_S-, K_B-, pK_S-, pK_B-Wert, Protolyse von Salzen, Puffersystem, Säure-Base-Titration, Äquivalenzpunkt, Säure-Base-Indikatoren, Umschlagsbereich

B2 Das Kohlenstoffdioxid-Hydrogencarbonat-System des Blutes

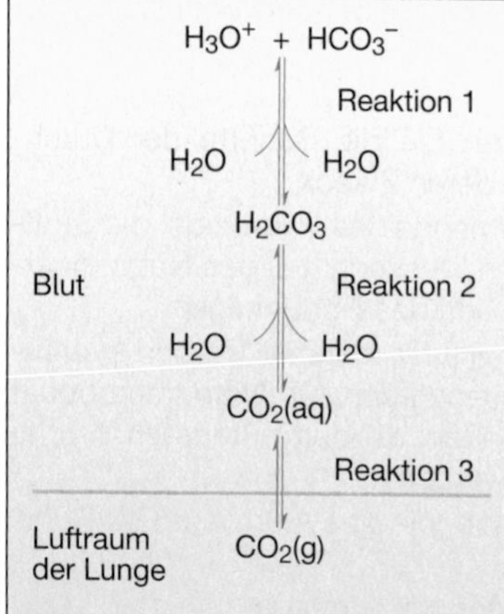

Das Blut wird zum Teil durch das Kohlenstoffdioxid-Hydrogencarbonat-System (CO_2/HCO_3^-) gepuffert. Das Kohlenstoffdioxid im Luftraum der Lunge befindet sich im Gleichgewicht mit dem Hydrogencarbonat des Blutes, das durch die Lungenkapillaren fließt. An diesem Puffersystem sind drei Gleichgewichtsreaktionen beteiligt. Gelangen Oxoniumionen durch das Gewebe ins Blut, können sich Kohlensäuremoleküle bilden, diese zerfallen zum größten Teil in Kohlenstoffdioxid- und Wassermoleküle. Erhöht sich die Konzentration des gelösten Kohlenstoffdioxids, wird auch die Konzentration und damit der Druck des Kohlenstoffdioxids im Luftraum der Lunge größer. Das zusätzliche Kohlenstoffdioxid wird dann ausgeatmet. In die umgekehrte Richtung laufen die Gleichgewichtsreaktionen ab, wenn Hydroxidionen in das Blut gelangen und mit Oxoniumionen zu Wasser reagieren. Über die Häufigkeit und Tiefe des Einatmens und Ausatmens von Kohlenstoffdioxid können diese Gleichgewichte schnell nachgeregelt werden, sodass der pH-Wert des Blutes weitgehend konstant bei 7,4 gehalten werden kann. Sinkt der pH-Wert des Blutes des Menschen unter 7,0 oder steigt er über 7,8, treten irreparable Zellschäden ein. Eine kleine Änderung des pH-Wertes hat auch einen großen Einfluss auf die enzymkatalysierten Reaktionen.

7.5 Galvanische Elemente

Taucht man ein Zinkblech in eine Kupfer(II)-sulfat-Lösung, so scheidet sich Kupfer am Zink ab (↗ Kap. 7.4, ▷ V2).

Oxidation		Zn	⟶	Zn^{2+}	$+ 2\,e^-$
Reduktion	Cu^{2+}	$+ 2\,e^-$	⟶	Cu	
Redoxreaktion	Zn	$+ Cu^{2+}$	⟶	Zn^{2+}	$+ Cu$

Der Elektronenübergang findet unmittelbar an der Zinkoberfläche statt. Er kann als elektrischer Strom mit einer geeigneten Versuchsanordnung nachgewiesen und nutzbar gemacht werden.

Das Daniellelement, ein galvanisches Element. Taucht man ein Kupferblech in Kupfer(II)-sulfat-Lösung und ein Zinkblech in Zinksulfatlösung – wobei die Elektrolytlösungen durch ein *Diaphragma* (poröse Trennwand) voneinander getrennt sind (▷ B1) – und ermöglicht die Elektronenübertragung durch eine leitende Verbindung (Draht), so kann ein kleiner Elektromotor betrieben werden (▷ V1). Das Diaphragma erlaubt Ionenwanderung zwischen den beiden Elektrolytlösungen, verhindert aber eine rasche Vermischung der Lösungen durch Diffusion. Durch die Ionenwanderung wird der Stromkreis geschlossen.
▷ B2 zeigt die chemischen Vorgänge in einem solchen *Daniellelement* (J. F. DANIELL, 1836) bei Stromfluss. Die Elektronen fließen im äußeren Metalldraht vom Zink zum Kupfer. Zu jeder Zeit ist die elektrische Neutralität der Lösungen gewahrt: Sulfationen bewegen sich in Richtung auf die Zinkelektrode, an der Zinkionen gebildet werden; gleichzeitig wandern Zinkionen zur Kupferelektrode, wo Kupfer(II)-Ionen entladen werden.

Eine Versuchsanordnung, bei der Oxidation und Reduktion räumlich getrennt ablaufen, bezeichnet man als galvanisches Element (galvanische Zelle).

Ein galvanisches Element besteht aus zwei *Halbelementen* (Halbzellen), die durch ein Diaphragma getrennt sind.
Ein Elektronenleiter (Metall oder Graphit), der in eine Elektrolytlösung taucht, wird als **Elektrode** bezeichnet. Die Elektrode, an der Teilchen oxidiert werden, wird **Anode** (von griech. ana, hinauf; hodos, Weg) genannt, die andere, an der Teilchen reduziert werden, heißt **Kathode** (von griech. kata, herab). Die Anode stellt bei einem *galvanischen Element* den *Minuspol* dar, da hier Elektronen aus dem Element in den äußeren Metalldraht austreten. Die Kathode ist der *Pluspol*.
Ein galvanisches Element wie das Daniellelement kann durch die folgende Schreibweise symbolisiert werden:

$$Zn/ZnSO_4\ (c = 1\ mol \cdot l^{-1})//CuSO_4\ (c = 1\ mol \cdot l^{-1})/Cu$$

Die Schrägstriche bedeuten jeweils eine Phasengrenze. Der doppelte Schrägstrich kennzeichnet ein Diaphragma. Üblicherweise wird zuerst das Halbelement angegeben, welches den Minuspol bildet.

V 1 Daniellelement. In ein Becherglas, das mit Zinksulfatlösung ($c(ZnSO_4) = 1\ mol \cdot l^{-1}$) gefüllt ist, taucht ein poröser Tonzylinder, in dem sich Kupfer(II)-sulfat-Lösung ($c(CuSO_4) = 1\ mol \cdot l^{-1}$) befindet (gleiche Füllhöhen der Lösungen). In die Zinksulfatlösung taucht ein Zinkblech, in die Kupfer(II)-sulfat-Lösung ein Kupferblech (▷ B1).

a) Verbinden Sie die Metalle z. B. mit einem Elektromotor. b) Verbinden Sie das Kupferblech mit dem Pluspol, das Zinkblech mit dem Minuspol eines Spannungsmessgerätes (mit hohem Innenwiderstand) und messen Sie die Spannung. Verändern Sie dabei auch die Eintauchtiefe der Metalle. c) Verändern Sie die Eintauchtiefe der Metalle, während diese mit einem Elektromotor verbunden sind. Messen Sie gleichzeitig die Spannung.

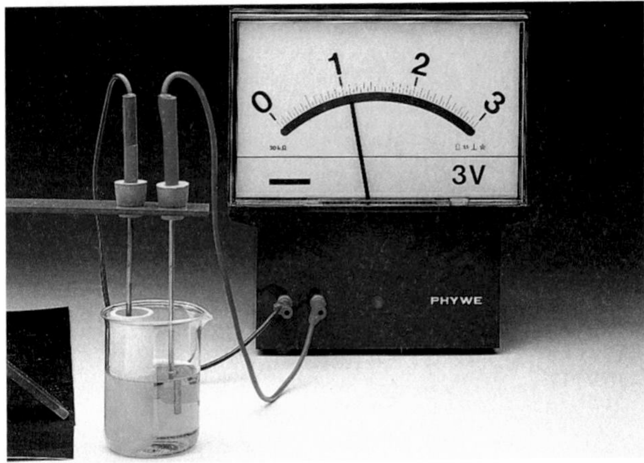

B1 Daniellelement im Becherglas

B2 Reaktionen in einem Daniellelement

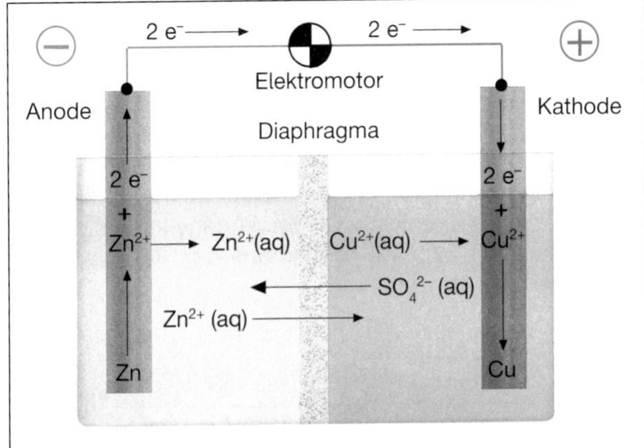

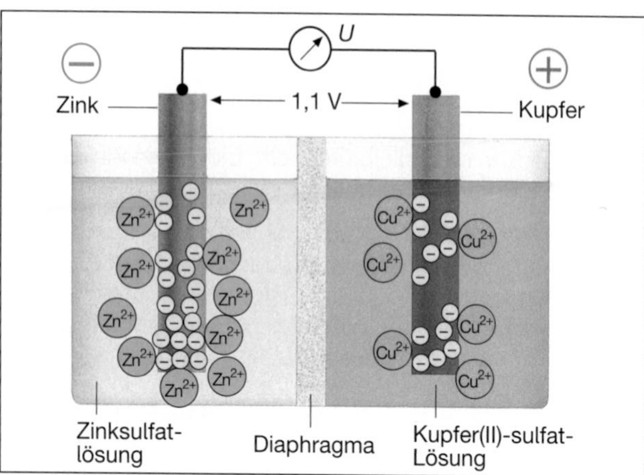

B3 Zustandekommen der Spannung eines Daniellelementes

Exkurs: Spannungen galvanischer Elemente

V Bauen Sie z. B. in einem U-Rohr mit Diaphragma die nachfolgend angegebenen galvanischen Elemente auf. Verwenden Sie dazu Elektrolytlösungen jeweils der Konzentration c = 0,1 mol/l. Ermitteln Sie, welche Spannung (in Volt) zwischen den Halbelementen besteht und welche Elektrode den Minus- bzw. Pluspol des galvanischen Elementes darstellt.

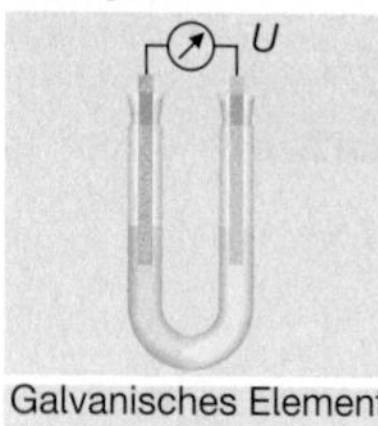

Galvanisches Element im U-Rohr

$Zn/ZnSO_4//FeSO_4/Fe$
$Zn/ZnSO_4//CuSO_4/Cu$
$Zn/ZnSO_4//AgNO_3/Ag$
$Fe/FeSO_4//CuSO_4/Cu$
$Fe/FeSO_4//AgNO_3/Ag$
$Cu/CuSO_4//AgNO_3/Ag$

Ergebnis:
In den galvanischen Elementen ist Zink stets der Minuspol, Silber stets der Pluspol. Wählt man *willkürlich* das Halbelement bzw. Redoxpaar Zn/Zn^{2+} als Nullpunkt einer Spannungsskala, kann jedem anderen Redoxpaar eine bestimmte Spannung, ein Redoxpotential E, gegenüber diesem *Bezugshalbelement* bzw. Bezugsredoxpaar zugeordnet werden. Die Reihenfolge der Redoxpaare in dieser Spannungsskala ist mit der in der Redoxreihe identisch. Die Spannungen der anderen galvanischen Elemente können aus den Redoxpotentialen berechnet werden.

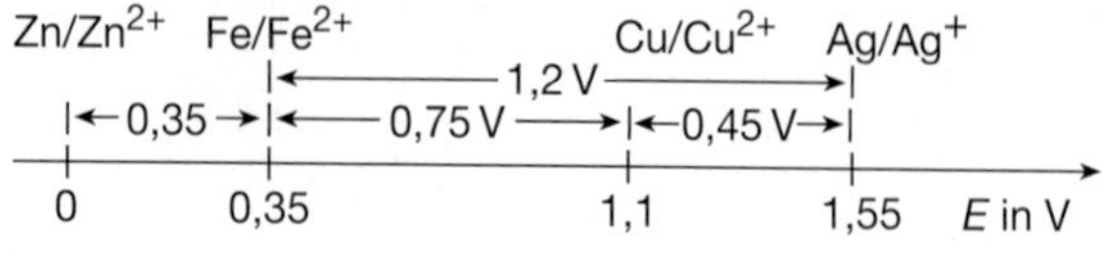

Verbindet man die beiden Elektroden des Daniellelementes mit einem Spannungsmessgerät statt mit einem Elektromotor, so kann man zwischen den beiden Elektroden eine elektrische Gleichspannung von 1,1 V messen, die unabhängig von den Abmessungen der Elektroden ist (▷ V1, ▷ B3). Diese Spannung ruft den Elektronenfluss im galvanischen Element hervor, wenn man die Elektroden leitend verbindet.

Lösungstension. Das Zustandekommen der Spannung eines galvanischen Elementes von der Art des Daniellelementes lässt sich anschaulich darstellen (▷ B3). Jedes Metall besitzt die Fähigkeit, in wässriger Lösung Ionen zu bilden. Diese als *Lösungstension* (von lat. tendere, streben) bezeichnete Fähigkeit ist von Metall zu Metall verschieden. Sie hängt von der Energiebilanz bei der Bildung hydratisierter Metallkationen aus dem Metallgitter ab. Das Ausmaß der Ionenbildung hängt auch davon ab, wie groß die Konzentration dieser Ionen bereits ist.

Treten aus der Metalloberfläche Metallionen in die Lösung über, so bleiben Elektronen im Metall zurück, das sich dadurch negativ auflädt. Durch die Ionenbildung entsteht an der Grenze zwischen Metall und Lösung ein elektrisches Feld, welches die Bildung weiterer Ionen behindert. Umgekehrt besteht auch die Tendenz, dass Metallkationen durch das elektrische Feld wieder zum Metall zurückgeführt werden und dort Elektronen aufnehmen. Es bildet sich schließlich ein für jedes Metall charakteristisches dynamisches Gleichgewicht aus, das zur Bildung einer **Doppelschicht** aus Ionen und Elektronen führt. Infolge der Teilchenbewegung ist die Doppelschicht nicht völlig starr, sondern diffus.

Mit der Ausbildung der Doppelschicht lässt sich das Zustandekommen der Spannung beim Daniellelement erklären. An der Kupferelektrode gehen weit weniger Ionen in die Lösung über als an der Zinkelektrode. Auf der Kupferelektrode bleiben somit weniger Elektronen zurück, d. h., es herrscht dort ein geringerer „Elektronendruck". Verbindet man die Elektroden durch einen Draht miteinander, so werden die Elektronen vom Ort höheren Elektronendrucks (Zink) zum Ort niedrigeren Elektronendrucks (Kupfer) verschoben.

Taucht ein Metall in eine Lösung seiner Ionen, liegt ein korrespondierendes Redoxpaar vor und es ist sowohl Oxidation als auch Reduktion möglich. Man kann aber auch eine Spannung messen, wenn zwei verschiedene Metalle in dieselbe beliebige Elektrolytlösung tauchen, da die Metalle gegenüber der Lösung eine unterschiedliche Lösungstension zeigen. Darauf beruht das **Voltaelement** (A. VOLTA, 1800) bei dem Zink und Kupfer bzw. Silber in verdünnte Schwefelsäure tauchen.

7.6 Standardpotentiale und elektrochemische Spannungsreihe

Die Spannung eines galvanischen Elementes ist abhängig vom Elektrodenmaterial, den verwendeten Elektrolytlösungen und deren Konzentrationen sowie der Temperatur. Sind Gase an den Reaktionen beteiligt, so ist die Spannung auch vom Gasdruck abhängig. Es ist daher sinnvoll, die Spannung galvanischer Elemente bei standardisierten Bedingungen anzugeben.

Standardpotentiale. Nach internationaler Übereinkunft nimmt man als **Bezugshalbelement** eine Platinelektrode, deren Oberfläche durch aufgebrachtes, fein verteiltes Platin stark vergrößert ist. Diese platinierte Platinelektrode taucht bei $\vartheta = 25\,°C$ in eine Lösung der Oxoniumionenkonzentration $c(H_3O^+) = 1\ mol \cdot l^{-1}$ (pH = 0) und wird von Wasserstoff unter einem Druck von p = 1013 hPa umspült (▷ B 1).

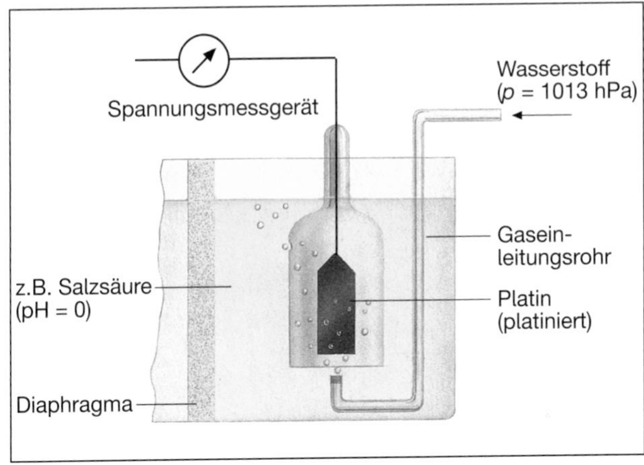

B 1 Standardwasserstoffelektrode

> Die Spannung zwischen einem Halbelement unter Standardbedingungen und dem Bezugshalbelement (Standardwasserstoffelektrode) heißt Standardredoxpotential, kurz Standardpotential.

Standardpotentiale werden mit dem Symbol E^0 gekennzeichnet und in Volt angegeben. **Standardbedingungen** sind: Konzentrationen $c = 1\,mol \cdot l^{-1}$ bzw. Drücke p = 1013 hPa für *alle* Reaktionsteilnehmer, Temperatur ϑ = 25 °C.

Elektrochemische Spannungsreihe. Halbelemente, d. h. verschiedene korrespondierende Redoxpaare, können nach den Standardpotentialen in einer Reihe angeordnet werden (▷ V 1 und ▷ V 2). Standardpotentiale von Halbelementen, die den Minuspol darstellen, wenn sie mit der Standardwasserstoffelektrode kombiniert werden, bekommen ein negatives Vorzeichen. Man erhält so die *elektrochemische Spannungsreihe*, welche mit der Redoxreihe identisch ist. Dem Redoxpaar H_2/H_3O^+ wird definitionsgemäß das Standardpotential $E^0 = 0\,V$ zugeordnet.

Bei der Messung von Standardpotentialen für Redoxpaare wie z. B. Cl^-/Cl_2 oder Fe^{2+}/Fe^{3+} ist wie bei dem Bezugshalbelement H_2/H_3O^+ eine Elektrode zur Ableitung (bzw. Zuleitung) der Elektronen erforderlich (Ableitelektrode). Meist dient dazu eine Platinelektrode, die eine geringe chemische Angreifbarkeit aufweist (Inertelektrode; von lat. iners, untätig).
Zur Messung des Standardpotentials des Redoxpaares Cl^-/Cl_2 taucht man eine von Chlor ($p = 1013\,hPa$) umspülte Platinelektrode in eine Natriumchloridlösung ($c = 1\,mol \cdot l^{-1}$) und kombiniert dieses Halbelement mit dem Bezugshalbelement. Zur Messung des Standardpotentials des Redoxpaares Fe^{2+}/Fe^{3+} taucht die Platinelektrode in eine Lösung, die Fe^{2+}- und Fe^{3+}-Ionen jeweils in der Konzentration $c = 1\ mol \cdot l^{-1}$ enthält.

A 1 Welche Reaktionen laufen in einem Strom liefernden Voltaelement ab? Formulieren Sie die Teilgleichungen für den Oxidations- und den Reduktionsvorgang.

V 1 Standardpotentiale korrespondierender Redoxpaare des Typs Metall/Metallkation. In einem U-Rohr mit Diaphragma wird das Bezugshalbelement (▷ B 1) nacheinander mit den Halbelementen Ag/Ag^+, Cu/Cu^{2+}, Fe/Fe^{2+} bzw. Zn/Zn^{2+} (Konzentration der Kationen jeweils $c = 1\,mol \cdot l^{-1}$) kombiniert (▷ B 2). Der Wasserstoff wird aus einer Druckgasflasche entnommen. Mit einem Spannungsmessgerät (hoher Innenwiderstand) werden die Polung sowie die Spannung des jeweils gebildeten galvanischen Elementes ermittelt.
Hinweis: In einer vereinfachten Versuchsanordnung kann der Wasserstoff auch durch Elektrolyse (▷ V 2) erzeugt werden.

V 2 Standardpotentiale korrespondierender Redoxpaare des Typs Nichtmetallanion/Nichtmetall. In einem U-Rohr mit Diaphragma wird das Bezugshalbelement mit einem Halbelement Hal^-/Hal_2/C(Graphit) kombiniert (Hal = Cl, Br, I). Der Wasserstoff an der Platinelektrode und das Halogen an der Graphitelektrode werden zweckmäßig durch Elektrolyse (↗ Kap. 7.9) erzeugt. Die Platinelektrode wird dazu mit dem Minuspol, die Graphitelektrode mit dem Pluspol einer Gleichspannungsquelle verbunden. Als Halogenidlösungen dienen Natriumchlorid-, Kaliumbromid- bzw. Kaliumiodidlösungen jeweils der Konzentration $c = 1\,mol \cdot l^{-1}$. Nach der Bestimmung der Polung wird die Spannung des jeweiligen galvanischen Elementes gemessen (↗ Kap. 7.5, ▷ V 1).
Hinweis: Die Graphitelektrode ist wie die Platinelektrode eine chemisch inerte Ableitelektrode.

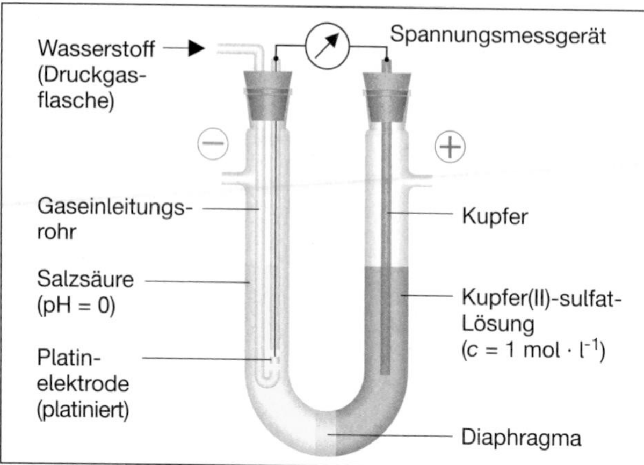

B2 Messung des Standardpotentials $E^0(Cu/Cu^{2+})$ im U-Rohr mit Diaphragma

A 2 Skizzieren Sie den Aufbau eines Strom liefernden galvanischen Elementes mit den Redoxpaaren Br^-/Br_2 und H_2/H_3O^+ (Standardbedingungen). Bezeichnen Sie in der Skizze Plus- und Minuspol sowie Kathode und Anode. Begründen Sie für die Begriffe Kathode und Anode ihre Zuordnung.
Geben Sie eine Kurzbezeichnung für das galvanische Element an. Formulieren Sie für das Strom liefernde Element die Teilgleichungen für den Oxidations- und Reduktionsvorgang sowie die Redoxgleichung (Gesamtgleichung).

A 3 Betrachten Sie folgende Versuche (Standardbedingungen):
a) Schwefelwasserstoff wird in eine wässrige Lösung von Iod eingeleitet;
b) Brom wird in eine wässrige Lösung von Natriumchlorid gegeben;
c) Zink taucht in eine Silbernitratlösung;
d) Zinn taucht in eine Eisen(II)-sulfat-Lösung;
e) Kupfer taucht in eine Eisen(III)-chlorid-Lösung.
Untersuchen Sie anhand der elektrochemischen Spannungsreihe, welche Reaktionen ablaufen können, und formulieren Sie die entsprechenden Redoxgleichungen.

A 4 Berechnen Sie aus der elektrochemischen Spannungsreihe die Spannungen folgender galvanischer Elemente im Standardzustand:
a) $Pb/Pb^{2+}//Cu^{2+}/Cu$
b) $Cd/Cd^{2+}//Br^-/Br_2/Pt$
c) $Pb/Pb^{2+}//Fe^{2+}, Fe^{3+}/Pt$
d) $Ag/Ag^+//Au^{3+}/Au$

Einige Standardpotentiale können nicht direkt gegen das Bezugshalbelement gemessen werden. Sie müssen durch spezielle experimentelle Verfahren (z. B. bei Na/Na^+) gemessen oder aus energetischen Daten berechnet werden. Derartige Berechnungen sind allerdings nur in einfachen Fällen (z. B. F^-/F_2) möglich.

Einen Ausschnitt der elektrochemischen Spannungsreihe (↗ Anhang) zeigt ▷ B 3. Die aufgeführten Standardpotentiale gelten, sofern in den Teilgleichungen Oxoniumionen bzw. Hydroxidionen angegeben sind, für pH = 0 bzw. pH = 14.

Aussagen aus der Spannungsreihe. Die Standardpotentiale charakterisieren das Reduktions- bzw. Oxidationsvermögen von Teilchen in wässriger Lösung. Je negativer das Standardpotential ist, um so stärker ist das Reduktionsmittel, d. h., umso größer ist der Elektronendruck.

Die am unteren Ende der Spannungsreihe stehenden *unedlen Metalle* (Li, Na, K usw.) sind besonders starke Reduktionsmittel und lassen sich leicht oxidieren. Von allen Metallen ist dabei das Alkalimetall Lithium als das unedelste Metall und damit als das stärkste Reduktionsmittel ausgewiesen. Dies ist darauf zurückzuführen, dass die Überführung von Lithiumatomen aus dem festen Zustand in hydratisierte Ionen am wenigsten Energie erfordert.

Die am oberen Ende der Spannungsreihe stehenden *edlen Metalle* (Cu, Hg, Ag, Au usw.) sind nur schwer zu oxidieren und wirken in Form ihrer Ionen umgekehrt als starke Oxidationsmittel.

Je stärker ein Reduktionsmittel ist, umso schwächer ist sein korrespondierendes Oxidationsmittel und umgekehrt.

Zu den stärksten Oxidationsmitteln gehören die Halogene, also typische Nichtmetalle. Fluor ist das stärkste Oxidationsmittel.
Die elektrochemische Spannungsreihe liefert wichtige Aussagen über den Ablauf von Redoxreaktionen in wässrigen Lösungen. Dies gilt sowohl für Redoxreaktionen, bei denen das Reduktions- und das Oxidationsmittel unmittelbar miteinander reagieren, als auch für galvanische Elemente.

Unter Standardbedingungen gibt das Reduktionsmittel des Redoxpaares mit dem kleineren (negativeren) Standardpotential Elektronen an das Oxidationsmittel mit dem größeren (positiveren) Standardpotential ab. Das in der Spannungsreihe tiefer stehende Reduktionsmittel reduziert das höher stehende Oxidationsmittel.

Eine derartige Anordnung ist allerdings sehr aufwändig. In der Praxis verwendet man daher andere, einfacher zu handhabende Halbelemente.

Einstabmesskette. Zur Bestimmung von Oxoniumionenkonzentrationen, d.h. von pH-Werten, wird als *Indikatorelektrode* (Elektrode, deren Redoxpotential von der interessierenden Ionenart abhängt) fast ausschließlich die Glaselektrode verwendet. Ihre Wirkungsweise beruht darauf, dass sich an einer Glasmembran, die eine Lösung mit konstanter Oxoniumionenkonzentration (Pufferlösung) von der Probelösung trennt, ein Redoxpotential ausbildet. Es ist vom pH-Wert der Probelösung abhängig, ähnlich wie bei einem Konzentrationselement. Als *Bezugselektrode* (Halbelement mit konstantem Redoxpotential) hat insbesondere das System Silber/Silberchlorid praktische Bedeutung erlangt. Die Silber/Silberchlorid-Elektrode besteht aus einem mit Silberchlorid überzogenen Silberdraht, der in eine Kaliumchloridlösung genau bekannter Konzentration (meist $c(KCl) = 3\ mol \cdot l^{-1}$) taucht. Für das Redoxpotential der Silber/Silberchlorid-Elektrode (▷ B4) gilt:

$$E(Ag/AgCl) = E^0(Ag/AgCl) - 0{,}059\,V \cdot \lg \{c(Cl^-)\}$$

Bei der pH-Wert-Messung mit einem elektronisch arbeitenden **pH-Meter** verwendet man eine *Einstabmesskette*, d.h. eine kombinierte Elektrode, welche die Indikator- und die Bezugselektrode in einem Bauteil vereinigt enthält (▷ B7). Einstabmessketten werden so hergestellt, dass bei pH = 7 die Spannung des Elementes $\Delta E = 0$ V beträgt. Darüber hinaus wird die Skala des pH-Meters oft so geeicht, dass nicht die Spannung ΔE, sondern direkt der pH-Wert abgelesen werden kann, sodass keine weitere Umrechnung erfolgen muss.

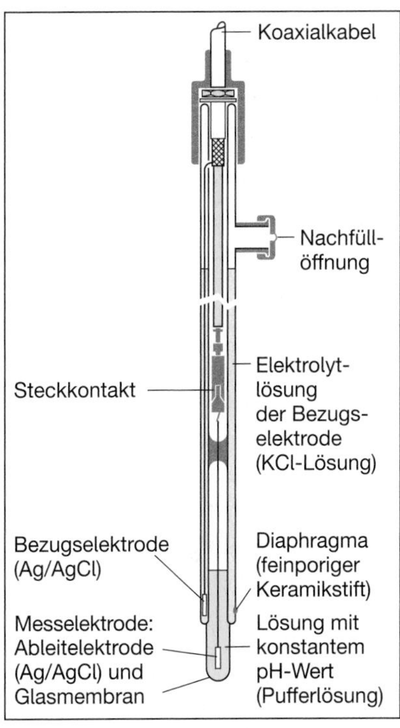

B7 Einstabmesskette zur pH-Wert-Messung

B8 Donator-Akzeptor-Prinzip. Zwischen Redoxreaktionen und Säure-Base-Reaktionen gibt es viele Entsprechungen, die auf ein allgemeines Prinzip hinweisen

Redoxsystem	**Säure-Base-System**
Übertragung von Elektronen (e^-)	Übertragung von Protonen (H^+)
Reduktionsmittel (Red) = Elektronendonator	Säure (HA) = Protonendonator
Oxidationsmittel (Ox) = Elektronenakzeptor	Base (A^-) = Protonenakzeptor
Korrespondierendes Redoxpaar $Red \rightleftharpoons Ox + z\,e^-$	Korrespondierendes Säure-Base-Paar $HA \rightleftharpoons A^- + H^+$
Redoxreaktion $Red\,1 + Ox\,2 \rightleftharpoons Ox\,1 + Red\,2$	Säure-Base-Reaktion $HA + B^- \rightleftharpoons A^- + HB$
Redoxdisproportionierung (Reaktion nach rechts) $2\,\overset{x}{RedOx} \rightleftharpoons \overset{x-z}{Red} + \overset{x+z}{Ox}$ Redoxkomproportionierung (Reaktion nach links)	Säure-Base-Disproportionierung (Reaktion nach rechts) $2\,HA \rightleftharpoons A^- + H_2A^+$ Säure-Base-Komproportionierung (Reaktion nach links)
Stellung des korrespondierenden Redoxpaares in der elektrochemischen Spannungsreihe (E^0-Reihe) entspricht Elektronendonator- bzw. -akzeptortendenz von Red bzw. Ox (Vorhersagen der Reaktionen)	Stellung des korrespondierenden Säure-Base-Paares in der pK_S-Reihe entspricht Protonendonator- bzw. -akzeptortendenz von HA bzw. A^- (Vorhersagen der Reaktionen)
Nernst-Gleichung (Redoxpotential E) $E(Red/Ox) = E^0(Red/Ox) + \frac{0{,}059\,V}{z} \cdot \lg \frac{\{c(Ox)\}}{\{c(Red)\}}$	Henderson-Hasselbalch-Gleichung (pH-Wert) $pH = pK_S + \lg \frac{\{c(A^-)\}}{\{c(HA)\}}$

7.8 Exkurs: Leitfähigkeitstitrationen

Größe	Festlegung	Einheit
Widerstand R (Spannung U, Stromstärke I)	$R = \frac{U}{I}$	$1\,\Omega$ (Ohm)
Leitwert G	$G = \frac{1}{R} = \frac{I}{U}$	1 S (Siemens) $= 1\,\Omega^{-1} = 1\,\text{A/V}$
Spezifischer Widerstand ϱ (Elektrodenoberfläche A, Elektrodenabstand l)	$\varrho = R \cdot \frac{A}{l}$	$1\,\Omega \cdot \text{cm}$
elektrische Leitfähigkeit $\varkappa$ (Zellkonstante l/A)	$\varkappa = 1/\varrho = G \cdot l/A = \frac{I}{U} \cdot \frac{l}{A}$	$1\,\text{S} \cdot \text{cm}^{-1} = 1\,\Omega^{-1} \cdot \text{cm}^{-1}$
Äquivalentleitfähigkeit Λ_{eq} (Betrag der Ionenladung z, Stoffmengenkonzentration c)	$\Lambda_{eq} = \frac{\varkappa}{z \cdot c}$	$1\,\text{S} \cdot \text{cm}^2 \cdot \text{mol}^{-1} = 1\,\text{cm}^2 \cdot \Omega^{-1} \cdot \text{mol}^{-1}$
Ionenäquivalentleitfähigkeit λ_+, λ_-	$\lambda_+ + \lambda_- = \Lambda_{eq}$	$1\,\text{S} \cdot \text{cm}^2 \cdot \text{mol}^{-1} = 1\,\text{cm}^2 \cdot \Omega^{-1} \cdot \text{mol}^{-1}$

B1 Wichtige Größen und Einheiten zur elektrischen Leitfähigkeit von Ionenlösungen

Kation	λ_+	Anion	λ_-
H^+	349,7	OH^-	199,2
Li^+	38,7	F^-	55,4
Na^+	50,1	Cl^-	76,4
K^+	73,5	Br^-	78,14
Ag^+	61,9	I^-	76,8
NH_4^+	73,5	CH_3COO^-	40,9
Mg^{2+}	53,0	NO_3^-	71,5
Ca^{2+}	59,5	CrO_4^{2-}	85,0
Ba^{2+}	63,6	SO_4^{2-}	80,0
Cu^{2+}	53,6	HCO_3^-	44,5
Zn^{2+}	52,8	CO_3^{2-}	68,4

B2 Ionenäquivalentleitfähigkeiten in wässriger Lösung bei $\vartheta = 25\,°C$ (in $\text{cm}^2 \cdot \Omega^{-1} \cdot \text{mol}^{-1}$)

B3 Leitungsmechanismen in Wasser. Wasserstoffbrückenbindungen ermöglichen einen schnellen Ladungstransport

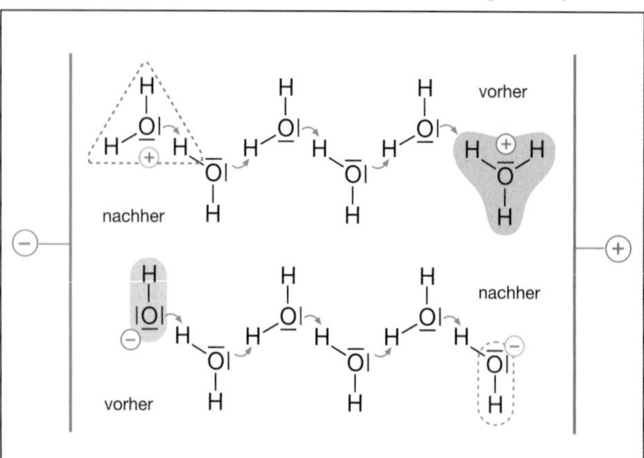

Werden bei Säure-Base-Titrationen (↗ Kap. 6.7) zur Bestimmung des Äquivalenzpunktes Farbindikatoren verwendet, ist das Erkennen des Äquivalenzpunktes schwierig, wenn z. B. die Probelösung selbst farbig ist.

Neben der Aufnahme einer Titrationskurve mithilfe eines pH-Meters *(potentiometrische Titration*, kann zur Bestimmung des Äquivalenzpunktes die Änderung der elektrischen Leitfähigkeit der Probelösung im Verlauf der Titration *(Leitfähigkeitstitration)* dienen.

Leitfähigkeit von Ionenlösungen. Saure und alkalische Lösungen leiten ebenso wie Salzlösungen den elektrischen Strom. Dieser Stromfluss beruht auf der „Wanderung" frei beweglicher Ionen unter dem Einfluss der Spannung U. Die elektrische Leitfähigkeit äußert sich in der gemessenen Stromstärke I.

Es gilt das *Ohm-Gesetz* $R = \frac{U}{I}$. Der elektrische Widerstand R der Messanordnung hängt u. a. von der Oberfläche und dem Abstand der Elektroden ab, die in eine Elektrolytlösung tauchen. Auch die Temperatur und die Konzentration der Lösung sowie die Art der Ionen bestimmen das Messergebnis.

Die einzelnen Ionenarten tragen in unterschiedlichem Maße zur Leitfähigkeit bei. Die Einzelleitfähigkeit einer Ionenart nennt man **Ionenäquivalentleitfähigkeit** (▷ B1). Für verdünnte Lösungen setzt sich die **Äquivalentleitfähigkeit** *additiv* aus den Beiträgen von Kationen und Anionen zusammen.

Beim Vergleich der Ionenäquivalentleitfähigkeiten (▷ B2) ist zu beachten, dass Ionen in wässriger Lösung hydratisiert vorliegen. Kleine sowie mehrfach geladene Ionen sind aufgrund der größeren Ladungsdichte stärker hydratisiert und deshalb weniger beweglich.

Besonders große Ionenbeweglichkeiten und damit auch Ionenäquivalentleitfähigkeiten weisen Oxoniumionen sowie Hydroxidionen auf. Diese Sonderstellung hängt mit der Nahordnungsstruktur des Wassers zusammen (entsprechend große Unterschiede bestehen in nicht wässrigen Lösungsmitteln nicht).
Im Wasser wird durch den Auf- und Abbau von Wasserstoffbrückenbindungen ein rascher Ladungstransport ermöglicht, ohne dass dazu die eigentliche „Wanderung" von Oxoniumionen oder Hydroxidionen erforderlich ist (▷ B3).

Leitfähigkeitstitration. Die Unterschiede in den Ionenbeweglichkeiten bzw. den Ionenäquivalentleitfähigkeiten können z. B. zur Bestimmung des Äquivalenzpunktes bei einer Säure-Base-Titration genutzt werden.

Exkurs: Leitfähigkeitstitrationen

Bei der *Leitfähigkeitstitration (konduktometrische Titration)* wird an einen *Leitfähigkeitsprüfer* (▷ B4), der in die Probelösung taucht, eine konstante *Wechselspannung* angelegt. In Abhängigkeit vom Volumen der zugegebenen Maßlösung wird die Stromstärke gemessen. Sie kann an Stelle der elektrischen Leitfähigkeit erfasst werden, weil bei konstanter Spannung und Elektrodenanordnung Stromstärke und Leitfähigkeit direkt proportional sind. Wechselspannung verwendet man, um die Abscheidung von Elektrolyseprodukten weitgehend zu vermeiden.

Titriert man z. B. Natronlauge mit Salzsäure, nimmt die Leitfähigkeit bis zum Erreichen des Äquivalenzpunktes ab (▷ B5, ▷ V1). Bei weiterer Zugabe von Salzsäure nimmt die Leitfähigkeit wieder zu, d. h., die Leitfähigkeit durchläuft am Äquivalenzpunkt ein Minimum. Der Schnittpunkt der beiden linearen „Kurvenäste" ergibt den Verbrauch an Maßlösung bis zum Äquivalenzpunkt.

Die Leitfähigkeit nimmt zunächst dadurch ab, dass Hydroxidionen mit Oxoniumionen zu Wassermolekülen reagieren und durch Chloridionen ersetzt werden. Diese tragen zur Leitfähigkeit in geringerem Maße bei als die Hydroxidionen:

$$\underbrace{Na^+ + OH^-}_{\text{Natronlauge}} + \underbrace{H_3O^+ + Cl^-}_{\text{Salzsäure}} \longrightarrow 2\,H_2O + Na^+ + Cl^-$$

Am Äquivalenzpunkt liegen nur noch Natrium- und Chloridionen vor. Die dann zunehmende Leitfähigkeit erklärt sich aus der Konzentrationszunahme überschüssiger Oxonium- und Chloridionen.

Die Konzentrationsverminderung durch Vergrößerung des Gesamtvolumens ist dabei vernachlässigbar klein.

V 1 Leitfähigkeitstitrationen. a) Titration von Natronlauge mit Salzsäure: Titrieren Sie 100 ml Natronlauge ($c \approx 0{,}1\,mol \cdot l^{-1}$) mit Salzsäure ($c = 1\,mol \cdot l^{-1}$) als Maßlösung.
Messen Sie nach ▷ B4 die Stromstärken nach Zugabe von jeweils 1 ml Maßlösung. Halten Sie die angelegte Wechselspannung während der Titration konstant. Wählen Sie die Wechselspannung so, dass die Stromstärke zu Beginn der Titration etwa 30 mA beträgt. Ändern Sie während der Titration den Messbereich für die Stromstärke nicht.
b) Titration eines Gemisches aus Essigsäure und Salzsäure mit Natronlauge: Titrieren Sie ein Gemisch aus 50 ml Essigsäure ($c \approx 0{,}1\,mol \cdot l^{-1}$) und 50 ml Salzsäure ($c \approx 0{,}1\,mol \cdot l^{-1}$) mit Natronlauge ($c = 1\,mol \cdot l^{-1}$) als Maßlösung.
Gehen Sie dazu wie in (a) vor.

Ermitteln Sie die Titrationskurven mithilfe eines Computers oder skizzieren Sie diese aus den gemessenen Werten in einem Diagramm. Bestimmen Sie den Verbrauch an Maßlösung bis zum Äquivalenzpunkt.

A 1 Begründen Sie, warum bei der Titration von Natronlauge mit Salzsäure die Leitfähigkeit nach dem Äquivalenzpunkt stärker zunimmt als sie bis zum Erreichen des Äquivalenzpunktes abnimmt (▷ B2, ▷ B5).

A 2 Leitfähigkeitstitrationen können auch bei Fällungsreaktionen durchgeführt werden.
Welchen prinzipiellen Verlauf hat die Titrationskurve bei einer Titration a) von Bariumhydroxidlösung mit Schwefelsäurelösung bzw. b) von Natriumchloridlösung mit Silbernitratlösung (▷ B2)?

B4 Messprinzip zur konduktometrischen Titration

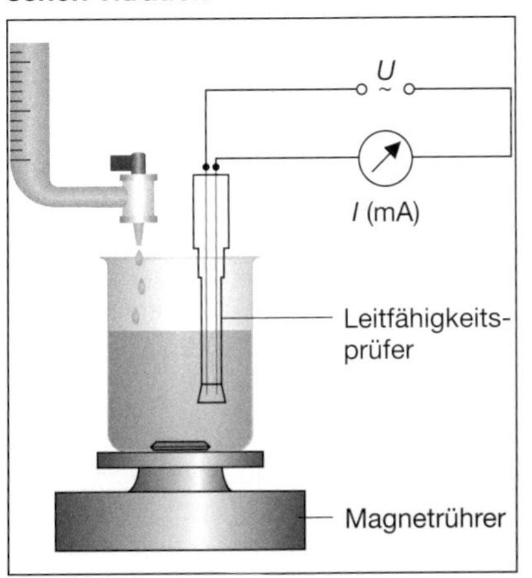

B5 Leitfähigkeitstitration von Natronlauge mit Salzsäure. Die Messwerte werden hier mit einem Computer erfasst

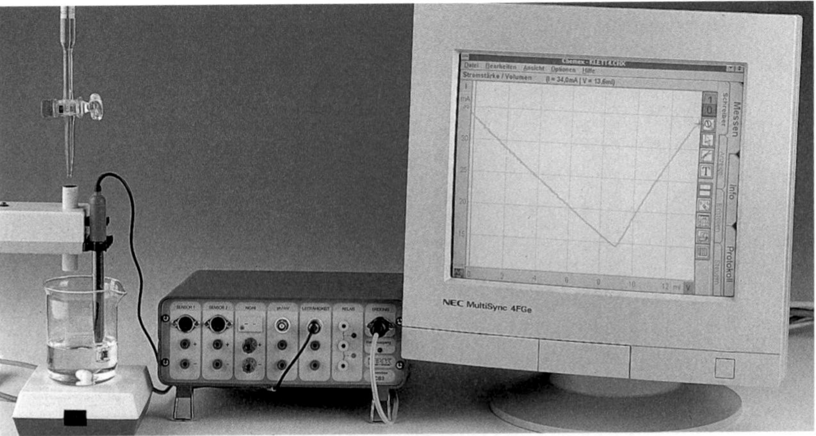

7.9 Elektrolysen in wässrigen Lösungen

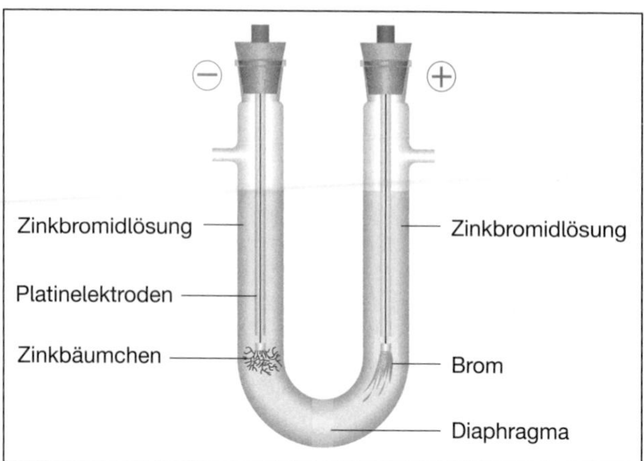

B1 Elektrolyse einer Zinkbromidlösung

V 1 Elektrolyse einer Zinkbromidlösung. a) In einem U-Rohr mit Diaphragma wird an Platin- oder Graphitelektroden, die in eine verdünnte Lösung von Zinkbromid ($ZnBr_2$) tauchen, Gleichspannung angelegt. b) Nach einigen Minuten wird die Spannungsquelle entfernt. Die Elektroden werden dann zunächst mit einem Spannungsmessgerät und anschließend mit einem Elektromotor verbunden.

V 2 Elektrolyse von Salzsäure. Elektrolysieren Sie (▷ B3) in einem U-Rohr ohne Diaphragma Salzsäure (c = 1 mol·l^{-1}) an a) blanken Platinelektroden und b) Graphitelektroden. Erhöhen Sie die Gleichspannung von 0 V an in 0,2-V-Schritten, messen Sie die zugehörigen Stromstärken (in mA), legen Sie Wertetabellen an.

B2 Vergleich einer Elektrolysezelle mit einem galvanischen Element

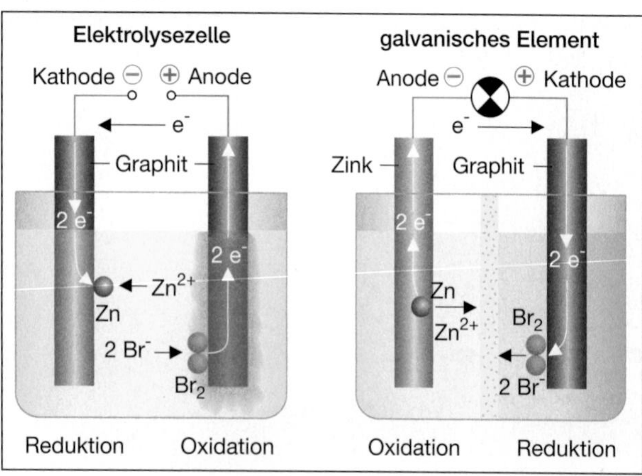

Der Stromfluss in wässrigen Lösungen (und in Schmelzen) von Elektrolyten beruht – genau wie in galvanischen Elementen – auf der „Wanderung" weitgehend frei beweglicher Ionen (Kationen und Anionen). Im Gegensatz dazu zeigen Metalle und Graphit Elektronenleitung.

Elektrolyse. Taucht man zwei Elektroden in eine wässrige Elektrolytlösung und legt eine genügend große elektrische Gleichspannung von außen an die Elektroden an, so findet eine *Elektrolyse* statt. Auch Elektrolysen sind Redoxreaktionen.

Elektrolysiert man eine Zinkbromidlösung an Platinelektroden, so werden an der mit dem Pluspol der Gleichspannungsquelle verbundenen Elektrode Bromidionen zu Brommolekülen oxidiert. Davon räumlich getrennt werden an der mit dem Minuspol verbundenen Elektrode Zinkionen zu Zinkatomen reduziert (▷ B1 und ▷ V1).

Pluspol	$2\,Br^-(aq) \longrightarrow Br_2(l) + 2\,e^-$	Oxidation
Minuspol	$Zn^{2+}(aq) + 2\,e^- \longrightarrow Zn(s)$	Reduktion
	$Zn^{2+}(aq) + 2\,Br^-(aq) \longrightarrow Zn(s) + Br_2(l)$	Redoxreaktion

Die Elektrodenreaktionen laufen nur ab, solange die Gleichspannung angelegt ist, d. h., solange die Gleichspannungsquelle elektrische Arbeit verrichtet. Die oben genannte Redoxreaktion läuft in dieser Richtung nicht freiwillig ab.

Unterbricht man die Elektrolyse, so kann man feststellen, dass zwischen den Elektroden noch eine elektrische Spannung besteht (▷ V1). Durch die Abscheidung der Elektrolyseprodukte verändern sich die Platinelektroden an ihrer Oberfläche. Sie sind zu einer Zink- bzw. Bromelektrode geworden, d. h., es ist ein galvanisches Element entstanden, das aus einem Zn/Zn^{2+}-Halbelement und einem Br^-/Br_2-Halbelement besteht. Wird z. B. ein Elektromotor angeschlossen, so verrichtet das galvanische Element elektrische Arbeit, und es laufen die folgenden Reaktionen (▷ B2) freiwillig ab:

Minuspol	$Zn(s) \longrightarrow Zn^{2+}(aq) + 2\,e^-$	Oxidation
Pluspol	$Br_2(l) + 2\,e^- \longrightarrow 2\,Br^-(aq)$	Reduktion
	$Zn(s) + Br_2(l) \longrightarrow Zn^{2+}(aq) + 2\,Br^-(aq)$	Redoxreaktion

Die Elektrolyse ist die Umkehrung der in einem galvanischen Element freiwillig unter Abgabe elektrischer Energie ablaufenden Redoxreaktion. Die Elektrolyse wird durch die Zufuhr elektrischer Energie erzwungen.

Elektrolysiert man mit sehr kleiner Spannung, ist keine sichtbare Abscheidung der Elektrolyseprodukte festzustellen. Es erhebt sich die Frage, wie groß die bei der Elektrolyse in wässriger Lösung anzulegende Gleichspannung mindestens sein muss, damit eine ständige Abscheidung der Elektrolyseprodukte erfolgt.

Zersetzungsspannung. Elektrolysiert man Salzsäure ($c(HCl) = 1\,mol \cdot l^{-1}$) an Platinelektroden (▷ V2) und misst dabei die Stromstärke in Abhängigkeit von der angelegten Spannung *U*, ergibt sich die in ▷ B4 dargestellte **Stromstärke-Spannungs-Kurve.**

Erhöht man die Spannung von $U = 0\,V$ ausgehend kontinuierlich, nimmt die Stromstärke zunächst kaum zu. Erst *ab einer bestimmten Spannung* steigt die Stromstärke deutlich an. An den Platinelektroden ist auch erst ab dieser Spannung eine Abscheidung von Gasen zu beobachten (Wasserstoff an der Kathode, Chlor an der Anode). Von da ab nimmt die Stromstärke linear mit der Spannung zu und folgt somit dem Ohm-Gesetz $I = U/R$ (*R* ist der elektrische Widerstand der Elektrolyseanordnung). An den Elektroden erfolgt eine kontinuierliche Gasentwicklung. Die zur ständigen Abscheidung der Elektrolyseprodukte erforderliche Mindestspannung heißt *Zersetzungsspannung* U_Z. Sie kann aus der Stromstärke-Spannungs-Kurve ermittelt werden.

Der charakteristische Verlauf der Kurve lässt sich durch folgende Überlegungen erklären: Bereits bei einer geringen Spannung werden kleine – nicht sichtbare – Mengen von Wasserstoff und Chlor an den Platinelektroden abgeschieden und dort adsorbiert. Dadurch sind die Platinelektroden zu einer Wasserstoff- bzw. Chlorelektrode geworden, sie sind *polarisiert*. Somit ist ein galvanisches Element entstanden, dessen Spannung, die **Polarisationsspannung**, der angelegten äußeren Spannung entgegen gerichtet ist. Trotz dieser Gegenspannung kommt der zunächst festgestellte schwache Strom zustande, da ständig ein Teil der adsorbierten Gase in die Lösung diffundiert und die Gase dann erneut an den Elektroden abgeschieden werden (Diffusionsstrom).

Erhöht man die angelegte Spannung, so nimmt mit steigenden Partialdrücken der abgeschiedenen Gase auch die Polarisationsspannung zu. Erst wenn die Partialdrücke Atmosphärendruck erreicht haben und Gasblasen sichtbar werden, steigt die Polarisationsspannung nicht mehr an. Die maximale Polarisationsspannung lässt sich wie folgt aus der Spannung ΔE des galvanischen Elementes $Pt/H_2/HCl//HCl/Cl_2/Pt$ berechnen:

$$\Delta E = E(\text{Pluspol}) - E(\text{Minuspol}) = E(\text{Kathode}) - E(\text{Anode})$$
$$\Delta E = E^0(Cl^-/Cl_2) - E^0(H_2/H_3O^+) = 1{,}36\,V - 0{,}00\,V = 1{,}36\,V$$

Die Zersetzungsspannung muss also mindestens so groß sein wie die Spannung des galvanischen Elementes.

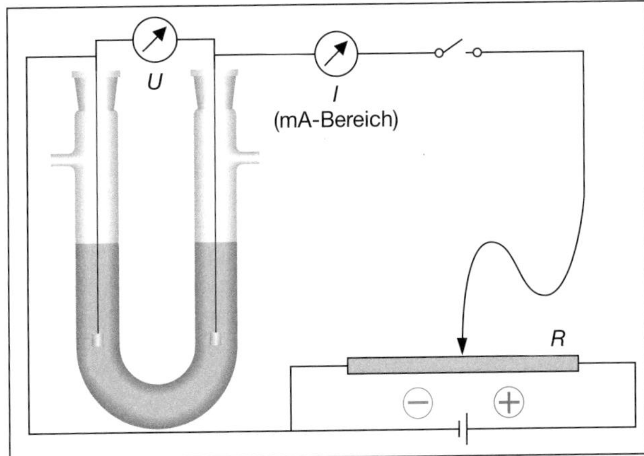

B3 Versuchsaufbau zur Ermittlung von Stromstärke-Spannungs-Kurven (*R*: Schiebewiderstand, z. B. 250 Ω)

A 1 Zeichnen Sie zu ▷ V2a, b die Stromstärke-Spannungs-Kurven und ermitteln Sie daraus die Zersetzungsspannungen (▷ B4). Warum ist nach Abschalten der Spannungsquelle noch kurzzeitig eine Spannung zu messen?

V 3 Elektrolyse einer Natriumsulfatlösung. Elektrolysieren Sie in einem U-Rohr eine verdünnte Lösung von Natriumsulfat (Na_2SO_4) an blanken Platinelektroden. Geben Sie in den Bereich der Elektroden etwas Bromthymolblaulösung.

V 4 Weitere Elektrolysen. a) Eine wässrige Lösung von Zinkchlorid ($c(ZnCl_2) = 1\,mol \cdot l^{-1}$) wird an Graphitelektroden, b) Salzsäure ($c(HCl) = 1\,mol \cdot l^{-1}$) wird an Kupferelektroden elektrolysiert.

B4 Stromstärke-Spannungs-Kurven bei Elektrolysen

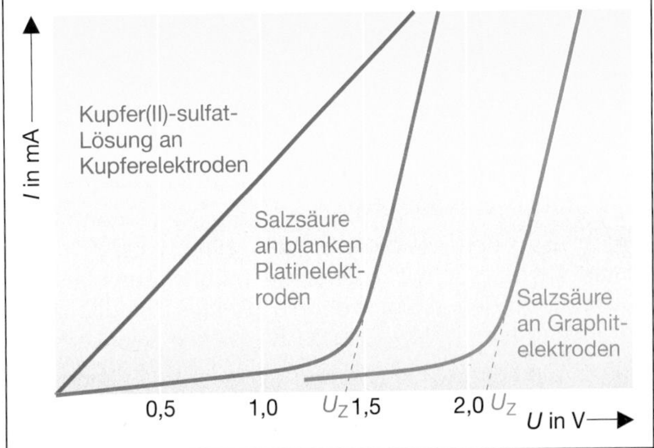

Den einzelnen Elektrodenvorgängen kann man **Abscheidungspotentiale** zuordnen, welche den Beträgen nach mindestens den Redoxpotentialen der betreffenden korrespondierenden Redoxpaare (H_2/H_3O^+, Cl^-/Cl_2) entsprechen. Wird eine Natriumsulfatlösung an Platinelektroden elektrolysiert, entstehen als Reaktionsprodukte Wasserstoff und Sauerstoff (▷ V3). Es findet also keine Reduktion von Natriumionen und keine Oxidation von Sulfationen statt. Dies kann nur dadurch erklärt werden, dass die Elektrolyseprodukte aus dem Lösungsmittel Wasser gebildet werden. Aufgrund des Autoprotolyse-Gleichgewichts $2\ H_2O \rightleftharpoons H_3O^+ + OH^-$ existieren in jeder Elektrolytlösung neben Ionen des Elektrolyten auch Oxoniumionen und Hydroxidionen, welche an den Elektroden reduziert bzw. oxidiert werden können. Man kann die Elektrodenreaktionen auch als direkte Oxidation und Reduktion von *Wassermolekülen* formulieren:

Pluspol (Anode) $6\ H_2O \longrightarrow O_2 + 4\ H_3O^+ + 4\ e^-$
Minuspol (Kathode) $2\ H_2O + 2\ e^- \longrightarrow H_2 + 2\ OH^-$ $|\cdot 2$

Überspannung. Verwendet man für die Elektrolyse der Salzsäure nicht Platin-, sondern Graphitelektroden, stellt man eine höhere Zersetzungsspannung fest (▷ B 4). Die Differenz zwischen der berechneten Polarisationsspannung des bei der Elektrolyse gebildeten galvanischen Elementes und der gemessenen Zersetzungsspannung bezeichnet man als *Überspannung*.
Die höhere Spannung kann dadurch erklärt werden, dass zur Überwindung einer kinetischen Hemmung der Elektrodenreaktionen Zufuhr von Aktivierungsenergie erforderlich ist. Ist eine Elektrodenreaktion gehemmt, bedeutet dies, dass der Betrag des Abscheidungspotentials gegenüber dem Betrag des Redoxpotentials des entsprechenden Redoxpaares erhöht ist. Diese Potentialdifferenz bezeichnet man als **Überpotential**.

Überpotentiale haben am Pluspol (Anode bei der Elektrolyse) ein positives, am Minuspol (Kathode bei der Elektrolyse) ein negatives Vorzeichen. Die Höhe des Überpotentials hängt u.a. ab von Art und Oberflächenbeschaffenheit des Elektrodenmaterials, Art und Konzentration der Ionen, von der Temperatur und insbesondere von der *Stromdichte J* (Stromstärke dividiert durch Elektrodenoberfläche). Überpotentiale sind gering bei Elektrodenreaktionen, die zur Abscheidung von Metallen führen, jedoch besonders groß, wenn Gase (H_2, O_2, Cl_2) abgeschieden werden. Sie können z.B. durch geeignete Maßnahmen an den Elektrodenoberflächen verringert werden. Hierzu gehört das „Platinieren" von Platinelektroden, d.h. das Aufbringen einer oberflächenreichen, katalytisch aktiven Platinschicht.

Das tatsächliche **Abscheidungspotential E_A** an einer Elektrode ergibt sich aus der Summe des Redoxpotentials E(Red/Ox) und dem Überpotential $E_Ü$:

$$E_A = E(\text{Red/Ox}) + E_Ü$$

Aus den Abscheidungspotentialen, d.h. bei Kenntnis der Überpotentiale, lässt sich vorhersagen, welche Elektrodenreaktionen bei einer Elektrolyse zuerst stattfinden. Die **Zersetzungsspannung U_z** ergibt sich aus der Differenz der Abscheidungspotentiale:

$$U_z = E_A(\text{Pluspol}) - E_A(\text{Minuspol})$$
$$U_z = E_A(\text{Anode}) - E_A(\text{Kathode})$$

Bei der Elektrolyse werden an der Anode (Pluspol) bzw. Kathode (Minuspol) zuerst die Teilchen oxidiert bzw. reduziert, welche die kleinste Differenz zwischen den Abscheidungspotentialen ergeben: Es läuft der Gesamtvorgang ab, welcher die kleinste Zersetzungsspannung erfordert.

B5 Abscheidungspotentiale zur Elektrolyse einer neutralen Lösung von Zinkchlorid ($ZnCl_2$) an Graphitelektroden (Stromdichte $J = 0{,}1\ A \cdot cm^{-2}$). Rot: Überpotentiale

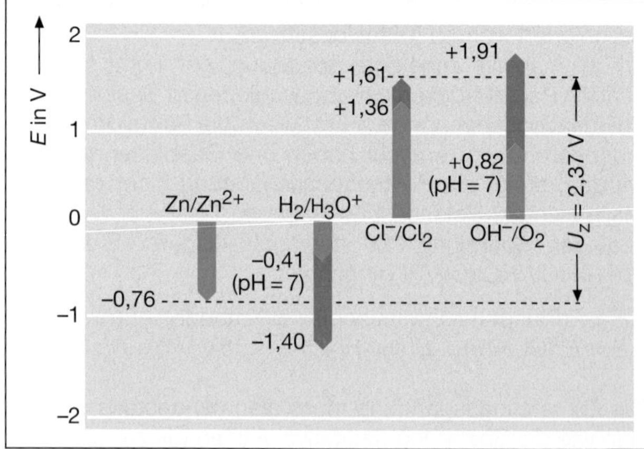

V 5 Elektrolyse mit unpolarisierbaren Elektroden. Ermitteln Sie analog ▷ V2 die Stromstärke-Spannungs-Kurve zur Elektrolyse einer wässrigen Kupfer(II)-sulfat - Lösung ($c(CuSO_4) = 1\ mol \cdot l^{-1}$) an Kupferelektroden.

A 2 Begründen Sie anhand der entsprechenden Abscheidungspotentiale, welche Elektrodenreaktionen in ▷ V3 und ▷ V4b ablaufen.

A 3 Bei der Elektrolyse von Natronlauge ($c = 1\ mol \cdot l^{-1}$) bzw. Schwefelsäure ($c = 1\ mol \cdot l^{-1}$) an blanken Platinelektroden ergibt sich die gleiche Zersetzungsspannung (ca. 1,75 V). Deuten Sie diesen Sachverhalt.

A 4 Deuten Sie den Verlauf der in ▷ V5 erhaltenen Stromstärke-Spannungs-Kurve (▷ B4). Diskutieren Sie dazu die möglichen Elektrodenreaktionen.

Überpotentiale können sich, da sie an der Kathode und Anode entgegengesetzte Vorzeichen haben, nicht gegenseitig kompensieren.

Bei der Elektrolyse einer neutralen Zinkchloridlösung an Graphitelektroden (▷ V4a) erfordert die Abscheidung von Zink an der Kathode bzw. von Chlor an der Anode die geringste Zersetzungsspannung (▷ B5). Wasserstoff bzw. Sauerstoff werden aufgrund der hohen Überspannungen an Graphitelektroden nicht abgeschieden.

An den Elektrodenvorgängen kann auch das *Elektrodenmaterial* selbst beteiligt sein. Für die Elektrolyse von z.B. Salzsäure an Kupferelektroden erfordert die Oxidation des Anodenkupfers und die Abscheidung von Wasserstoff an der Kathode die geringste Zersetzungsspannung (▷ V4b).

MICHAEL FARADAY, der Sohn eines Londoner Schmieds, forschte mit großem Erfolg auf vielen Gebieten der Chemie und Physik.
Er untersuchte u.a. die elektrochemische Zersetzung und entdeckte das Benzol. Von ihm stammen die Begriffe Elektrolyse, Elektrode, Kathode, Anode, Ion, Kation und Anion.
Eine seiner bedeutendsten Entdeckungen ist die elektromagnetische Induktion. Sie ist die Grundlage der Elektrotechnik.

B6 MICHAEL FARADAY (1791 – 1867); ein genialer Forscher

Faraday-Gesetze. Von der bei einer Elektrolyse angelegten Gleichspannung hängt es ab, welche Stoffe an den Elektroden abgeschieden werden. Die Stärke des Elektrolysestroms und die Dauer der Elektrolyse bestimmen die Mengen der gebildeten Stoffe.

Die ersten quantitativen Untersuchungen von Elektrolysen durch M. FARADAY (▷ B6) im Jahre 1834 und die dabei gefundenen Gesetze lieferten wichtige Erkenntnisse über die Vorstellung vom Aufbau der Stoffe aus Atomen, Molekülen und Ionen und bildeten die Grundlage für die Elektrochemie.

Elektrolysiert man z. B. Schwefelsäure an blanken Platinelektroden, finden an den Elektroden die nachfolgenden Reaktionen statt:

Pluspol $4\,OH^-(aq) \longrightarrow O_2(g) + 2\,H_2O(l) + 4\,e^-$

Minuspol $4\,H_3O^+(aq) + 4\,e^- \longrightarrow 2\,H_2(g) + 4\,H_2O(l)$

Die OH^--Ionen stammen aus dem Autoprotolyse-Gleichgewicht des Wassers.

Bei der quantitativen Untersuchung (▷ V6, B7) zeigt sich, dass die Volumina V der abgeschiedenen Gase (Wasserstoff bzw. Sauerstoff) bei konstanter Stromstärke I proportional zur Elektrolysezeit t und bei konstanter Elektrolysedauer proportional zur Stromstärke sind:

$V \sim t$ (I = konst.) bzw.

$V \sim I$ (t = konst.)

Fasst man beide Ergebnisse zusammen, so ergibt sich: Die Volumina der abgeschiedenen Gase sind dem Produkt aus der Stromstärke und der Zeit, also der elektrischen Ladung Q, proportional.

$V \sim I \cdot t$ bzw. $V \sim Q$

V 6 Quantitative Elektrolyse. Elektrolysieren Sie in einem Hofmann-Zersetzungsapparat (▷ B7) Schwefelsäure ($c(H_2SO_4) = 0{,}5\,mol \cdot l^{-1}$) an blanken Platinelektroden.

a) Messen Sie bei konstanter Stromstärke I (z.B. I = 0,2 A; 0,4 A; 0,6 A) die Gasvolumina in Zeitabständen von je 60 s bis zum Erreichen eines Wasserstoffvolumens V(Wasserstoff) von ca. 25 ml. Tragen Sie die Messwerte in Wertetabellen ein.
b) Stellen Sie die Messwerte in einem V-t-Diagramm (I = konst.) bzw. einem V-I-Diagramm (t = konst.) grafisch dar.
c) Berechnen Sie die Stoffmengen der abgeschiedenen Gase.

B7 Quantitative Elektrolyse im Hofmann-Zersetzungsapparat

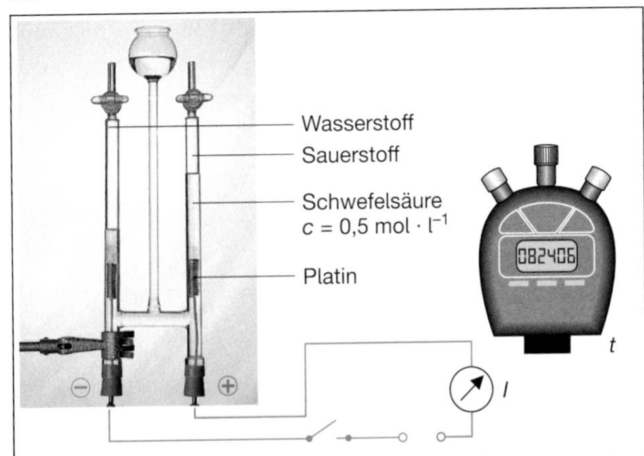

V 7 Quantitative Elektrolyse. Schalten Sie zwei Elektrolysezellen mit Silbernitratlösung ($c(AgNO_3) = 0{,}1$ mol · l^{-1}) und Silberelektroden bzw. Kupfer(II)-sulfat-Lösung (12,5 g $CuSO_4 \cdot 5\,H_2O$, 2,5 ml konz. H_2SO_4, 5 ml Ethanol in 100 ml dest. Wasser) und Kupferelektroden hintereinander (▷ B8). Wiegen Sie die Kathoden vor Beginn des Versuchs und nach einer Elektrolysedauer von z. B. 20 min bei einer Stromstärke von 0,4 A.

A 5 Wie groß ist die Stromstärke, wenn in 1 s aus einer Silbernitratlösung 1,118 mg Silber abgeschieden wird?

A 6 Wie lange muss bei einer Stromstärke von 0,1 A elektrolysiert werden, um 1 g Kupfer aus einer Kupfer(II)-sulfat-Lösung abzuscheiden?

B8 Gleichzeitige Elektrolyse einer Kupfer(II)-sulfat-Lösung an Kupferelektroden und einer Silbernitratlösung an Silberelektroden

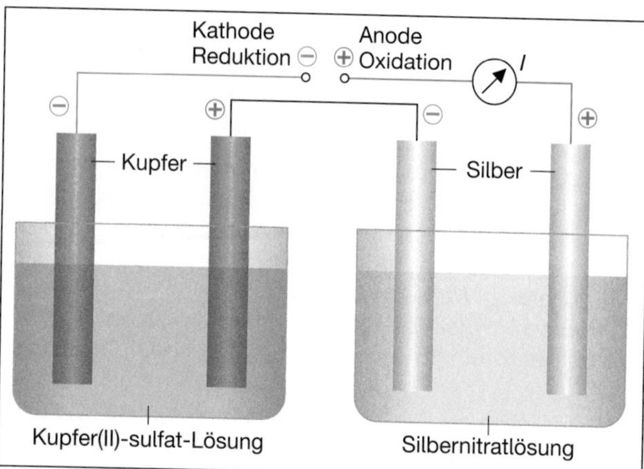

B9 Wichtige elektrische Größen und Einheiten

Größe	Festlegung	Einheit	
Stromstärke I	I (Basisgröße)	1 A (Ampere)	1 A (Basiseinheit)
Ladung Q: Stromstärke x Zeit	$Q = I \cdot t$	1 C (Coulomb)	1 C = 1 A · s
Spannung U: Arbeit/Ladung	$U = \frac{W}{Q}$	1 V (Volt)	$1\,V = 1\,\frac{J}{C} = 1\,\frac{W}{A}$
Widerstand R: Spannung/Stromstärke	$R = \frac{U}{I}$	1 Ω (Ohm)	$1\,\Omega = 1\,\frac{V}{A}$
Leitwert G: Stromstärke/Spannung	$G = \frac{1}{R} = \frac{I}{U}$	1 S (Siemens)	$1\,S = 1\,\Omega^{-1} = 1\,A/V$
Arbeit W: Spannung x Ladung	$W = U \cdot Q = U \cdot I \cdot t$	1 J (Joule)	1 J = 1 V · C = 1 W · s $1\,kW \cdot h = 3{,}6 \cdot 10^6\,J$
Leistung P: Arbeit/Zeit	$P = \frac{W}{t} = U \cdot I$	1 W (Watt)	1 W = 1 V · A = 1 J/s 1 kW = 1000 W

Mit dem molaren Volumen $V_m = V/n$ erhält man die *Stoffmengen n* der Elektrolyseprodukte und eine für *alle* Elektrolysen gültige Gesetzmäßigkeit: Die Stoffmengen n der elektrolytisch abgeschiedenen Stoffportionen sind dem Produkt aus der Stromstärke I und der Zeit t bzw. der an den Elektroden übertragenen Ladung Q proportional (▷ B9):

$n \sim I \cdot t$ bzw. $n \sim Q$

Bedeutet z die Anzahl der Elektronen, die für die Abscheidung *eines* Teilchens an der Elektrode übertragen werden, so gibt $Q = I \cdot t = N \cdot e \cdot z$ die elektrische Ladung an, die für die Abscheidung von N Teilchen erforderlich ist. Die elektrische *Elementarladung* ist e.

Mit $N = n \cdot N_A$ (Avogadro-Konstante) folgt:
$Q = I \cdot t = n \cdot N_A \cdot e \cdot z = n \cdot F \cdot z$
$F = N_A \cdot e = 96485\ A \cdot s \cdot mol^{-1} = 26{,}8\ A \cdot h \cdot mol^{-1}$
bezeichnet man als *Faraday-Konstante*. Damit gilt:
Um also 1 mol einfach geladener Ionen an einer Elektrode zu entladen, ist die Ladung $Q = 1\,mol \cdot F = 96485\ A \cdot s$ erforderlich. Zur Berechnung von Massen bzw. Volumina dienen die Gleichungen $M = m/n$ bzw. $V_m = V/n$.

$$n = \frac{I \cdot t}{z \cdot F}$$ **1. Faraday-Gesetz**

Beispiel: Bei einer Elektrolyse von Kupfer(II)-sulfat-Lösung an Kupferelektroden fließt $t = 30$ min lang ein Strom der Stärke $I = 0{,}4$ A.
Berechnung der Masse m des an der Kathode abgeschiedenen Kupfers:

$$m(\text{Kupfer}) = \frac{I \cdot t}{z \cdot F} \cdot M(\text{Cu})$$

$$m(\text{Kupfer}) = \frac{0{,}4\ A \cdot (30 \cdot 60\ s) \cdot 63{,}55\ g \cdot mol^{-1}}{2 \cdot 96485\ A \cdot s \cdot mol^{-1}} = 0{,}237\ g$$

Bei der in ▷ B8 dargestellten Elektrolyseanordnung wird an den Elektroden in den beiden Elektrolytlösungen in der gleichen Zeit die gleiche Ladung Q übertragen (▷ V7). Folgende Kathodenvorgänge finden statt:

$Ag^+(aq) + e^- \longrightarrow Ag(s)$
$Cu^{2+}(aq) + 2\,e^- \longrightarrow Cu(s)$

Die Abscheidung von 1 mol Kupferatomen erfordert somit eine doppelt so große Ladung wie die Abscheidung von 1 mol Silberatomen.

Das Verhältnis der Stoffmengen n_1/n_2 von Portionen *verschiedener* Elektrolyseprodukte, die durch die *gleiche* elektrische Ladung Q abgeschieden werden, folgt aus $Q = n_1 \cdot z_1 \cdot F = n_2 \cdot z_2 \cdot F$. Damit gilt:

$$\frac{n_1}{n_2} = \frac{z_2}{z_1}$$ **2. Faraday-Gesetz**

7.10 Technische Elektrolysen in wässriger Lösung

Eines der technisch und wirtschaftlich bedeutendsten Elektrolyseverfahren beruht auf der Elektrolyse einer wässrigen Lösung von Natriumchlorid (Steinsalz). Die Elektrolytlösung enthält die Ionen Na^+, Cl^-, H_3O^+ und OH^-, sodass bei der Elektrolyse die folgenden Elektrodenreaktionen möglich sind:

Pluspol (Anode)

$2\,Cl^- \longrightarrow Cl_2 + 2\,e^-$ | $E^0 = +1{,}36\,V$

$4\,OH^- \longrightarrow O_2 + 2\,H_2O + 4\,e^-$ | $E = +0{,}82\,V\,(pH = 7)$

Minuspol (Kathode)

$Na^+ + e^- \longrightarrow Na$ | $E^0 = -2{,}71\,V$

$2\,H_3O^+ + 2\,e^- \longrightarrow H_2 + 2\,H_2O$ | $E = -0{,}41\,V\,(pH = 7)$

Alkalichloridelektrolyse. Bei der Elektrolyse einer wässrigen Natriumchloridlösung an Platinelektroden erhält man lediglich Wasserstoff und Sauerstoff. In der Technik führt man diese Elektrolyse als *Alkalichloridelektrolyse* (Chlor-Alkali-Elektrolyse) nach drei verschiedenen Verfahren so durch, dass man neben Wasserstoff auch die wichtigen Stoffe Chlor und Natronlauge erhält.

Beim **Diaphragmaverfahren** besteht die Kathode aus Stahl (Eisen) und die Anode aus Titan (▷ B 1). An der Stahlkathode wird Wasserstoff abgeschieden und es entstehen Hydroxidionen. An der Titananode entsteht Chlor. Für die erwünschte Abscheidung von Chlor statt von Sauerstoff ist das hohe Überpotential des Sauerstoffs an der Titananode verantwortlich. Das Diaphragma aus Asbest und ein hydrostatischer Überdruck der Sole im Anodenraum verhindern die Wanderung der Hydroxidionen zur Anode und damit die Sauerstoffabscheidung. Außerdem unterbindet das Diaphragma die Durchmischung von Wasserstoff und Chlor.

In einer Elektrolysezelle sind zahlreiche Anoden und Kathoden abwechselnd in geringem Abstand angeordnet. Die Zersetzungsspannung beträgt etwa 3,6 V bei Stromstärken bis 150 000 A. Aus den Kathodenräumen wird Wasserstoff und eine verdünnte, natriumchloridhaltige Natronlauge abgezogen. Die Natronlauge wird durch Eindampfen konzentriert, dabei fällt Natriumchlorid weitgehend aus der Lösung aus.

Eine Variante des Diaphragmaverfahrens stellt das **Membranverfahren** (▷ B 1) dar. Bei diesem Verfahren wird als Diaphragma eine chlorbeständige Membran verwendet, die durchlässig für Natriumionen, aber nahezu undurchlässig für Chlorid- und Hydroxidionen ist. Damit ist die Gewinnung einer fast *chloridfreien* Natronlauge möglich. In den Elektrolyseanlagen sind jeweils etwa 100 Elektrolysezellen hintereinander geschaltet. Das Membranverfahren ist das Verfahren der Zukunft.

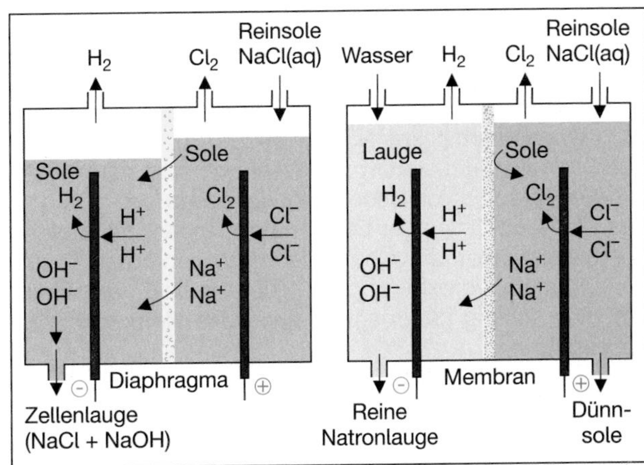

B 1 Diaphragmaverfahren (links) und **Membranverfahren** (rechts). Schematische Darstellung der vereinfachten Vorgänge

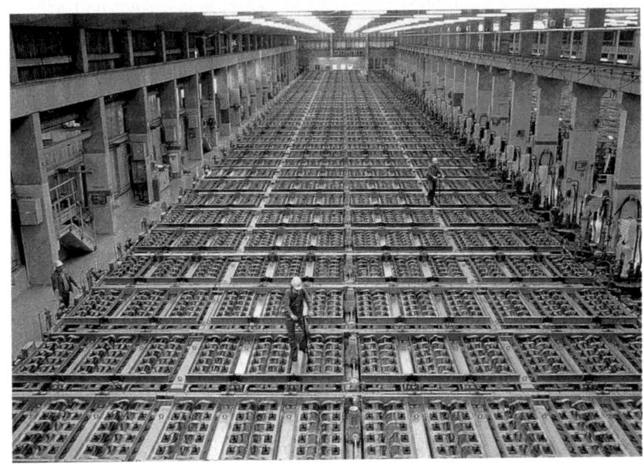

B 2 Elektrolysehalle (Zellensaal)

B 3 Alkalichloridelektrolyse nach dem Amalgamverfahren. Aus 1,65 t Steinsalz und Wasser entstehen 1 t Chlor, 1,1 t Natriumhydroxid und 0,028 t Wasserstoff

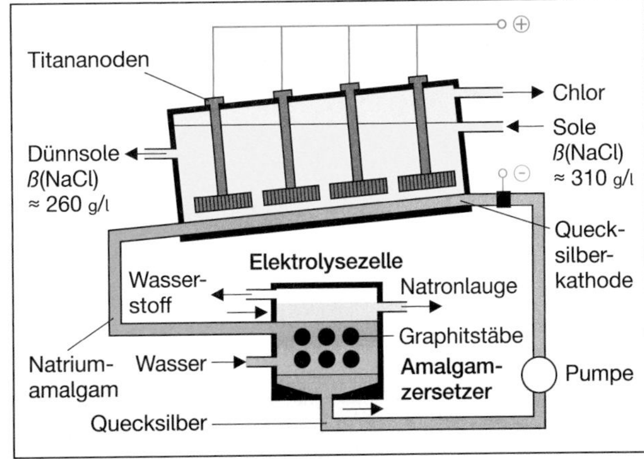

Beim **Amalgamverfahren** (▷ B 3) erfolgt die Elektrolyse der Natriumchloridlösung an einer Quecksilberkathode und an Titananoden. An der Anode erhält man Chlor und an der Kathode Natrium, das mit Quecksilber eine Legierung (Natriumamalgam $NaHg_x$) bildet. Für die Abscheidung von Natrium statt von Wasserstoff sind hauptsächlich vier Faktoren von Bedeutung: ein hohes Überpotential des Wasserstoffs an der Quecksilberkathode, die Bildung von Natriumamalgam, ein alkalisches Milieu durch Zusatz von Natriumhydroxid und Natriumcarbonat zur Natriumchloridlösung *(Sole)* sowie eine hohe Natriumchloridkonzentration.

Die Elektrolyse erfolgt bei etwa 70 °C in Wannen aus Stahl, über deren Boden das Quecksilber in dünner Schicht (etwa 5 mm) fließt. Dicht über dem Quecksilber (etwa 3 mm) befinden sich die Anoden aus Titan. Die Zersetzungsspannung beträgt etwa 4,5 V bei Stromstärken bis zu 450 000 A.
Das bei der Elektrolyse gebildete Natriumamalgam (w(Na) ≈ 0,3 %) reagiert in einem der Elektrolysezelle nachgeschalteten *Zersetzer* unter katalytischer Mitwirkung von Graphit mit Wasser:

$$2\ NaHg_x + 2\ H_2O \longrightarrow 2x\ Hg + 2\ Na^+ + 2\ OH^- + H_2$$

Mit dem Amalgamverfahren erhält man eine nahezu chloridfreie Natronlauge (w(NaOH) = 50 bis 70 %) und Wasserstoff. Das Quecksilber wird wieder in die Elektrolysezelle gepumpt, sodass ein Quecksilberkreislauf entsteht. Trotz des Kreislaufs sind zur Entfernung von Quecksilberspuren aus den Produkten, aber auch aus der Abluft und dem Abwasser der Elektrolyseanlage aufwändige Reinigungsmaßnahmen erforderlich. Das Amalgamverfahren verliert deshalb zunehmend an Bedeutung.

Elektrolytische Raffination. Führt man die Elektrolyse einer Kupfer(II)-sulfat-Lösung mit Kupferelektroden durch (↗ Kap. 7.9, ▷ V 5), so stellt man fest, dass sich an der Kathode durch Reduktion von Kupfer(II)-Ionen Kupfer abscheidet, während sich die Anode unter Bildung von Kupfer(II)-Ionen langsam auflöst.

Anode	$Cu(s) \longrightarrow Cu^{2+}(aq) + 2\ e^-$	$E^0 = +0{,}34\ V$
Kathode	$Cu^{2+}(aq) + 2\ e^- \longrightarrow Cu$	$E^0 = +0{,}34\ V$

In der Technik erfolgt diese Elektrolyse als *elektrolytische Raffination* (von frz. raffiner, verfeinern) mit einer schwefelsäurehaltigen Kupfer(II)-sulfat-Lösung. Als Anode dient eine Rohkupferelektrode, die noch durch andere Metalle verunreinigt ist.

Die Elektrolyse wird bei einer Spannung von ca. 0,3 V (theoretisch ist $U_Z = \Delta E^0 = 0\ V$) und einer Stromstärke bis 36 000 A durchgeführt. Die geringe Spannung ist u. a. erforderlich, um die Spannung des Konzentrationselementes zu überwinden, das durch die Zunahme der Konzentration der Cu^{2+}-Ionen an der Anode und die Abnahme der Konzentration der Cu^{2+}-Ionen an der Kathode entsteht. Nach ca. einem Monat hat sich die Anode zu 90 % aufgelöst und ist damit verbraucht.
Bei der Elektrolyse werden alle im Vergleich zum Kupfer unedleren Metalle oxidiert und gehen mit diesem als Kationen in Lösung, während die edleren Metalle als *Anodenschlamm* absinken (▷ B 4). Den größten Anteil des Anodenschlamms bildet ausgefälltes Blei(II)-sulfat.

An der Kathode wird ausschließlich *Elektrolytkupfer* (Massenanteil w(Cu) = 99,98 %) abgeschieden (▷ B 5). Im Anodenschlamm befinden sich vor allem Silber sowie Gold und Platin. Der Anodenschlamm wird zur Gewinnung dieser Edelmetalle verwertet.

B 4 Elektrolytische Raffination (Reinigung) von Kupfer. Der Energieverbrauch beträgt etwa 0,3 kW · h je Kilogramm Kupfer

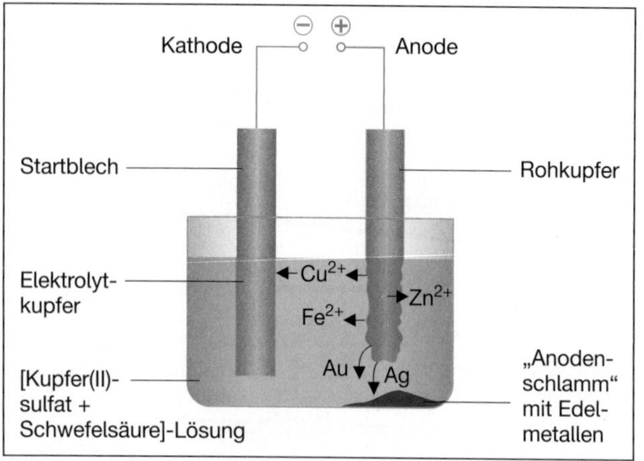

B 5 Elektrolytkupfer. Edelstahlbleche dienen als Startkathoden. Das Elektrolytkupfer wird abgeschlagen

7.11 Elektrochemische Stromerzeugung

Galvanische Elemente werden als ortsungebundene Spannungsquellen in vielen Bereichen des täglichen Lebens benutzt.
In den verschiedensten Formen dienen sie u. a. zum Betrieb von Taschenlampen, tragbaren Audiogeräten, Spielzeug, Fotoapparaten, Uhren, Mobiltelefonen, Camcordern und Notebooks (▷ B 3). Galvanische Elemente werden auch zur Stromversorgung von Kraftfahrzeugen und Krankenfahrstühlen sowie in der Solartechnik eingesetzt.

Batterien. Oft werden mehrere galvanische Elemente (Zellen) zur Erhöhung der Spannung hintereinander geschaltet. Man spricht dann von *Batterien*, benutzt diese Bezeichnung aber auch im Fall einzelner Zellen. Batterien können, je nachdem ob die Elektrodenreaktionen umkehrbar sind, in Primärelemente und in Sekundärelemente eingeteilt werden.

Kann ein galvanisches Element nicht wieder aufgeladen werden, bezeichnet man es als Primärelement. Bei einem wieder aufladbaren galvanischen Element spricht man von einem Sekundärelement oder Akkumulator.

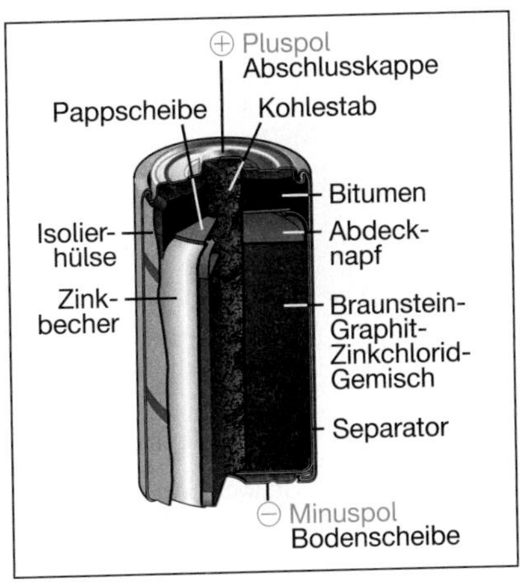

B 1 Zink-Kohle-Batterie

Primärelemente. Vor allem in Taschenlampen und Spielzeug wird die **Zink-Kohle-Batterie** (▷ B 1) eingesetzt, welche auf eine Entwicklung von G. LECLANCHÉ (1867) zurückgeht *(Leclanchéelement)*.

Die Anode ist ein Zinkbecher, der gleichzeitig als Behälter dient. Kathode ist ein Graphitstift, der von einem Braunstein(MnO_2)-Ruß-Gemisch umgeben ist. Als Elektrolytlösung dient eine Lösung von Zinkchlorid mit geringen Mengen Ammoniumchlorid, welche durch Zusatz von Quellmitteln (z. B. Stärke) zu einem Gel eingedickt ist *(Trockenelement)*. Das ursprüngliche Leclanchéelement enthielt nur eine Ammoniumchloridlösung.

Die Spannung beträgt 1,5 V bis 1,7 V. Als sogenannte *Nennspannung* wird stets 1,5 V angegeben. Beim Betrieb der Batterie, d. h. bei Stromfluss, sinkt die Spannung.

Die in einer Zink-Kohle-Batterie bei Stromfluss an den Elektroden ablaufenden Reaktionen lassen sich vereinfacht durch die folgenden Gleichungen beschreiben:

Minuspol (Anode) $$\overset{0}{Zn} \longrightarrow \overset{II}{Zn}^{2+} + 2\,e^-$$

Pluspol (Kathode) $$\underset{\text{Mangan(IV)-oxid}}{\overset{IV}{Mn}O_2} + H_2O + e^- \longrightarrow \underset{\text{Mangan(III)-hydroxid-oxid}}{\overset{III}{Mn}O(OH)} + OH^-$$

Bei Stromfluss wird der Zinkbecher teilweise zerstört. Im Elektrolyten entsteht eine komplexe Zinkverbindung ($ZnCl_2 \cdot 4\,ZnO \cdot 5\,H_2O$).

Die **Alkali-Mangan-Batterie** (auch Alkaline genannt) liefert eine höhere Stromstärke und ist für Geräte mit hohem Strombedarf (z. B. Fotoapparate) und mit Dauernutzung (z. B. tragbare Audiogeräte) besser geeignet (▷ B 2).
Die Nennspannung der Alkali-Mangan-Batterie beträgt ebenfalls 1,5 V. Als Elektrolytlösung dient Kalilauge. Die Elektrodenreaktionen entsprechen denen in einer Zink-Kohle-Batterie.

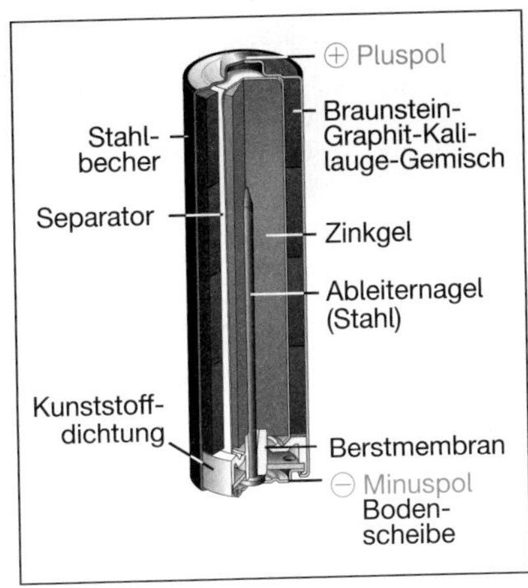

B 2 Alkali-Mangan-Batterie

B 3 Batteriegrößen und -bezeichnungen

Gebräuchlicher Name	Maße in mm	Spannung in V
Microzelle	10,5 x 44,5	1,5
Mignonzelle	14,5 x 50,5	1,5
Babyzelle	26,2 x 50	1,5
Monozelle	34,2 x 61,5	1,5
9-V-Block	26,5 x 17,5 x 48,5	9,0
Flachbatterie	26 x 22 x 67	4,5

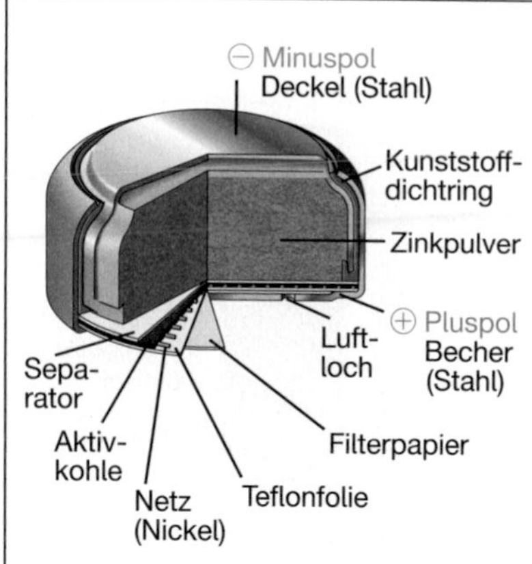

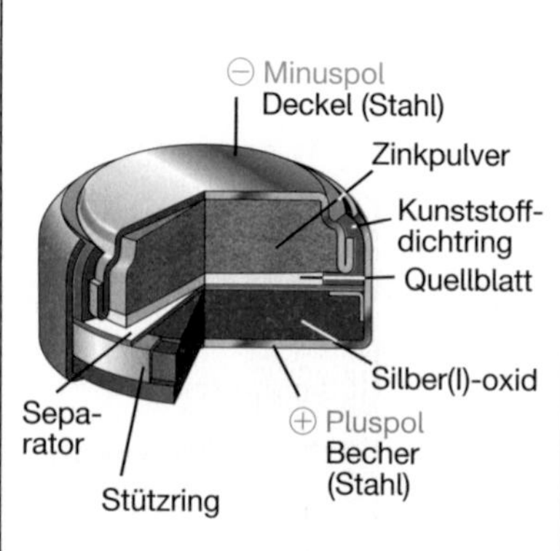

B 4 Knopfzellen. Oben: Zink-Luft-Knopfzelle. Unten: Zink-Silberoxid-Knopfzelle

Exkurs: Kapazität

Die Ladungsmenge $Q = I \cdot t$, die einer Batterie in einer bestimmten Zeit t entnommen werden kann, wird auch als *„Kapazität"* bezeichnet und in der Einheit A·h angegeben. Sie ist stark von der *Entladestromstärke* I sowie von der Temperatur abhängig.
Die „Kapazität" von 36 A·h für eine 12-V-Starterbatterie bedeutet, dass bei Raumtemperatur über die definierte *Entladezeit* von 20 Stunden ein Strom der Stärke 1,8 A geliefert werden kann. Bei einer kürzeren Entladezeit, d. h. einer größeren Entladestromstärke, verringert sich die „Kapazität" ebenso wie bei niedrigerer Temperatur.
Die hier beschriebene „Kapazität" darf nicht mit der Kapazität C der Elektrizitätslehre verwechselt werden: $C = Q/U$. Die Kapazität C charakterisiert einen Kondensator.

Batterien werden in zahlreichen Bauformen hergestellt. Darunter sind die **Knopfzellen** (Knopfbatterien) als besonders kleine Spannungsquellen von großer Bedeutung (▷ B 4).
Die **Zink-Luft-Knopfzelle** (Nennspannung 1,4 V) eignet sich für den Einsatz in Hörgeräten. Elektrolytlösung ist Kalilauge. Als Kathode steht ein Aktivkohle-Ruß-Gemisch mit der Luft in Verbindung. An der katalytisch wirksamen Aktivkohle wird Sauerstoff reduziert:

$$O_2 + 2\,H_2O + 4\,e^- \longrightarrow 4\,OH^-$$

Die **Zink-Silberoxid-Knopfzelle** (Nennspannung 1,55 V) wird vor allem in Uhren eingesetzt. Als Elektrolytlösung dient Kalilauge oder Natronlauge.

Die **Lithium-Mangan-Batterie** ist ein Primärelement mit hoher Spannung (Nennspannung 3 V) sowie langer Lebensdauer und wird als Spannungsquelle in der Mikroelektronik (z. B. in Fotoapparaten mit hohem Strombedarf oder in elektronischen Datenspeichern) eingesetzt.
Lithium bildet das Anodenmaterial, Braunstein das Kathodenmaterial. Elektrolytlösung ist ein Gemisch aus *organischen* Lösungsmitteln und darin gelöstem Lithiumperchlorat ($LiClO_4$). Bei Stromfluss werden die Mangan(IV)-Ionen des Braunsteins zu Mangan(III)-Ionen reduziert. Die durch Oxidation der Lithiumatome gebildeten Lithiumionen werden in das Kristallgitter des Braunsteins eingebaut:

$$\overset{0}{Li} + \overset{IV}{Mn}O_2 \longrightarrow \overset{I}{Li}\overset{III}{Mn}O_2$$

Sekundärelemente. In Akkumulatoren (von lat. accumulare, sammeln) sind die Elektrodenreaktionen umkehrbar, sodass diese Batterien bis zu 1000-mal wieder aufgeladen werden können. Angepasst an das jeweilige Gerät werden häufig mehrere Akkumulatorzellen zu „Akku-Packs" mit hoher Kapazität zusammengebaut.

Unter den wiederaufladbaren Batterien besitzt der schon 1859 von A. PLANTÉ im Prinzip entwickelte **Bleiakkumulator** große Bedeutung als *Starterbatterie* in Kraftfahrzeugen. Der Aufbau (▷ B 5) ist verhältnismäßig einfach. Zwei Sätze von parallel geschalteten Gitterplatten bilden einen Plattenblock, der in Schwefelsäurelösung ($w(H_2SO_4) = 38\,\%$; $\varrho(H_2SO_4) = 1{,}28$ g/ml, bei $\vartheta = 20$ °C) taucht. In einer modernen wartungsfreien Starterbatterie bestehen die mit Blei(IV)-oxid gefüllten Gitter des ersten Satzes aus einer Legierung aus Blei, Calcium, Silber, Zinn und Aluminium; die mit fein verteiltem Blei gefüllten Gitter des zweiten Satzes bestehen aus einer Legierung aus Blei und Calcium. Die Blei(IV)-oxid-Platten befinden sich in säurefesten *Separatoren* (mikroporöse Trennwände), welche den direkten Kontakt der Platten und damit einen Kurzschluss verhindern. In 12-V-Bleiakkumulatoren sind sechs solcher Plattenblöcke (Spannung ca. 2,1 V, Nennspannung 2 V) hintereinander geschaltet.
In vereinfachter Darstellung laufen beim *Entladen* in einem Bleiakkumulator die folgenden Reaktionen von links nach rechts ab:

Minuspol $$\overset{0}{Pb} + SO_4^{2-} \rightleftharpoons \overset{II}{Pb}SO_4 + 2\,e^-$$

Pluspol $$\overset{IV}{Pb}O_2 + 4\,H^+ + SO_4^{2-} + 2\,e^- \rightleftharpoons \overset{II}{Pb}SO_4 + 2\,H_2O$$

$$Pb + PbO_2 + 2\,H_2SO_4 \underset{\text{Laden}}{\overset{\text{Entladen}}{\rightleftharpoons}} 2\,PbSO_4 + 2\,H_2O$$

Das gebildete schwer lösliche Blei(II)-sulfat scheidet sich als Überzug auf den Elektroden oder als Bodenkörper ab.

Da beim Entladen eines Bleiakkumulators Schwefelsäure verbraucht wird, sinkt die Dichte des Elektrolyten. Somit kann durch Dichtemessung auf den Ladezustand des Akkumulators geschlossen werden.

Beim *Laden*, d.h. beim Anlegen einer äußeren Spannung, kehren sich die chemischen Reaktionen um. Das Laden eines Bleiakkumulators ist u.a. deshalb möglich, weil die Abscheidung von Wasserstoff an Blei ein hohes Überpotential aufweist (↗Kap. 7.9).
Ist am Ende des Aufladevorgangs das bei der Entladung gebildete Blei(II)-sulfat verbraucht, entsteht an der Kathode Wasserstoff und an der Anode Sauerstoff („Gasen" des Akkumulators). In geringem Maße laufen diese Reaktionen immer neben den Ladereaktionen ab. Beim Laden steigt die Dichte der Schwefelsäurelösung wieder an.

Unter den Gerätebatterien hat der **Nickel-Cadmium-Akkumulator** als besonders belastbarer und betriebssicherer Akkumulator breite Anwendung gefunden. Beim Entladen reagieren Cadmium bzw. Nickel(III)-hydroxid-oxid zu Cadmium(II)- bzw. Nickel(II)-hydroxid. Elektrolytlösung ist Kalilauge. Die Spannung des Akkumulators beträgt etwa 1,3V (Nennspannung 1,2V).
In vereinfachter Darstellung laufen beim *Entladen* die folgenden Reaktionen von links nach rechts ab:

Minuspol $$\overset{0}{\mathrm{Cd}} + 2\,\mathrm{OH^-} \rightleftharpoons \overset{\mathrm{II}}{\mathrm{Cd}}\mathrm{(OH)_2} + 2\,e^-$$

Pluspol $$2\,\overset{\mathrm{III}}{\mathrm{Ni}}\mathrm{O(OH)} + 2\,\mathrm{H_2O} + 2\,e^- \rightleftharpoons 2\,\overset{\mathrm{II}}{\mathrm{Ni}}\mathrm{(OH)_2} + 2\,\mathrm{OH^-}$$

$$\mathrm{Cd} + 2\,\mathrm{NiO(OH)} + 2\,\mathrm{H_2O} \underset{\text{Laden}}{\overset{\text{Entladen}}{\rightleftharpoons}} \mathrm{Cd(OH)_2} + 2\,\mathrm{Ni(OH)_2}$$

Durch einen Überschuss an Cadmium(II)-hydroxid gegenüber Nickel(III)-hydroxid-oxid kommt es in „gasdichten" Nickel-Cadmium-Akkumulatoren beim Überladen am Pluspol zur Sauerstoffentwicklung, während am Minuspol noch genügend Cadmium(II)-hydroxid vorhanden ist und deshalb kein Wasserstoff entsteht. Der Sauerstoff diffundiert zum Minuspol, oxidiert dort Cadmium zu Cadmium(II)-hydroxid und wird so verbraucht.

B5 Aufbau eines Bleiakkumulators („Autobatterie")

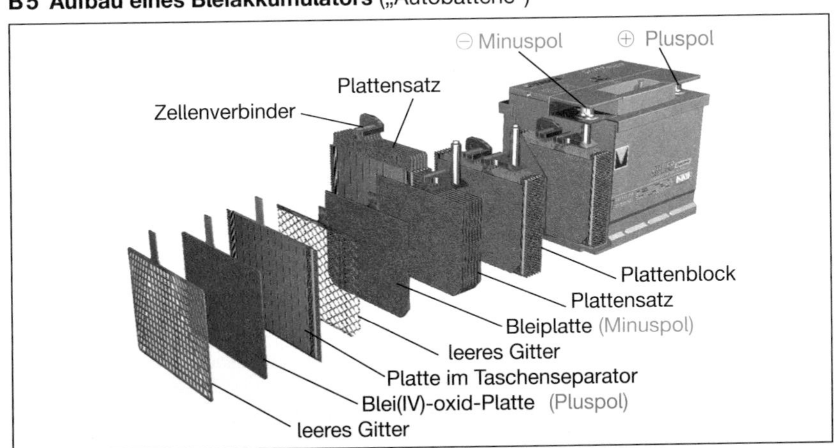

Exkurs: Blei-Recycling aus Akkumulatoren

Verbrauchte Batterien müssen von den Verbrauchern zurückgegeben und von den Herstellern entsorgt werden. Recyclingverfahren für Batterien haben deshalb eine besondere Bedeutung erlangt. Zur Rückgewinnung von Blei insbesondere aus Autobatterien können die Akkumulatoren beim *Schachtofenverfahren* nach Abtrennung der Schwefelsäure als Ganzes verhüttet werden.
Das erhaltene Rohblei wird in einem gasbeheizten Schmelzkessel gereinigt (raffiniert) und legiert. Das entstehende Gichtgas enthält neben Kohlenstoffdioxid und Kohlenstoffmonooxid noch Staubteilchen mit hohem Bleianteil sowie Restprodukte aus der Kunststoffpyrolyse und wird deshalb einer Nachverbrennung und Reinigung in einer Filteranlage unterzogen. Die anfallende Schlacke und der bleihaltige Filterstaub werden wieder in den Verhüttungsprozess zurückgeführt. Ein kleiner Anteil der Schlacke wird auch im Straßen- und Wegebau verwendet.

V 1 Bleiakkumulator. Zwei blanke Bleiplatten werden in ein mit Schwefelsäure ($w(H_2SO_4)$ = 20%) gefülltes Becherglas gestellt. Es ist darauf zu achten, dass sich die Bleiplatten nicht berühren (z.B. Gummistopfen zwischen die Platten legen).

a) Mit einer Gleichspannung, die so hoch gewählt wird, dass an den Bleiplatten gerade eine Gasentwicklung zu erkennen ist, wird etwa 10 min lang elektrolysiert.

b) Nach der Elektrolyse wird anstelle der Spannungsquelle ein Spannungsmessgerät mit den Elektroden verbunden (Beachtung der Polung der Geräte!).

c) An die Elektroden wird ein geeigneter Elektromotor angeschlossen.

A 1 Deuten Sie die Beobachtungen von ▷V1.

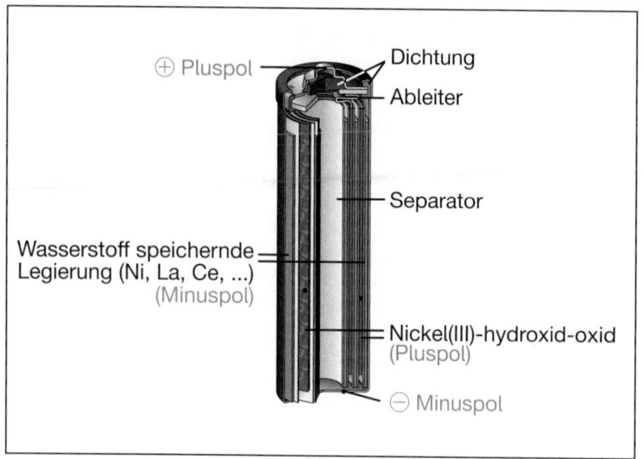

B 6 Nickel-Metallhydrid-Akkumulator (Ausführung als „Wickelzelle")

Der Bedarf an wieder aufladbaren Batterien für Geräte mit hoher Leistungsaufnahme (z. B. mobile Telefone) und der Ersatz des giftigen Cadmiums haben zur Entwicklung des **Nickel-Metallhydrid-Akkumulators** (▷ B 6) geführt. Dieser unterscheidet sich von einem Nickel-Cadmium-Akkumulator im Wesentlichen dadurch, dass er anstelle des Cadmiums eine Metalllegierung enthält, die Wasserstoff adsorbieren kann („Metallhydrid"). Neben Nickel sind in der Legierung vor allem Lanthan und Cer enthalten. Elektrolytlösung ist Kalilauge, die Spannung beträgt etwa 1,3 V (Nennspannung 1,2 V). Stark vereinfacht kann man die elektrochemischen Prozesse wie folgt angeben:

$$\overset{\text{III}}{\text{Ni}}\text{O(OH)} + \text{Metall-}\overset{0}{\text{H}} \underset{\text{Laden}}{\overset{\text{Entladen}}{\rightleftharpoons}} \overset{\text{II}}{\text{Ni}}(\text{OH})_2 + \overset{\text{I}}{\text{Metall}}$$

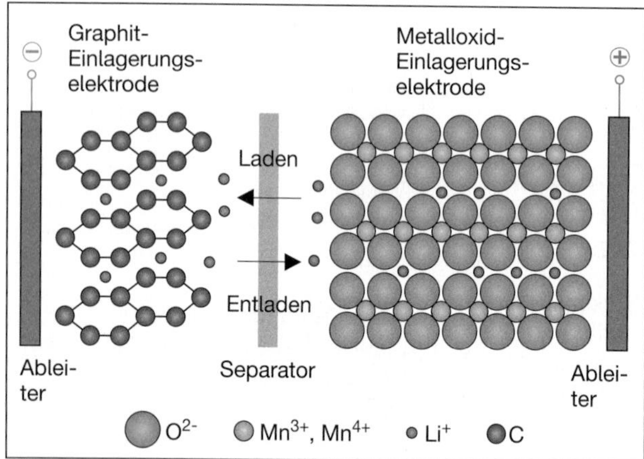

B 7 Funktionsweise des Lithium-Ion-Akkumulators. Lithiumionen werden zwischen den Elektroden ausgetauscht

Der **Lithium-Ion-Akkumulator** (▷ B 7) gehört mit einer Spannung von 3,8 V zu den Sekundärelementen mit der höchsten Spannung (Nennspannung 4 V) und ist besonders für den Betrieb mobiler Telefone, Camcorder und tragbarer Computer geeignet.
Als Minuspol dient eine Kohlenstoffelektrode (Graphit, Koks) und als Pluspol insbesondere Lithiummangan(III,IV)-oxid ($LiMn_2O_4$). Als Elektrolyte werden organische Lösungsmittel eingesetzt, in denen ein organisches oder anorganisches Lithiumsalz gelöst ist. Beide von einem Separator getrennten Elektrodenmaterialien dienen als *Einlagerungselektroden für Lithiumionen* und haben unterschiedliche Redoxpotentiale. Beim Laden werden in der Kohlenstoffelektrode Lithiumionen reversibel ins Kohlenstoffgitter eingelagert. Umgekehrt werden beim Entladen Lithiumionen im Metalloxidgitter eingelagert. Zwischen den Elektroden werden also lediglich Lithiumionen ausgetauscht.

B 8 Gebräuchliche Batterietypen im Überblick

Batterietyp	Spannung	Minuspol	Pluspol	Elektrolyt	Besondere Merkmale	Anwendungsbeispiele
Zink-Kohle	1,5 V	Zn	MnO_2	$ZnCl_2$	preiswert, umweltverträglich	Taschenlampen, Wecker, Spielzeug
Alkali-Mangan				KOH	hohe Stromstärke bei Dauernutzung	tragbare Audiogeräte
Zink-Luft	1,4 V	Zn	O_2	KOH	hohe Belastbarkeit, umweltverträglich	Hörgeräte, Personenrufgeräte
Silberoxid-Zink	1,55 V	Zn	Ag_2O	KOH	konstante Spannung, langlebig	Uhren, Fotoapparate, Taschenrechner
Lithium-Mangan	3 V	Li	MnO_2	org. Lösm. $LiClO_4$	sehr geringe Selbstentladung, sehr langlebig	Taschenrechner, Uhren, Fernbedienungen, Fotoapparate
Bleiakku	2 V	Pb	PbO_2	H_2SO_4	hohe Belastbarkeit, selbstentladend, umweltbelastend	Starterbatterien, Antriebsbatterien, Solartechnik
Nickel-Cadmium-Akku	1,2 V	Cd	NiO(OH)	KOH	hohe Belastbarkeit, geringe Selbstentladung, umweltbelastend	Akkuwerkzeuge, Camcorder, Handys
Nickel-Metallhydrid-Akku	1,2 V	Metall-H	NiO(OH)	KOH	hohe Belastbarkeit, konstante Spannung, umweltverträglich	Camcorder, Handys, tragbare Computer, Elektroautos
Lithium-Ion-Akku	4 V	C	$LiMn_2O_4$ Li-Salze	org. Lösm.	hohe Zellspannung	Camcorder, Handys, tragbare Computer

Wasserstoff-Sauerstoff-Brennstoffzelle. Bei den bisher beschriebenen galvanischen Elementen liegen die an den Elektrodenvorgängen beteiligten Stoffe in der Zelle selbst vor. Durch die vorgegebenen Stoffportionen wird somit die dem Element entnehmbare elektrische Energie begrenzt. Dies hatte die Entwicklung von speziellen galvanischen Elementen, den Brennstoffzellen, zur Folge.

Eine Brennstoffzelle ist ein galvanisches Element, bei dem das Reduktionsmittel („Brennstoff") und das Oxidationsmittel kontinuierlich von außen zugeführt werden.

Unter den Brennstoffzellen ist die Entwicklung eines Elementes mit Wasserstoff und Sauerstoff am weitesten fortgeschritten. In dieser Brennstoffzelle ist Wasserstoff der Brennstoff; die stark exotherme Knallgasreaktion wird zur direkten Stromerzeugung herangezogen:

$$2\,H_2(g) + O_2(g) \longrightarrow 2\,H_2O(l) \quad |\ \Delta_r H^0 = -572\ \text{kJ}$$

Zur elektrochemischen Umsetzung werden im Modellversuch (▷ V 2 und ▷ B 9) die Gase in einem Elektrolyten (Kaliumnitratlösung) gegen katalytisch aktive Elektroden (palladinierte Nickeldrahtnetze) geleitet. Die Spannung dieser „Knallgaszelle" beträgt etwa 1 V. In vereinfachter Darstellung laufen an den Elektroden folgende Reaktionen ab:

Minuspol $\quad \overset{0}{H_2} + 2\,H_2O \longrightarrow 2\,\overset{I}{H_3O^+} + 2\,e^- \quad |\cdot 2$

Pluspol $\quad \overset{0}{O_2} + 2\,H_2O + 4e^- \longrightarrow 4\,\overset{-II}{OH^-}$

$\quad H_3O^+ + OH^- \longrightarrow 2\,H_2O \quad |\cdot 4$

$$2\,H_2 + O_2 \longrightarrow 2\,H_2O$$

Wasserstoff ist insbesondere für den Betrieb umweltverträglicher *Elektroautos* von Bedeutung. Der Wasserstoff kann z. B. durch so genannte *Reformierung* aus Methanol bei 280 °C gewonnen werden, das man seinerseits aus Erdgas erhält:

$$CH_3OH + H_2O \rightleftharpoons 3\,H_2 + CO_2$$

Er kann aber auch verflüssigt in speziellen Tanks mitgeführt werden. Bei der technischen Ausführung (▷ B 10) dient eine nur etwa 0,1 mm dicke, spezielle Kunststofffolie als Membran, welche beidseitig mit katalytisch aktivem Platin beschichtet ist. Die Membran trennt Wasserstoff und Sauerstoff voneinander und lässt nur Protonen durch. Diese entstehen auf der einen Seite der Membran (Anode) durch Oxidation der Wasserstoffmoleküle, während gleichzeitig auf der anderen Seite (Kathode) die Reduktion der Sauerstoffmoleküle zu Wassermolekülen stattfindet. Die Membran wirkt praktisch wie ein Feststoffelektrolyt. Die gleichmäßige Zuführung von Wasserstoff und Sauerstoff an die Membran erfolgt über spezielle Platten („Bipolarplatten"), welche auch als Ableitelektroden dienen.

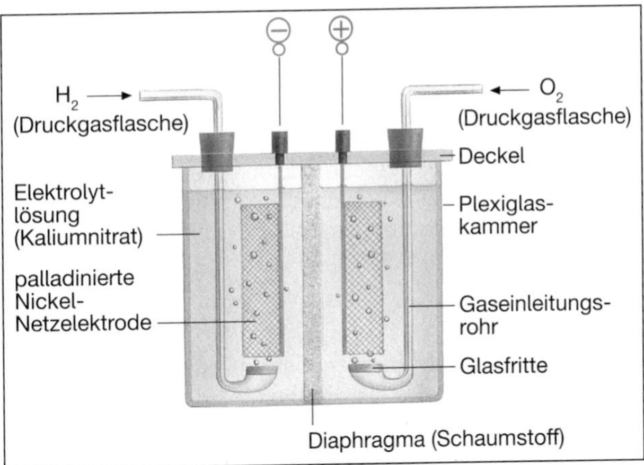

B 9 Modell einer Wasserstoff-Sauerstoff-Brennstoffzelle („Knallgaszelle")

V 2 Wasserstoff-Sauerstoff-Brennstoffzelle. Ein Element $Pd(Ni)/H_2/KNO_3//KNO_3/O_2/(Ni)Pd$ wird gemäß ▷ B 9 aufgebaut. Die Kaliumnitratlösung ($c(KNO_3) = 1\ mol \cdot l^{-1}$) muss die beiden Netze vollständig bedecken. Aus den Druckgasflaschen werden über Sicherheitswaschflaschen Wasserstoff und Sauerstoff eingeleitet. Die Spannung der Zelle wird gemessen und ein Elektromotor wird betrieben. Aus der Umgebung der Elektroden werden dann Proben der Elektrolytlösung entnommen und mit Universalindikatorlösung versetzt.

Hinweis: Die Nickeldrahtnetze sollten frisch palladiniert werden. Hierzu werden sie in zwei Reagenzgläsern etwa eine Stunde lang in verdünnte, leicht mit Salzsäure angesäuerte Palladium(II)-chlorid-Lösung getaucht.

B 10 Prinzip einer technischen Brennstoffzelle. Für die Gasversorgung sind mehrere Zusatzgeräte erforderlich

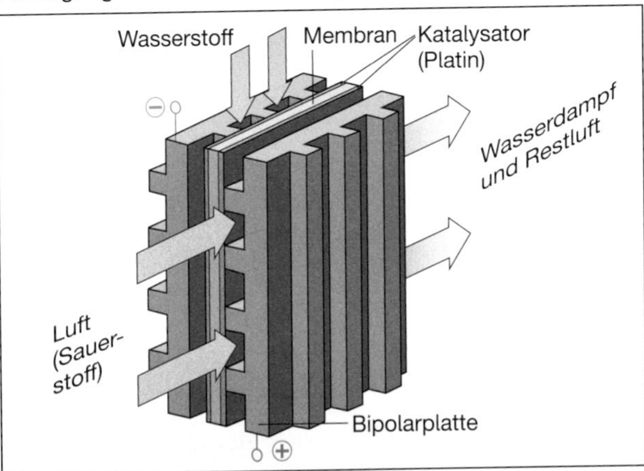

7.12 Praktikum: Batterien

Versuch 1 Voltaelement – Galvanische Elemente in Reihenschaltung

Geräte und Chemikalien:
Spannungsmessgerät mit hohem Eingangswiderstand, Kleinelektromotor, 3 Bechergläser (100 ml), 3 Kupferbleche (3 cm x 6 cm), 3 Zinkbleche (3 cm x 6 cm), 6 Krokodilklemmen, 4 Verbindungskabel, 3 Gummistopfen, Essigsäure ($c(CH_3COOH) = 1\ mol \cdot l^{-1}$)

Durchführung:
a) Legen Sie in drei Bechergläser jeweils einen Gummistopfen und füllen Sie die Bechergläser je zur Hälfte mit Essigsäure. Stellen Sie ein Zinkblech und ein Kupferblech so in jedes Becherglas, dass die Bleche durch den Gummistopfen getrennt werden.
b) Messen Sie die Spannung zwischen den Elektroden *eines* der galvanischen Elemente.
Ersetzen Sie das Spannungsmessgerät durch den Kleinelektromotor.
c) Schalten Sie zunächst zwei der Elemente und dann alle drei Elemente in Reihe (▷ B 1). Messen Sie jeweils die Gesamtspannung der in Reihe geschalteten galvanischen Elemente.

Aufgaben:
a) Formulieren Sie die Teilgleichungen für die bei Stromfluss an den Elektroden ablaufenden Reaktionen.
b) Welche Gesamtspannung ergibt sich bei der Reihenschaltung von galvanischen Elementen?
c) Welche Gesetze gelten für die Stromstärken in einer Reihenschaltung bzw. in einer Parallelschaltung?
d) Wie müssen Messgeräte für die Spannung bzw. Stromstärke geschaltet werden?

Versuch 2 Leclanchéelement

Geräte und Chemikalien:
Spannungsmessgerät mit hohem Eingangswiderstand, Kleinelektromotor, Becherglas (250 ml, hohe Form), Kohleelektrode, Zinkblech, Extraktionshülse, 2 Krokodilklemmen, Verbindungskabel, Mangandioxid (Braunstein), Aktivkohlepulver, Ammoniumchloridlösung ($w(NH_4Cl) = 20\,\%$), ein Stück Gummischlauch

Durchführung:
a) Rühren Sie Mangandioxid und Aktivkohle im Massenverhältnis 3 : 1 mit wenig Wasser zu einem Brei an. Füllen Sie den Brei in die Extraktionshülse (Diaphragma). Stecken Sie die Kohleelektrode in den Brei und schützen Sie den herausragenden Teil durch ein Stück Gummischlauch vor eindiffundierendem Sauerstoff.
Füllen Sie das Becherglas zu zwei Dritteln mit der konzentrierten Ammoniumchloridlösung. Biegen Sie das Zinkblech um die Hülse und tauchen Sie beide in die Ammoniumchloridlösung.
b) Messen Sie die Spannung des Elementes *ohne* Betrieb des Elektromotors.
c) Schließen Sie den Elektromotor an. Messen Sie die Spannung des Elementes bei Betrieb des Elektromotors und *nachdem* Sie den Elektromotor wieder entfernt haben.

Aufgaben:
Formulieren Sie die Teilgleichungen für die an den Elektroden in der Strom liefernden Zelle ablaufenden Reaktionen.
Welche Funktion hat das Graphitpulver?
Beschreiben Sie Unterschiede im Aufbau einer Zink-Kohle-Batterie und einer Alkali-Mangan-Batterie (▷ B 2 und ↗ Kap. 7.11, ▷ B 1 und ▷ B 2).

B 1 Volta-Element – Reihenschaltung

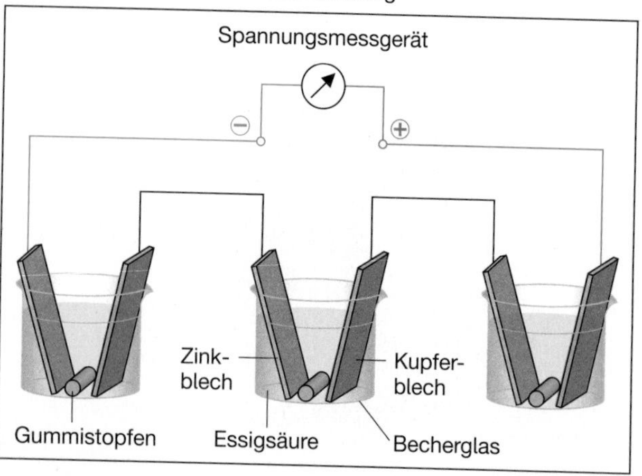

B 2 Zink-Kohle-Batterie (links) und Alkali-Mangan-Batterie (rechts) im Vergleich (längs aufgeschnitten)

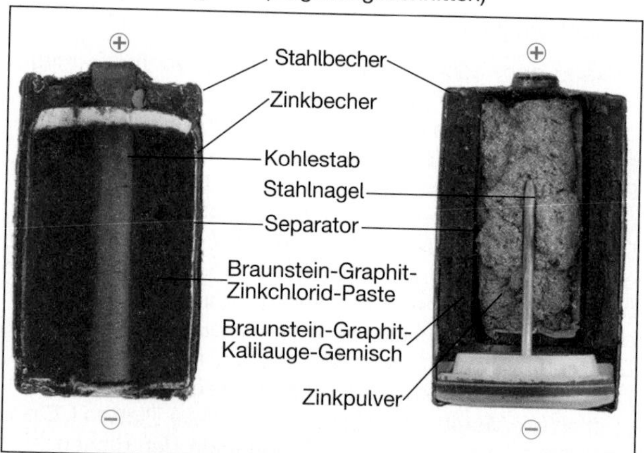

Versuch 3 Wasserstoff-Sauerstoff-Brennstoffzelle

Geräte und Chemikalien: Spannungsmessgerät mit hohem Eingangswiderstand, variable Gleichspannungsquelle, Kleinelektromotor, 2 Schalter, Becherglas (250 ml), 2 Kohleelektroden, 2 Krokodilklemmen, Verbindungskabel, Separator (z. B. Hartgummiblock), Kalilauge (c(KOH) = 1 mol · l^{-1}; Schutzbrille!)

Durchführung: a) Legen Sie einen Separator (z. B. Hartgummiblock) in das Becherglas und füllen Sie das Becherglas zu drei Vierteln mit der Kalilauge. Stellen Sie zwei Kohleelektroden so in die Lösung, dass die Elektroden vom Separator getrennt werden. Verbinden Sie die Elektroden über zwei Schalter mit der Gleichspannungsquelle, dem Spannungsmessgerät und dem Elektromotor (▷ B3).
b) Öffnen Sie Schalter 2 und schließen Sie Schalter 1. Elektrolysieren Sie bei etwa 5 V (Messbereich des Spannungsmessgerätes entsprechend wählen) etwa 1 bis 3 Minuten lang.
c) Öffnen Sie Schalter 1 und messen Sie die Spannung zwischen den Kohleelektroden. Das Spannungsmessgerät braucht nicht umgepolt zu werden.
d) Schließen Sie Schalter 2 und messen Sie die Spannung bei Betrieb des Elektromotors.
Durch wiederholte Elektrolyse können der Brennstoff (Wasserstoff) und das Oxidationsmittel (Sauerstoff) nachgeliefert werden (*Modellversuch*).

Aufgaben:
Formulieren Sie die Teilgleichungen für die an den Kohleelektroden in der Elektrolysezelle und in der Strom liefernden Brennstoffzelle ablaufenden Reaktionen. Informieren Sie sich über die Möglichkeiten des Einsatzes von Brennstoffzellen in Elektroautos und Kraftwerken.

B3 Wasserstoff-Sauerstoff-Brennstoffzelle (Modellversuch)

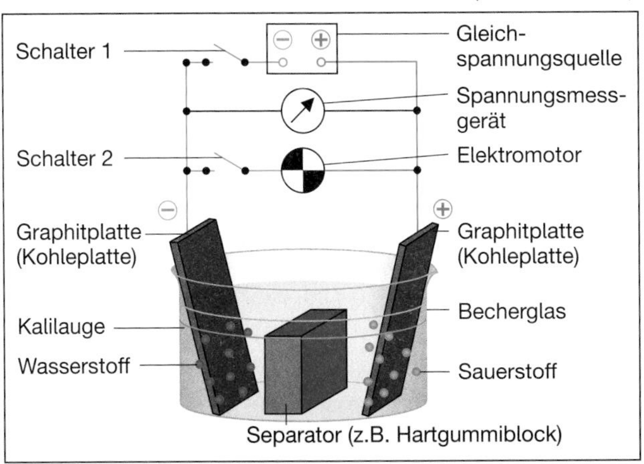

Fotovoltaik

Einer Wasserstoff-Sauerstoff-Brennstoffzelle werden die beiden Gase kontinuierlich von außen zugeführt. Wasserstoff kann durch Elektrolyse von Wasser, dem ein Elektrolyt zugesetzt ist, hergestellt werden. Die dazu erforderliche elektrische Energie kann in *Solarzellen* durch direkte Umwandlung von Sonnenlicht erhalten werden. Diese Direktumwandlung nennt man *Fotovoltaik* (↗ Kap. 11.4).

In der Versuchsanordnung zum Betrieb einer Brennstoffzelle mit fotovoltaisch erzeugtem Wasserstoff und Sauerstoff aus der Luft tauchen netzförmige Nickelelektroden in Kalilauge. In der Brennstoffzelle werden mit Platin beschichtete Kohlenstoffmatten von einer Kunststoffmembran getrennt, die für Wasserstoffionen durchlässig ist.

Brennstoffzellen in Kraftfahrzeugen. Geräuscharme und emissionsfreie Elektroautos werden als Alternative zu Fahrzeugen mit Verbrennungsmotoren insbesondere für den Alltagseinsatz in Städten entwickelt. Aussichtsreich ist die Verwendung von Wasserstoff in Verbindung mit der Brennstoffzellentechnologie. In solchen Fahrzeugen kann der Wasserstoff z. B. durch Reformierung von Methanol erzeugt oder verflüssigt in speziellen Tanks mitgeführt werden. Den Vorteil der einfacheren Handhabung verliert Methanol im Hinblick auf die Energiebilanz bei seiner Herstellung aus Erdgas und der Reformierung. Die noch vorhandene Kohlenstoffdioxidemission ist sehr gering. Ohne Emissionen lässt sich flüssiger Wasserstoff nutzen. Aber dessen Verflüssigung erfordert hohen Energieaufwand. Deshalb werden auch Speicher für gasförmigen Wasserstoff entwickelt (z. B. aus Graphitfasern). Wesentlich für die Nutzung der Brennstoffzellentechnologie in Fahrzeugen sind zudem die Fragen zur Infrastruktur der Brennstoffversorgung.

7.13 Elektrochemische Korrosion

B 1 Korrosionsschäden durch Flächenkorrosion (links) und Lochkorrosion (rechts)

V 1 Lokalelement (Modellversuch). Geben Sie in ein Reagenzglas verdünnte Schwefelsäure und tauchen Sie einen Stab aus reinem Zink ein. Berühren Sie das Zink dann in der Lösung mit einem Kupfer- oder Platindraht. Beobachten Sie in der Projektion.

V 2 Korrosion von Eisen (Modellversuch). Geben Sie in eine Glasküvette eine Salz-Indikator-Lösung (3 g Natriumchlorid, 0,1 g Kalium-hexacyanoferrat(III) ($K_3[Fe(CN)_6]$) sowie 10 Tropfen alkoholische Phenolphthaleinlösung (w = 0,5 %) in 100 ml Wasser). Stellen Sie in die Lösung einen blank geschmirgelten Eisenstab (Nagel) und einen Kupferstab, welche außerhalb der Küvette mittels eines Kabels kurzgeschlossen sind. Beobachten Sie in der Projektion.

B 2 Lokalelementbildung (Kontaktelementbildung). Links: Zink in Schwefelsäure. Rechts: Kontakt mit Kupfer

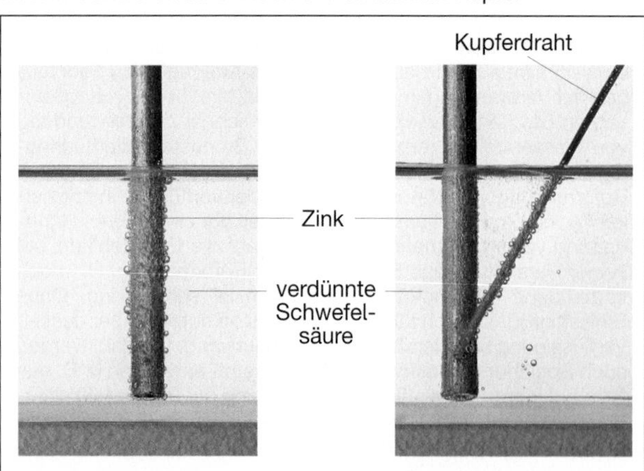

Witterungseinflüsse können Metalle verändern. Man spricht von *Korrosion* (von lat. corrodere, zernagen) und beim Eisen einfach vom *Rosten*. Die Erscheinungsformen der Korrosion sind sehr vielfältig.

Man unterscheidet z. B. *Flächenkorrosion* mit nahezu gleichmäßiger Korrosion auf der gesamten Metalloberfläche und *Lochkorrosion*, die nur an kleinen Oberflächenbereichen abläuft und „Lochfraß" erzeugt (▷ B 1). Gefährlich sind *Risskorrosionen* in Stahlkonstruktionen oder Leitungsrohren, vor allem wenn sie von außen nicht sichtbar sind.

Die von der Oberfläche eines Metalls durch chemische Reaktionen mit seiner Umgebung ausgehende Zerstörung bezeichnet man als Korrosion.

Bei der Korrosion von Metallen laufen Redoxreaktionen ab. Der Elektronenübergang kann dabei direkt zwischen den Reaktionspartnern erfolgen, wie beispielsweise beim „Auflösen" von Eisen in Salzsäure. In vielen anderen Fällen entstehen galvanische Elemente.

Elektrochemische Korrosion. Bringt man Zink in verdünnte Schwefelsäure, so beobachtet man nur eine schwache Wasserstoffentwicklung an der Zinkoberfläche. Beim Berühren des Zinks mit einem edleren Metall (Kupfer, Platin, ▷ V 1) überrascht nicht nur die heftigere Wasserstoffentwicklung, sondern vor allem auch, dass die Gasentwicklung vorwiegend an der Oberfläche des edleren Metalls erfolgt (▷ B 2).

Die Reduktion von Oxoniumionen zu Wasserstoffmolekülen an der Oberfläche des edleren Metalls zeigt, dass die Oxidation (Bildung von Zinkionen aus Zinkatomen) und die Reduktion wie in einem galvanischen Element an räumlich getrennten Stellen ablaufen.

Da sich die beiden verschiedenen Metalle berühren und die Kontaktfläche von einer Elektrolytlösung umgeben ist, entsteht auf kleinstem Raum ein kurzgeschlossenes galvanisches Element, ein **Lokalelement** oder Kontaktelement (▷ V 2 und ▷ B 3).
Die Spannung des Lokalelementes und der damit verbundene Stromfluss vom unedleren Metall (Lokalanode) zum edleren Metall (Lokalkathode) sind die Ursachen für die stärkere Wasserstoffentwicklung am edleren Metall.

Korrosion, die auf der Bildung von Lokalelementen beruht, bezeichnet man als elektrochemische Korrosion.

Lokalelemente können nicht nur beim Kontakt von Metallen mit unterschiedlichen zugehörigen Redoxpotentialen gebildet werden, sondern auch, wenn das gleiche Metall in Lösungen mit unterschiedlichen Elektrolytkonzentrationen taucht, d. h. durch Bildung von Konzentrationselementen. Außerdem können Lokalelemente entstehen, wenn beim gleichen Metall Stellen mit verschiedener Temperatur vorliegen (Temperaturabhängigkeit des Redoxpotentials) oder Stellen verschiedener Belüftung vorhanden sind (unterschiedliche Sauerstoffkonzentration).

Rosten von Eisen. Auch das Rosten des Eisens ist durch die Bildung von Lokalelementen gekennzeichnet (▷ V2, B4). Neben Beimengungen edlerer Metalle (Legierungsbestandteile) können dabei auch oxidbedeckte Stellen der Metalloberfläche als elektronenleitende Lokalkathoden wirken. Das Eisen ist die *Lokalanode* und wird oxidiert:

$$Fe(s) \longrightarrow Fe^{2+}(aq) + 2\,e^-$$

An der *Lokalkathode* können entweder Oxoniumionen zu Wasserstoffmolekülen oder in die Elektroytlösung diffundierte Sauerstoffmoleküle zu Hydroxidionen reduziert werden.

Säurekorrosion:

$$4\,H_2O(l) \rightleftharpoons 2\,H_3O^+(aq) + 2\,OH^-(aq)$$
$$2\,H_3O^+(aq) + 2\,e^- \longrightarrow 2\,H_2O(l) + H_2(g)$$

Sauerstoffkorrosion:

$$O_2(g) + 2\,H_2O + 4\,e^- \longrightarrow 4\,OH^-(aq)$$

Säurekorrosion erfolgt überwiegend in sauren Lösungen bei Sauerstoffmangel, Sauerstoffkorrosion in neutralen oder alkalischen Lösungen bei Sauerstoffzutritt.

Treffen sich im Falle der Sauerstoffkorrosion durch Diffusion die gebildeten Eisen(II)-Ionen und Hydroxidionen, entsteht schwer lösliches Eisen(II)-hydroxid, das durch Sauerstoff stufenweise weiter zu rotbraunem Eisen(III)-hydroxid-oxid (*Rost*) oxidiert wird (▷ B4):

$$Fe^{2+}(aq) + 2\,OH^-(aq) \longrightarrow Fe(OH)_2(s) \quad | \cdot 4$$
$$4\,Fe(OH)_2(s) + O_2(g) \longrightarrow 4\,FeO(OH)(s) + 2\,H_2O$$

Die entstehende Rostschicht ist spröde, porös und leitfähig und kann das Eisen nicht vor weiterer Korrosion schützen.

Der gesamte Korrosionsvorgang wird bei Anwesenheit von Salzen (z. B. Streusalz) beschleunigt, da diese die Leitfähigkeit erhöhen oder katalytisch wirken können.

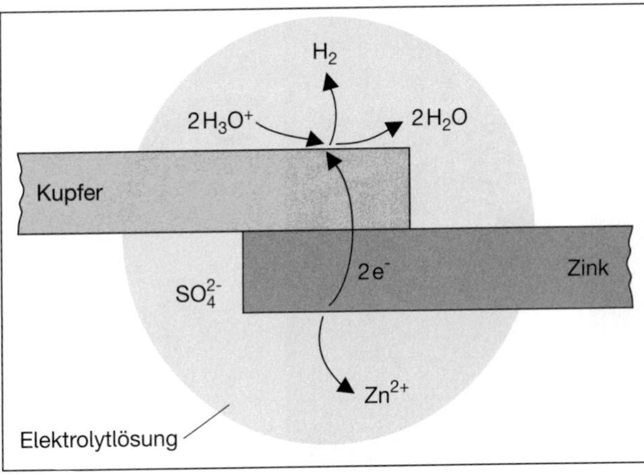

B3 Zink-Kupfer-Lokalelement. Schematische Darstellung der elektrochemischen Vorgänge

A 1 Formulieren Sie für die Reaktion von Eisen mit Salzsäure die Teilgleichungen für Oxidation und Reduktion.

A 2 In einem Reagenzglas wird festes Zinksulfat vorsichtig mit dest. Wasser überschichtet. Taucht ein blanker Zinkstab senkrecht bis knapp über den Bodenkörper ein, stellt man nach einigen Tagen am unteren Stabende Zinkkristalle fest, während der Stab im oberen Bereich matt und rau geworden ist. Erklären Sie diese Beobachtung. Wie lange läuft die Reaktion ab?

A 3 Wasserstoff kann im Labor durch die Reaktion von Zink mit Salzsäure erhalten werden. Warum kann die Wasserstoffentwicklung beschleunigt werden, wenn man eine geringe Menge Kupfer(II)-sulfat zugibt?

B4 Sauerstoffkorrosion (Rosten) von Eisen bei Lokalelementbildung mit einem edleren Metall

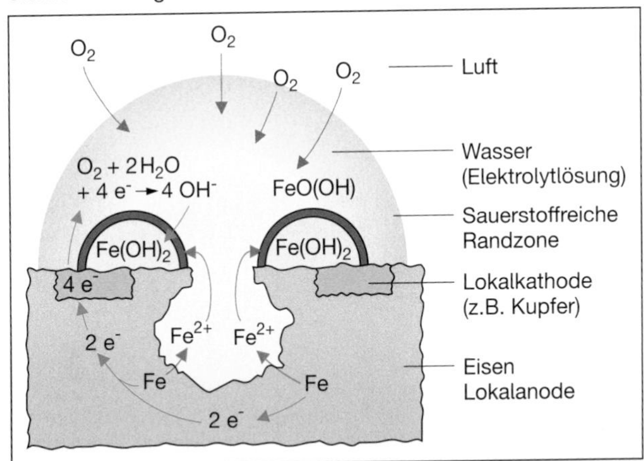

B5 Galvanisieranlage für Musterbeschichtungen (links), **verchromte Armatur** (rechts)

B6 Feuerverzinkte Autokarosserie

B7 Kathodischer Korrosionsschutz bei einem Tank (links) und einer Rohrleitung (rechts)

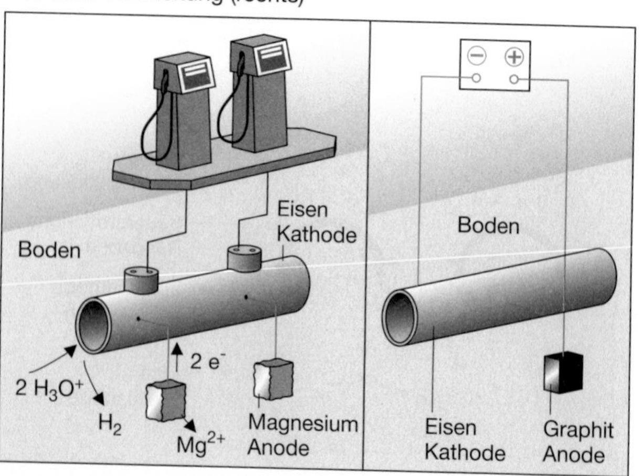

Durch Korrosion beschädigte oder zerstörte Metalle stellen ein hohes Sicherheitsrisiko dar. Metallprodukte werden unbrauchbar und müssen ersetzt werden oder können hohe Folgeschäden, etwa im Falle eines undichten Öltanks, verursachen. Maßnahmen zur Vermeidung von Korrosionsschäden kommt deshalb große technische und wirtschaftliche Bedeutung zu.

Korrosionsschutz bei Eisen. Neben der Erzeugung korrosionsbeständiger Eisenlegierungen (Stähle) spielt das Aufbringen von *Oberflächenschutzschichten* eine große Rolle („passiver Korrosionsschutz").
Eisen kann durch einen dünnen, fest haftenden Überzug eines edleren oder unedleren Metalls geschützt werden. Im ersten Fall beruht die Schutzwirkung darauf, dass das edlere Metall korrosionsbeständiger ist und von der Eisenoberfläche Luft und Wasser fern hält. Im zweiten Fall korrodiert das unedlere Metall leichter als Eisen und bildet an der Luft eine schützende Oxidschicht aus. Überzüge aus edleren Metallen schützen allerdings nur so lange, wie der Überzug nicht beschädigt wird. So korrodiert z. B. verzinntes Eisen („Weißblech") bei Beschädigung des Zinnüberzugs durch Bildung von Lokalelementen rascher als ungeschütztes Eisen.

Metallüberzüge können auf vielfältige Weise aufgebracht werden. Besonders wichtig sind das **Galvanisieren**, bei dem das Überzugsmetall elektrolytisch auf dem als Kathode geschalteten Werkstück abgeschieden wird (z. B. Vergolden, Verchromen, Verzinnen, ▷ B5), und das **Schmelztauchen**, bei dem das zu schützende Werkstück in eine Schmelze des Überzugsmetalls getaucht wird (z. B. „Feuerverzinken", ▷ B6). Beim Schmelztauchen sind die erhaltenen Schichten wesentlich dicker als beim Galvanisieren.

Oberflächenschutzschichten können aber auch z. B. aus Zinkphosphat ($Zn_3(PO_4)_2$, farblos), Zinkchromat ($ZnCrO_4$, gelb), Mennige (Pb_3O_4, rot), Lacken, Kunstoffpulvern oder Email erzeugt werden.

Besonders bei unterirdischen Rohrleitungen oder Tanks sowie bei Stahlkonstruktionen im Meerwasser (Spund-, Schiffswände usw.) wird der **kathodische Korrosionsschutz** angewandt („aktiver Korrosionsschutz", ▷ B7). Die Eisenkonstruktion wird mit auswechselbaren Elektroden aus Magnesiumlegierungen oder Zink leitend verbunden. In solchen kurzgeschlossenen galvanischen Elementen bildet das Eisen die Kathode und das Magnesium eine sich auflösende Anode („Schutz- oder Opferanode"). Die zu schützende Anlage kann auch mit dem Minuspol einer äußeren Gleichspannungsquelle („Fremdstromanlage") verbunden werden. Als Anodenmaterial wird u. a. Gusseisen oder Graphit eingesetzt.

7.14 Praktikum: Korrosion und Korrosionsschutz

Versuch 1 Rosten von Eisen

Geräte und Chemikalien:
Kristallisierschale, 3 Reagenzgläser, Glasstab, Messzylinder (10 ml), Folienschreiber, Eisenwolle (entfettet), Kaliumpermanganat, Natriumchloridlösung (3 g Natriumchlorid in 100 ml Wasser)

Durchführung:
Geben Sie in drei nummerierte Reagenzgläser gleiche Portionen Eisenwolle und drücken Sie die Eisenwolle jeweils mit dem Glasstab zum Boden des Reagenzglases.
Lassen Sie die Eisenwolle in Reagenzglas 1 unbehandelt. Feuchten Sie die Eisenwolle in Reagenzglas 2 mit 2,5 ml Wasser und in Reagenzglas 3 mit 2,5 ml Natriumchloridlösung an.
Füllen Sie die Kristallisierschale zu zwei Dritteln mit Wasser und lösen Sie zwei Kristalle Kaliumpermanganat darin auf. Befestigen Sie die Reagenzgläser mit den Öffnungen nach unten so an einem Stativ, dass sich die Mündungen unter der Wasseroberfläche befinden (alle drei Mündungen auf gleicher Höhe, ▷ B 1).

Aufgaben:
Kontrollieren Sie die Wasserstände und das Aussehen der Eisenwolle nach einigen Stunden bzw. nach einem Tag. Deuten Sie die Beobachtungen.

Versuch 2 Eisen-Sauerstoff-Element („Rostbatterie")

Geräte und Chemikalien:
Eisenblech, Kohleplatte, Becherglas (100 ml), Spannungsmessgerät mit hohem Eingangswiderstand, Kleinelektromotor, 2 Verbindungskabel, 2 Krokodilklemmen, Schmirgelpapier, Pappe, 2 Reagenzgläser, 2 Tropfpipetten, Natriumchloridlösung ($c(\mathrm{NaCl}) = 1\,\mathrm{mol \cdot l^{-1}}$), Wasserstoffperoxidlösung (Perhydrol, $w(\mathrm{H_2O_2}) = 30\,\%$; in einer Tropfflasche), alkoholische Phenolphthaleinlösung ($w = 0{,}5\,\%$) Kalium-hexacyanoferrat(III)-Lösung ($w(\mathrm{K_3[Fe(CN)_6]}) = 1\,\%$)

Durchführung:
a) Schmirgeln Sie das Eisenblech blank. Füllen Sie das Becherglas zu drei Vierteln mit der Natriumchloridlösung. Tauchen Sie das Eisenblech und die Kohleplatte so in die Lösung, dass sie sich nicht berühren. Setzen Sie zwischen beide Elektroden ein Stück Pappe. Verbinden Sie das Eisenblech mit dem Minuspol und die Kohleplatte mit dem Pluspol des Spannungsmessgerätes. Messen Sie nach etwa 5 Minuten die Spannung (Messbereich 1 V, ▷ B 2).
b) Tropfen Sie in die Nähe der Kohleplatte etwas Wasserstoffperoxidlösung und ersetzen Sie das Spannungsmessgerät durch den Elektromotor. (Wasserstoffperoxid wird an Graphit katalytisch in Wasser und Sauerstoff zersetzt.)
c) Verbinden Sie beide Elektroden direkt mit einem Kabel. Entnehmen Sie nach etwa 10 Minuten jeweils aus der Nähe der Elektroden eine Probe der Elektrolytlösung. Versetzen Sie diese mit Kalium-hexacyanoferrat(III)-Lösung bzw. mit Phenolphthaleinlösung.

Aufgabe:
Formulieren Sie die Teilgleichungen für die bei Stromfluss an den Elektroden ablaufenden Reaktionen.

Hinweis: $\mathrm{Fe^{2+}}$-Ionen reagieren mit Hexacyanoferrat(III)-Ionen ($\mathrm{[Fe(CN)_6]^{3-}}$-Ionen) zu einer blauen Verbindung (Berliner Blau).

B 1 Rosten von Eisen

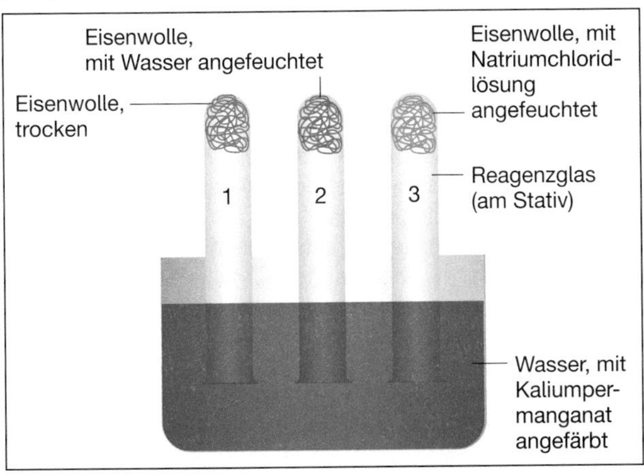

B 2 Rostbatterie

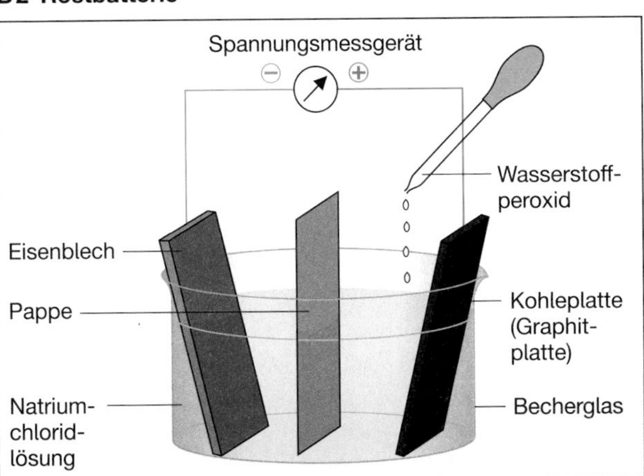

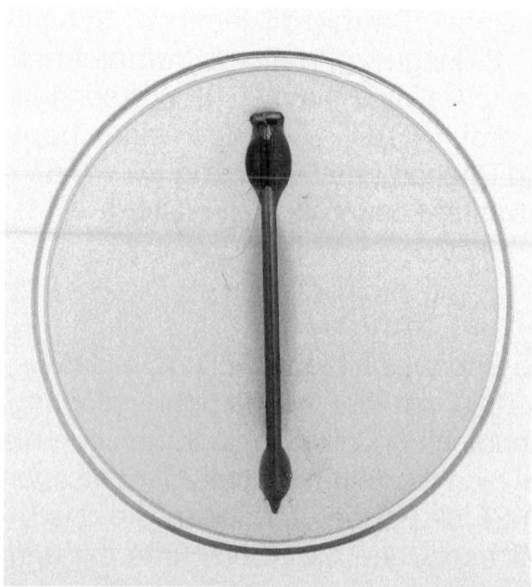

B3 Lokalelemente durch mechanische Bearbeitung

Versuch 3 Rostbildung unter einem Salzwassertropfen

Geräte und Chemikalien: Eisenblech, Schmirgelpapier, Lupe, Putztuch, Salz-Indikator-Lösung (3 g Natriumchlorid, 0,1 g Kalium-hexacyanoferrat(III) sowie 10 Tropfen Phenolphthaleinlösung in 100 ml Wasser), Aceton (Die Salz-Indikator-Lösung wird auch für ▷ V4 und ▷ V5 benötigt.)

Durchführung:
Bringen Sie auf das blank geschmirgelte und mit Aceton gereinigte Eisenblech einen großen Tropfen der Salz-Indikator-Lösung.

Aufgaben:
Beobachten Sie mit der Lupe die Veränderungen im Tropfen. Formulieren Sie Teilgleichungen für die im Tropfen ablaufenden Reaktionen.

Hinweis: Kalium-hexacyanoferrat(III) ($K_3[Fe(CN)_6]$) wird auch als „rotes Blutlaugensalz" bezeichnet. Die Fe^{2+}-Ionen reagieren mit den Hexacyanoferrat(III)-Ionen ($[Fe(CN)_6]^{3-}$-Ionen) zu einer blauen Verbindung (Berliner Blau).

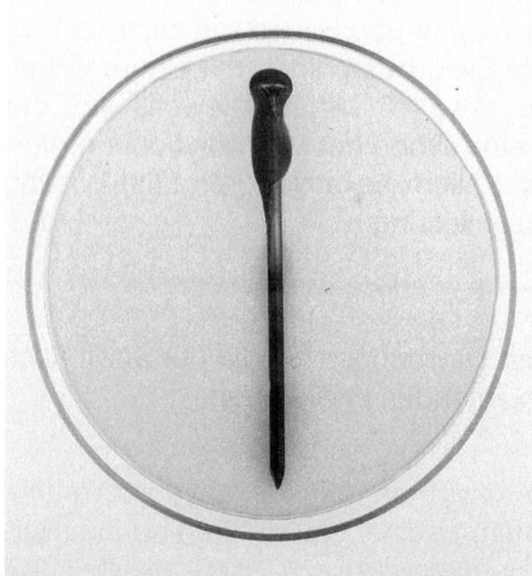

B4 Lokalelemente durch Oxidbildung

B5 Lokalelemente durch Kontakt verschiedener Metalle

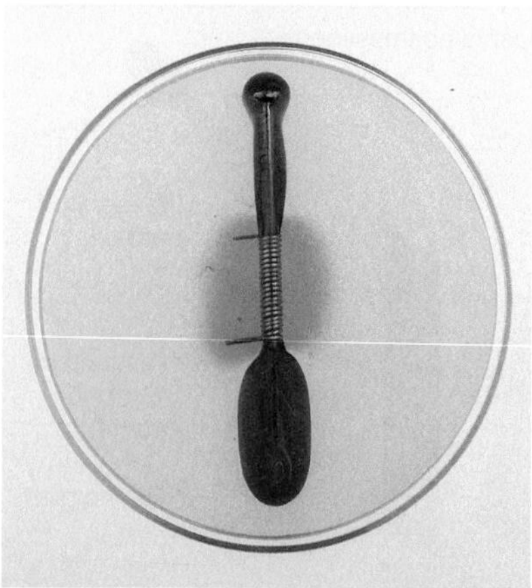

Versuch 4 Ausbildung von Lokalelementen

Geräte und Chemikalien: 3 Petrischalen, Becherglas (400 ml), Gasbrenner, Dreifuß, Drahtnetz, Tiegelzange, Pinzette, Glasstab, Schmirgelpapier, Putztuch, 3 Eisennägel (80 mm), Kupferdraht, Salz-Indikator-Lösung (▷ V3), Agar-Agar oder Gelatine, Aceton

Durchführung:
a) Schmirgeln Sie einen Nagel an beiden Enden etwa 2 cm blank und reinigen Sie den Nagel mit Aceton.
b) Schmirgeln Sie zwei Nägel *vollständig* blank und reinigen Sie beide Nägel mit Aceton. Erhitzen Sie einen der beiden Nägel an der Spitze in der Flamme bis zur Ausbildung einer sichtbaren Oxidschicht. Umwickeln Sie den anderen Nagel in der Mitte (etwa 3 cm breit) fest mit einem blanken Kupferdraht.
c) Legen Sie die Nägel in je eine Petrischale (Berührung mit den Fingern vermeiden).
d) Lösen Sie im Becherglas 1 g Agar-Agar *oder* 2 g Gelatine in 100 ml der Salz-Indikator-Lösung unter langsamem Erwärmen bis zum Sieden auf. Rühren Sie dabei ständig. (Mit Agar-Agar oder Gelatine wird zur besseren Langzeitbeobachtung die Lösung angedickt bzw. es wird ein Gel erhalten. Diese Salz-Indikator-Agar-Agar(Gelatine)-Lösung wird auch für ▷ V5 benötigt.)
e) Übergießen Sie die Nägel in den Petrischalen mit der abgekühlten aber noch nicht erstarrten Lösung vollständig. Lassen Sie die Petrischalen stehen.

Aufgaben:
a) Erklären Sie die nach einigen Stunden bzw. nach einem Tag gemachten Beobachtungen (▷ B3, ▷ B4, ▷ B5). Warum rostet ein Eisennagel bevorzugt am Kopf und an der Spitze oder an einer Biegestelle?
b) Die in der Technik verwendeten Metalle enthalten meist edlere Metalle als Verunreinigungen. Beispielsweise ist in „technischem Zink" stets eine geringe Menge Kupfer enthalten. Bei der Reaktion von technischem Zink mit verdünnter Salzsäure kann man eine zunehmend heftigere Wasserstoffentwicklung beobachten. Erklären Sie diesen Sachverhalt.
c) Welche Probleme können auftreten, wenn einem Zahn mit einer Füllung aus Silberamalgam (eine Legierung aus Silber und Quecksilber) ein Zahn mit einer Goldkrone gegenübersteht?

Versuch 5 Korrosionsschutz von Eisen durch metallische Überzüge

Geräte und Chemikalien:
2 Petrischalen, Becherglas (400 ml), 2 Bechergläser (100 ml), Reagenzglas, Glasstab, Putztuch, Spannungsmessgerät, 2 Verbindungskabel, 2 Krokodilklemmen, 2 Eisennägel (80 mm), 2 Kohlestäbe, Salz-Indikator-Lösung (▷ V3), Zinkchloridlösung ($c(ZnCl_2)$ = 1 mol · l^{-1}) *oder* Zinkspray, Kupfer(II)-sulfat-Lösung ($c(CuSO_4)$ = 1 mol · l^{-1}), Agar-Agar oder Gelatine, Aceton

Durchführung:
a) Reinigen Sie zwei Eisennägel mit Aceton.
b) Tauchen Sie einen der Nägel im Becherglas (100 ml) als Kathode bis zur Hälfte in die Zinkchloridlösung ein und elektrolysieren Sie gegen die Kohleelektrode als Anode bei 3 V etwa 5 Minuten lang (▷ B6).
(Alternativ können Sie einen Eisennagel mit Hilfe von Zinkspray verzinken.)
c) Tauchen Sie den zweiten Eisennagel im Becherglas als Kathode vollständig in die Kupfer(II)-sulfat-Lösung ein (Krokodilklemme in der Mitte des Nagels anklemmen) und elektrolytisieren Sie gegen die Kohleelektrode als Anode bei 3 V, bis der Nagel *vollständig* mit Kupfer überzogen ist. Ritzen Sie den verkupferten Eisennagel in der Mitte an, sodass das Eisen sichtbar wird.
d) Legen Sie die Nägel in je eine Petrischale. (Berührung mit den Fingern vermeiden.) Übergießen Sie die Nägel dann mit der abgekühlten, aber noch nicht erstarrten Salz-Indikator-Agar-Agar(Gelatine)-Lösung (▷ V4) vollständig. Lassen Sie die Petrischalen stehen.

Aufgaben:
a) Erklären Sie die nach einigen Stunden bzw. nach einem Tag gemachten Beobachtungen (▷ B7, ▷ B8).
b) Konservendosen (z. B. mit Sauerkraut) bestehen aus Eisenblech, das innen verzinnt und außen verzinkt wurde. Warum ist es nicht ratsam, das Sauerkraut aus eingedrückten Dosen zu verwenden? Warum werden Konservendosen innen nicht verzinkt?
c) Erklären Sie den Verlauf der Sauerstoffkorrosion bei verzinktem Eisen, wenn der Zinküberzug beschädigt wird.

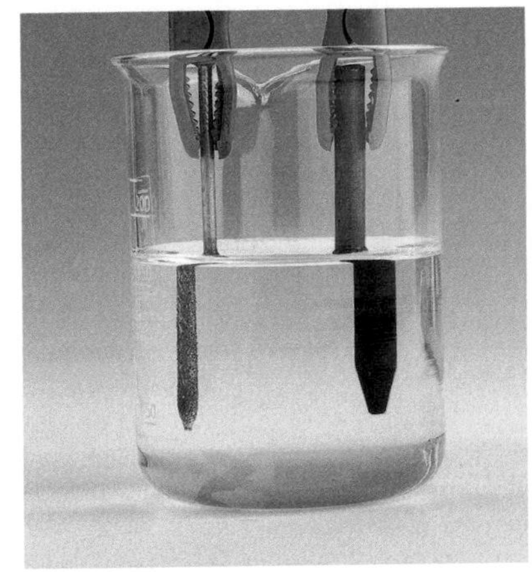

B6 Galvanisches Verzinken eines Eisennagels

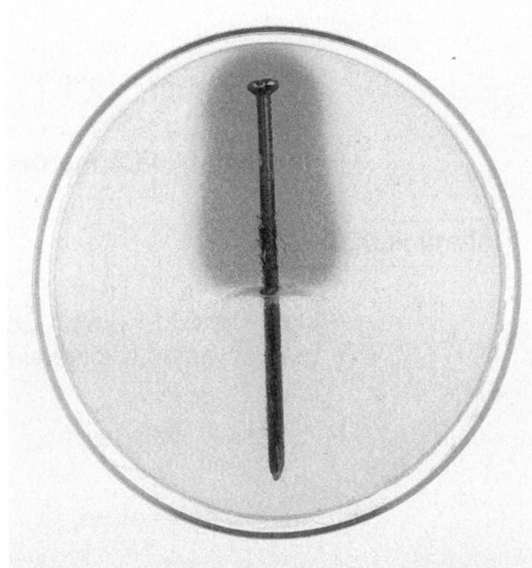

B7 Korrosionsverlauf bei verzinktem Eisen
B8 Korrosionsverlauf bei verkupfertem Eisen (Beschädigung der Kupferschicht)

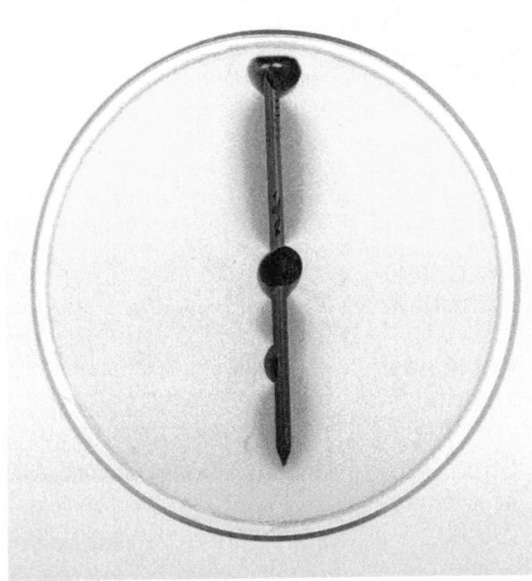

Versuch 6 Kathodischer Korrosionsschutz von Eisen

Geräte und Chemikalien:
2 Bechergläser (400 ml), Schmirgelpapier, Putztuch, 2 dünne Eisenbleche, Magnesiumband, Natriumchloridlösung (3 g Natriumchlorid in 100 ml Wasser), Aceton

Durchführung:
a) Schmirgeln Sie zwei dünne Eisenbleche völlig blank. Formen Sie diese dann zu zwei kleinen Schiffchen und reinigen Sie die Schiffchen mit Aceton.
b) Bringen Sie an einem der Schiffchen an der Außenseite zwei große Streifen blankes Magnesiumband an. Achten Sie auf einen guten Kontakt der Metalle.
c) Füllen Sie die Bechergläser zur Hälfte mit der Natriumchloridlösung und setzen Sie die Eisenblechschiffchen in je ein Becherglas.

Aufgaben:
a) Erklären Sie die nach einem Tag gemachten Beobachtungen.
b) Warmwasserbereiter aus Eisenblech enthalten im Innenraum häufig einen Stab aus Magnesium. Begründen Sie diese Maßnahme.

7.15 Aluminium

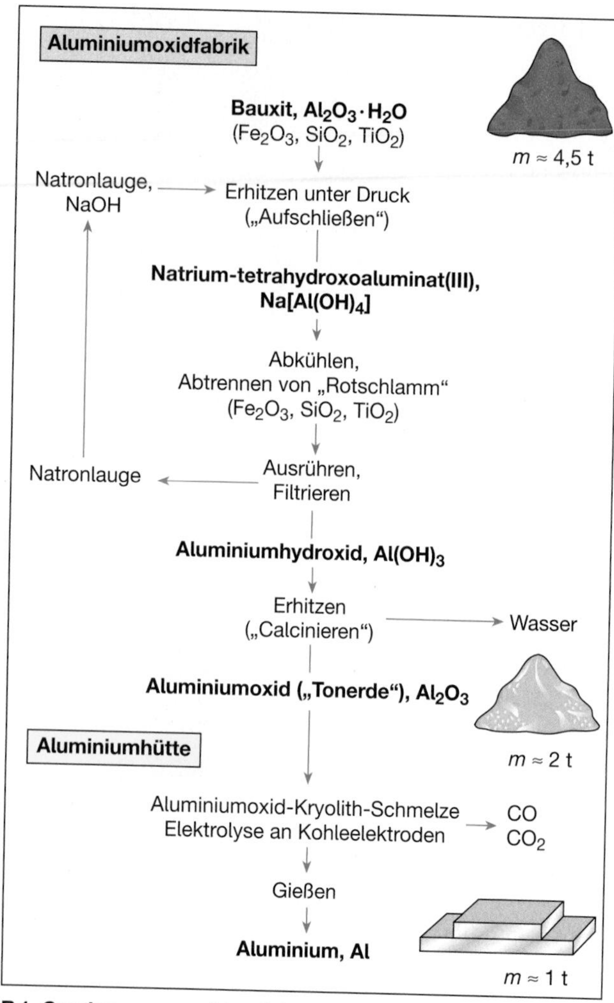

B1 Gewinnung von Aluminium aus Bauxit

B2 Elektrolysezelle zur Schmelzflusselektrolyse von Aluminiumoxid (schematische Darstellung)

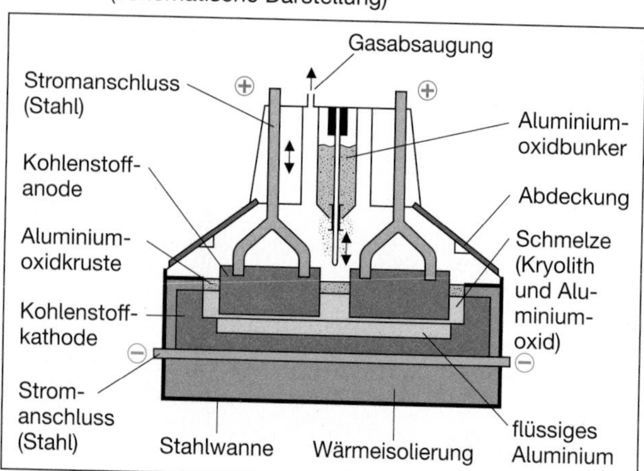

Aluminium, das in der Natur nur in Verbindungen vorkommt, ist mit einem Massenanteil von rund 8 % an der Erdrinde das häufigste metallische Element. Im Vergleich zu anderen Metallen wurde Aluminium (von lat. alumen, Alaun) erst sehr spät als gediegenes Metall hergestellt (H. OERSTED, 1825 und F. WÖHLER, 1827).
Aluminium ist heute nach Eisen (Stahl) das wichtigste Gebrauchsmetall. Es ist weit verbreitet in Gegenständen des Alltags (Leitern, Haushaltswaren, Dosen, Folien), im Bauwesen (Fensterrahmen, Fassadenverkleidungen), im Verkehr (Straßenschilder), im Automobil-, Schiffs- und Flugzeugbau. In den meisten Fällen wird nicht reines, sondern legiertes Aluminium eingesetzt.

Gewinnung von Aluminium. Aus wässrigen Aluminiumsalzlösungen kann Aluminium aufgrund des Standardpotentials $E^0(Al/Al^{3+}) = -1{,}66$ V nicht durch Elektrolyse gewonnen werden. An der Kathode würde stets Wasserstoff entwickelt werden. Die großtechnische Herstellung ist jedoch durch **Schmelzflusselektrolyse**, d. h. durch Elektrolyse einer Salzschmelze, möglich (z. B. nach C. HALL und P. HÉROULT, 1886).

Das Ausgangsmaterial für die Schmelzflusselektrolyse ist *Aluminiumoxid* (Tonerde, Al_2O_3). Es wird in einem aufwändigen Aufschluss- und Trennverfahren aus dem Erz *Bauxit* gewonnen (▷ B1). Die Hauptabbaustätten liegen in Australien, im karibischen Raum und im Tropengürtel Afrikas. Der meist rotbraune Bauxit (benannt nach der ersten Fundstätte Les Baux in Südfrankreich) ist ein Verwitterungsprodukt z. B. von Feldspäten und enthält Aluminium in Form von $Al(OH)_3$ und/oder $AlO(OH)$. Gehaltsangaben werden auf Al_2O_3 bezogen und betragen etwa $w = 35$ bis 55 %. Bauxit enthält daneben noch Eisenoxide, Silicate (Kaolin, Tone, Quarz) und Titandioxid sowie kristallin gebundenes Wasser.

Der Bauxit wird zunächst unter Hitze und Druck mit Natronlauge „aufgeschlossen“, d. h., die Aluminiumverbindungen gehen als Natrium-tetrahydroxoaluminat(III) ($Na[Al(OH)_4]$) in Lösung. Eisenoxide, Silicate und Titandioxid bleiben praktisch ungelöst. Aus der abgekühlten Lösung scheidet sich Aluminiumhydroxid aus. Aus diesem wird in Drehrohröfen oder Wirbelschichtöfen bei Temperaturen bis 1300 °C Wasser abgespalten, es wird „calciniert“. Es entsteht technisch reines Aluminiumoxid. Aus 4,5 t Bauxit entstehen je nach Qualität etwa 2 t Aluminiumoxid neben 2 t Rotschlamm (trocken).
Rotschlamm besteht aus den unlöslichen Bestandteilen und wird in Deponien abgelagert, was insbesondere durch die anhaftende Natronlauge zu Umweltproblemen führt. Die großtechnische Verwertung des Rotschlammes, z. B. die Gewinnung von Eisen oder Baustoffen, ist bisher noch nicht möglich.

Reines Aluminumoxid hat die sehr hohe Schmelztemperatur von 2045 °C. Für die Elektrolyse wird das Aluminiumoxid in einem Überschuss von geschmolzenem *Kryolith* (Natrium-hexafluoroaluminat(III), $Na_3[AlF_6]$) gelöst. Das Gemisch ($w(Al_2O_3)$ = 2 bis 8 %) hat eine Schmelztemperatur von etwa 960 °C. Die Elektrolysezelle (▷ B2) besteht aus einer eisernen Wanne (Kathode), die innen mit Graphitsteinen ausgekleidet ist. An ihr scheidet sich das metallische Aluminium ab. Es sammelt sich aufgrund seiner Dichte auf dem Boden der Graphitwanne, wo es von Zeit zu Zeit abgesaugt wird. Durch die Elektrolytschmelze ist es vor Oxidation geschützt. Als Anoden tauchen Graphitblöcke in die Schmelze ein, die laufend zu Kohlenstoffdixoxid bzw. Kohlenstoffmonooxid oxidiert und dadurch verbraucht werden. Elektrolysiert wird bei Spannungen von etwa 4,5 V und Stromstärken bis 300 000 A. Die chemischen Vorgänge bei der Elektrolyse können vereinfacht durch folgende Gleichungen beschrieben werden:

Anode	$C + 2\,O^{2-} \longrightarrow CO_2 + 4\,e^-$	$\vert \cdot 3$
Kathode	$Al^{3+} + 3\,e^- \longrightarrow Al$	$\vert \cdot 4$
Gesamtreaktion	$2\,Al_2O_3 + 3\,C \longrightarrow 4\,Al + 3\,CO_2$	

Die beim Stromfluss durch die Elektrolytschmelze erzeugte Wärme sowie die bei der Anodenreaktion frei werdende Reaktionswärme halten die Elektrolytschmelze flüssig. Das Anodengas wird ständig abgesaugt. Die in ihm enthaltenen geringen Mengen schädlicher Fluorverbindungen werden an Aluminiumoxid adsorbiert und mit diesem wieder in die Elektrolysezelle zurückgeführt. Aluminiumoxid wird über eine Dosiervorrichtung nachgeliefert und der Abstand zwischen Anoden und Kathode durch Nachführen der Anoden auf 3 bis 6 cm reguliert. Das „Hüttenaluminium" ist nahezu rein ($w(Al) \approx 99{,}9\ \%$) und wird z. B. in Barren gegossen. Die Herstellung von 1 t Aluminium erfordert etwa 2 t Aluminiumoxid, bei einem Verbrauch von ca. 15 000 kWh elektrischer Energie und ca. 0,45 t Graphitanoden. Aluminiumprodukte können wieder eingeschmolzen werden (**Aluminiumrecycling).** Dazu sind nur 5 % der zur Aluminiumerzeugung benötigten Energie erforderlich.

Eloxalverfahren. Aluminium, ein sehr unedles Metall, ist im Gegensatz zu Eisen *passiviert*, d. h. mit einer *fest haftenden*, dünnen Oxidschicht überzogen. Diese vor Korrosion schützende Oxidschicht kann durch **el**ektrolytische **Ox**idation des **Al**uminiums (*Eloxalverfahren,* ▷ V2) in Schwefelsäure und/oder Oxalsäurelösung von etwa $2 \cdot 10^{-4}$ mm auf etwa $2 \cdot 10^{-2}$ mm verstärkt werden. Das Aluminium wird dabei als Anode geschaltet. Der Anodenvorgang lässt sich vereinfacht so darstellen:

$$2\,Al + 3\,H_2O \longrightarrow Al_2O_3 + 6\,H^+ + 6\,e^-$$

Die Oxidschicht kann gut und dauerhaft eingefärbt werden.

B3 Elektrolysehalle. Zahlreiche Elektrolysezellen sind in Reihe geschaltet

V 1 Reinigen von Silber. Legen Sie ein angelaufenes Silberstück (z. B. Silberkette) so in eine mit Aluminiumfolie ausgekleidete Glasschale, dass es bestmöglichen Kontakt zur Folie hat. Geben Sie anschließend so viel konzentrierte Sodalösung (Kristallsoda, $Na_2CO_3 \cdot 10\,H_2O$) zu, bis das Stück vollständig bedeckt ist.

V 2 Eloxieren von Aluminium. Füllen Sie Schwefelsäure (w = 10 %) in ein Becherglas. Tauchen Sie eine Kohleelektrode (Platte) und ein mit Aceton gereinigtes, blankes Aluminiumblech nur zur Hälfte ein. Verbinden Sie die Kohleelektrode mit dem Minuspol (Kathode) und das Aluminiumblech mit dem Pluspol (Anode) einer Gleichspannungsquelle. Elektrolysieren Sie etwa 10 min lang (Gleichspannung etwa 15 V). Spülen Sie das Aluminiumblech nach Beendigung der Elektrolyse mit entmineralisiertem Wasser ab und prüfen Sie im oberen und unteren Teil des abgetrockneten Bleches die elektrische Leitfähigkeit. Stellen Sie das eloxierte Aluminiumblech etwa 10 min lang in eine siedende Eosinlösung (w = 1 %). Spülen Sie das Aluminiumblech ab. Erklären Sie Ihre Beobachtungen und Ergebnisse.

A 1 Berechnen Sie, wie viele Tonnen Aluminium in einer Elektrolysezelle bei einer konstanten Stromstärke von 300 000 A und einer Stromausbeute von 95 % täglich erzeugt werden. Welche elektrische Energie (in kW · h) ist bei einer konstanten Elektrolysespannung von 4,5 V dazu erforderlich (↗ Kap. 7.9)?

A 2 Das „Anlaufen" von Silber an der Luft beruht auf der Bildung von schwarzem Silbersulfid (Ag_2S). Warum kann man angelaufenes Silber in Sodalösung mit Aluminiumfolie „reinigen" (▷ V 1)?

7.16 Überprüfung und Vertiefung

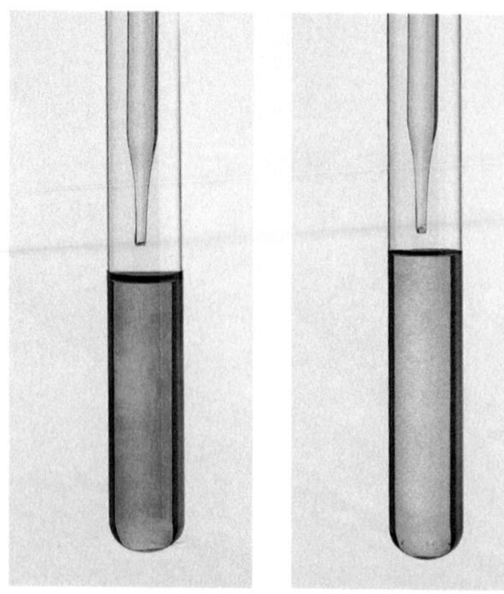

B 1 Reaktion von Permanganationen mit Sulfitionen (links) bzw. Oxalsäuremolekülen (rechts)

1 Formulieren Sie für die folgenden Reaktionen jeweils die Teilgleichungen für die Oxidation und die Reduktion sowie die Gesamtgleichungen.

a) KClO-Lösungen („Eau de Javelle") finden als Bleichlösungen und Desinfektionsmittel Verwendung.
Sie können durch Einleiten von Chlor in Kalilauge erhalten werden (folgende Reaktionsprodukte entstehen: ClO^-, Cl^-).

b) Gibt man zu einer violetten Kaliumpermanganatlösung eine mit Kalilauge versetzte Natriumsulfitlösung, so erhält man eine grüne Lösung, in der sich Manganat(VI)-Ionen (MnO_4^{2-}) und Sulfationen nachweisen lassen (▷ B 1).

c) Eine violette Kaliumpermanganatlösung entfärbt sich nach Zugabe von Oxalsäurelösung ($H_2C_2O_4$) und es entweicht Kohlenstoffdioxid.
In der Lösung liegen nach der Reaktion Mangan(II)-Ionen vor (▷ B 1).

2 Teilchen, welche in Abhängigkeit vom Reaktionspartner Elektronen sowohl abgeben als auch aufnehmen können, nennt man *redoxamphoter*. Eine Redoxreaktion, bei der redoxamphotere Teilchen sowohl oxidiert als auch reduziert werden, bezeichnet man als *Redoxdisproportionierung*. Der umgekehrte Vorgang heißt *Redoxkomproportionierung*.
Geben Sie Beispiele für derartige Reaktionen an.

3 Eine Eisenerzprobe (m = 0,43 g) wird in Säure gelöst, wobei Eisen(II)-Ionen entstehen. Diese Lösung wird mit einer Kaliumpermanganatlösung ($c(MnO_4^-) = 0{,}025\ mol \cdot l^{-1}$) titriert. Am Äquivalenzpunkt werden V = 21,5 ml Maßlösung verbraucht.
Berechnen Sie den Massenanteil des Eisens im Eisenerz.

4 Ein Konzentrationselement besteht aus einer Standard-Wasserstoffelektrode und einer Wasserstoffelektrode mit einer Elektrolytlösung von unbekannter Oxoniumionenkonzentration.
Zwischen den Elektroden wird bei $\vartheta = 25\,°C$ eine Spannung von 0,236 V gemessen. Wie groß ist der pH-Wert der Elektrolytlösung?

5 Welche Zeit t wird benötigt, um bei einer Stromdichte $J = 0{,}1\ A \cdot cm^{-2}$ auf einem Kathodenblech eine 0,1 cm dicke Schicht von Kupfer elektrolytisch abzuscheiden? ($\varrho(Cu) = 8{,}92\ g \cdot cm^{-3}$; $M(Cu) = 63{,}55\ g \cdot mol^{-1}$)

6 Für Brennstoffzellen wurde auch der giftige Stoff Hydrazin (N_2H_4) erprobt. Er bildet bei der Verbrennung Stoffe, welche die Umwelt nicht belasten.
Formulieren Sie die Reaktionsgleichung.

7 Warum kann man konzentrierte Salpetersäure in Eisen- oder Aluminiumbehältern transportieren?

8 Nennen Sie Beispiele für die Verwendung von Aluminium und seinen Legierungen.

Gleichgewichtskonstante. Die Nernst-Gleichung ermöglicht die Berechnung der Gleichgewichtskonstante einer Redoxreaktion aus den Standardpotentialen der beteiligten Redoxpaare. Für die Redoxreaktion $Fe^{2+} + Ag^+ \rightleftharpoons Fe^{3+} + Ag$ gilt im Gleichgewicht ($\Delta E = 0$ V):

$$E^0(Fe^{2+}/Fe^{3+}) + 0{,}059\ V \cdot \lg \frac{\{c(Fe^{3+})\}}{\{c(Fe^{2+})\}} = E^0(Ag/Ag^+) + 0{,}059\ V \cdot \lg \{c(Ag^+)\}$$

$$\lg \frac{\{c(Fe^{3+})\}}{\{c(Fe^{2+})\} \cdot \{c(Ag^+)\}} = \lg \{K_c\} = \frac{\Delta E^0}{0{,}059\ V} = \frac{0{,}80\ V - 0{,}77\ V}{0{,}059\ V} = 0{,}5085 \longrightarrow K_c = 3{,}22\ l \cdot mol^{-1}$$

Allgemein gilt: $\lg \{K_c\} = \frac{z \cdot \Delta E^0}{0{,}059\ V}$ bzw. $\Delta E^0 = \frac{0{,}059\ V}{z} \cdot \lg \{K_c\}$

(bei $\vartheta = 25\,°C$, z = Anzahl der je Teilchen übertragenen Elektronen)

Freie Reaktionsenthalpie. Eine galvanische Zelle kann nutzbare elektrische Arbeit verrichten. Die *maximale Nutzarbeit* W_{el} ergibt sich aus der Zellspannung ΔE^0 und der stoffmengenbezogenen elektrischen Ladung Q/n. Sie entspricht der molaren freien Standard-Reaktionsenthalpie $\Delta_r G_m^0$. Es gilt:

$$W_{el} = -\frac{Q}{n} \cdot \Delta E^0 = -z \cdot F \cdot \Delta E^0 = \Delta_r G_m^0 = -R \cdot T \cdot \ln \{K_c\} = -2{,}3 \cdot R \cdot T \cdot \lg \{K_c\}$$

(Faraday-Konstante $F = 96485\ A \cdot s \cdot mol^{-1}$, universelle Gaskonstante $R = 8{,}314510\ J \cdot K^{-1} \cdot mol^{-1}$, thermodynamische Temperatur T in Kelvin, Stoffmenge n in mol)

Wichtige Begriffe

Oxidation,
Reduktion,
korrespondierendes Redoxpaar,
Oxidationszahl,
galvanisches Element,
Standardpotential,
Nernst-Gleichung,
Elektrolyse,
Zersetzungsspannung,
Überspannung,
Faraday-Gesetze,
Alkalichloridelektrolyse,
Schmelzflusselektrolyse,
Primärelement, Sekundärelement,
Brennstoffzelle,
elektrochemische Korrosion

Eisen und Stahl

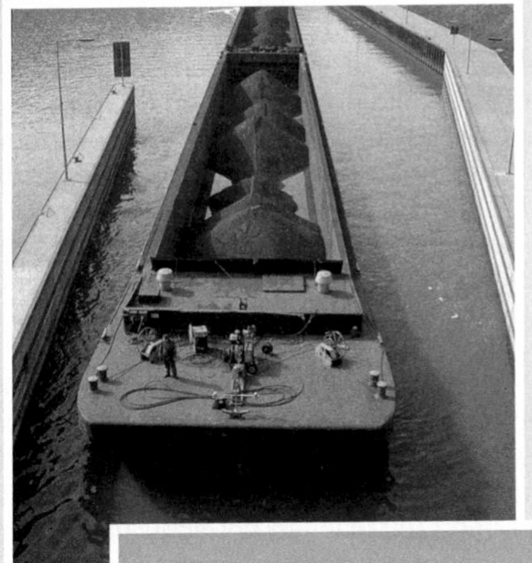

Stähle, d.h. Eisenlegierungen, sind die wichtigsten Gebrauchsmetalle. In der industrialisierten Welt sind sie nahezu allgegenwärtig. Auch bei technischen Konstruktionen, die höchsten Anforderungen genügen müssen, finden Stähle Verwendung.

Die ältesten Gegenstände aus Eisen wurden um 4000 v. Chr. aus Meteoriteisen gefertigt. In der Eisenzeit – in Mitteleuropa etwa ab 800 v. Chr. – wurden Eisenerze in Holzkohlefeuern unter kräftiger Luftzufuhr reduziert. Man erhielt Klumpen aus Eisen, die mit Schlacke durchsetzt waren.

Durch wiederholtes Erhitzen und Schmieden wurde dieses Eisen zu Werkstücken verarbeitet.

Heute wird Roheisen in riesigen Hochöfen erzeugt. Das technisch nicht verwertbare Roheisen wird hauptsächlich zu walz- und schmiedbaren Stählen weiterverarbeitet.

8.1 Erzeugung von Roheisen

Eisen kommt in der Natur nicht gediegen, d. h. elementar, sondern nur in Verbindungen (Oxide, Carbonate, Sulfide, Silicate) vor, aus denen es sich durch Reduktion gewinnen lässt.
Eisenverbindungen verursachen die Rot- und Braunfärbung vieler Gesteine und Böden.

Eisenerze. Von *Eisenerzen* spricht man, wenn der Massenanteil des Eisens größer als 20 % ist. Die für die Eisengewinnung in abbauwürdigen Lagerstätten vorkommenden wichtigsten Eisenerze enthalten die Eisenoxide Magneteisenstein und Roteisenstein (▷ B 1, ▷ B 2).

Deutschland besitzt nur geringe Vorkommen an Erzen mit hohem Eisengehalt, ist allerdings reich an Erzen mit geringem Eisengehalt (z. B. Brauneisenstein im Gebiet von Salzgitter). Die für die Eisengewinnung benötigten Eisenerze werden z. B. aus Brasilien, Liberia, Australien und auch aus Kanada oder Schweden importiert.

Erzaufbereitung. Die **Gewinnung der Erze** erfolgt je nach Art der Lagerstätte entweder im Tagebau oder im Tiefbau. Die abgebauten Eisenerze, die Roherze, sind keine reinen Mineralien, sondern Gemenge aus Eisenverbindungen und Begleitmineralien (*Gangart*). Bei etwa der Hälfte aller Roherze ist es erforderlich, den Anteil der Eisenverbindungen durch Abtrennen eines Teils der Gangart zu vergrößern. Diese Aufbereitung wird bereits am Förderort durchgeführt.

Am Anfang der *Erzaufbereitung* steht das Zerkleinern („Brechen") grobstückiger Erze. Bei den sich anschließenden Verfahren der **Erzanreicherung** werden die unterschiedlichen Eigenschaften der Eisenverbindungen und der Gangart ausgenutzt.

In Magnetscheidern kann der leicht magnetisierbare Magnetit von der Gangart abgetrennt werden. In Spiralscheidern wird das fein gemahlene Roherz im Wasserstrom durch geneigte, spiralförmige Rinnen geleitet. Aufgrund ihrer größeren Dichte reichern sich die Eisenerze („Schwergut") an der Innenkante der Rinne an, während die Gangart („Leichtgut") an die Außenkante geschwemmt wird, sodass schließlich beide getrennt abgeführt werden können.
Bei der *Flotation* (↗ Kap. 18.9) werden in einer aus Wasser und Roherz bestehenden Suspension („Trübe") durch Zugabe von Chemikalien die Gangartkörner hydrophob, d. h. unbenetzbar gemacht. Diese lagern sich dann, wenn Luft eingerührt wird, an den Luftbläschen an, schwimmen als Schaum auf und können abgezogen werden.

Die bei den Anreicherungsverfahren anfallenden Erze sind sehr feinkörnig. Sie müssen „stückig" gemacht werden, damit im nachfolgenden Hochofenprozess eine gute Gasdurchlässigkeit gegeben ist.
Beim *Pelletieren* (von engl. pellet, Kügelchen, Pille) wird das Erzkonzentrat mit einem Bindemittel versetzt, in Trommeln oder auf rotierenden, geneigten Tellern zu Kugeln geformt (Grünpellets) und durch Erhitzen bis auf 1300 °C zu Pellets verfestigt (▷ B 2).
Beim *Sintern* wird das Erz mit Koks und evtl. Kalk gemischt und durch Verbrennen des Kokses zu einem harten, porenreichen Material, dem Sinter, zusammengebacken, das anschließend gebrochen wird.

Der Hochofen. Die aufbereiteten Erze (Eisenoxide) werden in bis zu 50 m hohen *Schachtöfen*, den Hochöfen, bei hohen Temperaturen reduziert. Zur Reduktion dient *Kohlenstoffmonooxid*, das aus Steinkohlenkoks während des Hochofenprozesses erhalten wird.

B 1 Eisenerze für die Roheisengewinnung

Eisenerze	Formel, Massenanteil w(Fe)	Vorkommen
Magneteisenstein (Magnetit)	Fe_3O_4 55 bis 70 %	Schweden, Russland
Roteisenstein (Hämatit)	Fe_2O_3 50 bis 60 %	Lahn-Dill-Gebiet, Brasilien, Liberia, Australien, Kanada, USA
Brauneisenstein (Limonit)	$Fe_2O_3 \cdot n\,H_2O$ 25 bis 35 %	Salzgitter-Peine-Gebiet, Lothringen
Spateisenstein (Siderit)	$FeCO_3$ 30 bis 40 %	Steiermark, Kärnten
Eisenkies (Pyrit)	FeS_2 unter 40 %	Spanien

B 2 Ausgangsstoffe zur Roheisengewinnung

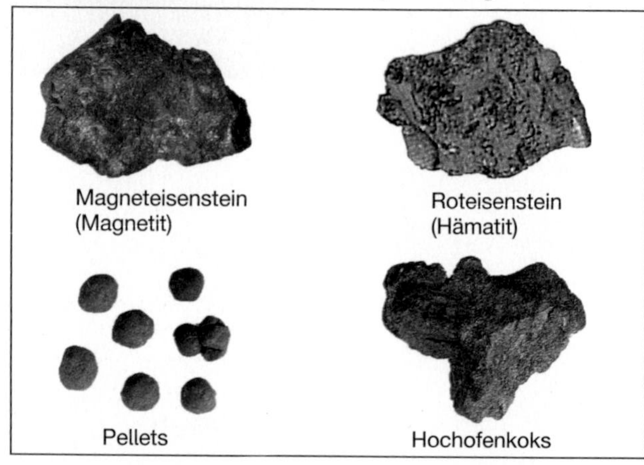

Heute werden Hochöfen mit 5000 m^3 Nutzraum betrieben, die täglich bis zu 11000 t Roheisen erzeugen. Dies erfordert einen riesigen Materialumsatz (▷ B3). Nach der Inbetriebnahme, dem „Anblasen", ist ein Hochofen ununterbrochen in Betrieb, bis er nach einer Betriebszeit von etwa 8 bis 15 Jahren („Ofenreise") völlig neu mit feuerfesten Steinen ausgemauert werden muss.

Aufbau. Man unterscheidet verschiedene **Hochofenabschnitte**: Gicht, Schacht, Kohlensack, Rast und Gestell (▷ B4). Der Hochofen steht auf einem starken Fundament, dem Bodenstein. Die Wände eines Hochofens (bis 1,5 m dick) sind aus feuerfesten Steinen aufgebaut, die von einem Stahlmantel umgeben sind. Zur Kühlung sind in das Mauerwerk z. B. Kästen aus Kupfer eingebaut, durch die ständig Wasser fließt.

In der Höhe der Rast umgibt eine Ringleitung den Hochofen. Von ihr führen Abzweigungen zu wassergekühlten Düsen („Windformen" oder „Blasformen"), die im obersten Teil des Gestells in den Hochofen münden. Durch sie wird ca. 1200 °C heiße Luft („Heißwind"), die aus einem *Winderhitzer* (▷ B5) kommt, unter Druck in den Hochofen eingeblasen. Zur Senkung des Koksverbrauchs setzt man dem Heißwind in den Windformen außer Öl, Erdgas oder Kohlestaub auch fein gemahlene Altkunststoffe (↗ Kap. 17.7) zu und reichert zusätzlich mit Sauerstoff an.

Beschickung. Schrägaufzüge oder Förderbänder bringen das Beschickungsmaterial zur Gicht. Bei modernen Öfen verhindern mit Dichtungsklappen versehene Gefäße als Schleusen das Entweichen größerer Mengen Gas oder Staub. Zusammen mit der den Ofen umgebenden Stahlgerüstkonstruktion, die die Begichtungseinrichtung trägt, kann die Gesamthöhe der Hochofenanlage mehr als 100 m betragen.
Eine sich drehende, in der Neigung verstellbare „Schurre" verteilt das Material über den Ofenquerschnitt. Auf diese Weise werden abwechselnd eine Schicht **Mölle**r und eine Schicht **Koks** nachgefüllt.
Der Möller ist ein Gemisch aus den aufbereiteten Erzen mit der darin noch enthaltenen Gangart und Zuschlägen, welche die Gangart in niedrig schmelzende Schlacke überführen.
In vielen Fällen besteht die Gangart aus Silicaten (z. B. Tone, Feldspat) und Quarz (Siliciumdioxid). Als Zuschläge werden dann Kalkstein oder Dolomit zugesetzt.

Das Material rutscht von oben in dem Maße nach, wie es unten verbraucht wird. Die typische Form des Hochofens ermöglicht dieses Nachrutschen. Da das Volumen des eingefüllten Materials mit steigender Temperatur zunimmt, wird der Hochofen so gebaut, dass der Durchmesser im Bereich des Schachtes nach unten größer wird.

Im Bereich der Rast nimmt das Volumen des Materials durch Verbrennungs- und Schmelzvorgänge wieder ab. Damit keine Hohlräume entstehen, wird der Ofendurchmesser nun kleiner.
Der mit der Beschickung absinkende Koks wird hauptsächlich in einer ringförmigen Zone in der Nähe der Windformen oxidiert.
In der Ofenmitte bildet sich ein Kokskegel („toter Mann"), der die Schüttsäule im Ofen trägt und das Aufsteigen des Gasstromes sowie den Abfluss des flüssigen Roheisens und der Schlacke ermöglicht.

Vorgänge im Gasstrom. Der Hochofen arbeitet nach dem Gegenstromprinzip: Möller und Koks wandern kontinuierlich einem heißen Gasstrom entgegen. Die dabei ablaufenden Reaktionen sind in ▷ B4 zusammengefasst. Im Bereich der Windformen (Verbrennungs- und Schmelzzone) reagiert der Sauerstoff des Heißwindes mit dem Kohlenstoff des Kokses zu Kohlenstoffdioxid. Diese stark exotherme Reaktion liefert den Hauptteil der Wärme im Hochofen. Das gebildete Kohlenstoffdioxid wird beim Aufstieg durch den glühenden Koks zu Kohlenstoffmonooxid reduziert.

Kohlenstoffdioxid, Kohlenstoff und Kohlenstoffmonooxid stehen miteinander in einem Gleichgewicht, dem so genannten **Boudouard-Gleichgewicht**. Die Lage dieses Gleichgewichts ist temperaturabhängig (▷ B4). Bei etwa 900 °C liegt fast ausschließlich Kohlenstoffmonooxid vor. Dieses reduziert die Eisenoxide und wird dabei zu Kohlenstoffdioxid oxidiert, das wiederum in der nächsten Koksschicht zu Kohlenstoffmonooxid reduziert wird. Diese Vorgänge wiederholen sich, bis weiter oben bei Temperaturen bis etwa 700 °C nach dem Boudouard-Gleichgewicht der Anteil von Kohlenstoffdioxid überwiegt.

B3 Massenbilanz für einen Hochofen je 24 Stunden

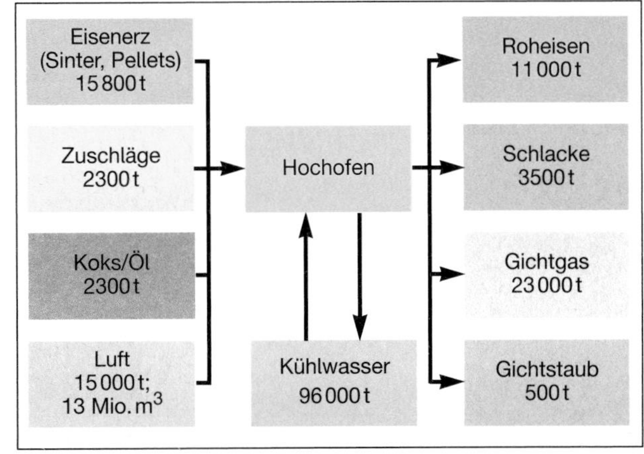

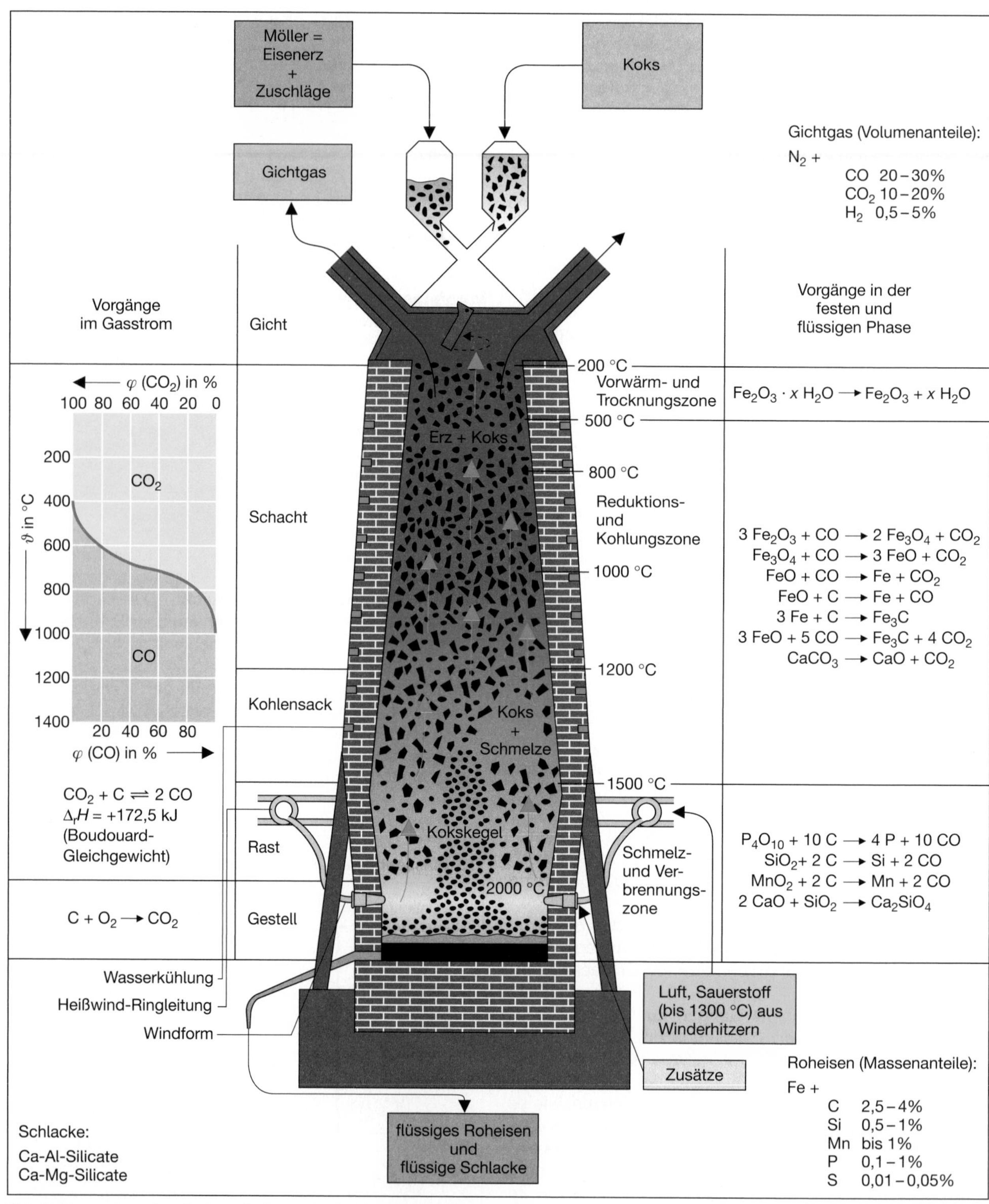

B4 Aufbau eines Hochofens (schematische Darstellung) und chemische Vorgänge im Hochofen

Gichtgas. Schließlich verlassen die Gase als *Gichtgas* (▷ B4) den Hochofen. Die Verweilzeit der Gase im Hochofen vom Eintritt durch die Windformen bis zum Verlassen durch die Gicht beträgt nur wenige Sekunden. Das Gichtgas wird vom Gichtstaub gereinigt und aufgrund seiner brennbaren Bestandteile (Kohlenstoffmonooxid, Wasserstoff; ▷ B4) hauptsächlich als Heizgas zur Aufheizung der Winderhitzer verwendet (▷ B5). Der Wasserstoff stammt zum Teil aus der Feuchtigkeit des Möllers, zum Teil aus den durch die Windformen eingeführten Kohlenwasserstoffen bzw. aus der Feuchtigkeit des eingeblasenen Kohlenstaubs.
Die Grobreinigung findet in einem „Staubsack", die Feinreinigung in einem Nassreiniger oder einem Elektrofilter statt. Nach entsprechender Aufarbeitung kann der Gichtstaub der Sinteranlage und somit wieder dem Hochofen zugeführt werden.

Zonen. Durch die heißen Gase werden Koks und Möller in den oberen Bereichen des Schachts, der **Vorwärmzone**, erwärmt und von Feuchtigkeit befreit. Bei einer Temperatur von 500 bis 600 °C beginnt in der **Reduktionszone** die Reduktion der Eisenoxide durch das Kohlenstoffmonooxid (exotherme Reaktion). Die Reduktion verläuft schrittweise und führt erst oberhalb von 700 °C zu metallischem Eisen, das in Form von festem „Eisenschwamm" entsteht. In dieser Zone des Schachts setzt sich auf dem Eisen fein verteilter Kohlenstoff ab, der durch den vom Eisen katalytisch beschleunigten Zerfall des Kohlenstoffmonooxids entsteht.
Im unteren Bereich des Schachts sowie im Kohlensack, der **Kohlungszone**, wird die Temperatur so hoch, dass ein Teil des fein verteilten Kohlenstoffs unmittelbar als Reduktionsmittel wirken kann (endotherme Reaktion). Der Kohlenstoff wird aber auch vom Eisen durch Diffusion aufgenommen und führt teilweise zur Bildung von Zementit (Fe_3C, ein Eisencarbid). Man spricht von der „Aufkohlung" des Eisens.
Durch die Aufnahme des Kohlenstoffs erniedrigt sich die Schmelztemperatur des Eisens von 1536 °C auf etwa 1100 bis 1200 °C, sodass das Eisen im Bereich der Rast – in der Schmelzzone – zu schmelzen beginnt, durch den glühenden Koks tropft und sich schließlich im Gestell sammelt. In der **Schmelzzone** reichert sich das Eisen beim Kontakt mit dem Koks weiter mit Kohlenstoff an, außerdem nimmt es Phosphor, Silicium und Mangan auf, die hier durch Reduktion ihrer Oxide gebildet werden. Auch die Aufnahme dieser Elemente bewirkt eine Erniedrigung der Schmelztemperatur des Eisens.
Im Bereich der Kohlungs- und der Schmelzzone bildet sich Schlacke aus den Zersetzungsprodukten der Zuschläge, den Bestandteilen der Gangart sowie der Koksasche. Die dünnflüssige Schlacke, die im Wesentlichen aus Calciumaluminiumsilicaten besteht, schwimmt im Gestell aufgrund ihrer geringeren Dichte auf dem flüssigen Eisen und schützt dieses vor der Oxidation durch den Heißwind.
Im Gestell (Durchmesser bis 15 m) befinden sich wieder verschließbare *Abstichlöcher* für den gemeinsamen **Abstich** des Roheisens und der Schlacke. In regelmäßigen Abständen werden beide in eine Rinne aus Sand abgelassen.
Zu Beginn des Abstiches fließt praktisch nur Roheisen aus, gegen Ende kommt dann Schlacke hinzu. Die auf dem Roheisen schwimmende Schlacke wird mit einem Abscheider („Fuchs") in eine andere Rinne geleitet. Das flüssige Roheisen (Temperatur bis 1500 °C) und die Schlacke werden in wärmeisolierte Wagen („Torpedopfannen") geführt.
Die Schlacke wird u. a. zur Herstellung von Schotter, Schlackensand und Zement verwendet.

A 1 Das Eisenerz Pyrit wurde früher vor der Verarbeitung im Hochofen „geröstet", d. h. mit Sauerstoff zu Eisen(III)-oxid und Schwefeldioxid umgesetzt. Formulieren Sie für das Rösten von Pyrit die Reaktionsgleichung.

A 2 Die Hinreaktion des Gleichgewichts $C(s) + CO_2(g) \rightleftharpoons 2\,CO(g)$ ist endotherm. Wie wird die Lage des Gleichgewichts beeinflusst, wenn die Temperatur erhöht (▷ B4) bzw. der Druck verringert wird?

B5 Hochofenanlage mit Gichtgasreinigung und Winderhitzergruppe (schematische Darstellung)

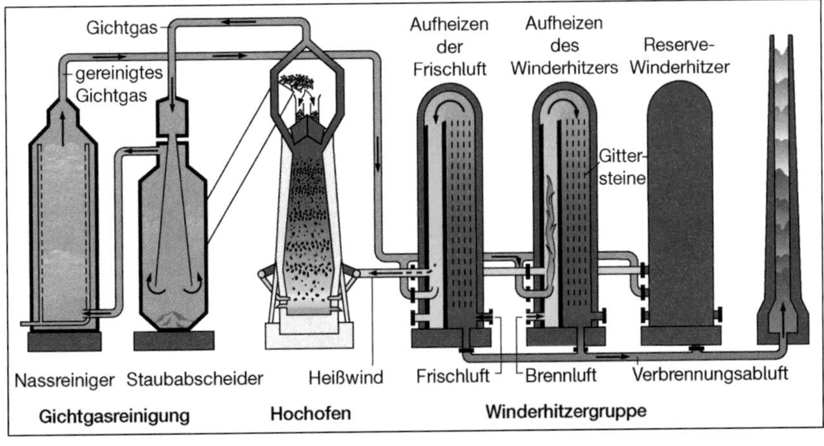

8.2 Erzeugung von Stahl

Roheisen hat einen verhältnismäßig hohen Massenanteil an Kohlenstoff ($w \approx 4\,\%$) und enthält außerdem geringe Mengen an Phosphor, Schwefel, Silicium und Mangan. Roheisen ist sehr spröde und kann weder geschmiedet noch geschweißt werden. Nur durch Gießen kann es in eine bestimmte Form gebracht werden. *Gusseisen* dient zur Herstellung von Motorblöcken, Maschinenteilen und Röhren.

Stahl dagegen hat einen geringeren Kohlenstoffgehalt als Roheisen und nur niedrige Anteile an störenden Begleitelementen, wie z. B. Mangan, Phosphor, Silicium und Schwefel. Stahl wird beim Erhitzen langsam weich und kann daher zwischen etwa 850 und 1100 °C durch Walzen oder Schmieden verformt werden.
In Deutschland werden etwa 95 % des Roheisens zu Stahl weiterverarbeitet.

Als Stahl bezeichnet man ohne Nachbehandlung schmiedbare Eisenwerkstoffe mit einem Massenanteil an Kohlenstoff von weniger als 2 %.

Gewinnung von Stahl. Zunächst wird Schwefel, welcher überwiegend aus dem Koks stammt, durch Zugabe von Magnesium oder Calciumcarbid (CaC_2) aus dem Roheisen entfernt (Bildung von Sulfiden).
Um aus dem schwefelarmen Roheisen duktilen (von lat. ductus, Zug), d. h. verformbaren Stahl zu erhalten, müssen die unerwünschten Anteile der anderen Begleitelemente in einem Oxidationsprozess mit einer gerade ausreichenden Sauerstoffmenge in Oxide übergeführt werden. Diese werden dann – soweit sie nicht gasförmig sind – durch geeignete Zuschläge (vor allem Kalk) verschlackt und vom Metall getrennt.

Die Umwandlung von flüssigem Roheisen in flüssigen Stahl nennt man **Frischen**.
Alle Frischreaktionen (▷ B 1) mit elementarem Sauerstoff sind exotherm, sodass die Temperatur der Schmelze während des Frischens von etwa 1250 °C auf etwa 1700 °C ansteigt. Dadurch ist gewährleistet, dass die Schmelze trotz der mit abnehmendem Kohlenstoffgehalt steigenden Schmelztemperatur flüssig bleibt (Schmelztemperatur von Stahl: 1450 bis 1500 °C).

Damit die Temperatur während des Frischens nicht über den gewünschten Wert ansteigt, sorgt man je nach Bedarf für den gleichzeitigen Ablauf der endothermen Reaktion von Kohlenstoff mit Eisen(III)-oxid, indem man Schrott bis zu einem Massenanteil von $w = 30\,\%$ als „Kühlmittel" zusetzt. Das Eisen(III)-oxid aus diesem Zusatz reagiert außerdem mit den Begleitelementen unter Bildung von Eisen und den Oxiden dieser Elemente.

Hauptsächlich erst dann, wenn die Oxide der unerwünschten Begleitelemente entstanden sind, bilden sich beim Frischen auch wieder Eisenoxide, die in die Schlacke übertreten. Deshalb wird das Frischen beendet, bevor zu große Mengen an Eisenoxiden entstehen können.

Sauerstoffblasverfahren. Das bedeutendste Verfahren zur Stahlerzeugung ist das **LD-Verfahren** (benannt nach den Stahlwerken in **L**inz und **D**onawitz, Österreich).

Der Frischvorgang erfolgt in einem kippbaren, feuerfest ausgemauerten Gefäß, dem *Konverter*, dessen Fassungsvermögen bis zu 400 t betragen kann. Aus einer etwa 25 m langen, wassergekühlten Stahllanze wird *reiner Sauerstoff* unter hohem Druck (bis 1,7 MPa) von oben direkt auf die mit Schrott versetzte Roheisenschmelze geblasen (▷ B 2).

B 1 Reaktionsgleichungen für Frischprozesse und für die Schlackenbildung beim Frischen

Frischen mit elementarem Sauerstoff			
$2\,C + O_2$	$\rightarrow$	$2\,CO$	$\Delta_rH = -218$ kJ
$Si + O_2$	$\rightarrow$	SiO_2	$\Delta_rH = -871$ kJ
$4\,P + 5\,O_2$	$\rightarrow$	P_4O_{10}	$\Delta_rH = -2912$ kJ
$2\,Mn + O_2$	$\rightarrow$	$2\,MnO$	$\Delta_rH = -770$ kJ
Frischen mit Eisenoxiden, z. B. Fe_2O_3			
$3\,C + Fe_2O_3$	$\rightarrow$	$2\,Fe + 3\,CO$	$\Delta_rH = +490$ kJ
$3\,Si + 2\,Fe_2O_3$	$\rightarrow$	$4\,Fe + 3\,SiO_2$	$\Delta_rH = -1085$ kJ
$12\,P + 10\,Fe_2O_3$	$\rightarrow$	$20\,Fe + 3\,P_4O_{10}$	$\Delta_rH = -967$ kJ
$3\,Mn + Fe_2O_3$	$\rightarrow$	$2\,Fe + 3\,MnO$	$\Delta_rH = -347$ kJ
Schlackenbildung beim Frischen			
$6\,CaO + P_4O_{10}$	$\rightarrow$	$2\,Ca_3(PO_4)_2$	$\Delta_rH = +1524$ kJ
$CaO + SiO_2$	$\rightarrow$	$CaSiO_3$	$\Delta_rH = -84$ kJ
$MnO + SiO_2$	$\rightarrow$	$MnSiO_3$	$\Delta_rH = -21$ kJ

B 2 Sauerstoffblasverfahren (LD-Verfahren zur Erzeugung von Stahl)

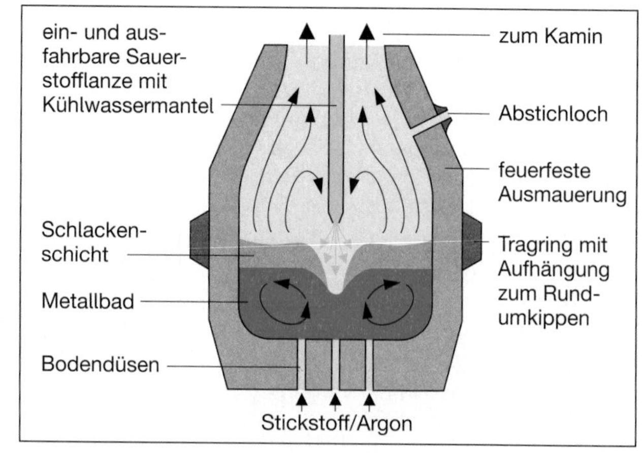

Komplexverbindungen

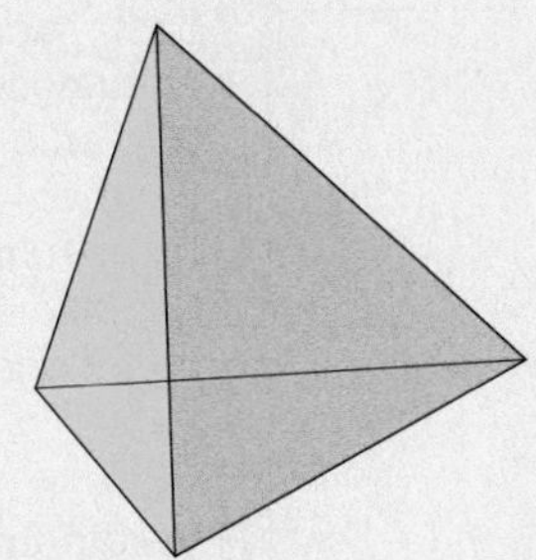

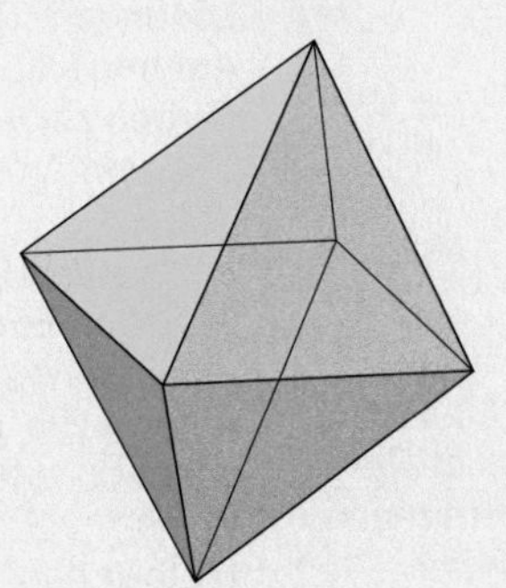

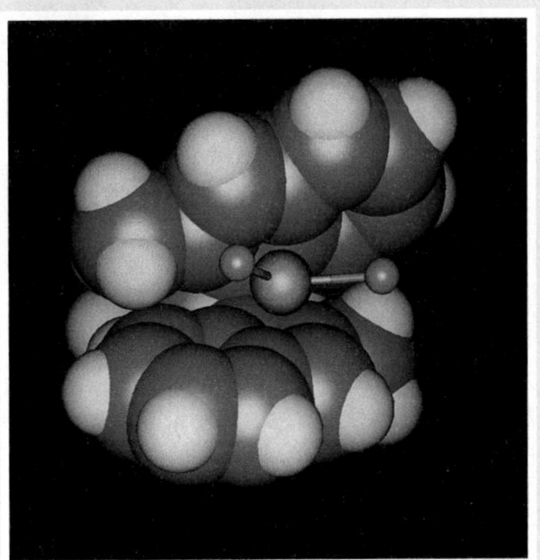

Gibt man Wasser zu weißem Kupfersulfat, stellt man fest, dass das Wasser „verschwindet“ und sich unter Temperaturerhöhung ein blauer Feststoff bildet. Erhitzen des blauen Salzes führt zur Rückreaktion, man erhält Wasser zurück. Wasser ist im blauen Kupfersulfat in Form von vollständigen Wassermolekülen gebunden. Mit Verbindungen, in denen z.B. auch selbstständig existierende Moleküle in größere Einheiten eingebunden werden, wollen wir uns in diesem Kapitel beschäftigen.

„Komplex“ zusammengesetzte Teilchen findet man in vielen Salzen. Sie sind häufig farbig, wenn an ihrem Aufbau Ionen von Schwermetallen wie Kupfer, Cobalt, Nickel, Chrom, Eisen usw. beteiligt sind. Die charakteristischen Farben dienen auch zur Identifizierung dieser Metalle. Beim Waschen kann durch die Bildung von Komplexverbindungen das Wasser enthärtet werden. Auch in der Industrie finden Komplexverbindungen nicht nur als Enthärter breite Anwendung.

Alfred Werner (1866 – 1919) brachte Ordnung in die Vielfalt der vor ihm in ihrer Struktur wenig verstandenen Verbindungen wie Hydraten (z.B. $CuSO_4 \cdot 5\,H_2O$), Ammoniakaten (z.B. $CuSO_4 \cdot 4\,NH_3$) und „Doppelsalzen“ (z.B. $AlF_3 \cdot 3\,KF$). Dies gelang ihm durch seine grundlegende Vorstellung vom räumlichen Aufbau der Verbindungen und den Bindungsverhältnissen.

Komplexverbindungen aus Metallatomen und Kohlenstoffverbindungen werden in einem eigenen Forschungszweig, der Metallorganischen Chemie, intensiv erforscht, vor allem seit man die Fähigkeit dieser Verbindungen erkannt hat, viele Reaktionen zu katalysieren.

9.1 Verbindungen in Verbindungen

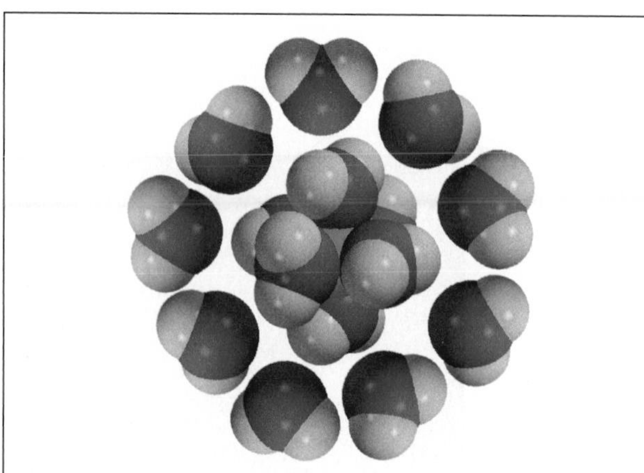

B 1 Ein hydratisiertes Cobalt(II)-Ion im Modell. Das Komplexteilchen ist ebenfalls hydratisiert

V 1 Kupfer(II)-salze in wässriger Lösung. a) Geben Sie zu je einer Spatelspitze von blauem Kupfer(II)-sulfat, weißem Kupfer(II)-sulfat und Kupfer(II)-bromid im Reagenzglas zunächst einige Tropfen Wasser, verdünnen Sie dann bis zur Hälfte des Reagenzglasvolumens.
b) Tropfen Sie unter Schütteln jeweils zu einem Teil der Lösungen aus (a) so viel Ammoniaklösung (w = 20 %), bis sich der zunächst gebildete Niederschlag wieder aufgelöst hat. (Abzug!)

V 2 Die Formel von blauem Kupfer(II)-sulfat. Wiegen Sie ca. 1 g blaues Kupfer(II)-sulfat im Porzellantiegel ein (Masse genau bestimmen!). Erhitzen Sie den abgedeckten Tiegel in einem Porzellandreieck etwa 5 min lang mit der entleuchteten Brennerflamme. Wiegen Sie den abgekühlten Tiegel erneut und bestimmen Sie die Masse des Produkts. Berechnen Sie die Stoffmenge der Wassermoleküle in 1 mol blauem Kupfer(II)-sulfat.

V 3 Lösen von schwer löslichen Salzen. a) Geben Sie eine Spatelspitze Aluminiumsulfat in etwa 6 ml Wasser. Fügen Sie tropfenweise in kleinen Portionen Natronlauge (c(NaOH) = 1 mol/l) hinzu. Schütteln Sie nach jeder Zugabe. b) Geben Sie einige Tropfen verdünnter Silbernitratlösung zu etwa 5 ml stark verdünnter Natriumchloridlösung. Tropfen Sie zu der erhaltenen Suspension Ammoniaklösung (w = 20 %) (Abzug!).
c) Erzeugen Sie Silberbromid aus Silbernitrat- und Kaliumbromidlösung. Geben Sie zu der erhaltenen Suspension eine Natriumthiosulfatlösung (z. B. c = 0,1 mol/l).

A 1 Kann man auch durch Zugabe einer Lösung von Ammoniumchlorid (NH_4Cl) zu Kupfer(II)-sulfat-Lösung den Tetraamminkupfer(II)-Komplex erhalten? Begründen Sie Ihre Antwort.

Löst man blaues Kupfer(II)-sulfat in Wasser, erhält man erwartungsgemäß eine blaue Lösung. Doch auch weißes Kupfer(II)-sulfat und das braunschwarze Kupfer(II)-bromid ergeben mit Wasser blaue Lösungen (▷ V 1a). Aus Kupfer(II)-sulfat-Lösungen kann man blaue Kupfer(II)-sulfat-Kristalle erhalten, an deren Aufbau neben Kupfer(II)- und Sulfationen auch Wassermoleküle beteiligt sind.

Verbindungen höherer Ordnung. Die Vorgänge beim Lösen von Kupfer(II)-Salzen haben wir bisher als Hydratation beschrieben. Die gebildeten Hydrate der Kupfer(II)-Ionen verursachen die charakteristische blaue Farbe der Lösungen. Die Lösungen werden dunkelblau, wenn man Ammoniaklösung hinzufügt (▷ V 1b). Die verschiedenen Farben zeigen, dass Kupfer(II)-Ionen mit Wassermolekülen oder mit Ammoniakmolekülen reagieren.

Solche Verbindungen aus Ionen und Molekülen untersuchte gegen Ende des 19. Jahrhunderts der Schweizer Chemiker A. WERNER. Für seine **Koordinationstheorie**, mit deren Hilfe er die Struktur derartiger Verbindungen beschrieb, erhielt er 1913 den Nobelpreis für Chemie. WERNER nahm an, dass es sich bei diesen Einheiten aus Metallionen und Molekülen um *„Verbindungen höherer Ordnung"* handelt, bei denen man zwischen zwei „Sphären" unterscheiden müsse, einer inneren und einer äußeren.

In der *inneren Sphäre* ist eine bestimmte Anzahl von Molekülen und/oder Ionen in einer bestimmten geometrischen Figur um ein Metallkation angeordnet und so fest an dieses gebunden, dass eine Einheit gebildet wird, die in wässriger Lösung erhalten bleibt (▷ B 1). Diese Einheit benötigt zum Ladungsausgleich Gegenionen, die in der *äußeren Sphäre* gebunden sind und in wässriger Lösung als freie Ionen vorliegen.

Komplexverbindungen. Die Einheit aus dem Metallkation als **Zentralteilchen** und den daran gebundenen Molekülen oder Anionen, den sog. **Liganden** (von lat. ligare, binden), nennt man **Komplex** oder *Komplexteilchen* (von lat. complexus, die Verknüpfung, das Umfassen). Das Zentralteilchen ist häufig ein Übergangsmetallkation von hoher Ladung und kleinem Ionenradius.
Verbindungen, die Komplexe als Bausteine enthalten, heißen *Komplexverbindungen*. Zu dieser Gruppe von Verbindungen gehören auch Hydrate wie das blaue Kupfer(II)-sulfat.

Im blauen Kupfer(II)-sulfat findet man Kupfer(II)- bzw. Sulfationen und Wassermoleküle in einem Stoffmengenverhältnis von $n(CuSO_4) : n(H_2O) = 1 : 5$ (▷ V 2). Daraus ergibt sich die Formel $CuSO_4 \cdot 5\,H_2O$; die Verbindung heißt Kupfer(II)-sulfat-Pentahydrat. Diese Formel sagt jedoch noch nichts über den Aufbau des Komplexteilchens aus.

Man kann zeigen, dass um jedes Kupfer(II)-Ion vier Wassermoleküle gruppiert („koordiniert") sind, jeweils ein Wassermolekül ist an ein Sulfation gebunden. Der Name der Verbindung, der dies berücksichtigt, lautet Tetraaquakupfer(II)-sulfat-Monohydrat ($[Cu(H_2O)_4]SO_4 \cdot H_2O$). Die innere Sphäre, der Komplex, ist hier mit eckigen Klammern umschlossen und wird so von der äußeren Sphäre, den Sulfationen, unterschieden.

Ein Komplex entsteht, wenn sich Moleküle oder Anionen als Liganden mit einem Metallion oder Metallatom als Zentralteilchen verbinden.

Beispiele für Komplexe. Wenn zu einer Kupfer(II)-Salz-Lösung Ammoniaklösung gegeben wird, entsteht zunächst häufig ein Niederschlag von Kupfer(II)-hydroxid, der sich jedoch bei weiterer Ammoniakzugabe wieder auflöst (▷ V1b). Der aus Kupfer(II)-Ionen und Ammoniakmolekülen entstandene *Tetraamminkupfer(II)-Komplex* führt zur Zerstörung des Kupfer(II)-hydroxid-Gitters.

Die Beobachtung, dass durch die Bildung von Komplexen schwer lösliche Salze in lösliche überführt werden können, macht man auch bei Aluminium- oder Silberverbindungen. Gibt man zu einer Lösung von Aluminiumchlorid Natronlauge, fällt Aluminiumhydroxid aus. Durch weitere Zugabe von Natronlauge kann man die Auflösung des Niederschlags erreichen (▷ V3a). Durch die Erhöhung der Konzentration der OH^--Ionen ist der *Tetrahydroxoaluminat(III)-Komplex* ($[Al(OH)_4]^-$) entstanden, der wasserlöslich ist.

Schwer lösliches Silberchlorid, das sich durch Zugabe von Silbernitratlösung zu einer Natriumchloridlösung gebildet hat, lässt sich durch Zugabe von Ammoniaklösung auflösen (▷ V3b). Das Gitter aus Silber- und Chloridionen wird durch den aus Silberionen und Ammoniakmolekülen entstehenden *Diamminsilber(I)-Komplex*, $[Ag(NH_3)_2]^+$, zerstört.

Den gleichen Effekt erreicht man im Fotolabor beim Fixieren des entwickelten Bildes mit Natrium- oder Ammoniumthiosulfat (Fixiersalz). Hier wird Silberbromid durch die Bildung eines *Thiosulfatokomplexes*, $[Ag(S_2O_3)_2]^{3-}$, in Lösung gebracht (▷ V3c).

Die Benennung von Komplexverbindungen

In den Formeln von *Komplexen* schreibt man zunächst das Zentralion, dann folgen die Liganden, zuerst die anionischen, dann die neutralen. Der Komplex steht in eckigen Klammern. Seine Ladung ergibt sich aus der Addition der Ionenladungen.
In *Komplexverbindungen* nennt man zuerst das Kation, dann das Anion, unabhängig davon, welches das Komplexteilchen ist.

Komplexverbindung mit anionischem Komplex:

$K_3[Fe(CN)_6]$

Name des Kations	Anzahl (griech.)	Name des Liganden	Name des Zentralions (Oxidationszahl) (Wortstamm + Endung –at)
Kalium-	hexa	cyano	ferrat(III)

Komplexverbindung mit kationischem Komplex:

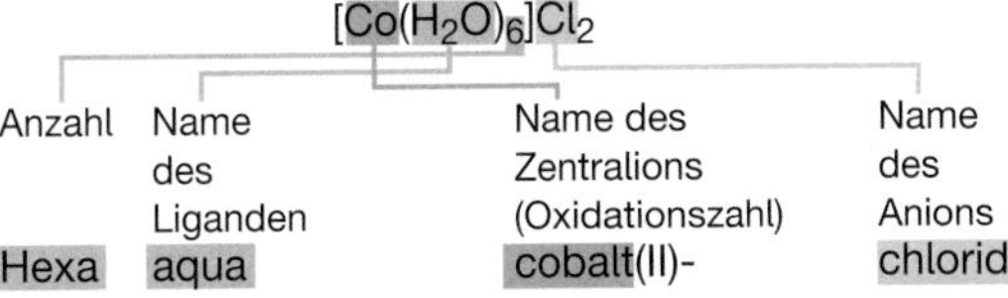

Komplexverbindung mit ungeladenem Komplex:

$[Fe(SCN)_3]$

Anzahl	Name des Liganden	Name des Zentralions (Oxidationszahl)
Tri	thiocyanato	eisen(III)

Bei mehreren Ligandenarten werden die Namen in alphabetischer Reihenfolge genannt.

Beispiele von Ligandennamen:

ungeladene Liganden		negative Liganden	
H_2O	aqua	F^-	fluoro
NH_3	ammin	Cl^-	chloro
CO	carbonyl	Br^-	bromo
NO	nitrosyl	I^-	iodo
		OH^-	hydroxo
		CN^-	cyano
		SCN^-	thiocyanato

Weitere Beispiele zur Nomenklatur von Komplexverbindungen:

$Na[Al(OH)_4]$	Natrium-tetrahydroxoaluminat(III)
$K_2[HgI_4]$	Kalium-tetraiodomercurat(II)
$(NH_4)_2[PbCl_6]$	Ammonium-hexachloroplumbat(IV)
$[Cr(H_2O)_6]SO_4$	Hexaaquachrom(II)-sulfat
$[Co(NH_3)_6]Cl_2$	Hexaammincobalt(II)-chlorid
$[CuCl_2(H_2O)_2]$	Diaquadichlorokupfer(II)

Aufgabe:
Geben Sie den Namen von $K_4[Fe(CN)_6]$ an. Schreiben Sie die Formel von Natrium-hexafluoroaluminat(III) auf.

9.2 Komplexe – Struktur und Bindung

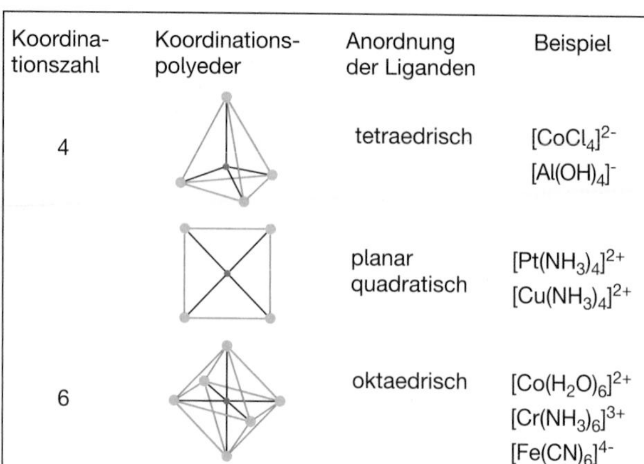

Koordinationszahl	Koordinationspolyeder	Anordnung der Liganden	Beispiel
4		tetraedrisch	$[CoCl_4]^{2-}$ $[Al(OH)_4]^-$
		planar quadratisch	$[Pt(NH_3)_4]^{2+}$ $[Cu(NH_3)_4]^{2+}$
6		oktaedrisch	$[Co(H_2O)_6]^{2+}$ $[Cr(NH_3)_6]^{3+}$ $[Fe(CN)_6]^{4-}$

B1 Geometrische Anordnung von Liganden in Komplexen (Auswahl)

A 1 Von einem Komplex $[MX_2Y_2]$ existieren keine Isomere. Welche Struktur muss er also besitzen?

A 2 Zeichnen Sie Ligandenanordnungen des oktaedrischen Komplexes $[MX_2Y_4]$. Ermitteln Sie die Zahl möglicher Isomere.

A 3 Zeichnen Sie zwei nicht ebene Koordinationspolyeder für Komplexe mit der Koordinationszahl 5.

A 4 Ermitteln Sie die Anzahl der Elektronen, die zur Auffüllung der nicht vollständig besetzten Energiestufen bis zum Erreichen der Edelgaskonfiguration bei einem Eisenatom benötigt werden. Wie viele Liganden müssten jeweils ein Elektronenpaar zur Verfügung stellen, damit die vollständige Besetzung erreicht ist?

B2 *cis-trans*-Isomerie bei oktaedrischen Komplexen. Die Farbe hängt von der Anordnung ab

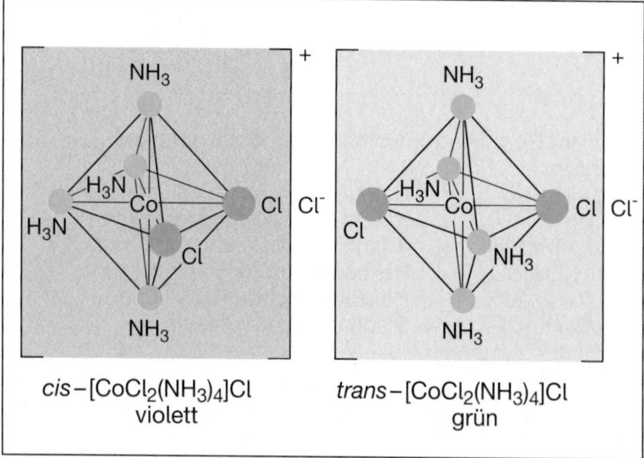

cis-$[CoCl_2(NH_3)_4]Cl$
violett

trans-$[CoCl_2(NH_3)_4]Cl$
grün

Beim Betrachten der Formeln von Komplexteilchen fällt auf, dass besonders häufig vier oder sechs Liganden an das Zentralion gebunden sind. Bei den in der Regel symmetrisch aufgebauten Komplexen entsprechen diese Zahlen bestimmten geometrischen Figuren.

Räumlicher Aufbau von Komplexen. Ordnet man vier gleiche Kugeln um eine kleinere Kugel herum symmetrisch an, erhält man ein Tetraeder oder (bei Verzicht auf gleiche Abstände der Kugeln zueinander) ein Quadrat. Sechs Kugeln bilden ein Oktaeder.

Zu jeder Anzahl Kugeln gehören bestimmte geometrische Figuren, die man bei Komplexen als **Koordinationspolyeder** (von lat. coordinare, beiordnen; griech. polys, viel) bezeichnet. Welche Struktur bei der Bildung eines Komplexteilchens aufgebaut wird, wird im Wesentlichen durch Größe und Ladung des Metallions sowie durch den Raumbedarf der Liganden bestimmt.

Die Anzahl der an ein Zentralteilchen gebundenen Atome bezeichnet man als Koordinationszahl.

Die sehr häufig anzutreffenden Komplexe mit der Koordinationszahl sechs liegen immer als Oktaeder vor. So befinden sich im Hexaaquacobalt(II)-Komplex die Wassermoleküle an den Ecken eines Oktaeders um das Cobalt(II)-Ion. Sind vier Liganden an das Zentralion koordiniert, können sie wie im Tetrachlorocobaltat(II)-Komplex tetraedrisch angeordnet sein, in manchen Komplexen des Platin(II)-Ions findet man auch eine planar quadratische Anordnung (▷ B1).

Ein Zentralteilchen kann verschiedene Koordinationszahlen und damit verschiedene Ligandenanordnungen besitzen. So bindet ein Cobalt(II)-Ion zwar sechs H_2O-Moleküle ($[Co(H_2O)_6]^{2+}$), aber nur vier Cl^--Ionen ($[CoCl_4]^{2-}$).

Isomerie. Sind verschiedenene Ligandensorten an ein Zentralteilchen gebunden, sind bei oktaedrischer und planar quadratischer Anordnung verschiedene Strukturen denkbar. So gibt es von der Verbindung $[CoCl_2(NH_3)_4]Cl$ zwei *Isomere* (↗ Kap. 13.12). Durch die Untersuchung u.a. dieser Verbindungen gelang A. Werner der Beweis für den oktaedrischen Bau von Komplexen mit der Koordinationszahl sechs, andere mögliche Anordnungen der Liganden hätten mehr Isomere ergeben. Wie auch bei dem planar quadratisch koordinierten Platin(II)-Komplex $[PtCl_2(NH_3)_2]$ handelt es sich hier um eine ***cis-trans*-Isomerie**: Gleiche Liganden befinden sich entweder an benachbarten (*cis*) oder an gegenüberliegenden Ecken (*trans*) des von vier Liganden gebildeten Quadrats (▷ B2).

Neben der *cis-trans*-Isomerie sind auch andere Isomeriearten möglich. So kann man z. B. in oktaedrisch aufgebauten Komplexen **Spiegelbildisomere** finden. Die beiden isomeren Komplexe verhalten sich wie Bild und Spiegelbild zueinander.

Die Bindung in Komplexen. Die Wechselwirkungen zwischen Zentralteilchen und Liganden, die den Komplex zusammenhalten, können sowohl als ionische Bindungen wie auch als Atombindungen beschrieben werden.

Eine Theorie zur Erklärung der Eigenschaften von Komplexen der Übergangsmetalle, die den ionischen Charakter der Bindungen im Komplex betont, ist die **Ligandenfeldtheorie** (Kristallfeldtheorie). Ihr liegt die Vorstellung zugrunde, dass das Zentralion und die Liganden im Wesentlichen durch elektrostatische Anziehungskräfte (Coulomb-Kräfte) zusammengehalten werden. Die Kräfte beruhen je nach Art der Liganden auf *Ion-Ion-Wechselwirkungen* des elektrisch positiv geladenen Zentralions (z. B. Fe^{3+}, Co^{3+}) mit den elektrisch negativ geladenen Liganden (z. B. OH^-, Cl^-) oder auf *Ion-Dipol-Wechselwirkungen* zwischen dem Zentralion und den negativ polarisierten Enden von Liganden, die Dipolmoleküle sind (z. B. H_2O, NH_3). Das Zentralion befindet sich innerhalb eines elektrostatischen Feldes, das durch die Liganden gemeinsam erzeugt wird. Die Liganden ordnen sich um das Zentralion in einer symmetrischen Struktur an, sodass aus Anziehung und Abstoßung der energieärmste Zustand resultiert.

Die Bindungsverhältnisse in Komplexen, die – wie z. B. Tetracarbonylnickel $[Ni(CO)_4]$ oder Pentacarbonyleisen $[Fe(CO)_5]$ – aus Atomen als Zentralteilchen und ungeladenen Liganden aufgebaut sind, lassen sich mit dieser Theorie nicht beschreiben. Hier greift man auf **Elektronenpaarbindungstheorien** zurück. Die Elektronenpaare für die Bindung zwischen Zentralteilchen und Liganden werden von den Ligandatomen zur Verfügung gestellt. Jedes gebundene Atom eines Liganden besetzt mit einem *Elektronenpaar* ein freies Energieniveau des Metallions. Bei vielen Zentralteilchen erfolgt so eine Auffüllung der nicht vollständig besetzten Energiestufen bis zum Erreichen der Edelgaskonfiguration; die äußeren Schalen der Metallatome enthalten demnach im Komplex 18 Elektronen („18-Elektronen-Regel"). Diese Betrachtungsweise kann häufig auch bei Komplexen, die aus Ionen aufgebaut sind, angewendet werden. In den meisten Komplexen muss man Übergänge zwischen ionischer Bindung und Atombindung annehmen.

Exkurs: Die Farbe von Komplexen

Durch die Wechselwirkungen zwischen Zentralteilchen und Liganden sind viele Komplexe der Übergangsmetallionen farbig. Mithilfe des Orbitalmodells lässt sich dieses Phänomen erklären.

Die in Komplexen vorkommenden Ionen der Übergangsmetalle besitzen teilweise gefüllte d-Orbitale. Im unbeeinflussten Metallion kann sich ein Elektron, das sich im d-Zustand befindet, wegen der energetischen Gleichheit der d-Orbitale in jedem dieser Orbitale aufhalten. Durch den Einfluss der Liganden wird im Komplex die energetische Gleichheit dieser Orbitale aufgehoben. So lassen sich in einem oktaedrischen Komplex zwei Gruppen von d-Orbitalen unterscheiden: einerseits das d_{z^2}- und das $d_{x^2-y^2}$-Orbital, die direkt auf die Liganden gerichtet sind, sowie andererseits die d_{xy}-, d_{yz}- und d_{zx}-Orbitale, die *zwischen* die Liganden zeigen.

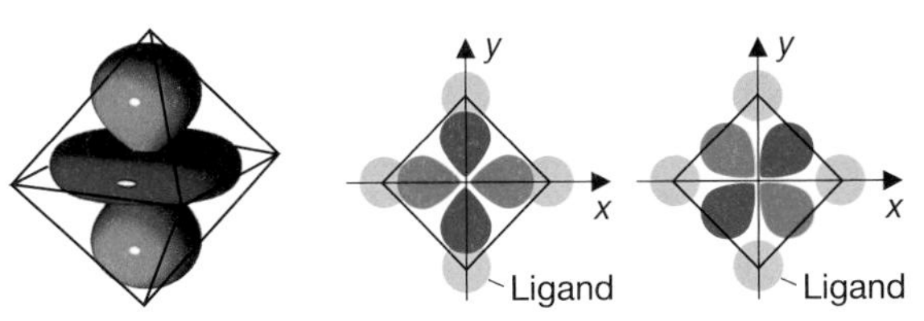

d_{z^2} in oktaedrischer Umgebung

$d_{x^2-y^2}$: Orbitallappen zeigen auf die Liganden

d_{xy}: Orbitallappen zeigen zwischen die Liganden

(Schnitt durch die Mitte des Oktaeders)

Ein Elektron wird sich eher in den Orbitalen aufhalten, die weiter von einer durch die Liganden mitgebrachten negativen Ladung entfernt sind. Die d_{xy}-, d_{yz}- und d_{zx}-Orbitale liegen daher energetisch tiefer und unterscheiden sich von den beiden energetisch höher liegenden d_{z^2}- und $d_{x^2-y^2}$-Orbitalen.

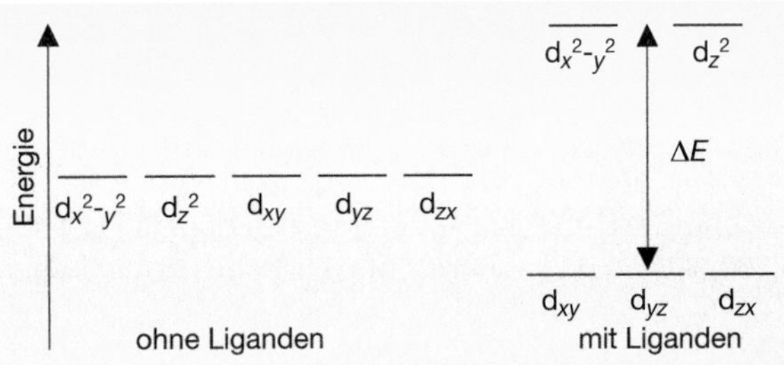

Durch das oktaedrische Feld ist also ein Energieunterschied der d-Orbitale entstanden, der ohne die Liganden nicht existiert. Zum Überwinden dieser Energiedifferenz reicht für das Elektron häufig bereits die Energie des sichtbaren Lichts aus. Dem reflektierten bzw. von der Komplexlösung durchgelassenen Licht fehlt dieser von den d-Elektronen absorbierte Anteil. Der Rest addiert sich zur Komplementärfarbe der absorbierten Farbe des Spektrums (↗ Kap. 1.11, ▷ B3; ↗ Kap. 19.1). Da nicht alle Liganden die d-Orbitale energetisch gleich stark trennen, absorbieren die entsprechenden Komplexe Licht verschiedener Wellenlängen.

9.3 Komplexe in Lösung

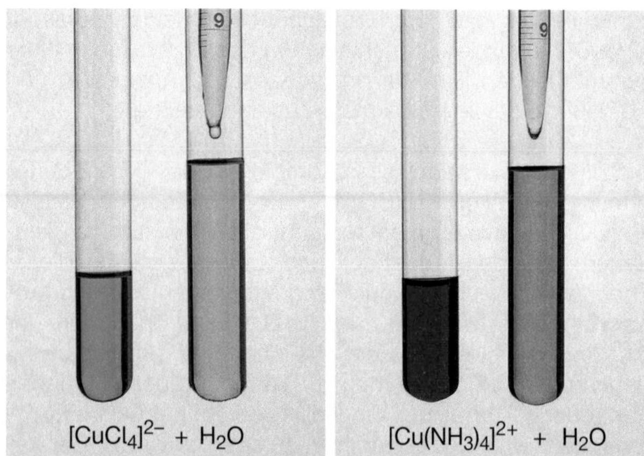

B1 Kupferkomplexe verhalten sich unterschiedlich beim Verdünnen

V 1 Ligandenaustausch bei Kupferkomplexen. Geben Sie zu ca. 2 ml Kupfer(II)-sulfat-Lösung (c = 0,1 mol/l) tropfenweise konzentrierte Salzsäure, bis eine Farbänderung eintritt (Abzug!). Verdünnen Sie anschließend mit Wasser.

V 2 Konzentrations- und Temperaturabhängigkeit des Ligandenaustausches. a) Zu 5 ml einer Lösung von Cobalt(II)-chlorid (c = 1 mol/l) wird festes Natriumchlorid bis zur Blaufärbung gegeben. Anschließend wird portionsweise mit Wasser verdünnt.
b) Zu 5 ml der Cobalt(II)-chlorid-Lösung werden zwei bis drei Spatelspitzen Natriumchlorid gegeben und die Lösung vorsichtig bis fast zum Sieden erhitzt.

V 3 Stabilitätsunterschiede bei Eisen(III)-Komplexen. Geben Sie zu einer Lösung von Eisen(III)-nitrat (c = 0,1 mol/l) so viel verd. Salpetersäure, bis die Lösung gerade entfärbt ist. Fügen Sie einige Tropfen gesättigter Natriumchloridlösung hinzu. Versetzen Sie die Probe anschließend mit einigen Tropfen verdünnter Kaliumthiocyanatlösung. Geben Sie zuletzt Natriumfluoridlösung (w = 4 %) zu.

V 4 „Maskierte" Eisen(III)-Ionen. Lösen Sie jeweils eine Spatelspitze Eisen(III)-chlorid und Kaliumhexacyanoferrat(III) in ca. 4 ml Wasser. Geben Sie zu jeder Lösung etwas Natronlauge (c = 0,1 mol/l).

A 1 Chloridionen lassen sich in einer Farbreaktion nachweisen. Dazu wird eine Eisen(III)-nitrat-Lösung mit Kaliumthiocyanat versetzt. Zu der tiefroten Lösung tropft man Quecksilber(II)-nitrat-Lösung bis zur Entfärbung. Gibt man anschließend die Probelösung hinzu, färbt sich die Lösung wieder rot, wenn die Probe Chloridionen enthält. Erklären Sie.

Komplexe können Reaktionen eingehen, bei denen sich die Zusammensetzung der Koordinationssphäre ändert. Im Folgenden soll erläutert werden, welche Bedingungen erfüllt sein müssen, damit Liganden vom Zentralion abgelöst und andere gebunden werden.

Ligandenaustauschreaktionen. Gibt man zu einer hellblauen Lösung von Kupfer(II)-sulfat konzentrierte Salzsäure, wechselt ihre Farbe von Blau nach Grün (▷ V1). Die Wassermoleküle des Aquakupfer(II)-Komplexes sind gegen Chloridionen ausgetauscht worden; für die grüne Farbe ist der Diaquadichlorokupfer(II)-Komplex verantwortlich. In Aquakomplexen sind die Wassermoleküle nicht so fest an das Zentralkation gebunden und können durch andere Liganden ersetzt werden. Solche *Ligandenaustauschreaktionen* erkennt man häufig an charakteristischen Farbänderungen.

So kann man eine Farbänderung von Rosa nach Blau beobachten, wenn man eine wässrige Lösung von Cobalt(II)-chlorid mit Natriumchlorid sättigt (▷ V2a). Durch die Erhöhung der Konzentration der Chloridionen geht der Aquakomplex in den Chlorokomplex über. Zugabe von Wasser, also eine Erniedrigung der Chloridionenkonzentration, führt wieder zum Aquakomplex.

$$\underset{\text{rosa}}{[Co(H_2O)_6]^{2+}} + 4\,Cl^- \rightleftharpoons \underset{\text{blau}}{[CoCl_4]^{2-}} + 6\,H_2O$$

Erhitzt man eine rosafarbene Lösung des Aquacobalt(II)-Komplexes, die Chloridionen enthält, stellt sich ebenfalls die blaue Farbe des Chlorokomplexes ein (▷ V2b). Beim Abkühlen läuft die Reaktion in umgekehrter Richtung ab.

In Komplexen können die Liganden substituiert werden. Dabei stellt sich ein chemisches Gleichgewicht ein, dessen Lage von der Art und der Konzentration möglicher Liganden sowie von der Temperatur abhängig ist.

Bei vielen Ligandenaustauschreaktionen, die mit einem Farbwechsel verbunden sind, beobachtet man bei allmählicher Erhöhung der Konzentration der Liganden verschiedene Farbtöne. Man muss also annehmen, dass die Liganden nicht auf einmal, sondern *schrittweise* ausgetauscht werden.

Die Stabilität von Komplexen. In wässrigen Lösungen tauschen Komplexe die koordinierten Liganden in ganz unterschiedlichem Ausmaß gegen Wassermoleküle aus. Es stellen sich dabei Gleichgewichte mit Aquakomplexen ein. Eine wässrige Lösung z. B. des Komplexsalzes $[Ag(NH_3)_2]Cl$ enthält nicht nur $[Ag(NH_3)_2]^+$-Ionen, sondern auch $[Ag(NH_3)(H_2O)]^+$- und $[Ag(H_2O)_2]^+$-Ionen, welche durch schrittweisen Austausch der Liganden gebildet werden.

Stabilitätsunterschiede vergleichbarer Komplexe zeigen sich manchmal schon beim Verdünnen. So tritt beim Verdünnen einer olivgrünen Lösung des $[CuCl_4]^{2-}$-Komplexes die blaue Farbe des Aquakomplexes auf, während die tiefblaue Farbe des Tetraamminkupfer(II)-Komplexes ($[Cu(NH_3)_4]^{2+}$) auch beim Verdünnen bestehen bleibt (▷ B 1).

In Lösungen von Komplexen, die vergleichsweise wenig stabil sind, bilden sich stabilere Komplexe, wenn man zu der Lösung geeignete andere Liganden gibt (▷ V3). So liegt in einer stark sauren Lösung von Eisen(III)-chlorid hauptsächlich der Komplex $[FeCl(H_2O)_5]^{2+}$ vor, er ist für die gelbliche Farbe der Lösung verantwortlich. Bereits wenige Tropfen einer Kaliumthiocyanatlösung verursachen eine tiefrote Farbe der Lösung, das Chloridion ist gegen ein Thiocyanation ausgetauscht worden.

$$\underset{\text{gelb}}{[FeCl(H_2O)_5]^{2+}} + SCN^- \rightleftharpoons \underset{\text{rot}}{[Fe(SCN)(H_2O)_5]^{2+}} + Cl^-$$

Die Lösung wird wieder farblos, wenn man Natriumfluoridlösung hinzufügt; der noch stabilere Fluorokomplex ist entstanden.

$$\underset{\text{rot}}{[Fe(SCN)(H_2O)_5]^{2+}} + F^- \rightleftharpoons \underset{\text{farblos}}{[FeF(H_2O)_5]^{2+}} + SCN^-$$

Lösungen sehr stabiler Komplexe enthalten Aquakomplexe der Zentralionen in so geringen Konzentrationen, dass typische Reaktionen dieser Ionen ausbleiben. So kann aus der Lösung des extrem stabilen Komplexes $[Fe(CN)_6]^{3-}$ kein Eisen(III)-hydroxid ausgefällt werden (▷ V4), zudem sind keine Cyanidionen nachweisbar. Durch die Bildung stabiler Komplexe werden die entsprechenden Kationen in der Lösung „maskiert". Sie können dann z. B. in der Analytik Nachweisreaktionen nicht mehr stören.

Chelate und Chelateffekt. Die bisher genannten Liganden sind als recht kleine Moleküle jeweils nur über ein Atom an das jeweilige Zentralteilchen gebunden. Größere Moleküle besitzen häufig mehrere Atome, die ein freies Elektronenpaar besitzen und damit zur Koordination in der Lage sind. Man nennt Komplexe, an deren Bau solche *mehrzähnigen Liganden* beteiligt sind, *Chelate* oder Chelatkomplexe (von griech. chele, Krebsschere). Aufgrund der Besetzung mehrerer Koordinationsstellen bilden sich Ringe aus (▷ B 2). Man kann feststellen, dass Chelatkomplexe stabiler sind als ähnliche Komplexe, die keine Ringe aufweisen (*Chelateffekt*). So werden bei Zugabe von 1,2-Diaminoethan (Ethylendiamin, *en*) zum Hexaamminnickel(II)-Komplex die Ammoniakmoleküle ausgetauscht, obwohl in beiden Fällen Stickstoffatome das Nickel(II)-Ion koordinieren.

Exkurs: Dissoziationskonstanten von Komplexen

Die Stabilität von Komplexen lässt sich auch quantitativ mithilfe des Massenwirkungsgesetzes erfassen. Der Einfachheit halber lässt man die H_2O-Liganden bei der Formulierung der Ligandenaustauschreaktion in wässriger Lösung weg. Aus der Reaktionsgleichung für den Zerfall des Komplexes aus dem Metallkation M und den Liganden L

$$[ML_n] \rightleftharpoons M + n\,L$$

folgt das Massenwirkungsgesetz für dieses Gleichgewicht:

$$K_D = \frac{c(M) \cdot c^n(L)}{c([ML_n])}$$

Die Konstante K_D, die man aus den vorher experimentell ermittelten Gleichgewichtskonzentrationen berechnet, ist ein Maß für die Stabilität des Komplexes. Da sie angibt, wie stark der Komplex in wässriger Lösung dissoziiert, bezeichnet man sie als **Dissoziationskonstante**. Kleine Werte für K_D kennzeichnen Komplexe, die in wässriger Lösung nur in geringem Maße Liganden gegen Wassermoleküle austauschen.
Manchmal findet man in der Fachliteratur auch Angaben für den Kehrwert der Dissoziationskonstanten, die *Stabilitätskonstante* K_{St} ($K_{St} = 1/K_D$). Sie entspricht dem Massenwirkungsgesetz für die Bildung des Komplexes.

Beispiele für Dissoziationskonstanten bei 25 °C:

Komplex	**Dissoziationskonstante K_D**
$[Cu(NH_3)_4]^{2+}$	$4{,}7 \cdot 10^{-14}\ mol^4 \cdot l^{-4}$
$[CuCl_4]^{2-}$	$3{,}4 \cdot 10^{-2}\ mol^4 \cdot l^{-4}$
$[Fe(CN)_6]^{3-}$	$1 \cdot 10^{-44}\ mol^6 \cdot l^{-6}$
$[FeCl(H_2O)_5]^{2+}$	$3 \cdot 10^{-2}\ mol \cdot l$
$[Fe(SCN)(H_2O)_5]^{2+}$	$5 \cdot 10^{-3}\ mol \cdot l$
$[FeF(H_2O)_5]^{2+}$	$5 \cdot 10^{-6}\ mol \cdot l$
$[Co(NH_3)_6]^{2+}$	$1{,}3 \cdot 10^{-5}\ mol^6 \cdot l^{-6}$
$[Ni(NH_3)_6]^{2+}$	$1{,}8 \cdot 10^{-9}\ mol^6 \cdot l^{-6}$

B2 Ein Chelatkomplex. Das Nickel(II)-Ion ist oktaedrisch von drei zweizähnigen 1,2-Diaminoethan-Molekülen umgeben

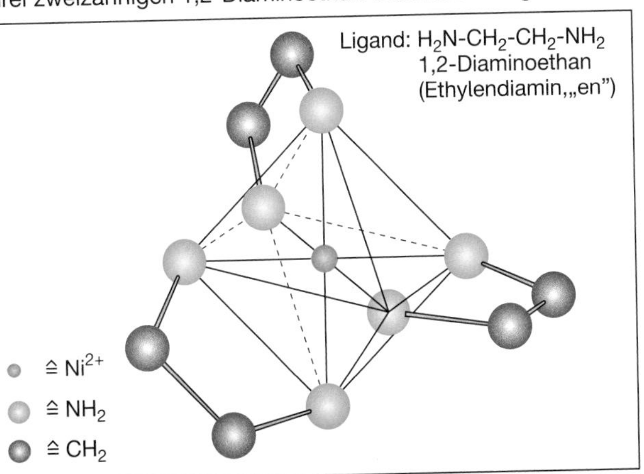

9.4 Praktikum: Komplexreaktionen

Zahlreiche Komplexbildungsreaktionen dienen in der Analytik zur qualitativen und quantitativen Bestimmung von Metallionen. Eine besondere Bedeutung haben in diesem Bereich der Analytik die Chelatkomplexe erlangt. Ein wichtiger Komplexbildner ist hier Ethylendiamintetraacetat ($edta^{4-}$, Abk. EDTA; ▷ B1), das Anion der Etylendiamintetraessigsäure (H_4edta). Dieser sechszähnige Ligand bildet Komplexe mit zahlreichen Metallkationen im Stoffmengenverhältnis 1 : 1. Mithilfe einer Maßlösung des Komplexbildners und geeigneten Farbindikatoren lassen sich in *komplexometrischen Titrationen* die Konzentrationen der Metallionen bestimmen.

Verwendet man Indikator-Puffer-Tabletten, die als farbgebenden Komplexbildner Eriochromschwarz T enthalten, ergibt sich bei der Bestimmung von z. B. Calciumionen ein Problem: Der Komplex aus Calciumionen und Eriochromschwarz T ist nicht so stabil, dass auf einen eindeutigen Farbwechsel titriert werden kann. Deshalb enthält die Maßlösung $Na_2[Zn(edta)]$. Die vorher im Eriochromschwarz-T-Komplex gebundenen Calciumionen tauschen mit den Zinkionen im (farblosen) EDTA-Komplex die Plätze. Da der Zinkkomplex mit Eriochromschwarz T eine andere Farbe hat als der Calciumkomplex, ist der Äquivalenzpunkt, an dem alle Calciumionen EDTA-Komplexe gebildet haben, gut zu erkennen.

Versuch 1 Komplexometrische Titrationen

Geräte und Chemikalien: Erlenmeyerkolben (250 ml), Bürette, Vollpipette (10 ml), Pipette (1 ml), kl. Becherglas; EDTA-Lösung ($c(Na_2[H_2edta]) = 0{,}1$ mol/l) z. B. Titriplex III®, Idranal III®, Komplexon III®; Indikator-Puffer-Tabletten (Gemisch aus Ammoniumchlorid und dem Mischindikator Eriochromschwarz T/ Methylrot), verd. Natronlauge, Ammoniaklösung (w = 20 %), Ascorbinsäure, dest. Wasser, Indikatorpapier pH 1 – 13; Probelösungen mit Zn^{2+}-, Ca^{2+}- oder Mn^{2+}-Ionen (jeweils $c \approx 0{,}1$ mol/l)

a) Bestimmung von Zink(II)-Ionen oder Calciumionen

Durchführung: Verdünnen Sie 10 ml der Probelösung im Erlenmeyerkolben mit dest. Wasser auf etwa 100 ml.

Neutralisieren Sie die Lösung gegebenenfalls mit Natronlauge. Lösen Sie dann eine Indikator-Puffer-Tablette und setzen Sie 1 ml Ammoniaklösung (w = 20 %) zu. Titrieren Sie nun mit der EDTA-Lösung bis zum Farbumschlag nach Grün (bei der Bestimmung der Calciumionen mit schwach grauem Unterton; eine Vergleichslösung, die man durch Zusammengeben äquivalenter Mengen EDTA-Lösung und z.B. Calciumchloridlösung erhalten hat, ist zu empfehlen).

b) Bestimmung von Mangan(II)-Ionen

Durchführung: Verdünnen Sie 5 ml der Probelösung im Erlenmeyerkolben mit dest. Wasser auf etwa 100 ml. Geben Sie zu dieser Lösung 5 ml Kaliumnatriumtartratlösung, 2 ml Ammoniaklösung sowie 1 Spatelspitze Ascorbinsäure. Erwärmen Sie die Lösung auf 70 bis 80 °C. Nach dem Auflösen einer Indikator-Puffer-Tablette sollte der pH-Wert der Lösung zwischen pH = 10 und pH = 11 liegen. Titrieren Sie mit der EDTA-Lösung bis zum Farbumschlag nach Grün.

Auswertung: Ermitteln Sie aus dem Verbrauch der Maßlösung bis zum Äquivalenzpunkt die Konzentrationen der jeweiligen Ionen in den Lösungen.

B1 Mehrzähnige Liganden zur Bestimmung von Metallionen. Die koordinierenden Atome sind jeweils hervorgehoben

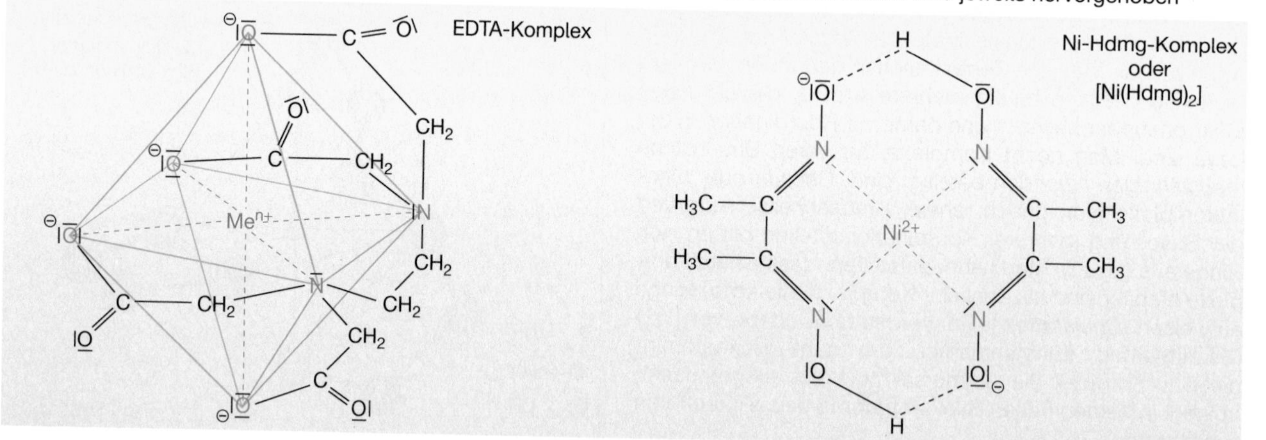

EDTA-Komplex

Ni-Hdmg-Komplex oder $[Ni(Hdmg)_2]$

Zur Erkennung des Äquivalenzpunktes verwendet man farbige Metallindikatoren, d. h. Komplexbildner, die mit den zu titrierenden Metallionen reagieren. Die gebildeten Chelatkomplexe sind charakteristisch gefärbt und nicht so stabil wie der EDTA-Komplex des jeweiligen Metallions. Am Äquivalenzpunkt sind alle Metallionen an EDTA gebunden und es erfolgt der Farbumschlag zur Farbe des freien Indikators.

Komplexe in der belebten Natur. Der Transport und die Speicherung von Sauerstoff im Organismus sind lebenswichtig. Bei Wirbeltieren erfolgen sie durch die roten Blutkörperchen (Erythrozyten). Sie enthalten das Protein *Hämoglobin* (▷ B5), dessen wirksamer Bestandteil das Häm ist. Das Häm-Molekül ist ein Eisen(II)-chelat-Komplex mit oktaedrischer Koordination, er ist für den Sauerstofftransport verantwortlich. Die vier Koordinationsstellen, die das Zentralion quadratisch umgeben, sind durch den vierzähnigen Liganden (ein Porphinderivat) besetzt, über die fünfte erfolgt die Bindung an das Protein, an der sechsten kann ein Sauerstoffmolekül reversibel gebunden werden (▷ B6). Hämoglobin mit Sauerstoff als Ligand im Häm-Komplex wird als Oxyhämoglobin bezeichnet.

Die Bindung des Sauerstoffmoleküls im Häm erfolgt in einer exothermen Reaktion:

$$\text{Häm} + O_2 \rightleftharpoons \text{Häm}O_2$$

Da ein chemisches Gleichgewicht vorliegt, erzwingt eine Temperaturerhöhung die Rückreaktion. Bei Fieber kann das Gleichgewicht bereits so weit auf die linke Seite verschoben sein, dass es zu Sauerstoffmangel im Gehirn kommt. Dies führt vor allem bei Säuglingen zu Fieberkrämpfen.

Anstelle von Sauerstoff kann auch Kohlenstoffmonooxid (CO) gebunden werden. Dessen Häm-Komplex ist etwa 200-mal stabiler als der des Sauerstoffs. Atmet man eine Stunde lang Luft mit einem CO-Volumenanteil von 0,1 % ein, ist etwa die Hälfte der Sauerstoff-Bindungsstellen im Blut von Kohlenstoffmonooxidmolekülen besetzt. Ist bereits einer der vier Häm-Komplexe, die jedes Hämoglobinmolekül enthält, mit einem CO-Molekül beladen, so ist die Abgabe von Sauerstoff von den anderen Häm-Komplexen an das Gewebe gestört. Längeres Einatmen von Kohlenstoffmonooxid führt demnach zum Ersticken. Durch Beatmen mit reinem Sauerstoffgas kann man ein schnelleres Austauschen des gebundenen Kohlenstoffmonooxids gegen Sauerstoff erreichen.

Eine wichtige Rolle bei der Fotosynthese spielt der grüne Blattfarbstoff *Chlorophyll* (▷ B7). Es gibt mehrere Arten von Chlorophyllen, die sich nur geringfügig im Aufbau des Liganden unterscheiden. Dieser besteht wie beim Häm im Grundgerüst aus einem Porphinring, der in diesem Fall ein Magnesiumion quadratisch koordiniert. Die Chlorophylle absorbieren Licht und leiten damit Redoxreaktionen ein, die den Beginn der Fotosynthese darstellen.

In vielen Vitaminen und Enzymen sind Metallionen über Komplexe mit dem jeweiligen Protein verbunden. So ist das Vitamin B_{12} ein oktaedrisch koordinierter Cobaltkomplex. In *Metalloenzymen*, die Redoxvorgänge im Körper katalysieren, wirken Zentralionen, die relativ leicht die Oxidationsstufe wechseln können, wie z. B. die Redoxpaare Fe^{2+}/Fe^{3+} und Cu^{+}/Cu^{2+}.
Komplexe von Zinkionen sind z. B. die Enzyme, die Ethanol in der Leber abbauen, die Alkoholdehydrogenasen (ADH). Als Oxidoreductasen oxidieren (dehydrieren) sie in Gegenwart von NAD als Coenzym Ethanol zu Ethanal.

B5 Modell des Hämoglobinmoleküls. Rot: Häm-Moleküle

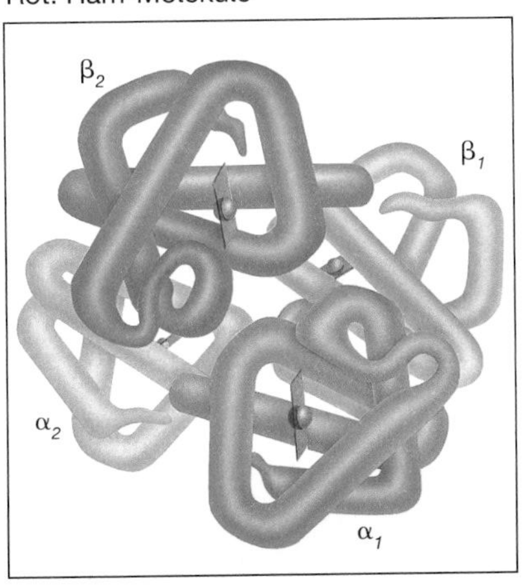

B6 Strukturformel von Häm. Der Porphinring ist blau eingezeichnet

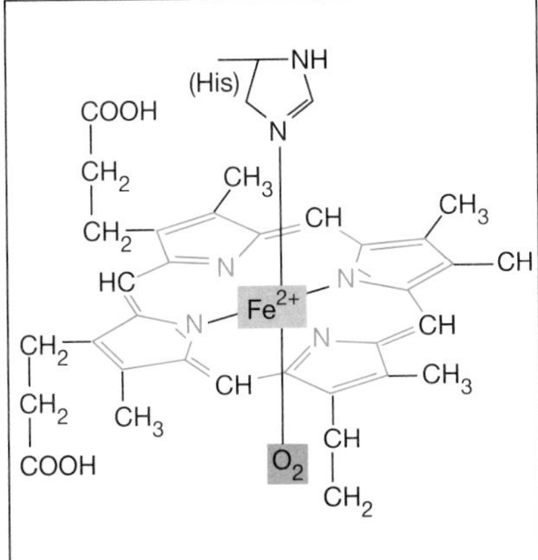

B7 Strukturformeln der Chlorophylle a und b. Blau: Porphingerüst

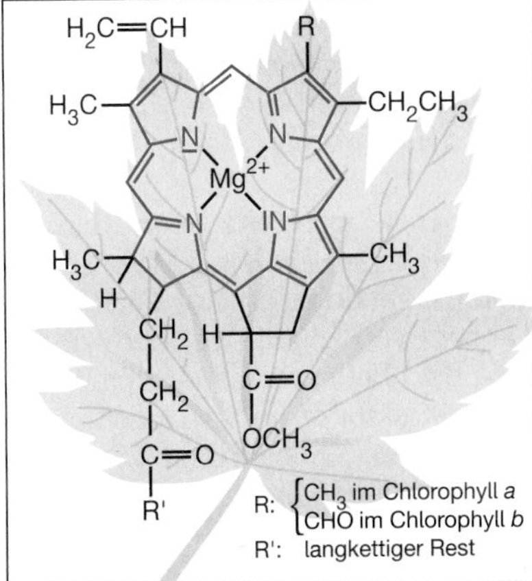

9.6 Überprüfung und Vertiefung

1 Umschreiben Sie den Begriff Komplexverbindung. Erläutern Sie am Beispiel der Komplexverbindung $Na_3[AlF_6]$ die Begriffe Ligand, Zentralteilchen und Koordinationszahl.

2 Warum ist bei Komplexen die Koordinationszahl nicht in allen Fällen gleich der Anzahl der Liganden?

3 Benennen Sie die nachfolgenden Komplexverbindungen: $[Ag(NH_3)_2]Cl$; $[CuCl_2(H_2O)_2]$; $[Fe(H_2O)_6]SO_4 \cdot H_2O$; $Na_3[AlF_6]$; $[CrCl_2(H_2O)_4]Cl$.

4 Beschreiben Sie durch Ionengleichungen zwei auf der Bildung von Komplexen beruhende Nachweisreaktionen für Eisen(III)-Ionen sowie eine Nachweisreaktion für Kupfer(II)-Ionen in wässriger Lösung.

5 Von der Komplexverbindung $[Pt(OH)_2(NH_3)_2]$ existieren zwei Verbindungen mit unterschiedlichen Stoffeigenschaften. Welche Struktur liegt jeweils vor? Erklären Sie den Befund mithilfe von Fachbegriffen.

6 Wie kann man das Ausfällen von Ag^+-Ionen (Cu^{2+}-Ionen) als Hydroxide in alkalischer Lösung verhindern?

7 Natriumthiosulfat ($Na_2S_2O_3$) besitzt als „Fixiersalz" große Bedeutung im Fotolabor. Erklären Sie die Wirkungsweise dieses Salzes.

8 Bei der Verbrennung z.B. von Kohle kann bei ungenügender Sauerstoffzufuhr Kohlenstoffmonooxid entstehen. Erklären Sie die Giftwirkung dieses gefährlichen Atemgiftes.

9 Eine Möglichkeit, die Bildung eines Komplexes analog einer Säure-Base-Reaktion zu erklären, liefert das Konzept von G.N. LEWIS, dem „Erfinder" der Elektronenstrichschreibweise in Strukturformeln. In der **Lewis-Säure-Base-Theorie** wirken Teilchen, die Elektronenpaare zur Bindung zur Verfügung stellen können (*Elektronenpaardonatoren*), als Lewisbasen. Potentielle Bindungspartner, die Elektronenpaarlücken aufweisen, Elektronenpaare also „aufnehmen" können (*Elektronenpaarakzeptoren*), wirken als Lewissäuren. So hat z.B. das Aluminiumion im Aluminiumhydroxid von drei Hydroxidionen drei Elektronenpaare, also sechs Elektronen erhalten. Zur Auffüllung der dritten Schale sind noch zwei Elektronen notwendig. Das Aluminiumion weist also eine Elektronenpaarlücke auf. Das fehlende Elektronenpaar kann durch ein weiteres Hydroxidion geliefert werden, das dann den Tetrahydroxoaluminat-Komplex entstehen lässt. Durch die Reaktion wird eine Elektronenpaarbindung ausgebildet.

$$Al(OH)_3 + |\overline{O}-H^- \rightleftharpoons [Al(OH)_4]^-$$

Bei der Komplexbildung wirken also mögliche Liganden nach dieser Theorie als Elektronenpaardonatoren (Lewisbasen), das Zentralion als Elektronenpaarakzeptor (Lewissäure).

In gleicher Weise können mit diesem Konzept auch Brønsted-Säure-Base-Reaktionen betrachtet werden, wie z.B. die Neutralisation.

$$H^+ + |\overline{O}-H^- \rightleftharpoons H-\overline{O}-H$$

Das Hydroxidion wirkt als Elektronenpaardonator, d.h. als Lewisbase, das Wasserstoffion als Elektronenpaarakzeptor, d.h. als Lewissäure.

Erklären Sie das Lewis-Säure-Base-Konzept am Beispiel des Bortrifluorid-Ammoniak-Addukts in folgender Reaktionsgleichung:

$$BF_3 + |NH_3 \rightleftharpoons F_3B-NH_3$$

Kronenether. Bei der Erregungsleitung in Nerven spielen Natrium- und Kaliumionen eine wichtige Rolle. Es konnte gezeigt werden, dass bestimmte Antibiotika (z.B. Valinomycin) den Transport von Alkalimetallionen durch biologische Membranen beschleunigen, wobei der Transport von Kaliumionen gegenüber Natriumionen begünstigt wird. Ein analoges Verhalten zeigen cyclische Ether, die sogenannten Kronenether. Ein Beispiel ist [18]Krone-6.
Komplexiert ein [18]Krone-6-Molekül ein Kaliumion, welches von seiner Größe her gut in den 18-gliedrigen Ring passt, so orientieren sich alle Ether-Sauerstoffatome nach innen zum Kaliumion: Das Molekül nimmt seine typische Kronenform an. Als Folge davon weisen alle CH_2-Gruppen nach außen, sodass der Komplex insgesamt lipophil wird und durch unpolare Membranen hindurch wandern kann. In der biochemischen Forschung werden Kronenether daher u.a. zur Entwicklung von Modellen für den Transport von Alkalimetallionen durch die als unpolare Membranen wirkenden Zellwände verwendet.

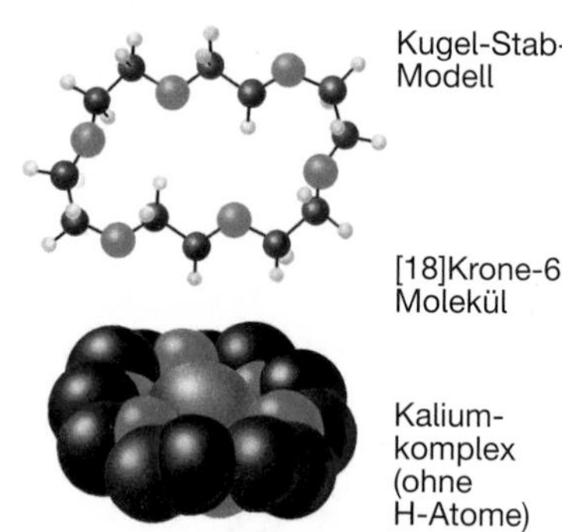

Wichtige Begriffe

Komplexverbindung, Komplex, Zentralteilchen, Zentralion, Ligand, Koordinationszahl, Koordinationspolyeder, Isomerie bei Komplexen, Ligandenfeldtheorie, Ligandenaustauschgleichgewicht, Chelat, Wasserhärte

Radioaktivität und Kernreaktionen

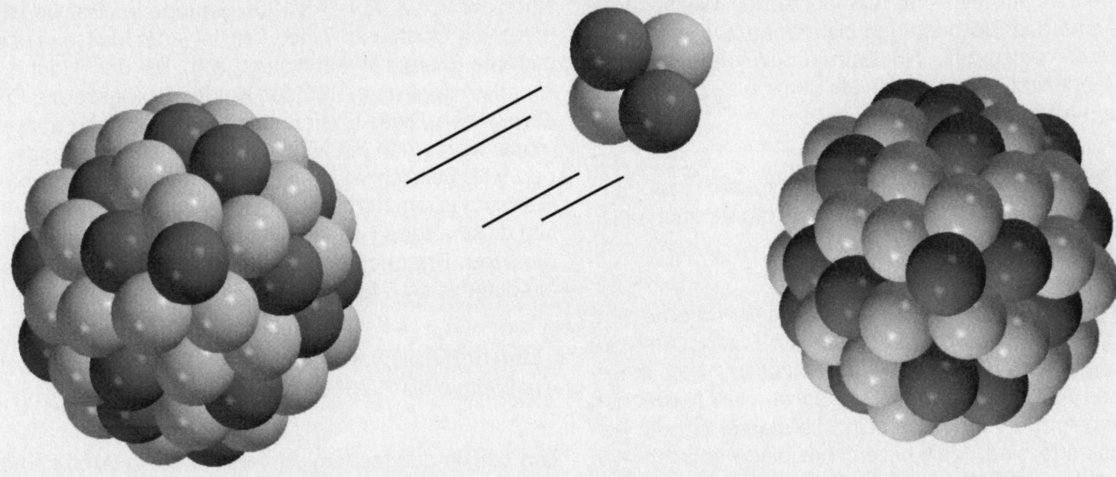

Für die chemischen Vorgänge sind die Elektronenhüllen der Atome, Moleküle und Ionen von ausschlaggebender Bedeutung. Bei chemischen Reaktionen werden nicht die Atomkerne selbst, sondern nur die Struktur der Elektronenhüllen und die Anordnung der Kerne zueinander verändert. Von den Kerneigenschaften sind für die Chemie in der Regel nur die Kernladung und die Kernmasse von Belang. Die Kernladung bestimmt die Anzahl der Elektronen, die zusammen mit dem Kern ein neutrales Atom bilden. Die Kernmasse schlägt sich in den Massenverhältnissen bei chemischen Reaktionen nieder.

Dennoch besitzen die Atomkerne wichtige weitere Eigenschaften und eine komplizierte Innenstruktur. Ihre Erforschung stellt an die Wissenschaft hohe Anforderungen, auch in experimenteller Hinsicht. Die Kerneigenschaften lassen sich in vielen Anwendungen nutzen. So ist der Einsatz der von Atomkernen ausgehenden Strahlung ein zentraler Bestandteil medizinischer Diagnostik und Therapie geworden.

Die Energiefreisetzung bei Kernreaktionen in Kernkraftwerken trägt zur Deckung des Energiebedarfs der Menschheit bei. Aber auch diese Form der Gewinnung nutzbarer Energie ist mit Problemen verknüpft, die teilweise als ungelöst betrachtet werden. Die Kernfusion wird von vielen als wichtigste zukünftige Energiequelle der Menschheit angesehen.

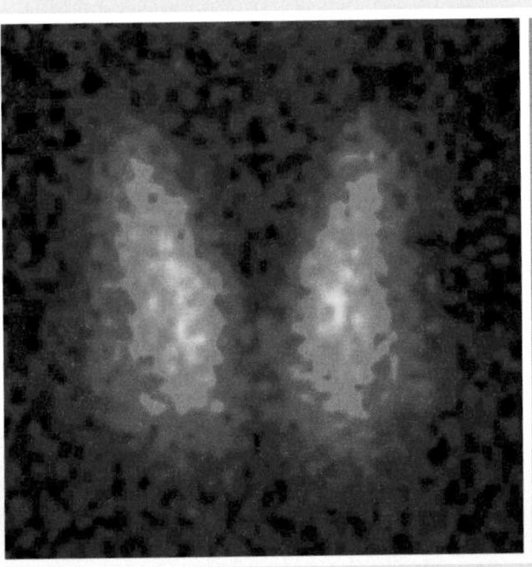

10.1 Bindung in Atomkernen

Die Kerne aller Atome – mit Ausnahme des Wasserstoffatoms – sind aus Protonen und Neutronen zusammengesetzt, die gemeinsam als **Nukleonen** bezeichnet werden. Die Nukleonenzahl A ergibt sich als Summe aus Protonenzahl Z und Neutronenzahl N.

> Als Nuklid bezeichnet man einen Atomkern bzw. ein Atom mit einer ganz bestimmten Protonenzahl und Nukleonenzahl.

Es stellt sich die Frage, warum es stabile Atomkerne gibt, obwohl zwischen den positiv geladenen Protonen starke Abstoßungskräfte (Coulomb-Kräfte) wirksam sind. Innerhalb eines Atomkerns müssen zwischen den Nukleonen Anziehungskräfte vorhanden sein, die stärker als die Abstoßungskräfte sind. Man bezeichnet diese sehr starken und nur auf kurze Entfernungen (etwa 10^{-15} m) wirkenden Kräfte als **Kernkräfte**. Die Klärung der Natur der Kernkräfte, die unabhängig von der elektrischen Ladung zwischen allen Nukleonen wirksam sind, ist Ziel der Forschung.

Massendefekt und Kernbindungsenergie. Auch ohne genaue Kenntnisse über die Kernkräfte sind zuverlässige Aussagen über die Energie möglich, mit der die Nukleonen gebunden sind. Ein Heliumatomkern, der aus 2 Protonen und 2 Neutronen besteht, müsste die Masse $m = 2 \cdot 1{,}0073\,\text{u} + 2 \cdot 1{,}0087\,\text{u} = 4{,}0320\,\text{u}$ besitzen. Sehr genaue massenspektroskopische Untersuchungen haben jedoch ergeben, dass ein Heliumatomkern nur die Masse $m = 4{,}0015\,\text{u}$ besitzt. Ähnliche Feststellungen bei allen anderen Atomkernen zeigen: Die Masse eines Atomkerns ist kleiner als die Summe der Massen seiner Nukleonen. Diese Massendifferenz bezeichnet man als *Massendefekt* Δm.

Nach der von A. Einstein 1905 gefundenen Beziehung $W = m \cdot c^2$ (c = Lichtgeschwindigkeit) ist jeder Masse m eine bestimmte Energie W äquivalent, d. h., bei der Bildung eines Atomkerns wird ein Teil der Nukleonenmasse als Energie abgegeben. Diese Energie, die man umgekehrt aufwenden muss, wenn man die Nukleonen wieder voneinander trennen will, bezeichnet man als **Kernbindungsenergie W_b**. Für den Heliumatomkern gilt: $W_b = \Delta m \cdot c^2 \approx -28{,}4$ MeV. Um diesen Betrag ist der Heliumatomkern energieärmer als die freien Protonen und Neutronen. Der Massendefekt ist ein direktes Maß für die Kernbindungsenergie.

> Man bezeichnet die dem Massendefekt Δm äquivalente Energie als Kernbindungsenergie W_b.

Um die Bindungsenergien verschiedener Atomkerne vergleichen zu können, ist es zweckmäßig, nicht die gesamte Bindungsenergie, sondern den auf ein Nukleon entfallenden Anteil der Bindungsenergie anzugeben.

Die Abhängigkeit der Bindungsenergie je Nukleon W_b/A von der Nukleonenzahl A zeigt ▷ B 1. In dieser Darstellung wird W_b/A mit negativem Vorzeichen angegeben (einem ungebundenen Nukleon wird die Bindungsenergie null zugeordnet). Je tiefer in der Kurve W_b/A liegt, umso mehr Energie wurde bei der Bildung des betreffenden Atomkerns frei, d. h., desto energieärmer und somit stabiler ist der Atomkern.

Auffallend ist die vergleichsweise große Stabilität des Heliumatomkerns ($W_b/A \approx -7{,}1$ MeV). W_b/A liegt am tiefsten bei Nukleonenzahlen um 60 (Elemente: Eisen, Nickel). Sowohl zu kleineren als auch zu größeren Nukleonenzahlen hin nimmt W_b/A zu.

B 1 Bindungsenergie je Nukleon W_b/A in Abhängigkeit von der Nukleonenzahl A

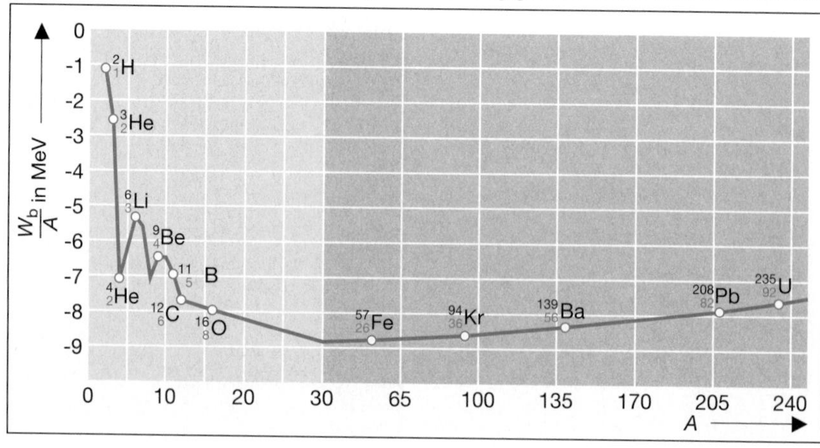

A 1 Berechnen Sie: a) den Massendefekt (in mg) und die Kernbindungsenergie (in J und kW·h) bei der Bildung von 1 mol Heliumatomkernen aus freien Nukleonen; b) die der atomaren Masseneinheit 1 u äquivalente Energie (in J und MeV).

Atomare Masseneinheit	$1\,\text{u} = 1{,}66 \cdot 10^{-27}\,\text{kg}$
Elektronvolt*	$1\,\text{eV} = 1{,}60 \cdot 10^{-19}\,\text{J}$
Megaelektronvolt	$1\,\text{MeV} = 10^6\,\text{eV}$
Kilowattstunde	$1\,\text{kW·h} = 3{,}60 \cdot 10^6\,\text{J}$

*1 eV ist die Energie, die ein Elektron beim Durchlaufen einer Potentialdifferenz von 1 V im Vakuum gewinnt.

10.2 Die natürliche Radioaktivität

Im Jahre 1896 entdeckte H. Becquerel, dass von Uranmineralien dauernd unsichtbare Strahlen ausgehen, die in der Lage sind, fotografische Platten durch schwarzes Papier hindurch zu schwärzen, die Luft zu ionisieren, ein elektrisch aufgeladenes Elektroskop zu entladen und sogar dünne Bleche z. B. aus Aluminium zu durchdringen. Die Natur dieser Strahlung konnte von H. Becquerel nicht geklärt werden.

Radioaktivität. Das Ehepaar M. und P. Curie fand 1898 bei der Untersuchung von Uranpechblende zwei neue Elemente, das *Polonium* und das *Radium* (Aus 2 t Uranerz konnten 0,1 g Radiumchlorid gewonnen werden!), welche noch viel stärker als Uran Strahlen aussenden. Die Eigenschaft von Stoffen, Strahlen auszusenden, bezeichnete M. Curie als *Radioaktivität* (von lat. radius, Strahl).

Zwei Jahre später stellte E. Rutherford fest, dass die von radioaktiven Stoffen ausgehende Strahlung nicht einheitlich ist. Die Ablenkung der Strahlung in einem magnetischen oder elektrischen Feld (▷ B 1) zeigt, dass sie aus drei Strahlenarten besteht: α-, β^-- und γ-Strahlen. Genauere Untersuchungen ergaben schließlich, dass es sich bei den **α-Strahlen** um Heliumatomkerne ($^4_2He^{2+}$-Ionen), bei den **β^--Strahlen** um Elektronen (e^-) und bei den **γ-Strahlen** um elektromagnetische Wellen sehr kleiner Wellenlängen (0,01 bis 10 pm) handelt. Da sich elektromagnetische Wellen in vielen Fällen wie Teilchenstrahlen (Photonenstrahlen) verhalten, spricht man auch von *γ-Quanten*.

α-Strahlen haben wegen der starken Wechselwirkung mit anderen Atomen in Luft nur eine Reichweite von einigen Zentimetern und werden bereits durch Papier abgeschirmt (▷ B 4). β^--Strahlen besitzen in Luft eine Reichweite von einigen Metern und werden durch Aluminium von wenigen Millimetern Stärke zurückgehalten.
γ-Strahlen durchdringen noch Blei von einigen Zentimetern Dicke. Für γ-Strahlen kann man keine maximale Reichweite angeben.

Nachweisverfahren für α-, β^-- und γ-Strahlen. Die Verfahren zur Identifizierung und quantitativen Bestimmung der verschiedenen Strahlenarten beruhen auf der Wechselwirkung der Strahlen mit Materie, insbesondere auf der ionisierenden Wirkung der Strahlen. Die energiereichen α-Strahlen wirken besonders stark ionisierend, während die Ionisation bei β^-- und γ-Strahlen wesentlich geringer ist.

In einem **Geiger-Müller-Zähler** (▷ B 2) werden besonders durch α- und β^--Strahlen Gasatome (z. B. Argonatome) ionisiert. Die gebildeten Ionen erzeugen durch Stöße weitere Ionen, sodass schließlich eine „Ladungslawine" entsteht. Die bei den Ionisationsprozessen entstandenen Elektronen erzeugen einen Stromstoß, der gezählt oder hörbar gemacht werden kann.

In einer **Nebelkammer**, einer mit übersättigtem Dampf (z. B. Methanoldampf) gefüllten Kammer, kondensiert der Dampf an den von den Teilchen der α- und β^--Strahlen erzeugten Ionen zu kleinen Tröpfchen. Die Bahnen der Teilchen werden als Nebelspuren sichtbar.

γ-Strahlen können besser mit einem **Szintillationszähler** nachgewiesen werden. In einem mit Thalliumionen dotierten Natriumiodidkristall werden durch die γ-Strahlen zunächst Elektronen energetisch angeregt, welche dann Licht (Photonen) emittieren. Die so erzeugten Lichtblitze („Szintillationen") werden mithilfe einer Fotozelle elektronisch registriert.

B 1 Ablenkung der von einem radioaktiven Stoff ausgesandten Strahlen in einem elektrischen Feld (Aufsicht)

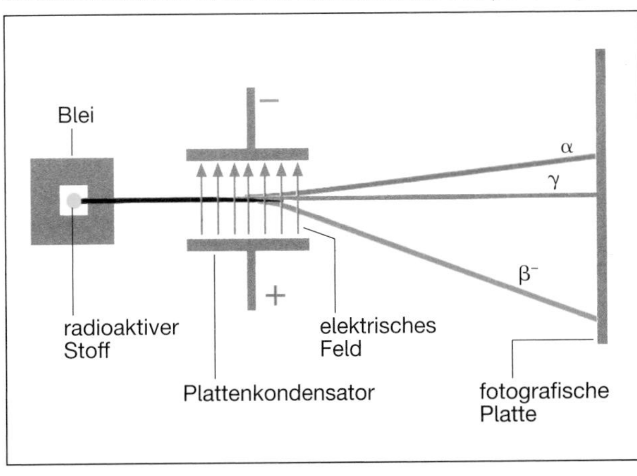

B 2 Geiger-Müller-Zähler (schematisch). Jedes Strahlungsteilchen oder -quant erzeugt einen kleinen Stromstoß

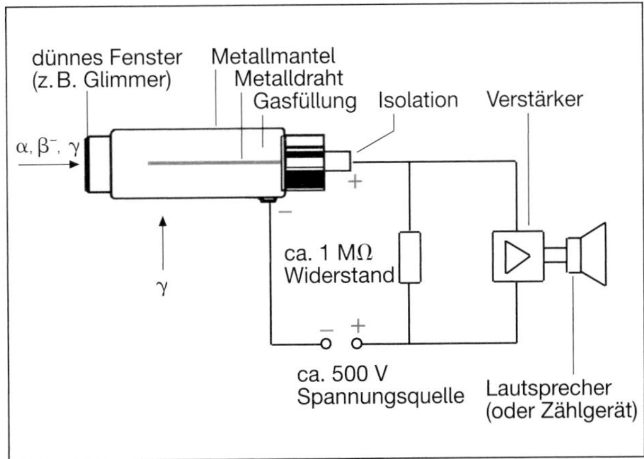

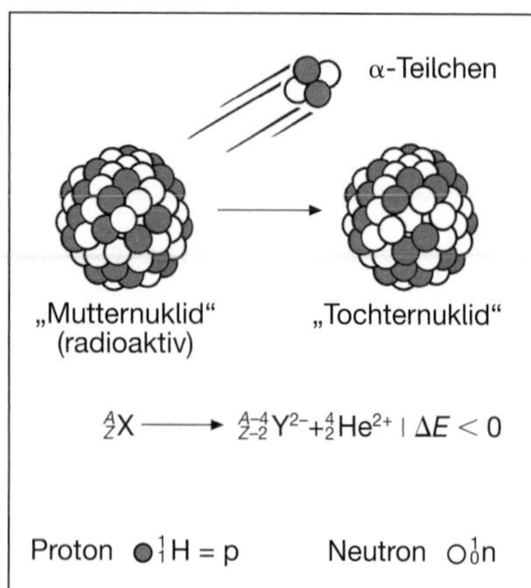

B 3 α-Zerfall: Emission eines Heliumatomkerns

B 4 Nebelkammerbild von α-Strahlen (oben: Abschirmung durch Papier)

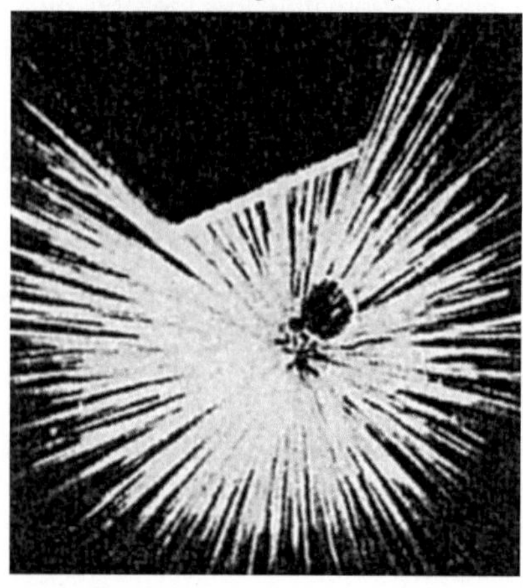

B 5 β⁻-Zerfall: Emission eines Elektrons (Umwandlung eines Neutrons in ein Proton und ein Elektron)

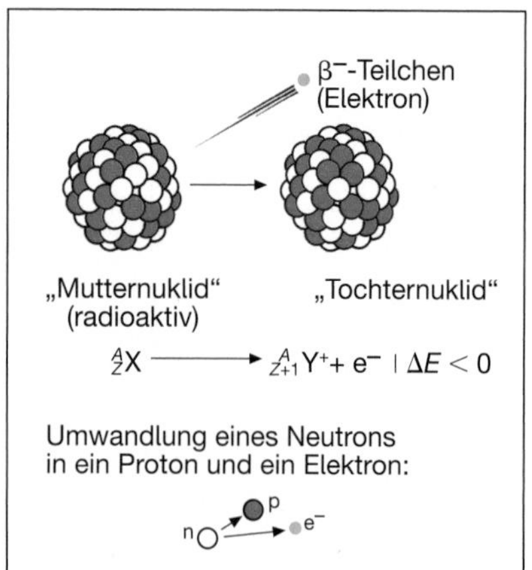

Bei der Untersuchung natürlicher radioaktiver Elemente stellte man fest, dass in den Proben *neue* Elemente auftraten. Dies ist nur erklärbar, wenn bei der Aussendung von Strahlen die *Atomkerne* der Ausgangselemente verändert werden. Dafür spricht auch das Auftreten der aus Nukleonen zusammengesetzten Heliumionen (α-Strahlen).

Arten des natürlichen radioaktiven Zerfalls. Die natürliche Radioaktivität ist auf den Zerfall *instabiler Atomkerne* zurückzuführen.

Atomkerne bzw. Atome, die spontan ohne äußere Einwirkung unter Strahlenemission zerfallen, bezeichnet man als Radionuklide.

Die Atomhülle ist bei den radioaktiven Zerfallsprozessen primär nicht beteiligt. Die Emission von α- und β⁻-Strahlen wird weder durch Temperatur- oder Druckänderungen noch durch den Bindungszustand der Atome beeinflusst. Bei den in der Natur vorkommenden radioaktiven Elementen treten hauptsächlich zwei Arten des radioaktiven Zerfalls auf: α-Zerfall und β⁻-Zerfall.

Beim **α-Zerfall** wird aus dem Kern eines radioaktiven Atoms, dem „Mutternuklid", ein Heliumatomkern (α-Teilchen, $^{4}_{2}He^{2+}$) herausgeschleudert (▷ B 3). Unter Rückstoß entsteht ein neuer Atomkern, das „Tochternuklid", das eine um zwei verkleinerte Protonenzahl und eine um vier verkleinerte Nukleonenzahl besitzt. Die von zahlreichen Kernen derselben Atomart ausgesandten Heliumatomkerne bilden die α-Strahlen. Die Anfangsgeschwindigkeit der α-Teilchen beträgt etwa 15 000 km/s (5 % der Lichtgeschwindigkeit) bei einer durchschnittlichen Energie von 5 MeV. α-Teilchen derselben Zerfallsreaktion besitzen immer die gleiche Energie und erzeugen in der Nebelkammer annähernd gleich lange, kräftige, kurze und meist geradlinige Spuren (▷ B 4).

Beispiel: $^{210}_{84}Po \longrightarrow ^{206}_{82}Pb^{2-} + ^{4}_{2}He^{2+} \mid \Delta E < 0$

Die Teilchen entstehen zunächst als Ionen. Unmittelbar nach der Emission zieht das Heliumkation Hüllenelektronen von anderen Atomen aus der Umgebung, die dadurch zu Kationen werden, an und wird so zu einem Heliumatom. An die gebildeten Kationen gibt das Bleianion seine Elektronen ab und wird zu einem Bleiatom. **Kernchemische Gleichungen** werden daher – wie in den nachfolgenden Beispielen – *ohne Ladungsangaben* geschrieben. Symbole wie z. B. $^{238}_{92}U$ kennzeichnen also stets den betreffenden Atomkern.

Weitere Beispiele: $^{238}_{92}U \longrightarrow ^{234}_{90}Th + ^{4}_{2}He$

$^{226}_{88}Ra \longrightarrow ^{222m}_{86}Rn + ^{4}_{2}He$

$^{222m}_{86}Rn \longrightarrow ^{222}_{86}Rn + \gamma$

Das Tochternuklid entsteht häufig nicht im Grundzustand, sondern in einem *energetisch angeregten, metastabilen Kernzustand* (Symbol: m). Der Übergang von einem angeregten Zustand in einen angeregten Zustand geringerer Energie oder den Grundzustand erfolgt durch Emission von γ-Quanten. Die Aussendung von γ-Quanten (γ-Strahlen) aus dem Atomkern verändert nicht die Art des Atomkerns.

Beim **β⁻-Zerfall** wird aus dem Kern eines radioaktiven Atoms ein Elektron (β⁻-Teilchen, e⁻) herausgeschleudert, das durch Umwandlung eines Neutrons in ein Proton entsteht (▷ B 5). Der neue Atomkern hat eine um eins größere Protonenzahl und eine gegenüber dem Ausgangskern unveränderte Nukleonenzahl.

Die von zahlreichen Kernen derselben Atomart ausgesandten Elektronen bilden die β^--Strahlen. Im Gegensatz zu den α-Teilchen besitzen die Elektronen der β^--Strahlen unterschiedliche Energien (0,02 MeV bis 1 MeV) und Geschwindigkeiten zwischen null und nahezu Lichtgeschwindigkeit. In der Nebelkammer erzeugen β^--Strahlen schwache, nicht geradlinige Nebelspuren.

Beispiele: $^{227}_{89}\text{Ac} \longrightarrow {}^{227}_{90}\text{Th} + e^-$

$^{234}_{90}\text{Th} \longrightarrow {}^{234m}_{91}\text{Pa} + e^-$

$\qquad \longrightarrow {}^{234}_{91}\text{Pa} + \gamma$

Auch beim β^--Zerfall entstehen die Tochternuklide häufig in angeregten Kernzuständen und es erfolgt eine Emission von γ-Quanten. Diese bewegen sich stets mit Lichtgeschwindigkeit und haben Energien von 0,01 MeV bis ca. 10 MeV. γ-Strahlen entstehen nur im Zusammenhang mit α- bzw. β^--Zerfällen.

Für die beiden radioaktiven Zerfallsarten gelten die von K. FAJANS und F. SODDY 1913 aufgestellten *radioaktiven Verschiebungssätze*:

a) Wenn ein Radionuklid ein α-Teilchen aussendet, entsteht das Nuklid eines neuen Elements, das im PSE zwei Stellen vor dem Ausgangselement steht.

b) Wenn ein Radionuklid ein β^--Teilchen aussendet, entsteht das Nuklid eines neuen Elements, das im PSE eine Stelle hinter dem Ausgangselement steht.

Grundgesetz des radioaktiven Zerfalls. Bei den radioaktiven Zerfallsprozessen wandeln sich die Atomkerne völlig unabhängig voneinander um. Es ist unmöglich, den Zeitpunkt des Zerfalls für einen einzelnen Atomkern vorauszusagen. Für eine große Anzahl von instabilen Atomkernen können jedoch Aussagen darüber gemacht werden, welcher Anteil der vorhandenen Atomkerne in einer bestimmten Zeit zerfällt.

Eine messbare Größe für die Abnahme der Anzahl der instabilen Atomkerne in einer radioaktiven Stoffportion ist die **Aktivität** A. Darunter versteht man den Quotienten aus der Anzahl ΔN_Z der Kernzerfälle und dem Zeitintervall Δt, in dem diese Zerfälle erfolgen.

$$A = \frac{\Delta N_Z}{\Delta t} \text{ bzw. } A = \lim_{\Delta t \to 0} \frac{\Delta N_Z}{\Delta t} = \frac{dN_Z}{dt} \qquad \text{Einheit: 1 Bq (Becquerel)} = 1\ s^{-1}$$

Ist $N(0)$ die Anzahl der zu Beginn einer Zählung ($t = 0$ s) vorhandenen instabilen Atomkerne, so bedeutet $N(t) = N(0) - N_Z$ die Anzahl der zur Zeit t *noch vorhandenen* instabilen Atomkerne. Die Aktivität kann damit auch als die Abnahme $-dN(t)$ dieser Anzahl, bezogen auf die zugehörige Zeit dt, geschrieben werden:

$$A = \frac{dN_Z}{dt} = -\frac{dN(t)}{dt}$$

Es ist plausibel anzunehmen, dass die Aktivität einer radioaktiven Stoffportion proportional zur Anzahl $N(t)$ der darin enthaltenen instabilen Kerne ist:

$$-\frac{dN(t)}{dt} = \lambda \cdot N(t)$$

Diese Gleichung beschreibt eine Eigenschaft derjenigen Funktionen $N = N(t)$, welche die Abhängigkeit der Anzahl N von der Zeit t ausdrückt: Die Ableitung dN/dt ist proportional zum Funktionswert N selbst (▷ A3a). Diese Bedingung wird erfüllt von der Funktion:

$$\boldsymbol{N(t) = N(0) \cdot e^{-\lambda \cdot t}} \qquad \textbf{Grundgesetz des radioaktiven Zerfalls}$$

Da die Aktivität A proportional zur Anzahl N ist, klingt auch die Aktivität exponentiell ab. λ heißt **Zerfallskonstante** (Einheit: $1\ s^{-1}$) und hat für jedes Radionuklid einen charakteristischen Wert. Diese Werte müssen stets experimentell bestimmt werden.

V 1 Natürliche Strahlung der Umgebung (Nulleffekt). Die Anzahl der Stromimpulse, die mit einem Zählrohr in einer bestimmten Zeit registriert werden, wird *Zählrate* oder *Impulsrate* genannt. Messen Sie mit einem Geiger-Müller-Zählrohr und einem Zählgerät fünfmal die Zählrate der Strahlung in der Umgebung. Die Messzeit beträgt jeweils 1 min.

V 2 β^--Strahlen im Magnetfeld. In einem Magnetfeld wirkt auf *bewegte geladene Teilchen* die *Lorentzkraft*. Sie wirkt immer senkrecht zur Bewegungsrichtung der Teilchen und senkrecht zu den magnetischen Feldlinien. Das Vorzeichen der Ladung der Teilchen bestimmt die Orientierung der Kraft. a) Bringen Sie zwischen einen Strahlerstift (zul. ^{226}Ra-Präparat) und ein Zählrohr ein Blatt Papier (Abschirmung von α-Strahlen) sowie ein Bleiblech mit Loch (Blende) und messen Sie die Zählrate in geradliniger Verlängerung und bei Winkeln von 30° und –30°. b) Messen Sie die Zählraten entsprechend, wenn zusätzlich ein Magnet in den Strahlengang gebracht wird (▷ B6). Die Messzeit beträgt jeweils 1 min.

B6 β^--Strahlen im Magnetfeld. Die Richtung der Ablenkung ergibt sich aus der Drei-Finger-Regel der linken Hand

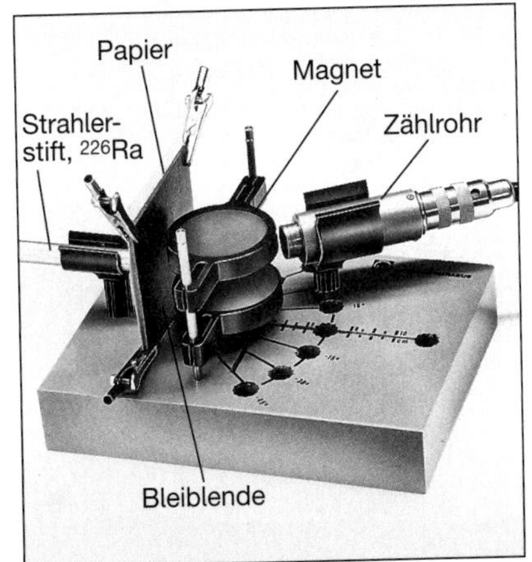

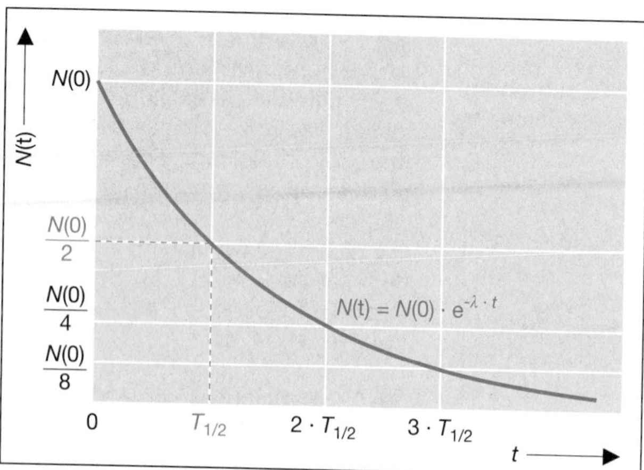

B7 Grafische Darstellung des Grundgesetzes für den radioaktiven Zerfall

Radio-nuklid	Halbwerts-zeit $T_{1/2}$	Zerfalls-art	spezifische Aktivität $a = A/m$ in Bq/g
$^{238}_{92}U$	$4{,}47 \cdot 10^9$ a	α	$1{,}24 \cdot 10^4$
$^{239}_{94}Pu$	$2{,}41 \cdot 10^4$ a	α	$2{,}26 \cdot 10^9$
$^{226}_{88}Ra$	1600 a	α	$3{,}66 \cdot 10^{10}$
$^{222}_{86}Rn$	3,825 d	α	$5{,}7 \cdot 10^{15}$
$^{14}_{6}C$	5736 a	β^-	$1{,}65 \cdot 10^{11}$
$^{137}_{55}Cs$	30,17 a	β^-	$3{,}2 \cdot 10^{12}$
$^{3}_{1}H$	12,32 a	β^-	$3{,}57 \cdot 10^{14}$
$^{214}_{82}Pb$	26,8 min	β^-	$1{,}2 \cdot 10^{18}$

B8 Halbwertszeiten und spezifische Aktivitäten von Radionukliden (a = Jahr, d = Tag, min = Minute)

B9 ε-Zerfall: Einfang eines Elektrons aus der Atomhülle (Vereinigung eines Protons und eines Elektrons zu einem Neutron)

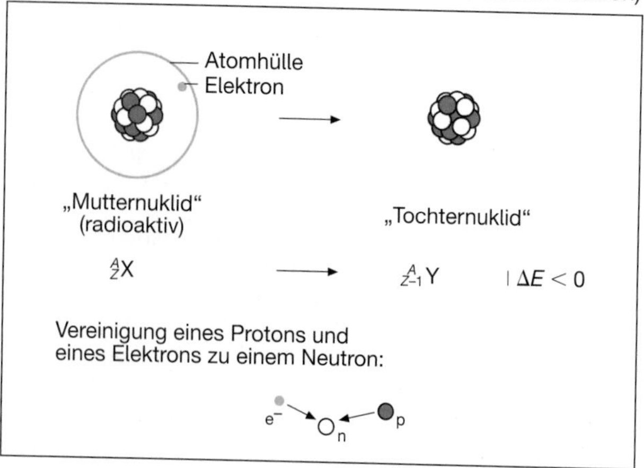

In ▷ B7 ist das Zerfallsgesetz grafisch dargestellt. Von einem bestimmten Radionuklid zerfällt in jeder Zeiteinheit ein gleich bleibender Bruchteil der jeweils noch vorhandenen Atomkerne.

Unter der **Halbwertszeit $T_{1/2}$** versteht man die Zeit, in der die Hälfte einer vorliegenden Anzahl von radioaktiven Atomkernen zerfallen ist (▷ A3b). Es gilt:

$$T_{1/2} = \frac{\ln 2}{\lambda}$$

Die Halbwertszeit eines Radionuklids ist vom Alter einer vorliegenden Stoffportion sowie vom physikalischen und chemischen Zustand des Radionuklids unabhängig und wird meist anstelle der Zerfallskonstante zur Kennzeichnung des Radionuklids verwendet (▷ B8).

Zerfallsreihen. In der Natur existieren Radionuklide mit extrem großen Halbwertszeiten. Diese sogenannten *Urnuklide* stammen aus der Entstehungszeit der Elemente. (Das Alter der Erde wird auf etwa 4,6 Mrd. Jahre geschätzt.)

Bei einigen der radioaktiven Urnuklide tritt neben dem α- und β^--Zerfall noch eine weitere Art des radioaktiven Zerfalls auf, die man als **Elektroneneinfang** oder **ε-Zerfall** bezeichnet (▷ B9). Der Atomkern fängt ein *Elektron aus der Atomhülle* ein (meist aus der K-Schale: „K-Einfang"), wodurch sich ein Proton in ein Neutron umwandelt. Es entsteht ein neuer Atomkern mit einer um eins verminderten Protonenzahl und einer gegenüber dem Ausgangskern unveränderten Nukleonenzahl.

Beispiel: $^{40}_{19}K + e^- \longrightarrow {}^{40}_{18}Ar$

Unter den radioaktiven Urnukliden kann man solche *ohne* Zerfallsreihe (z. B. $^{40}_{19}K$) und solche *mit* Zerfallsreihe (z. B. $^{238}_{92}U$) unterscheiden.

Eine *Zerfallsreihe* entsteht, wenn bei den Kernumwandlungen aus den radioaktiven Urnukliden neue Nuklide entstehen, welche selbst wieder radioaktiv sind. Der Zerfall geht dann weiter und endet erst bei einem inaktiven (stabilen) Nuklid. In der Natur kommen noch drei nach typischen Nukliden benannte Zerfallsreihen vor: Thorium-Reihe (von $^{232}_{90}Th$ zu $^{208}_{82}Pb$), Uran-Actinium-Reihe (von $^{235}_{92}U$ über $^{227}_{89}Ac$ zu $^{207}_{82}Pb$), Uran-Radium-Reihe (von $^{238}_{92}U$ über $^{226}_{88}Ra$ zu $^{206}_{82}Pb$).

In den frühen Zeiten der Erdgeschichte existierte eine vierte Zerfallsreihe, die Plutonium-Neptunium-Reihe. Aus dem Anfangsnuklid $^{241}_{94}Pu$ bildete sich über $^{237}_{93}Np$ das Endnuklid $^{209}_{83}Bi$. Diese Zerfallsreihe ist „ausgestorben", weil das langlebigste Nuklid dieser Reihe ($^{237}_{93}Np$) eine – verglichen mit dem Alter der Erde – kleine Halbwertszeit von $2{,}14 \cdot 10^6$ a hat.

Die Uran-Radium-Zerfallsreihe ist in ▷ B10 dargestellt. In allen Zerfallsreihen treten nur α- und β^--Zerfälle auf. Diese sind in den meisten Fällen mit der Aussendung von γ-Strahlen verbunden.
Es gibt in den Zerfallsreihen einige Nuklide, die entweder α-Teilchen oder β^--Teilchen aussenden können. Außer bei $^{212}_{83}Bi$ (Nuklid der Thorium-Reihe) sendet ein Nuklid im Wesentlichen (zu 99 % und mehr) nur eine Teilchenart aus. Der *einzelne* Atomkern kann *niemals gleichzeitig* beide Teilchenarten aussenden. Von einem natürlichen radioaktiven Präparat gehen in der Regel gleichzeitig α-, β^-- und γ-Strahlen aus. Dies liegt daran, dass eine Mischung von Ausgangs- und Folgenukliden mit verschiedener Zerfallsart vorliegt. Eine solche Mischung bildet sich stets von selbst, wenn die beim Zerfall von Radionukliden entstehenden neuen Nuklide wieder radioaktiv sind.

Energieumsatz beim radioaktiven Zerfall. Die von radioaktiven Atomen emittierten Teilchen sowie die durch den Rückstoß bewegten neuen Atome geben ihre Energie, welche aus Massendefekten resultiert, durch Wechselwirkung mit anderen in der Umgebung befindlichen Atomen an diese ab. Ein radioaktives Präparat ist daher stets etwas wärmer als seine Umgebung. Bei der radioaktiven Umwandlung von 1 kg $^{226}_{88}Ra$ in $^{206}_{82}Pb$ würde insgesamt eine (kinetische) Energie von etwa $14{,}5 \cdot 10^{12}$ J frei. Dies entspricht der Energie, die bei der Verbrennung von etwa 500 000 kg Kohle entsteht! Die Freisetzung dieser gewaltigen Energie erfolgt jedoch innerhalb eines sehr langen Zeitraumes. Trotzdem hat die beim radioaktiven Zerfall frei werdende Energie geologische Bedeutung, z. B. für Aufschmelzungen und Bewegungen im Magma und als Folge davon für die Drift der Kontinente, Erdbeben und Vulkantätigkeit.

B 10 Uran-Radium-Zerfallsreihe (a = Jahr, d = Tag, h = Stunde, min = Minute, s = Sekunde)

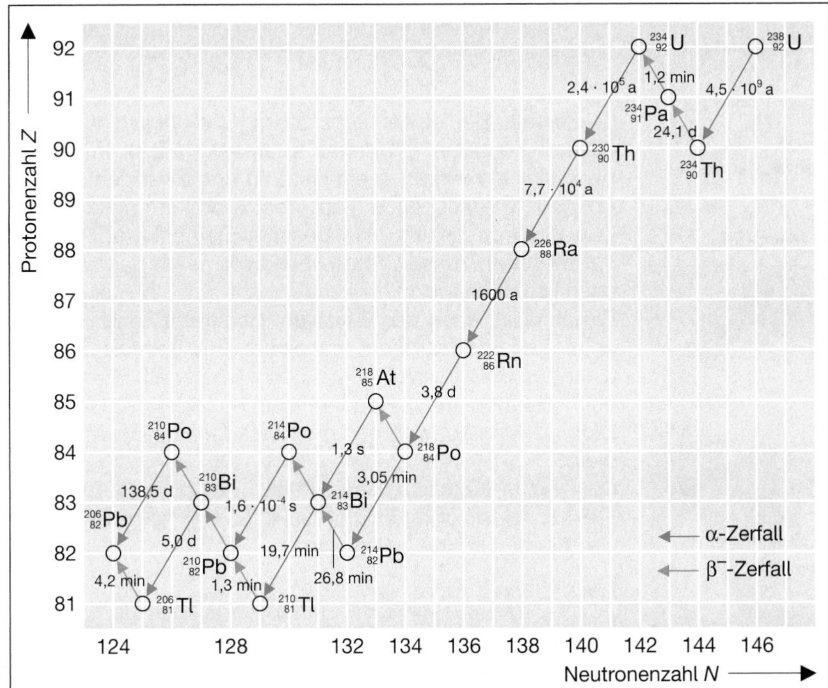

A 1 Formulieren Sie die kernchemischen Gleichungen für den α-Zerfall von $^{212}_{83}Bi$, $^{224}_{88}Ra$, $^{232}_{90}Th$, $^{235}_{92}U$ und den β^--Zerfall von $^{85}_{36}Kr$, $^{131}_{53}I$, $^{212}_{83}Bi$, $^{241}_{94}Pu$.

A 2 a) In jeder der in der Natur vorkommenden drei Zerfallsreihen tritt ein Isotop des Edelgases Radon auf. Welche Bedeutung hat diese Tatsache für die Verbreitung der natürlichen Radionuklide?
b) Formulieren Sie die kernchemischen Gleichungen für den α-Zerfall der Radionuklide $^{219}_{86}Rn$, $^{220}_{86}Rn$ und $^{222}_{86}Rn$.

A 3 a) Zeigen Sie durch Differenzieren und Einsetzen, dass die Funktion $N(t) = N(0) \cdot e^{-\lambda \cdot t}$ der folgenden Proportionalität genügt: $-dN(t)/dt = \lambda \cdot N(t)$.
b) Zeigen Sie mathematisch, dass gilt: $T_{1/2} = (\ln 2)/\lambda$.

A 4 a) Das Radionuklid $^{60}_{27}Co$ zeigt β^--Zerfall mit einer Halbwertszeit von 5,27 a. Welcher Anteil des Radionuklids ist in einer reinen Probe nach einem Jahr noch vorhanden? b) Beim β^--Zerfall von $^{231}_{90}Th$ sind nach 85 h noch 10 % der ursprünglich vorhandenen Atome $^{231}_{90}Th$ vorhanden. Wie groß ist die Halbwertszeit $T_{1/2}$ von $^{231}_{90}Th$?

B 11 Berechnung der Zerfallszeit

Frage: Die Halbwertszeit des Radionuklids $^{222}_{86}Rn$ beträgt 3,8 d. Nach welcher Zeit sind 75 % der Atome in einer Probe $^{222}_{86}Rn$ zerfallen?

Lösungsweg:

$N(t) = N(0) \cdot e^{-\lambda \cdot t}$ mit $N(t) = 0{,}25 \cdot N(0)$

$$\ln \frac{N(t)}{N(0)} = -\lambda \cdot t = -\frac{\ln 2}{T_{1/2}} \cdot t$$

$$t = \frac{T_{1/2}}{\ln 2} \cdot \ln \frac{N(0)}{N(t)}$$

$$t = \frac{3{,}8\,\text{d}}{\ln 2} \cdot \ln \frac{1}{0{,}25}$$

$$t = \frac{3{,}8\,\text{d}}{\ln 2} \cdot \ln 4; \quad t = 3{,}8\,\text{d} \cdot 2 = 7{,}6\,\text{d}$$

10.3 Kernreaktionen

B 1 Nebelkammerbild einer Kernumwandlung beim Beschuss von Stickstoffatomkernen mit α-Teilchen. Rechts: Interpretation

Reaktionstyp	Kernreaktion	Zerfallsart und Halbwertszeit des Radionuklids
(α,n)	${}^{19}_{9}F + {}^{4}_{2}He \rightarrow {}^{22}_{11}Na + {}^{1}_{0}n$	β^+, 2,6 a
(d,p)	${}^{31}_{15}P + {}^{2}_{1}H \rightarrow {}^{32}_{15}P + {}^{1}_{1}H$	β^-, 14,3 d
(p,n)	${}^{7}_{3}Li + {}^{1}_{1}H \rightarrow {}^{7}_{4}Be + {}^{1}_{0}n$	ε, 53,4 d
(n,α)	${}^{6}_{3}Li + {}^{1}_{0}n \rightarrow {}^{3}_{1}H + {}^{4}_{2}He$	β^-, 12,32 a
(n,γ)	${}^{59}_{27}Co + {}^{1}_{0}n \rightarrow {}^{60}_{27}Co + \gamma$	β^-, 5,27 a

B 2 Darstellung von Radionukliden durch einfache Kernreaktionen

B 3 β⁺-Zerfall: Emission eines Positrons

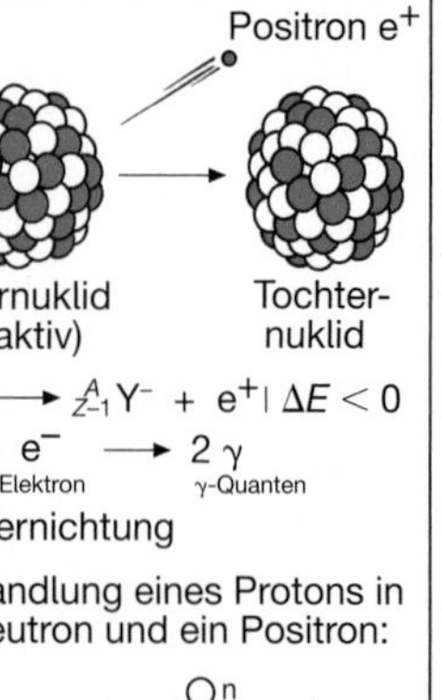

B 4 Irène Joliot-Curie

Im Jahre 1919 konnte E. Rutherford bei der Einwirkung von α-Strahlen auf Stickstoff erstmals eine künstliche, d. h. experimentell herbeigeführte Kernumwandlung (Elementumwandlung) beobachten (▷ B 1):

$${}^{14}_{7}N + {}^{4}_{2}He \longrightarrow {}^{18m}_{9}F \longrightarrow {}^{17}_{8}O + {}^{1}_{1}H$$

Ausgangskern – „Geschoss" (α) – Zwischenkern – Endkern – emittiertes Teilchen (p)

Man bezeichnet heute diese Reaktion auch als (α,p)-Reaktion und schreibt kurz ${}^{14}N(\alpha,p){}^{17}O$.

Künstliche Kernumwandlungen. Heute sind Tausende von künstlichen Kernumwandlungen (Kernreaktionen) bekannt. Zahlreiche Kernreaktionen verlaufen über einen nur kurzzeitig existierenden, energetisch angeregten *Zwischenkern*. In der Kurzschreibweise für kernchemische Gleichungen wird ein Zwischenkern nicht angegeben. Neben α-Teilchen benutzt man zum Beschuss von Atomkernen auch Neutronen (${}^{1}_{0}n$), Protonen (${}^{1}_{1}H$), Deuteronen (${}^{2}_{1}H$) und Atomkationen immer größerer Masse.
Teilchen, die eine positive elektrische Ladung besitzen, werden von den damit beschossenen Atomkernen abgestoßen. Beim Beschuss von Stickstoffkernen mit α-Teilchen, die von einem natürlichen radioaktiven Nuklid emittiert werden, kommt wegen deren relativ geringen Energie auf 50 000 α-Teilchen nur eine Kernumwandlung zustande. Man verwendet deshalb verschiedene Arten von *Teilchenbeschleunigern* (z. B. einen Linearbeschleuniger), um diesen Teilchen eine so große kinetische Energie zu verleihen, dass die Abstoßungskräfte überwunden werden.
Aus stabilen Nukliden können durch Kernreaktionen auch radioaktive Nuklide gewonnen werden (▷ B 2).

β⁺-Zerfall. Bei einem *künstlichen Radionuklid* kann als weitere Zerfallsart *β^+-Zerfall* auftreten (▷ B 3). Im Atomkern wird ein Proton in ein Neutron umgewandelt und ein *Positron* (β^+-Teilchen, e^+) aus dem Atomkern ausgesandt. Das Positron besitzt eine positive Elementarladung und hat dieselbe Masse wie das Elektron, es ist das „Antiteilchen" zum Elektron.
Bereits kurz nach der Emission „zerstrahlt" das Positron beim Zusammentreffen mit einem Elektron zu zwei γ-Quanten (*Paarvernichtung*). Beim β^+-Zerfall nimmt (wie beim Elektroneneinfang) die Protonenzahl eines Radionuklids um eins ab, während die Nukleonenzahl unverändert bleibt.
Das erste künstlich dargestellte Radionuklid erhielten 1934 F. Joliot und I. Joliot-Curie (▷ B 4) beim Beschuss von Aluminium mit α-Strahlen:

$${}^{27}_{13}Al + {}^{4}_{2}He \longrightarrow {}^{30}_{15}P + {}^{1}_{0}n$$

$${}^{30}_{15}P \xrightarrow{T_{1/2} = 2,5\ \text{min}} {}^{30}_{14}Si + e^+$$

Bei dieser Kernumwandlung wird ein Neutron frei.

Neutronenstrahlen. Ein Neutron ist als Geschoss für eine Kernumwandlung besonders geeignet, da es ungeladen ist und somit weder von der Hülle noch vom Kern eines Atoms abgestoßen wird. Zur *Erzeugung von Neutronenstrahlen* eignet sich eine in ein Glasrohr eingeschmolzene Mischung aus Berylliumpulver und einem Radiumsalz (α-Strahler):

$$^{9}_{4}Be + ^{4}_{2}He \longrightarrow ^{12}_{6}C + ^{1}_{0}n$$

Hierbei entdeckten W. BOTHE und J. CHADWICK 1930/32 das Neutron. Ein *freies* Neutron ist instabil und zerfällt in ein Proton und ein Elektron ($T_{1/2}$ = 10,4 min). Neutronen können Materie noch stärker durchdringen als γ-Strahlen. Nur wenn ein Neutron direkt mit einem Atomkern zusammenstößt, kann es von ihm abgebremst oder eingefangen werden. Durch künstliche Kernumwandlungen können nicht nur neue Isotope der in der Natur vorkommenden Elemente, sondern auch neue Elemente dargestellt werden, die im PSE auf das Uran folgen (*Transurane*).

Beispiele:

$^{238}U(n,\gamma)^{239}U \xrightarrow{\beta^-} {}^{239}Np$ (Neptunium, 1940)

$^{209}Bi(^{54}Cr,n)\,^{262}Bh$ (Bohrium, 1981)

Von den bisher bekannten etwa 2500 Nukliden sind nur 249 stabil. Insbesondere sind alle Nuklide mit Protonenzahlen $Z > 83$ radioaktiv.

Verwendung von Radionukliden in der Analytik. Zahlreiche natürliche und künstliche Radionuklide dienen zum *Markieren* von Molekülen oder Ionen. Ersetzt man in einer Verbindung ein inaktives Atom durch ein radioaktives Atom desselben Elementes, können Reaktionsmechanismen und Transportvorgänge – insbesondere Stoffwechselvorgänge in lebenden Organismen – aufgeklärt werden.
Zur *Spurenanalyse* (Analyse geringster Substanzmengen) eignet sich die *Aktivierungsanalyse*. Eine Substanzprobe wird dabei meist mit Neutronen beschossen, wodurch ein bestimmter Anteil der beschossenen Atome Radionuklide bildet. Durch Messung der emittierten Strahlen kann man auf Art und Menge der ursprünglich vorhandenen Elemente schließen.
In der medizinischen Diagnostik dient vor allem das Radionuklid $^{99m}_{43}Tc$ (γ-Strahler, $T_{1/2}$ = 6 h) zur Untersuchung vieler Organe (z. B. Schilddrüse, Nieren, Lunge, Herz). Die ausgesandten Strahlen werden von einem Detektor von außen registriert und als *Szintigramm* grafisch dargestellt. Zur Diagnose von Gehirn- oder Herzerkrankungen kann das Radionuklid $^{18}_{9}F$ (β^+-Strahler, $T_{1/2}$ = 109,7 min) benutzt werden. Ein Tomograf liefert dreidimensionale Darstellungen der Verteilung des Radionuklids. In der Therapie wird z. B. das Radionuklid $^{131}_{53}I$ (β^--Strahler, $T_{1/2}$ = 8,02 d) bei Erkrankungen der Schilddrüse (in ihr wird als Natriumiodid aufgenommenes Iod angereichert) eingesetzt.

Exkurs: Radiokohlenstoffmethode zur Altersbestimmung organischer Proben

Durch kosmische Strahlung wird in der Atmosphäre ständig das Radionuklid $^{14}_{6}C$ („Radiokohlenstoff") gebildet:

$$^{14}_{7}N + ^{1}_{0}n \longrightarrow ^{1}_{1}H + ^{14}_{6}C$$

Das Radionuklid $^{14}_{6}C$ ist ein β^--Strahler ($T_{1/2}$ = 5736 a). In der Atmosphäre kommt auf 10^{12} stabile $^{12}_{6}C$-Atome ein radioaktives $^{14}_{6}C$-Atom.
Die $^{14}_{6}C$-Atome reagieren mit dem Luftsauerstoff zu $^{14}CO_2$ und gelangen durch Fotosynthese in die Pflanzen und über die Nahrungskette in Tiere und Menschen. Solange ein Organismus lebt, besteht ein Gleichgewichtszustand mit der Umgebung, d. h., der $^{14}_{6}C$-Anteil ist im Organismus so groß wie in der Umgebung.
Bei einem lebenden Organismus misst man pro Gramm Kohlenstoff 15,3 Impulse pro Minute. Stirbt der Organismus, wird kein weiterer Kohlenstoff mehr aufgenommen und der Anteil des im Organismus vorhandenen radioaktiven Kohlenstoffs nimmt nach dem Zerfallsgesetz ab. Durch Messung der verbliebenen $^{14}_{6}C$-Aktivität kann der Zeitpunkt des Ablebens bestimmt werden. Diese Methode setzt voraus, dass sich das $^{14}_{6}C/^{12}_{6}C$-Verhältnis in der Atmosphäre im Laufe der Zeit nicht verändert hat, was allerdings nicht der Fall ist. Vergleichsmessungen an baumringdatiertem Holz oder historisch datierbare Fundstücke dienen zur „Eichung". Die obere Grenze (etwa 50 000 a) der $^{14}_{6}C$-Datierung ist durch die Messgenauigkeit gegeben.

Beispiel: Wie alt ist ein hölzerner Fundgegenstand, der je Gramm Kohlenstoff 10,8 $^{14}_{6}C$-Impulse je Minute ergibt?

Lösung: $\frac{A(t)}{A(0)} = \frac{N(t)}{N(0)} = e^{-\frac{\ln 2}{T_{1/2}} \cdot t}$; $t = \frac{T_{1/2}}{\ln 2} \cdot \ln \frac{A(0)}{A(t)}$;

$$t = \frac{5736\text{ a}}{\ln 2} \cdot \ln \frac{15,3}{10,8} = 2882\text{ a}$$

A 1 Berechnen Sie die Masse einer Probe von reinem $^{238}_{92}U$, welche die gleiche Aktivität besitzt wie 1 g einer Probe von reinem $^{226}_{88}Ra$ ($A = 3,66 \cdot 10^{10}$ Bq).

A 2 a) Formulieren Sie die kernchemischen Gleichungen für den radioaktiven Zerfall der in ▷ B2 angegebenen Radionuklide.
b) Formulieren Sie die kernchemischen Gleichungen für den ε-Zerfall der Radionuklide $^{201}_{81}Tl$, $^{55}_{26}Fe$, $^{37}_{18}Ar$.
c) Vervollständigen Sie die kernchemischen Gleichungen (Kurzschreibweise) für folgende künstliche Kernumwandlungen:
$^{11}B(n,\alpha)?$; $^{19}F(?,\gamma)^{21}Ne$; $^{209}Bi(?,n)^{210}Po$; $^{96}Mo(d,n)?$; $?(\alpha,n)^{242}Cm$; $^{209}Bi(\alpha,?)^{211}At$.

10.4 Strahlenmessung und Strahlenbelastung

Größe	Einheit
Aktivität = Anzahl der Kernumwandlungen/Zeit $A = -\frac{dN}{dt} = \lambda \cdot N$ (λ = Zerfallskonstante)	Becquerel 1 Bq = 1 s^{-1} (früher: Curie 1 Ci = $3{,}7 \cdot 10^{10}$ Bq)
Energiedosis = absorbierte Strahlungsenergie/Masse des absorbierenden Körpers $D = \frac{W_{ab}}{m_{ab}}$	Gray 1 Gy = 1 J/kg (früher: Rem 1 rem = 0,01Sv)
Äquivalentdosis = Energiedosis · Qualitätsfaktor $H = D \cdot q$	Sievert 1 Sv = 1 J/kg
Äquivalentdosisleistung = Äquivalentdosis/Zeit $\dot{H} = \frac{H}{t}$	1 Sv/h, 1 Sv/d, 1 Sv/a (h = Stunde, d = Tag, a = Jahr)

B 1 Wichtige Größen der Strahlenmessung

B 2 Qualitätsfaktoren unterschiedlicher Strahlenarten

Strahlenart	Qualitätsfaktor *q*
Gammastrahlen	1
Betastrahlen	1
langsame Neutronen	3
schnelle Neutronen	10
Protonen	10
Alphastrahlen	20
schwere Kerne	20

B 3 Wichtungsfaktoren von Organen und Geweben

Organ, Gewebe	Wichtungsfaktor w_R
Keimdrüsen (Gonaden)	0,25
Brust	0,15
rotes Knochenmark	0,12
Lunge	0,12
Schilddrüse	0,03
Knochenoberfläche	0,03
übrige Organe und Gewebe (Restkörper)	0,30

B 4 Natürliche Strahlenquellen. Mittlere effektive Äquivalentdosisleistung $\dot{H}_{eff}$ in mSv/a

Natürliche Strahlenquellen	Wirkung von außen	Wirkung von innen	Insgesamt
kosmische Strahlung	0,3	–	0,3
terrestrische Strahlung von außen	0,5	–	0,5
Inhalation von Radon in Wohnungen	–	1,3	1,3
Inkorporation natürlicher radioaktiver Stoffe (im Wesentlichen ^{40}K)	–	0,3	0,3
Summe	0,8	1,6	**2,4**

Jeder Mensch ist einer natürlichen Strahlenbelastung ausgesetzt. Diese wird noch durch zivilisatorisch bedingte Einwirkungen (z. B. medizinische Untersuchungen, Betrieb kerntechnischer Anlagen) erhöht. Ionisierende Strahlen schädigen den menschlichen Organismus. Sie lassen sich mit keinem menschlichen Sinnesorgan wahrnehmen und sind nur mit Messgeräten festzustellen. Strahlenmessung (Strahlendosimetrie) und Strahlenschutz haben daher eine besondere Bedeutung.

Strahlenmessung. Die Wirkung der von radioaktiven Stoffen ausgehenden Strahlen auf den menschlichen Organismus ist proportional der Energie, welche die Strahlen auf die Materie übertragen. Die Aktivität *A* ist daher *kein* Maß für die Strahlenwirkung. Auch die *Energiedosis D* (▷ B 1) beschreibt die biologische Wirkung von Strahlen nur ungenügend, da das Ausmaß des Schadens zusätzlich von der *Strahlenart* abhängt. Man verwendet deshalb die **Äquivalentdosis** $H = D \cdot q$. Der *Qualitätsfaktor q*, der die unterschiedliche biologische Wirkung der Strahlenarten berücksichtigt (▷ B 2), beruht auf experimentell erhaltenen Werten. Die **Äquivalentdosisleistung** $\dot{H} = H/t$ bezieht die Äquivalentdosis auf eine bestimmte Zeit.

Die Strahlenempfindlichkeit der Organe (z. B. Keimdrüsen, Schilddrüse) oder Gewebe (z. B. rotes Knochenmark) des Menschen ist sehr unterschiedlich. Ihre verschiedenen Anteile an der Wahrscheinlichkeit eines Schadens (z. B. Krebs) werden deshalb durch *Wichtungsfaktoren* w_R (R für engl. radiation, Strahlung) berücksichtigt, mit denen die Äquivalentdosen einzelner Organe und Gewebe multipliziert werden (▷ B 3). Die Summe aller gewichteten Äquivalentdosen ergibt die **effektive Äquivalentdosis** H_{eff}, d. h. die Gesamtwahrscheinlichkeit für einen Schaden.

Natürliche Strahleneinwirkung. Die ionisierende Strahlung, die in der Natur vorkommt, lässt sich auf verschiedene Quellen zurückführen (▷ B 4). Von der Sonne und aus dem Weltraum trifft eine energiereiche Teilchenstrahlung (hauptsächlich Protonen und α-Teilchen) auf die Atmosphäre der Erde. Diese **kosmische Strahlung** erzeugt durch Wechselwirkung mit den Molekülen der Luft u. a. auch eine Neutronenstrahlung. Durch Kernreaktionen der Neutronen mit Stickstoff- und Sauerstoffatomen entstehen ständig Radionuklide mit relativ kurzen Halbwertszeiten (z. B. $^{3}_{1}$H, $^{14}_{6}$C), die dann in Zerfallsreaktionen Strahlung aussenden (▷ A 1). Im Erdboden, in Baumaterialien (vor allem Granit, Schlackenstein, Bimsstein), im Wasser und in der Luft sind weitere natürliche Radionuklide vorhanden (z. B. $^{40}_{19}$K, $^{222}_{86}$Rn, $^{226}_{88}$Ra, $^{232}_{90}$Th, $^{238}_{92}$U), welche die **terrestrische Strahlung** verursachen (▷ V 1a). Über die Nahrungskette gelangen die Radionuklide in den menschlichen Körper und bedingen dessen **Eigenstrahlung**. Die Gesamtaktivität des menschlichen Körpers beträgt etwa 9000 Bq.

Strahlenmessung und Strahlenbelastung

Manche Radionuklide verhalten sich biochemisch ähnlich wie jene Elemente, die für einen betreffenden Organismus physiologisch wichtig sind. Beispielsweise reichert der Paranussbaum verstärkt Barium an. Damit ist gleichzeitig eine hohe Aufnahme von ebenfalls im Erdboden enthaltenem Radium verbunden, das sich chemisch ähnlich wie Barium verhält. Paranüsse enthalten deshalb einen besonders großen Anteil $^{226}_{88}Ra$ (▷ V 1b).

Biologische Strahlenwirkung. Strahlenschäden sind überwiegend auf die Ionisation von Molekülen in den lebenden Zellen zurückzuführen und hängen von der Äquivalentdosisleistung und vom Wirkungsort ab.
Der menschliche Körper besitzt die Fähigkeit, geschädigte Zellen zu erkennen und mithilfe des Immunsystems abzubauen. Der biologische Bestrahlungseffekt bleibt dann ohne gesundheitliche Folgen für den Menschen. Versagt aber das Reparatursystem, kommt es zu Strahlenschäden, die sofort oder nach einer längeren Zeit auftreten. Man unterscheidet grundsätzlich zwischen *Körperschäden*, die nur beim bestrahlten Menschen vorkommen und *Erbschäden*, die bei den Nachkommen erscheinen. Die Körperschäden unterteilt man in Frühschäden (z. B. kurzzeitige Veränderungen des Blutbildes, Erbrechen) und Spätschäden (z. B. Leukämie).
Spätschäden können sowohl bei kurzzeitig hoher als auch bei längerer schwacher Strahlenbelastung auftreten. Oberhalb eines *Schwellenwertes* werden mit steigender Äquivalentdosis auch stärkere Schäden beobachtet (▷ B 5). Für alle Strahlenbelastungen aber gilt, dass im ungünstigsten Fall schon die geringste Strahlendosis zu einer nachhaltigen Schädigung führen kann.

Strahlenschutz. Eine äußere Strahleneinwirkung lässt sich begrenzen, indem man sich nur kurze Zeit in der Nähe einer Strahlenquelle aufhält, einen Sicherheitsabstand einhält und sich gegebenenfalls abschirmt. α-Teilchen können die menschliche Haut nicht durchdringen (▷ V 2), β^--Teilchen dringen nur wenige Millimeter ein. Beide Strahlenarten können die Haut schädigen. γ-Strahlen ausreichender Energie lassen sich nur schwer abschirmen und erreichen alle Teile des Körpers.
Die Aufnahme radioaktiver Stoffe erfolgt in der Regel über die Lunge (Inhalation) oder den Verdauungskanal (Ingestion). Inkorporierte Radionuklide wirken wegen der geringen Entfernung zu den Zellen stark schädigend und reichern sich zudem meist in einem oder in mehreren Organen an.
In der **Strahlenschutzverordnung** werden Grenzwerte der Strahlenbelastung angegeben und Maßnahmen zum Strahlenschutz vorgeschrieben.

B 5 Beispiele für Äquivalentdosisleistungen und Äquivalentdosen

Äquivalentdosisleistung in mSv/a	Strahleneinwirkung
0,002	1 Stunde Flug in 10 km Höhe
ca. 0,02	Strahleneinwirkung durch den Reaktorunfall von Tschernobyl
1,5	Anwendung ionisierender Strahlen und radioaktiver Stoffe in der Medizin
2,4	natürliche Strahleneinwirkung
4	mittlere Strahlenbelastung in Deutschland
50	Grenzwert für beruflich strahlenexponierte Personen
bis 200	natürliche Strahleneinwirkung im Monazitgebiet Brasiliens; das Mineral Monazit enthält Thorium
Äquivalentdosis in mSv	**Frühschäden bei einmaliger Ganzkörperbestrahlung**
ca. 250	geringfügige, vorübergehende Blutbildveränderung (Schwellendosis)
ca. 1000	vorübergehende Strahlenkrankheit (Blutbildveränderung, Übelkeit, Erbrechen, Fieber)
ca. 4000	schwere Strahlenkrankheit (50 % Todesfälle)
ca. 7000	tödliche Strahlenkrankheit

A 1 a) Vervollständigen Sie die kernchemischen Gleichungen für die Bildung von Tritium ($^{3}_{1}H$) in der Atmosphäre: $?(n,^{12}C)^{3}H$ bzw. $^{16}O(n,?)^{3}H$.
b) Formulieren Sie die kernchemische Gleichung für den β^--Zerfall von $^{14}_{6}C$.

V 1 Nachweis der Strahlung von $^{40}_{19}K$ in Kaliumchlorid und von $^{226}_{88}Ra$ in Paranussasche. Messen Sie mit einem Zählrohr und einem Zählgerät die Zählrate von:
a) Kaliumchlorid nach 1, 2, 3 und 4 min,
b) Paranussasche nach 3, 6, 9, 12 und 15 min.
Das Zählrohr soll sich in möglichst geringem Abstand zu den Proben befinden. Lesen Sie das Zählgerät ab, ohne dass es gestoppt wird.
c) Bestimmen Sie für jeweils die gleichen Zeiten den Nulleffekt.

V 2 Abschirmung von α-Strahlen. Positionieren Sie einen Strahlerstift (zulässiges ^{226}Ra-Präparat) geradlinig vor einem Zählrohr und messen Sie die Zählrate. Bringen Sie anschließend ein Blatt Papier zwischen Stift und Zählrohr. Messen Sie erneut die Zählrate. Die Messzeit beträgt jeweils 1 min.

10.5 Energiegewinnung durch Kernspaltung

O. Hahn und F. Strassmann entdeckten 1938 beim Beschuss einer Uranverbindung mit *energiearmen (langsamen) Neutronen*, dass ein Uranatomkern in zwei Atomkerne mittlerer Massen (Barium und Krypton) gespalten werden kann. Die genauere Untersuchung ergab, dass die im natürlichen Isotopengemisch nur im Massenanteil w = 0,7 % vorkommenden $^{235}_{92}$U-Atomkerne gespalten werden.

Da die Energie langsamer Neutronen (die Energie $W \approx$ 0,025 eV entspricht der Geschwindigkeit $v \approx$ 2,2 km/s) mit der kinetischen Energie von Gasmolekülen bei Zimmertemperatur vergleichbar ist, bezeichnet man solche Neutronen auch als *thermische Neutronen*.

Grundlagen der Kernspaltung. In ▷ B 1 ist der angenommene Ablauf der $^{235}_{92}$U-Atomkernspaltung dargestellt. Trifft ein energiearmes Neutron auf den $^{235}_{92}$U-Atomkern, so fängt dieser das Neutron ein und bildet einen energiereichen (angeregten), kurzlebigen $^{236}_{92}$U-Zwischenkern. Dieser fängt an zu schwingen und kann sich so verformen, dass eine Einschnürung erfolgt. Die Coulomb-Kräfte zwischen den beiden Teilkernen treiben diese weiter auseinander und führen schließlich zum Auseinanderplatzen des Kerns in zwei Teile, d. h. zur *Spaltung (Fission) des Atomkerns*. Die entstehenden Spaltprodukte emittieren unmittelbar danach meist zwei oder drei Spaltneutronen (*prompte Neutronen*) sowie γ-Quanten (*prompte γ-Strahlen*).

Im Mittel werden von sieben $^{235}_{92}$U-Atomkernen, die ein Neutron eingefangen haben, sechs Atomkerne gespalten. Wenn es nicht zur Einschnürung kommt, gibt der Zwischenkern nach kurzer Zeit die Anregungsenergie durch Emission von γ-Quanten ab und geht dabei in den Grundzustand des langlebigen $^{236}_{92}$U-Atomkerns ($T_{1/2}$ = 2,34 · 10^7 a) über.

B 1 Darstellung der Spaltung eines $^{235}_{92}$U-Atomkerns nach Einfang eines Neutrons (L. Meitner, Modell)

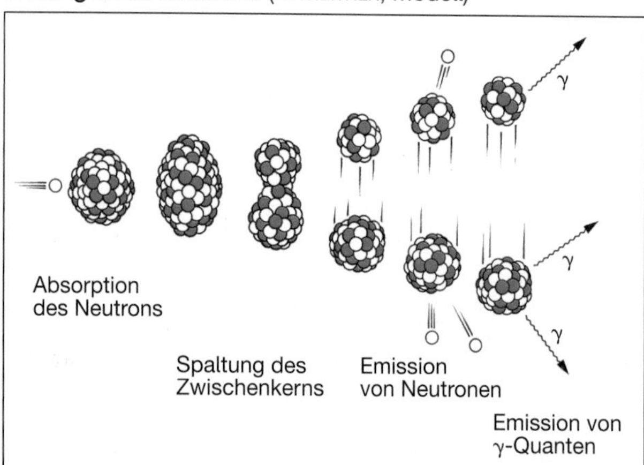

Die Spaltung von $^{235}_{92}$U-Atomkernen kann zu verschiedenen *Spaltprodukten* (Trümmerkernen) führen. Die Spaltung in zwei ungleiche Bruchstücke im ungefähren Nukleonenzahlenverhältnis 2:3 (95:138) ist der häufigste Prozess. Beispiele für mögliche $^{235}_{92}$U-Atomkernspaltungen sind:

$$^{235}_{92}\mathrm{U} + ^{1}_{0}\mathrm{n} \longrightarrow ^{144}_{56}\mathrm{Ba} + ^{89}_{36}\mathrm{Kr} + 3\,^{1}_{0}\mathrm{n} + \gamma$$

$$^{235}_{92}\mathrm{U} + ^{1}_{0}\mathrm{n} \longrightarrow ^{147}_{57}\mathrm{La} + ^{87}_{35}\mathrm{Br} + 2\,^{1}_{0}\mathrm{n} + \gamma$$

Etwa 80 verschiedene Elemente sind unmittelbare Spaltprodukte. Im Vergleich zu den stabilen Isobaren (Nuklide mit gleicher Nukleonenzahl) besitzen die Spaltprodukte einen Neutronenüberschuss und sind fast alle radioaktiv. Sie wandeln sich durch β^--Zerfälle in stabile Elemente um. Dabei werden ganze Zerfallsreihen durchlaufen. Beispiel:

$$^{144}_{56}\mathrm{Ba} \xrightarrow{\beta^-} ^{144}_{57}\mathrm{La} \xrightarrow{\beta^-} ^{144}_{58}\mathrm{Ce} \xrightarrow{\beta^-} ^{144}_{59}\mathrm{Pr} \xrightarrow{\beta^-} ^{144}_{60}\mathrm{Nd}\ \text{(stabil)}$$

Einige Spaltprodukte emittieren auch Neutronen (*verzögerte Neutronen*). Beispiel:

$$^{87}_{35}\mathrm{Br} \xrightarrow{\beta^-} ^{87}_{36}\mathrm{Kr} \longrightarrow ^{1}_{0}\mathrm{n} + ^{86}_{36}\mathrm{Kr}\ \text{(stabil)}$$

Man kennt heute insgesamt etwa 200 verschiedene Spaltprodukte, die sich auf 35 verschiedene Elemente beziehen.

Energiebilanz bei der Kernspaltung. In ↗ Kap. 10.1, ▷ B 1 wird gezeigt, dass die Bindungsenergie je Nukleon bei Atomkernen mit großen Nukleonenzahlen betragsmäßig kleiner ist als bei Atomkernen mit mittleren Nukleonenzahlen. Daraus folgt, dass die frei werdende Gesamtenergie bei der Bildung eines schweren Atomkerns, z. B. $^{235}_{92}$U (235 Nukleonen) mit W_1 = 235 · 7,6 MeV kleiner ist als bei der Bildung zweier mittelschwerer Atomkerne, z. B. $^{144}_{56}$Ba und $^{89}_{36}$Kr (235 Nukleonen) mit W_2 = 235 · 8,5 MeV. Wird ein $^{235}_{92}$U-Atomkern in die Atomkerne $^{144}_{56}$Ba und $^{89}_{36}$Kr gespalten, so wird die Energie $\Delta W = W_2 - W_1$ = 211,5 MeV = 3,38 · 10^{-11} J frei.

Der Hauptteil (etwa 175 MeV) dieser Energie tritt als kinetische Energie der Trümmerkerne, der übrige Teil als Energie der emittierten Strahlen (z. B. γ-Strahlen) auf. Bei der vollständigen Spaltung von 1 kg $^{235}_{92}$U wird eine Energie von rund 20 · 10^6 kW · h frei. Im Vergleich dazu liefert die Verbrennung von 1 kg Steinkohle nur eine Energie von rund 10 kW · h.

Kettenreaktion. Da bei einem Spaltprozess, der durch ein einziges Neutron ausgelöst wird, zwei oder drei neue Neutronen freigesetzt werden, ist die Möglichkeit für eine sich *selbst erhaltende Kettenreaktion* und damit einer dauernden Energiefreisetzung gegeben.

Energiegewinnung durch Kernspaltung

Die bei der Spaltung von $^{235}_{92}U$-Atomkernen entstehenden Spaltneutronen besitzen eine mittlere kinetische Energie von nahezu 2 MeV (*schnelle Neutronen*). Da $^{235}_{92}U$-Atomkerne bevorzugt von langsamen Neutronen gespalten werden, ist eine Kettenreaktion nicht möglich. Damit dennoch eine Kettenreaktion ablaufen kann, müssen die schnellen Spaltneutronen abgebremst werden. Würde man das Abbremsen den $^{238}_{92}U$-Atomkernen überlassen, so würden diese die Spaltneutronen absorbieren (Bildung des Nuklids $^{239}_{92}U$). Das Abbremsen muss somit durch andere Bremssubstanzen, so genannte **Moderatoren** (von lat. moderare, mäßigen), erreicht werden.

Ein Moderator ist ein Stoff, der schnelle Neutronen auf thermische Energie abbremsen kann, ohne die Neutronen zu absorbieren.

Die Abbremsung ist am wirksamsten durch elastische Zusammenstöße mit Atomkernen geringer Masse zu erreichen, wie z. B. mit Protonen in Wassermolekülen.

Gesteuerte Kernspaltung in Kernreaktoren. In einem *Kernreaktor* (E. FERMI, 1942) wird die Kettenreaktion so gesteuert, dass sie sich gerade selbst erhält (*kritischer Zustand*). Eingeleitet wird die Kettenreaktion mithilfe einer Neutronenquelle.
Die *Steuerung der Kettenreaktion* erfolgt durch Eingriff in den Neutronenhaushalt, in dem man **Steuerstäbe (Regelstäbe)** mit besonders stark neutronenabsorbierenden Stoffen (z. B. Cadmium, Bor) mehr oder weniger weit in die Spaltzone des Kernreaktors einfährt. Der Einfang der Neutronen geschieht durch eine Kernreaktion.

Beispiel: $^{113}_{48}Cd + ^{1}_{0}n \longrightarrow ^{114}_{48}Cd + \gamma$

Eine Regelung des Neutronenhaushaltes ist nur deshalb möglich, weil neben den innerhalb von etwa 10^{-14} s gebildeten prompten Neutronen durch den Zerfall bestimmter Spaltprodukt-Atomkerne auch *verzögerte Neutronen* entstehen. Im Falle der Spaltung von $^{235}_{92}U$ mit thermischen Neutronen beträgt der Anteil dieser Neutronen zwar nur etwa 0,75 %, ohne sie ist der Kernreaktor jedoch *unterkritisch*, d. h., die Kettenreaktion hört nach einer gewissen Zeit auf. Da die Zeit für das Auftreten der meisten dieser Neutronen etwa 10 bis 20 s beträgt, ist eine Steuerung durch bewegte mechanische Teile möglich (▷ B2).

Druckwasserreaktor. In Kernkraftwerken wird die bei der Kernspaltung freigesetzte Wärme zur Stromerzeugung genutzt. In ▷ B3 ist der Aufbau des *Druckwasserreaktors* in Brokdorf dargestellt.
193 **Brennelemente** in einem Druckbehälter aus 25 cm dickem Stahl bilden den **Reaktorkern**. In jedem Brennelement sind 236 **Brennstäbe** von 4,83 m Länge und 10,75 mm Durchmesser gebündelt. Ein Brennstab besteht aus einem metallischen Hüllrohr (Zirconiumlegierung) mit einem Leerraum für die bei der Kernspaltung entstehenden gasförmigen Spaltprodukte.
Als **Spaltstoff (Kernbrennstoff)** sind in den Brennstäben insgesamt 103 t Uran in Form von *Pellets* (von engl. pellet, Tablette) aus Uran(IV)-oxid (UO_2) verteilt. In der Spaltzone der Brennstäbe werden die bei der Kernspaltung entstehenden Spaltprodukte im umgebenden Kernbrennstoff auf kurzer Distanz (einige µm) abgebremst und erwärmen den Brennstab im Innern bis auf 800 °C.
Wasser dient in einem *Primärkreislauf* als **Moderator** und **Kühlmittel**. Um ein Sieden des Wassers zu verhindern, wird dieses auf einem Druck von 15,7 MPa gehalten (Name!). Je Stunde werden rund 68 000 t Wasser durch den Reaktor bewegt.

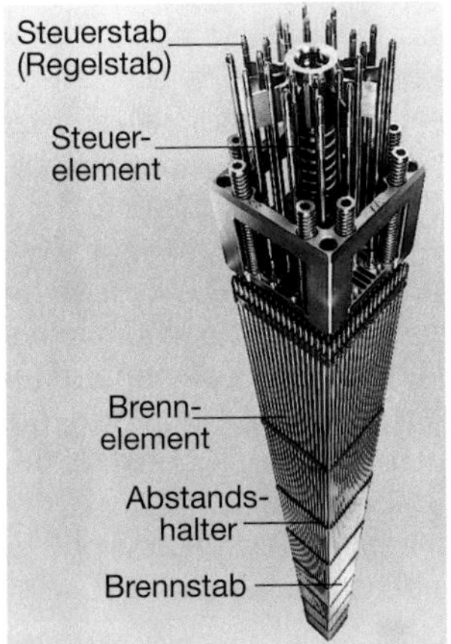

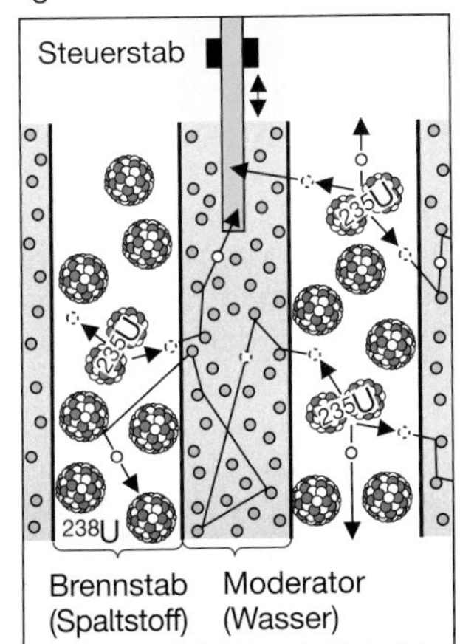

B2 Steuerung der Kernspaltung in einem Kernreaktor. Rechts: Schematische Darstellung der Kettenreaktion

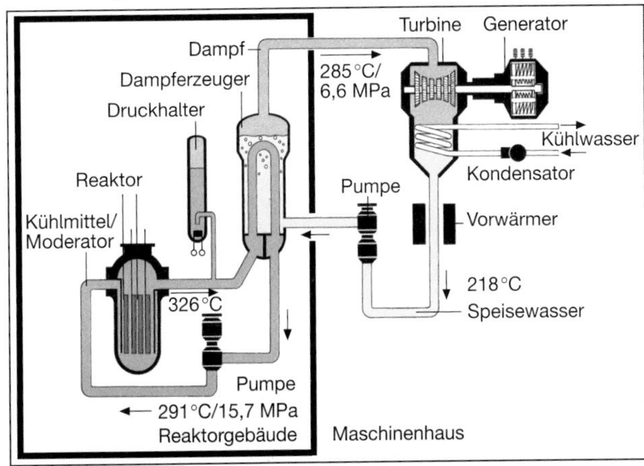

B3 Kernkraftwerk mit Druckwasserreaktor (schematische Darstellung)

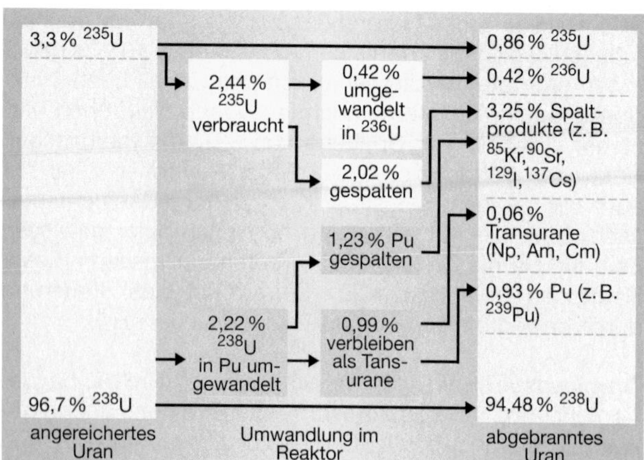

B4 Zusammensetzung des Kernbrennstoffs vor und nach dem Einsatz im Reaktor (Zahlenangaben: Massenanteile)

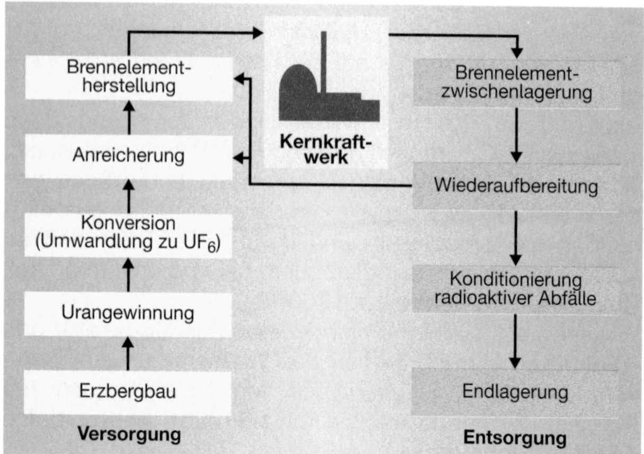

B5 Weg des Kernbrennstoffs (vereinfachte Darstellung)

Exkurs: Tschernobyl
Am 26. April 1986 ereignete sich in Tschernobyl (Ukraine) der bisher schwerste Reaktorunfall. Er wurde durch Fehlbedienung der Reaktorregelung verursacht. Durch einen unkontrollierten Leistungsanstieg im Reaktorkern wurde der Brennstoff überhitzt. Die Brennstabhüllen barsten und es kam zu einer heftigen Brennstoff-Wasser-Reaktion mit stoßartigem Druckaufbau und Zerstörung des Reaktorgebäudes. Große Teile des Moderators Graphit und der Anlage wurden in Brand gesetzt. Schätzungsweise acht Tonnen des radioaktiven Brennstoffes wurden aus dem Reaktorkern in das Gebäude und die Umgebung geschleudert. Bei diesem **Super-GAU** (GAU = **g**rößter **a**nzunehmender **U**nfall) wurde erstmals bekannt, dass Menschen an den unmittelbaren Folgen freigesetzter radioaktiver Stoffe aus einem Kernkraftwerk starben. Große Mengen radioaktiver Spaltprodukte gelangten in Höhen von über 1500 m und wurden über weite Teile Europas verteilt. Insbesondere bedingt durch $^{131}_{53}I$ und $^{137}_{55}Cs$ führte dies zu einer zusätzlichen Strahlenbelastung. Der Unfall von Tschernobyl hatte erhebliche Auswirkungen auf die Energiepolitik vieler Länder.

Da Wasser Neutronen verhältnismäßig stark absorbiert, wird der Spaltstoff $^{235}_{92}U$ auf einen Massenanteil von 3 bis 4 % angereichert. Die **Anreicherung** erfolgt über das bei 56 °C sublimierende Uranhexafluorid (UF_6) unter Ausnutzung der Massenunterschiede von $^{235}_{92}U$ und $^{238}_{92}U$, z. B. mittels Ultrazentrifugen. 61 **Steuerelemente** mit jeweils 20 *Steuerstäben* aus einer Legierung von Cadmium, Silber und Indium können von oben in die Brennelemente eingefahren werden. Für langfristige Regelvorgänge wird Borsäure (H_3BO_3) als Neutronenabsorber dem Reaktorkühlwasser zugesetzt.

Das erhitzte Wasser des Primärkreislaufes gibt seine Wärme in vier Dampferzeugern (nur einer ist in ▷ B3 dargestellt) an das Wasser eines *Sekundärkreislaufes* ab. Mithilfe des erzeugten Dampfes (etwa 2 t/s) wird eine Turbine betrieben, die mit einem Generator gekoppelt ist. Dieser liefert eine elektrische Leistung von 1395 MW bei einer Wechselspannung von 27 kV. Zur Kondensation des aus der Turbine austretenden Dampfes sind je Stunde etwa 210 000 t Kühlwasser erforderlich.

Die bei der Kernspaltung erzeugten radioaktiven Spaltprodukte (▷ B4) stellen intensive Neutronen- und γ-Strahlenquellen dar. Zum Schutz der Umgebung vor Strahleneinwirkungen sind deshalb besondere *Sicherheitseinrichtungen* erforderlich. Eine 2 m dicke Stahlbetonhülle um den Reaktorbehälter schirmt die Direktstrahlung ab, ein Sicherheitsbehälter aus Stahl verhindert ein Entweichen radioaktiver Stoffe. Zusätzlich sind für einen Störfall zahlreiche *Sicherheitsmaßnahmen* vorgesehen (z. B. Schnellabschaltsystem, Notkühlsystem).

Weg des Kernbrennstoffs. In ▷ B5 sind die wichtigsten Prozesse zur Versorgung und Entsorgung von Kernkraftwerken gezeigt. In einem mit Wasser gefüllten Becken innerhalb des Kernkraftwerks werden die abgebrannten Brennelemente zunächst gelagert. In *Wiederaufarbeitungsanlagen* können daraus restliche Spaltstoffe zurückgewonnen und dann erneut zur Herstellung von Brennelementen benutzt werden. Der *Transport* von Brennelementen, die in einem Kernreaktor eingesetzt wurden, verlangt aufgrund der in den Brennstäben enthaltenen hoch radioaktiven Spaltprodukte höchste Sicherheitsvorkehrungen. Für solche Transporte und zur Zwischenlagerung werden so genannte *CASTOR-Behälter* (CASTOR = **ca**sk for **s**torage and **t**ransport **o**f **r**adioactive material) eingesetzt. Als *Konditionierung* bezeichnet man die Überführung der radioaktiven Abfälle in eine Form, die für die Endlagerung z. B. in einem Salzstock geeignet ist. Ein Beispiel ist die Verglasung der Abfälle.
Welche Rolle die Kernspaltung bei der Energiegewinnung der Zukunft spielt, hängt von politischen Entscheidungen ab.

10.6 Energiegewinnung durch Kernfusion

Auch die *Verschmelzung (Fusion)* von Atomkernen kleiner Masse zu Atomkernen größerer Masse ist mit einem Massendefekt und somit einer Freisetzung von Energie verbunden (↗ Kap. 10.1, ▷ B1). Durch solche Prozesse entsteht die Energie in der Sonne:

$$4\,{}^{1}_{1}\mathrm{H} \longrightarrow {}^{4}_{2}\mathrm{He} + 2\,\mathrm{e}^{+} \mid \Delta W = -26{,}2\ \mathrm{MeV}$$

Bei der Bildung von 1 kg ${}^{4}_{2}\mathrm{He}$ durch Fusion von Protonen ergibt sich eine Energie von rund $200 \cdot 10^{6}$ kW·h, also etwa zehnmal so viel Energie wie bei der Spaltung von 1 kg ${}^{235}_{92}\mathrm{U}$.

Energiegewinnung durch Kernfusion. Ziel der Forschung ist es, die bei gesteuerten Fusionsprozessen frei werdende gewaltige Energie in einem *Fusionsreaktor* nutzbar zu machen. Unter den möglichen Fusionsreaktionen ist folgende besonders geeignet:

$${}^{2}_{1}\mathrm{H} + {}^{3}_{1}\mathrm{H} \longrightarrow {}^{4}_{2}\mathrm{He} + {}^{1}_{0}\mathrm{n} \mid \Delta W = -17{,}58\ \mathrm{MeV}$$

Zur Überwindung der elektrostatischen Abstoßung müssen die zu verschmelzenden Atomkerne eine große kinetische Energie besitzen. Diese kann durch hohe Temperaturen erreicht werden. Für die Reaktion von Deuterium (${}^{2}_{1}\mathrm{H}$ = D) mit Tritium (${}^{3}_{1}\mathrm{H}$=T) ist eine Temperatur von etwa $100 \cdot 10^{6}$ K erforderlich! Das Gasgemisch ist bei dieser Temperatur vollständig ionisiert, man spricht von einem **Plasma** (von griech.-lat. plasma, Gebilde). Das für die Fusionsreaktion erforderliche stabile Wasserstoffisotop Deuterium kommt in der Natur in großer Menge vor. Das radioaktive Wasserstoffisotop Tritium kann z. B. aus Lithium durch Beschuss mit Neutronen „erbrütet" werden:

$${}^{6}_{3}\mathrm{Li} + {}^{1}_{0}\mathrm{n} \longrightarrow {}^{4}_{2}\mathrm{He} + {}^{3}_{1}\mathrm{H}$$

Wird das Forschungsziel erreicht, Energie lieferndes Plasma zu erzeugen, ist die Energieversorgung der Menschheit für lange Zeit sichergestellt.

Plasmaerzeugung in ringförmigen Magnetfeldern

Plasmahöhe: 8,9 m, Plasmabreite: 5,6 m, Brenndauer: > 1300 s, Plasmastrom: 21 Mio. A, Temperatur: 100 Mio. K

B1 Das Projekt ITER (**I**nternational **T**hermonuclear **E**xperimental **R**eactor)

Exkurs: Kernwaffen

Eine *ungesteuerte Spaltungskettenreaktion* findet in der **Atombombe** statt. Als Spaltstoffe dienen *reines* ${}^{235}_{92}\mathrm{U}$ oder ${}^{239}_{94}\mathrm{Pu}$. Zum Einleiten der Kettenreaktion werden Uran- bzw. Plutoniummetallstücke mittels eines chemischen Sprengstoffs zu einer Mindestmasse (**kritische Masse**) vereinigt und mit Neutronen bestrahlt. Die Neutronenverluste aufgrund des Entweichens durch die Oberfläche des Spaltstoffs sind dann so gering, dass eine Kettenreaktion stattfindet. Für reines ${}^{235}\mathrm{U}$-Metall beträgt die kritische Masse 50 kg, für reines ${}^{239}\mathrm{Pu}$-Metall 10 kg. Die Spaltung erfolgt durch *schnelle* Neutronen. Die Spaltung von 1 kg ${}^{235}_{92}\mathrm{U}$ bzw. ${}^{239}_{94}\mathrm{Pu}$ bewirkt eine Energiefreisetzung wie bei der Explosion von 20 000 t Trinitrotoluol (TNT, ↗ Kap. 15.8), einem der wirksamsten chemischen Sprengstoffe.

Eine noch größere Energie wird bei der Explosion einer **Wasserstoffbombe** frei. Die Sprengkraft entspricht der von einigen Mio. t TNT und wird durch *ungesteuerte Kernfusion* erzeugt. Um die für eine Fusion unter Plasmabedingungen erforderlichen hohen Temperaturen zu erzeugen, dient eine Uran- oder Plutoniumbombe als Zünder. Diese ist von einem Mantel aus Lithiumdeuterid (LiD) umgeben. Durch die bei der Kernspaltung frei werdenden Neutronen wird Tritium erzeugt, welches mit dem Deuterium zu Helium verschmilzt. Detoniert eine Kernwaffe, werden eine extreme Licht- und Wärmestrahlung, eine starke Druck- und Sogwelle sowie intensive Gamma- und Neutronenstrahlung entwickelt. Durch Explosion in der Luft gebildetes radioaktives Material gelangt als *Fallout* auf die Erde.

10.7 Überprüfung und Vertiefung

1 Berechnen Sie die Energie W (in kW·h), die einem Massendefekt von $\Delta m = 1$ g entspricht.

2 Warum besitzt Blei, welches aus Thorium- oder Uranmineralien gewonnen worden ist, im Vergleich zu Blei aus anderen Vorkommen eine unterschiedliche Häufigkeitsverteilung der Isotope und damit eine andere durchschnittliche Atommasse?

3 Ausgehend vom Nuklid ^{229}Pa tritt nacheinander ε-, α- und β^--Zerfall ein. Formulieren Sie die entsprechenden kernchemischen Gleichungen.

4 Erläutern Sie am Beispiel des Radionuklids ^{75}Br den β^+-Zerfall und am Beispiel des Radionuklids ^{137}Cs den β^--Zerfall.

5 Warum hat eine radioaktive Substanz immer eine höhere Temperatur als die in der Nähe befindlichen nicht radioaktiven Substanzen?

6 Eine Probe eines radioaktiven Nuklids ergibt 2500 Impulse/min und 15 min später 2400 Impulse/min. Wie groß ist die Halbwertszeit des Nuklids?

7 Beim α-Zerfall des Nuklids $^{208}_{84}$Po verbleiben nach einem Jahr noch 78,7 % der ursprünglich vorhandenen Atome. Wie groß sind die Zerfallskonstante und die Halbwertszeit?

B1 Modellversuch zum radioaktiven Gleichgewicht

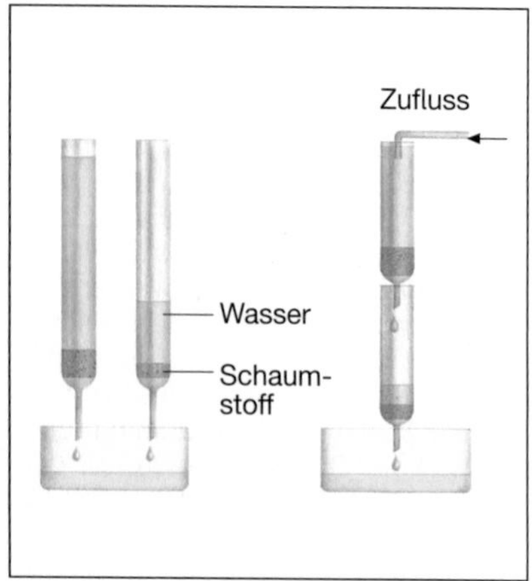

8 In einer Gesteinsprobe findet man die Nuklide $^{206}_{82}$Pb und $^{238}_{92}$U im Stoffmengenverhältnis 1:5. Nimmt man an, dass das gesamte $^{206}_{82}$Pb der Probe durch radioaktiven Zerfall aus $^{238}_{92}$U entstanden ist und dass das Blei im Laufe der Zeit nicht aus dem Gestein ausgelaugt wurde, ist dieses Verhältnis zur Altersbestimmung der Gesteinsprobe geeignet. Welches Alter hat die Gesteinsprobe, wenn $T_{1/2}$ ($^{238}_{92}$U) = 4,47 · 10^9 a ist?

9 a) Das Radionuklid $^{131}_{53}$I, ein β^--Strahler, hat eine Halbwertszeit von 8,02 d. Berechnen Sie die Aktivität von 1 g einer Probe von reinem $^{131}_{53}$I.
b) Nach dem Reaktorunfall von Tschernobyl wurde bei München pro m^2 eine $^{131}_{53}$I-Aktivität von 90 000 Bq gemessen.
Berechnen Sie die Anzahl der $^{131}_{53}$I-Atome sowie deren Masse pro m^2.

10 Unter einer *Austauschreaktion* versteht man eine Kernreaktion, bei der ein Atomkern ein Teilchen einfängt und ein anderes (meist auch zusätzlich ein γ-Quant) abgibt. Eine *Einfangreaktion* ist eine Kernreaktion, bei der ein Atomkern ein Teilchen einfängt und nur ein γ-Quant abgibt. Der Einfang eines γ-Quants, verbunden mit der Emission eines Teilchens wird auch als *Kernfotoeffekt* bezeichnet.
Vervollständigen Sie die kernchemischen Gleichungen (Kurzschreibweise) für folgende künstliche Kernumwandlungen:

a) ^{9}Be(?,n)^{10}B; b) ^{242}Cm(α,n)?;
c) ^{14}N(p,γ)?; d) ^{9}Be(γ,?)2 ^{4}He;
e) ?(n,α)^{24}Na; f) ^{14}N(?,γ)^{15}O.

11 $^{239}_{94}$Pu ist ein Nuklid, das durch langsame und noch günstiger durch schnelle Neutronen gespalten wird. $^{239}_{94}$Pu entsteht im Kernreaktor aus $^{238}_{92}$U in zwei Schritten unter Emission von β^--Teilchen.
Formulieren Sie die entsprechenden kernchemischen Gleichungen.

12 Neutronen sind nicht in der Lage, Atome direkt zu ionisieren. Um sie zu messen, lässt man sie Kernreaktionen durchführen. Die dabei erzeugten geladen Teilchen bewirken dann in einem Gas Ionisationen.
Zählrohre zum Nachweis von thermischen Neutronen bestehen z. B. aus einem gasgefüllten Aluminiumrohr, dessen Innenseite mit Bor ausgekleidet ist. Die erzeugten α-Teilchen lösen im Zählrohr Ionisationen aus. Formulieren Sie die entsprechende kernchemische Gleichung für das Nuklid ^{10}B.

13 Ist die Halbwertszeit des Mutternuklids viel größer als die des Tochternuklids, stellt sich ein Zustand ein, den man als **radioaktives Gleichgewicht** bezeichnet. In einer vorgegebenen Zeit zerfallen dann ebenso viele Kerne des Tochternuklids wie durch Zerfall von Kernen des Mutternuklids entstehen.
Allerdings handelt es sich hier nicht um ein echtes Gleichgewicht, sondern um einen quasistationären Durchflusszustand, der sich über lange Zeit aufrechterhält.
Versperren Sie bei zwei Gefäßen gemäß ▷ B1 die Auslauföffnungen mit Schaumstoff unterschiedlicher Stärke und füllen Sie Wasser ein. Ordnen Sie dann die Gefäße entsprechend der rechten Skizze an. Beobachten Sie jeweils den Zustand, der sich nach kurzer Zeit einstellt.

Wichtige Begriffe
Nuklid, Massendefekt,
Kernbindungsenergie,
Radioaktivität, Radionuklid,
Geiger-Müller-Zählrohr,
Nebelkammer,
α-, β^--, β^+-, ε-Zerfall,
Zerfallsgesetz, Zerfallsreihe,
Kernreaktion,
Äquivalentdosis, Strahlenschutz,
Kernspaltung, Kettenreaktion,
Moderator, Druckwasserreaktor,
Weg des Kernbrennstoffs,
Kernfusion

Umweltchemie

Aus dem Weltall wirkt der blaue Planet Erde unberührt und ungefährdet. Die wachsende Weltbevölkerung und immer höhere Ansprüche an die Lebensqualität führen jedoch zu einer immer stärkeren Belastung der Atmosphäre, der Gewässer und des Bodens. Ozonloch und Treibhauseffekt sind Themen von Weltkonferenzen, auf denen über eine Beeinflussung des Klimas diskutiert wird.

Die Industrialisierung hat den Abbau der Rohstoffe und die Produktion von Schadstoffen weltweit in einem Ausmaß gesteigert, dass die Zukunft folgender Generationen nicht mehr gewährleistet scheint. „Rauchende Schlote" signalisieren heute nicht mehr Fortschritt und Wohlstand, sondern erinnern an die Belastung des Lebensraums. Um ihn schützen zu können, müssen Stoffe mit negativen Auswirkungen als gefährlich erkannt und analysiert werden.

Durch eine nachhaltige Entwicklung („sustainable development"), d.h. Produzieren und Wirtschaften mit Blick auf die Zukunft, werden Ressourcen geschont. Nachwachsende Rohstoffe können fossile Rohstoffe z.B. aus Erdöl ersetzen. Abfallmengen müssen reduziert werden, gebrauchte Stoffe sollten wieder in Kreisläufe zurückgeführt werden. Ökobilanzen bieten hier eine Möglichkeit, die Umweltverträglichkeit von Produkten abzuschätzen.

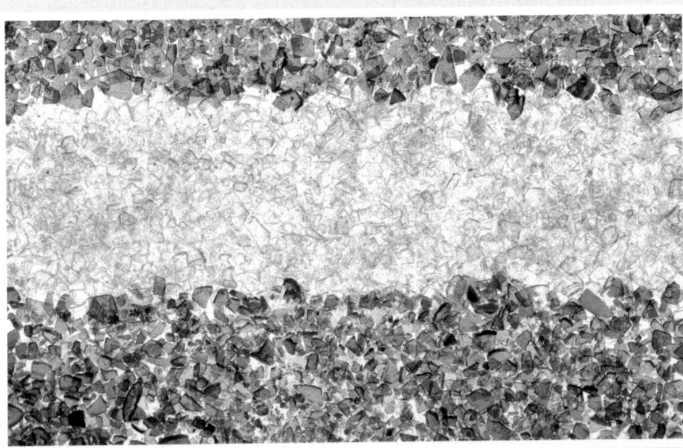

12.1 Atmosphäre und Klima

Die Lufthülle der Erde, die Atmosphäre, macht mit einer Masse von $5{,}13 \cdot 10^{15}$ t gerade einmal ein Dreihundertstel der Masse des Wassers der Ozeane und ein Millionstel der Erdmasse aus. Die Ausdehnung der Lufthülle bis zu einem Bereich, in dem nur noch ein Zweitausendstel des auf der Erdoberfläche herrschenden Luftdrucks gemessen werden kann, beträgt weniger als 1 % des Erdradius.

Der Aufbau der Atmosphäre. In der Atmosphäre nehmen die Dichte und damit der Luftdruck mit zunehmender Entfernung vom Boden exponentiell ab. Für eine fiktive homogene Atmosphäre unter Normbedingungen, deren Dichte an allen Stellen gleich wäre, lässt sich eine Höhe von 8 km, die *Homogenhöhe der Atmosphäre*, berechnen.

Nach dem *vertikalen Temperaturverlauf* gliedert sie sich in die **Troposphäre** (von griech. tropein, wenden), die **Stratosphäre** (von lat. stratum, Decke), die **Mesosphäre** (von griech. mesos, mittlere), die **Thermosphäre** (von griech. thermos, warm) und die **Exosphäre** (von griech. exos, außen) (▷ B1). Ab etwa 1000 km geht die Atmosphäre in den Weltraum über. Da sich ihre Zusammensetzung bis zu einer Höhe von etwa 80 km wenig ändert, bezeichnet man diese Schicht auch als *Homosphäre*. In der darüber liegenden *Heterosphäre* verteilen sich die Gase mit geringer molarer Masse nach ihrer Dichte.

Das Klima – der mittlere Zustand der Atmosphäre über einem Teil der Erdoberfläche – wird durch die Sonneneinstrahlung, die Lufttemperatur, die Niederschläge und den Luftdruck bestimmt. Je nach den jahreszeitlichen Witterungsverläufen unterscheidet man verschiedene Klimazonen.

Das Klima der Erde ist Schwankungen unterworfen. In der Vergangenheit hat die Dauer der verschiedenen Klimaepochen zwischen 100 und mehreren Millionen Jahren variiert. Die heutige mittlere Temperatur der bodennahen Atmosphäre liegt mit ca. 15 °C im Rahmen der mittleren Temperaturen der letzten Klimaepoche von etwa 2 Millionen Jahren. In ihr gab es Eiszeiten mit einer mittleren globalen Bodentemperatur von 6 °C und Warmzeiten, in denen die mittlere Temperatur 16 °C betrug.

Für Klimaschwankungen sind u.a. Veränderungen in der Zusammensetzung der Atmosphäre verantwortlich. Als neuartiges Phänomen wird in diesem Zusammenhang der Einfluss menschlicher Aktivitäten gesehen.

In mathematischen Klimamodellen möchte man zu Aussagen kommen, inwieweit der Mensch das Klima beeinflussen kann. Es fällt schwer, diese *anthropogenen Einflüsse* (von griech. anthropos, Mensch; gennán, erzeugen) von den natürlichen Faktoren zu trennen, zumal sich alle Berechnungen auf Beobachtungen stützen müssen, die erst seit relativ kurzer Zeit gesammelt werden.

B 1 Der Aufbau der Atmosphäre (Höhenangaben sind logarithmisch aufgetragen)

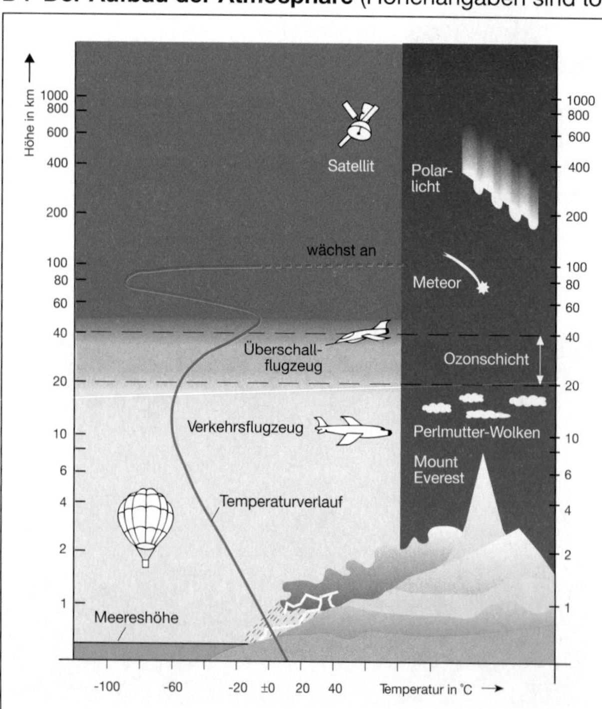

Exosphäre. Oberhalb von 500 km. Hier werden Satelliten und Raumstationen positioniert.

Thermosphäre. 85 bis 500 km. Wegen der geringen Teilchendichten lassen sich keine Temperaturen bestimmen.

Mesosphäre. 50 bis 85 km. Die Temperatur beträgt bis –100 °C.

Stratosphäre. 12 bis 50 km. Die Temperatur bis etwa 0 °C wird zum großen Teil durch Reaktionen des Ozons verursacht, das unter dem Einfluss der ultravioletten Strahlung in der *Ozonschicht* aus Sauerstoff gebildet wird und wieder zerfällt. Die Stratosphäre enthält aufgrund des geringen Stoffaustausches mit der Troposphäre kaum Wasserdampf und ist daher fast wolkenfrei.

Troposphäre. Bis 12 km. Diese Schicht enthält etwa 80 % der gesamten Luftmasse. Ihre obere Begrenzung ist die *Tropopause*, deren Höhe hauptsächlich von der geografischen Breite abhängt. Während sie am Äquator bis in Höhen von 17 bis 18 km reicht, ist sie an den Polen nur etwa 8 km hoch. Da die Luft in der Stratosphäre wärmer ist als die nach oben hin immer kälter werdende Luft in der Troposphäre, findet kaum ein Luftaustausch zwischen den Schichten statt. Für die ständige Neubildung der –60 °C kalten Tropopause sorgen starke *Strahlströme* (jet streams) mit Windgeschwindigkeiten bis 500 km/h.

12.2 Der Treibhauseffekt

Die Atmosphäre steht mit der Erdoberfläche durch Aufnahme und Abgabe der von der Sonne eingestrahlten Energie in ständiger Wechselwirkung. Aufgrund unterschiedlicher Einstrahlungswinkel, die u.a. durch die Schrägstellung der Erdachse verursacht werden, und verschiedener Absorptions- und Reflexionsbedingungen (Waldgebiete, Wüsten, Ozeane, Schneeflächen) erwärmt sich die Atmosphäre jedoch nicht an allen Orten gleich. Hierdurch entstehen Luftdruckunterschiede, deren Ausgleich zu Luftströmungen führt. Zusammen mit den Strömungen, die durch die Erdrotation hervorgerufen werden, verteilen sie Feuchtigkeit und Luftinhaltsstoffe.

Die Energiebilanz der Erde. Die elektromagnetische Strahlung, die von der Sonne ausgeht, umfasst einen weiten Wellenlängenbereich. Kurzwellige Strahlung, wie Röntgenstrahlung oder energiereiche UV-Strahlung, wird weitgehend in der oberen Atmosphäre absorbiert. Strahlung in einem Bereich zwischen 300 und 800 nm wird zu etwa 30 % von Wolken und Atmosphäre in den Weltraum reflektiert. Auf die Erdoberfläche und die unteren Atmosphärenschichten wirken etwa 50 % der von der Sonne ausgehenden Energie ein (▷ B 1).

Die auftreffende Strahlung erwärmt die Erde, die die aufgenommene Energie als längerwellige Infrarotstrahlung wieder abstrahlt. Die in der Atmosphäre vorhandenen drei- oder mehratomigen Moleküle der Gase Wasserdampf, Kohlenstoffdioxid, Ammoniak, Methan, Distickstoffoxid, Ozon und der Chlorfluorkohlenwasserstoffe absorbieren den größten Teil der abgestrahlten Infrarotstrahlung (▷ B 2). Bis auf Wasserdampf sind diese Gase nur in geringen Anteilen in der Atmosphäre vorhanden (**Spurengase**). Die absorbierte Strahlung kehrt als *atmosphärische Gegenstrahlung* wieder zur Erde zurück. Die Folge ist eine Erwärmung der Atmosphäre.

Der natürliche Treibhauseffekt. Da die Spurengase und der Wasserdampf wie das Glasdach im Treibhaus die Reflexion der Strahlung verzögern, nennt man diese zusätzliche Erwärmung der Atmosphäre den *Treibhauseffekt*. Die danach benannten **Treibhausgase** sind in unterschiedlichem Ausmaß an dieser Erwärmung beteiligt. So tragen Wasserdampf mit 62 %, Kohlenstoffdioxid mit 22 % und die übrigen Spurengase wie z. B. Methan oder Distickstoffmonooxid mit 14 % zum Treibhauseffekt bei (▷ B 3).

Die durch die Treibhausgase hervorgerufene Erwärmung der Atmosphäre beträgt 33 K, ohne diese Erwärmung würde die mittlere Temperatur auf der Erdoberfläche -18 °C statt 15 °C betragen. Dass sie sich bei der augenblicklichen Konzentration an Treibhausgasen nicht weiter erwärmt, kann man sich mit einem Modellversuch klarmachen: Durch ein Rohr mit Hahnverschluss fließt bei geöffnetem Hahn Wasser.

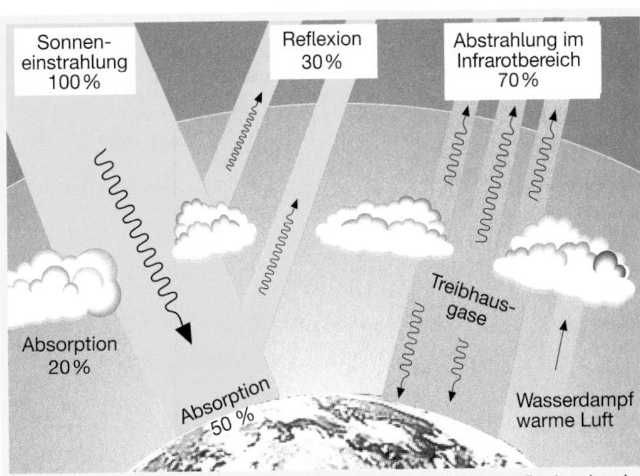

Von der Sonne erhält jeder Quadratmeter der Erdoberfläche in der Sekunde im Mittel eine Energiemenge von 342 J, diese ist in der Zeichnung gleich 100 % gesetzt. Die Erdoberfläche, die Wolken und die Atmosphäre reflektieren davon 30 % in das Weltall zurück, den größten Anteil (70 %) absorbieren sie.
Diese absorbierte Energie führt einerseits zur Erwärmung der Erdoberfläche, andererseits zum Verdunsten von Wasser und zum Aufsteigen des Wasserdampfs und warmer Luft.
Die Erdoberfläche gibt die Wärme als Infrarotstrahlung wieder ab, doch nur ein kleiner Teil kann direkt in das Weltall entweichen. Der überwiegende Teil wird von Wolken und Treibhausgasen absorbiert und zurückgestrahlt. Die im Bereich der Erde „gefangene" Energie wird verzögert an das Weltall abgegeben.

B 1 Strahlungs- und Energiebilanz der Erde

B 2 Die spektrale Verteilung der Strahlung der Erdoberfläche (a), der Gegenstrahlung (b) und der reflektierten Strahlung als Differenz (c)

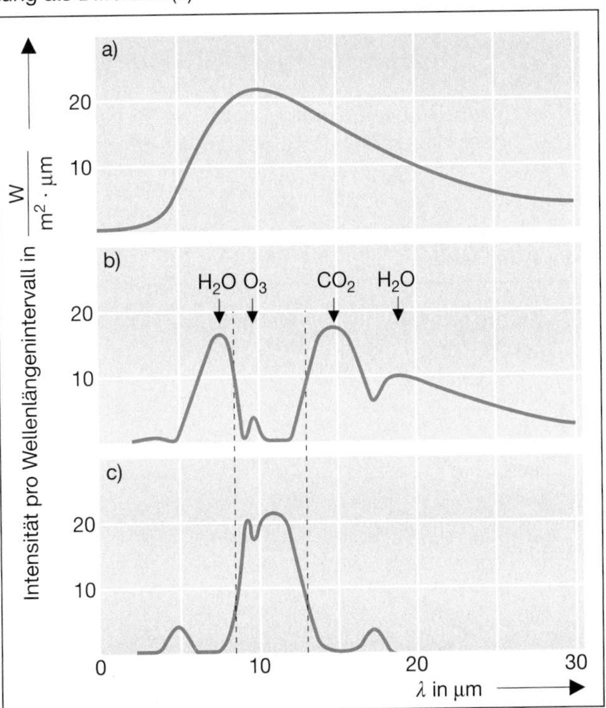

Name des Treibhausgases	Konzentration Troposphäre in ml/m³	Anteil an der Erwärmung der Troposphäre in K		Relatives Treibhauspotential
Distickstoffmonooxid	0,31	1,6 K	+15 °C	290
Kohlenstoffdioxid	367	7,2 K		1
CFKW und org. Verbindungen	0,00052	0,6 K	33 K	3500 bis 7500
Wasserdampf	2,0 bis 30 000	20,6 K		k. A.
Methan	1,7	0,8 K		21
Ozon	0,03	2,4 K	−18 °C	2000

B3 Anteil der wichtigsten Treibhausgase an der Erwärmung der Troposphäre

A 1 Wasserdampf aus den Abgasen der im unteren Bereich der Stratosphäre fliegenden Düsenjets führt zu Kondensstreifen, die hier Eiswolken bilden. Diskutieren Sie deren Auswirkungen auf den Treibhauseffekt.

A 2 Erläutern Sie den Unterschied zwischen der von der Sonne kommenden und der von der Erdoberfläche abgegebenen Strahlung.

A 3 Ein Teil des Treibhauseffekts beruht auf menschlichen Aktivitäten. Unter den anthropogenen Spurengasen haben Kohlenstoffdioxid und die CFKW einen Anteil von 70 % an der zusätzlichen Erwärmung. Nennen Sie Gründe.

A 4 Warum haben Brandrodungen der Tropenwälder in doppelter Hinsicht Einfluss auf den Treibhauseffekt?

B4 Entwicklung der Konzentration einiger Treibhausgase in der Atmosphäre

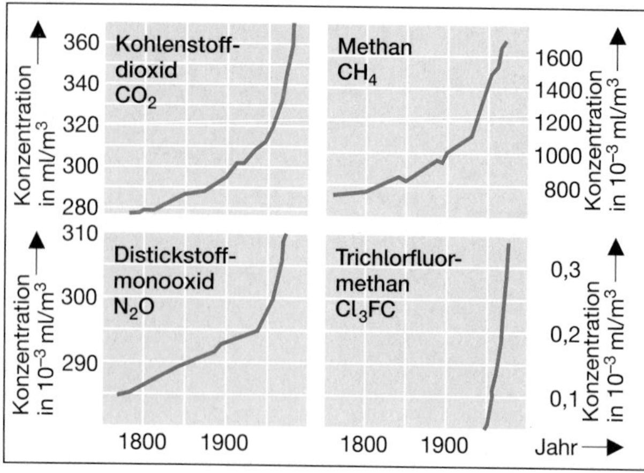

Wird der Hahn teilweise geschlossen, steigt das Wasser im Rohr, bis durch den zunehmenden Druck der entstehenden Wassersäule die Ausflussgeschwindigkeit so groß ist, dass sie der Einflussgeschwindigkeit entspricht. Es fließt dann wieder genauso viel Wasser ab wie zugeführt wird, jedoch bei höherem Wasserstand.

Der anthropogene Treibhauseffekt. Auch menschliche Aktivitäten führen zu treibhausrelevanten Gasen. So entstehen z. B. beim Verbrennen von Kohlenstoffverbindungen neben Kohlenstoffdioxid und Wasser auch Stickstoffoxide und andere Gase, die Einfluss auf den Strahlungshaushalt der Atmosphäre haben. Die Konzentration der Treibhausgase hat seit Beginn der Industrialisierung im 19. Jahrhundert zugenommen (▷ B4). So stieg der Anteil an Kohlenstoffdioxid in der Atmosphäre von 0,028 % auf heute 0,037 % an, der Methangehalt verdoppelte sich in etwa von 0,0008 % auf 0,0017 %. Die mittlere Konzentration des Spurengases Ozon in der Troposphäre hat sich in Europa in den vergangenen 100 Jahren verdreifacht und wächst derzeit auf der Nordhalbkugel jährlich um etwa 1 %. Die als Treibhausgase sehr wirksamen Chlorfluorkohlenwasserstoffe (CFKW), die in der Natur nicht vorkommen, werden seit etwa 1950 in größerem Umfang produziert. Durch weltweite Abkommen zum Klimaschutz wurde inzwischen eine Stagnation des Gehalts an CFKW erreicht.
Verantwortlich für die Konzentrationszunahme der Treibhausgase sind zu 50 % die Verbrennung von Kohle, Erdöl und Erdgas, zu 30 % landwirtschaftliche Aktivitäten und die Rodung der Tropenwälder sowie zu 20 % Industrieaktivitäten wie die CFKW-Produktion.

Kohlenstoffdioxid als Treibhausgas. In den natürlichen Kohlenstoffdioxidkreisläufen zwischen dem Boden bzw. den Ozeanen und der Atmosphäre wird etwa so viel Kohlenstoffdioxid gebunden, wie an die Atmosphäre abgegeben wird (▷ B5). Der Austausch des Kohlenstoffdioxids zwischen Atmosphäre und Biosphäre bzw. dem Oberflächenwasser der Ozeane erfolgt relativ schnell. Er ist verantwortlich für die jährlichen Schwankungen des CO_2-Gehalts in der Atmosphäre. Brandrodung von Waldflächen und ihre anschließende landwirtschaftliche Nutzung sind ein Eingriff in diesen biosphärischen Kreislauf, durch den der Anteil des Kohlenstoffdioxids in der Atmosphäre erhöht wird (▷ B6).
Der Austausch des in Sedimenten (Kalk), Tiefenwasser der Ozeane sowie Kohle, Erdöl und Erdgas gespeicherten Kohlenstoffs erfordert dagegen lange Zeiträume. In diesen Kreislauf greift der Mensch ein, indem er z. B. die gespeicherten Kohlenstoffverbindungen als Brennstoffe nutzt. Durch diese Aktivitäten ist die Emission von Kohlenstoffdioxid etwa 60-mal so groß wie beim natürlichen Austausch.

Auswirkungen auf das Erdklima. Der durch die Konzentrationszunahme der Treibhausgase entstandene anthropogene Treibhauseffekt kann sich in unterschiedlicher Weise auf das Klima auswirken. So ist durch eine Erhöhung der Temperatur ein Anstieg des Wasserdampfgehaltes in der Atmosphäre möglich. Diese Erhöhung kann durch die Treibhauswirkung des Wasserdampfs zu einem weiteren Temperaturanstieg der Troposphäre führen. Andererseits hat die vermehrte Wolkenbildung verstärkte Reflexion der Sonnenstrahlung in den Weltraum zur Folge.

Mit *Klimamodellen* versucht man die Auswirkungen sowohl der Erwärmung als auch die der Abkühlung durch Reflexion zu berechnen. Erschwerend wirken sich dabei die unterschiedlichen Verhältnisse zwischen Landmasse und Ozeanen sowie zwischen Tropen und Polargebieten aus. Temperaturgefälle verursachen Druckunterschiede in der Atmosphäre, die zu verstärkter Luftbewegung führen. In den Ozeanen bewirken Einwirkungen auf die Temperaturverhältnisse Veränderungen der Meeresströmungen. Auch über die Auswirkungen der Konzentrationszunahmen der übrigen Treibhausgase, die nicht nur aus anthropogenen, sondern auch aus natürlichen Quellen wie z. B. Vulkanen in die Atmosphäre gelangen, lassen sich keine genauen Vorhersagen machen. Aus diesen Gründen stellt man Szenarien auf, die in einem Atmosphärenmodell Veränderungen darstellen sollen. Vorhersagen sind daher so gut und so genau, wie die Modelle die Wirklichkeit widerspiegeln.

Die Folgen einer Konzentrationszunahme der Treibhausgase wie in den vergangenen 100 Jahren sind allerdings nach allen bisher erarbeiteten Klimamodellen dramatisch. Im 21. Jahrhundert sollte danach die mittlere Temperatur der bodennahen Luftschichten um ca. 3 K ansteigen. Daraus würde eine globale Klimaveränderung folgen. Wegen der größeren Landmassen der Nordhalbkugel fiele deren Erwärmung größer aus als die der Südhalbkugel. In den Monsungebieten Asiens und in den mittleren Breiten der Nordhalbkugel würden die Niederschläge zunehmen. Die Gegensätze zwischen Feucht- und Trockengebieten könnten sich verstärken und extreme Wetterlagen zu Dürren und Unwettern führen. Ein Anstieg des Meeresspiegels um 30 bis 50 cm ließe die Küstenlinie vor allem im Bereich der Deltas großer Flüsse zurückweichen. Würden die Klimaveränderungen innerhalb weniger Jahrzehnte eintreten, könnte es zur Zerstörung ganzer Ökosysteme kommen.

Der augenblicklich feststellbare Trend zu höheren Temperaturen (▷ B7) muss noch kein Vorbote einer Klimakatastrophe sein, da die beobachteten Werte immer noch innerhalb der Bandbreite natürlicher Schwankungen liegen. Die zur Zeit beobachteten Klimaerscheinungen sind jedoch im Einklang mit den Ergebnissen der Klimamodelle.

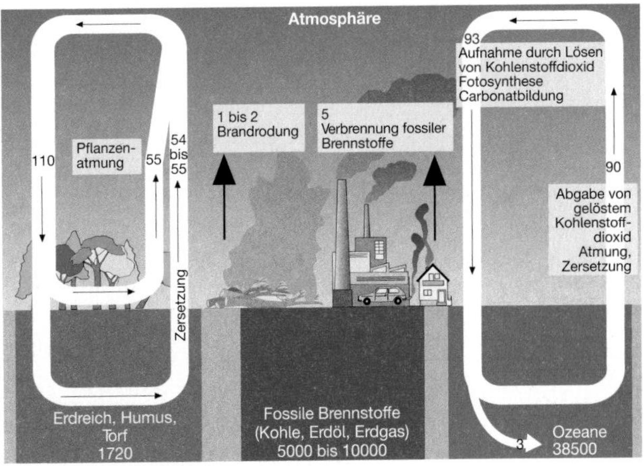

B5 Der Kohlenstoffdioxidkreislauf. (Zahlenangaben: Kohlenstoffanteil in 10^9 t pro Jahr)

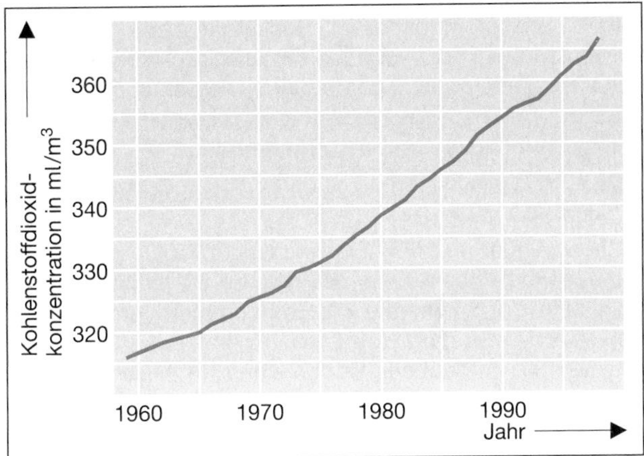

B6 Entwicklung der Kohlenstoffdioxidkonzentration auf der Nordhalbkugel (Mauna-Loa)

B7 Abweichungen der globalen Mitteltemperatur vom Durchschnitt der Jahre 1951 bis 1980

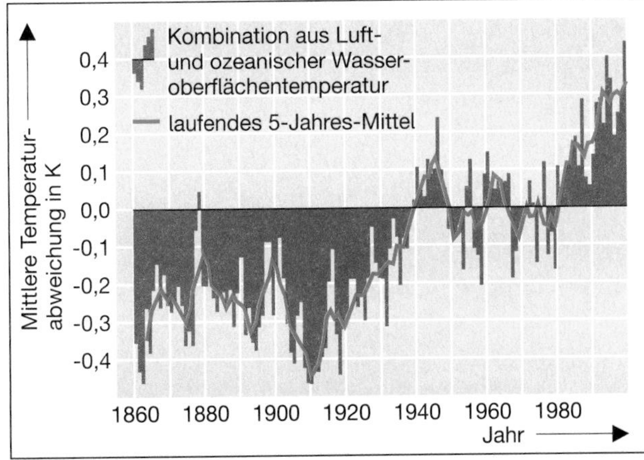

12.3 Chemische Reaktionen in der Atmosphäre

$$\langle O{=}\dot{N}^{\oplus}{-}\overline{O}|^{\ominus} \xrightarrow{h \cdot f} |\dot{N}{=}O\rangle + \cdot\overline{O}\cdot$$

$$\cdot\overline{O}\cdot + O_2 \longrightarrow O_3$$

$$\cdot\overline{O}\cdot + H_2O \longrightarrow 2\,H{-}\overline{O}\cdot$$

$$O_3 + \langle O{=}\dot{N}^{\oplus}{-}\overline{O}|^{\ominus} \longrightarrow O_2 + \dot{N}O_3$$

$$O_3 + H{-}\overline{O}\cdot \longrightarrow O_2 + H{-}\overline{O}{-}\overline{O}\cdot$$

$$H{-}\overline{O}{-}\overline{O}\cdot + H{-}\overline{O}{-}\overline{O}\cdot \longrightarrow O_2 + H_2O_2$$

$$H{-}\overline{O}{-}\overline{O}\cdot + |\dot{N}{=}O\rangle \longrightarrow H{-}\overline{O}\cdot + \langle O{=}\dot{N}^{\oplus}{-}\overline{O}|^{\ominus}$$

$$H{-}\overline{O}{-}\overline{O}{-}H \longrightarrow 2\,H{-}\overline{O}\cdot$$

B1 Bildung von Fotooxidantien in der Troposphäre

A 1 Stickstoffmonooxid, Stickstoffdioxid, Kohlenstoffmonooxid und flüchtige organische Verbindungen (VOC, **v**olatile **o**rganic **c**ompounds) werden auch als indirekte Treibhausgase bezeichnet, obwohl sie selbst nicht „treibhausaktiv" sind. Erläutern Sie.

V 1 Modellversuch zur Inversionswetterlage. Stellen Sie jeweils bis etwa zur Hälfte einen hohen Standzylinder in eine Eis-Kochsalz-Mischung, einen zweiten in heißes Wasser. Bestimmen Sie mithilfe eines digitalen Thermometers die Temperaturen unten und oben in den Standzylindern.
Stellen Sie nun auf den Boden eines jeden Standzylinders eine glimmende Räucherkerze. Beobachten Sie den aufsteigenden Rauch.

B2 Schadstoffkonzentrationen in Bodennähe im Tagesverlauf

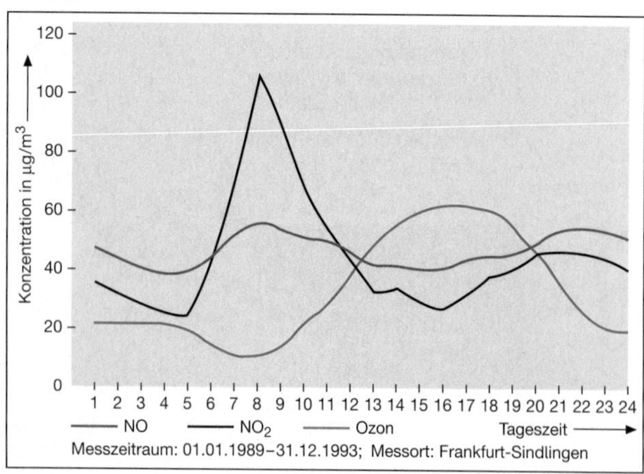

Die Bedingungen für chemische Reaktionen in der Atmosphäre unterscheiden sich sehr von denen im Labor. Das gasförmige Reaktionsgemisch liegt in sehr kleinen Konzentrationen vor und ist fast ständig energiereicher Strahlung ausgesetzt. Daher sind an den fotochemischen Reaktionen meist Radikale – Atome oder Moleküle mit jeweils mindestens einem ungepaarten Elektron – beteiligt. Die für das Klima maßgebenden Vorgänge finden in den unteren beiden Schichten der Atmosphäre statt, der Troposphäre und der von ihr durch die Tropopause getrennten Stratosphäre.

Reaktionen in der Troposphäre. Neben Stickstoff, Sauerstoff, Wasserdampf und den Spurengasen befinden sich in der Troposphäre u. a. Stickstoffoxide, Schwefeldioxid, organische Verbindungen und Peroxide. Hinzu kommen Stäube, die z. B. Metalle und Ruß enthalten und somit katalytisch wirksam werden können, sowie Aerosole – kleine Flüssigkeitströpfchen –, die z. B. aus konzentrierten Lösungen von Salzen oder Säuren bestehen. Energiespender ist in diesem Reaktionsraum elektromagnetische Strahlung mit Wellenlängen von $\lambda > 300\,nm$; Strahlung geringerer Wellenlänge wird bereits in der Stratosphäre absorbiert.

Die Reaktionen in der Troposphäre erfolgen in mehreren Stufen. Die Startreaktion für die radikalisch ablaufenden Prozesse ist die Fotodissoziation von Stickstoffdioxid (▷ B1). Stickstoffdioxidmoleküle zerfallen bei einer Strahlung der Wellenlängen $300\,nm \leq \lambda \leq 430\,nm$ zu Stickstoffmonooxidmolekülen und Sauerstoffatomen. Auf diese Primärreaktion folgen viele Sekundärreaktionen. So bilden die Sauerstoffatome z. B. mit Sauerstoffmolekülen Ozon, das wieder in Sauerstoffmoleküle und Sauerstoffatome zerfallen kann. Aus der Reaktion zwischen Sauerstoffatomen und Wassermolekülen entstehen OH-Radikale. Sie gehören zusammen mit HO_2-Radikalen, Ozon, Wasserstoffperoxid und Stickstoffoxiden zur Gruppe der Fotooxidantien. Diese bestimmen die meisten Oxidationsvorgänge, die zum Abbau von organischen Verbindungen in der Troposphäre führen.

Ozon. In der Troposphäre ist die Konzentration des Ozons starken Schwankungen unterworfen. Sie hängt u. a. von der geografischen Lage sowie der Tages- und Jahreszeit ab. Am Äquator besteht ein Ozonminimum, die Ozonkonzentration auf der Nordhalbkugel ist höher als auf der Südhalbkugel. Im Flachland misst man die höchsten Ozonkonzentrationen am Nachmittag, im Bergland und an der Küste treten höhere Konzentrationen erst am Abend auf. Das in den Ballungszentren gebildete Ozon wird von dort durch Luftströmungen in die „Reinluftgebiete" transportiert. In langen sommerlichen Schönwetterperioden ist die Ozonbelastung besonders hoch. Ozon wird zerstört z. B. durch Reaktionen mit Stoffen an der Erdoberfläche sowie durch fotolytische Reaktion zu Sauerstoff, durch Reaktion mit Wasser zu OH-Radikalen oder durch lichtunabhängige Reaktionen mit Stickstoffoxiden. Grenzsituationen in der Ozonbelastung ergeben sich insbesondere bei Inversionswetterlagen, bei denen eine warme Luftschicht über einer kälteren die großräumige Durchmischung der Luft verhindert.

Fotosmog. Tritt eine Inversionswetterlage (▷ V 1, ▷ B 5) im Sommer auf, führt sie besonders in Ballungszentren zu einer erhöhten Konzentration von Autoabgasen, die vor allem Stickstoffoxide sowie Alkane, Alkene, Aromaten, Aldehyde und Ketone („reaktive Kohlenwasserstoffe") enthalten.
Diese Stoffe reagieren unter dem Einfluss der Sonneneinstrahlung außer zu Ozon zu weiteren mehr oder weniger gesundheitsschädlichen Stoffen, die den Fotosmog oder auch „Los-Angeles-Smog" (von engl. smoke, Rauch und fog, Nebel) bilden (▷ B 3). Die Konzentration des Ozons als Leitsubstanz lässt Rückschlüsse auf die Reaktionen zu, die unter diesen Bedingungen in der Troposphäre ablaufen. In Abhängigkeit von der Intensität der Sonneneinstrahlung zu den verschiedenen Tageszeiten verändern sich die Konzentrationen der Inhaltsstoffe (▷ B 2). Neben Ozon sind dies z. B. Radikale wie OH· und HO_2·, Stickstoffoxide wie NO·, NO_2· und N_2O_5 sowie Peroxoverbindungen wie Wasserstoffperoxid und Peroxyacetylnitrat (PAN).

Am Morgen entstehen zunächst OH-Radikale durch fotolytische Spaltung von in der Luft vorhandenen Stoffen, z. B. von HONO-Molekülen. Mit den vom zunehmenden Verkehr emittierten „reaktiven Kohlenwasserstoffen" bilden sie u. a. Ozon. Die Ozonkonzentration erreicht mittags ihr Maximum, wenn die ebenfalls gebildeten NO-Radikale weitgehend in NO_2-Radikale umgewandelt worden sind. Durch die nun intensive Sonneneinstrahlung können diese mit Sauerstoffmolekülen ebenfalls zu Ozonmolekülen reagieren. Nachmittags überwiegen Kettenabbruchreaktionen wie die Rekombination der OH- und NO_2- bzw. NO-Radikale zu $HONO_2$-Molekülen oder zu HONO-Molekülen (▷ B 3). Am Abend, wenn die Konzentrationen der NO- und NO_2-Radikale geringer geworden sind, rekombinieren andere Radikale. Die Konzentration an OH-Radikalen nimmt ab, auch Ozonmoleküle werden langsam abgebaut.

Auswirkungen des bodennahen Ozons. Ozon kann die menschliche Gesundheit beeinträchtigen. Bei Ozonkonzentrationen von 180 µg/m³ sind Auswirkungen auf Lunge und Atemwege festzustellen, ab 240 µg/m³ beobachtet man eine Abnahme der Leistungsfähigkeit und eine Zunahme von Asthmaanfällen. Ozon schädigt Pflanzen, hemmt ihr Wachstum und führt dadurch zu Ernteverlusten. Ozon ist Mitverursacher des Waldsterbens und hat Einfluss auf den Treibhauseffekt. Richtlinien regeln die zu treffenden Maßnahmen bei bestimmten Ozonkonzentrationen (▷ B 4).

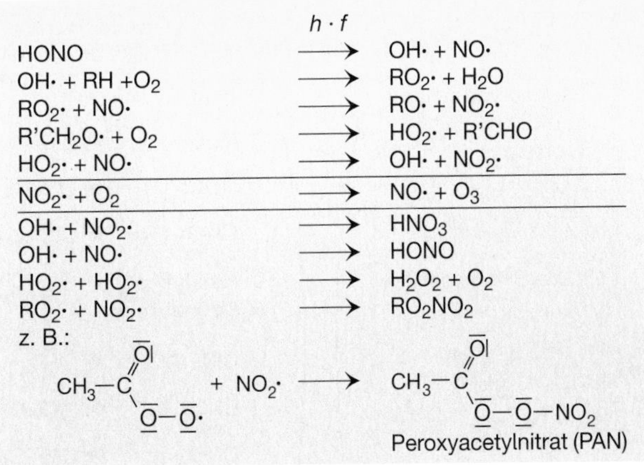

B 3 Fotochemische Smogreaktionen

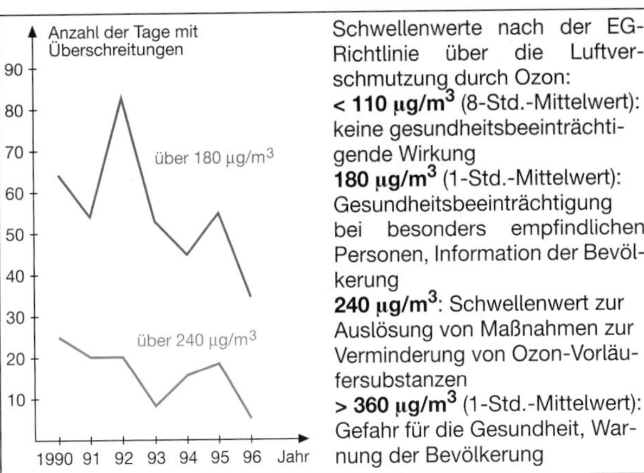

Anzahl der Tage mit Überschreitungen
90
80
70
60
50
40
30
20
10
über 180 µg/m³
über 240 µg/m³
1990 91 92 93 94 95 96 Jahr
Schwellenwerte nach der EG-Richtlinie über die Luftverschmutzung durch Ozon:
< 110 µg/m³ (8-Std.-Mittelwert): keine gesundheitsbeeinträchtigende Wirkung
180 µg/m³ (1-Std.-Mittelwert): Gesundheitsbeeinträchtigung bei besonders empfindlichen Personen, Information der Bevölkerung
240 µg/m³: Schwellenwert zur Auslösung von Maßnahmen zur Verminderung von Ozon-Vorläufersubstanzen
> 360 µg/m³ (1-Std.-Mittelwert): Gefahr für die Gesundheit, Warnung der Bevölkerung

B 4 Überschreitungshäufigkeit von Ozon-Schwellenwerten in Deutschland

B 5 Inversionswetterlage. Eine Warmluftschicht verhindert die großräumige Verteilung der Schadstoffe

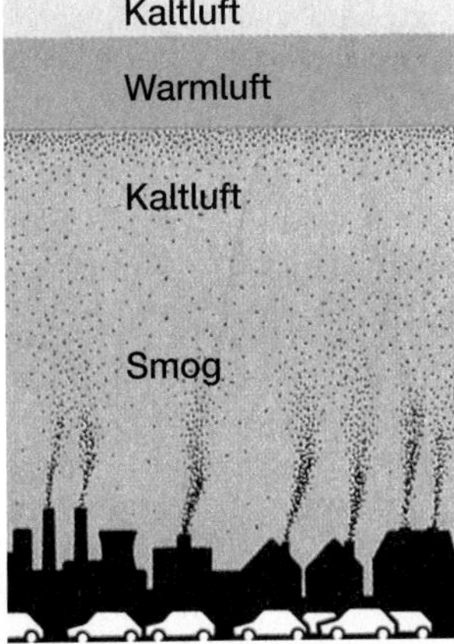

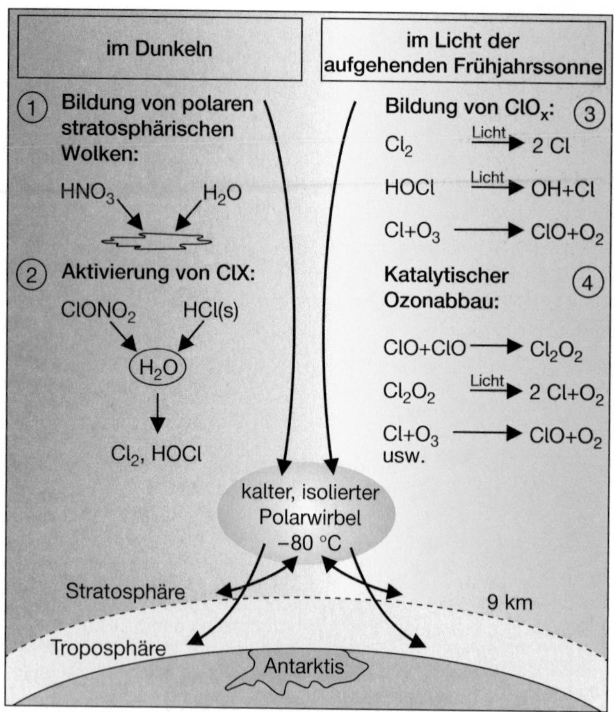

B6 Bildung des Ozonlochs über der Antarktis

A 2 Formulieren Sie die Reaktionsgleichungen für Ozonbildung und -zerstörung in der Stratosphäre.

A 3 Warum sind selbst bei einem sofortigen Stopp der Produktion und der Verwendung von CFKW erst in einigen Jahrzehnten Veränderungen in der Ozonschicht zu erwarten?

Reaktionen in der Stratosphäre. Nicht alle Stoffe, die in der Troposphäre entstehen oder vorhanden sind, kommen in die Stratosphäre; die Tropopause verhindert weitgehend einen Stoffaustausch zwischen den Bereichen. In die Stratosphäre gelangen nur Stoffe mit langen Verweilzeiten in der Troposphäre und solche aus Vulkaneruptionen und Flugzeugabgasen. Unter dem Einfluss der sehr energiereichen UV-Strahlung reagiert in der Stratospähre vorwiegend Sauerstoff. Bei Wellenlängen von $\lambda < 242$ nm werden Sauerstoffmoleküle in Sauerstoffatome gespalten, die dann ihrerseits wieder mit Sauerstoffmolekülen in Anwesenheit weiterer Teilchen als Stoßpartner zu Ozonmolekülen reagieren. Diese können sowohl durch UV-Strahlung (mit $\lambda < 310$ nm) als auch durch Reaktion mit weiteren Sauerstoffatomen wieder zerstört werden. In der mittleren Stratosphäre führt das aus der Bildung und dem Zerfall von Ozon sich einstellende Gleichgewicht zu einem Maximum der Ozonkonzentration.

Die Messung der Ozonkonzentration in dieser **Ozonschicht** – in etwa 20 bis 40 km Höhe – erfasst alle Ozonmoleküle, die auf dem Weg des Messstrahls eines Spektrometers in der Stratosphäre anzutreffen sind (▷ B9). Nach dem Erfinder dieses Verfahrens wird die Schichtdicke, die das reine Ozon bei 0 °C und 1013 hPa über einem geografischen Ort haben würde, in *Dobson-Einheiten* (DU, Dobson-Units) angegeben. Dabei entsprechen 100 DU einer Schichtdicke von 1 mm. In einer Homogenatmosphäre (↗ Kap. 12.1) wäre die Ozonschicht bis zu 4 mm dick.

Die globale Verteilung des Ozons ist nicht überall gleich. Es wird hauptsächlich über dem Äquator gebildet und gelangt von dort bis zu den Polargebieten. Der Ozontransport erfolgt im Frühjahr der Nordhalbkugel vorwiegend in Richtung der Nordpolargebiete, im Herbst der Nordhalbkugel strömt das Ozon in Richtung Antarktis. Über den

B7 Schutz vor UV-Strahlung durch Absorption

UV-Strahlung ist gefährlich für Lebewesen. Man unterscheidet zwischen den Bereichen UV-A (380 nm $\geq \lambda >$ 320 nm), UV-B (320 nm $\geq \lambda >$ 280 nm) und UV-C (280 nm $\geq \lambda \geq$ 200 nm). Während UV-A-Strahlung wesentlich zur Bräunung der Haut beiträgt, führt UV-B-Strahlung zu Sonnenbrand und Hautnekrosen, bei längerer Einwirkung auch zu Hautkrebs. UV-C-Strahlung kann zu Veränderungen der DNA führen, auf Kleinlebewesen wirkt sie toxisch.

Schutz vor der UV-Strahlung der Sonne bietet die Atmosphäre, hier besonders Sauerstoff und Ozon. Sauerstoff absorbiert Strahlung der Wellenlängen unter 240 nm, Ozon absorbiert im Bereich zwischen 310 nm $\geq \lambda \geq$ 210 nm, einem Energiebereich, der ausreicht, Proteine, Aminosäuren und DNA zu spalten. Ozon in der Stratosphäre ist somit ein natürlicher Filter für die UV-Strahlung.

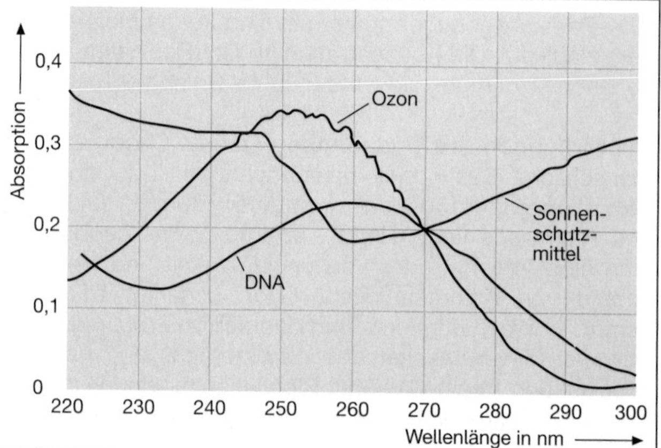

mittleren nördlichen Breiten ist daher die Ozonkonzentration in der Stratosphäre im Frühjahr etwa um 30 % höher als im Herbst. Auch vertikale Strömungen in der Stratosphäre haben einen Einfluss auf die Dicke der Ozonschicht.

Das Ozonloch. Messungen der Ozonkonzentration über der Antarktis ab 1958 zeigten, dass die Ozonschicht immer im Frühling ein Minimum von ca. 300 DU und im Sommer ein Maximum von 380 DU erreichte. Seit 1979 beobachtet man jedoch eine von Jahr zu Jahr stärkere Vertiefung des Minimums der Ozonkonzentration. 1992 hatte das *Ozonloch*, der Bereich geringerer Schichtdicke der Ozonschicht, bereits eine Ausdehnung von 24 Millionen km^2 erreicht (▷ B8) und war um 65 % geringer als 1970. Umfangreiche Messreihen bestätigten die Vermutung, dass der Abbau des Ozons hauptsächlich durch Chlorverbindungen, wie $CFCl_3$ und andere CFKW, hervorgerufen wird, die als Spurengase in die Stratosphäre gelangen.
Für die Bildung des Ozonlochs wird ein Zusammenspiel zwischen Chlorverbindungen und den meteorologischen Gegebenheiten im antarktischen Winter verantwortlich gemacht (▷ B6). Im Winter bildet sich über der Antarktis ein kalter, isolierter Polarwirbel mit Temperaturen bis –80 °C ohne Luftaustausch mit den Nachbargebieten. Dabei entstehen stratosphärische Wolken (polar stratospheric clouds, PSC), die im Wesentlichen aus Salpetersäure-Wasser-Aerosolen bestehen. An den Aerosolteilchen bzw. den Eiskristallen der PSC können sich Chlornitrat ($ClONO_2$) und Chlorwasserstoff, Produkte des CFKW-Abbaus, anreichern. In Dunkelreaktionen bilden sich aus Chlornitrat und Chlorwasserstoff Chlor und Hypochlorige Säure (HOCl). Die Zerstörung dieser Verbindungen durch längerwellige Sonnenstrahlung zu Beginn des antarktischen Frühjahrs führt zu hohen Konzentrationen an Chloratomen, die mit Ozonmolekülen reagieren können.

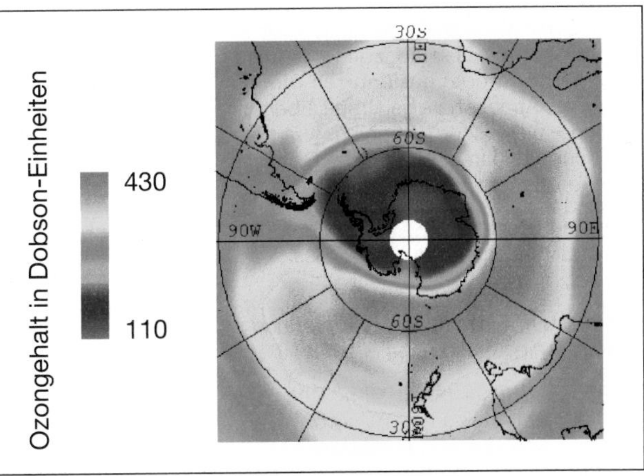

B8 Ozonloch. Satellitenmessung der Ozonschicht über der Antarktis im Sept. 1996 (DLR, Oberpfaffenhofen)

V 2 Absorption von UV-Strahlung. Mit einer UV-Handlampe (λ = 254 nm) wird ein Fluoreszenzschirm (z. B. DC-Platte mit Fluoreszenzindikator) bestrahlt. Dann hält man verschiedene durchsichtige Feststoffe (Glas, Quarzglas, Kunststofffolie) vor den Schirm. Man bestreicht eine Kunststofffolie sehr dünn mit Sonnenschutzcreme und verfährt wie oben.

V 3 Absorptionswirkung des Ozons. (Abzug!) Man erzeugt z. B. mithilfe eines Ozonstrahlers aus Sauerstoff Ozon und leitet es bei eingeschalteter UV-Lampe vor eine Fluoreszenzfolie. Ozon reagiert mit einem angefeuchteten Kaliumiodid-Stärkepapier unter Blaufärbung.

B9 Bestimmung des Ozongehalts der Stratosphäre

G. M. B. Dobson (1889–1976), ein englischer Physiker, konstruierte 1926 ein Quarzprismenspektrometer, mit dem er die UV-Absorption der Sonneneinstrahlung durch Ozon messen konnte. Dieses Dobson-Spektralfotometer wird auch heute noch benutzt, um den Ozongehalt der Atmosphäre von der Erde aus zu bestimmen.
Einen größeren Bereich der Stratosphäre kann man mithilfe von Satellitenmessungen erfassen. Dazu wird die Reflexion der Sonnenstrahlung an der Atmosphäre im Wellenlängenbereich 250 nm $\leq \lambda \leq$ 310 nm gemessen. Die Ozonmoleküle, die auf der Sichtlinie des Satellitensensors liegen, schwächen das zu registrierende Signal. Durch Vergleich mit der direkt auf den Sensor auftreffenden Sonnenstrahlung erhält man die Stoffmenge der Ozonmoleküle. Mit aufwändigen Rechenverfahren wird dann ein Höhenprofil der Ozonschicht erstellt.

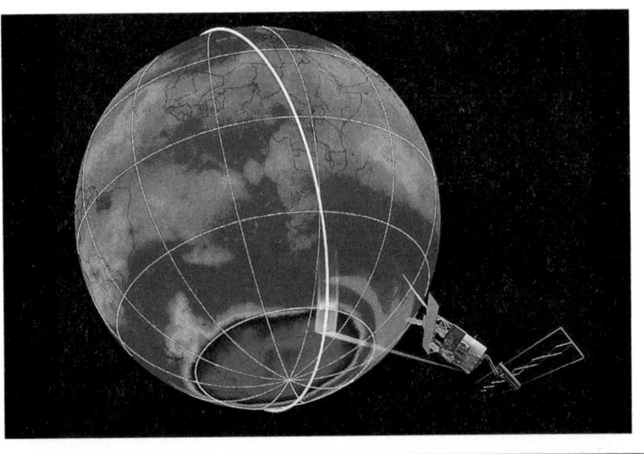

12.4 Luftschadstoffe

Emission: Die aus natürlichen oder künstlichen Quellen abgegebenen festen, flüssigen oder gasförmigen Stoffe, die in die Atmosphäre gelangen. Ebenso werden Geräusche, Strahlen, Wärme, Erschütterungen oder ähnliche Erscheinungen als Emissionen bezeichnet.

Emittent: Technische Anlagen, Produkte und Einrichtungen, die Emissionen erzeugen.

Immission: Einwirkung der Emissionen auf die belebte und unbelebte Natur.

MAK: Für gesundheitsschädliche Arbeitsstoffe hat eine Kommission „**M**aximale **A**rbeitsplatz-**K**onzentrationen" festgelegt: „Es sind Grenzwerte für den durchschnittlichen Gehalt an Luftverunreinigungen für die Dauer eines Arbeitstages von 8 Stunden, bei denen im Allgemeinen eine Gesundheitsgefährdung oder unangemessene Belästigung nicht zu erwarten ist."

MIK: Für verschiedene, ausgewählte Luftverunreinigungen werden „**M**aximale **I**mmissions-**K**onzentrationen" vorgeschlagen und definiert: „Es sind diejenigen Konzentrationen von Schadstoffen in bodennahen Schichten der freien Atmosphäre, die nach den derzeitigen Erfahrungen im Allgemeinen für Mensch, Tier und Pflanze bei Einwirkung von bestimmter Dauer und Häufigkeit als unbedenklich gelten können."

TRK: Für Krebs erzeugende und krebs - verdächtige Stoffe sind keine MAK-Werte, sondern „**T**echnische **R**ichtwert-**K**onzentrationen" festgelegt: Es ist die geringste Konzentration als Gas, Dampf oder Schwebstoff in der Luft, die nach dem Stand der Technik erreicht werden kann und die als Anhalt für die zu treffenden Schutzmaßnahmen am Arbeitsplatz heranzuziehen ist.
Auch bei Einhaltung der TRK ist eine Gesundheitsgefährdung nicht ausgeschlossen. Bei langfristiger Einwirkung können sich Erbgutveränderungen aufsummieren.

TA Luft: Die „**T**echnische **A**nleitung zur Reinhaltung der Luft" dient zur Genehmigung und Überwachung von Anlagen. Sie enthält u. a. Emissions- und Immissionsgrenzwerte und festgelegte Verfahren zu deren Ermittlung.

IW1: Langzeit-Immissionsgrenzwert (Jahresmittel)

IW2: Kurzzeit-Immisionsgrenzwert (Halbstundenmittel)

Ständig werden Tausende von Stoffen in die Atmosphäre emittiert (von lat. emittere, herausschicken), durch Immission (von lat. immittere, hineinschicken) gelangen sie oder ihre Reaktionsprodukte zur Erdoberfläche zurück. Viele dieser Stoffe gehören zu natürlichen Kreisläufen wie dem Stickstoff- oder dem Kohlenstoffkreislauf. Andere Stoffe, die schädlich wirken auf Lebewesen oder Bauwerke, bezeichnet man als Luftverunreinigungen (Luftschadstoffe).

Natürliche Emissionen. Vulkane sind die wichtigsten natürlichen Emittenten für Luftschadstoffe. So gelangten z. B. beim Ausbruch des El Chicón in Mexiko am 29. März 1982 neben 0,5 Milliarden m^3 Feststoffen auch 40 000 t Chlorwasserstoff und 20 Millionen t Schwefeldioxid bis in die Stratosphäre. Man konnte zunächst nie ganz ausschließen, dass die Verminderung der Ozonkonzentration in der Stratosphäre von diesen Chlorwasserstoffemissionen herrührte. Aus dem freigesetzten Schwefeldioxid entstanden Schwefelsäureaerosole in der Stratosphäre, die in den Folgejahren für tiefrote Sonnenuntergänge in manchen Teilen der Erde sorgten.
Auch in der belebten Natur können Stoffe in einem Ausmaß entstehen, dass sie das Klima beeinflussen. So produzieren z. B. Rinder Methan in ihrem Verdauungstrakt. Durch die Massentierhaltung kann es zu einer erhöhten Emission von Methan kommen. Auch beim Reisanbau wird Methan freigesetzt. In der Troposphäre ist Methan eines der treibhauswirksamen Spurengase. Gelangt es mit einer troposphärischen Verweilzeit von 10 Jahren in die Stratosphäre, entstehen durch Reaktion mit OH-Radikalen Wassermoleküle. In Form von Eiskristallen, an denen Sonnenstrahlung reflektiert wird, trägt dieses Wasser dann zur Abkühlung der Stratosphäre bei.

Anthropogene Emissionen. Die wichtigste Quelle von Menschen verursachter (anthropogener) Emissionen sind Verbrennungsvorgänge. Dabei werden neben organischen Verbindungen vor allem Kohlenstoffdioxid, Kohlenstoffmonooxid, Stickstoffoxide und Schwefeldioxid gebildet (▷ B 1). Problematisch ist hierbei, dass durch die Verbrennung fossiler Brennstoffe in Kraftwerken, Heizungen und Motoren die Menge der Oxide in der Atmopshäre insgesamt vergrößert wird. *Kohlenstoffmonooxid* entsteht bei unvollständiger Verbrennung von Kohlenstoffverbindungen, so z. B. in der Warmlaufphase von Motoren. Die jährliche Messung des Kohlenstoffmonooxidanteils im Abgas der Hausfeuerungen

B 1 Anthropogene Emissionen in Deutschland

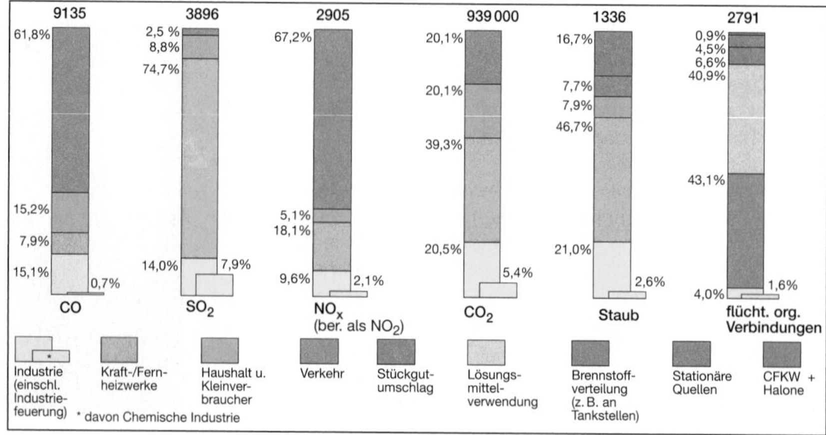

durch den Schornsteinfeger soll sicherstellen, dass Heizungsanlagen optimal eingestellt werden und möglichst wenig Kohlenstoffmonooxid emittieren.
Stickstoffmonooxid, das bei hohen Temperaturen aus Stickstoff und Sauerstoff entsteht, wird besonders von Kraftfahrzeugmotoren und Kraftwerken emittiert. Es ist Reaktionsprodukt aller Verbrennungen, an denen Luft (statt reinem Sauerstoff) beteiligt ist. An der Luft wird Stickstoffmonooxid weiter zu Stickstoffdioxid oxidiert.
Schwefeldioxid ist ein Begleitprodukt der Verbrennung fossiler Brennstoffe, vor allem von Kohle und Mineralöl. Auch beim Rösten von sulfidischen Erzen wird Schwefeldioxid gebildet.
Organische Verbindungen, die in die Atmosphäre emittiert werden, entstehen u.a. bei Verbrennungsprozessen oder verdampfen aus Lösungsmitteln und Treibstoffen. Die Abgase von Kraftfahrzeugen enthalten z.B. *Kohlenwasserstoffe* aus unvollständiger Verbrennung, unter anderem aromatische Kohlenwasserstoffe wie Benzol und *polycyclische Aromaten,* z.B. Naphthalin und Benzo[a]pyren. Die ebenfalls bei Verbrennungs- und Verschwelungsprozessen entstehenden *Dioxine* (↗ Kap. 12.14) sind besonders gefährliche Umweltgifte, obwohl sie nur in äußerst geringen Konzentrationen vorliegen.

Immissionen. Unter günstigen Bedingungen verteilen sich die emittierten Stoffe großräumig in der Atmosphäre. Sie werden dort meist nach unterschiedlichen Verweilzeiten (je nach Stabilität gegenüber oxidierenden Stoffen) umgewandelt und z.B. durch den Regen ausgewaschen. Von Immissionen spricht man, wenn die Stoffe oder ihre Reaktionsprodukte z.B. auf Menschen, Tiere, Pflanzen oder Bauwerke einwirken. Man unterscheidet zwischen drei Schadstoffgruppen: gasförmige anorganische Stoffe (wie Kohlenstoffmonooxid, Stickstoffoxide, Schwefeldioxid), flüchtige organische Verbindungen (VOC, z.B. Kohlenwasserstoffe, Aldehyde) und Stäube (wie Ruß, Flugasche, Zementstaub, ▷ V1). Um ggf. geeignete Maßnahmen zum Schutz vor gesundheitlichen Schäden ergreifen zu können, wird die Belastung der Luft mit Schadstoffen in Deutschland ständig kontrolliert. Gesetzliche Grundlage ist das Bundes-Immissionsschutzgesetz, hier vor allem die „Technische Anleitung Luft" (TA-Luft, ▷ B2). In besonders belasteten Gebieten wurden Immissionsmessnetze eingerichtet, an denen die Schadstoffkonzentrationen in der Luft (man wählt besondere Leitsubstanzen aus) und die Staubniederschläge gemessen werden.

B2 Grenzwerte für Schadstoffimmissionen

Luftschadstoff	Grenzwerte			
	MAK in $mg \cdot m^{-3}$	MIK (24 h) in $mg \cdot m^{-3}$	IW1 in $mg \cdot m^{-3}$	IW2 in $mg \cdot m^{-3}$
Kohlenstoffmonooxid	33	10,00	10,00	20,00
Stickstoffdioxid	9	0,10	0,08	0,30
Schwefeldioxid	5	0,30	0,14	0,40
Schwebstaub	6	0,25	0,15	0,30

V 1 Staubmessung. Legen Sie einen durchsichtigen Klebestreifen mit der Klebefläche nach oben in eine Hälfte einer Petrischale und platzieren Sie sie mehrere Tage an einer trockenen Stelle im Freien. Kleben Sie den Streifen auf Millimeterpapier und zählen Sie unter dem Stereomikroskop die Anzahl der Staubpartikel pro cm^2 aus.

A 1 Heizöl darf bis zu $w = 0{,}2\,\%$ chemisch gebundenen Schwefel enthalten. Berechnen Sie den Schwefeldioxidausstoß einer Hausfeuerung bei einem Jahresverbrauch von 4000 kg Heizöl. Wie viel Schwefeldioxid ist dies pro Tag bei einer Heizperiode von 160 Tagen?

A 2 Berechnen Sie das Stickstoffdioxidvolumen im Chemieraum, das den MAK-Wert gerade noch unterschreitet. Vergleichen Sie mit dem Geruchsschwellenwert für Stickstoffdioxid.

B3 Geruchsschwellen für einige Stoffe

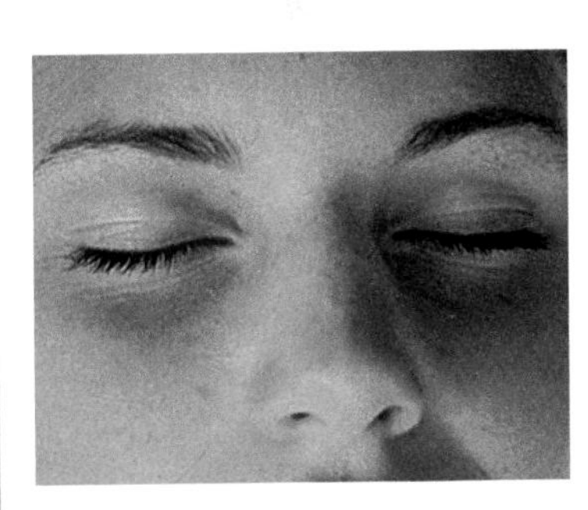

Stoff	Konzentration in $mg \cdot m^{-3}$
Trimethylamin	0,0005
Buttersäure	0,004
Schwefelwasserstoff	0,007
Blausäure	0,65
Stickstoffdioxid	0,75
Chlor	0,88
Essigsäure	2,5
Phosgen	3,7
Ammoniak	33,0
Methanol	133,0
Aceton	278,00

12.5 Verminderung von Emissionen

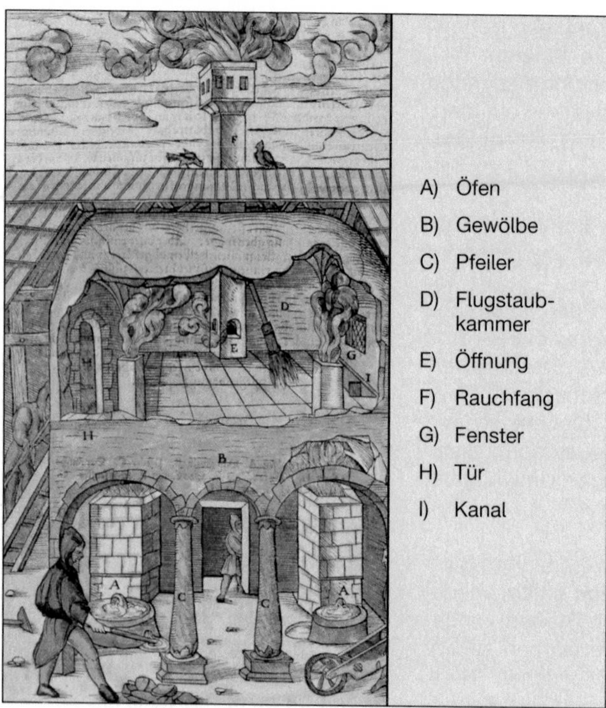

B1 Abluftreinigung im 16. Jahrhundert

A 1 Bei der Entstickung wird dem Abgas vor dem Eintritt in die Katalysatoreinheit Ammoniak zugegeben. Formulieren Sie die Reaktionsgleichung der Reaktion des Stickstoffdioxids und des Ammoniaks zu Stickstoff. Ermitteln Sie die Oxidationszahlen der beteiligten Verbindungen. Um welchen Reaktionstyp handelt es sich hier?

Bereits in Metallhütten des 16. Jahrhunderts versuchte man Staubemissionen durch geeignete Maßnahmen zu reduzieren (▷ B1). Im 19. Jahrhundert baute man Schornsteine, die Stäube und Abgase weiträumig verteilen sollten. Als 1965 in südskandinavischen Flüssen und Binnenseen erstmals größere Fischsterben beobachtet wurden, ergaben Messungen, dass saure Niederschläge in den Gewässern eine pH-Wert-Absenkung verursacht hatten. Man führte dies auf die „Politik der hohen Schornsteine" in den Industriezentren Westeuropas zurück. Durch den Bau immer höherer Schornsteine (200 bis 300 m) hatte man versucht, die Luftbelastung zu verringern. Die Schadstoffe sollten in höhere Luftschichten abgegeben und noch stärker verteilt werden. Es bildeten sich jedoch „Abgasfahnen", die über große Entfernungen – auch über Ländergrenzen hinweg – transportiert wurden.

Abluftreinigung in Kraftwerken. Zur Verminderung der Emissionen in Kraftwerken (▷ B2) tragen sowohl Brennstoff sparende Verfahren als auch der Einsatz von z. B. Steinkohle mit geringem Gehalt an Schwefelverbindungen bei.
Die Reinigung der Abluft erfolgt im Prinzip in zwei Stufen: der *Filtration von Stäuben und Aerosolen* sowie der *Absorption von gasförmigen Bestandteilen*.
Stäube können aus dem Abgas mithilfe von Elektrofiltern entfernt werden. Man erreicht hiermit Entstaubungsgrade von 99,8 %. Der anfallende Staub wird z. B. in der Bauindustrie weiterverarbeitet. Die gasförmigen Schadstoffe kann man kondensieren, mit einem geeigneten Lösungsmittel auswaschen oder an meist festen Stoffen adsorbieren. Häufig werden sie durch chemische Reaktionen mit Waschflüssigkeiten bzw. an Katalysatoren in ungefährliche Verbindungen überführt. Zwei wichtige Verfahren sind die Entfernung von Schwefeldioxid und von Stickstoffoxiden aus dem Abgas.

B2 Tagesbilanz des 750-MW-Kombiblocks des Kraftwerks Werne der VEW im 24-h-Volllastbetrieb

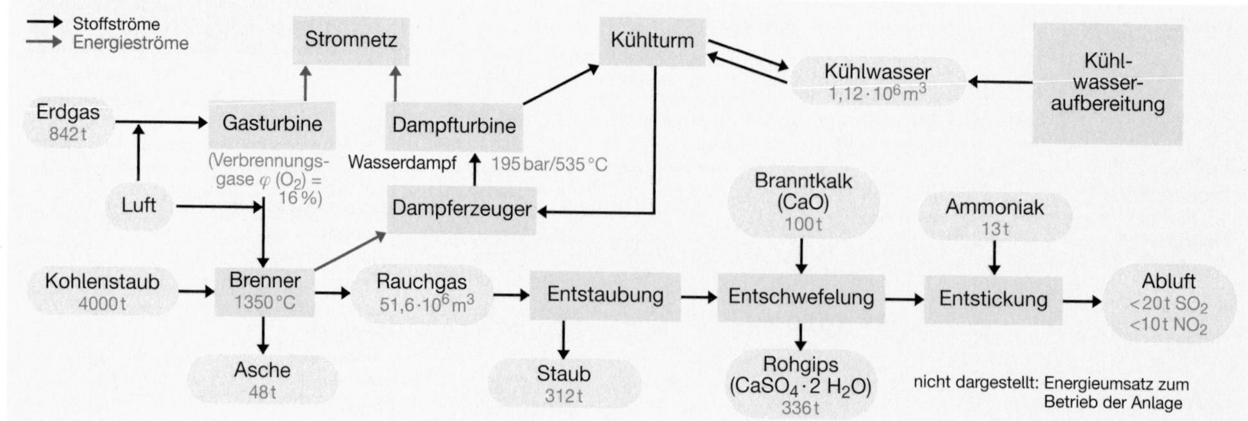

Entschwefelung. Alle fossilen Brennstoffe enthalten aufgrund ihrer organischen Herkunft Schwefelverbindungen. Im Gegensatz zu Heizöl und Erdgas lässt sich Kohle nur schwer entschwefeln. Eine wirksame Direktentschwefelung in der Feuerung ist nur bei der **Wirbelschichtfeuerung** möglich, bei der Kohlenstaub in Gegenwart von Kalksteinmehl verbrannt wird (↗ Kap. 3.4). Das bei der Verbrennung entstehende Schwefeldioxid reagiert mit dem zugeführten Calciumcarbonat und Sauerstoff zu *Gips* ($CaSO_4$).

Die meisten Kraftwerke, die fossile Brennstoffe verfeuern, besitzen eine **Rauchgasentschwefelungsanlage** (REA) (▷ B5). In **Absorbertürmen** wird dem Rauchgas eine wässrige Suspension von Calciumhydroxid, die man aus Branntkalk (CaO) erhält, entgegengesprüht. Das entstehende Calciumsulfit ($CaSO_3$) wird mittels eingeblasener Luft zu Gips oxidiert, der getrocknet und zum Teil zu Gipskartonplatten verarbeitet wird. Durch konsequente Nachrüstung älterer Anlagen und den Bau neuer Kraftwerke erreichte man eine deutliche Schwefeldioxidreduktion in der Atmosphäre (▷ B3).

Entstickung. Das entstaubte und von Schwefeldioxid befreite Rauchgas wird in einem letzten Schritt von Stickstoffoxiden befreit. Das geschieht z. B. in einer **Entstickungsanlage** (DENOX, ▷ B4, ▷ B5). In einigen Anlagen ist in den wabenförmigen Katalysatoren das Trägermaterial Titandioxid (TiO_2) mit verschiedenen katalytisch wirksamen Metalloxiden dotiert. Bei Temperaturen von 320 bis 400 °C reagieren die Stickstoffoxide mit zugesetztem Ammoniak zu Stickstoff und Wasserdampf. Die Stickstoffdioxidemission kann damit um 80 % auf unter 200 mg · m^{-3}, dem geforderten Grenzwert, verringert werden. Nachteilig bei diesem Verfahren ist die erforderliche Aufheizung der bei der Entschwefelung bereits abgekühlten Verbrennungsgase.

SO_2 in 10^3 t	1990	1992	1994	1996	1998	1999	2000
Verkehr	106	71	82	44	35	33	31
Haushalte Kleinverbraucher	910	414	275	211	139	135	135
Industrie	1478	754	474	366	329	329	334
Kraft- und Heizkraftwerke	2768	2190	1642	856	780	777	774
Gesamt	**5262**	**3429**	**2473**	**1476**	**1292**	**1273**	**1274**

B3 Entwicklung der Schwefeldioxidkonzentration über Deutschland

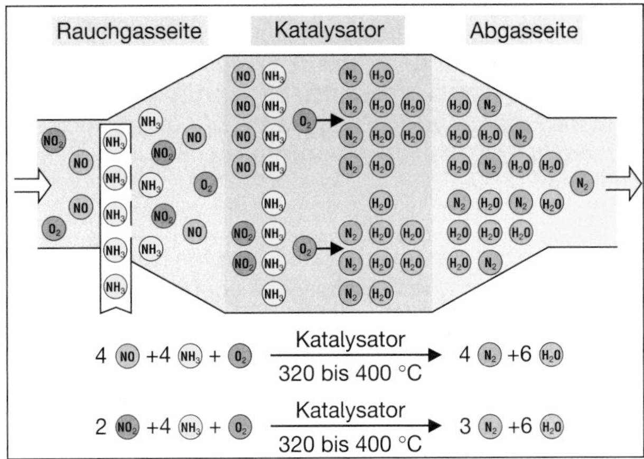

$$4\,NO + 4\,NH_3 + O_2 \xrightarrow[320\text{ bis }400\,°C]{\text{Katalysator}} 4\,N_2 + 6\,H_2O$$

$$2\,NO_2 + 4\,NH_3 + O_2 \xrightarrow[320\text{ bis }400\,°C]{\text{Katalysator}} 3\,N_2 + 6\,H_2O$$

B4 Funktionssechma einer DENOX-Anlage

B5 Luftreinhaltung bei einem Kohlekraftwerk

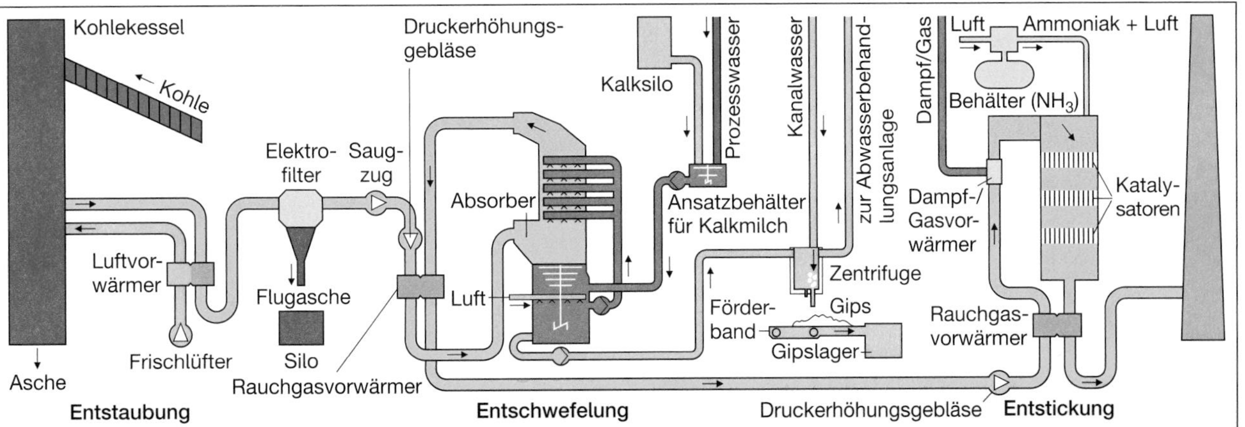

Verminderung von Emissionen

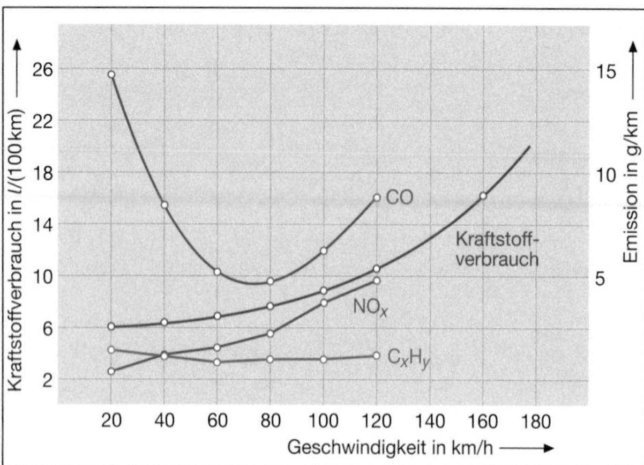

B6 Kraftstoffverbrauch und **Emissionen aus einem PKW** bei konstanten Geschwindigkeiten (Prüfstand)

A 2 Die Sauerstoffsonde kann als Konzentrationselement mit dem Redoxpaar $O_2 + 4e^- \rightleftharpoons 2\,O^{2-}$ durch die Nernst-Gleichung beschrieben werden (↗ Kap. 7.7). Für die Potentialdifferenz zwischen Luft- und Abgasseite ergibt sich bei der Sondentemperatur T = 873 K (600 °C):

$$\Delta E = \frac{0{,}172\ \mathrm{V}}{z} \cdot \lg \frac{p_1(O_2)}{p_2(O_2)} \qquad (z = 4)$$

Geht bei $\lambda = 1$ der Sauerstoffanteil gegen Null, ergeben schon geringe Konzentrationsänderungen des Sauerstoffs eine deutliche Spannungsänderung.
Berechnen Sie die Spannungsänderung für eine Änderung der Sauerstoffkonzentration $p_1(O_2)$ von 10^{-6} ml/m³ auf 10^{-9} ml/m³ im Abgas. Die Konzentration des Sauerstoffs im Referenzgas $p_2(O_2)$ bleibt konstant.

Kraftfahrzeuge gehören zu den größten Emittenten von *Stickstoffoxiden, Kohlenwasserstoffen und Kohlenstoffmonooxid.* Benzin und Dieselkraftstoff verbrennen nicht nur zu Kohlenstoffdioxid und Wasser, durch unvollständige Verbrennung entsteht auch Kohlenstoffmonooxid. Ein geringer Teil des Kraftstoffs wird zu anderen Kohlenwasserstoffen umgewandelt, die unverbrannt den Auspuff verlassen. Bei den im Zylinder herrschenden hohen Temperaturen reagiert ein Teil des Luftstickstoffs zu Stickstoffoxiden. Der Grad der Belastung des Abgases mit Schadstoffen hängt vom Kraftstoffverbrauch und damit von der Geschwindigkeit des Fahrzeugs (▷ B6) sowie von der Einstellung des Motors ab. Das Gefährdungspotential der Schadstoffemissionen aus den Kraftfahrzeugmotoren ist besonders hoch, da diese Abgase in geringer Höhe emittiert werden. Zudem tragen sie zur Bildung von Ozon und Fotooxidantien in den bodennahen Luftschichten bei.

Aufbau des Dreiwegekatalysators. Mit einem **geregelten** *Dreiwegekatalysator* können die drei Hauptbestandteile Kohlenstoffmonooxid, Stickstoffoxide und Kohlenwasserstoffe im Abgas von Benzinmotoren um über 90 % verringert werden (▷ B7, ▷ B9). Ein solcher Abgaskatalysator besteht aus einem Keramikwabenkörper (▷ B10) aus Magnesiumaluminiumsilicat, der eine äußerst geringe Wärmeausdehnung bei sehr hoher Hitzebeständigkeit besitzt. Die Wabenstruktur ergibt sich aus einer Vielzahl feiner, fast quadratischer Kanäle (ca. 65 pro cm²), die durch sehr dünne Wände (0,05 bis 0,07 mm) voneinander getrennt sind. Durch diese Kanäle strömen die vom Motor kommenden Abgase. Zur Vergrößerung der Oberfläche ist die Zwischenschicht der Kanäle mit einem Überzug aus Aluminiumoxid versehen, auf der Platin, Rhodium und Palladium aufgebracht sind. Für einen Katalysator werden etwa zwei Gramm dieser Katalysatormetalle benötigt.

B7 Schadstoffemission ohne Katalysator in Abhängigkeit von λ

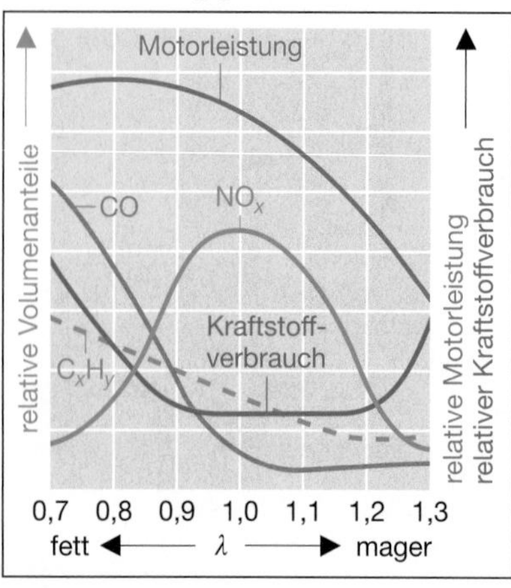

B8 Chemische Reaktionen am Abgaskatalysator

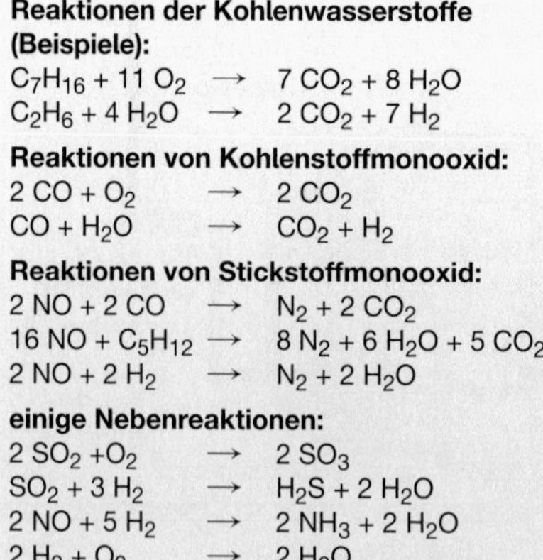

Reaktionen der Kohlenwasserstoffe (Beispiele):

$C_7H_{16} + 11\,O_2 \rightarrow 7\,CO_2 + 8\,H_2O$
$C_2H_6 + 4\,H_2O \rightarrow 2\,CO_2 + 7\,H_2$

Reaktionen von Kohlenstoffmonooxid:

$2\,CO + O_2 \rightarrow 2\,CO_2$
$CO + H_2O \rightarrow CO_2 + H_2$

Reaktionen von Stickstoffmonooxid:

$2\,NO + 2\,CO \rightarrow N_2 + 2\,CO_2$
$16\,NO + C_5H_{12} \rightarrow 8\,N_2 + 6\,H_2O + 5\,CO_2$
$2\,NO + 2\,H_2 \rightarrow N_2 + 2\,H_2O$

einige Nebenreaktionen:

$2\,SO_2 + O_2 \rightarrow 2\,SO_3$
$SO_2 + 3\,H_2 \rightarrow H_2S + 2\,H_2O$
$2\,NO + 5\,H_2 \rightarrow 2\,NH_3 + 2\,H_2O$
$2\,H_2 + O_2 \rightarrow 2\,H_2O$

B9 Schadstoffemission mit geregeltem Dreiwegekatalysator

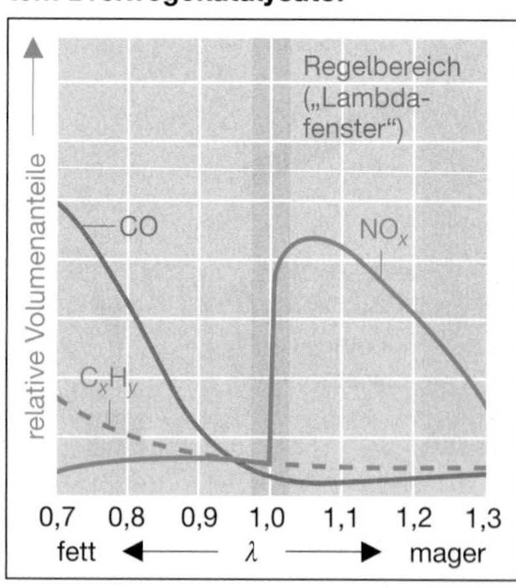

Die Reaktionsbedingungen im Katalysator müssen so abgestimmt sein, dass die *Oxidation von Kohlenstoffmonooxid und Kohlenwasserstoffen* zu Kohlenstoffdioxid und Wasser sowie die *Reduktion von Stickstoffoxiden* zu Stickstoff ungehindert ablaufen können (▷ B8). Ist das Abgas zu reich an Sauerstoff – im Motor verbrennt ein mageres Gemisch – können Oxidationen gut, Reduktionen jedoch weniger gut stattfinden. Wird ein treibstoffreiches, fettes Gemisch verbrannt, ist der Sauerstoffanteil im Abgas so gering, dass Reduktionen zwar gut, Oxidationen jedoch schlecht ablaufen können. Voraussetzung für eine gute Wirksamkeit des Katalysators ist also die optimale Zusammensetzung des in den Zylinder eingespritzten Benzin-Luft-Gemisches. Der Katalysator kann durch Fremdstoffe im Abgas „vergiftet" werden. Das Benzin darf daher keine Bleiverbindungen enthalten und sollte arm an Schwefelverbindungen sein.

Die Lambdasonde. Für den optimalen Sauerstoffanteil im Treibstoffgemisch sorgt eine **Sauerstoffsonde** oder *Lambdasonde*, die vor dem Katalysatorblock als Messfühler eingelassen ist (▷ B11). Bei einer Betriebstemperatur von ca. 600 °C misst sie den Sauerstoffanteil im Abgas und regelt die Zusammensetzung des in den Verbrennungsraum gelangenden Benzin-Luft-Gemisches. Das Verhältnis des im Gemisch vorhandenen Sauerstoffs zum für die Verbrennung benötigten bezeichnet man als λ-Wert (Lambdawert). Er beträgt bei optimaler Zusammensetzung des Gemisches 1. Bei Luftüberschuss ist $\lambda > 1$, es liegt ein mageres Gemisch vor. Bei Benzinüberschuss ist $\lambda < 1$, ein fettes Gemisch wird verbrannt. Der Bereich, in dem die für Oxidationen und Reduktionen bestmöglichen Bedingungen erreicht werden, bezeichnet man als *λ-Fenster*.

Wirkungsweise der Lambdasonde. Die Lambdasonde arbeitet nach dem Prinzip eines *Sauerstoff-Konzentrationselements* (↗ Kap. 7.7). Zwischen der luftseitigen und der abgasseitigen Elektrode beträgt der Unterschied in der Sauerstoffkonzentration mehrere Zehnerpotenzen. Eine gasundurchlässige Keramik aus Zirconiumdioxid (ZrO_2) und Yttriumoxid (Y_2O_3) ist der Feststoffelektrolyt. Im Kristallgitter dieses Mischoxids sind Stellen mit Oxidionen (O^{2-}) nicht besetzt, sodass über diese Leerstellen eine O^{2-}-Ionenleitung erfolgen kann. Im Bereich von $\lambda = 1$ zeigt die Sondenspannung einen sehr steilen Kurvenverlauf (▷ B11). Die Sonde regelt so in Abhängigkeit vom Restsauerstoff im Abgas über eine Steuereinheit das Benzin-Luft-Gemisch für den Motor im Bereich von $0{,}99 < \lambda < 1{,}01$.

Dieselmotoren fahren mit hohem Luftüberschuss ($\lambda > 1{,}3$). Im Vergleich zum normalen Benzinmotor sind die Emissionswerte von Kohlenstoffmonooxid sehr niedrig und diejenigen von Stickstoffoxiden etwa halbiert. Die relativ hohe Rußemission bei Dieselmotoren muss durch Rußfilter verringert werden.

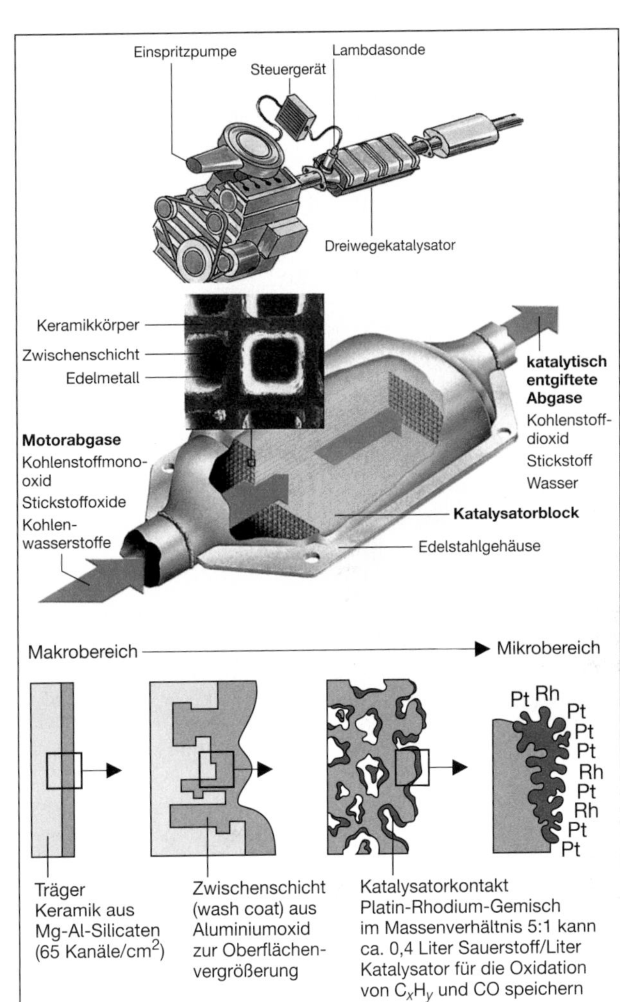

B 10 Aufbau eines Abgaskatalysators

B 11 Aufbau einer Lambdasonde

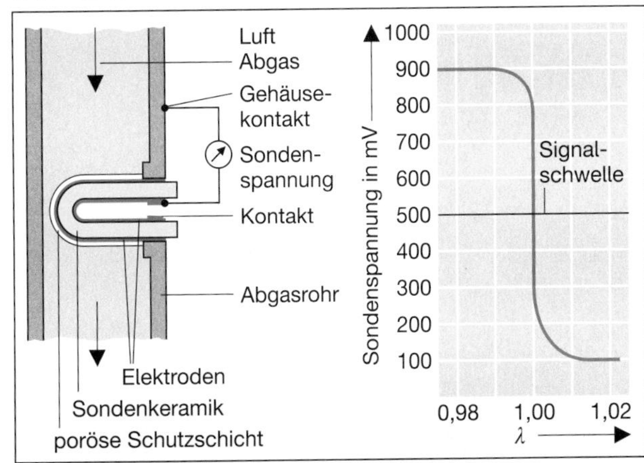

12.6 Schäden durch Immissionen

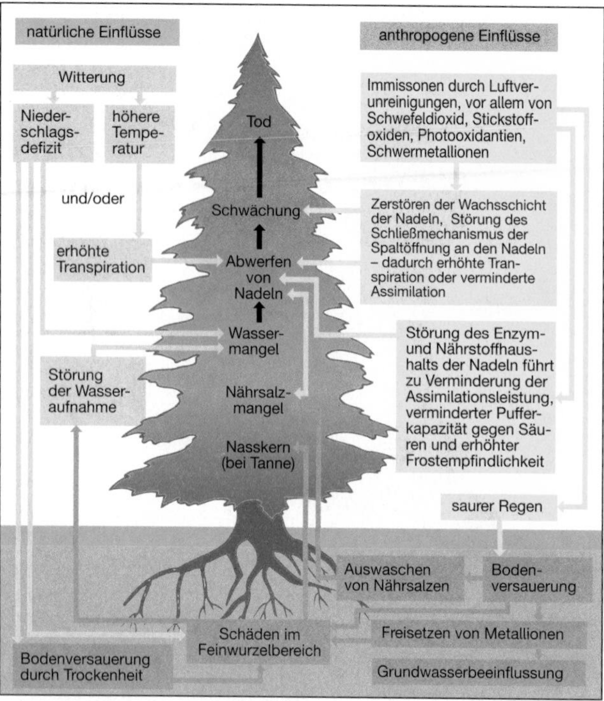

B1 Mögliche Zusammenhänge beim Baumsterben

A 1 Formulieren Sie die Reaktionsgleichungen für die Reaktion von Schwefeldioxid (Stickstoffdioxid) mit Wasser und Sauerstoff zu Schwefelsäure (Salpetersäure).

A 2 Beschreiben Sie die Vorgänge bei der Zerstörung von Sandstein durch schwefelsäurehaltigen Regen. Formulieren Sie auch die dazugehörigen Reaktionsgleichungen. (*Hinweis:* Wasserhaltiger Gips hat ein größeres Volumen als die entsprechende Kalkportion.)

B2 Gesteinskorrosion. Figur an der Esslinger Frauenkirche. Links: 1900. Rechts: 1985

Neben den Auswirkungen der verschiedenen Schadstoffe auf Gesundheit und Klima sind auch Schäden an Pflanzen und Bauwerken festzustellen. Verantwortlich hierfür sind vor allem Schwefeldioxid und Stickstoffdioxid sowie Ozon und andere Fotooxidantien.

Neuartige Waldschäden. Seit etwa 1981 beobachtet man Schäden an Bäumen, die sich von Rauchgasschäden in unmittelbarer Nähe der Emittenten unterscheiden. Die Schäden treten großflächig gerade in Reinluftgebieten auf; sie sind zunächst an Blatt- und Nadelabwurf, dann an Wipfeldürre und Kronenverlichtung zu erkennen (▷ B1). Da ganze Baumgruppen schließlich absterben, bezeichnet man dieses Phänomen als *Waldsterben*. Man geht davon aus, dass die Pflanzen durch ein Zusammenspiel verschiedener Luftbestandteile geschädigt werden. So führen Ozon und Fotooxidantien durch Radikalbildung in den Zellen zu Funktionsstörungen der Membranen. Aufgrund der Versauerung der Böden durch saure Niederschläge werden einerseits für das Pflanzenwachstum wichtige Ionen wie Mg^{2+}, Ca^{2+} und K^+ ausgewaschen und andererseits schädliche Schwermetallionen mobilisiert. Die derart geschädigten Bäume werden gegen Schädlinge wie z. B. Borkenkäfer empfindlich. Auch der erhöhte „Stickstoff"-Eintrag aus NO_x-Emissionen des Verkehrs und der Energieerzeugung sowie die Ammoniakemissionen aus der Landwirtschaft können vor allem in wenig belasteten Gebieten zu Waldschäden führen. Da das Wachstum aufgrund der Stickstoffzufuhr verstärkt wird, benötigen die Pflanzen auch vermehrt Mineralien und Wasser und geraten so unter „Trockenstress".

Gesteinskorrosion. Zahlreiche Bauwerke und Skulpturen in Mitteleuropa bestehen aus Sandstein. Durch Aufnahme von Wasser, Austrocknung, Temperaturwechsel und die Besiedlung mit Organismen, d. h., durch Verwitterung verändert sich die Gesteinsoberfläche. Seit Anfang des 19. Jahrhunderts beobachtet man eine Beschleunigung des Zerfalls (▷ B2). Zur natürlichen Gesteinserosion ist die chemische Oberflächenzerstörung getreten. Während im unbelasteten Regen der pH-Wert durch die Aufnahme von Kohlenstoffdioxid bei pH = 5,5 liegt, sinkt er durch Reaktion der Luftschadstoffe Schwefeldioxid und Stickstoffdioxid mit dem Regenwasser auf Werte unter pH = 4. Man spricht vom **„sauren Regen"**. Die Wasserstoffionen aus den Reaktionsprodukten Schwefelsäure (H_2SO_4) und Salpetersäure (HNO_3) reagieren mit unlöslichem Calciumcarbonat (oder Magnesiumcarbonat), das im Sandstein die Silicatkörner verbindet, zu löslichem Calciumhydrogencarbonat. Während die wasserlöslichen Erdalkalinitrate ebenfalls ausgewaschen werden, scheiden sich die Sulfate (z. B. $CaSO_4 \cdot 2\,H_2O$, Gips) ab. So fand man in verwitterten Steinen des Kölner Doms mehr als zehnfach erhöhte Sulfatgehalte. Fest haftende Verschmutzungen (Ruß, Staub und Aerosole) tragen ebenfalls zur Gesteinskorrosion bei.

Die Wirkungsbilanz soll die Umweltrelevanz eines Produkts so realistisch wie möglich bestimmen. Dazu werden die Ergebnisse der Sachbilanz in Bezug auf ihre ökologischen Auswirkungen (Inanspruchnahme von Ressourcen, Beeinflussung von Atmosphäre und Gewässern) qualitativ gewichtet. Mit diesem Schritt enden die meisten Ökobilanzen bereits, da der nächste Schritt viele individuelle und politische Vorgaben enthält.

Die Bilanzbewertung sollte am Ende einer Ökobilanz stehen. In ihr werden die zusammengetragenen Werte nach ihrer ökologischen Bedeutung beurteilt. Eine Ökobilanz kann nicht zu einer objektiven Gut-Schlecht-Bewertung eines Produkts führen. Sie ist jedoch Entscheidungshilfe für Produzenten z. B. bei der Wahl umweltverträglicher Herstellungsverfahren und für Verbraucher bei der Produktwahl. Die *vergleichende Ökobilanz* ermöglicht darüber hinaus Aussagen über die relative Umweltverträglichkeit von Produkten.

Beispiel einer Ökobilanz. In ▷ B3 sind die Ergebnisse einer *Sachbilanz* für die Herstellung von Orangensaft dargestellt. Um eine Vergleichbarkeit zu erreichen, sind die Umsätze auf einen Liter Orangensaft berechnet. Im *Bilanzierungsziel* sind lediglich der Energieverbrauch und die Kohlenstoffdioxidemission als *Untersuchungsrahmen* festgelegt. Die *Systemgrenzen* schließen z. B. die Verpackung aus. Es fehlt noch die abschließende Bewertung der erhobenen Daten, also die *Wirkungsbilanz* und die *Bilanzbewertung*.

B3 Von der Orange zum Orangensaft. Beispiel einer Sachbilanz

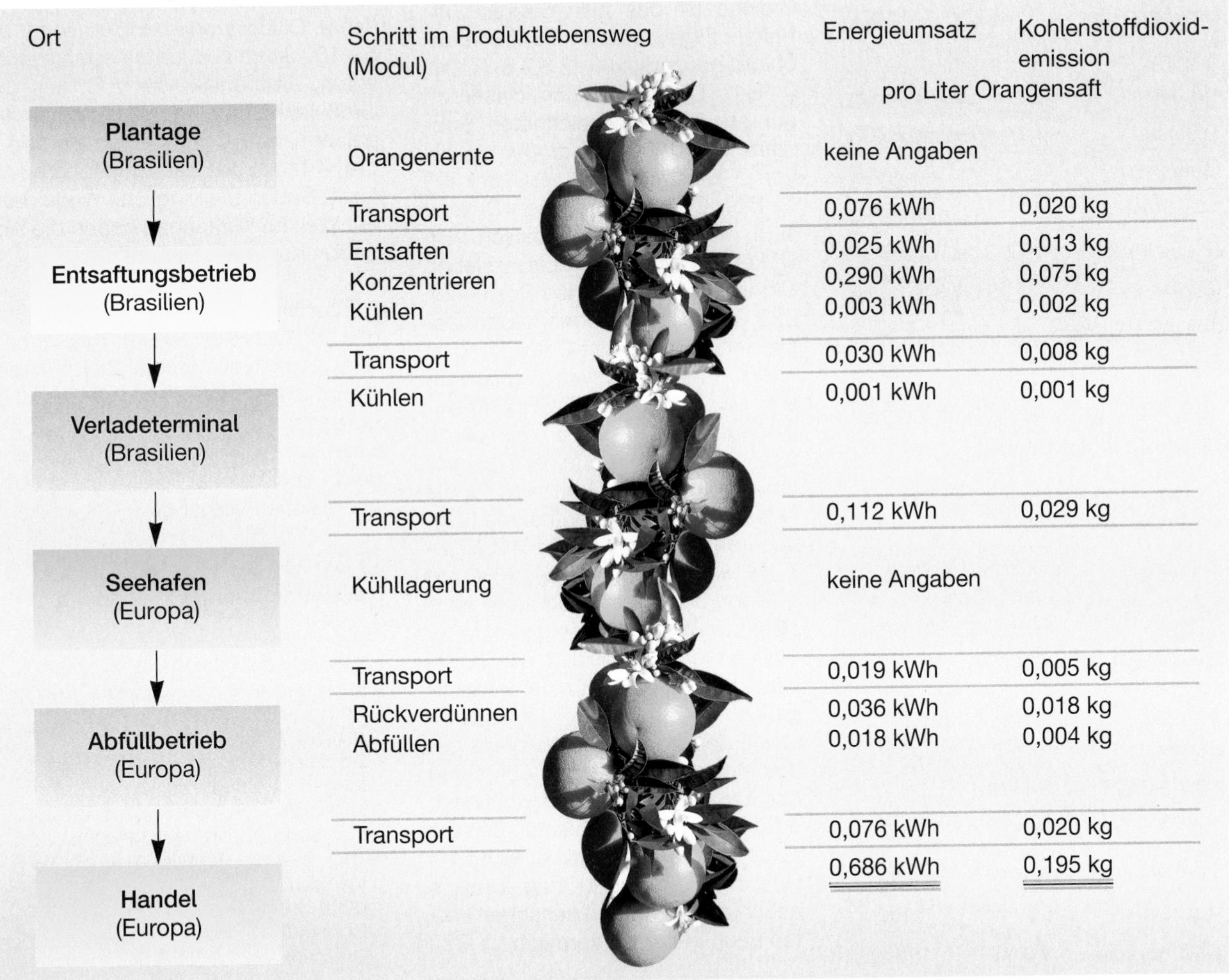

Ort	Schritt im Produktlebensweg (Modul)	Energieumsatz pro Liter Orangensaft	Kohlenstoffdioxid-emission pro Liter Orangensaft
Plantage (Brasilien)	Orangenernte	keine Angaben	
	Transport	0,076 kWh	0,020 kg
Entsaftungsbetrieb (Brasilien)	Entsaften	0,025 kWh	0,013 kg
	Konzentrieren	0,290 kWh	0,075 kg
	Kühlen	0,003 kWh	0,002 kg
	Transport	0,030 kWh	0,008 kg
Verladeterminal (Brasilien)	Kühlen	0,001 kWh	0,001 kg
	Transport	0,112 kWh	0,029 kg
Seehafen (Europa)	Kühllagerung	keine Angaben	
	Transport	0,019 kWh	0,005 kg
Abfüllbetrieb (Europa)	Rückverdünnen	0,036 kWh	0,018 kg
	Abfüllen	0,018 kWh	0,004 kg
	Transport	0,076 kWh	0,020 kg
Handel (Europa)		0,686 kWh	0,195 kg

12.14 Überprüfung und Vertiefung

2,3,7,8-**T**etra**c**hlor**d**ibenzo**d**ioxin

Anzahl der Cl-Atome im Molekül	Anzahl isomerer Dioxine
1	2
2	10
3	14
4	22
5	14
6	10
7	2
8	1

B 1 Dioxine

Umweltprobe	w(2,3,7,8-TCDD)
Fische	
unbelastet	1 bis 10 ng/kg
belastet	ca. 20 ng/kg
Muttermilch	< 1 ng/kg
Fettgewebe	5 bis 10 ng/kg
Abgas MVA	0,2 bis 0,7 ng/m³
Flugstaub (Elektrofilter MVA)	10 bis 800 ng/kg
Schlacke MVA	< 10 ng/kg
Straßenstaub	6 bis 47 ng/kg

B 2 Dioxin in der Umwelt

B 3 Gifte. Nur die bakteriellen Gifte wirken stärker als Dioxin

Substanz	kleinste tödliche Dosis	
	in mol/kg	in µg/kg
Botulinustoxin	$3{,}3 \cdot 10^{-17}$	0,00003
Tetanustoxin	$1 \cdot 10^{-15}$	0,0001
Diphterietoxin	$4{,}2 \cdot 10^{-12}$	0,3
2,3,7,8-TCDD	$3{,}1 \cdot 10^{-9}$	1
Curare	$7{,}2 \cdot 10^{-7}$	500
Strychnin	$1{,}5 \cdot 10^{-6}$	500
Muscarin	$5{,}2 \cdot 10^{-6}$	1100
Kaliumcyanid	$2{,}0 \cdot 10^{-4}$	10000

Dioxin

Bei der Verbrennung in Gegenwart von Chlorverbindungen und in manchen Prozessen der chemischen Industrie können als Nebenprodukte Dibenzodioxine (Dioxine, ▷ B 1) entstehen. Sie treten bei der Herstellung von Chlorphenolen ebenso auf wie in der Flugasche von Müllverbrennungsanlagen (MVA, ▷ B 2) oder im Zigarettenrauch. Durch eine gezielte Prozessführung z. B. in Verbrennungsanlagen konnte man die Dioxinbelastung senken. Dioxine zersetzen sich ab Temperaturen von 600 bis 800 °C und reagieren erst dann merklich mit Sauerstoff.
Leitsubstanz für die Stoffklasse der Dioxine ist das als „Seveso-Gift" bekannt gewordene 2,3,7,8-Tetrachlordibenzodioxin (2,3,7,8-TCDD) (▷ B 1). Die Giftwirkung dieser oft nur als Dioxin bezeichneten Substanz ist 10 000-mal größer als die von Kaliumcyanid („Cyankali") (▷ B 3). Die verschiedenen Dioxine sind unterschiedlich toxisch. So wirken die Dioxine, die bis zu sieben Chloratome u. a. an den Positionen 2, 3, 7 und 8 gebunden haben, besonders toxisch. Ihre Giftwirkung ist 10 000-mal so groß wie die des vollständig chlorierten OCDD (Octachlordibenzodioxin), von dem bis zu 0,9 ng im Kondensat einer Zigarette (m = 1 g) sind. Der Grenzwert für die akzeptierbare Tagesaufnahme (ADI, **a**cceptable **d**aily **i**ntake) für 2,3,7,8-TCDD wurde 1999 von der WHO auf 1 Picogramm pro Kilogramm Körpergewicht und Tag festgesetzt. Auf diesen Wert müssen sich die Grenzwerte beziehen, die für die Kontamination von Böden, Gewässern sowie der Stäube und Aerosole geduldet werden. Bei der Aufnahme der Dioxine in den menschlichen oder tierischen Organismus fällt vor allem deren gute Fettlöslichkeit ins Gewicht. So findet man Dioxine außer in Fischen und tierischen Fetten auch in der Muttermilch (▷ B 2).

1 Die analytischen Verfahren zur Bestimmung von Dioxinen sind mittlerweile so verfeinert, dass noch einige Femtogramm TCDD pro Kilogramm Probe (10^{-15} g/kg) nachgewiesen werden können. Zur Veranschaulichung dieser Konzentration ein Beispiel: Deutschland hat einen Flächeninhalt von 357 022 km². Um diese Fläche 10 m hoch zu überfluten, würde man ca. $3{,}6 \cdot 10^{15}$ l Wasser benötigen. Wie groß ist die Zuckerportion, die darin gelöst sein muss, um den Stoff Zucker noch mit der Analysegenauigkeit für Dioxine nachweisen zu können?

2 Die Verweilzeit der Spurengase in der Atmosphäre ist sehr unterschiedlich. So kann Methan etwa 4 bis 7 Jahre, Distickstoffmonooxid sogar 20 bis 100 Jahre in der Atmosphäre existieren. Ammoniak, das z. B. aus der Großviehhaltung in die Atmosphäre gelangt, wird bereits innerhalb von 7 bis 14 Tagen aus der Atmosphäre entfernt. Geben Sie mögliche Wege dazu an. Welche Wirkungen haben die Abbauprodukte am Boden?

3 Zur Verringerung der Wasserhärte des Trinkwassers wird oft das Verfahren „Entkalken durch Kalk" angewandt, bei dem gelöstes Calciumhydrogencarbonat durch Zugabe von Kalkwasser ($Ca(OH)_2(aq)$) entfernt wird. Erläutern Sie die ablaufenden chemischen Vorgänge.

Wichtige Begriffe

Aufbau der Atmosphäre, Energiebilanz der Erde, Treibhauseffekt, Treibhausgase, Spurengase, Ozon, Fotooxidantien, Fotosmog, Ozonschicht, Ozonloch, Luftschadstoffe, Emission, Immission, Entschwefelung, Entstickung, Dreiwegekatalysator, Lambdasonde, „Waldsterben", Gesteinskorrosion, Rohwasser, Trinkwasseraufbereitung, Abwasserklärung, Aufbau des Bodens, Gefährdung des Bodens, nachwachsende Rohstoffe, Abfallfraktionen, Recyclingmethoden, Ökobilanz

Kohlenwasserstoffe

Da Kohlenstoffatome in nahezu beliebiger Anzahl und Anordnung miteinander verknüpft sein können, besteht für Moleküle, die neben Kohlenstoff- nur noch Wasserstoffatome enthalten, eine riesige Anzahl von Kombinationsmöglichkeiten. Es gibt Ketten mit Verzweigungen, Ringe oder Netze, in denen jeweils neben Einfachbindungen zwischen den Kohlenstoffatomen auch Doppel- und Dreifachbindungen auftreten können.

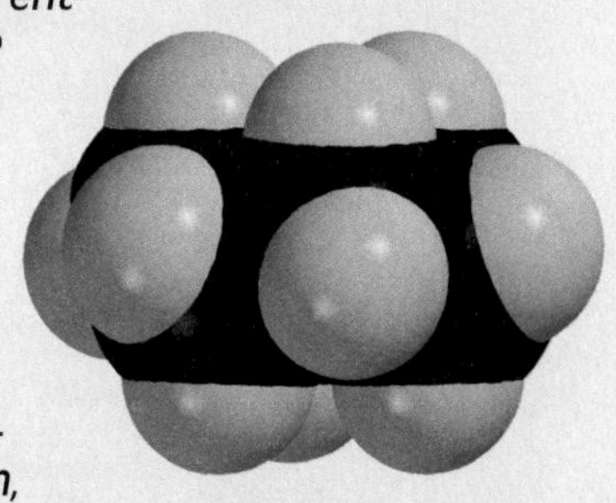

Erdgas und Erdöl bestehen hauptsächlich aus Verbindungen, deren Moleküle aus Kohlenstoff- und Wasserstoffatomen aufgebaut sind. Diese Kohlenwasserstoffmoleküle bilden die Grundstrukturen, von denen sich alle organischen Verbindungen ableiten.

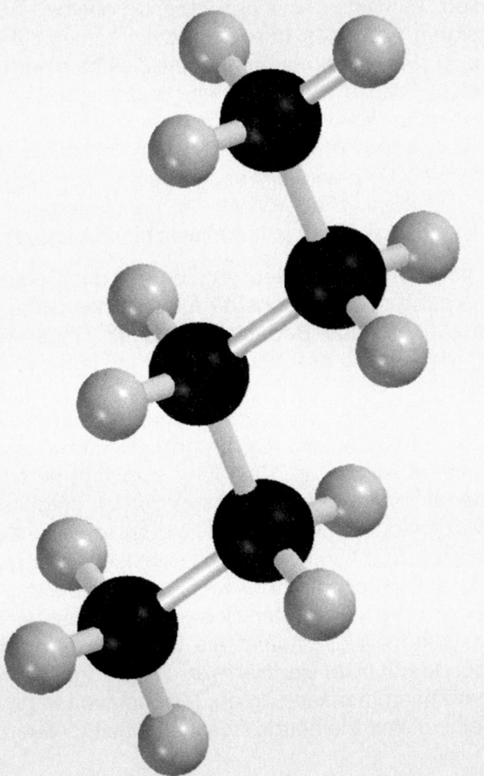

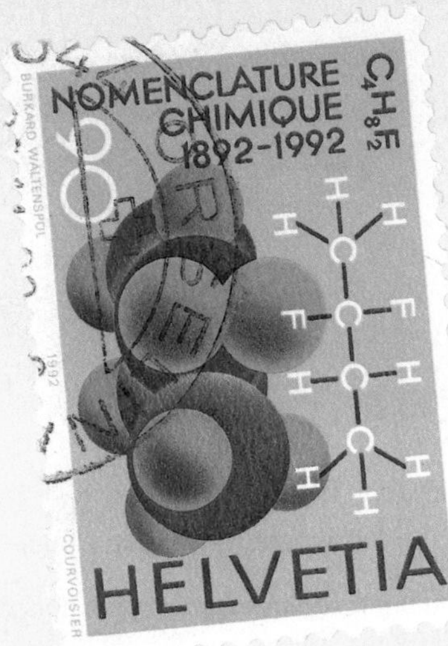

Anhand der Strukturformeln wird die Vielfalt organischer Verbindungen erkennbar sowie die Notwendigkeit verbindlicher Regeln zu ihrer Benennung.

Wichtige Eigenschaften der Kohlenwasserstoffe lassen sich aus dem Verständnis der Molekülstrukturen erklären. Damit gelingt es auch, grundlegende Reaktionsabläufe zu untersuchen.

Kohlenwasserstoffe sind außerdem wichtige Energieträger und Ausgangsstoffe für viele Produkte des Alltags und der Technik.

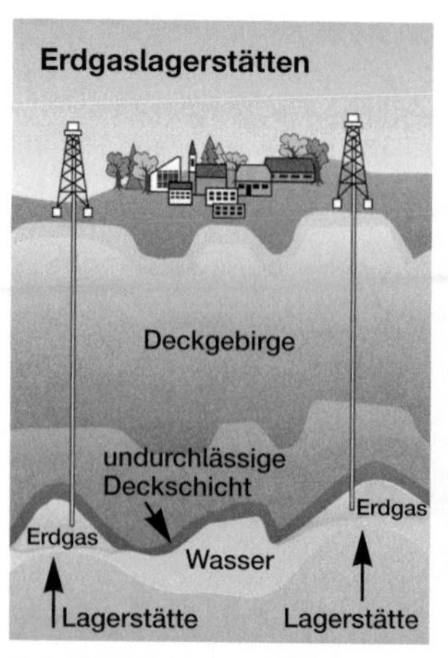

B1 Erdgaslagerstätte

Gesamtvorräte 146 Bill. m^3	
Länder	**Anteile in %**
GUS, Osteuropa	35,2
Mittel-/Nahost	33,9
Afrika	7,0
Fernost	10,8
Nordamerika	4,5
Europa	3,1
Südamerika	5,5

B2 Erdgasreserven (1998)

Förderung 2325 Mrd. m^3		Verbrauch 2404 Mrd. m^3	
Länder	**Anteile in %**	**Länder**	**Anteile in %**
GUS	29,3	USA	26,7
USA	23,4	GUS	26,1
Westeuropa	11,7	Westeuropa	16,6
Kanada	7,4	Deutschland	4,2
Indonesien	3,0	Japan	2,8
Algerien	2,8	andere Länder	27,8
Saudi-Arabien	1,8		
Deutschland	0,9		
andere Länder	20,6		

B3 Erdgas, Förderung und Verbrauch (1998)

B4 Zusammensetzung einiger Erdgase. Erdgas L („low", niedriger Heizwert), H („high", hoher Heizwert)

Komponenten	Erdgas L (Niederlande)	Erdgas H (Nordsee)	Erdgas H (Russland)
	Volumenanteile in %		
Methan	83,7	85,1	98,1
Ethan	3,5	6,2	0,5
Propan	0,7	1,5	0,2
Butan	0,3	0,4	0,1
Stickstoff	10,4	5,4	1,0
Kohlenstoffdioxid	1,4	1,3	0,1
Heizwert in kWh/m^3	9,3	10,2	10,0

Gemische von gasförmigen Kohlenwasserstoffen, die aus Lagerstätten gewonnen werden, bezeichnet man als Erdgas.

Vorkommen und Zusammensetzung. Erdgas kommt in porösen Sedimentgesteinen vor, die von undurchlässigen Schichten überdeckt sind (▷ B1). Die Lagerstätten liegen in Tiefen bis zu 5000 m. In den Porenräumen der Speicher sind durch die dort herrschenden Drücke riesige Gasmengen komprimiert. Über die größten Gasreserven verfügt Russland in Westsibirien (▷ B2). Neben diesen reinen Gasvorkommen findet man häufig Erdgas über Erdöl. Für Europa bedeutende Vorkommen lagern in den Niederlanden und unter der Nordsee.
Je nach Herkunft unterscheidet sich die Zusammensetzung der Erdgase. Im Gegensatz zum sibirischen hat westeuropäisches Erdgas oft beträchtliche Anteile leicht zu verflüssigender Kohlenwasserstoffe, einen höheren Gehalt an Kohlenstoffdioxid und Stickstoff (▷ B4) und außerdem Wasser sowie Beimengungen von Schwefelwasserstoff, die entfernt werden müssen.

Förderung und Transport. Die größten Erdgasmengen fördern Russland und die USA (▷ B3). Bei der Förderung strömt das Erdgas unter hohem Druck durch die Bohrung und über Gasaufbereitungsanlagen in Hochdruckleitungen, die mit Drücken bis zu 75 000 hPa betrieben werden. 80 % des geförderten Erdgases werden durch unterirdische oder auf dem Meeresgrund verlegte Pipelines transportiert. Aufwändiger ist der Transport des bei −160 °C verflüssigten Erdgases durch spezielle Tankschiffe z. B. im Bereich des Mittelmeeres. In den Zielhäfen wird das verflüssigte Erdgas wieder in den gasförmigen Zustand versetzt und in Pipelines eingespeist.
Ein weit verzweigtes Pipelinesystem liefert Erdgas zu den deutschen Verbrauchern aus geografisch entfernt liegenden Gebieten. Die größten Mengen werden über eine 5000 km lange Pipeline aus Westsibirien bezogen.

Verwendung und Bedeutung. Erdgas hat für die Energieversorgung und als Rohstoff für die chemische Industrie eine zunehmende Bedeutung erlangt. Gegenwärtig beträgt der Anteil am deutschen Primärenergieverbrauch 22 %.
Das gelieferte Erdgas enthält wenig Schadstoffe und verbrennt schadstoffarm. Da Erdgas mit Luft explosive Gemische bildet (↗ Kap. 13.2, ▷ V1), kommt es trotz hoher Sicherheitsstandards immer wieder zu folgenschweren Gasexplosionen. Erdgas trägt zu dem vom Menschen verursachten Treibhauseffekt etwas weniger bei als alle anderen fossilen Brennstoffe (↗ Kap. 12.2), da bei der Verbrennung pro 1 kJ erzeugter Energie eine geringere Menge Kohlenstoffdioxid entsteht als bei der Verbrennung von Heizöl oder Kohle. Der Heizwert des Erdgases hängt von seiner Zusammensetzung ab. Mischstationen gewährleisten eine gleich bleibende Beschaffenheit (▷ B4).

13.2 Methan – Hauptbestandteil vieler natürlicher Gasgemische

Vorkommen und Eigenschaften. Außer Erdgas besteht ein weiteres fossiles Gas, das Grubengas, hauptsächlich aus Methan. Grubengas wird beim Abbau von Kohle freigesetzt. Methan ist auch Hauptbestandteil eines Gasgemisches, das aus Sümpfen und verschmutzten Gewässern als Sumpfgas entweicht. Es entsteht bei der Zersetzung organischer Stoffe unter Luftabschluss in Gegenwart von Mikroorganismen. Ein entsprechender Prozess wird heute zunehmend wirtschaftlich genutzt, indem man aus organischem Abfall Biogas und Deponiegas gewinnt. In beträchtlichen Mengen gelangt Methan durch Reisanbau und die Rinderhaltung in die Atmosphäre, wo es zum Treibhauseffekt beiträgt (↗ Kap. 12.2).
Verbrennt das farblose und geruchlose Methan vollständig, so entstehen Kohlenstoffdioxid und Wasser.

Ermittlung der Summenformel. Wird eine Methanportion im Lichtbogen zerlegt, so entstehen dabei nur Kohlenstoff und Wasserstoff (▷ V2). Methan ist ein *Kohlenwasserstoff*. Bei der Thermolyse ist das Volumen des erhaltenen Gases doppelt so groß wie das Volumen der eingesetzten Methanportion; der Beitrag des festen Kohlenstoffs zum entstandenen Volumen kann vernachlässigt werden. Aus einem Raumteil Methan entstehen also zwei Raumteile Wasserstoff. Nach dem Satz von Avogadro (↗ Kap. 1.4) bedeutet dies, dass aus einem Methanmolekül zwei Wasserstoffmoleküle entstehen. Im Methanmolekül sind also vier Wasserstoffatome gebunden.

$$C_xH_4 \longrightarrow x\,C + 2\,H_2$$

Die Anzahl der Kohlenstoffatome im Methanmolekül erhält man durch Ermittlung der molaren Masse (▷ V3). Daraus ergibt sich für das Methanmolekül eine Molekülmasse von 16 u. Am Aufbau des Moleküls ist also nur ein Kohlenstoffatom beteiligt, die Summenformel ist CH_4.

B1 Thermolyse gasförmiger Kohlenwasserstoffe im Lichtbogen

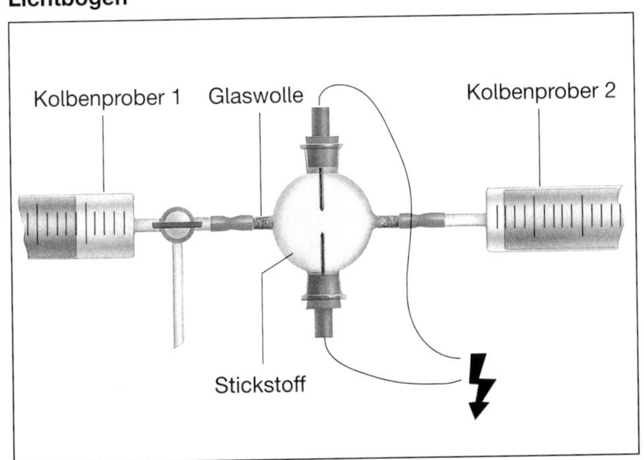

Exkurs: Biogas

Biogas besteht hauptsächlich aus Methan (Volumenanteil 55–65 %) und Kohlenstoffdioxid (35–45 %), daneben enthält es noch Wasserstoff (ca. 1 %), Stickstoff (bis zu 5 %) und Schwefelwasserstoff (bis zu 3 %). Die Gasausbeute und die Zusammensetzung hängen bei der Biogasgewinnung vom Substrat, von der Temperatur und vom pH-Wert der Biomasse ab. Oberhalb des Optimums von 54 °C und außerhalb des pH-Wert-Bereichs von 6,5–8 kommt der Gärvorgang zum Erliegen. Biogas kann Erdgas ersetzen, dazu muss der enthaltene Schwefelwasserstoff entfernt werden. Der Heizwert ist allerdings um etwa 40 % niedriger als der von Erdgas. Im Gegensatz zum Erdgas ist Biogas ein regenerativer Energieträger. Während die Verbrennung von fossilem Erdgas zum Anstieg des Kohlenstoffdioxidgehalts in der Atmosphäre beiträgt, führt das durch Biogas freigesetzte Kohlenstoffdioxid zu keiner Veränderung, da dieses kurz zuvor aus der Atmosphäre aufgenommen wurde (↗ Kap. 12.11). Der anfallende Dung eines Betriebs mit 50 Milchkühen liefert pro Jahr so viel Energie wie 15 000 m^3 Erdgas. Der nach einer Faulzeit von 80 Tagen ausgefaulte Rückstand ist ein das Grundwasser schonender Naturdünger. Trotz dieser positiven Bilanz beschränken sich Biogasanlagen wegen der hohen Investitionskosten bisher auf nur wenige geförderte Musterhöfe. Dagegen gewinnen heute viele Kläranlagen ihre Betriebsenergie aus dem in den Faultürmen erzeugten Biogas.

V 1 Verpuffung eines Erdgas-Sauerstoff-Gemisches. Stellen Sie an einem Teclu-Erdgasbrenner die nicht leuchtende Flamme ein und leiten Sie Sauerstoff mit einem Schlauch an die Ansaugöffnung.

V 2 Thermolyse von Methan. (Hochspannung! Schutzscheibe! Schutzbrille!) Die Apparatur (▷ B 1) wird mehrfach mit Stickstoff gespült. In den Kolbenprober 1 werden 30 ml Methan gefüllt und nach Anlegen der Hochspannung langsam einige Male durch den Lichtbogen geleitet, bis das Gasvolumen konstant bleibt. Nach dem Abkühlen wird das Volumen abgelesen.

V 3 Bestimmung der molaren Masse von Methan. Saugen Sie mit einem Kolbenprober ca. 200 ml Luft aus einer Gaswägekugel (250 ml). Bestimmen Sie nun die Masse der Gaswägekugel, füllen Sie diese mit 100 ml Methan und wiegen Sie wieder ab. Berechnen Sie die Normdichte und damit die molare Masse des Methans.

A 1 Formulieren Sie die Reaktionsgleichung für die Reaktion des Methans mit Sauerstoff. Wie lassen sich die Reaktionsprodukte nachweisen?

A 2 Berechnen Sie das Volumen der Methanportion, die in einem Papprohr (V_R = 2 l) mit dem Sauerstoff der enthaltenen Luft nach Zündung vollständig reagiert.

13.3 Die Struktur des Methan- und des Ethanmoleküls

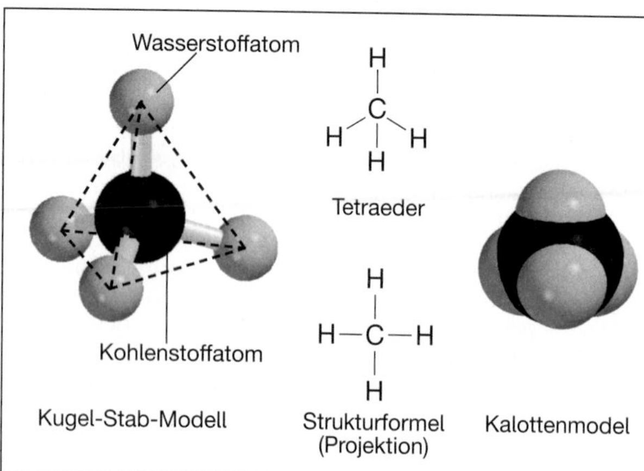

B1 Kugel-Stab-Modell, Strukturformel und Kalottenmodell des Methanmoleküls

A 1 a) Die Thermolyse von 20 ml Ethan ergibt 60 ml Wasserstoff. Welche Rückschlüsse erlauben die Volumina für die Formulierung einer Reaktionsgleichung? Formulieren Sie diese.
b) Die Normdichte des Ethans ist $\varrho_n = 1{,}356\,g/l$. Berechnen Sie die molare Masse des Ethans und begründen Sie, wie sich daraus zusammen mit dem Ergebnis aus (a) die Summenformel des Ethans ergibt.

A 2 a) Bauen Sie ein Kugel-Stab-Modell des Ethanmoleküls und beschreiben Sie die räumliche Umgebung jeweils eines Kohlenstoffatoms. Was folgt daraus für die Bindungswinkel?

A 3 Was versteht man unter den Konformationen eines Moleküls?

B2 Struktur des Ethanmoleküls. a) Kugel-Stab-Modell, b) „Sägebock-Projektion"

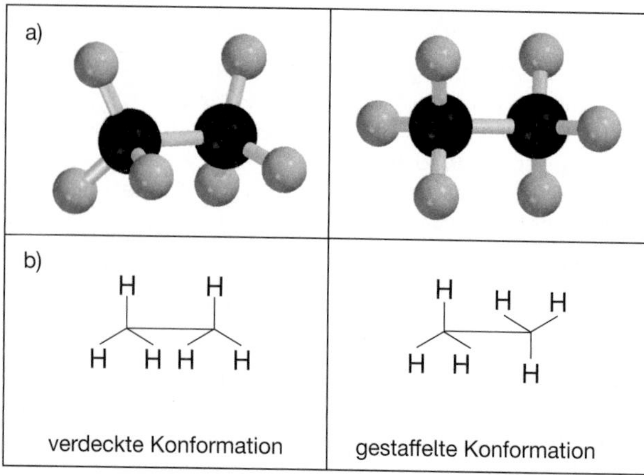

Erdgas enthält hauptsächlich Methan. Daneben sind noch weitere Kohlenwasserstoffe enthalten, z. B. das Ethan.

Die Struktur des Methanmoleküls. Im Methanmolekül, das nur ein Kohlenstoffatom besitzt, bildet jeweils eines der vier Außenelektronen des Kohlenstoffatoms mit dem Elektron eines Wasserstoffatoms ein bindendes Elektronenpaar.
Ordnet man die vier Elektronenpaare nach dem Elektronenpaarabstoßungsmodell so an, dass sie möglichst weit voneinander entfernt sind, führt dies zu einer tetraedrischen Anordnung. Zur räumlichen Veranschaulichung der Struktur verwendet man meist Kugel-Stab- oder Kalottenmodelle (▷ B 1). Während im Kugel-Stab-Modell die Struktur und die Bindungswinkel besonders deutlich werden, veranschaulicht das Kalottenmodell die Durchdringung der Elektronenhüllen der Atome und die Oberfläche des Moleküls.
Zur Wiedergabe der Struktur in der Ebene verwendet man die Strukturformel, die sich aus der Projektion eines Kugel-Stab-Modells ableiten lässt und in der die Tetraederwinkel als rechte Winkel erscheinen (▷ B 1).

Das Ethanmolekül. Ethan ist wie Methan ein farbloses, geruchloses Gas, dessen Dichte fast doppelt so groß ist wie die des Methans. Führt man mit einer Ethanportion eine Thermolyse (↗ Kap. 13.2, ▷ V2) durch, so nimmt die entstehende Wasserstoffportion das dreifache Volumen ein. Zusammen mit der Bestimmung der molaren Masse ergibt sich die Summenformel C_2H_6. Von jedem Kohlenstoffatom gehen vier Bindungen aus.

Bei einem Kugel-Stab- oder Kalottenmodell lassen sich die beiden CH_3-Gruppen gegeneinander verdrehen. Die Modelle veranschaulichen die Tatsache, dass im Ethanmolekül eine freie Drehbarkeit um die C–C-Bindungsachse bei Zimmertemperatur stattfindet. Die durch diese Drehung möglichen räumlichen Anordnungen werden **Konformationen** eines Moleküls genannt.

Die durch Drehung um Einfachbindungen möglichen räumlichen Anordnungen der Atome in einem Molekül bezeichnet man als Konformationen des Moleküls.

Hervorzuheben sind zwei besondere Konformationen, die *gestaffelte* und die *verdeckte* Anordnung (▷ B2). Bei der verdeckten Anordnung liegen jeweils zwei H-Atome auf einer zur Bindungsachse parallelen Geraden.
Die verschiedenen Konformationen entsprechen verschiedenen Energiezuständen des Moleküls. In der gestaffelten Form besitzt das Molekül die niedrigste, in der verdeckten Form die höchste Energie. Die Energiedifferenz ist jedoch so gering, dass abgesehen von tiefen Temperaturen Rotation stattfindet.

13.4 Die homologe Reihe der Alkane

Bei der Aufarbeitung von Erdgas werden Propan und Butan gewonnen, farblose Gase, die sich bei normaler Temperatur unter Druck verflüssigen lassen. Sie kommen in Stahlflaschen, als Campinggas, Kartuschengas und Feuerzeuggas in den Handel. Den Molekülen dieser Kohlenwasserstoffe liegt das gleiche Bauprinzip wie dem Ethanmolekül zugrunde.

Die Moleküle des Propans und des Butans. Auf gleiche Weise wie bei Methan und Ethan (↗Kap. 13.2, ▷ V2 und ▷ V3) lassen sich die Summenformeln des Propans und des Butans ermitteln. Das durch Thermolyse erhaltene Wasserstoffvolumen ist für eine Propanportion viermal, für eine Butanportion fünfmal so groß wie das jeweils eingesetzte Volumen. Zusammen mit der Bestimmung der molaren Masse ergeben sich die Summenformeln C_3H_8 und C_4H_{10}. Auch hier gehen, wie beim Ethanmolekül, von jedem Kohlenstoffatom vier tetraedrisch angeordnete Bindungen aus (▷ B 1). Ersetzt man im Ethanmolekül ein Wasserstoffatom durch eine CH_3-Gruppe, so ergibt sich die Struktur des Propanmoleküls. Fährt man auf diese Weise fort, indem man ein Wasserstoffatom an einem endständigen Kohlenstoffatom ersetzt, so entstehen jeweils um denselben Winkel abgeknickte Ketten.

Die homologe Reihe der Alkane. Ausgehend vom Methanmolekül lassen sich die weiteren Moleküle auch durch formales Einfügen einer CH_2-Gruppe schrittweise aufbauen (▷ B2).

> Verbindungen, bei denen sich die Moleküle aufeinander folgender Glieder jeweils um eine CH_2-Gruppe unterscheiden, bilden eine homologe Reihe.

Für alle Glieder der homologen Reihe der Alkane lässt sich die *allgemeine Summenformel* C_nH_{2n+2} angeben. Die Namen der auf das Butan folgenden Alkane werden aus dem griechischen oder lateinischen Zahlwort für die Anzahl der Kohlenstoffatome im Molekül und der Nachsilbe „-an" gebildet (▷ B2).

Isomerie. Wird das z. B. in Kartuschen enthaltene Butan gaschromatografisch untersucht, lassen sich zwei Stoffe nachweisen, deren Moleküle zwar die gleiche Summenformel, jedoch unterschiedliche Strukturformeln besitzen (▷ B3). Es liegt ein Gasgemisch vor, das Butan und Isobutan enthält. Der Summenformel C_5H_{12} entsprechen sogar drei mögliche Strukturformeln und damit eine entsprechende Anzahl von Verbindungen. Dieses Phänomen bezeichnet man als *Isomerie*.

> Moleküle, die bei gleicher Summenformel unterschiedliche Strukturformeln haben, werden Isomere genannt.

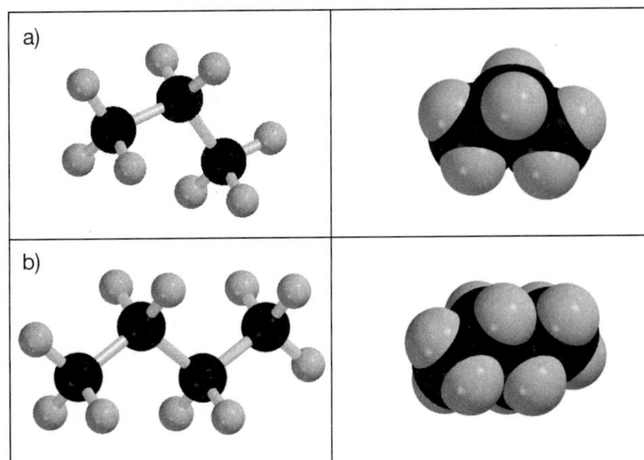

B 1 Molekülstruktur von a) Propan und b) Butan. Links: Kugel-Stab-Modell, rechts: Kalottenmodell

B 2 Homologe Reihe der Alkane

Name	Strukturformel
Methan	H | H–C–H | H
Ethan	H H | | H–C–C–H | | H H
Propan	H H H | | | H–C–C–C–H | | | H H H

Name des Alkans	Summenformel
Methan	C_1H_4
Ethan	C_2H_6
Propan	C_3H_8
Butan	C_4H_{10}
Pentan	C_5H_{12}
Hexan	C_6H_{14}
Heptan	C_7H_{16}
Octan	C_8H_{18}
Nonan	C_9H_{20}
Decan	$C_{10}H_{22}$
Undecan	$C_{11}H_{24}$

B 3 Zwei Molekülsorten mit derselben Summenformel, aber unterschiedlichen Strukturformeln

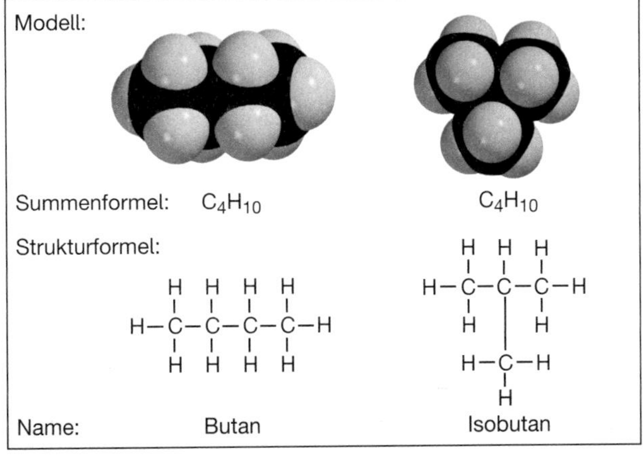

IUPAC-Nomenklatur

Ende des 19. Jahrhunderts waren bereits so viele organische Verbindungen bekannt, dass die Benennung nach Vorkommen, Eigenschaften oder Entdeckern unübersichtlich wurde und die weitere Entwicklung der Organischen Chemie beeinträchtigte. Auf einem internationalen Chemikerkongress in Genf (1892) wurden daher verbindliche Regeln eingeführt, die es ermöglichen, den Namen eines Stoffes aus seiner Molekülstruktur abzuleiten. Dieses Regelwerk musste seither wegen der riesigen Zunahme der erforschten organischen Verbindungen auf die heutige Anzahl von etwa 15 Millionen immer wieder erweitert und verbessert werden. Mit Problemen der Nomenklatur befasst sich ein ständiger Ausschuss der IUPAC („International Union of Pure and Applied Chemistry"), der seine Ergebnisse auf den alle vier Jahre stattfindenden IUPAC-Kongressen vorlegt.

Nomenklatur der Alkane. Da die Anzahl der Isomere mit zunehmender Anzahl der Kohlenstoffatome rasch zunimmt (▷ B5), sind zur Benennung der Verbindungen eindeutige Regeln erforderlich. Der exakten Kennzeichnung liegt die Strukturformel zugrunde. Man kann dazu auch die einfacheren Halbstrukturformeln verwenden. Die systematische Benennung erfolgt nach *Nomenklaturregeln*, die in der im Folgenden angegebenen Reihenfolge anzuwenden sind:

1. Zunächst wird die längste durchlaufende Kette gesucht. Die Anzahl der Kohlenstoffatome bestimmt den Stammnamen des Alkans.
2. Die Seitenketten erhalten ebenfalls ihren Namen nach der Anzahl der Kohlenstoffatome. Die Endung „-an" wird dabei durch „-yl" ersetzt. Allgemein wird der aus einem Alkanmolekül durch formale Abspaltung eines Wasserstoffatoms hervorgehende Molekülbestandteil als Alkylgruppe bezeichnet.
3. Wenn gleiche Seitenketten mehrfach auftreten, wird die Anzahl der gleichen Alkylgruppen durch das entsprechende griechische Zahlwort (di-, tri-, tetra-) als Vorsilbe gekennzeichnet.
4. Die Hauptkette wird so durchnummeriert, dass die Verknüpfungsstellen zu den Seitenketten kleinstmögliche Zahlen erhalten.

```
          CH3
          |
 CH3 —  C  — CH — CH2 — CH2 — CH3
 1      2|   3|   4     5     6
         CH3  CH2
              |
              CH3
```

1. **Längste Kette der Kohlenstoffketten (Hauptkette)** ermitteln und benennen
2. **Seitenketten** benennen und alphabetisch ordnen
3. **Anzahl der gleichen Seitenketten** ermitteln
4. **Verknüpfungsstellen zwischen Haupt- und Seitenketten** ermitteln und Hauptkette durchnummerieren

3- Ethyl- 2,2- di methyl hexan

Die systematische Benennung ermöglicht es auch, aus dem Namen die Strukturformel eines Moleküls zu entwickeln.

Strukturformel:

```
                H
                |
            H — C — H
                |
            H — C — H
    H   H       |   H   H
    |   |       |   |   |
H — C — C   —   C — C — C — H
    |   |       |   |   |
    H   |       H   H   H
        |
    H — C — H
        |
        H
```

Halbstrukturformel:

```
             C2H5
             |
CH3 — CH  —  CH — CH2 — CH3
      |
      CH3
```

oder: $(CH_3)_2CH—CH(C_2H_5)_2$

B4 Struktur und Halbstrukturformel eines Alkans

Summenformel	Anzahl
C_4H_{10}	2
C_5H_{12}	3
C_6H_{14}	5
C_7H_{16}	9
C_8H_{18}	18
C_9H_{20}	35
$C_{10}H_{22}$	75
$C_{20}H_{42}$	366319

B5 Anzahl der Strukturisomere in der Reihe der Alkane

Für Moleküle mit gleicher Summenformel gibt es unterschiedliche Isomeriearten. Von Strukturisomerie spricht man, wenn sich die Molekülstrukturen durch unterschiedliche Verknüpfung der Atome unterscheiden. Ab C_7H_{16} gibt es z. B. isomere Moleküle, die sich wie Bild und Spiegelbild verhalten.

Halbstrukturformeln. Da sich eine Summenformel ab vier C-Atomen nicht mehr einem Molekül allein zuordnen lässt, benötigt man zur eindeutigen Kennzeichnung eines Moleküls die Strukturformel. Um auch große Moleküle übersichtlich darstellen zu können, verwendet man oft vereinfachte Strukturformeln, die *Halbstrukturformeln*. In ihnen werden Molekülteile wie in Summenformeln zusammengefasst, jedoch mit dem Unterschied, dass die Art der Atomverknüpfungen erkennbar bleibt (▷ B4).

A1 Bauen Sie Molekülmodelle, die der Summenformel C_5H_{12} entsprechen. Stellen Sie die Strukturformeln auf und benennen Sie diese.

A2 Stellen Sie die Halbstrukturformeln für die Isomere des Heptans auf und wenden Sie die Nomenklaturregeln an.

A3 Geben Sie die Strukturformeln folgender Moleküle an: a) 4-Ethyl-2-methylheptan, b) 4-Ethyl-2,3,3-trimethylheptan, c) 3,4-Diethyl-5,5-dimethyloctan.

A4 Wenden Sie auf folgendes Beispiel die Nomenklaturregeln an:

```
      CH3  CH3
      |    |
CH3 — CH — C — CH2 — CH3
           |
           C2H5
```

13.5 Eigenschaften der Alkane

Erdöl und Erdgas sind die Rohstoffquellen, aus denen reine Alkane oder Alkangemische gewonnen werden. Sie finden nicht nur Verwendung als Energieträger sondern sind auch die wichtigsten Rohstoffe für organische Produkte der chemischen Industrie.

Fraktionierende Destillation. Alkane können durch Destillation aus Erdöl gewonnen werden, da sie sich in ihren Siedetemperaturen unterscheiden (▷ B1). In der Praxis begnügt man sich zunächst mit der Auftrennung in Alkangemische mit engeren Siedebereichen (Fraktionen, ▷ B3).

In den Raffinerien wird das Rohöl auf 360 bis 400 °C erhitzt, dabei verdampft es zum größten Teil. Das Dampf-Flüssigkeits-Gemisch wird in den unteren Teil des Destillationsturms geleitet (▷ B2). Dieser ist im Innern durch zahlreiche Zwischenböden *(„Glockenböden")* stockwerkartig unterteilt. Entsprechend der nach oben abnehmenden Temperatur sammeln sich die Bestandteile des Rohöls mit den höheren Siedetemperaturen auf den unteren, die niedriger siedenden auf den oberen Böden. Zur besseren Trennung werden die aufsteigenden Dämpfe auf den Glockenböden durch bereits kondensierte Erdölbestandteile geleitet. Dadurch verdampfen die in der Flüssigkeit vorhandenen niedriger siedenden Kohlenwasserstoffe, während die im Dampf enthaltenen höher siedenden Verbindungen kondensieren. Durch den Rücklauf wiederholen sich die Vorgänge, sodass im Bereich der untereinander durch Rohre verbundenen Böden durch wiederholte Destillation eine weiterere Trennung erreicht wird (↗ Kap. 4.9). Am Boden des Destillationsturms sammelt sich ein Rückstand, der sich unter Normdruck nicht mehr verdampfen lässt, da sich seine Verbindungen bei Temperaturen über 400 °C zersetzen. Zur Auftrennung des Rückstands wird eine Destillation unter vermindertem Druck (etwa 50 hPa) durchgeführt.

Summenformel	Name des Alkans	Smt. in °C	Sdt. in °C	Dichte in g/cm³
C_1H_4	Methan	−182	−161	*0,466
C_2H_6	Ethan	−183	−88	*0,572
C_3H_8	Propan	−186	−42	*0,585
C_4H_{10}	Butan	−135	−1	*0,601
C_5H_{12}	Pentan	−129	36	0,626
C_6H_{14}	Hexan	−94	68	0,659
C_7H_{16}	Heptan	−90	98	0,684
C_8H_{18}	Octan	−56	126	0,703
C_9H_{20}	Nonan	−53	150	0,718
$C_{10}H_{22}$	Decan	−30	174	0,730
$C_{11}H_{24}$	Undecan	−26	195	0,740
$C_{12}H_{26}$	Dodecan	−12	216	0,749
$C_{16}H_{34}$	Hexadecan	18	280	0,775
$C_{20}H_{42}$	Icosan	36	**205	0,785

* im flüssigen Zustand (nahe der Siedetemperatur) ** bei 20 hPa

B1 Eigenschaften von Alkanen im Vergleich

B2 Fraktionierende Destillation von Rohöl

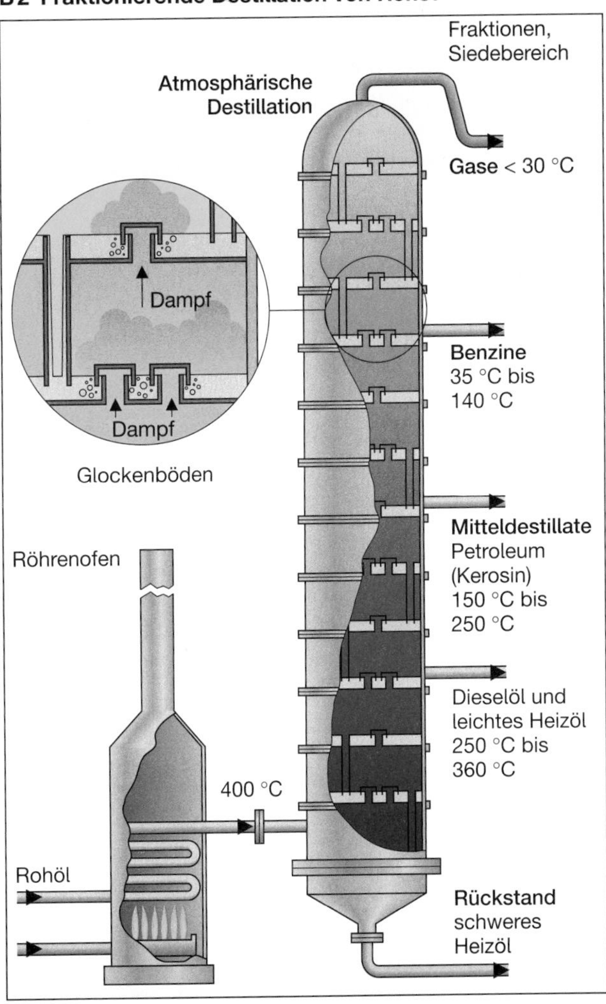

B3 Eigenschaften einiger Rohölfraktionen im Vergleich

Fraktionen	Siedetemperaturbereich in °C	Dichtebereich in g/cm³	Viskosität
Benzine:			nimmt zu
Leichtbenzin	40 bis 80	0,63 bis 0,68	
Mittelbenzin	80 bis 110	0,68 bis 0,73	
Schwerbenzin	110 bis 140	0,73 bis 0,78	
Mitteldestillate:			
Petroleum/Kerosin	150 bis 250	0,77 bis 0,83	
Dieselöl/leichtes Heizöl	250 bis 360	0,81 bis 0,86	
schweres Heizöl	nur im Vakuum unzersetzt	0,90 bis 0,98	
Schmieröle	destillierbar	0,80 bis 0,95	

Eigenschaften der Alkane

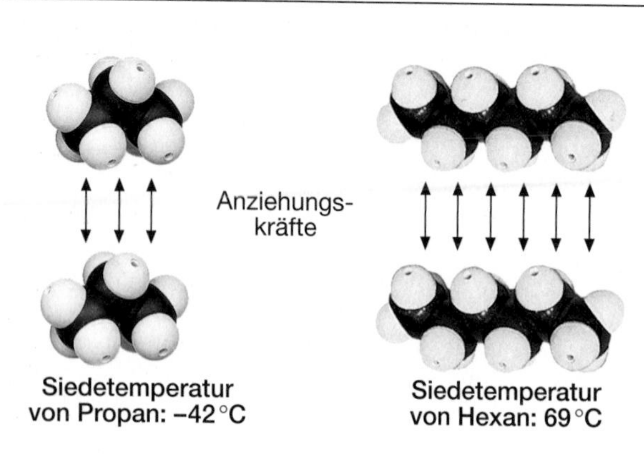

B4 Van-der-Waals-Kräfte bei Propan- und Hexanmolekülen. Die Anziehungskräfte nehmen mit wachsender Kettenlänge zu

A 1 Ordnen Sie die Pentanisomere nach steigenden Siedetemperaturen und begründen Sie die Reihenfolge.

A 2 Welches Octanisomer hat die niedrigste Siedetemperatur? Geben Sie die Strukturformel und den Namen des Moleküls an.

A 3 Für Icosan wird die Siedetemperatur nicht bei Normdruck angegeben (▷ B1), sondern bei 20 hPa. Erklären Sie diesen Sachverhalt.

A 4 Die Moleküle eines Motorenöls werden beim Betrieb des Motors durch Scherkräfte zwischen den beweglichen Teilen zum Teil in kleinere Bruchstücke gespalten. Welche Auswirkungen hat dies auf die Eigenschaften des Öls bei langer Betriebsdauer?

B5 Die Isomere des Hexans. Isomere Verbindungen haben unterschiedliche Siedetemperaturen

Halbstrukturformel	Name	Sdt. (°C)
$CH_3-CH_2-CH_2-CH_2-CH_2-CH_3$	Hexan	68
$CH_3-CH(CH_3)-CH_2-CH_2-CH_3$	2-Methylpentan	60
$CH_3-CH_2-CH(CH_3)-CH_2-CH_3$	3-Methylpentan	63
$CH_3-C(CH_3)_2-CH_2-CH_3$	2,2-Dimethylbutan	50
$CH_3-CH(CH_3)-CH(CH_3)-CH_3$	2,3-Dimethylbutan	58

Die Glieder der homologen Reihe der Alkane zeigen in ihren Eigenschaften und Reaktionen Ähnlichkeiten, die sich auf die Gemeinsamkeiten im Aufbau ihrer Moleküle zurückführen lassen.

Siedetemperaturbereiche und Verwendung. Die Alkane lassen sich aufgrund ihrer unterschiedlichen Schmelz- und Siedetemperaturen (▷ B1) in verschiedene Gruppen einteilen. Die *niederen Alkane* sind bei Zimmertemperatur gasförmig. Sie werden vorwiegend als Heizgase verwendet.
Die *mittleren Alkane* (etwa bis Nonan) sind dünnflüssig und bilden den Hauptbestandteil der Leicht-, Mittel- und Schwerbenzine. Eine Fraktion zwischen Benzinen und Mitteldestillaten ist Naphtha, aus dem die niederen Alkene hergestellt werden können (↗ Kap. 13.10).
Petroleum, Heizöl und Dieselöl enthalten darüber hinaus noch Anteile an Alkanen, deren Moleküle bis zu 20 Kohlenstoffatome besitzen und die man zu den *höheren Alkanen* zählt. Diese sind als Reinstoffe ab etwa Decan ölig bis zähflüssig, ab Heptadecan fest. Gemische höherer Alkane werden als Paraffinöl bzw. festes Paraffin bezeichnet, aus dem z. B. Kerzen hergestellt werden. Schmieröle, dazu gehören Motorenöle, besitzen große Anteile höherer Alkane. Auch Vaseline ist ein Gemisch höherer Alkane und findet vielseitige Verwendung als Gleit- und Schmiermittel, Imprägnier- und Rostschutzmittel und zur Hautpflege.

Siedetemperaturen und Van-der-Waals-Kräfte. Innerhalb der homologen Reihe der Alkane steigen die Siedetemperaturen und meistens auch die Schmelztemperaturen an (▷ B1). Dies lässt auf zunehmende zwischenmolekulare Kräfte schließen. Zwischen den Alkanmolekülen wirken fast ausschließlich Van-der-Waals-Kräfte (↗ Kap. 2.9). Andere zwischenmolekulare Kräfte (z. B. Kräfte zwischen permanenten Dipolmolekülen) sind hier nur unbedeutend. Trotz schwach polarer C−H-Bindungen haben die Alkanmoleküle aufgrund ihres tetraederischen Bauprinzips keinen Dipolcharakter. Ursache der Anziehung zwischen den unpolaren Molekülen ist eine nicht immer symmetrische Verteilung der Elektronen in der Hülle. Entsteht dabei ein schwacher Dipol, wirkt dieser polarisierend auf benachbarte Moleküle (▷ B4). Die Van-der-Waals-Kräfte werden mit zunehmender Elektronenanzahl der Moleküle größer, nehmen also innerhalb der homologen Reihe zu. Obwohl isomere Moleküle dieselbe Elektronenanzahl besitzen, haben die Isomere eines Alkans unterschiedliche Siedetemperaturen (▷ B5). Dies ist darauf zurückzuführen, dass isomere Moleküle unterschiedliche Moleküloberflächen besitzen, die umso kleiner werden, je mehr sich ein Molekül durch zunehmende Verzweigung der Kugelform nähert. Mit abnehmender Moleküloberfläche nehmen die gegenseitigen Berührungs- und Polarisationsmöglichkeiten und damit die Van-der-Waals-Kräfte ab (▷ B4).

Der Anteil der Alkene wird beim Cracken stark zurückgedrängt, wenn das katalytische Cracken gleich in Gegenwart von Wasserstoff durchgeführt wird. Man spricht dann vom **Hydrocracken**, dabei entstehen vor allem Alkane.

Reformingverfahren (von lat. reformare, umgestalten). Steht beim Cracken die Erzeugung größerer Mengen an Kohlenwasserstoffen mit kurzkettigen Molekülen und an Alkenen im Vordergrund, wird durch die Reformingverfahren besonders die Qualität der so gewonnenen Benzine erhöht. Das wichtigste Reformingverfahren ist das Platformingverfahren (**Plat**inum-Re**forming**) mit Platin bzw. Rhenium als Katalysatoren. Hierbei werden Alkane mit geradkettigen Molekülen in einem *Isomerisierungsprozess* in Alkane mit verzweigten Molekülen und damit höherer Octanzahl umgewandelt (▷ B 4). In *Dehydrierungsverfahren* entstehen aus Cycloalkanen aromatische Verbindungen mit ebenfalls hoher Octanzahl. Diese aromatischen Verbindungen können auch in *Dehydrocyclisierungsverfahren* aus geradkettigen Alkanmolekülen entstehen.

Entschwefelung. Die im Erdöl (und Erdgas) enthaltenen Schwefelverbindungen führen bei ihrer Verbrennung zu einer Verunreinigung der Luft durch Schwefeldioxid. Aus diesem Grund müssen besonders Benzine, Heiz- und Dieselöle durch verschiedene Verfahren zum größten Teil entschwefelt werden. Dabei wird z. B. der in den Reformingprozessen gebildete Wasserstoff eingesetzt, der mit den enthaltenen Schwefelverbindungen Schwefelwasserstoff bildet. Dieser kann mit Schwefeldioxid zu elementarem Schwefel umgesetzt *(Claus-Prozess)* und der Schwefelsäureproduktion zugeführt werden. Auf diese Weise werden jährlich etwa 60 Mio. t Schwefel erzeugt.

Begrenzte Vorräte. Erdöl und Erdgas werden in nicht zu ferner Zukunft nur noch begrenzt als Energieträger und Rohstoffe zur Verfügung stehen. Ersatzprodukte könnten nachwachsende Rohstoffe oder auch Produkte der Kohleveredelung sein, über die ebenfalls organische Verbindungen gewonnen werden können. Die Kohlevorräte übersteigen die Erdöl- und Erdgasvorräte um ein Vielfaches.

B 5 Wichtige Produktlinien der Petrochemie

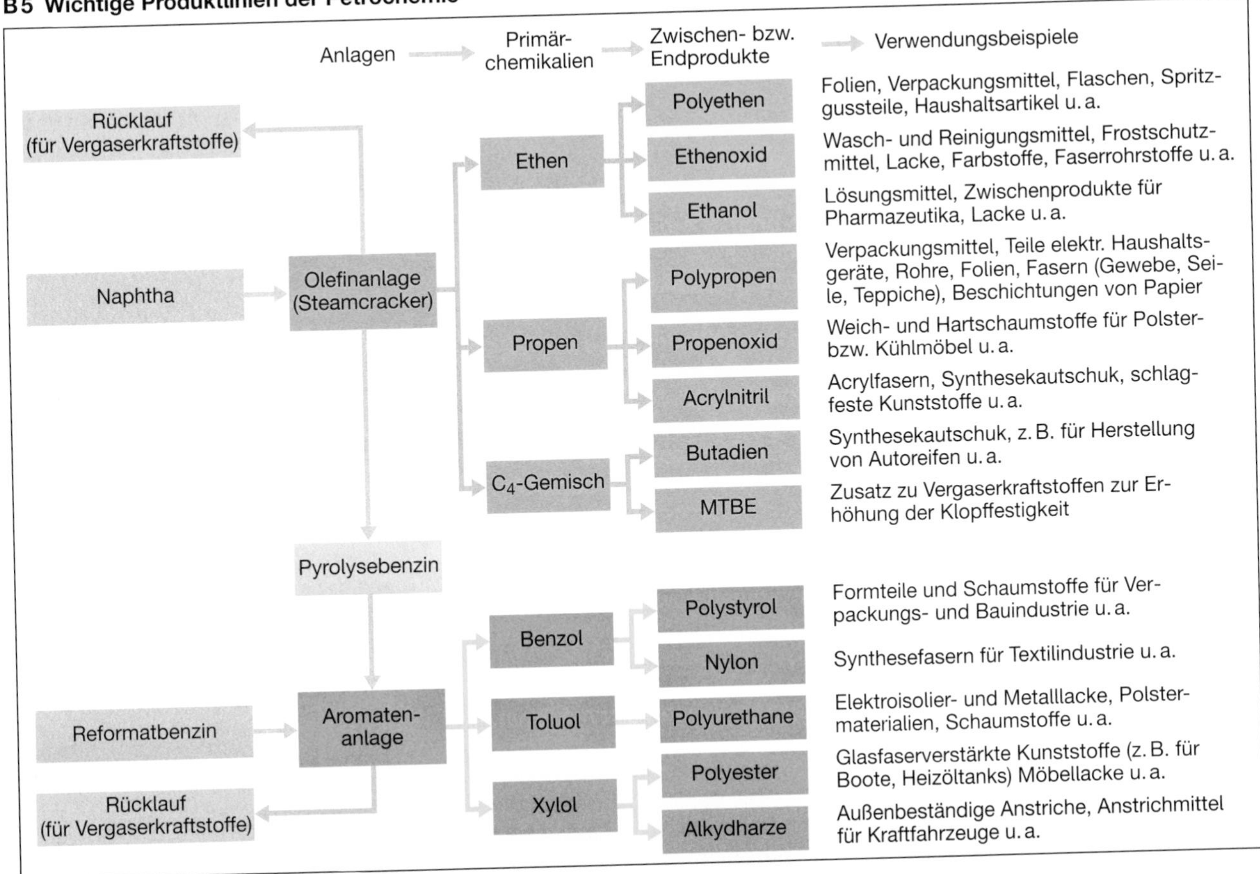

13.15 Überprüfung und Vertiefung

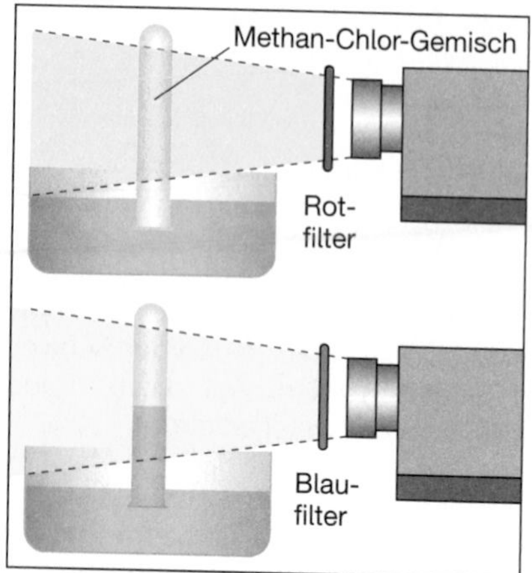

B1 Zu Aufgabe 6

1 Die bei der Verbrennung eines gasförmigen Brennstoffs zu gasförmigen Reaktionsprodukten abgegebene Wärme (Verbrennungsenthalpie) bezeichnet man als Heizwert, wenn das Brennstoffvolumen $V = 1\,m^3$ beträgt. Den Brennwert erhält man, wenn das bei der Reaktion entstehende Wasser flüssig erhalten wird. Durch die dabei zusätzlich entstehende Kondensationswärme ist der Zahlenwert des Brennwerts etwas größer als der des Heizwerts.
Für die Verbrennung von 1 mol Methan beträgt die Reaktionsenthalpie $\Delta_r H = -802\,kJ$. Berechnen Sie den Heizwert und vergleichen Sie diesen mit den Angaben für einige Erdgase (↗ Kap. 13.1 und Kap. 5.4).

2 a) Geben Sie folgende Strukturformeln an: 3,4-Dimethylhexan, 4-Ethyl-2,4-dimethylheptan, 2-Chlor-2-methylbutan.
b) Benennen Sie folgende Moleküle:

```
     CH3 CH3                    |Br|
      |   |                      |
CH3—CH—C—CH3         CH3—CH2—C—CH3
          |                      |
         CH3                    CH3

            CH3
             |
       CH3—C—CH2—CH—CH3
             |       |
            CH3     CH3
```

3 Welches Alkan mit der molaren Masse von 72 g/mol reagiert bei der Bromierung nur zu einem Monosubstitutionsprodukt?

4 Bei der Monochlorierung von Propan ist das aus der Anzahl der zu substituierenden H-Atome erwartete Anzahlverhältnis der beiden Isomeren 3 : 1. Die experimentelle Untersuchung ergibt für die Isomeren ein Anzahlverhältnis von nahezu 1 : 1. Wie lässt sich dieses, von der Erwartung abweichende Ergebnis erklären?

5 Formulieren Sie den Reaktionsmechanismus für die Reaktion des Trichlormethans mit Chlor. Zeichnen Sie ein Energieprofil und begründen Sie dieses.

6 Wird ein Methan-Chlor-Gemisch mit einer intensiven weißen Lichtquelle bestrahlt, kommt es zu einem explosionsartigen Reaktionsverlauf. Belichtet man durch ein Rotfilter, erfolgt keine Reaktion. Dagegen gelingt die Chlorierung, wenn durch ein Filter nur blauviolettes Licht eingestrahlt wird (▷ B1). Erklären Sie diese Beobachtungen.

7 Formulieren Sie die Strukturformeln für folgende Verbindungen:
a) 4-Ethyl-2,3-dimethyl-2-hexen,
b) 4-Brom-1-penten,
c) 3-Brom-2,4-dimethyl-1,3-pentadien,
d) 3-Ethyl-1-hexen.

8 Bei der Thermolyse von 20 ml eines gasförmigen Kohlenwasserstoffs mit der Normdichte $\varrho_n = 2{,}5\,g/l$ entstehen 80 ml Wasserstoff. Ermitteln Sie mit diesen Angaben die Summenformel des Kohlenwasserstoffs und stellen Sie mögliche Strukturformeln auf.

9 Formulieren Sie die Reaktionsgleichungen sowie die Reaktionsmechanismen für folgende Reaktionen:
a) Cyclohexan reagiert unter Lichteinfluss mit Brom,
b) Cyclohexen reagiert mit Brom.

10 Welche Reaktionsprodukte entstehen bei der Reaktion von Ethen
a) mit Brom (gelöst in einer wässrigen Kaliumbromidlösung),
b) mit Brom gelöst in einer wässrigen Natriumchloridlösung?
Formulieren Sie die für die Erklärung erforderlichen Reaktionsgleichungen.

11 a) Für Beleuchtungszwecke wurden früher Carbidlampen verwendet. Sie enthalten „Calciumcarbid" (Calciumacetylid), das in der Lampe mit Wasser reagiert. Formulieren Sie hierfür die Reaktionsgleichung.
b) Das entstehende Gas verbrennt mit leuchtender Flamme. Formulieren Sie die Reaktionsgleichung für die vollständige Verbrennung.
c) Wozu wird dieses Gas heute verwendet?

12 Erklären Sie folgenden Sachverhalt: Im Vergleich zur Addition an Ethen verläuft die Addition von Brom an 2,3-Dimethyl-2-buten etwa um den Faktor 15 schneller, die Addition an 1,2-Dichlorethen etwa um den Faktor 50 langsamer.

13 Welches Produkt wird bei der säurekatalysierten Addition von Wasser an Propen hauptsächlich und welches in geringeren Anteilen entstehen? Begründen Sie.

Wichtige Begriffe

Alkane, Konformation, homologe Reihe, Isomerie, Halbstrukturformel, fraktionierende Destillation, Van-der-Waals-Kräfte, Viskosität, hydrophil, hydrophob, lipophil, lipophob, Octanzahl, Reformieren, radikalische Substitution, Halogenalkane, Cycloalkane, Alkene, elektrophile Additionsreaktion, Crackverfahren, funktionelle Gruppe, elektrophile und nucleophile Teilchen, induktive Effekte, Carbokation, Konstitutionsisomerie, cis-trans-Isomerie, isolierte, konjugierte und kumulierte Diene, Alkine

Organische Sauerstoffverbindungen

Organische Sauerstoffverbindungen enthalten in ihren Molekülen außer Kohlenstoff- und Wasserstoffatomen noch Sauerstoffatome. Bereits ein Sauerstoffatom kann in einem Molekül zum Auftreten von verschiedenen Atomgruppen führen. Wir werden sehen, dass diese funktionellen Gruppen wesentlich Eigenschaften und Reaktionen der jeweiligen Stoffe bestimmen.

Je nach funktioneller Gruppe lassen sich verschiedene Stoffklassen unterscheiden, z.B. die Alkohole und die Carbonsäuren. Viele Vertreter dieser Stoffklassen kommen in der Natur vor, Essigsäure, Citronen- und Milchsäure sind z.B. wichtige Inhaltsstoffe vieler Lebensmittel. Andere sind bedeutende Grundchemikalien für technische organische Synthesen oder häufig verwendete Lösungsmittel.

Durch Verknüpfung von Molekülen über ihre funktionellen Gruppen entstehen Moleküle mit neuen funktionellen Gruppen und damit weitere Stoffklassen, deren Vertreter ebenfalls weit verbreitet sind und vielfältige Anwendung finden, z.B. als Lösungsmittel, Aromastoffe und Nahrungsmittel.

14.1 Ethanol, ein wichtiger Alkohol

V 1 Alkoholische Gärung. a) Geben Sie in einen 500-ml-Kolben 20 g Zucker, 200 ml Wasser (alternativ 200 ml frisch ausgepressten Obstsaft) und etwas Bäckerhefe, verschließen Sie mit einem Gärröhrchen mit Kalkwasser und stellen Sie den Kolben einige Tage an einen warmen Ort.
b) Destillieren Sie den Gäransatz und beobachten Sie den Temperaturverlauf. Wechseln Sie die Vorlage jeweils nach ca. 5 ml Destillat und prüfen Sie es auf Geruch und Brennbarkeit.

⚠ **V 2 Reaktion von Ethanol mit Natrium.** In einem Reagenzglas wird zu wasserfreiem Ethanol eine kleine Portion Natrium gegeben (Schutzbrille!). Das entstehende Gas wird über Wasser aufgefangen, anschließend wird damit die Knallgasprobe durchgeführt.

V 3 Lösungsverhalten von Ethanol. a) Geben Sie in je ein Reagenzglas etwas Wasser bzw. Benzin und fügen Sie unter Schütteln etwa die gleiche Menge Ethanol (Brennspiritus) zu.
b) Geben Sie in ein Reagenzglas zu 1 ml Benzin unter Schütteln 5 ml Brennspiritus. Fügen Sie anschließend tropfenweise Wasser hinzu, bis eine bleibende Veränderung eintritt.
c) Geben Sie in ein Reagenzglas etwas alkoholischen Anisextrakt und fügen Sie tropfenweise Wasser zu.

A 1 Formulieren Sie die Reaktionsgleichung
a) der alkoholischen Gärung mit Glucose ($C_6H_{12}O_6$),
b) der vollständigen Verbrennung von Ethanol.

A 2 Nennen Sie jeweils Eigenschaften des Ethanols, die auf den Einfluss der Hydroxyl- bzw. Ethylgruppe zurückzuführen sind, und begründen Sie.

B 1 Molekülstrukturen zur Summenformel C_2H_6O

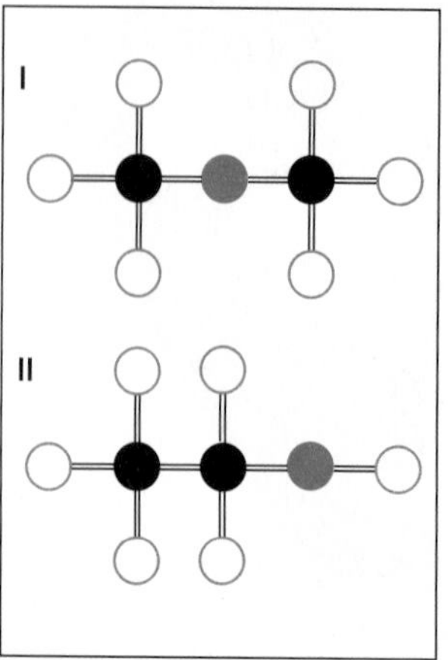

B 2 Wasserstoffbrücken zwischen Ethanolmolekülen

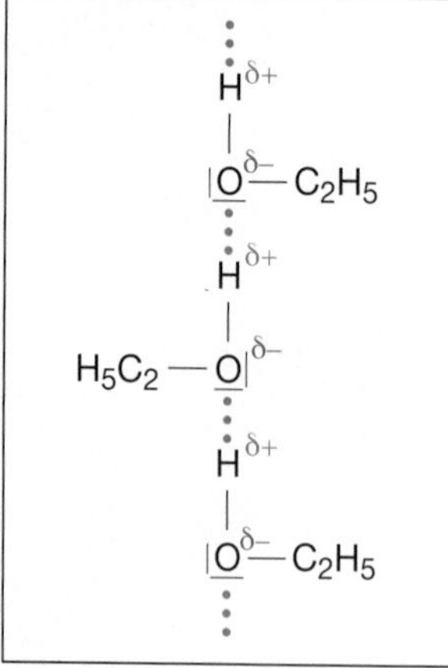

Die Stoffbezeichnung Alkohol ist uns von den „alkoholischen Getränken" bekannt, in denen er gelöst vorliegt. Der in diesen Getränken enthaltene Alkohol ist das **Ethanol**.

Alkoholische Gärung. Ausgangsstoff für die Ethanolentstehung ist Traubenzucker (Glucose), der in vielen Früchten enthalten ist. Ein weiteres Produkt dieser Reaktion, die durch in Hefepilzen enthaltene Enzyme katalysiert wird, ist Kohlenstoffdioxid (▷ V 1a). Die alkoholische Gärung endet bei einer Volumenkonzentration des Alkohols von ca. 15 %, da dann die Hefezellen absterben. Durch Destillation („Brennen") kann der Alkoholgehalt erhöht werden (▷ V 1b). Im Destillat liegt maximal eine Volumenkonzentration von $\sigma = 96\,\%$ vor *(Spiritus)*. Spiritus dient zur Herstellung von Spirituosen und als Lösungsmittel. Durch Zusätze ungenießbar gemacht („vergällt") dient er als *Brennspiritus*. Das restliche Wasser im Spiritus kann nur durch Zusatz eines hygroskopischen Stoffes, z. B. Calciumoxid, entfernt werden; es entsteht reiner, *absoluter Alkohol*. Für die Verwendung in der Technik wird Ethanol aus Ethen durch katalytische Addition von Wasser hergestellt.

Das Ethanolmolekül. Die quantitative Analyse ergibt zusammen mit der Bestimmung der molaren Masse (↗ Kap. 1.8, ▷ V 2 und ▷ V 3) die Summenformel $\mathbf{C_2H_6O}$. Ihr entsprechen zwei mögliche Strukturformeln (▷ B 1). In Struktur II liegt mit der OH-Gruppe eine Atomgruppierung vor, wie sie auch im Wassermolekül vorkommt. Es ist zu erwarten, dass der Stoff, der aus Molekülen dieser Struktur aufgebaut ist, einige dem Wasser ähnliche Eigenschaften und Reaktionen zeigt. Eine solche Ähnlichkeit besteht in der Reaktion mit Natrium (▷ V 2). Die Tatsache, dass dabei Wasserstoff entsteht, weist darauf hin, dass nicht alle Wasserstoffatome in Alkylgruppen gebunden sind, da Alkane nicht mit Natrium reagieren. Diese Anordnung der Atome drückt man auch durch die Formel C_2H_5OH aus. Die OH-Gruppe wird als **Hydroxylgruppe** bezeichnet. Aufgrund der polaren Hydroxylgruppe und des gewinkelten Baus sind Ethanolmoleküle Dipolmoleküle. Zwischen den Molekülen können sich, wie bei Wassermolekülen, Wasserstoffbrücken ausbilden (▷ B 2).

Eigenschaften und Verwendung von Ethanol. Ethanol ist eine farblose Flüssigkeit mit charakteristischem Geruch und Geschmack. Es besitzt eine Dichte von $\varrho = 0{,}79\,g \cdot cm^{-3}$. Aufgrund der vorhandenen Wasserstoffbrücken siedet Ethanol bei 78 °C. Ethanol ist wasserlöslich (▷ V 3a), da sich auch zwischen Wasser- und Ethanolmolekülen Wasserstoffbrücken ausbilden können. Die Dichten der Lösungen (z. B. alkoholischer Getränke) nehmen mit steigendem Wasseranteil zu. Aus einer Dichtemessung, z. B. mit einem Aräometer (Senkwaage), lässt sich auf einfache Weise der Alkoholgehalt ermitteln. Ab einer Ethanolvolumenkonzentration von ca. 50 % sind Ethanol-Wasser-Gemische brennbar.

Ethanol, ein wichtiger Alkohol

Außer in Wasser ist Ethanol *auch in lipophilen Stoffen*, z. B. in Benzin, löslich (▷ V3a). Ein Teil des Ethanolmoleküls, die C_2H_5-Gruppe, zeigt dasselbe Bauprinzip wie die Moleküle der Alkane. Dieser Molekülteil ist ebenfalls unpolar und verantwortlich für die Löslichkeit von Ethanol in Benzin.
Das Lösungsverhalten des Ethanols wird also durch die unterschiedlichen Eigenschaften seiner beiden Molekülteile bestimmt (▷ B3). Aufgrund dieser Eigenschaft wird Ethanol in vielen Bereichen als hervorragendes Lösungsmittel verwendet (▷ B6), besonders dann, wenn gleichzeitig hydrophile und hydrophobe Stoffe, wie z. B. Arzneistoffe, gelöst werden sollen (▷ V3). Auch bei der Herstellung von Kosmetika (Rasier-, Gesichts-, Mund- und Duftwasser) sowie in der Lack- und Farbenindustrie wird dies genutzt. Ferner wird Ethanol als Extraktions-, Reinigungs-, Desinfektions- und Konservierungsmittel verwendet.

Alkoholkonsum und Alkoholismus. Mit dem leichtfertigen und gedankenlosen Genuss von Ethanol sind Gefahren und Risiken verbunden.
Der durchschnittliche jährliche Verbrauch pro Einwohner in der Bundesrepublik Deutschland beläuft sich auf ca. 130 l Bier, 18 l Wein und Sekt sowie 6 l Branntwein. Dies entspricht einer täglichen Aufnahme von ca. 30 ml reinem Ethanol. Schon geringe Alkoholmengen verringern die Reaktionsfähigkeit so stark, dass der Alkoholgenuss von Verkehrsteilnehmern eine außerordentliche Gefahr darstellt (▷ B4). Der regelmäßige Konsum von Alkohol schädigt verschiedene Organe des Körpers (▷ B5). Bereits bei geringer täglicher Aufnahme kann sich eine Abhängigkeit einstellen, die zur Alkoholsucht führt. Alkohol ist eine Droge; Alkoholismus ist eine gefährliche Suchtkrankheit, die schwere körperliche Schäden verursacht und die Persönlichkeit eines Menschen zerstört.

B3 Struktur und Löslichkeit. Ethanol löst sich aufgrund seines Molekülbaus in Wasser und Benzin

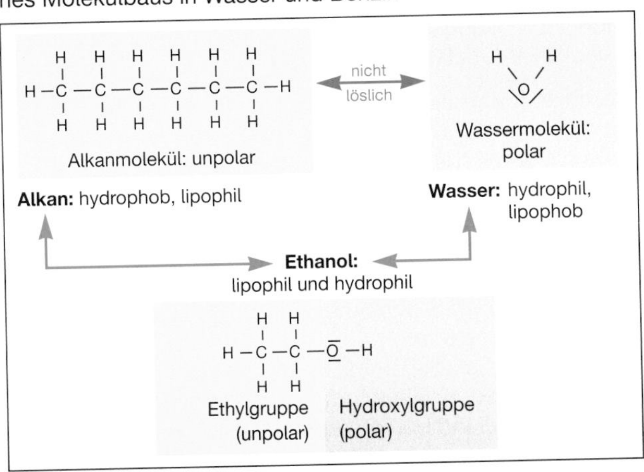

Unter 0,5 ‰: Bereits 0,3 ‰ erschweren den schnellen Überblick über eine ständig wechselnde Verkehrslage, Entfernung entgegenkommender Fahrzeuge lässt sich nicht mehr genau abschätzen; Reaktionsvermögen verschlechtert sich.

0,5 bis 0,8 ‰: Reaktion auf optische und akustische Signale wird deutlich verlangsamt, Bremsweg verlängert sich bei 50 km/h um 14 m, Blickfeld ist eingeengt („Tunnelblick"); Farbempfindlichkeit der Augen vor allem für rotes Licht (Ampeln, Rücklichter!) lässt nach; Minderung der Konzentrationsfähigkeit; Unfallhäufigkeit mit Personenschäden verdoppelt sich.

0,8 bis 1,2 ‰: Erhebliche Minderung der Aufmerksamkeit und Konzentrationsfähigkeit, stark verzögerte Reaktionsabläufe; euphorische Überschätzung der eigenen Fähigkeiten; Hell-Dunkel-Anpassung der Augen ist erheblich gestört (z. B. bei Wechsel Fern-/Abblendlicht).

1,2 bis 2,4 ‰: Absolute Fahruntüchtigkeit, bei 1,3 ‰ elffaches, bei 1,5 ‰ sechzehnfaches Risiko für einen Unfall mit Personenschäden; Gleichgewichts- und Koordinationsstörungen; stark gestörte Reaktionsabläufe bei gleichzeitiger Überschätzung der eigenen Fähigkeiten und Steigerung des Selbstbewusstseins.

B4 Gefahren durch Alkoholmissbrauch im Straßenverkehr

B5 Alkohol schädigt die Organe des Menschen

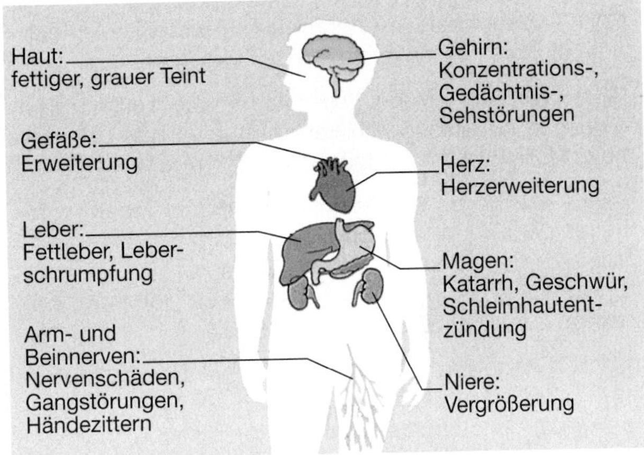

B6 Anwendung von Ethanol als Lösungsmittel in Medizin und Haushalt

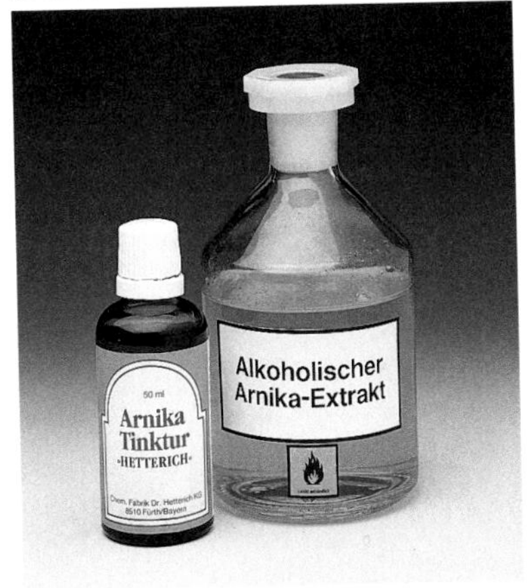

14.2 Die homologe Reihe der Alkanole

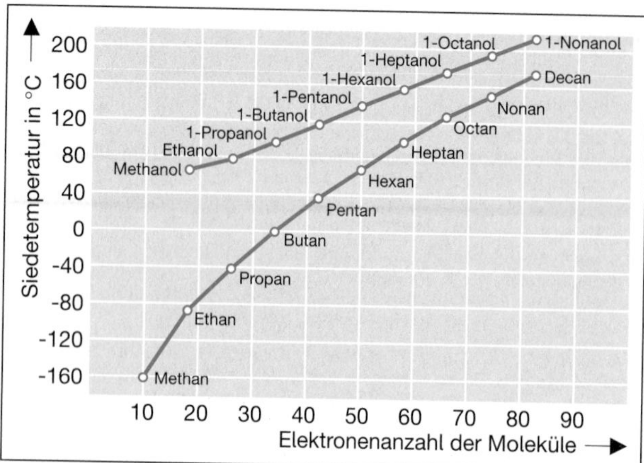

B 1 Siedetemperaturen von Alkanolen und Alkanen im Vergleich

V 1 Löslichkeit von Alkanolen. Prüfen Sie die Alkanole auf ihre Löslichkeit in Wasser und Benzin.

V 2 Borsäureprobe. In je einem Porzellanschälchen gibt man zu einigen Millilitern Methanol bzw. Ethanol etwas Borsäure und entzündet die Gemische.

A 1 a) Erklären Sie das unterschiedliche Lösungsverhalten der Glieder der homologen Reihe der Alkanole in Wasser und in Benzin.
b) Worauf ist die in ▷ B2 dargestellte Zunahme der Viskosität zurückzuführen?

A 2 Formulieren und benennen Sie die Strukturformeln aller isomeren Pentanole und teilen Sie in primäre, sekundäre und tertiäre Alkanole ein.

B 2 Die homologe Reihe der Alkanole. Zusammenhang zwischen Struktur und Eigenschaften

Name	Schmelztemp. (°C)	Siedetemp. (°C)	Löslichkeit in Wasser	Löslichkeit in Benzin	Viskosität
Methanol	−98	65	nimmt ab	alle unbegrenzt löslich	nimmt zu
Ethanol	−117	78			
1-Propanol	−126	97			
1-Butanol	−89	117			
1-Pentanol	−79	138			
1-Hexanol	−47	157			
1-Dodecanol	26	256			
1-Hexadecanol	50	344			

Der durch alkoholische Gärung gewonnene Alkohol ist nur ein Vertreter einer großen Stoffklasse, die man insgesamt als Alkohole bezeichnet. Ihre Moleküle leiten sich formal von Kohlenwasserstoffmolekülen durch Ersatz von einem oder mehreren Wasserstoffatomen durch *Hydroxylgruppen* (OH-Gruppen) ab. Da die Hydroxylgruppe für die charakteristischen Eigenschaften der Alkohole verantwortlich ist, wird sie als **funktionelle Gruppe** der Alkohole bezeichnet.

Die homologe Reihe der Alkanole. Die Namen der Alkanole werden durch Anhängen der Endung „-ol" an den Namen des zugrunde liegenden Alkans gebildet.

Moleküle von Alkanolen bestehen aus einem Alkylrest und einer Hydroxylgruppe. Ihre allgemeine Formel ist $C_nH_{2n+1}OH$.

Homologe Reihe und Eigenschaften. Innerhalb der homologen Reihe steigen die Siedetemperaturen der Alkanole an (▷ B1). Diese liegen wesentlich höher als die Siedetemperaturen von Alkanen ähnlicher Größe und Elektronenanzahl. Dies ist auf die Polarität der OH-Gruppe zurückzuführen, die zur Ausbildung von Wasserstoffbrücken zwischen den Alkanolmolekülen führt. Mit zunehmender Kettenlänge nähern sich allerdings die Siedetemperaturen von Alkanen und entsprechenden Alkanolen an, da die Van-der-Waals-Kräfte mit zunehmender Molekülgröße und damit zunehmender Elektronenanzahl gegenüber den Wasserstoffbrücken einen immer größeren Anteil an den zwischenmolekularen Kräften haben.

Dies wirkt sich auch auf die Löslichkeit der Alkanole aus. Zwischen der hydrophilen OH-Gruppe der Alkanolmoleküle und den Wassermolekülen können sich Wasserstoffbrücken ausbilden. Die ersten drei Glieder der homologen Reihe lösen sich deshalb unbegrenzt in Wasser. Ab Butanol nimmt die Wasserlöslichkeit immer mehr ab, da der größer werdende hydrophobe Alkylrest zunehmend das Lösungsverhalten bestimmt. In Benzin und anderen lipophilen Lösungsmitteln sind alle Alkanole unbegrenzt löslich (▷ V 1, ▷ B 2).

Isomere Alkanole. Bei gleicher Summenformel können die Alkanolmoleküle sich sowohl in der Struktur des Alkylrests als auch durch die Stellung der Hydroxylgruppe unterscheiden (▷ B 3). So gibt es für die Formel C_4H_9OH vier verschiedene Strukturmöglichkeiten und damit vier verschiedene Alkanole: 1-Butanol, 2-Butanol, 2-Methyl-2-propanol, 2-Methyl-1-propanol. Das Reaktionsverhalten der Alkanole wird u. a. auch durch die Bindungsverhältnisse des Kohlenstoffatoms bestimmt, das die OH-Gruppe trägt. Dieses ist bei *primären Alkan*olen mit höchstens *einem* weiteren Kohlenstoffatom verbunden, bei *sekundären mit zwei* und bei *tertiären* Alkanolen mit *drei* Kohlenstoffatomen.

14.5 Ether

Mit der Bezeichnung Ether bringen viele Menschen einen charakteristischen Geruch „nach Krankenhaus" oder eine Verwendung als Narkosemittel in Verbindung. Gemeint ist hierbei der Diethylether.
Die Moleküle der *Stoffgruppe der Ether* sind gekennzeichnet durch zwei Alkylgruppen, die über ein Sauerstoffatom verbunden sind. Zur Bezeichnung werden die Namen der Alkylgruppen dem Wort „-ether" vorangestellt.

Herstellung von Diethylether. Gibt man Ethanol und konzentrierte Schwefelsäure zusammen und destilliert anschließend (▷ V1), so erhält man eine Flüssigkeit mit geringer Siedetemperatur und charakteristischem Geruch, Diethylether („Ether") genannt. Allgemein kann man sich die Bildung eines Ethermoleküls durch Abspaltung eines Wassermoleküls aus zwei Alkoholmolekülen denken:

$$R-\underline{\overline{O}}-H + H-\underline{\overline{O}}-R \longrightarrow R-\underline{\overline{O}}-R + H-\underline{\overline{O}}-H$$

Die Verbindung zweier Molekülteile durch Abspaltung eines Wassermoleküls oder eines anderen kleinen Moleküls wird Kondensation genannt.

Eigenschaften der Ether. Ether weisen niedrigere Siedetemperaturen (Diethylether $\vartheta_{sd} = 35\,°C$) als vergleichbare Alkohole auf. Die Ethermoleküle sind zwar schwache Dipolmoleküle, sie können untereinander aber keine Wasserstoffbrücken bilden. Mit Wassermolekülen können sie Wasserstoffbrücken eingehen, worauf sich die – allerdings geringe – Wasserlöslichkeit der Ether zurückführen lässt. Ether sind brennbar, ihre Dämpfe bilden, wie alle brennbaren Gase, mit Luft explosive Gemische. Beim Arbeiten mit Diethylether ist besondere Vorsicht geboten, da die sehr leicht entstehenden Dämpfe eine größere Dichte als Luft besitzen und sich daher auf dem Arbeitstisch „fließend" ausbreiten und sich auch an weit entfernten heißen Gegenständen entzünden (▷ V2). Das Einatmen von Diethyletherdämpfen führt zu Rauschzuständen und zur Bewusstlosigkeit. Diethylether wurde früher in der Medizin zur Betäubung verwendet.

Mechanismus der Etherbildung. Die Herstellung von Ethern aus Alkoholen verläuft nach dem Mechanismus der nucleophilen Substitution. Zunächst werden die Alkoholmoleküle protoniert (↗ Kap. 14.3). Ein Alkoholmolekül kann über ein freies Elektronenpaar am Sauerstoffatom nucleophil an einem zuvor gebildeten Alkyloxoniumion angreifen. Nach der Abspaltung des Wassermoleküls stabilisiert sich das Dialkyloxoniumion durch Abspaltung eines Protons. Werden bei der Ethersynthese aus Alkanolen die Reaktionstemperaturen erhöht, so kommt die Etherbildung zum Erliegen, und es entsteht in einer Eliminierungsreaktion zunehmend ein Alken (↗ Kap. 14.3).

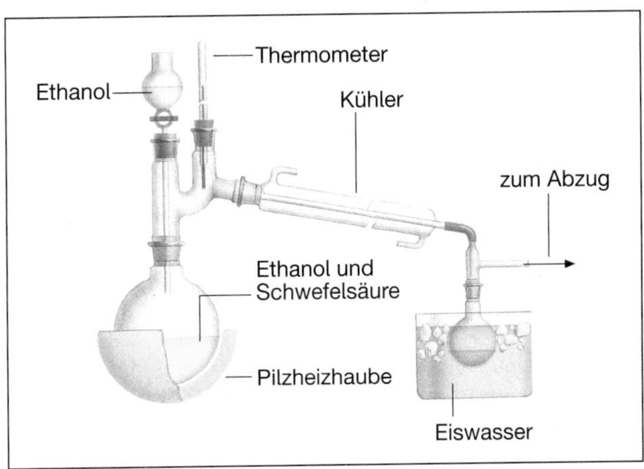

B1 Diethylether. Apparatur zur Herstellung aus Ethanol und Schwefelsäure

V 1 Herstellung von Diethylether. Man mischt 15 ml konz. Schwefelsäure und 25 ml Ethanol (96 %) und destilliert anschließend (▷ B1). Durch Zulauf von Ethanol hält man das Volumen im Reaktionsgefäß konstant und damit die Temperatur unter 140 °C. Man prüft vorsichtig den Geruch des Destillats und seine Löslichkeit in Wasser. (Keine Flammen! Keine Gasbrenner! Schutzbrille!)

V 2 Brennbare Etherdämpfe. Auf das obere Ende einer schräg befestigten Metallrinne legt man einen mit Diethylether getränkten Wattebausch und stellt ein brennendes Teelicht an das untere Ende.

A 1 Welche Ether entstehen bei der Reaktion eines Ethanol/1-Propanol-Gemisches mit konz. Schwefelsäure?

B2 Ether ermöglicht „Super plus bleifrei (98 Octan)"

Die großtechnische Herstellung des Kraftstoffes „Super plus bleifrei" wurde erst möglich durch die gestiegene Verfügbarkeit des hochwirksamen Antiklopfmittels MTBE, **M**ethyl-**t**ertiär-**b**utyl**e**ther (richtiger: tertiär-Butyl-methylether), der durch eine säurekatalysierte elektrophile Addition von Methanol an 2-Methylpropen hergestellt wird.

$$CH_3-\overset{\overset{\large CH_3}{|}}{\underset{\underset{\large CH_3}{|}}{C}}-\underline{\overline{O}}-CH_3$$

Eine weitere Erhöhung der Octanzahl durch Zusatz von ebenfalls als Antiklopfmittel wirkenden aromatischen Verbindungen, wie z. B. Benzol, ist aufgrund gesetzlicher Grenzwerte nicht möglich. Mit der Verfügbarkeit von MTBE können nun auch Motoren mit bleifreiem Benzin versorgt und damit mit Katalysatoren betrieben werden, die bislang verbleiten Treibstoff mit hoher Octanzahl benötigten. Allerdings ist MTBE wassergefährdend und biologisch schlecht abbaubar.

14.6 Aldehyde und Ketone

Oxidation von Ethanol. Taucht man eine heiße, durch Kupfer(II)-oxid an der Oberfläche geschwärzte Kupferdrahtnetzrolle in Ethanol (▷ V 1a), so zeigt die Farbänderung, dass das Kupfer(II)-oxid zu Kupfer reduziert worden ist (▷ B 1). Ethanol wird dabei zu Ethanal oxidiert:

$$\mathrm{H-\underset{H}{\overset{H}{C}}-\underset{H}{\overset{H}{\overset{-I}{C}}}-\overline{\underline{O}}-H + \overset{+II}{CuO} \longrightarrow H-\underset{H}{\overset{H}{C}}-\overset{+I}{C}{\Large\langle}^{\overline{O}|}_{H} + \overset{\pm 0}{Cu} + H_2O}$$

Das entstandene Ethanal lässt sich durch Rotfärbung von Fuchsinschwefliger Säure nachweisen (▷ V 2, ▷ B 2). Ethanal ist auch unter der Bezeichnung *Acetaldehyd* bekannt und gehört zur Stoffgruppe der **Aldehyde.** Die Bezeichnung Aldehyd ist ein aus **al**kohol und **dehyd**rogenatus gebildetes Kunstwort, das zum Ausdruck bringt, dass ein Ethanalmolekül zwei Wasserstoffatome weniger besitzt als ein Ethanolmolekül.

Oxidation von Alkoholen. Nicht nur Ethanol lässt sich zu einem Aldehyd oxidieren, sondern alle *primären Alkohole* (↗ Kap. 14.2) können durch *Oxidation* bzw. *Dehydrierung* in Aldehyde überführt werden. Diejenigen Aldehyde, die aus *primären Alkanolen* gebildet werden können, heißen mit dem systematischen Namen **Alkanale.** Ihre Benennung erfolgt durch Anhängen der Silbe „-al" an den Namen des entsprechenden Alkans.
Wird der sekundäre Alkohol *2-Propanol* oxidiert (▷ V 1b) bzw. dehydriert, so entsteht *Propanon,* das mit dem gebräuchlichen Namen (Trivialnamen) *Aceton* genannt wird:

$$\mathrm{H-\underset{H}{\overset{H}{C}}-\underset{H}{\overset{\overset{H}{|O|}}{\overset{\pm 0}{C}}}-\underset{H}{\overset{H}{C}}-H + \overset{+II}{CuO} \longrightarrow H-\underset{H}{\overset{H}{C}}-\overset{\overset{\langle O \rangle}{\|}}{\overset{+II}{C}}-\underset{H}{\overset{H}{C}}-H + \overset{\pm 0}{Cu} + H_2O}$$

Durch Oxidation *sekundärer Alkohole* erhält man **Ketone.** Hierzu gehören auch die Oxidationsprodukte sekundärer Alkanole, die **Alkanone.**
Die Benennung der Alkanone erfolgt durch Anhängen der Silbe „-on" an den Namen des entsprechenden Alkans.

Tertiäre Alkohole lassen sich unter diesen Bedingungen nicht oxidieren (▷ V 1c), da für eine analoge Reaktion eine C–C-Bindung gespalten werden müsste, um eine C=O-Doppelbindung bilden zu können.

Primäre Alkohole ergeben bei der Oxidation Aldehyde, sekundäre Alkohole reagieren zu Ketonen. Tertiäre Alkohole reagieren unter den gleichen Bedingungen nicht.

Aldehyd- und Ketonmoleküle enthalten die **Carbonylgruppe**: $\mathrm{>C=O\langle}$

Bei Aldehydmolekülen befindet sich an dieser Gruppe immer ein Wasserstoffatom (vereinfachte Schreibweise: –CHO), während sie bei den Ketonmolekülen immer mit zwei weiteren Kohlenstoffatomen verbunden ist.

Bei der Benennung der Alkanone wird die Stellung der Carbonylgruppe im Molekül analog der Benennung der Alkanole angegeben.
Eine andere Möglichkeit ist die Benennung der an die Carbonylgruppe gebundenen Alkylreste unter Nachstellung des Wortes „-keton". 2-Pentanon (Pentan-2-on) kann auch als Methylpropylketon bezeichnet werden.
Bei der Benennung von Alkanalen wird die den Stammnamen liefernde Kette so gewählt, dass sie von der Carbonylgruppe ausgeht.

V 1 Oxidation von Alkoholen. Man erhitzt eine Rolle aus Kupferdrahtnetz, bis seine Oberfläche mit schwarzem Kupferoxid überzogen ist, und taucht es heiß in ein Becherglas mit a) Ethanol, b) 2-Propanol, c) 2-Methyl-2-propanol. (Abzug! Brennbare Dämpfe!)

V 2 Hinweis auf Aldehyde. Man gibt zu Ethanal im Reagenzglas einige Tropfen Fuchsinschweflige Säure (Abzug!).

V 3 Propanon als Lösungsmittel. Geben Sie in einem kleinen Becherglas zu wenig Propanon einige Stückchen Styropor.

A 1 Formulieren Sie die Strukturformeln von Butanal, 2-Hexanon und 3-Hexanon. Wie kann man die Alkanone noch bezeichnen?

B 1 Oxidation von Ethanol durch Kupfer(II)-oxid

B 2 Aldehydnachweis mit Fuchsinschwefliger Säure

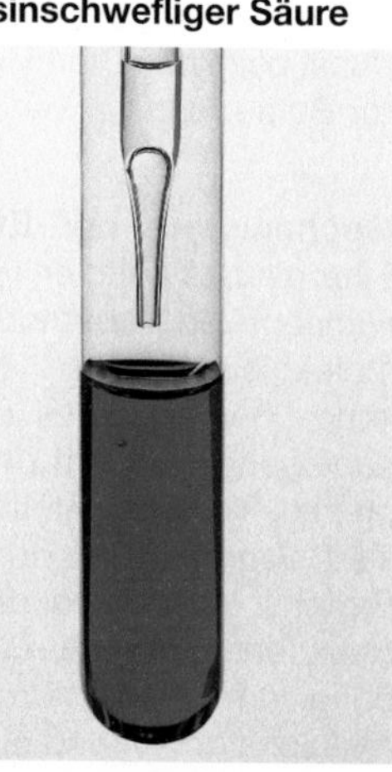

Eigenschaften der Alkanale und Alkanone. Die Eigenschaften der Alkanale und Alkanone werden wesentlich durch die Carbonylgruppe bestimmt. Aufgrund der Elektronegativitätsdifferenz zwischen dem Kohlenstoff- und dem Sauerstoffatom ist die Carbonylgruppe stark polar. Die Siedetemperaturen der niederen Alkanale und Alkanone liegen deutlich über denen der Alkane mit Molekülen ähnlicher Größe und Elektronenanzahl, sind jedoch niedriger als die der entsprechenden Alkanole. Dies wird dadurch verständlich, dass zwischen Alkanal- bzw. Alkanonmolekülen zwar Dipol-Dipol-Kräfte wirken, jedoch keine Wasserstoffbrücken ausgebildet werden können. Wassermoleküle sind dagegen wohl in der Lage, über ihre Wasserstoffatome Wasserstoffbrücken zu den Sauerstoffatomen der Carbonylgruppen auszubilden. Deshalb sind die ersten Glieder der beiden homologen Reihen in Wasser gut löslich. Viele Aldehyde und Ketone besitzen einen angenehmen Geruch. Sie sind wichtige Bestandteile vieler in der Natur vorkommender Düfte und Aromen.

Einige wichtige Alkanale und Alkanone. *Methanal* (*Formaldehyd*) H−CHO ist ein giftiges, stechend riechendes Gas mit einer Siedetemperatur von −19 °C. Eine wässrige Lösung mit einem Massenanteil von 35 bis 40 % wird *Formalin* genannt. Formalin wird u. a. zur Konservierung anatomischer und biologischer Präparate verwendet (▷ B3). Methanal wird in großen Mengen durch katalytische Oxidation von Methanol mit Luftsauerstoff hergestellt. Wegen seiner guten Reaktionsfähigkeit kann es zu einer Vielzahl von Produkten weiterverarbeitet werden. Der größte Teil wird jedoch zur Herstellung von Kunststoffen (↗ Kap. 17.2) benötigt. Methanal entsteht in geringen Mengen auch bei der unvollständigen Verbrennung von Holz, Kohle und anderen organischen Stoffen. Die desinfizierende Wirkung des Räucherns wird auf geringe Anteile von Methanal im Holzrauch zurückgeführt. Auch Zigarettenrauch enthält Methanal. Es steht im Verdacht, Krebs erzeugend zu sein.

Ethanal (Acetaldehyd) CH_3−CHO ist eine leicht verdunstende Flüssigkeit mit stechendem, betäubendem Geruch. Wegen seiner Siedetemperatur von 21 °C muss es im Kühlschrank aufbewahrt werden. In der Leber des Menschen läuft die Oxidation von Ethanol über das giftige Ethanal ab, das die Leberzellen schädigt. In der chemischen Industrie wird Ethanal zu Essigsäure, Farbstoffen, Arzneimitteln sowie zu synthetischem Kautschuk verarbeitet. Auch Ethanal steht im Verdacht, Krebs erzeugend zu sein.

Das erste und wichtigste Glied in der Reihe der Alkanone ist *Propanon (Aceton).* Da Propanon sowohl mit Wasser als auch mit hydrophoben Stoffen in allen Verhältnissen Lösungen ergibt, ist es in Industrie und Technik ein viel verwendetes Lösungsmittel (▷ V3). In manchen Nagellackentfernern wird Propanon eingesetzt.

Exkurs: Düfte und Aromen

Der Duft einer Blume, der Geruch und Geschmack von Gewürzen und Früchten wird durch Stoffe verursacht, die meist schon in sehr geringen Mengen den jeweiligen Sinneseindruck bewirken. Ein Gesamtaroma entsteht häufig durch Kombination vieler Stoffe. Die Moleküle dieser Stoffe besitzen meist polare funktionelle Gruppen. Eine dieser „geruchsgebenden" Gruppen ist auch die Carbonylgruppe. Unter den Duft- und Aromastoffen finden wir deshalb viele Aldehyde.

CHO, OH, $\underline{\overline{O}}$−CH_3 (Strukturformel Vanillin)

Vanillin kommt am häufigsten in Vanilleschoten vor. Synthetisch hergestelltes Vanillin wird häufig statt der teuren natürlichen Vanille als Aromastoff in Schokolade, Backwaren und für Vanillinzucker verwendet.

(Benzolring)−CH=CH−CHO

Zimtaldehyd kommt natürlich in Zimtöl vor und wird zur Herstellung von Gewürzen und zur Parfümierung von Seifen verwendet. Neben anderen Duftstoffen ist Zimtaldehyd ein wesentlicher Bestandteil der Myrrhe, die schon in der Bibel als wohlriechendes Räuchermittel erwähnt wird.

$CH_3(-CH_2)_2-CH=CH-CHO$

2-Hexenal, auch „Blätteraldehyd" genannt, ist Bestandteil von grünen Blättern, besonders auch von grünem Tee, und ein wesentlicher Bestandteil des Apfelaromas. Reines 2-Hexenal riecht nach frischem Gras und ist der Stoff, an dem Heuschrecken ihr Futter erkennen.

$CH_2=CH-CHO$

Propenal (Acrolein) entsteht beim Überhitzen bzw. längerem starken Erhitzen von Fetten, z. B. beim Frittieren. Es erzeugt den scharfen Geruch beim „Anbrennen" von Fett beim Braten. Propenal ist giftig und steht in Verdacht Krebs erzeugend zu sein, es ist auch in Zigarettenrauch enthalten.

B3 Formaldehydlösung zur Konservierung biologischer Präparate

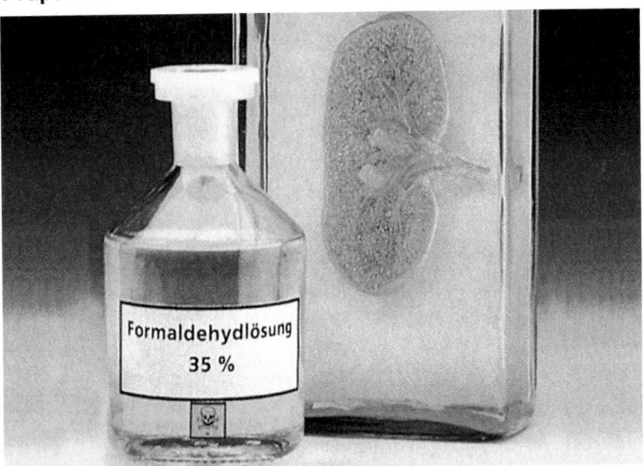

a) Addition von Wassermolekülen

$$\mathrm{\underset{R'}{\overset{R}{>}}C^{\delta+}{=}O^{\delta-} + H^+ + H_2O \rightleftharpoons \underset{R'}{\overset{R}{>}}C^+{-}\overline{O}{-}H + H_2O \rightleftharpoons}$$

R' = H bzw. Alkylgruppe

$$\rightleftharpoons \mathrm{R'{-}C(R)(\overline{O}{-}H){-}O^+H_2 \rightleftharpoons R'{-}C(R)(\overline{O}{-}H){-}\overline{O}{-}H + H^+}$$

R' = H → Aldehydhydrate R' = Alkylgruppe → Ketonhydrate

b) Addition von Alkoholmolkülen

$$\mathrm{\underset{R'}{\overset{R}{>}}C^{\delta+}{=}O^{\delta-} + H^+ + R''{-}\overline{O}{-}H \rightleftharpoons \underset{R'}{\overset{R}{>}}C^+{-}\overline{O}{-}H + R''{-}O{-}H \rightleftharpoons}$$

R' = H bzw. Alkylgruppe

$$\rightleftharpoons \mathrm{R'{-}C(R)(\overline{O}{-}H){-}O^+(H)R'' \rightleftharpoons R'{-}C(R)(\overline{O}{-}H){-}\overline{O}{-}R'' + H^+}$$

R' = H → Halbacetal R' = Alkylgruppe → Halbketal

In Gegenwart starker Säuren reagieren die Halbacetal- bzw. die Halbketalmoleküle in einer S_N-Reaktion weiter mit Alkoholmolekülen:

$$\mathrm{R'{-}C(R)(\overline{O}{-}H){-}\overline{O}{-}R'' + H^+ + R''{-}O{-}H \rightleftharpoons R'{-}C(R)(O^+H_2){-}\overline{O}{-}R'' + R''{-}O{-}H}$$

$$\rightleftharpoons \mathrm{+ H_2O + R'{-}C(R)(O^+(H)R''){-}\overline{O}{-}R'' \rightleftharpoons H_3O^+ + R'{-}C(R)(\overline{O}{-}R''){-}\overline{O}{-}R''}$$

R' = H → Acetale R' = Alkylgruppe → Ketale

B4 Mechanismus der nucleophilen Addition an Carbonylverbindungen

V 4 Silberspiegelprobe (Tollens-Probe). In einem Reagenzglas gibt man zu etwa 5 ml einer Silbernitratlösung (w = 1 %) einige Tropfen verdünnte Natronlauge und dann so viel Ammoniaklösung, bis sich der gebildete Niederschlag gerade auflöst. Man fügt einige Tropfen Ethanal zu und stellt das Reagenzglas in ein Becherglas mit warmem Wasser. (Abzug!)

V 5 Oxidation unter Lichteinfluss. Geben Sie in eine klare, farblose Chemikalienflasche ca. 1 ml Benzaldehyd und stellen Sie diese einige Tage an einen hellen Ort.

A 2 Viele Methanalmoleküle können miteinander zu einem kettenförmigen Molekül reagieren. Zeichnen Sie einen Molekülausschnitt.

Reaktionen der Aldehyde und Ketone. Versetzt man eine ammoniakalische Silbernitratlösung mit einem Aldehyd (▷ V4, ▷ B5), so entsteht Silber, das fein verteilt die Lösung dunkel färbt oder als Silberspiegel der Gefäßwand anliegt *(Silberspiegelprobe)*. Der Aldehyd wirkt hier als Reduktionsmittel. Dies beruht darauf, dass die Carbonylgruppe, die noch mit einem Wasserstoffatom verbunden ist, weiter oxidiert werden kann:

$$\mathrm{R{-}\overset{+I}{C}({=}\overline{O}|){-}H + 2\,\overset{+I}{Ag}{}^+ + 2\,OH^- \longrightarrow R{-}\overset{+III}{C}({=}\overline{O}|){-}\overline{O}{-}H + 2\,\overset{\pm 0}{Ag} + H_2O}$$

Bei der Oxidation entsteht aus der Carbonylgruppe eine neue funktionelle Gruppe, die Carboxylgruppe –COOH. Sie ist die funktionelle Gruppe der Stoffgruppe der Carbonsäuren. Manche Aldehyde, z.B. Benzaldehyd, werden bereits bei längerem Stehen an der Luft durch Sauerstoff zu den entsprechenden Carbonsäuren oxidiert (▷ B6, ▷ V5).

Im Gegensatz zu den Aldehyden besitzen Ketone keine reduzierende Wirkung. Die Silberspiegelprobe (▷ V4) ist eine **Nachweisreaktion für Aldehyde**. Die Rotfärbung von Fuchsinschwefliger Säure nach Zugabe eines Aldehyds (▷ V2, ▷ B2) beruht nicht auf deren reduzierender Wirkung und ist weniger spezifisch.

Typische gemeinsame Reaktionen der Aldehyde und Ketone beruhen darauf, dass in ihren Molekülen jeweils eine C=O-Doppelbindung vorhanden ist. Wie die Alkene gehen auch Aldehyde und Ketone **Additionsreaktionen** ein. Die C=O-Doppelbindung ist im Gegensatz zur C=C-Doppelbindung polar mit einer positiven Teilladung am Kohlenstoffatom. Diese Reaktionen verlaufen nach dem Mechanismus der **nucleophilen Addition** (▷ B4).

B5 Silberspiegelprobe. Aldehyde wirken reduzierend

B6 Oxidation von Benzaldehyd an der Luft zu fester Benzoesäure

14.7 Praktikum: Alkohole, Aldehyde, Ketone

Versuch 1 „Aussalzen“ von Ethanol

Geräte und Chemikalien: Reagenzglas, Tropfpipette, Porzellanschale, Zündhölzer, Branntwein ($\sigma = 40\,\%$), gesättigte Kaliumcarbonatlösung

Durchführung: a) Geben Sie etwas Branntwein in die Porzellanschale und testen Sie die Entflammbarkeit.
b) Geben Sie in das Reagenzglas ca. 3 cm hoch gesättigte Kaliumcarbonatlösung und markieren Sie die Füllhöhe. Geben Sie nun ungefähr das gleiche Volumen Branntwein zu, schütteln Sie und lassen Sie das Glas danach ruhig stehen. Entnehmen Sie etwas von der oberen Flüssigkeit und testen Sie deren Entflammbarkeit.

Auswertung: Notieren Sie die Beobachtungen und erklären Sie diese. Machen Sie in diesem Zusammenhang eine Aussage zur Polarität des Ethanolmoleküls.

Versuch 2 Lösungsverhalten von Ethanol

Geräte und Chemikalien: 5 Reagenzgläser, 1 Gummistopfen, 2 Spatel, Ethanol ($\sigma = 96\,\%$), Wasser, Heptan, Sudanrot, Methylenblau

Durchführung: a) Untersuchen Sie (mit jeweils 1 ml der Probe) die Löslichkeit von Wasser in Heptan, Wasser in Ethanol und Heptan in Ethanol.
b) Geben Sie in das Reagenzglas mit dem Wasser-Heptan-Gemisch jeweils eine winzige Portion Sudanrot und Methylenblau, verschließen Sie mit einem Stopfen und schütteln Sie.
c) Geben Sie in je einem Reagenzglas zu Ethanol eine winzige Portion Methylenblau bzw. Sudanrot. Verschließen Sie mit einem Stopfen und schütteln Sie.

Auswertung: Erklären Sie die Ergebnisse der einzelnen Versuche. Ordnen Sie den im Versuch verwendeten Farbstoffen die Eigenschaften „lipophil“ und „hydrophil“ zu und charakterisieren Sie das Lösungsverhalten von Ethanol.

Versuch 3 Aldehyde in Zigarettenrauch

Geräte und Chemikalien: Reaktionsrohr mit Glaswollebausch, Winkelrohr, Waschflasche, 2 Stopfen mit Bohrung, Reagenzglas, Schlauchstück, Wasserstrahlpumpe, Stativmaterial, Schutzbrille, 3 Zigaretten, Fuchsinschweflige Säure, konz. Salzsäure

Durchführung: Bauen Sie die Apparatur nach ▷ B1 zusammen und füllen Sie in die Waschflasche ca. 5 cm hoch Wasser. Entzünden Sie die Zigarette und saugen Sie mit der Pumpe in langsamem Strom den Rauch durch die Waschflasche. Schütteln Sie anschließend die Waschflasche. Wiederholen Sie den Vorgang mit den übrigen Zigaretten. (Abzug!). Geben Sie eine Probe der Flüssigkeit in ein Reagenzglas und versetzen Sie sie mit Fuchsinschwefliger Säure und anschließend langsam mit ca. 1 ml konzentrierter Salzsäure (Schutzbrille! Abzug!).

Auswertung: Interpretieren Sie das Versuchsergebnis.

Hinweis: Bei Anwesenheit von Methanal wird Fuchsinschweflige Säure nach Säurezusatz bläulich, während die Farbe bei Ethanal und anderen Aldehyden nach Gelb umschlägt.

Versuch 4 Aceton als Lösungsmittel

Geräte und Chemikalien: 5 Reagenzgläser, Tropfpipette, Heptan, Wasser, Aceton, Dodecanol, Nagellackentferner (mit Aceton, „rückfettend“)

Durchführung: a) Testen Sie die Löslichkeit von Aceton in Wasser und in Heptan.
b) Lösen Sie etwas Dodecanol in Aceton und geben Sie anschließend langsam mit der Tropfpipette Wasser zu, bis eine deutliche Veränderung eintritt.
c) Geben Sie in einem Reagenzglas zu Nagellackentferner tropfenweise Wasser, in einem zweiten Reagenzglas zu Nagellackentferner ungefähr das gleiche Volumen Heptan.

Auswertung: Machen Sie eine Aussage über das Lösungsverhalten von Aceton und über mögliche Inhaltsstoffe des Nagellackentferners.

B1 Aldehyde im Zigarettenrauch

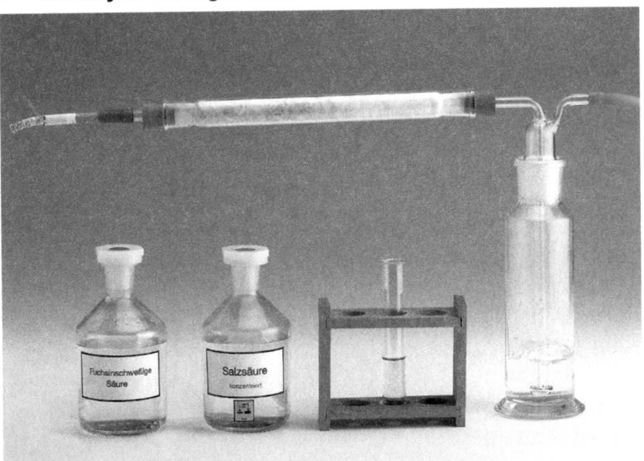

14.8 Essig und Essigsäure

Wein ohne Konservierungsstoffe, der einige Zeit in einem offenen Gefäß an der Luft gestanden hat, schmeckt sauer und riecht nach **Essig** (▷ V1). An der Oberfläche der Flüssigkeit hat sich eine dünne, graue Haut von Essigsäurebakterien gebildet.

Oxidation von Ethanol. Enzyme der Essigsäurebakterien katalysieren die *Oxidation* des im Wein enthaltenen *Ethanols* mit dem Sauerstoff der Luft zu **Essigsäure**.

$$H_3C-\overset{-I}{C}H_2-\overline{\underline{O}}-H + \overset{\pm 0}{O_2} \xrightarrow{\text{Enzyme}} H_3C-\overset{+III}{C}(=\overset{-II}{\overline{O}}|)-\overline{\underline{O}}-H + H_2\overset{-II}{O}$$

Die funktionelle Gruppe des Essigsäuremoleküls ist die **Carboxylgruppe –COOH** (**Carb**onylhydr**oxyl**gruppe), sie bestimmt im Wesentlichen die Eigenschaften und das Reaktionsverhalten der Essigsäure. Verbindungen, deren Moleküle die Carboxylgruppe aufweisen, heißen **Carbonsäuren.** *Der systematische Name* für die Essigsäure lautet **Ethansäure.**

Die industrielle Essig- und Essigsäureherstellung. Essig wird auch heute noch durch *enzymatische Oxidation von Ethanol* gewonnen. Dazu lässt man aus einem Spritzrad Wein, Most (Obstwein) oder andere Flüssigkeiten, die Ethanol enthalten, über Buchenholzspäne, die mit Essigsäurebakterien geimpft sind, rieseln. Von unten strömt im Gegenstrom die zur Oxidation benötigte Luft entgegen (▷ B1). Die Flüssigkeit wird mehrmals umgepumpt, bis das gesamte Ethanol zu Essigsäure oxidiert worden ist.

In modernen Verfahren sind die Essigsäurebakterien in einer mit Luft verschäumten Maische suspendiert (Submersverfahren). Durch die gute Versorgung mit Sauerstoff können sie sich rasch vermehren und beschleunigen durch intensive Enzymproduktion die Essigbildung. Bereits nach einem Tag wird der gebildete Essig zur Hälfte abgelassen und durch frische alkoholhaltige Maische ersetzt.

Der überwiegende Teil der Essigsäure wird durch Oxidation von Kohlenwasserstoffen aus Erdöl hergestellt. Der größte Teil dient der chemischen Industrie zur Herstellung von Lösungsmitteln, Kunstseide (Acetatseide), Kunststoffen und Medikamenten.

Verwendung von Essig. Haushaltsessig ist eine verdünnte Lösung von Essigsäure. Da Essigsäuremoleküle mit Wassermolekülen zu H_3O^+- und Säurerestionen reagieren, ist die Lösung sauer. Vor allem darauf beruht die Verwendung von Essig zum Konservieren von Nahrungsmitteln, z.B. Gewürzgurken und Heringen. In 2%iger bis 3%iger Essigsäurelösung sind viele Bakterien nicht mehr lebensfähig.
Da saure Lösungen mit vielen Metallen unter Bildung von löslichen Salzen reagieren (▷ V3a), sind Metallgefäße, sofern ihre Oberfläche nicht besonders geschützt ist, zur Aufbewahrung saurer Konserven wenig geeignet. Häufig werden deshalb Glasgefäße verwendet.

Zum Würzen von Speisen werden verschiedene Essigsorten verwendet, die aus unterschiedlichen alkoholischen Lösungen gewonnen werden, z.B. *Obstessig aus* Apfelwein. *Weinessig* wird nur aus Wein hergestellt. *Branntweinessig* (Tafelessig) entsteht aus Alkohol, der aus Korn, Kartoffeln oder Zuckerrüben gewonnen wurde. Der Massenanteil von Essigsäure beträgt in Essig meist 5% bis 6%, in *„Essigessenz"* 25%. Diese muss vor Gebrauch verdünnt werden.

V 1 Herstellung von Essig. Stellen Sie ein Glas mit nicht konserviertem Apfelwein einige Tage an einen warmen Ort. Prüfen Sie anschließend den Geruch und mit Universalindikator.

V 2 Elektrische Leitfähigkeit von Essig und Essigsäure. a) Man untersucht die elektr. Leitfähigkeit von Eisessig und verdünnt dabei langsam mit Wasser. b) Man vergleicht die elektrische Leitfähigkeit von verdünnter Essigsäure und Salzsäure gleicher Konzentration.

B1 Industrielle Herstellung von Speiseessig. Ethanol wird durch Essigsäurebakterien mithilfe von Luftsauerstoff zu Essigsäure oxidiert

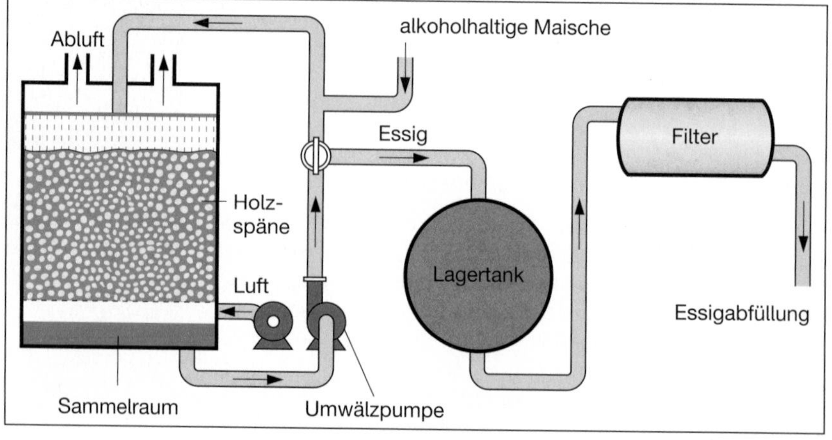

Eigenschaften der Essigsäure. Reine 100%ige Essigsäure ist ein farbloser, ätzend wirkender und stechend riechender Stoff, der bei 118 °C siedet und bei 16 °C erstarrt (▷ B2) und *Eisessig* genannt wird.
Essigsäure weist im Vergleich zu 1-Propanol (ϑ_{sm} = –126 °C, ϑ_{sd} = 97 °C) und Propanal (ϑ_{sm} = –81 °C, ϑ_{sd} = 49 °C) eine deutlich höhere Schmelz- und Siedetemperatur auf, obwohl die Moleküle aller drei Stoffe ähnliche Kettenlängen, Moleküloberflächen und Elektronenanzahlen aufweisen. Diese hohe Siede- und Schmelztemperatur sind auf die stark *polare Carboxylgruppe* zurückzuführen. Die Carboxylgruppe enthält die polare C=O-Doppelbindung und die O–H-Bindung. Zwei Essigsäuremoleküle können deshalb durch zwei Wasserstoffbrückenbindungen untereinander verknüpft sein.

$$CH_3-C\begin{matrix}\diagup\!\!\!\!=\,\overline{O}| \cdots\cdots H-\overline{O}\,\diagdown \\ \diagdown\,\underline{O}-H\cdots\cdots |O\,=\!\!\!\!\diagup\end{matrix}C-CH_3$$

Verdünnte Essigsäure leitet im Gegensatz zu Eisessig den elektrischen Strom (▷ V2a). Ein Essigsäuremolekül kann ein Proton, das von der stark polaren OH-Gruppe der Carboxylgruppe abgespalten wird, an ein Wassermolekül abgeben.

$$CH_3-C\begin{matrix}\diagup\!\!\!\!=\overline{O}| \\ \diagdown\underline{O}-H\end{matrix} + H_2O \rightleftharpoons CH_3-C\begin{matrix}\diagup\!\!\!\!=\overline{O}| \\ \diagdown\underline{\overline{O}}|^-\end{matrix} + H_3O^+$$

Das neben dem Oxoniumion gebildete Anion heißt **Acetation** (von lat. acetum, Essig) oder mit dem systematischen Namen *Ethanoation*. Die Atomgruppe $-COO^-$ wird Carboxylatgruppe genannt.

Allerdings weist die im Vergleich zu Salzsäure geringe elektrische Leitfähigkeit (▷ V2b) darauf hin, dass Essigsäure eine schwache Säure ist. In verdünnter Essigsäure liegen überwiegend Essigsäuremoleküle, aber nur wenige Oxonium- und Acetationen vor. Auch der Geruch von verdünnter Essigsäure beruht auf dem Vorhandensein der Essigsäuremoleküle, die die Lösung verlassen und in die Luft übertreten.

Salze der Essigsäure. Verdünnte Essigsäure reagiert wie verdünnte Salzsäure oder Schwefelsäure mit unedlen Metallen, mit Metalloxiden (▷ V3a) und alkalischen Lösungen, dabei entstehen *Acetate (Ethanoate)*. Aluminiumacetat ist „essigsaure Tonerde“, mit ihr getränkte Umschläge wirken entzündungshemmend und beschleunigen damit die Wundheilung. *Kupfer(II)-acetat* ist Bestandteil des giftigen „Grünspans“ (▷ B3), der sich bildet, wenn Kupfer oder Messing mit verdünnter Essigsäure und Luft in Berührung kommt (▷ V3b).

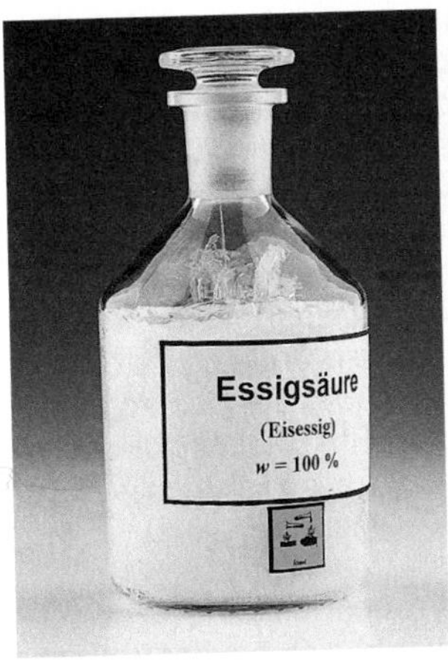

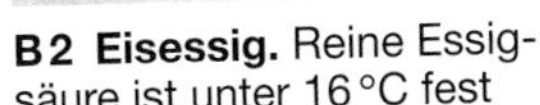
B2 Eisessig. Reine Essigsäure ist unter 16 °C fest

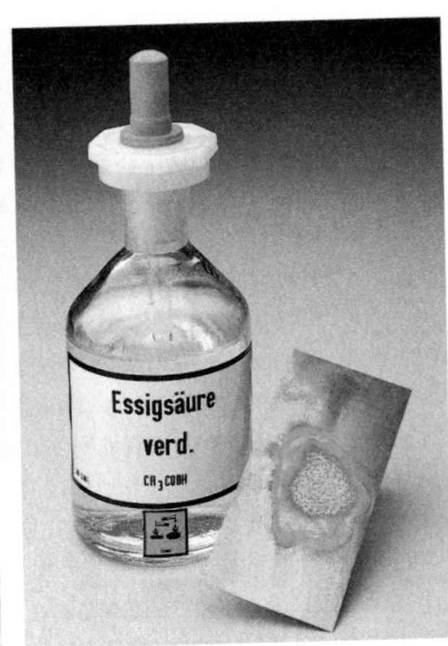

B3 Grünspan, ein giftiges Salz der Essigsäure

V 3 Reaktion mit Metallen und Metalloxiden.
a) Geben Sie in ein Reagenzglas eine Spatelspitze Eisenpulver, in ein weiteres Kupferpulver und in ein drittes Kupfer(II)-oxid und setzen Sie jeweils verdünnte Essigsäure zu. Erhitzen Sie das zweite und dritte Reagenzglas vorsichtig. (Siedesteinchen, Schutzbrille!)
b) Stellen Sie ein blank geschmirgeltes Kupferblech zur Hälfte einige Tage in verdünnte Essigsäure.

V 4 Verhalten von Eisessig und verdünnter Essigsäure. Man gibt in einem Reagenzglas zu Eisessig ein Stück Magnesiumband. Nach kurzer Beobachtung verdünnt man langsam mit Wasser.

A 1 Zeichnen Sie zwischen zwei Essigsäuremolekülen und einem Wassermolekül Wasserstoffbrücken ein.

B4 Wissenschaftsgeschichte: Verursachen Stoffe („Materien“) oder Lebewesen die Essigentstehung?

„Diese Materien nehmen also in gewissem Sinne Anteil an der Essigbildung insofern sie den Alkohol fähig machen, Sauerstoff aufzunehmen; eine Fähigkeit, die er, wie bemerkt, in reinem Zustande nicht besitzt...“
(J. v. Liebig, 1839)

„ ...Ohne Zweifel befindet sich in dem Weine, wenn er sauer wird, ein zur Befestigung des Sauerstoffs der Luft nötiger Vermittler, denn unter keinen Umständen kann sich der Alkohol auf irgend einen Grad mit Wasser vermischt, in Essig umwandeln. Aber dieser nötige Vermittler ist keine tote Eiweißsubstanz, sondern die kleinste und einfachste Pflanze, die es unter den Pflanzen gibt...“
(L. Pasteur, 1878)

Pasteur erkannte die Erreger der Ethanoloxidation zu Essigsäure noch nicht als Bakterien. Die Zuordnung dieser Erreger gelang erst 1879; seit 1898 werden die Essigbakterien *Acetobacter* genannt.

Säureeigenschaft des Essigsäuremoleküls. Bei der Bildung der sauren Lösung geben die Essigsäuremoleküle ein Proton ab, dabei löst sich das Proton aus der O–H-Bindung unter Zurücklassen des vormals bindenden Elektronenpaars. Im Gegensatz dazu bilden Alkohole, z. B. das Ethanol keine sauren Lösungen. Daraus folgert man, dass die O–H-Bindung im Ethansäuremolekül stärker polar ist als im Ethanolmolekül. Dies ist auf den starken Elektronenzug zurückzuführen, der von dem Sauerstoffatom der Carbonylgruppe ausgeht und sich über das dadurch positivierte Kohlenstoffatom auf die O–H-Bindung auswirkt. Je polarer eine O–H-Bindung ist, umso leichter wird ein Proton an ein Wassermolekül abgegeben.

Eine weitaus bedeutsamere Ursache für die Säureeigenschaft des Essigsäuremoleküls zeigt sich bei der Betrachtung der Elektronenverteilung des Acetations.
Untersuchungen zeigten, dass die beiden C–O-Bindungen der Carboxylatgruppe gleich lang sind, obwohl die Strukturformel mit Elektronenpaaren eine Einfach- und eine Doppelbindung aufweist. Die festgestellten Bindungslängen liegen zwischen denen einer Einfach- und einer Doppelbindung. Beide Sauerstoffatome sind gleich gebunden und sind nicht voneinander zu unterscheiden.

Dieser Befund lässt sich in der Elektronenpaarschreibweise nicht in *einer* Formel darstellen. Es sind jedoch zwei gleichwertige Formeln für das Ethanoation darstellbar, die jeweils einen Extremfall für die Elektronen- bzw. Ladungsverteilung zeigen. Man bezeichnet sie als **Grenzformeln:**

$$-C\begin{matrix}\nearrow\!\!\!\!= \overline{O}| \\ \searrow \overline{\underline{O}}|^{-}\end{matrix} \quad \longleftrightarrow \quad -C\begin{matrix}\nearrow \overline{\underline{O}}|^{-} \\ \searrow\!\!\!\!= \overline{O}|\end{matrix}$$

Die tatsächliche Elektronenverteilung an der Carboxylatgruppe liegt zwischen diesen beiden formulierbaren, jedoch nicht existierenden Grenzformeln. Diesen Sachverhalt bezeichnet man als **Mesomerie**, den Zustand des Teilchens als *mesomeren Zustand*. Dieser tatsächliche Zustand des Ethanoations ist energieärmer und stabiler als jede der beiden Grenzformeln wäre, er ist jedoch mit der Elektronenpaarschreibweise nicht darstellbar. Zur Beschreibung des mesomeren Zustandes verwendet man deshalb die Grenzformeln und schreibt zwischen diese einen Pfeil mit zwei Spitzen ⟷ (Mesomeriepfeil).
Im Gegensatz zum Acetation ist am Ethanolation keine Mesomerie möglich. Dies ist der Hauptgrund, warum Ethanol mit Wasser keine sauren Lösungen bildet.

Exkurs: Die Struktur des Carboxylations nach dem Orbitalmodell

Zur Erklärung der besonderen Bindungsverhältnisse im Carboxylation mit dem Orbitalmodell betrachten wir die Atomorbitale, aus denen die Bindungen gebildet werden. Nach dem Hybridisierungsmodell liegt am Kohlenstoffatom der Carboxylgruppe eine sp^2-Hybridisierung vor. Nach Ausbildung aller σ-Bindungen befinden sich an jedem Sauerstoffatom zwei doppelt besetzte p-Orbitale, die für die weitere Betrachtung der Bindungsverhältnisse nach diesem Modell keine Rolle spielen. An jedem der drei Atome der Carboxylatgruppe verbleibt ein p-Orbital senkrecht zur Ebene der σ-Bindungen. Diese drei p-Orbitale sind mit insgesamt vier Elektronen zu besetzen (a). Es sind zunächst zwei, völlig gleich berechtigte, sinnvolle Elektronenverteilungen *denkbar*, die jeweils zur Ausbildung einer π-Bindung zwischen dem Kohlenstoffatom und einem Sauerstoffatom zu einer am anderen Sauerstoffatom lokalisierten Ladung führen (b, c). Dies würde jedoch dem experimentellen Befund der gleichen Bindungslängen widersprechen. Zur Angleichung des Modells stellt man sich vor, dass sich durch Überlappung der drei p-Orbitale ein π-Elektronensystem mit vier Elektronen bildet, das sich über alle drei Atome erstreckt (d). Dies hat zur Folge, dass auch die negative Ladung der Carboxylatgruppe über die drei Atome verteilt ist. Eine solche Elektronenverteilung, die man auch als **delokalisiertes π-Elektronensystem** bezeichnet, bewirkt einen energiearmen Zustand des Teilchens. Voraussetzung hierfür ist eine ebene Anordnung der beteiligten Atome. Das Vorliegen eines delokalisierten π-Elektronensystems nennt man **Mesomerie**. Die ebenfalls formulierbaren Elektronenverteilungen mit lokalisierten Elektronenpaaren (Grenzformeln) wären wesentlich energiereicher.

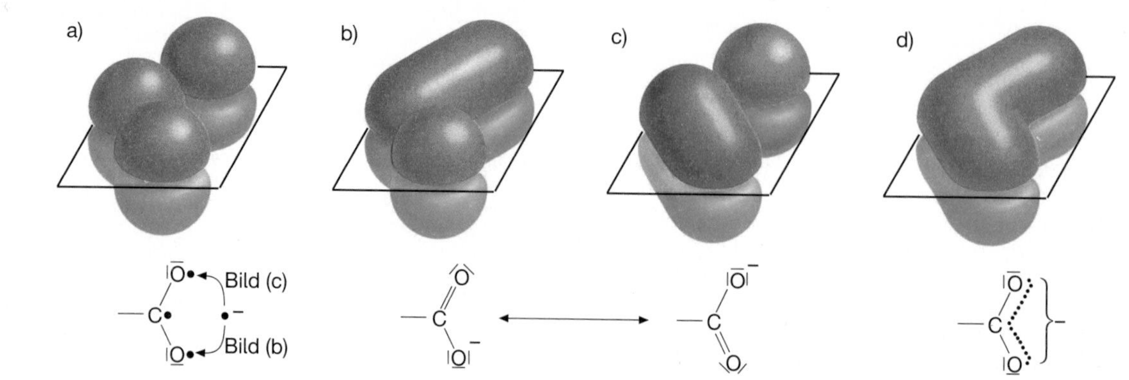

14.9 Carbonsäuren

Wie Ethanol lassen sich auch andere primäre Alkohole und auch Aldehyde zu Carbonsäuren oxidieren. Die bei der Oxidation von *Alkanolen* entstehenden Carbonsäuren nennt man **Alkansäuren**. Der homologen Reihe der Alkanole entspricht eine *homologe Reihe der Alkansäuren.*

Zur systematischen Benennung wird die Endung „-säure" an den Namen des entsprechenden Alkans angehängt, wobei das Kohlenstoffatom der Carboxylgruppe mitgezählt wird.

Methansäure (Ameisensäure) ist die Alkansäure mit den am einfachsten gebauten Molekülen. Der gebräuchliche Name *Ameisensäure* kommt daher, dass das Gift der Ameisen diese Säure enthält (▷ B1). Auch das Gift vieler Insekten wie Bienen und das Gift in den Nesselkapseln mancher Hohltiere (Quallen) sowie die Brennhaare der Brennnesseln enthalten diese Säure. Ameisensäure riecht stechend und wirkt ätzend.
Im Labor kann Methansäure zur Herstellung von Kohlenstoffmonooxid verwendet werden, das mit blauer Flamme brennt (▷ V2, ▷ B2). Da das Methansäuremolekül eine Aldehydgruppe enthält, ist Methansäure, im Gegensatz zu den übrigen Alkansäuren, weiter oxidierbar (▷ V3).
Verdünnte Methansäure reagiert wie verdünnte Ethansäure mit unedlen Metallen, Metalloxiden und alkalischen Lösungen. Die dabei entstehenden Salze heißen *Methanoate oder Formiate* (von lat. formica, Ameise). Im Haushalt wird Methansäure u. a. zum Entkalken von Warmwasserbereitern verwendet (▷ B3, ▷ V1).

Propansäure (Propionsäure) ist in der Natur ziemlich selten. Sie entsteht z. B. bei der Reifung mancher Käsesorten durch Propansäurebakterien. Ein weiteres Produkt dabei ist Kohlenstoffdioxid, das für die Lochbildung in diesen Käsesorten verantwortlich ist.

Butansäure (Buttersäure) entsteht beim Ranzigwerden der Butter und verursacht den typischen unangenehmen Geruch (▷ B4). Auch der Schweiß von Säugetieren und von Menschen enthält Buttersäure. Ihr Geruch wird noch in sehr geringen Konzentrationen von Blut saugenden Insekten, Zecken und vielen anderen Tieren wahrgenommen. Buttersäure entsteht auch durch Vergärung von Stärke mit Hilfe von Buttersäurebakterien.

Die höheren Alkansäuren sind fest und können aus Fetten (↗ Kap. 16.1) gewonnen werden, sie werden deshalb auch als **Fettsäuren** bezeichnet. Es sind dies vor allem die *Dodecansäure (Laurinsäure), die Hexadecansäure (Palmitinsäure)* und die *Octadecansäure (Stearinsäure).* Technisches Stearin ist im Wesentlichen ein Gemisch aus Palmitin- und Stearinsäure und wird z. B. zur Herstellung von Kerzen, in kosmetischen Präparaten und in der Seifen- und Gummiindustrie verwendet.

B1 Ameisen produzieren Ameisensäure

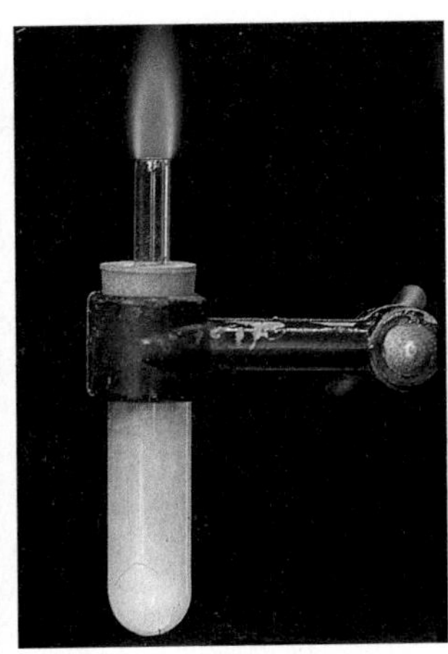

B2 Kohlenstoffmonooxid aus Methansäure

V 1 Methansäure als Kalklöser. Geben Sie zu einer Spatelspitze Calciumcarbonat verdünnte Methansäure.

V 2 Kohlenstoffmonooxid aus Methansäure. Man gibt zu 2 ml Methansäure konzentrierte Schwefelsäure und erwärmt (Abzug! Schutzbrille!). Das entstehende Gas wird an einem aufgesetzten Glasrohr entzündet. ⚠

V 3 Oxidation von Methansäure. Zu einer Mischung aus gleichen Teilen Methansäure und 25%iger Schwefelsäure gibt man tropfenweise Kaliumpermanganatlösung und erwärmt leicht. An die Reagenzglasöffnung hält man einen schwarzen Stab mit einem Tropfen Kalkwasser.

A 1 Erklären Sie das Ergebnis von ▷ V3 und formulieren Sie die Reaktionsgleichung.

B3 Ameisensäure entfernt Kalkablagerungen

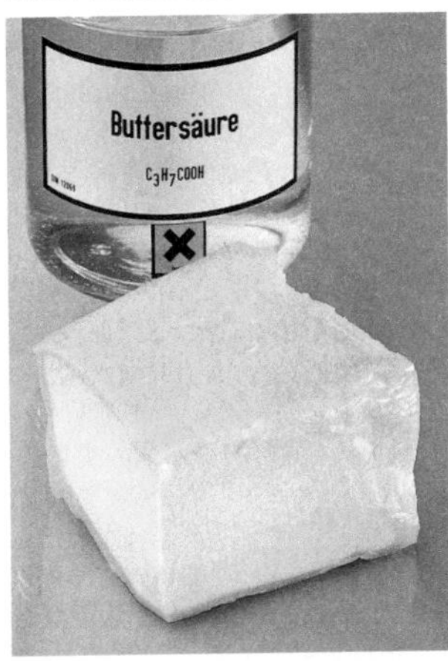

B4 Ranzige Butter riecht nach Buttersäure

Eigenschaftsänderungen innerhalb der homologen Reihe. Die Fähigkeit zur Ausbildung von Wasserstoffbrücken bedingt die gute Wasserlöslichkeit der ersten vier Glieder der homologen Reihe. Diese Säuren lösen sich in jedem Verhältnis in Wasser. Mit zunehmender Länge des unpolaren Alkylrestes wird der Einfluss der Carboxylgruppe auf die Eigenschaften der Alkansäuren immer geringer, die höheren Alkansäuren werden immer alkanähnlicher. Ab der Pentansäure lösen sich die Alkansäuren nur wenig in Wasser; schon ab der Ethansäure bilden sie mit Benzin in jedem Verhältnis eine Lösung. Die bei Zimmertemperatur festen Alkansäuren lösen sich beim Erwärmen in Benzin.

Die *Siedetemperaturen* der Alkansäuren liegen wegen der stark polaren Carboxylgruppe deutlich über denen der Alkanole mit ähnlicher Kettenlänge, Oberfläche und Elektronenanzahl der Moleküle. Auch bei den Alkansäuren steigen die Siedetemperaturen innerhalb der homologen Reihe (▷ B6).

Alle wasserlöslichen Alkansäuren ergeben mit Wasser saure Lösungen, mit denen die Bildung von Salzen, den **Alkanoaten**, möglich ist. Auch aus den höheren Alkansäuren entstehen die entsprechenden Salze, wenn die Säuren mit stark alkalischen Lösungen reagieren.

Ungesättigte Fettsäuren. Drei wichtige Säuren, die aus festen Fetten und auch aus flüssigen Fetten, den fetten Ölen, gewonnen werden können, sind die *Öl-*, die *Linol-* und die *Linolensäure.* Man zählt sie zu den ungesättigten Fettsäuren, da die Kohlenwasserstoffreste ihrer Moleküle eine oder mehrere Doppelbindungen aufweisen. Daher reagieren sie z. B. rasch mit einer Bromlösung (▷ V4).

Durch Reaktion mit Wasserstoff („Hydrieren") können diese Säuren in gesättigte Fettsäuren überführt werden (▷ B5).

Obwohl ein Ölsäuremolekül ($C_{17}H_{33}COOH$) nur zwei Wasserstoffatome weniger besitzt als ein Stearinsäuremolekül ($C_{17}H_{35}COOH$), liegt die *Schmelztemperatur* der Stearinsäure wesentlich höher als die der Ölsäure. Ölsäure ist bei Zimmertemperatur flüssig, Stearinsäure fest. Die Moleküle der *ungesättigten* Fettsäuren weisen an den Doppelbindungen Knicke auf (▷ B5). Wegen der gewinkelten Form können sich die Moleküle nicht so gut aneinander lagern wie die von gesättigten Fettsäuren. Die zwischenmolekularen Kräfte wirken sich schwächer aus, die Schmelztemperatur ist niedriger.

Die *mehrfach ungesättigten* Fettsäuren Linol- und Linolensäure (mehrere Doppelbindungen im Molekül) sind für den menschlichen Körper lebensnotwendig (essenziell). Sie müssen mit der Nahrung aufgenommen werden, da sie vom Körper selbst nicht hergestellt werden können (↗ Kap. 16.1).

Carbonsäuren in der Natur. In der Natur kommen außer den Alkansäuren, wie z. B. Essigsäure und Buttersäure, noch viele weitere Carbonsäuren vor, deren Moleküle jedoch komplizierter gebaut sind (▷ B7). Bei den **Di- und Tricarbonsäuren** sind weitere Carboxylgruppen vorhanden, bei den **Hydroxycarbonsäuren** Hydroxylgruppen.

Milchsäure entsteht bei der Vergärung von Zuckern durch bestimmte Bakterien, z. B. beim Sauerwerden von Milch, und befindet sich deshalb in Produkten wie Joghurt, Kefir und Buttermilch. Auch bei der Herstellung von Sauerkraut bildet sich Milchsäure, ferner tritt sie beim Abbau des Kohlenhydrats Glykogen im arbeitenden Muskel auf.

V 4 Reaktion von Brom mit Fettsäuren. Man gibt zu Lösungen von Ölsäure in 1-Propanol und Stearinsäure in 1-Propanol tropfenweise eine frisch angesetzte Lösung von Brom in 1-Propanol und schüttelt. (Abzug!)

V 5 Bildung von Calciumoxalat. Lösen Sie eine Spatelspitze Oxalsäure in wenig Wasser und fügen Sie etwas Calciumchloridlösung zu. Geben Sie auch zu 5 ml Rhabarbersaft (filtriert) etwas Calciumchloridlösung.

V 6 Sorbinsäure als Konservierungsstoff. Geben Sie etwas Sorbinsäure in Wasser und erwärmen Sie, bis eine klare Lösung entsteht. Tränken Sie damit die Hälfte einer Weißbrotscheibe und legen Sie diese in eine geschlossene Petrischale. Beobachten Sie einige Tage.

B5 Hydrieren ungesättigter Fettsäuren führt zu gesättigten Fettsäuren

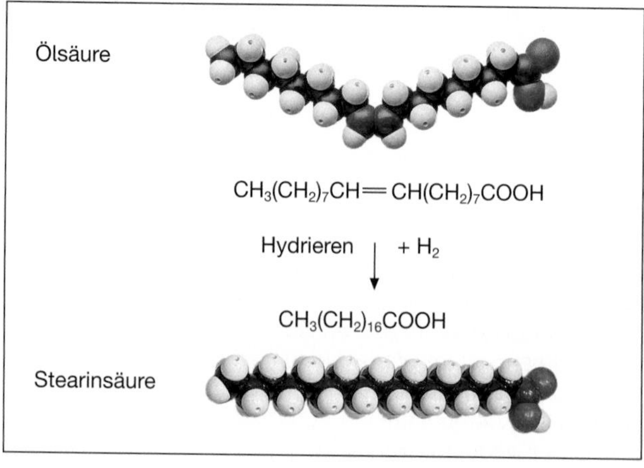

Oxalsäure ist die Dicarbonsäure mit den am einfachsten gebauten Molekülen. Da jedes Oxalsäuremolekül zwei Protonen abspalten kann, bildet Oxalsäure zwei Reihen von Salzen, die *Hydrogenoxalate* und die *Oxalate*. Der saure Geschmack von Sauerklee (oxalis acetosella), Sauerampfer und Rhabarber wird überwiegend durch Kaliumhydrogenoxalat ($HOOC-COO^-K^+$) hervorgerufen. Oxalsäure und ihre löslichen Salze sind giftig. So können 5 g Oxalsäure tödlich wirken, da sich mit Calciumionen schwer lösliches Calciumoxalat bildet (▷ V5), das die feinen Nierenkanälchen verstopfen kann.

Fruchtsäuren haben ihre Namen nach der jeweiligen Frucht erhalten, in der sie überwiegend enthalten sind. So kommt *Weinsäure* in Weintrauben vor. Als Dicarbonsäure kann auch sie zwei Reihen von Salzen bilden, die *Hydrogentartrate* und die *Tartrate* (von frz. tartre, Weinstein). Der sich beim Lagern von Wein zusammen mit Calciumtartrat abscheidende *Weinstein* ist Kaliumhydrogentartrat. *Citronensäure* findet man nicht nur in Zitronen; sie ist als eine der wichtigsten Fruchtsäuren auch in vielen anderen Früchten wie Orangen, Ananas und Preiselbeeren enthalten. Auch im menschlichen Stoffwechsel kommt Citronensäure vor. Die Salze der Citronensäure heißen *Citrate*. Die *Äpfelsäure* ist neben der Citronensäure die verbreitetste Fruchtsäure. Sie kommt in vielen Obstarten wie Äpfeln, Birnen, Aprikosen, Kirschen und Pflaumen vor. Die Salze der Äpfelsäure sind die Malate (von lat. malum, Apfel).

Organische Säuren als Lebensmittelzusatzstoffe. Viele leicht verderbliche Nahrungsmittel können durch Zusatz von organischen Säuren haltbarer gemacht werden. Sie verhindern, dass z. B. durch Fäulnisbakterien und Schimmelpilze Giftstoffe in diesen Lebensmitteln entstehen können; die Säuren dienen daher als **Konservierungsstoffe**. Zur Verhinderung der Schimmelbildung in Brot wird vielfach *Sorbinsäure* (Formel: C_5H_7COOH) zugesetzt (▷ V6), eine ungesättigte Carbonsäure, die im Körper des Menschen vollständig abgebaut wird. *Benzoesäure* (Formel: C_6H_5COOH) ist für saure Lebensmittel zugelassen und wird z. B. Fleischsalat und Fischkonserven zugesetzt.

Fruchtsaftgetränken, Nektaren und Limonadengetränken werden organische Säuren als **Säuerungsmittel** zugesetzt. Hierbei finden vor allem *Citronensäure, Weinsäure und Äpfel*säure Verwendung.

Stehen Lebensmittel längere Zeit an der Luft, verändern sie ihre Farbe und bekommen ein unappetitliches Aussehen (z. B. „Grauwerden" von Fleisch und Wurst, Dunkelfärbung von Apfelmus). Dies ist auf eine Reaktion von natürlichen Inhaltsstoffen mit Sauerstoff zurückzuführen. Durch Zusatz von **„Antioxidantien"**, z. B. *Ascorbinsäure (Vitamin C)*, kann die Bildung solcher (z. T. farbiger) Oxidationsprodukte verhindert werden. Vitamin C wirkt reduzierend.

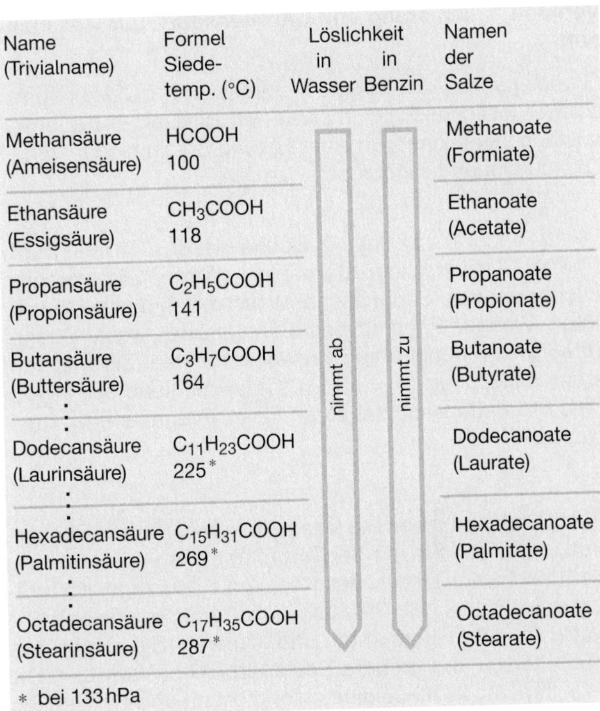

Name (Trivialname)	Formel Siedetemp. (°C)	Löslichkeit in Wasser	Löslichkeit in Benzin	Namen der Salze
Methansäure (Ameisensäure)	$HCOOH$ 100	nimmt ab ↓	nimmt zu ↓	Methanoate (Formiate)
Ethansäure (Essigsäure)	CH_3COOH 118			Ethanoate (Acetate)
Propansäure (Propionsäure)	C_2H_5COOH 141			Propanoate (Propionate)
Butansäure (Buttersäure)	C_3H_7COOH 164			Butanoate (Butyrate)
⋮				
Dodecansäure (Laurinsäure)	$C_{11}H_{23}COOH$ 225*			Dodecanoate (Laurate)
⋮				
Hexadecansäure (Palmitinsäure)	$C_{15}H_{31}COOH$ 269*			Hexadecanoate (Palmitate)
⋮				
Octadecansäure (Stearinsäure)	$C_{17}H_{35}COOH$ 287*			Octadecanoate (Stearate)

* bei 133 hPa

B6 Homologe Reihe der Alkansäuren und ihre Salze

B7 Carbonsäuren finden sich vielfach in der Natur. Bezeichnungen und vereinfachte Strukturformeln

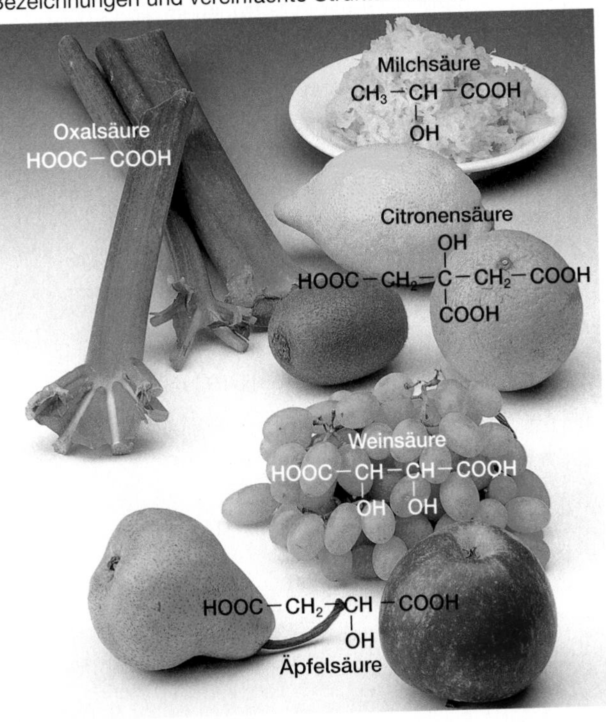

14.10 Praktikum: Carbonsäuren

Versuch 1 Isolierung von Citronensäure aus Zitronensaft

Grundlagen: Citronensäure bildet mit Calciumionen schwer lösliches Calciumcitrat. Mit Hilfe eines Kationenaustauschers können in einer Lösung Calciumionen gegen Oxoniumionen ausgetauscht werden.

Geräte und Chemikalien: 2 Bechergläser (250 ml), Tropfpipette, Universalindikatorpapier, Watte, Filtertrichter, Büchnertrichter, Saugflasche, Wasserstrahlpumpe, Exsikkator, Waage, Erlenmeyerkolben (250 ml, weit), Spatellöffel, evtl. Magnetrührer, Kristallisierschale, Zitronensaft, Ammoniaklösung (w = 25 %), Calciumchloridlösung (c = 1 mol/l), Kationenaustauscher (frisch regeneriert), dest. Wasser

Durchführung: Geben Sie 50 ml Zitronensaft in ein Becherglas und fügen Sie mit der Tropfpipette Ammoniaklösung bis zur schwach alkalischen Reaktion zu (Abzug!). Kontrollieren Sie dabei mit Universalindikatorpapier. Geben Sie Watte in den Filtertrichter und filtrieren Sie damit das Fruchtfleisch und gröbere Bestandteile ab. Versetzen Sie das Filtrat mit 25 ml Calciumchloridlösung und erhitzen Sie in einem Becherglas bis zum Sieden. Filtrieren Sie die noch heiße Suspension mithilfe des Büchnertrichters und der Saugflasche.

Zur Bestimmung der Ausbeute trocknen Sie den erhaltenen Feststoff im Exsikkator und bestimmen danach die Masse.

Zur Gewinnung der Citronensäure geben Sie den Feststoff in einen Erlenmeyerkolben und fügen 50 ml destilliertes Wasser und ca. 5 bis 6 Spatel Kationenaustauscher zu. Schwenken Sie die Suspension bzw. rühren Sie mit einem Magnetrührer, bis die über dem Ionenaustauscher stehende Flüssigkeit klar ist (evtl. muss noch etwas Kationenaustauscher zugegeben werden). Prüfen Sie dabei von Zeit zu Zeit die Flüssigkeit mit einem Universalindikatorpapier. Filtrieren Sie den Kationenaustauscher ab, geben Sie das Filtrat in eine Kristallisierschale und lassen Sie diese einige Tage stehen.

Auswertung: a) Versuchen Sie für die abgelaufenen Reaktionen Reaktionsgleichungen aufzustellen.
b) Berechnen Sie anhand der Masse des im Versuch erhaltenen Calciumcitrats den Gehalt an Citronensäure in der Probe.
c) Beschreiben Sie das Aussehen der Citronensäurekristalle.

B 1 Isolierung von Citronensäure aus Zitronensaft

Versuch 2 Buttersäure aus Butter

Geräte und Chemikalien: Großes Reagenzglas, passender Stopfen, Reagenzglasklammer, Brenner, Spatellöffel, Butter, Kaliumhydroxid (Plätzchen), Ethanol (σ = 96 %), verdünnte Salzsäure, verdünnte Natronlauge, Universalindikatorlösung

Durchführung: Geben Sie ca. 1 cm hoch Ethanol in das Reagenzglas und fügen Sie eine kleine Portion Butter und 3 Kaliumhydroxidplätzchen hinzu. Erhitzen Sie vorsichtig mit dem Brenner (Schutzbrille! Vorsicht, Ethanoldämpfe könnten sich entzünden!) und lassen Sie die Flüssigkeit ca. zwei Minuten schwach sieden. Versetzen Sie anschließend mit einigen Tropfen Universalindikatorlösung und geben Sie verdünnte Salzsäure zu, bis die Lösung sauer ist. Führen Sie vorsichtig eine Geruchsprobe durch. Geben Sie danach sofort verdünnte Natronlauge zu, bis die Flüssigkeit alkalisch ist. Verschließen Sie das Reagenzglas mit dem Stopfen, schütteln Sie kräftig und wiederholen Sie anschließend die Geruchsprobe.

Auswertung: a) Beschreiben Sie die Beobachtungen bei dem Versuch.
b) Geben Sie eine Erklärung für die Geruchsänderung nach der Neutralisation.
c) Geben Sie für die Reaktion der Buttersäure bei der Neutralisation eine Reaktionsgleichung an.

Versuch 3 Unterscheidung gesättigter und ungesättigter Fettsäuren

Geräte und Chemikalien: 3 Reagenzgläser, Reagenzglasklammer, Brenner, Spatel, Natriumcarbonat, Kaliumpermanganat, Stearinsäure, Ölsäure

Durchführung: Stellen Sie mit einigen Kriställchen Kaliumpermanganat eine Lösung her, die nur schwach violett gefärbt sein soll. Geben Sie zu ca. 10 ml dieser Lösung einen Spatel Natriumcarbonat und lösen Sie durch Schütteln. Geben Sie in je ein Reagenzglas einige Tropfen Ölsäure bzw. etwa die gleiche Menge Stearinsäure. Füllen Sie in diese Reagenzgläser jeweils ca. 2 cm hoch Kaliumpermanganatlösung und erhitzen Sie etwa eine Minute in der Brennerflamme.

Auswertung: Beschreiben Sie die Beobachtungen.

Versuch 4 Verhalten von Wein- und Citronensäure gegenüber Eisen- und Kupfersalzen

Geräte und Chemikalien: Reagenzgläser, Spatel, Weinsäure, Brausepulver, Citronensäure, Universalindikatorpapier, verdünnte Natronlauge, dest. Wasser

Durchführung: a) Stellen Sie in je einem Reagenzglas einige Milliliter stark verdünnte Kupfer(II)-sulfat- bzw. Eisen(III)-chlorid-Lösung her. Fügen Sie jeweils verdünnte Natronlauge zu, bis die Lösung alkalisch ist. Prüfen Sie dies mit Indikatorpapier.
b) Verfahren Sie wie in (a), versetzen Sie die Lösungen jedoch vor der Zugabe von Natronlauge mit je einem Spatel Brausepulver.
c) Versetzen Sie die beiden Reagenzgläser aus (a) mit je einem Spatel Brausepulver und schütteln Sie.
d) Wiederholen Sie die Versuche (b) und (c) mit Weinsäure bzw. Citronensäure oder „Bio-Kalklöser“ anstelle von Brausepulver.

Auswertung: Beschreiben Sie die Beobachtungen bei den Versuchen und die jeweilige Auswirkung des Zusatzes von Brausepulver bzw. der Wein- oder Citronensäure.

Versuch 5 Bestimmung des Säuregehalts in Sauerkrautsaft

Geräte und Chemikalien: Erlenmeyerkolben (200 ml, weit), Bürette, Pipette (10 ml), Pipettierhilfe, Glastrichter, Natronlauge (c = 0,1 mol/l), Phenolphthaleinlösung (w = 2 %), Sauerkrautsaft, dest. Wasser

Hinweis: Sauerkrautsaft enthält vorwiegend Milchsäure.

Durchführung: Geben Sie 10 ml Sauerkrautsaft in den Erlenmeyerkolben, verdünnen Sie mit Wasser auf ca. 50 ml und setzen Sie 5 Tropfen Phenolphthaleinlösung zu. Notieren Sie den Stand der Natronlauge in der Pipette und titrieren Sie, bis eine bleibende Rosa-Orange-Färbung eintritt. Lesen Sie den Stand der Natronlauge in der Bürette ab.

Auswertung: Berechnen Sie die Stoffmenge der Milchsäure in der Probe und deren Konzentration. Berechnen Sie ferner den Massenanteil der Milchsäure im Sauerkrautsaft. Gehen Sie dabei von einer Dichte des Saftes von ϱ = 1 g/ml aus.

Versuch 6 Zersetzung von Eisen(II)-oxalat

Geräte und Chemikalien: 2 Reagenzgläser, durchbohrter Stopfen, gewinkeltes Gasableitungsrohr, Brenner, Reagenzglasklammer, Spatel, feuerfeste Unterlage (ca. 40 cm x 40 cm), Eisen(II)-oxalat, Kalkwasser

Durchführung:
Füllen Sie in ein Reagenzglas ca. 3 cm hoch Eisen(II)-oxalat und setzen Sie den Stopfen mit dem Gasableitungsrohr auf. Erhitzen Sie das Reagenzglas in der Brennerflamme und führen Sie das Gasableitungsrohr in das zweite Reagenzglas mit Kalkwasser. Sobald in dem Kalkwasser eine Veränderung eintritt, erhitzen Sie ohne das Gasableitungsrohr noch einige Minuten weiter. Schütten Sie dann den noch heißen Inhalt des Reagenzglases bei abgedunkeltem Raum aus ca. 50 cm Höhe auf die feuerfeste Unterlage.

Auswertung:
a) Beschreiben Sie die Beobachtungen bei dem Versuch.
b) Nennen Sie die bei dem Versuch entstehenden Reaktionsprodukte und formulieren Sie eine Reaktionsgleichung.
c) Geben Sie eine Erklärung für die beim Ausschütten des Reagenzglasinhaltes auftretende Erscheinung.

B2 Pyrophores Eisen aus Eisen(II)-oxalat

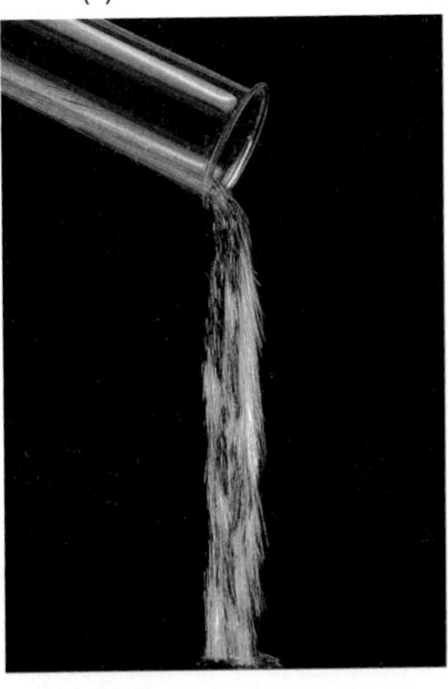

B3 Brausepulver enthält Weinsäure

14.11 Ester

V 1 Herstellung von Estern. Mischen Sie in Reagenzgläsern: a) je 2 ml Ethanol und Ethansäure, b) je 2 ml 1-Butanol und Ethansäure, c) 2,5 ml Ethanol und 2 ml Butansäure (Abzug!), d) je 2,5 ml 1-Pentanol und Pentansäure. Geben Sie zu jedem der Gemische einige Tropfen konzentrierte Schwefelsäure (Vorsicht! Schutzbrille!), schütteln und erwärmen Sie. Gießen Sie anschließend das Gemisch in ein Becherglas mit verdünnter Natronlauge.

V 2 Esterspaltung. Erhitzen Sie 2 ml Oxalsäurediethylester mit 50 ml Wasser etwa 15 min unter Rückflusskühlung. Zu zwei Proben des Reaktionsgemisches geben Sie Universalindikator- bzw. Calciumchloridlösung.

V 3 Alkalische Esterhydrolyse. Geben Sie 2 ml Essigsäureethylester und 5 ml Natronlauge (c = 2 mol/l) und einige Tropfen Phenolphthaleinlösung in ein Reagenzglas und markieren Sie die Phasengrenze.
Verschließen Sie das Reagenzglas mit einem Stopfen und Steigrohr und erwärmen Sie im Wasserbad auf ca. 50 °C.

Funktionelle Gruppen sind reaktionsfähige Stellen organischer Moleküle, die entscheidend die Eigenschaften und das Reaktionsverhalten der Stoffe beeinflussen. Durch Reaktionen zwischen Molekülen mit verschiedenen funktionellen Gruppen lässt sich eine Vielzahl neuer Stoffe synthetisieren. Als eine mögliche Kombination betrachten wir die Reaktion eines Alkohols mit einer Carbonsäure am Beispiel von Ethanol und Ethansäure. Dieses *Prinzip der organischen Synthese* lässt sich auch auf andere Stoffgruppen anwenden.

Herstellung von Ethansäureethylester. Erhitzt man ein Gemisch von Ethansäure, Ethanol und konzentrierter Schwefelsäure (▷ V 1) und gießt das Gemisch auf Wasser, so bilden sich sofort zwei Flüssigkeitsschichten. Ein eigenartiger Geruch, der an Alleskleber erinnert, ist deutlich wahrnehmbar. Ethansäure und Ethanol reagieren unter dem katalysierenden Einfluss von konzentrierter Schwefelsäure zu *Ethansäureethylester* und Wasser (▷ B 2a).

Carbonsäureester. Auch andere Alkohole und Carbonsäuren reagieren unter dem katalytischen Einfluss von konzentrierter Schwefelsäure zu **Estern** und Wasser (▷ B 2b).
Der Name eines Carbonsäureesters setzt sich zusammen aus dem Namen der Carbonsäure, dem Namen für den Alkylrest des Alkohols und der Bezeichnung „-ester". Carbonsäureester enthalten als charakteristische Gruppe die Atomgruppe –COOR (R = Alkylrest des Alkoholmoleküls).
Die Bildung von Estern kann man sich formal durch Abspaltung von Wassermolekülen aus den beiden funktionellen Gruppen vorstellen (▷ B 2).

Alkohole und Carbonsäuren reagieren zu Estern und Wasser. Die Esterbildung ist eine unvollständig ablaufende Kondensationsreaktion. Es stellt sich ein chemisches Gleichgewicht ein.

Esterspaltung. Den Gleichgewichtszustand, der sich bei der Esterbildung einstellt, erhält man auch durch Erhitzen eines Esters mit Wasser (Esterspaltung, ▷ V 2). Zur vollständigen Spaltung eines Esters setzt man alkalische Lösungen ein, mit denen neben dem Alkohol die Salze der Carbonsäuren entstehen (▷ V 3). Eine solche Esterspaltung nennt man auch *Verseifung*, da man auf diese Weise aus Fetten Seife herstellen kann (↗ Kap. 18.1).

B 1 Ester als Aromastoffe

Name	Aroma
Ethansäure-pentylester	Banane
Propansäure-butylester	Rum
Butansäure-methyleser	Ananas
Butansäure-pentylester	Birne
Pentansäure-pentylester	Apfel

B 2 Esterbildung. a) Bildung von Ethansäureethylester. b) Allgemeine Esterbildung

a)

$$H_3C-C(=O)-O-H + H-O-CH_2-CH_3 \rightleftharpoons H_3C-C(=O)-O-CH_2-CH_3 + H-O-H$$

$$H_3C-C(=O)-O-H + H-O-C_2H_5 \rightleftharpoons CH_3-C(=O)-O-C_2H_5 + H_2O$$

Ethansäure + Ethanol ⇌ Ethansäureethylester + Wasser

b)

$$R-C(=O)-O-H + H-O-R' \underset{\text{Esterspaltung}}{\overset{\text{Esterbildung}}{\rightleftharpoons}} R-C(=O)-O-R' + H_2O$$

Carbonsäure + Alkohol ⇌ Ester + Wasser

Eigenschaften und Verwendung von Carbonsäureestern. Ester sind im Allgemeinen nur wenig wasserlöslich. Die niederen Alkansäurealkylester weisen eine etwas bessere Löslichkeit auf, da deren Moleküle über die Carbonylgruppe zu Wassermolekülen Wasserstoffbrücken ausbilden. Mit größer werdendem Alkylrest geht dieser Einfluss zurück. Alle Ester besitzen eine gute Löslichkeit in Benzin. Da Estermoleküle untereinander keine Wasserstoffbrücken ausbilden können, liegen die Siedetemperaturen der Ester tiefer als die von Alkoholen bzw. Carbonsäuren ähnlicher Elektronenanzahl und Oberfläche. Ester aus *niederen* Carbonsäuren und *niederen* Alkoholen werden wegen ihres fruchtartigen Geruchs als Duft- und Aromastoffe verwendet (▷ B1). Daneben sind diese Ester wichtige Lösungsmittel für Lacke, Farben und Klebstoffe. Wachse (z. B. Bienenwachs) sind Ester *höherer* Carbonsäuren und *höherer* Alkohole. Fette sind Ester höherer Carbonsäuren und des Glycerins (↗ Kap. 16.1).

Ester anorganischer Säuren. Alkohole können auch mit anorganischen Säuren, wie z. B. Salpeter-, Schwefel- und Phosphorsäure, Ester bilden (▷ B3). Der Sprengstoff *„Nitroglycerin"*, die explosive Komponente von Dynamit, ist der Trisalpetersäureester des Glycerins. Auch *„Schießbaumwolle"* (Nitrocellulose) ist ein Salpetersäureester.
Durch Reduktion von Fettsäuren erhält man höhere Alkohole (Fettalkohole), die mit Schwefelsäure zu *Fettalkoholsulfaten* reagieren. Die Natriumsalze dieser Ester sind waschaktive Substanzen (↗ Kap. 18.4). *Phosphorsäureester* spielen im Organismus eine bedeutende Rolle. Sowohl im *Adenosintriphosphat* (ATP, ↗ Kap. 16.21), das als Energieüberträger im Zellstoffwechsel fungiert, als auch in der *Desoxyribonucleinsäure* (DNA, ↗ Kap. 16.18) liegen Esterbindungen zwischen Phosphorsäuremolekülen und Hydroxylgruppen von Zuckermolekülen vor.

B3 Ester anorganischer Säuren

DNA

Nitroglycerin

$CH_3(CH_2)_{15}-\overline{O}-SO_3^-\ Na^+$

Palmitylsulfat

—B = Organische Base (Thymin, Guanin, Adenin, Cytosin)

Exkurs: Reaktionsmechanismen der Esterbildung und Verseifung

Veresterung. Die durch Säuren katalysierte Veresterung primärer Alkohole erfolgt in mehreren Reaktionsschritten. Zunächst wird ein Proton, das z. B. von einem Schwefelsäuremolekül abgegeben wird, von dem Sauerstoffatom der Carbonylgruppe aufgenommen. Dadurch entsteht ein Teilchen mit einem positiv geladenen Kohlenstoffatom (Carbokation):

$$R-C(=\overline{O})-\overline{O}-H + H^+ \rightleftharpoons R-\overset{+}{C}(-\overline{O}-H)-\overline{O}-H$$

Carbokation

Ein Alkoholmolekül kann nun mit einem freien Elektronenpaar des Sauerstoffatoms eine Bindung zum Carbokation ausbilden, das entstehende Teilchen besitzt ein positiv geladenes Sauerstoffatom (Oxoniumion):

$$R-\overset{+}{C}(-\overline{O}-H)-\overline{O}-H + H-\overline{O}-R' \rightleftharpoons R-C(-\overline{O}-H)(-\overline{O}-H)-\overset{+}{O}(H)-R'$$

Oxoniumion

Im nächsten Reaktionsschritt wird zunächst ein Proton auf das Sauerstoffatom der Hydroxylgruppe übertragen, anschließend erfolgt die Abspaltung eines Wassermoleküls. Dadurch entsteht erneut ein Carbokation:

$$R-C(-\overline{O}-H)(-\overline{O}-H)-\overset{+}{O}(H)-R' \rightleftharpoons R-C(-\overset{+}{O}H_2)(-\overline{O}-H)-\overline{O}-R' \rightleftharpoons R-\overset{+}{C}(-\overline{O}-H)-\overline{O}-R' + H_2O$$

Carbokation

Im letzten Schritt gibt das Carbokation ein Proton ab, es entsteht das Estermolekül:

$$R-\overset{+}{C}(-\overline{O}-H)-\overline{O}-R' \rightleftharpoons R-C(=\overline{O})-\overline{O}-R' + H^+$$

Das im letzten Schritt abgegebene Proton wird vom Säurerest des Katalysators (z. B. HSO_4^-) aufgenommen, der sich dadurch zurückbildet.

Verseifung. Auch die alkalische Esterspaltung verläuft in mehreren Schritten. Ein Hydroxidion bildet eine Bindung zum Kohlenstoffatom der Carbonylgruppe des Estermoleküls aus, das entstehende Teilchen spaltet ein Alkoholation ab, dabei entsteht ein Carbonsäuremolekül:

$$R-C(=\overline{O})-\overline{O}-R' + {}^-|\overline{O}-H \rightleftharpoons R-C(-\overline{O}-H)(-\overline{O}|^-)-\overline{O}-R'$$

$$R-C(-\overline{O}-H)(-\overline{O}|^-)-\overline{O}-R' \rightleftharpoons R-C(=\overline{O})-\overline{O}-H + {}^-|\overline{O}-R'$$

Zwischen dem Alkoholation und dem Carbonsäuremolekül findet ein Protonenübergang statt, sodass letztlich ein Alkoholmolekül und ein Carboxylation entstehen:

$$R-C(=\overline{O})-\overline{O}-H + {}^-|\overline{O}-R' \longrightarrow R-C(=\overline{O})-\overline{O}|^- + H-\overline{O}-R'$$

Bei diesem letzten Reaktionsschritt handelt es sich um eine praktisch vollständig ablaufende Reaktion. Aus diesem Grund werden Ester durch alkalische Hydrolyse vollständig gespalten, während die säurekatalysierte Esterbildung immer zu einem Gleichgewicht führt.

14.12 Überprüfung und Vertiefung

primäres Alkanol	$R{-}CH_2{-}OH$	Oxidation →	$R{-}C(=\overline{O}|){-}H$	Oxidation →	$R{-}C(=\overline{O}|){-}OH$
sekundäres Alkanol	$R{-}CH(R'){-}OH$	Oxidation →	$R{-}C(=\overline{O}|){-}R'$	Oxidation ⇸	
tertiäres Alkanol	$R{-}C(R'')(R'){-}OH$	Oxidation ⇸			

B1 Zu Aufgabe 2

1 Methanol kann man durch Reaktion von Monoiodmethan mit Kalilauge herstellen. Formulieren Sie für diese Reaktion die Reaktionsgleichung und den Reaktionsmechanismus mit Begründung.

2 Erläutern und begründen Sie das in ▷ B1 dargestellte Schema für die Oxidation von Alkoholen. Welche Produkte ergeben sich in dieser Oxidationsreihe, wenn man von Methanol ausgeht?

3 Beim Erhitzen von Dipropylether mit Iodwasserstoffsäure entstehen 1-Propanol und 1-Iodpropan. Formulieren Sie hierfür die Reaktionsgleichung und versuchen Sie eine mechanistische Deutung.

4 Beim Erwärmen von 2-Propanol mit konzentrierter Schwefelsäure entsteht ein Gas, das Bromwasser rasch entfärbt. Um welches Gas handelt es sich? Formulieren Sie die Reaktionsgleichung. Wie bezeichnet man diesen Reaktionstyp?

5 Erklären Sie folgenden Sachverhalt: Wenn man 1-Propanol und konzentrierte Salzsäure zusammengibt und erwärmt, erfolgt eine Reaktion zu 1-Chlorpropan. Führt man dies analog mit konzentrierter Natriumchloridlösung und 1-Propanol durch, so läuft keine Reaktion ab. Nach Zusatz von verdünnter Schwefelsäure erfolgt eine Reaktion zu 1-Chlorpropan.

6 Beurteilen Sie die Verwendung von Methanol und Ethanol als Treibstoffe hinsichtlich des Ausstoßes des Treibhausgases Kohlenstoffdioxid.

7 Bei der Borsäureprobe mit Methanol (↗ Kap. 14.2) bildet sich der flüchtige Borsäuretrimethylester. Zeichnen Sie die Strukturformel dieses Esters (Formel der Borsäure: $B(OH)_3$).

8 Propenal (Acrolein) entsteht nicht nur beim Überhitzen von Fett, sondern auch durch Erhitzen von Glycerin mit Wasser entziehenden Stoffen (z. B. Kaliumhydrogensulfat). Formulieren Sie eine Reaktionsgleichung für die Entstehung von Propenal aus Glycerin.

9 Kohlenstoffdioxid kann als Carbonylverbindung betrachtet werden. Welches Produkt entsteht bei der Addition von Wasser? Machen Sie eine Aussage über die Beständigkeit des Reaktionsprodukts.

10 2-Ketopropansäure (Brenztraubensäure), die beim Zuckerabbau entsteht, spielt eine zentrale Rolle im Stoffwechsel.
a) Zeichnen Sie die Strukturformel der 2-Ketopropansäure.
b) Manche Bakterien können die Brenztraubensäure reduzieren. Welcher Stoff entsteht hierbei? Wie nennt man diese Reaktion, die bei der Herstellung mancher Lebensmittel eine Rolle spielt?
c) Hefepilze spalten aus dem Brenztraubensäuremolekül zunächst ein Kohlenstoffdioxidmolekül ab, das dadurch entstehende Molekül wird anschließend reduziert. Welcher Stoff entsteht letztlich? Wie nennt man diesen biochemischen Vorgang?

11 Formulieren Sie die Reaktionsgleichung für die Hydrierung von Ölsäure. Benennen Sie das Reaktionsprodukt.
Welche Stoffeigenschaft ändert sich durch die Hydrierung besonders? Geben Sie dafür eine Erklärung.

12 Als Dicarbonsäure kann die Oxalsäure zwei Reihen von Salzen bilden. Benennen Sie die möglichen Kaliumsalze der Oxalsäure. Wie lauten deren Formeln?

Wichtige Begriffe

Alkoholische Gärung, Hydroxylgruppe, Alkoholmissbrauch, primäre, sekundäre und tertiäre Alkanole, Alkanole als Treibstoffe, Alkoholatbildung, nucleophile Substitution (S_N1, S_N2), Eliminierungsreaktion, Dehydratisierung, Kondensationsreaktion, mehrwertige Alkohole, Erlenmeyer-Regel, Ether, Alkanale, Aldehyde, Alkanone, Ketone, Carbonylgruppe, Silberspiegelprobe, nucleophile Addition, Essigsäure, Carbonsäuren, Carboxylgruppe, Mesomerie, Alkansäuren, Fettsäuren, Hydroxycarbonsäuren, Ester, Veresterung, Esterspaltung

Ein delokalisiertes System von $4n + 2$ Ringelektronen wird dann angenommen, wenn sich Grenzformeln formulieren lassen, in deren Ringsystem sich Einfach- und Doppelbindungen abwechseln.
Im Naphthalinmolekül sind formal zwei Benzolringe so miteinander verbunden, dass sie gemeinsame Kohlenstoffatome besitzen (▷ B3). Die Zahl der Ringelektronen beträgt zehn und folgt damit der Hückel-Regel ($n = 2$). Die Moleküle vieler Natur- und Farbstoffe weisen solche miteinander verbundenen Benzolringe auf.
Enthält ein Molekül neben Kohlenstoffatomen auch andere Atome im Ring (z. B. Schwefel- oder Stickstoffatome) und genügt es der Hückel-Regel, so spricht man von einem *Heteroaromaten* (▷ B3). In diesen Molekülen ist ein freies Elektronenpaar des Heteroatoms am delokalisierten Ringelektronensystem beteiligt.

A 1 Erklären Sie, warum Cyclopentadien und Cycloheptatrien keine Aromaten sind.

A 2 Erläutern Sie, warum Anthracen, Phenanthren und Pyridin zu den Aromaten gehören. Zeichnen Sie deren mesomere Grenzformeln.

A 3 Zeichnen Sie die unten stehenden Ringsysteme in Ihr Heft und tragen Sie Doppelbindungen ein. Zeigen Sie, dass nur in einem Fall ein Hückelaromat entsteht.

Exkurs: Beschreibung des Benzolmoleküls durch das Orbitalmodell

Nach den Erkenntnissen der modernen Strukturaufklärung bilden die C-Atome im *Benzolmolekül* ein *ebenes, gleichseitiges Sechseck*, die Bindungswinkel betragen 120°. Alle C–C-Bindungen weisen eine *einheitliche Länge* von 139 pm auf (↗ Kap. 15.1, ▷ B6). Die ebene Struktur und der regelmäßige Bau des Benzolmoleküls lassen sich mit dem **Orbitalmodell** (↗ Kap. 2.15) beschreiben.
Dazu wird die sp^2-Hybridisierung eines jeden C-Atoms im Molekül angenommen. Die drei sp^2-Hybridorbitale liegen in einer Ebene und bilden einen Winkel von 120°. Zwei Hybridorbitale eines C-Atoms bilden durch Überlappung mit den Hybridorbitalen der beiden benachbarten C-Atome jeweils eine σ-Bindung. Eine dritte σ-Bindung kommt durch Kombination mit dem s-Orbital eines Wasserstoffatoms zustande. Damit bilden die sechs Kohlenstoffatome und die sechs Wasserstoffatome das σ-Bindungsgerüst des Benzolmoleküls (▷ unten links). Die sechs p-Orbitale, die nicht zur Hybridisierung herangezogen werden, stehen senkrecht zu dieser Ebene (▷ unten Mitte).
Würden diese p-Orbitale paarweise überlappen, so ergäben sich drei konjugierte C–C-Doppelbindungen. Zur Erklärung der festgestellten Gleichartigkeit aller C–C-Bindungen im Benzolmolekül nimmt man folglich an, dass alle sechs p-Orbitale zu einem geschlossenen ringförmigen π-Elektronensystem oberhalb und unterhalb der Molekülebene überlappen (▷ unten rechts). Die Ladungsdichte der π-Wolke ist für alle C–C-Bindungen gleich: Alle C–C-Bindungen des Benzolringes haben damit denselben π-Bindungsanteil und sind damit weder Einfach- noch Doppelbindungen. Da sich die π-Elektronen nicht jeweils einer Bindung zuordnen lassen, sondern über den ganzen Ring verteilt sind, spricht man auch von einem **delokalisierten π-Elektronensystem.** Dieser Zustand der Orbitale der sechs C-Atome des Benzolmoleküls stellt den *energieärmsten Bindungszustand* dar (▷ B1).

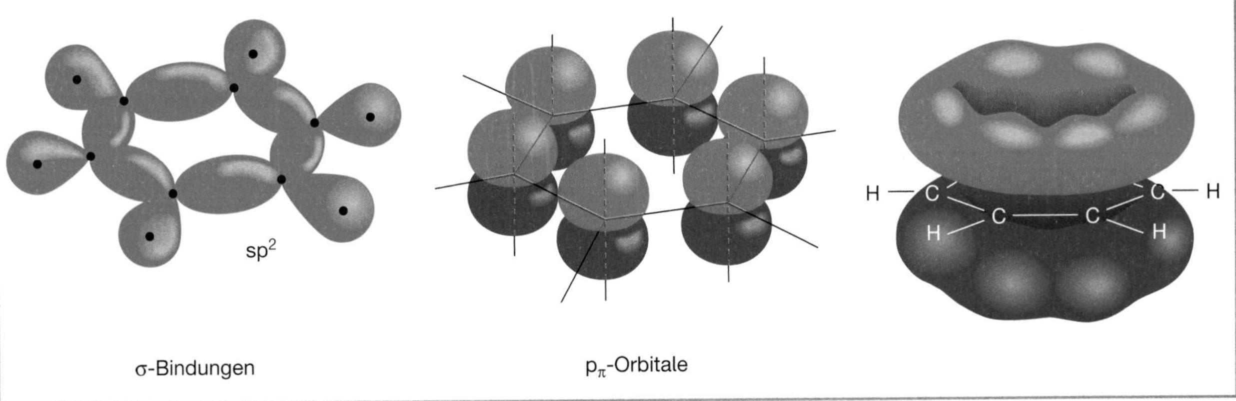

σ-Bindungen

p_π-Orbitale

15.3 Elektrophile Substitution

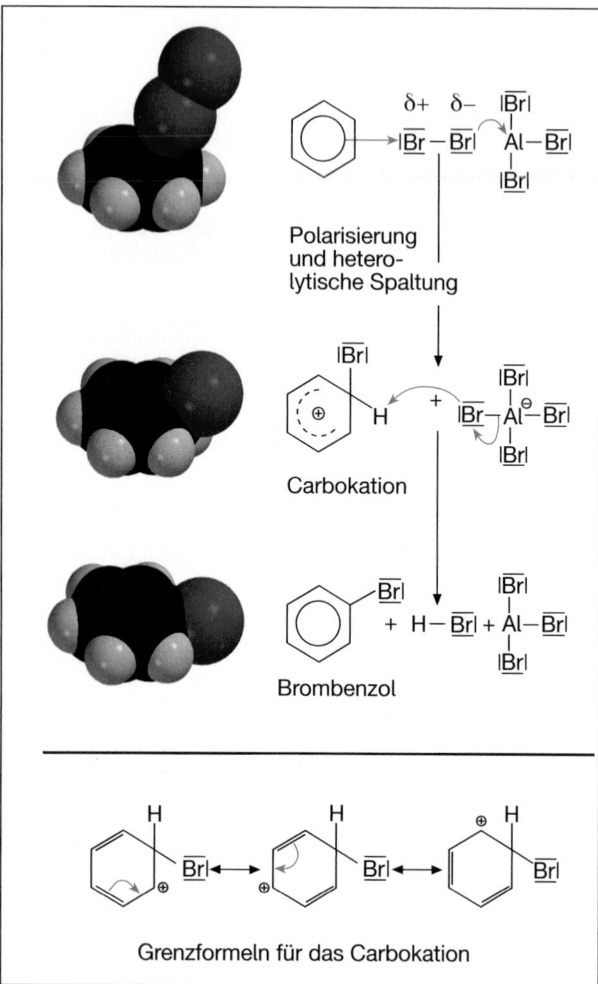

B1 Elektrophile Substitution am Beispiel der Bromierung von Benzol

B2 Enthalpiediagramm der Bromierung von Benzol

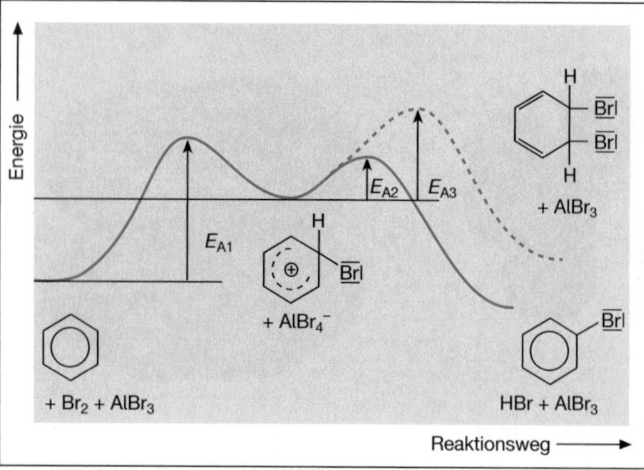

Versetzt man Benzol mit Brom, so erhält man eine rotbraune Lösung. Erst in Gegenwart von Aluminiumbromid oder Eisen(III)-bromid als Katalysator entfärbt sich die Lösung, und es erfolgt eine Reaktion. Dabei entstehen Brombenzol und Bromwasserstoff. Es läuft also eine *Substitutionsreaktion* und keine Addition ab.

Elektrophile Substitution (S_E-Reaktion). Ähnlich wie bei der Bromierung eines Alkens (↗ Kap. 13.11) tritt zunächst ein Brommolekül mit den delokalisierten Ringelektronen eines Benzolmoleküls in Wechselwirkung und wird polarisiert. Die für die Reaktion notwendige heterolytische Spaltung des Brommoleküls erfolgt im Falle des Benzols nur mithilfe eines Katalysators (▷ B1): Das gebildete Bromidion wird von einem Aluminiumbromidteilchen gebunden; das Bromkation, ein starkes *Elektrophil*, addiert sich an den Ring. (Bei der Beschreibung des Vorgangs durch das Orbitalmodell spricht man von einem π-Komplex.)

Im folgenden Schritt bildet sich ein *Carbokation*. Dazu muss die Delokalisierung der Ringelektronen teilweise aufgehoben werden. Das Carbokation ist ein nicht aromatischer Übergangszustand, bei dem an einem Kohlenstoffatom des Benzolmoleküls je ein Brom- und ein Wasserstoffatom gebunden sind (▷ B1). Die positive Ladung, die vom Bromkation stammt, wird gleichmäßig auf die Kohlenstoffatome des Ringsystems übertragen, sie ist delokalisiert. Dadurch wird das gesamte Teilchen stabilisiert.

Das Carbokation reagiert im letzten Schritt unter Abgabe eines Protons mit dem Aluminiumbromidion, wodurch das aromatische System wieder entsteht. Es bilden sich Brombenzol, Bromwasserstoff und Aluminiumbromid. Aluminiumbromid hat somit als Katalysator gewirkt. Mit Eisen(III)-bromid als Katalysator verläuft die Reaktion analog. Da die Reaktion durch ein starkes Elektrophil ausgelöst wird, nennt man sie eine *elektrophile Substitution*.

Das Carbokation könnte auch wie bei der elektrophilen Addition an Alkene ein Bromidion addieren, bei dieser Reaktion entstünde dann ein Dibromcyclohexadienmolekül (▷ B2), welches kein aromatisches Molekül und daher wesentlich energiereicher wäre. Durch die Abspaltung eines Protons entsteht wieder das delokalisierte Ringelekronensystem und damit der besonders stabile aromatische Zustand. Dies ist ein wichtiger Grund dafür, dass die Substitution gegenüber der Addition bevorzugt ist.

Die elektrophile Substitution ist die charakteristische Reaktion des Benzols und anderer Aromaten. Sie ist ein weiteres Kriterium für den aromatischen Zustand.

Bisher wurde hauptsächlich die Elektronenverteilung in den Ausgangsmolekülen betrachtet. Für die Geschwindigkeit und den Ort der Zweitsubstitution ist aber die Stabilität des *Carbokations* entscheidender, da die Bildung dieses Teilchens bei den meisten elektrophilen Substitutionen der Schritt der Reaktion ist, der die meiste Aktivierungsenergie erfordert (↗ Kap. 15.3, ▷ B 2).

Der Einfluss der Stabilität des Carbokations auf die Zweitsubstitution. Für einen Erstsubstituenten, der einen +M-Effekt ausübt (z. B. die OH-Gruppe), zeigen die Grenzformeln der Carbokationen für mögliche Zweitsubstitutionen, dass bei der Bindung des elektrophilen Teilchens in o- oder p-Stellung eine vierte Grenzformel formuliert werden kann (▷ B 2). Hier hat der Erstsubstituent die positive Ladung übernommen, ohne dabei sein Elektronenoktett zu verlieren. Dies bedeutet, dass die positive Ladung über den Ring hinaus und damit über einen größeren Raum delokalisiert ist. Die Zweitsubstitution in o- bzw. p-Stellung führt damit zu einem stabileren Carbokation als eine Zweitsubstitution in m-Stellung.

Das Aufstellen von mesomeren Grenzformeln ist allerdings nicht willkürlich. Die Grenzformeln sollen energetisch ähnlich sein und jeweils die gleiche Zahl von Elektronenpaaren enthalten. Elektronenpaare dürfen nur schrittweise und in gleicher Richtung zwischen benachbarten Atomen verschoben werden.

Für eine Zweitsubstitution bei Anwesenheit eines Substituenten mit –M-Effekt (z. B. die Nitrogruppe) lassen sich drei Carbokationen mit jeweils drei mesomeren Grenzformeln formulieren (▷ B 3). Ein Vergleich dieser Grenzformeln zeigt aber, dass sich bei der Bindung des Elektrophils in o- oder p-Stellung zur Nitrogruppe jeweils eine Formel findet, bei der das Stickstoffatom und das benachbarte C-Atom jeweils eine positive Ladung tragen. Eine derartige Häufung gleicher Ladungen ist energetisch ungünstig, die entsprechenden Carbokationen sind weniger stabil.

Zweitsubstitution bei Toluol. Stellt man für die drei Substitutionsmöglichkeiten am Toluolmolekül Grenzformeln für die Carbokationen auf, so ergibt sich, dass in o- bzw. p-Stellung an dem C-Atom des Ringes, das mit der Methylgruppe verbunden ist, eine positive Ladung auftritt. Durch den +I-Effekt der Methylgruppe wird diese aber verringert. Daher erfolgt auch hier bevorzugt Zweitsubstitution in o- bzw. p-Stellung.

Erstsubstituenten mit einem –M-Effekt dirigieren vorzugsweise in meta-Stellung. Erstsubstituenten mit einem +M-Effekt oder mit einem +I-Effekt dirigieren in ortho- bzw. para-Stellung.

A 1 Die Bromierung von Toluol (Methylbenzol) führt überweigend zu o- und p-Bromtoluol. Formulieren Sie die Grenzfomeln der Carbokationen für die drei Möglichkeiten der Zweitsubstitution. Begründen Sie, warum überwiegend ortho- und para-Produkte entstehen.

A 2 Die Bromierung von Phenol in alkalischer Lösung erfolgt sehr viel schneller als in saurer Löusung. Begründen Sie.

A 3 Erklären Sie mithilfe von Grenzformeln für die Carbokationen, warum Brombenzol bei weiterer Bromierung in ortho- bzw. para-Stellung bromiert wird.

A 4 Erklären Sie die Tatsache, dass im Falle von Substituenten 1. Ordnung die Ausbeute an para-Produkten gewöhnlich die an ortho-Produkten übertrifft.

A 5 Um m-Nitrophenol darzustellen wird zuerst Nitrobenzol mit Aluminiumchlorid als Katalysator chloriert. Formulieren Sie den Reaktionsmechanismus. Das Produkt wird anschließend mit konzentrierer Kalilauge gekocht. Formulieren Sie die Reaktionsgleichung. Erklären Sie, warum m-Nitrophenol nicht durch direkte Nitrierung von Phenol synthetisiert werden kann.

B 3 Grenzformeln der Carbokationen für Substituenten 2. Ordnung am Beispiel der Nitrierung von Nitrobenzol

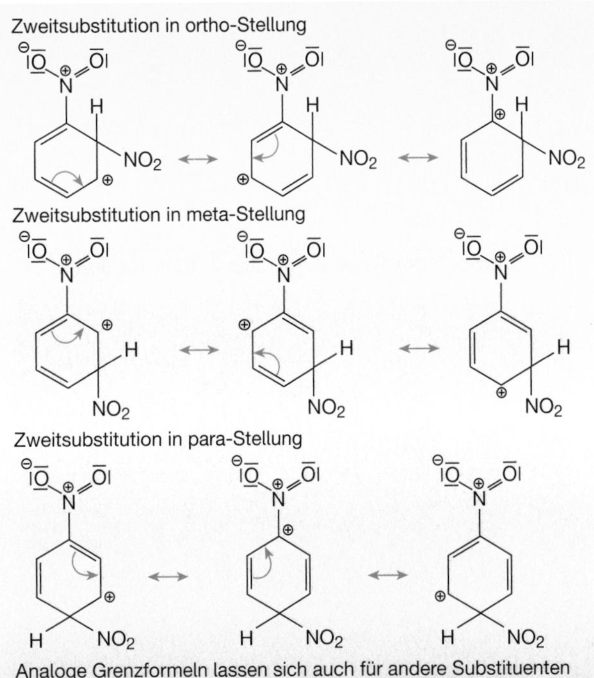

Analoge Grenzformeln lassen sich auch für andere Substituenten 2. Ordnung aufstellen wie etwa für -SO_3H, -COOH, -CHO.

15.8 Weitere aromatische Verbindungen

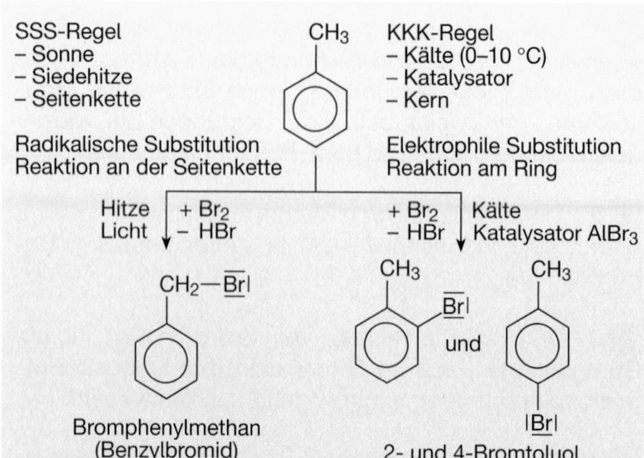

B 1 Substitutionsreaktionen an Alkylbenzolen können an der Seitenkette oder am Ring (Kern) des Moleküls erfolgen.

V 1 Bromierung von Toluol am Kern und an der Seitenkette. Man versetzt in zwei Kolben je 8 ml Toluol mit einigen Tropfen Brom (Abzug! Schutzbrille!).
a) Die erste Lösung bleibt nach Zugabe einer Spatelspitze Eisenpulver einige Minuten im Dunkeln stehen.
b) Die Lösung im zweiten Glas wird einige Minuten mit weißem Licht bestrahlt (Vorsicht! Abzug!).
Nach erfolgter Reaktion führt man in beiden Kolben einen Bromwasserstoffnachweis durch.

V 2 Oxidation von Toluol. Man schüttelt einige Tropfen Toluol mit 10 ml verd. Kaliumpermanganatlösung und einigen Tropfen konz. Schwefelsäure kräftig. Die Lösung wird anschließend schwach erwärmt. Man prüft vorsichtig den Geruch (Schutzbrille! Abzug!).

B 2 Oxidationen der Seitenkette des Toluolmoleküls

Toluol (Methylbenzol, Phenylmethan) → Benzylalkohol (Phenylmethanol) → Benzaldehyd (Phenylmethanal) → Benzoesäure (Benzolcarbonsäure, Phenylmethansäure)

Im Folgenden werden einige Benzolderivate vorgestellt, die als viel verwendete Stoffe oder als Zwischenprodukte für technische Synthesen bedeutsam sind.

Alkylbenzole. Die wichtigsten Alkylbenzole, *Toluol* (Phenylmethan), *Ethylbenzol* und *Cumol*, sind farblose Flüssigkeiten. Das weniger giftige Toluol hat Benzol als Lösungsmittel in vielen Bereichen der Technik und Industrie verdrängt. Toluol darf bis zu einem Volumenanteil von 5 % im *Benzin* enthalten sein. Durch Nitrierung von Toluol lässt sich der Sprengstoff *2,4,6-Trinitrotoluol* (TNT) gewinnen.

Substitutionsreaktionen an Alkylbenzolen. Ist der Benzolring mit einer Seitenkette verbunden, können Substitutionsreaktionen am Benzolring – der auch als „Kern" bezeichnet wird – oder an der Seitenkette stattfinden. Welche der beiden möglichen Reaktionen abläuft (▷ V 1), hängt von den Bedingungen ab (▷ B 1).

Toluol lässt sich mit saurer Kaliumpermanganatlösung leicht zu einem Gemisch aus *Benzylalkohol* (Phenylmethanol), *Benzaldehyd* (Phenylmethanal) und *Benzoesäure* (Phenylmethansäure) oxidieren (▷ B 2, ▷ V 2).

Benzylalkohol ist in Jasminblüten und im Nelkenöl enthalten und wird für die Herstellung von Aromen und Kosmetika verwendet. An der Luft wird Benzylalkohol langsam zu *Benzaldehyd* oxidiert. Dieser ist in einigen Pflanzenölen enthalten und entsteht beim Abbau des *Amygdalins*, des Aromastoffs der bitteren Mandeln. Benzaldehyd ist eine ölige Flüssigkeit und wird besonders in Backwaren als Bittermandelaroma verwendet.
Wird Benzaldehyd an der Luft oxidiert, so kristallisiert *Benzoesäure* in glänzenden Nadeln aus (ϑ_{sm} = 122 °C). Die Säure wirkt auf Mikroorganismen stark giftig, für Menschen ist sie aber in kleinen Mengen unbedenklich. Benzoesäure ist deshalb als Konservierungsstoff in Lebensmitteln zugelassen. Es ist aber bekannt, dass dieser Stoff allergische Reaktionen hervorrufen kann.

Aromatische Dicarbonsäuren. Sind zwei Wasserstoffatome des Benzolringes durch Carboxylgruppen ersetzt, so liegt eine aromatische Dicarbonsäure vor. Die *Phthalsäure* (1,2-Benzoldicarbonsäure) und einige Phthalsäureverbindungen werden zur Herstellung von Farbstoffen, Kunststoffen und als Weichmacher für Kunststoffe verwendet. Die *Terephthalsäure* (1,4-Benzoldicarbonsäure) ist ein wichtiger Ausgangsstoff zur Herstellung von *Polyestern* (↗ Kap. 17.2) für Folien und Synthesefasern. Ein spezieller Polyester ist das *Polyethylenterephthalat* (PET), das wegen seiner hohen Festigkeit und guter Verschleißeigenschaften zur Herstellung von Mehrwegkunststoffflaschen dient.

15.9 Synthesen mit Benzol

Obwohl *Benzol* wegen seiner großen Giftigkeit als Lösungsmittel weitgehend ersetzt worden ist, bleibt es als Ausgangsstoff für Synthesen nach wie vor die wichtigste aromatische Verbindung. Im Jahr 1999 lag der Jahresverbrauch bei mehr als 30 Millionen Tonnen.

Die entscheidende Reaktion zur Herstellung von Benzolderivaten ist die elektrophile Substitution. Oft ist hierbei der Einsatz eines Katalysators nötig, der die Elektrophilie des Reaktionspartners verstärken oder überhaupt erst erzeugen soll.

Zu den wichtigsten Substitutionsprodukten des Benzols gehören neben Toluol auch Anilin und Phenol (↗ Kap.15.4), von denen Ende des 20. Jahrhunderts weltweit zwischen 2 und 3 Millionen Tonnen hergestellt wurden. Ein Teil davon dient zur Herstellung von Kunststoffen (▷ B 1).

Exkurs: Nomenklatur von Benzolderivaten
Der *Benzolrest* (C_6H_5-) als Substituent heißt Phenylgruppe, z. B. Phenylmethanol ($C_6H_5CH_2OH$).
Monosubstituierte Benzolderivate werden systematisch benannt, indem man den Namen des Substituenten vor Benzol stellt (oder sie behalten ihren Trivialnamen): z. B. Aminobenzol (Anilin), 1-Methylethylbenzol (Cumol).
Bei *disubstituierten Benzolderivaten* wird die Stellung der Substituenten durch die Vorsilbe ortho- (1,2-), meta- (1,3-) oder para- (1,4-) gekennzeichnet. Den Stammnamen bestimmt der Substituent mit dem höchsten Rang.
Rangfolge einiger Gruppen: -COOH, -SO_3H, -CHO, -OH, -NH_2, -CH_3. Es heißt also 4-Methylphenol (p-Kresol) und nicht 4-Hydroxytoluol; es heißt 2-Hydroxybenzoesäure (Salicylsäure) und nicht 2-Carboxyphenol.
Bei mehr als zwei Substituenten erfolgt die Aufzählung alphabetisch.

B 1 Benzol als wichtiger Ausgangsstoff für Synthesen

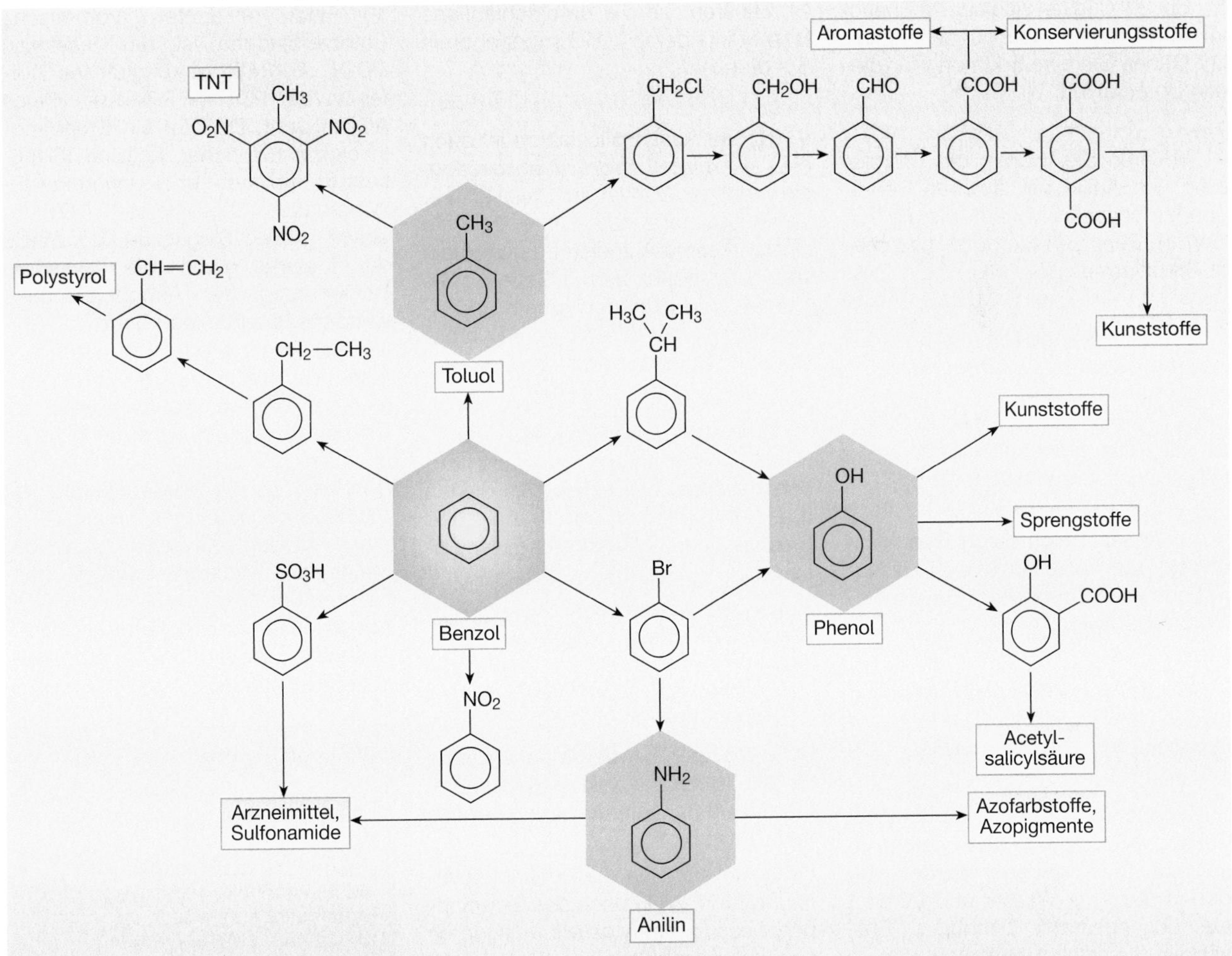

15.10 Überprüfung und Vertiefung

Pikrinsäure (2,4,6-Trinitrophenol)

Dichlor-**d**iphenyl-**t**richlorethan (DDT)

B1 Strukturformeln von Pikrinsäure und DDT. Zu Aufgabe 3 und 10

Strukturformel	$CH_3-\overline{N}H_2$	$CH_3-\overline{N}H-CH_3$	$C_6H_5-\overline{N}H_2$
Name	Methylamin	Dimethylamin	Anilin
pK_B-Werte	3,41	3,27	9,4

B2 pK_B-Werte einiger Amine im Vergleich. Zu Aufgabe 7

Sulfonamide, Derivate des *Sulfanilamids* (H_2N-C_6H_4-SO_2-NH_2), sind antibakteriell wirkende Arzneistoffe. Sie blockieren den Zellstoffwechsel von Bakterien, indem sie in einer Konkurrenzreaktion die p-Aminobenzoesäure ersetzen, die zum Aufbau eines Enzymbestandteils, der *Folsäure*, benötigt wird. Diese *kompetitive Hemmung* (von lat. competitor, Mitbewerber) vermindert daher das Wachstum bzw. die Vermehrung der Bakterien. Da eine Verdrängung der p-Aminobenzoesäure nur bei genügend hoher Sulfonamidkonzentration erfolgt, müssen die Arzneistoffe als „Stoß" in hohen Dosierungen gegeben werden.

1 Bei 20 °C lösen sich ca. 7 g Phenol in 100 ml Wasser, aber nur ca. 3 g Anilin. Geben Sie eine Erklärung für diesen Unterschied.

2 Erklären Sie, warum die Bromierung von Anilin bei gleichen Bedingungen schneller verläuft als die von Benzol. Benutzen Sie dazu mesomere Grenzformeln.

3 Erklären Sie die Unterschiede bei den folgenden pK_S-Werten:
pK_S (Phenol) = 9,95,
pK_S (4-Nitrophenol) = 7,16,
pK_S (2,4-Dinitrophenol) = 4,09,
pK_S (Pikrinsäure) = 0,25 (▷ B1).

4 Anilin lässt sich durch Reduktion von Nitrobenzol mit Zink und Salzsäure herstellen. Formulieren Sie die Reaktionsgleichung.

5 Warum kann Pikrinsäure ebenso wie 2,4,6-Trinitrotoluol (TNT) als Sprengstoff genutzt werden?

6 Ein Gemisch aus reiner Acetylsalicylsäure (ASS), Kochsalz und Stärke soll quantitativ getrennt werden. Sie dürfen dazu nur Wasser und Ethanol als Lösungsmittel benutzen. Entwickeln Sie einen Arbeitsplan.

7 Erklären Sie die unterschiedliche Basestärke der in ▷ B2 angegebenen Substanzen.

8 Neben Acetylsalicylsäure ist auch die *4-Amino-2-hydroxybenzoesäure* ein wichtiges Derivat der Salicylsäure. Diese Substanz sowie ihre Derivate sind wirksame Arzneistoffe gegen die Tuberkulosebakterien. Geben Sie Namen und Strukturformeln möglicher Ausgangsstoffe für eine Synthese dieser Substanz an.

9 *Aminobenzoesäuren* werden durch Reduktion der entsprechenden Nitrobenzoesäuren hergestellt. Sie dienen u. a. zur Synthese von Arznei- und Riechstoffen (Aminobenzoesäureester).

a) p-Aminobenzoesäure ist ein Ampholyt. Formulieren Sie Protolysereaktionen mit Wasser. Wie liegen die Teilchen der Säure bei den pH-Werten 2 bzw. 10 vor?

b) Formulieren Sie den Mechanismus für die Nitrierung von Benzoesäure. Warum entsteht hierbei bevorzugt das meta-Produkt?

c) Formulieren Sie die Reaktionsgleichung für die Synthese des 2-Aminobenzoesäuremethylesters (Geruch nach Orangenblüten).

10 Eine bekannte aromatische Chlorverbindung ist das Insektizid DDT (▷ B1). Die Wirkung dieses Stoffes wurde 1939 von P. Müller (Geigy AG) erkannt. DDT ist ein Breitbandinsektizid mit hoher Toxizität (Giftigkeit) für Insekten, aber geringerer für Warmblüter. Dies verhalf DDT zu einem großen Siegeszug. So wurde die Malaria durch die wirksame Bekämpfung der Anophelesmücke weitgehend zurückgedrängt.
DDT ist sehr gut fettlöslich und biologisch schwer abbaubar. Es reichert sich daher in der Nahrungskette an. Deshalb ist seine Verwendung heute in vielen Ländern verboten (in der Bundesrepublik Deutschland seit 1986) bzw. stark eingeschränkt. Allerdings hat sich seither die Anzahl der Malariafälle vielerorts wieder drastisch erhöht. Machen Sie begründete Aussagen über die Polarität des DDT-Moleküls. Erläutern Sie die gute Fettlöslichkeit von DDT.

Wichtige Begriffe

Aromatischer Zustand
Mesomerieenergie
Hückel-Regel
elektrophile Substitution
induktiver Effekt, mesomerer Effekt
Substituent erster Ordnung
Substituent zweiter Ordnung

Biologisch wichtige organische Verbindungen

Viele biologisch wichtige Verbindungen gehören zu den Fetten, Kohlenhydraten, Eiweißen oder Nucleinsäuren.

Fette und Kohlenhydrate spielen eine wichtige Rolle im Energiestoffwechsel. Zu den Kohlenhydraten gehören verschiedene Zuckerarten und Stärke. Die aus Aminosäuren aufgebauten Proteine besitzen unterschiedliche Funktionen im Stoffwechsel. Viele wirken als Biokatalysatoren. Nucleinsäuren stellen den Speicher der genetischen Information der Organismen dar. Genaue Kenntnisse des Molekülbaues und der Prozesse beim Ablauf der gespeicherten Informationen sind die wissenschaftlichen Voraussetzungen für gentechnische Arbeiten und ermöglichen andererseits auch eine kritische Bewertung.

In diesem Kapitel werden auch Moleküle behandelt, die eine Besonderheit zeigen: Sie kommen in zwei Formen vor, die nicht deckungsgleich sind und sich wie Bild und Spiegelbild zueinander verhalten. Ein besonderes Messverfahren erlaubt es, die beiden Formen voneinander zu unterscheiden. Von biologischer Bedeutung ist in der Regel nur eines der beiden Spiegelbilder.

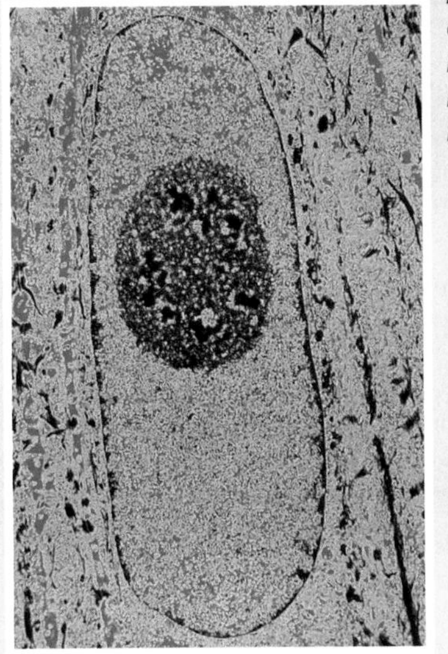

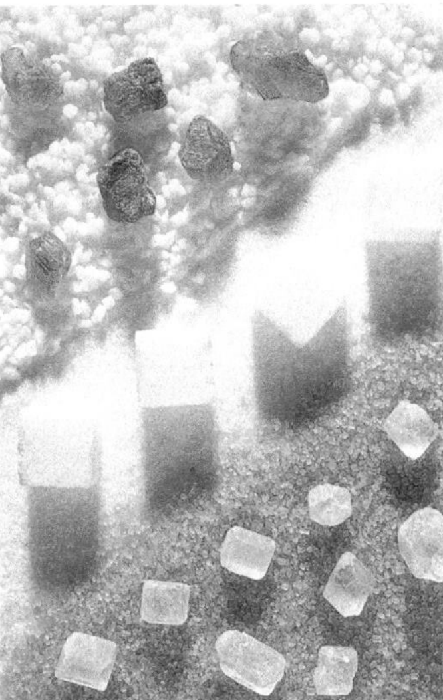

16.1 Fette

B 1 Einige Speisefette und -öle tierischer und pflanzlicher Herkunft

A 1 Erläutern Sie durch Auswertung der Tabelle ▷ B 4 den Zusammenhang zwischen dem Schmelztemperaturbereich und der Zusammensetzung eines Fettes.

A 2 Welche Rückschlüsse lassen sich aus dem Vergleich der Iodzahlen zweier Fette ziehen? Begründen Sie, warum unter den in ▷ B 4 aufgeführten Fetten Leinöl die höchste Iodzahl aufweist.

B 2 Bau eines Fettmoleküls. Ein Glycerinmolekül kann mit drei verschiedenen Fettsäuremolekülen verestert sein

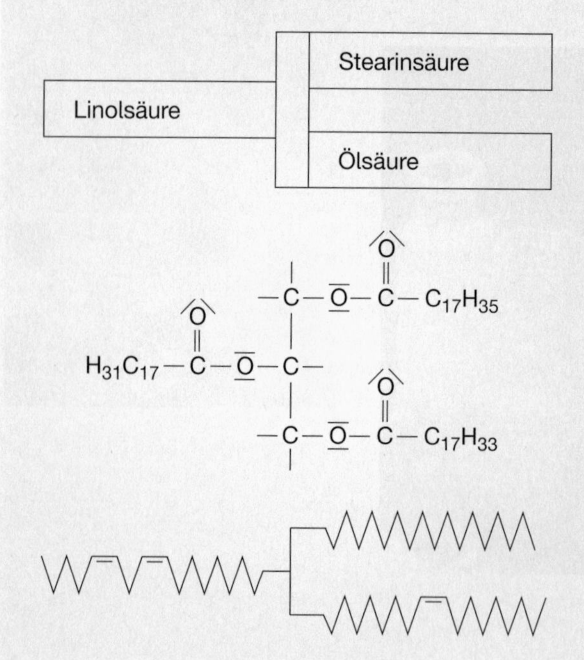

Fette sind wichtige Nährstoffe, die nach ihrem Aggregatzustand bei Zimmertemperatur in feste, halbfeste und flüssige Fette eingeteilt werden (▷ B 1).

Aufbau von Fettmolekülen. Fette sind Ester bestimmter Carbonsäuren (Fettsäuren) und des Propantriols (Glycerin). Die drei Hydroxylgruppen des Glycerinmoleküls sind mit Fettsäuremolekülen verestert (▷ B 2). Mit systematischen Namen werden die Fette als *Triacylglycerine* bezeichnet, häufig werden sie aber auch Triglyceride genannt.

Für die Fettsäuren sind neben den systematischen Namen (↗ Kap. 14.9) auch die Trivialnamen im Gebrauch. Am häufigsten sind Stearin-, Palmitin-, Laurin-, Myristin-, Öl- und Linolsäure (▷ B 4) am Aufbau von Fetten beteiligt. Die beiden zuletzt genannten werden als ungesättigte Fettsäuren bezeichnet, da ihre Moleküle C=C-Doppelbindungen enthalten. Bei den meisten ungesättigten Fettsäuren liegt die *cis*-Konfiguration vor.

Die Moleküle der Fettsäuren besitzen – von Ausnahmen abgesehen – eine gerade Anzahl von C-Atomen. Das ist darauf zurückzuführen, dass die Moleküle im Organismus aus Bauelementen, die zwei C-Atome enthalten, aufgebaut werden. Die Tatsache, dass die gleichen C_2-Einheiten beim Abbau von Kohlenhydraten entstehen (↗ Kap. 16.21), ist der Grund für den Zusammenhang zwischen kohlenhydratreicher Ernährung und Bildung von Körperfett.

In Fettmolekülen sind drei Carbonsäuremoleküle mit einem Glycerinmolekül verestert. Natürlich vorkommende Fette sind Gemische verschiedener Fettsäureglycerinester.

Fett- und Ölgewinnung. Tierische Fette (Schweineschmalz und Rindertalg) werden vorwiegend durch Ausschmelzen (Auslassen) gewonnen, pflanzliche Öle dagegen durch Auspressen oder durch Extrahieren mit einem Lösungsmittel, z. B. Benzin. Kaltgepresste Öle sind besonders hochwertig. Sie sind reich an Vitaminen und zeichnen sich durch typische Geruchs- und Geschmacksstoffe aus.

Eigenschaften von Fetten. Fette sind keine Reinstoffe, sondern Gemische aus verschiedenen Triacylglycerinen. Deshalb kann ihnen keine Schmelztemperatur, sondern nur ein *Schmelztemperaturbereich* zugeordnet werden. Er hängt einerseits von der durchschnittlichen Kettenlänge der gebundenen Fettsäuren und andererseits vom Anteil ungesättigter Fettsäuren ab. Je höher dieser Anteil ist, desto niedriger ist der Schmelztemperaturbereich. Estermoleküle, die ungesättigte Fettsäuren gebunden enthalten, können sich im kristallinen Verband nicht so dicht zusammenlagern wie solche, die aus gesättigten Fettsäuren aufgebaut sind. Dadurch wirken sich die zwischenmolekularen Kräfte schwächer aus.

stoffatom – nach rechts zeigt, zählt man Glucose zur Familie der D-Verbindungen und spricht von D-Glucose. Zeigt an diesem Kohlenstoffatom die Hydroxylgruppe zur anderen Seite, handelt es sich um L-Glucose, die aber biologisch unbedeutend ist.

Ringförmige Glucosemoleküle. Mehrere experimentelle Ergebnisse sind mit der Kettenform der Moleküle der D-Glucose nicht erklärbar. So wird z. B. eine Lösung von Fuchsinschwefliger Säure durch Glucose nicht rot gefärbt, obwohl ein solcher Farbwechsel der Reagenzlösung typisch ist für Moleküle mit Aldehydgruppen (▷ V2b). Tatsächlich liegen die Moleküle der Glucose überwiegend als sechsgliedrige Ringe vor, die durch eine innermolekulare Halbacetalbildung (↗ Kap. 14.6) zwischen der Aldehydgruppe und der Hydroxylgruppe des fünften Kohlenstoffatoms entstehen. Dadurch wird das Carbonylkohlenstoffatom des kettenförmigen Glucosemoleküls – es heißt **anomeres Kohlenstoffatom** – zu einem weiteren asymmetrischen Kohlenstoffatom. Je nach Stellung der Hydroxylgruppe an diesem C-Atom ergeben sich zwei Strukturisomere, die α-D-Glucose und β-D-Glucose genannt werden (▷ B2). Isomere, die sich nur durch die Stellung der Hydroxylgruppe am anomeren Kohlenstoffatom unterscheiden, heißen *Anomere*.

Abbildung der ringförmigen Glucosemoleküle. Die beiden Anomere sind nicht eben gebaut. Der Molekülring entspricht dem des Cyclohexans (↗ Kap. 13.9), wobei ein Kohlenstoffatom durch ein Sauerstoffatom ersetzt ist. Ebenso wie bei Cyclohexan existieren verschiedene Konformationen in Sessel- und Wannenform. In ▷ B2 sind die energetisch begünstigten Sesselformen dargestellt.

Alternativ dazu führte W. N. HAWORTH die nach ihm benannten ebenen Projektionen, **Haworth-Formeln**, ein. Das zyklische Molekül stellt man sich als ein waagerecht liegendes, ebenes Sechseck vor, bei dem sich das Ringsauerstoffatom in der rechten hinteren Ecke befindet. Man zeichnet dieses Molekül perspektivisch, von schräg oben betrachtet. Die Bindung von Substituenten und Wasserstoffatomen wird mithilfe senkrechter Linien durch die Ecken angedeutet. Substituenten, die in der Fischer-Projektion nach links (rechts) weisen, stehen in der Haworth-Projektion oben (unten).

Glucosemoleküle kommen in verschiedenen Konfigurationen vor, einem kettenförmigen Molekül und ringförmigen anomeren Molekülen.

Optische Aktivität von Glucoselösungen. Die beiden Anomere der Glucose können in reinem, kristallinem Zustand isoliert werden. Je nach den gewählten Bedingungen kann man α-D-Glucose (ϑ_{sm} = 146 °C) oder β-D-Glucose (ϑ_{sm} = 150 °C) erhalten. Ihre Lösungen drehen erwartungsgemäß die Ebene des polarisierten Lichtes, allerdings in unterschiedlichem Maße. Die spezifische Drehung beträgt für α-D-Glucose $\alpha_{sp} = +112° \cdot ml \cdot g^{-1} \cdot dm^{-1}$ und für β-D-Glucose $\alpha_{sp} = +19° \cdot ml \cdot g^{-1} \cdot dm^{-1}$.
Liegt eine frisch angesetzte Lösung eines der beiden Anomeren in Wasser vor, so kann man mit einem Polarimeter feststellen, dass sich der Drehwinkel der Lösung allmählich verändert. Ursache dieser Erscheinung, die Mutarotation (von lat. mutare, ändern) genannt wird, ist die spontane Umwandlung des einen Anomers über die offenkettige Form in das andere Anomer. Dabei stellt sich ein chemisches Gleichgewicht ein, in dem die β-D-Glucose mit einem Massenanteil von ca. 63 % überwiegt. Auf die α-D-Glucose entfallen etwa 37 %. Der Anteil der kettenförmigen Moleküle ist kleiner als 1 %. Die spezifische Drehung im Gleichgewicht beträgt $\alpha_{sp} = +53° \cdot ml \cdot g^{-1} \cdot dm^{-1}$.

Da die offene Form nur in sehr geringer Konzentration auftritt, fällt die relativ unempfindliche Probe mit Fuchsinschwefliger Säure negativ aus (▷ V2b).

Bei Milchsäure oder Weinsäure ist eine vergleichbare Umwandlung von einer isomeren Form in die andere nicht möglich, da keine Zwischenform vorliegt, über die eine Umwandlung erfolgen kann.

V 1 Löslichkeit der Glucose. Geben Sie je eine Spatelspitze Glucose zu 10 ml Wasser, Ethanol bzw. Benzin und erwärmen Sie die Proben vorsichtig.

V 2 Nachweis der Aldehydgruppe. a) Führen Sie die Tollens-Probe (Silberspiegelprobe, ↗ Kap. 14.6) mit einer kleinen Portion Glucose aus.
b) Geben Sie zu einer Lösung von Fuchsinschwefliger Säure (Abzug!) eine Spatelspitze Glucose und prüfen Sie, ob sich eine Farbänderung zeigt.

A 1 Bauen Sie entsprechend ▷ B1 ein Modell des kettenförmigen Glucosemoleküls.

A 2 Verändern Sie das gebaute Kettenmolekül unter Bildung eines Halbacetals, sodass ein Ringmolekül entsteht. Prüfen Sie mithilfe von ▷ B2, ob ein α-D-Glucose- oder β-D-Glucosemolekül entstanden ist.

A 3 Erläutern Sie mithilfe von ▷ B2, unter welchen Bedingungen Lösungen von α-D-Glucose bzw. von β-D-Glucose im Polarimeter den gleichen Drehwinkel α aufweisen.

A 4 Zeichnen Sie die Strukturformel der Verbindung, die bei der Reaktion von Glucose mit Essigsäure entsteht.

16.5 Fructose

Zusammen mit Glucose kommt in vielen Früchten und im Honig ein weiterer süß schmeckender Stoff vor, Fruchtzucker (D-Fructose). Aus wässrigen Lösungen kristallisiert er sehr schlecht aus und bildet stattdessen eine sirupartige Flüssigkeit. Fructose findet als Süßungsmittel für Diabeteskranke Verwendung, da sie unabhängig von Insulin im menschlichen Stoffwechsel abgebaut werden kann.

Molekülbau und Eigenschaften. Fructose hat wie Glucose die Summenformel $C_6H_{12}O_6$. Anders als beim Glucosemolekül liegt aber keine Aldehydgruppe vor, sondern eine Ketogruppe am zweiten C-Atom. Die Stellung der OH-Gruppen an den asymmetrischen C-Atomen ist mit der der Glucosemoleküle identisch. Ähnlich wie Glucose bildet Fructose ebenfalls Anomere, die miteinander im Gleichgewicht stehen. Neben der Kettenform des Moleküls enthält das Gleichgewicht zwei verschiedene Arten von ringförmigen Molekülen, die als Pyranose bzw. Furanose bezeichnet werden (▷ B1). Der Name wird von Pyran (C_5H_6O) bzw. Furan (C_4H_4O) abgeleitet, die ein entsprechend gebautes ringförmiges Molekül besitzen.
Bisher konnte nur β-D-Fructose in der Pyranoseform aus Früchten isoliert werden. Sie dreht die Ebene des polarisierten Lichtes nach links ($\alpha_{sp} = -133{,}5° \cdot ml \cdot g^{-1} \cdot dm^{-1}$). In wässriger Lösung erfolgt Mutarotation (α_{sp} (im Gleichgewicht) $= -92{,}4° \cdot ml \cdot g^{-1} \cdot dm^{-1}$).

Keto-Enol-Tautomerie. Reaktionen mit Oxidationsmitteln (Tollens-Probe, ▷ V2) verlaufen auch bei Fructose positiv. Das ist erstaunlich, weist doch die Kettenform des Moleküls keine reduzierende Aldehydgruppe auf. Der Grund dafür ist in den im Reagenz enthaltenen Hydroxidionen zu sehen. Sie katalysieren eine innermolekulare Umlagerung unter Protonenwanderung und Elektronenverschiebung *(Keto-Enol-Tautomerie)*. Es stellt sich ein Gleichgewicht ein, in dem Glucose überwiegt:

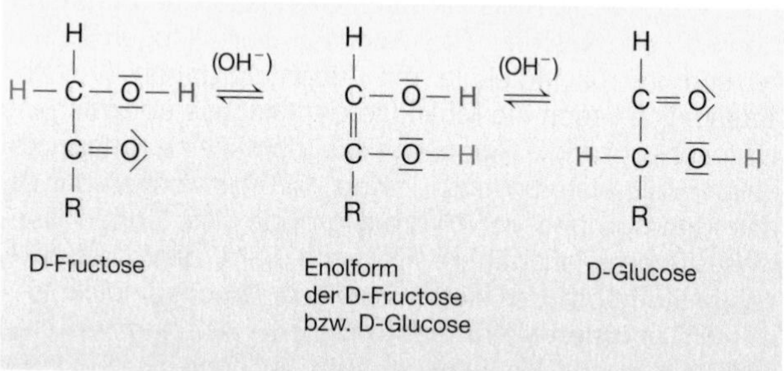

H–C(H)(–O–H)–C(=O)–R $\underset{}{\overset{(OH^-)}{\rightleftharpoons}}$ H–C(–O–H)=C(–O–H)–R $\overset{(OH^-)}{\rightleftharpoons}$ H–C(=O)–C(H)(–O–H)–R

D-Fructose — Enolform der D-Fructose bzw. D-Glucose — D-Glucose

Wenig spezifisch, jedoch für viele Untersuchungen z. B. von Lebensmitteln ausreichend, ist der Nachweis von D-Fructose mithilfe der *Seliwanow-Reaktion* (▷ V1), wobei mit Resorcin in salzsaurer Lösung eine rote Lösung entsteht.

B1 Gleichgewicht von Fructose in wässriger Lösung

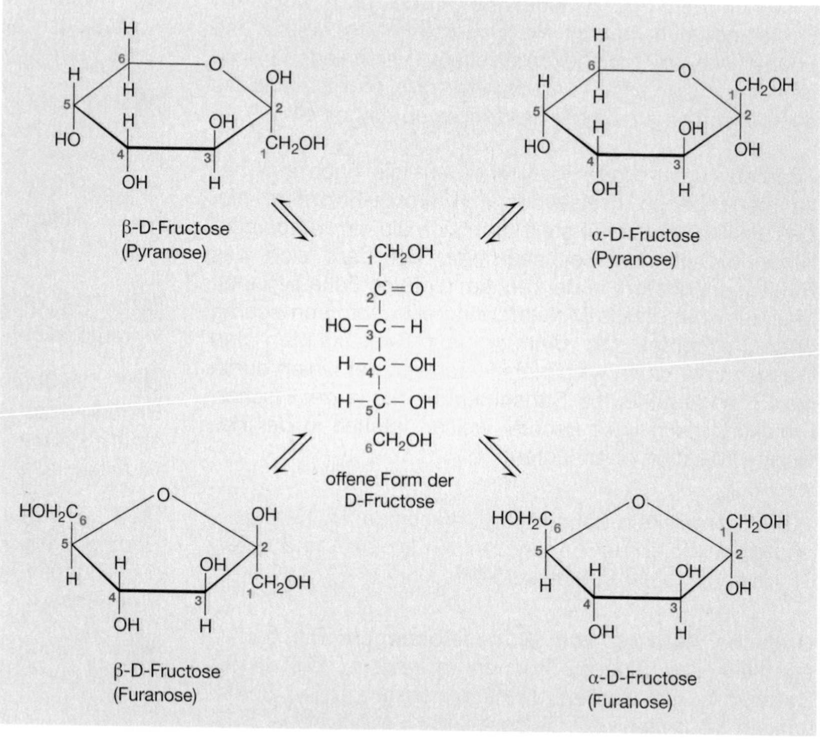

V 1 Reaktion nach Seliwanow. Geben Sie zu 3 bis 4 ml konz. Salzsäure einige Kristalle Resorcin. Fügen Sie eine kleine Probe Fructose (bzw. Glucose) zu und erwärmen Sie das Gemisch im siedenden Wasserbad.

V 2 Tollens-Probe mit Fructose. Führen Sie die Tollens-Probe (↗ Kap. 14.6) mit einer kleinen Portion Fructose aus.

A 1 Erklären Sie, warum die Tollens-Probe nicht nur mit Glucose, sondern auch mit Fructose positiv verläuft.

A 2 Von einer D-Fructoselösung wird im Polarimeter (Rohrlänge $l = 10\,cm$) der Drehwinkel $\alpha = -10°$ bestimmt. Berechnen Sie die Massenkonzentration β.

A 3 Zeichnen Sie die Strukturformel eines Furanmoleküls (Pyranmoleküls).

Dabei entstehen D-Glucose- und D-Fructosemoleküle in den gleichen Stoffmengen (Invertzucker, Kunsthonig). Zwischen den Ring- und Kettenformen stellen sich die in ↗Kap. 16.4, ▷B2 und ↗Kap. 16.5, ▷B1 dargestellten Gleichgewichte ein.

Die spezifische Drehung der Invertzuckerlösung lässt sich experimentell bestimmen oder aus vorliegenden Daten berechnen. Sie ergibt sich als arithmetisches Mittel aus den spezifischen Drehungen von D-Glucose und D-Fructose in ihren Gleichgewichten:

$$\alpha_{sp} = \frac{\alpha_{sp}(\text{Glucose}) + \alpha_{sp}(\text{Fructose})}{2} = -19{,}7° \cdot \text{ml} \cdot \text{g}^{-1} \cdot \text{dm}^{-1}$$

Weitere Disaccharide. Die in der Milch von Säugern vorkommende Lactose (Milchzucker) ist ebenfalls ein Disaccharid. Die Moleküle sind aus einer Einheit β-D-Galactose (↗ Kap. 16.6) und D-Glucose aufgebaut (▷ B4). Lactose ist ein reduzierendes Disaccharid.

Der Galactosemolekülteil enthält zwar ein Acetal, von dem keine reduzierende Wirkung ausgeht, aber der Glucosemolekülteil (▷ B4b) kann unter Ringöffnung eine Aldehydgruppe ausbilden. Es liegt ein Halbacetal vor. Das α- und β-Anomer der Lactose liegen im Gleichgewicht vor. *Maltose* (Malzzucker) ist ein Abbauprodukt der Stärke und tritt vor allem in keimenden Samen, z. B. im Gerstenmalz, auf. Die Moleküle bestehen jeweils aus zwei Glucoseeinheiten. Zwischen ihnen liegt eine α-glycosidische Bindung vor. Maltose wirkt aus dem gleichen Grund wie Lactose reduzierend.

Saccharose ist ein nicht reduzierendes Disaccharid. Lactose und Maltose sind reduzierende Disaccharide.

B4 Molekülformeln von a) Maltose und b) Lactose. Dargestellt ist jeweils das β-Anomer

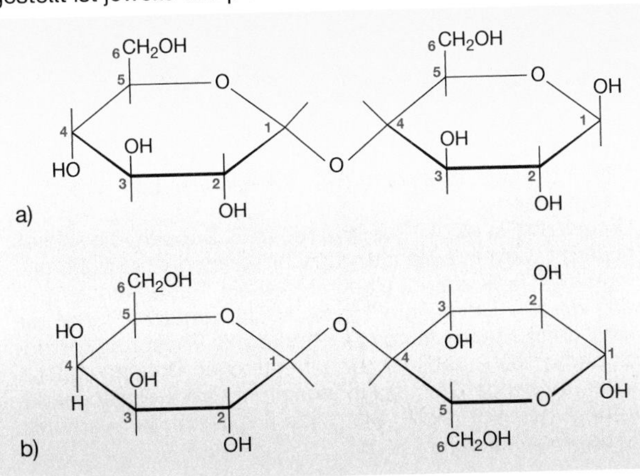

Exkurs: Gewinnung von Rübenzucker

Die gewaschenen Zuckerrüben werden zunächst geschnetzelt und im Gegenstromprinzip mit heißem Wasser ausgelaugt. Die zurückbleibenden zuckerfreien Rübenschnitzel werden als Viehfutter eingesetzt. Der schwach saure, dunkle „Rohsaft" wird mit einer Calciumhydroxidsuspension (Kalkmilch) versetzt. Dadurch werden Pflanzensäuren, Oxalsäure, Weinsäure und andere Säuren als Calciumsalze ausgefällt. Aus Magnesium- und Eisensalzen entstehen schwer lösliche Hydroxide, und gelöste Eiweißstoffe werden abgeschieden. Um überschüssiges Calciumhydroxid zu entfernen, wird die Lösung anschließend unter Bildung von Calciumcarbonat mit Kohlenstoffdioxid gesättigt. Das Gemisch wird filtriert und im Vakuum eingedampft. Dabei entsteht ein dicker Sirup, aus dem sich beim Abkühlen Zuckerkristalle ausscheiden. Diese werden abfiltriert und nach Entfernung des anhaftenden Sirups als Grundsorte bezeichnet. Durch erneutes Eindampfen des Sirups wird zunächst der noch gelblich aussehende Rohzucker gewonnen, aus dem durch Umkristallisieren und Behandlung mit Aktivkohle (Entfärberkohle) weißer Raffinadezucker gewonnen wird.
Den zurückbleibenden braunen Sirup „Melasse" verwendet man als Viehfutter oder unterwirft ihn der alkoholischen Gärung.

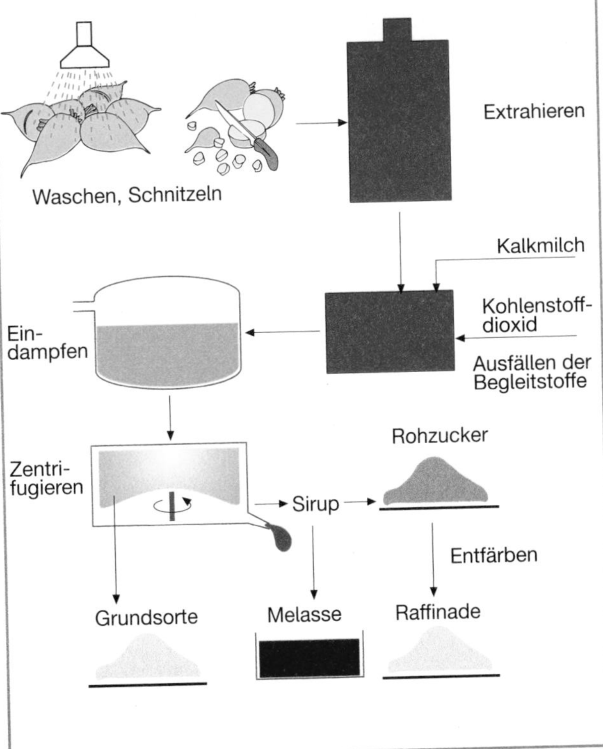

Polysaccharide

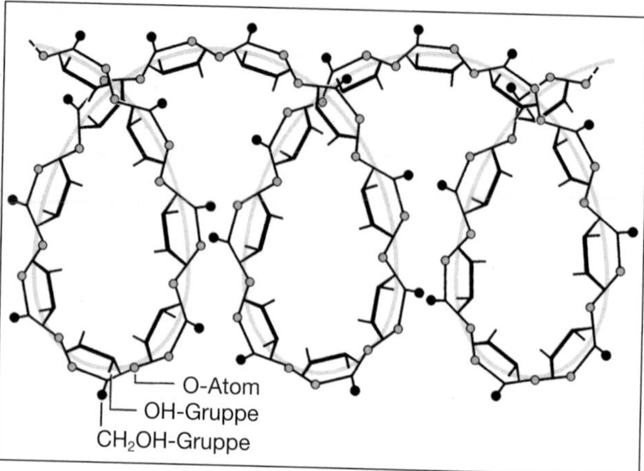

B1 Ausschnitt aus einem Amylosemolekül

Stoffe, deren Moleküle aus zahlreichen Monosaccharideinheiten aufgebaut sind, heißen Polysaccharide.

Stärke. Viele Pflanzen können aus Glucose Stärke synthetisieren. Sie dient als Reservestoff und wird in Samen bzw. unterirdischen Pflanzenteilen (z. B. Kartoffeln) eingelagert. Stärke ist ein wichtiger Nährstoff für den Menschen (Energiestoffwechsel).

Molekülbau und Eigenschaften. Stärke ist ein Stoff, der aus unterschiedlich gebauten Molekülen besteht. Dieser quillt in kaltem Wasser zwar auf, ist aber darin nicht löslich. In heißem Wasser löst sich ein Teil der Stärke, der *Amylose* genannt wird. Der überwiegende Teil (ca. 80 %) bleibt ungelöst und heißt *Amylopektin*.

Gelöste Stärke bildet keine klare, sondern eine eigenartig trübe, opaleszierende Lösung. Das weist darauf hin, dass sie Teilchen enthält, die so groß sind, dass sie Licht streuen können (Tyndall-Effekt). Es sind Makromoleküle, die eine kolloide Lösung bilden (↗ Kap. 18.3). Bei hohem Massenanteil der Stärke entsteht mit Wasser ein Gel, das als Stärkekleister bezeichnet wird.

Amylosemoleküle bestehen aus einigen hundert miteinander verbundenen α-D-Glucoseeinheiten. Dabei ist das C-Atom 1 des einen Moleküls mit dem C-Atom 4 des folgenden Glucosemoleküls verbunden. Diese Art der Verknüpfung wird 1,4-α-glycosidische Bindung genannt. Das kettenförmige Molekül bildet eine schraubenförmige Struktur (▷ B1) aus, die durch Wasserstoffbrücken zusammengehalten wird. Amylopektinmoleküle besitzen zusätzlich Seitenketten, die aus bis zu 20 Glucoseeinheiten bestehen und über 1,6-α-glycosidische Bindungen mit dem Hauptstrang verbunden sind (▷ B2).

V 1 Saure Hydrolyse von Stärke. a) Verrühren Sie 3 g Kartoffelstärke in 20 ml Wasser und geben Sie die Suspension in 80 ml siedendes Wasser. b) Entnehmen Sie Proben und prüfen Sie sie mit dem Fehlingreagenz und – nach Abkühlung – mit Iod-Kaliumiodid-Lösung. c) Setzen Sie nun zu dem verbliebenen Teil der Flüssigkeit 3 ml konz. Salzsäure zu und rühren Sie weiter, während die Flüssigkeit siedet. Entnehmen Sie im Abstand von einigen Minuten Proben und prüfen Sie sie wie in (b) mit Fehlingreagenz bzw. Iod-Kaliumiodid-Lösung.

A 1 Bei einer Amylosesorte wurde die durchschnittliche molare Masse mit $M = 48\,600\,g/mol$ bestimmt. Berechnen Sie die durchschnittliche Anzahl von Glucoseeinheiten pro Molekül.

B2 Verzweigungsstelle eines Amylopektinmoleküls

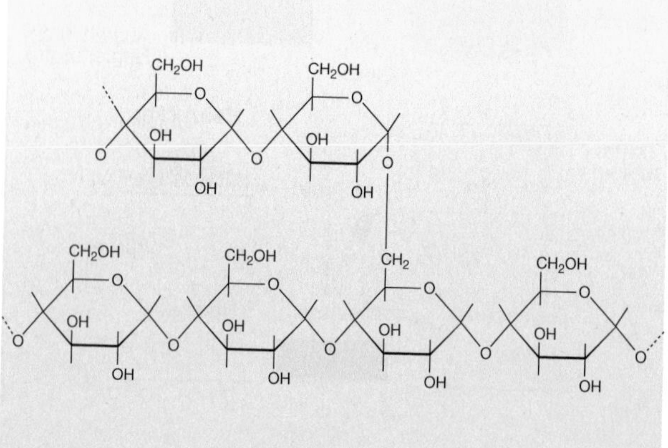

Exkurs: Modifizierte Stärken als Dickungsmittel in Lebensmitteln

Durch spezielle Vorbehandlung können Eigenschaften der natürlichen Stärke verändert, *modifiziert* werden.
Wird Stärke mit wenig Wasser verkleistert und anschließend warm auf Walzen getrocknet, entsteht Quellstärke. Sie verkleistert bereits bei Zimmertemperatur und wird z. B. als Dickungsmittel in Pudding eingesetzt, der kalt angerührt werden kann.
Umgekehrt ist es bei Dosenwaren (z. B. Suppen, die schnell erwärmt werden sollen) erwünscht, dass die Quellung erst möglichst spät eintritt. Dadurch soll ein Anbrennen vermieden werden. Diese Anforderung erfüllt *vernetzte Stärke*. Sie wird durch Behandlung der Stärke mit Phosphor(V)-oxidchlorid ($POCl_3$) gebildet. Dabei entstehen Phosphorsäureester, an denen Glucoseeinheiten mehrerer Polysaccharidketten beteiligt sind. Sie bilden miteinander vernetzte Makromoleküle.

Nachweis von Stärke. Ein empfindliches Reagenz auf Stärke ist Iodlösung. Die Reaktion beruht auf der Entstehung einer Einschlussverbindung. Dabei werden Iodmoleküle in die Windungen der Stärkemoleküle eingelagert. Mit Amylose entsteht eine blaue, mit Amylopektin eine rotbraune Färbung. Mit dem Fehling- oder dem Tollensreagenz reagiert Stärke nicht.

Hydrolytische Spaltung. Die Ketten der Amylose- bzw. Amylopektinmoleküle besitzen die angenäherte Summenformel $(C_6H_{10}O_5)_n$. Unter dem Einfluss von Oxoniumionen bzw. Enzymmolekülen können die glycosidischen Bindungen hydrolytisch gespalten werden. Wird die Hydrolyse vorzeitig unterbrochen, entstehen Bruchstücke der Polysaccharidketten, Dextrine. Bei weiterer Fortführung erfolgt ein vollständiger Abbau zu D-Glucosemolekülen (▷ V1). Beim enzymatischen Abbau von Amylose in Pflanzen entsteht zuerst das Disaccharid D-Maltose, das durch ein weiteres Enzym (Maltase) in D-Glucose zerlegt wird.

Cellulose. Dieses Polysaccharid ist als Gerüstbaustoff der wesentliche Bestandteil pflanzlicher Zellwände und damit das am häufigsten vorkommende Kohlenhydrat. Pflanzenfasern wie Baumwolle, Flachs und Hanf bestehen aus nahezu reiner Cellulose. Im Holz beträgt ihr Massenanteil ca. 50 %.

Molekülbau und Eigenschaften. Cellulosemoleküle bestehen aus Tausenden von D-Glucoseeinheiten, die in 1,4-β-glycosidischen Bindungen miteinander verknüpft sind (▷ B3). Es sind kettenförmige Moleküle, die zu Nachbarmolekülen zahlreiche Wasserstoffbrücken ausbilden können. Dadurch entstehen Molekülbündel (Elementarfibrillen) mit teilweise kristalliner Ordnung und großem inneren Zusammenhalt. Mehrere dieser Fibrillen lagern sich beim Aufbau der Zellwände zu dickeren Einheiten zusammen (Mikrofibrillen), die netzartig miteinander verflochten sind.

Durch konzentrierte Säure kann Cellulose hydrolytisch unter Entstehung von D-Glucose gespalten werden (▷ V2). Enzyme des menschlichen Verdauungstraktes können die β-glycosidischen Bindungen im Cellulosemolekül nicht spalten, weil das dazu notwendige Enzym Cellulase nicht vorhanden ist. Cellulose ist trotzdem für die Verdauung von großer Bedeutung. Sie aktiviert den Darm, indem sie die Darmbewegung fördert.

Cellulose ist ein wichtiger Rohstoff zur Herstellung von Papier.

Stärke und Cellulose sind Polysaccharide, deren Moleküle ausschließlich aus D-Glucose-Einheiten aufgebaut sind. Im Fall der Stärke liegen α-glycosidische, bei Cellulose β-glycosidische Bindungen vor.

V 2 Säurespaltung von Cellulose. Auf ein Stückchen Filterpapier, das auf einem Uhrglas liegt, werden einige Tropfen konzentrierter Schwefelsäure gegeben. Das Uhrglas mit dem Filterpapier wird einige Male leicht hin und her geschwenkt.

A 2 Stellen Sie den Unterschied zwischen Amylose, Amylopektin und Cellulose dar.
Wie ist zu erklären, dass die bei vollständiger Hydrolyse entstehenden Produkte in allen drei Fällen identisch sind?

A 3 Ein Cellulosemolekül wird durch die Molekülformel $(C_6H_{10}O_5)_n$ wiedergegeben. Dies ist allerdings nicht ganz genau. Begründen Sie.

B3 Bau eines Cellulosemoleküls. Es liegen β-glycosidische Bindungen vor

β-D-Glucose-Baustein

Exkurs: Papierherstellung

Cellulosegewinnung. Der wichtigste Rohstoff für die Papierherstellung ist Nadelholz. Aus ihm wird mit einem rotierenden Schleifstein Holzschliff gewonnen, der Fasern von 1 bis 4 mm Länge enthält. Durch Kochen z. B. mit Calciumhydrogensulfitlösung wird das im Holz enthaltene Lignin in eine lösliche Verbindung überführt. Die hierbei gewonnenen Cellulosefasern (Zellstoff) werden zur Herstellung von Papier verwendet.

Die Papiermaschine. Kernstück der industriellen Herstellung von Papier ist die Papiermaschine. Sie kann eine Breite bis zu 10 m und eine Länge bis zu 300 m haben.

Verschiedene Faserstoffe (z. B. Holzschliff, Zellstoff und Altpapier) werden zusammen mit Füll- und Hilfsstoffen zu einer stark verdünnten wässrigen Mischung angerührt (w(Wasser) ≈ 90 %). Diese wird durch einen Schlitz (Stoffauflauf) gleichmäßig über die ganze Breite der Maschine auf ein umlaufendes Sieb verteilt. Während das Wasser durch das Sieb abtropft, lagern sich die Fasern ab und verfilzen miteinander zu einer einheitlichen Papierbahn. Am Ende des Siebes wird das Papier abgehoben, zur weiteren Entfernung des Wassers gepresst und über beheizte Zylinder geführt und getrocknet.

Die Einsatzquote des Altpapiers bei der Papierherstellung liegt bei über 40 % (↗ Kap. 12.12).

16.10 Eiweiß

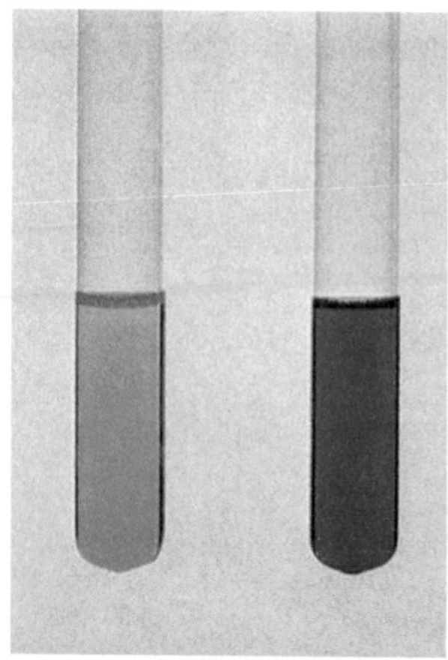

B1 Biuretreaktion. Violettfärbung von Kupfer(II)-sulfat-Lösung weist Eiweiß nach

B2 Xanthoproteinreaktion. Mit Salpetersäure ergibt sich eine Gelbfärbung

V 1 Gerinnen von Eiweiß. Versetzen Sie eine Lösung von Eiweiß (Albumin) mit einigen Tropfen verd. Salzsäure, Ethanol bzw. einer kleinen Portion Kochsalz.

V 2 Biuretreaktion. Geben Sie zu 5 ml einer Eiweißlösung 5 ml verd. Natronlauge und fügen Sie einen Tropfen einer verd. Kupfer(II)-sulfat-Lösung hinzu.

V 3 Xanthoproteinreaktion. Man gibt auf Eiklar oder ein Stückchen eines hartgekochten Eis einen Tropfen konzentrierter Salpetersäure (Schutzbrille! Abzug!).

A 1 Geben Sie die am Aufbau von Eiweiß beteiligten Elemente und ihre Nachweisreaktionen an.

B3 Einige wichtige Proteine. Vorkommen und Eigenschaften

Bezeichnung	Eigenschaften	Vorkommen
Albumine	in Wasser löslich, gerinnen bei 65 °C	im Eiklar, Blut, Fleischsaft, in Milch, Kartoffeln
Globuline	löslich in Salzlösungen, nicht löslich in Wasser	im Eiklar, Blutplasma (Fibrinogen), in Muskeln, Milch, Pflanzensamen
Skleroproteine (Gerüsteiweiß)	unlöslich in Wasser und in Salzlösungen	Bindegewebe, Knorpel, Knochen, Federn, Haare, Nägel, Naturseide

Die Bezeichnung Eiweiß leitet sich vom Eiklar (Eiweiß) des Hühnereis ab. Eiweiße sind lebenswichtige Bestandteile der Zellen. Enzyme, einige Hormone und der Blutfarbstoff Hämoglobin sind Eiweiße. Wegen ihrer Bedeutung werden Eiweiße auch Proteine genannt (von griech. protos, der Erste, Ursprüngliche).

Eigenschaften. Die Proteine bilden eine Gruppe von Stoffen, die nach ihren unterschiedlichen Eigenschaften eingeteilt werden (▷ B3). Aus der Beobachtung, dass Eiweißlösungen den Tyndall-Effekt zeigen (↗ Kap. 18.3), lässt sich ableiten, dass in ihnen Makromoleküle vorliegen, die groß genug sind, um Licht streuen zu können.
Viele Proteine lösen sich gut in Wasser. Bei anderen ist die Löslichkeit in verdünnten Salzlösungen größer als in destilliertem Wasser. Diese Besonderheit kann auf das Vorhandensein von funktionellen Gruppen mit positiven bzw. negativen Ladungen zurückgeführt werden. Die Ionen der Salzlösung treten an die Stelle der geladenen funktionellen Gruppen der Nachbarmoleküle und erleichtern die Ablösung der Moleküle voneinander. Eine höher werdende Salzkonzentration führt dagegen zu einer Beeinträchtigung der Hydrathülle durch Wasserentzug (Aussalzeffekt). Die Eiweiße flocken aus.
Auch ein Zusatz von Ethanol oder Säuren kann ein Ausflocken bewirken. Dieser Vorgang wird auch Koagulieren genannt (von lat. coagulare, ausflocken, gerinnen). Erwärmt man eine Eiweißlösung, so flockt das Eiweiß aus, es gerinnt. Das Eiweiß des Blutes gerinnt z. B. bei 42 °C, das des Hühnereies bei 60 °C und das der Milch erst bei 100 °C.

Bei den Skleroproteinen sind die zwischenmolekularen Kräfte so stark, dass eine Hydratation nur sehr beschränkt erfolgen kann. Sie quellen lediglich, lösen sich aber nicht.

Elementare Zusammensetzung. Erhitzt man eine Portion trockenes Eiweiß, so verkohlt es. Außerdem entstehen Wasserdampf und Ammoniak. Folglich sind die Elemente Kohlenstoff, Wasserstoff, Sauerstoff und Stickstoff am Aufbau von Eiweiß beteiligt. Eiweiß, das sich zersetzt, riecht meist nach Schwefelwasserstoff („Geruch nach faulen Eiern"). Am Aufbau der Moleküle sind demnach auch Schwefelatome beteiligt.

Nachweis von Eiweiß. Eiweiß kann anhand bestimmter Farbreaktionen sicher erkannt werden. Eine alkalische Eiweißlösung wird nach Zusatz einer Kupfer(II)-sulfat-Lösung violett (▷ V2, ▷ B1; Biuretraktion). Wird Eiweiß mit konzentrierter Salpetersäure versetzt, beobachtet man eine Gelbfärbung (▷ V3, ▷ B2; Xanthoproteinreaktion). Die Tatsache, dass Eiweiße trotz unterschiedlicher Eigenschaften durch die gleichen Reaktionen nachgewiesen werden können, lässt auf eine grundsätzliche Übereinstimmung im Molekülbau schließen.

16.11 Praktikum: Eiweiß

Versuch 1 Nachweis von Stickstoff und Schwefel

Geräte und Materialien: 3 Bechergläser (50 ml), 3 Uhrgläser, Gasbrenner, Natronlauge (c = 1 mol/l), Universalindikatorpapier, Bleiacetatpapier, Albumin, Schafswolle, Naturseide

Durchführung: Geben Sie in je eines der Bechergläser eine Spatelspitze Albumin, eine Probe der Wolle bzw. der Seide. Fügen Sie etwa 10 ml Natronlauge zu und erwärmen Sie auf kleiner Flamme bis zum Sieden. Entfernen Sie die Flamme und bedecken Sie die Bechergläser mit einem Uhrglas, an dem von unten ein Stückchen angefeuchtetes Indikatorpapier klebt. Tauchen Sie nach ca. 10 Minuten ein Bleiacetatpapier in die Flüssigkeit.

Versuch 2 Tyndall-Effekt

Geräte und Materialien: Taschenlampe, Becherglas (250 ml), Gelatine (gemahlen), Kochsalz

Durchführung: Lösen Sie 0,5 g Gelatine in 200 ml warmem Wasser auf. Verdunkeln Sie den Raum und bestrahlen Sie die Lösung im Becherglas mit dem gebündelten Strahl der Taschenlampe von der Seite. Betrachten Sie den Strahlengang senkrecht zur Einfallsrichtung des Lichtes von oben. Führen Sie das entsprechende Experiment auch mit Salzwasser aus.

Aufgabe: Erklären Sie die unterschiedlichen Wahrnehmungen.

Versuch 3 Enzymatischer Abbau von Gelatine

Hinweis: Gelatine ist ein Eiweißgemisch, das aus Knochen oder Knorpel gewonnen werden kann. Pankreatin ist ein Wirkstoffgemisch, das u.a. Enzyme enthält, die Eiweißmoleküle spalten.

Geräte und Materialien: 2 Bechergläser (100 ml), Thermometer, Reibschale, Brenner, Dreifuß, Münze, Pankreatintablette, Gelatine (gemahlen)

Durchführung: Geben Sie zu 2 g Gelatine etwa 10 ml Wasser. Lassen Sie die Mischung 10 min quellen. Rühren Sie sie dann in ca. 90 ml warmes Wasser (ca. 60 °C) ein. Lassen Sie die Lösung durch Abkühlen erstarren. Zerreiben Sie eine Pankreatintablette, bestreuen Sie mit dem Pulver die Gelatine und legen Sie die Münze obenauf.

Aufgabe: Beobachten Sie das Fortschreiten der enzymatischen Reaktion.

Versuch 4 Gewinnung von Gluten (Klebereiweiß) aus Weizenmehl

Geräte und Materialien: Schüssel, Glasschale, Becherglas, Gabel, Löffel, Leinentuch (Küchenhandtuch), Gasbrenner, Weizenmehl

Durchführung: Geben Sie etwa 4 Esslöffel Mehl in die Glasschale. Stellen Sie durch Verrühren mit der Gabel einen Teig her, indem Sie portionsweise Wasser zumischen. Lassen Sie den Teig 10 min lang ruhen und geben Sie ihn dann in das Leinentuch, schließen Sie ihn durch Drehen ein und waschen Sie ihn mit sanften Knetbewegungen 10 min lang unter Wasser in der Schüssel aus.
Drücken Sie zum Schluss das Wasser aus, schaben Sie den Inhalt des Tuches mit dem Löffelrand ab und kneten Sie die elastische Masse zwischen den Fingerspitzen unter fließendem Wasser weiter, bis das ablaufende Wasser nicht mehr getrübt ist. Halbieren Sie die gewonnene Glutenportion und geben sie einen Teil für ca. 5 bis 10 min in ein Becherglas mit siedendem Wasser.

Auswertung: Vergleichen Sie beide Eiweißproben hinsichtlich ihrer Konsistenz. Wie erklären Sie den Unterschied?

Zusatzaufgabe: Bereiten Sie ein Kurzreferat über die während des Backprozesses ablaufenden Veränderungen vor.

Der Backprozess

Ein Teig besteht im Wesentlichen aus Mehl, Wasser, Salz und Lockerungsmitteln (z. B. Hefe oder Backpulver). Bei der **Teigherstellung** nimmt das Eiweiß des Mehls (Hauptbestandteil Klebereiweiß, Gluten) unter Quellung Wasser auf, die ebenfalls im Mehl enthaltene Stärke dagegen kaum. Durch das Kneten werden die Moleküle des Klebers voneinander gelöst. Es entsteht ein Netzwerk von Molekülfäden, das den Teig durchzieht und die Stärkekörner umgibt. Das durch das Lockerungsmittel gebildete Kohlenstoffdioxid beginnt den Teig aufzutreiben.

Beim **Backen** beginnt bei 70 °C eine Veränderung des Glutens. Es verliert an Elastizität und gibt das bei der Quellung vorher aufgenommene Wasser wieder ab. Dieses wird nun von der Stärke gebunden, die bei dieser Temperatur verkleistert.

Oberhalb von 110 °C beginnt in der Kruste die Bräunung. Stärke wird dabei teilweise unter Bildung von Dextrin und Karamellstoffen abgebaut. Gluten reagiert mit Kohlenhydraten zu Aroma- und Röststoffen. Durch das Verdampfen des Wassers gewinnt der Teig zunehmend an Festigkeit.

Die Temperatur im Inneren des Brotes überschreitet während des gesamten Backvorganges 100 °C nicht.

16.12 Glycin – eine Aminosäure

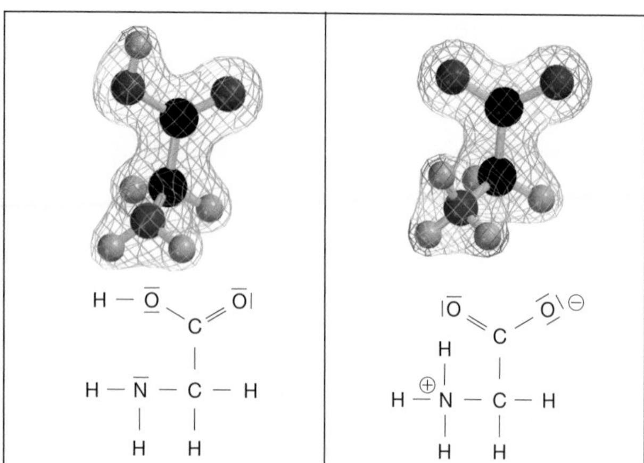

B1 Glycin. Links: Molekülbau und rechts: Zwitterion

V 1 pH-Wert und elektrische Leitfähigkeit. Stellen Sie gleich konzentrierte Lösungen von Glycin bzw. Essigsäure her ($c = 0{,}1\ mol/l$).
a) Prüfen Sie den pH-Wert beider Lösungen mit Indikatorpapier bzw. einem pH-Messgerät.
b) Vergleichen Sie die elektrische Leitfähigkeit beider Lösungen. Bauen Sie die Apparatur auf und legen Sie eine Wechselspannung von 4 V an. Ziehen Sie die jeweils gemessene Stromstärke bei gleichem Elektrodenabstand als Maß für die Leitfähigkeit heran.

V 2 Titration von Glycin. Stellen Sie eine Lösung von Glycin her, indem Sie 0,75 g Glycin in 100 ml Salzsäure ($c(HCl) = 0{,}1\ mol/l$) auflösen. Geben Sie 20 ml davon in einen Erlenmeyerkolben und titrieren Sie mit Natronlauge ($c(NaOH) = 0{,}1\ mol/l$). Ermitteln Sie den pH-Wert zu Beginn des Experimentes und nach einer Zugabe von jeweils 0,5 ml Natronlauge. Erstellen Sie eine Wertetabelle und fertigen sie ein Diagramm nach ▷ B4 an.

A 1 Vergleichen Sie Essigsäure und Glycin hinsichtlich ihres Aggregatzustandes, ihres thermischen Verhaltens und der elektrischen Leitfähigkeit bzw. des pH-Wertes gleich konzentrierter wässriger Lösungen. Welche Rückschlüsse ziehen Sie?

A 2 Begründen Sie, warum eine Lösung von Glycin bei pH = 6,07 die geringste elektrische Leitfähigkeit besitzt.

A 3 Erläutern Sie den Verlauf der Titrationskurve in ▷ B4. Ordnen Sie den Kurvenabschnitten Säure-Base-Reaktionen zu und machen Sie Angaben über die Zusammensetzung der Lösung im Bereich der Wendepunkte.

Durch Einwirkung von Enzymen (↗ Kap. 16.11) oder durch Behandlung mit Salzsäure können Einweißmoleküle zerlegt werden. Dabei entsteht ein Stoffgemisch, das Aminocarbonsäuren, kurz Aminosäuren, enthält. Die Aminosäure mit dem einfachsten Molekülbau ist **Glycin**. Sie wurde 1820 zum ersten Mal aus Knochenleim durch Kochen mit Salzsäure gewonnen und isoliert.

Eigenschaften. Das Glycinmolekül enthält zwei funktionelle Gruppen, eine Carboxylgruppe $-COOH$ (Säuregruppe) und eine Aminogruppe $-NH_2$. Das Molekül (▷ B1, links) ähnelt formal dem der Ethansäure (Essigsäure), von dem es sich nur durch die Aminogruppe unterscheidet. Der systematische Name des Glycins lautet Aminoethansäure.

Es gibt Eigenschaften des Glycins, die von denen der Essigsäure sehr stark abweichen und mit dem in ▷ B1 (links) dargestellten Molekülbau nicht in Übereinstimmung zu bringen sind:

Glycin ist ein kristalliner Feststoff, der sich beim Erhitzen auf ca. 230 °C zersetzt ohne zu schmelzen. Dies weist darauf hin, dass starke Kräfte zwischen den Teilchen wirken.

Wässrige Lösungen von Glycin sind nur sehr schwach sauer (pH ≈ 6) und leiten den elektrischen Strom schlechter als gleich konzentrierte Lösungen von Essigsäure. (▷ V1).

Zwitterionen. Diese Eigenschaften lassen sich gut dadurch erklären, dass Glycin aus Ionen aufgebaut ist. Glycin besitzt also einen salzartigen Charakter, worauf der kristalline Bau zurückzuführen ist und auch die Tatsache, dass Glycin sich beim Erhitzen zersetzt ohne zu schmelzen. Im Unterschied zu z. B. Kochsalz liegen aber keine einzelnen positiv bzw. negativ geladenen Ionen vor, sondern Zwitterionen (▷ B1, rechts).

Die Anziehungskräfte zwischen benachbarten Zwitterionen im Gitter sind so stark, dass eine Zufuhr von Energie teilweise zur Spaltung von Atombindungen innerhalb der Zwitterionen führt, bevor diese sich voneinander trennen. Die Bildung einer sauren Lösung ist darauf zurückzuführen, dass die NH_3^+-Gruppe gegenüber Wassermolekülen als Protonendonator fungiert.

$$H_3N^+-CH_2-COO^- + H_2O \rightleftharpoons H_2N-CH_2-COO^- + H_3O^+$$

Zwitterionen bewegen sich im elektrischen Feld nicht zu der einen oder anderen Elektrode, sie richten sich lediglich aus, sodass ihre Ladungsenden den entsprechenden Elektroden zugewandt sind.

Da in der wässrigen Lösung von Glycin nur wenige Oxoniumionen und Glycinanionen vorliegen, ist die elektrische Leitfähigkeit gering.

Die Zwitterionen können bei Anwesenheit von Basen bzw. Säuren als Protonendonatoren sowie auch als Protonenakzeptoren fungieren (▷ B2). Bei Protonenabgabe entstehen aus den Zwitterionen Glycinanionen, bei Protonenaufnahme Glycinkationen.

> Die Aminosäure Glycin ist aus Zwitterionen aufgebaut, die als funktionelle Gruppen eine Carboxylatgruppe und eine Ammoniumgruppe besitzen. Die Zwitterionen sind Ampholyte. Sie können als Basen sowie auch als Säuren fungieren.

Titration von Glycin. Die Titrationskurve von salzsaurer Glycinlösung mit Natronlauge zeigt zwei Abschnitte, in denen sich der pH-Wert nur geringfügig verändert (▷ B4, ▷ V2). In diesen beiden Bereichen liegen Puffergleichgewichte (↗ Kap. 6.6) vor. Dazwischen liegt ein Abschnitt, in dem der pH-Wert sich sprunghaft verändert.

Zur Deutung dieses Verlaufs müssen zwei Säure-Base-Gleichgewichte herangezogen werden.

In der salzsauren Lösung sind zu Beginn der Titration vorwiegend Glycinkationen vorhanden. Mit der Zugabe von Natronlauge entstehen durch Reaktion mit OH^--Ionen aus ihnen immer mehr Zwitterionen.

Bei pH = 2,35 wird ein Wendepunkt erreicht. Hier gilt:

$$c(H_3N^+-CH_2-COOH) = c(H_3N^+-CH_2-COO^-)$$

Oberhalb von pH = 2,35 überwiegen die Zwitterionen im Gleichgewicht.

Bei pH = 6,07 liegt der zweite Wendepunkt der Kurve vor, die Konzentration an Zwitterionen hat ein Maximum erreicht (▷ B3). Kationen und Anionen des Glycins sind in gleicher und sehr geringer Konzentration vorhanden. Die Summe aller positiven und negativen Ladungen der Glycinionen ist gleich. Dieser pH-Wert wird der **isoelektrische Punkt** (IEP) genannt.

Bei weiterer Zugabe von OH^--Ionen nimmt die Konzentration an Zwitterionen wieder ab und entsprechend die an Glycinanionen zu.

Bei pH = 9,78 liegt ein dritter Wendepunkt vor. Hier gilt:

$$c(H_3N^+-CH_2-COO^-) = c(H_2N-CH_2-COO^-)$$

Oberhalb von pH = 9,78 überwiegen die Glycinanionen im Gleichgewicht. Beim Erreichen des vierten Wendepunktes liegen fast ausschließlich Glycinanionen vor. Der pH-Wert wird von diesem Punkt an nur noch von der zugegebenen Natronlauge bestimmt.

$$H_3N^+-CH_2-COO^- + OH^- \rightleftharpoons H_2N-CH_2-COO^- + H_2O$$

$$H_3N^+-CH_2-COO^- + H_3O^+ \rightleftharpoons H_3N^+-CH_2-COOH + H_2O$$

B2 Säure-Base-Reaktionen der Zwitterionen des Glycins

B3 Massenanteil der verschiedenen Ionen des Glycins in wässriger Lösung in Abhängigkeit vom pH-Wert

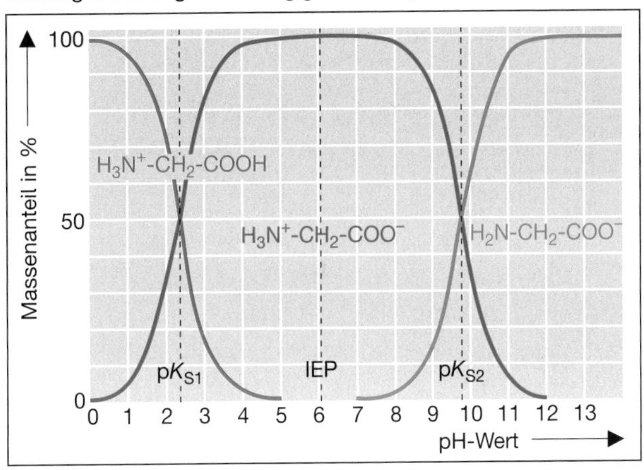

B4 Titration von Glycin (c = 0,1 mol/l, V = 20 ml) in saurer Lösung mit Natronlauge

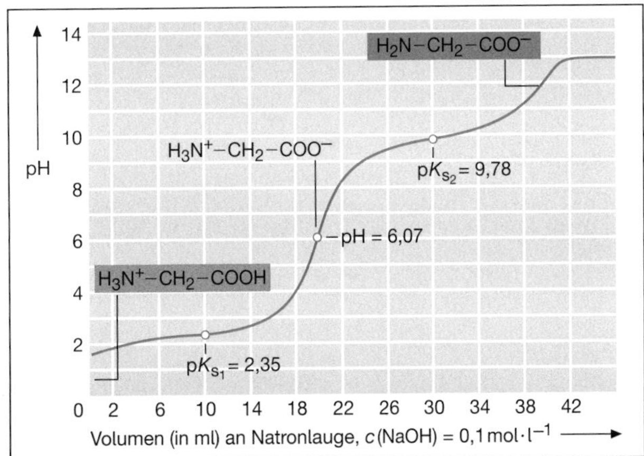

16.13 Weitere Aminosäuren

L-α-Aminosäure D-α-Aminosäure

R: Rest
C*: asymmetrisches C-Atom

B 1 Strukturformeln stereoisomerer α-Aminosäuren

Neben Glycin gibt es eine Reihe weiterer Aminosäuren, die am Aufbau der Proteine beteiligt sind. Ihre Moleküle sind in ▷ B2 dargestellt. Es gibt jedoch noch über 100 weitere Aminosäuren.

Molekülbau und Einteilung. Alle Aminosäuren sind wie Glycin kristalline Substanzen, die aus Zwitterionen aufgebaut sind (▷ V1). Sie tragen die Aminogruppe an dem C-Atom, das der Carboxylgruppe benachbart ist. Es sind *2-Aminocarbonsäuren*, sie werden auch *α-Aminocarbonsäuren* genannt. Mit dem griechischen Buchstaben α wird das C-Atom gekennzeichnet, das in Nachbarstellung zur Carboxylgruppe steht. Im Unterschied zu Glycinmolekülen besitzen alle anderen Aminosäuremoleküle mindestens ein asymmetrisches C-Atom. Sie sind also chiral und damit optisch aktiv. Von den zwei stereoisomeren Formen der D- und L-Aminosäuren kommen in Eiweißen nur die L-Isomeren vor, bei denen nach der Fischer-Projektion (↗ Kap. 16.3) die Aminogruppe links steht (▷ B1).

B 2 Aminosäuren, die in Proteinen gebunden vorkommen

Neutrale Aminosäuren

Glycin (Gly) IEP = 6,0

Alanin (Ala) IEP = 6,1

Prolin (Pro) IEP = 6,3

Cystein (Cys) IEP = 5,0

Serin (Ser) IEP = 5,7

Valin (Val)* IEP = 6,0

Methionin (Met)* IEP = 5,7

Threonin (Thr)* IEP = 5,6

Phenylalanin (Phe)* IEP = 5,5

Isoleucin (Ile)* IEP = 6,0

Leucin (Leu)* IEP = 6,0

Tyrosin (Tyr) IEP = 5,7

Asparagin (Asn) IEP = 5,4

Glutamin (Gln) IEP = 5,7

Tryptophan (Try)* IEP = 5,9

Saure Aminosäuren

Asparaginsäure (Asp) IEP = 2,8

Glutaminsäure (Glu) IEP = 3,2

Basische Aminosäuren

Arginin (Arg) IEP = 11,1

Lysin (Lys)* IEP = 9,7

Histidin (His) IEP = 7,6

* essenzielle Aminosäuren

Weitere Aminosäuren

Das Molekül der Aminosäure L-Cystein ist durch eine Besonderheit gekennzeichnet. Es besitzt eine Thiolgruppe $-SH$, die sehr leicht mit einer zweiten SH-Gruppe zu einem *Disulfid*, dem L-Cystin, reagieren kann.

$$2\ H_2N-\underset{\underset{CH_2-SH}{|}}{\overset{\overset{COOH}{|}}{C}}-H \rightleftharpoons H_2N-\underset{\underset{CH_2-S-S-CH_2}{|}}{\overset{\overset{COOH}{|}}{C}}-H\quad H_2N-\overset{\overset{COOH}{|}}{C}-H + 2H^+ + 2e^-$$

L-Cystein — L-Cystin

Essenzielle Aminosäuren. Die meisten der benötigten Aminosäuren können bei genügendem Angebot an Stickstoffverbindungen durch den menschlichen Stoffwechsel hergestellt werden, wenn sie mit der Nahrung nicht in ausreichendem Umfang zugeführt werden. Acht Aminosäuren können jedoch nicht synthetisiert werden. Sie sind für den Menschen *essenziell*, d. h. lebenswichtig, und müssen mit der Nahrung aufgenommen werden.

Nachweis von Aminosäuren. Um Aminosäuren nachzuweisen, setzt man ein spezielles Reagenz, Ninhydrin, ein. Mit diesem reagieren sie unter Bildung eines farbigen Stoffes, der auch dann in Erscheinung tritt, wenn nur eine kleine Portion der betreffenden Aminosäure vorliegt (▷ V2).

Trennung durch Elektrophorese. Außer durch Papier- oder Dünnschichtchromatografie (↗ Kap. 1.9) können Gemische von Aminosäuren auch durch das unterschiedliche Verhalten ihrer Teilchen im elektrischen Feld getrennt werden. Dieses Verfahren wird *Elektrophorese* genannt. Das zu trennende gelöste Aminosäuregemisch wird auf einem Träger dem elektrischen Feld ausgesetzt. Häufig wird dazu Papier eingesetzt, das mit einem gepufferten Elektrolyten getränkt ist.

Die Wanderungsrichtung wird durch das Vorzeichen der Ionenladung bestimmt. Die Geschwindigkeit der Wanderung hängt von der Höhe der Ladung und von der Masse der hydratisierten Teilchen ab. Außerdem wird sie von der Lage des Gleichgewichtes z. B. zwischen Kationen und Zwitterionen beeinflusst.

Von diesen beiden werden nur die Kationen fortbewegt. Dadurch wird das Gleichgewicht gestört. Es wird durch Bildung von Kationen aus Zwitterionen wieder eingestellt. Die Kationen werden jedoch erneut dem Gleichgewicht entzogen. Umgekehrt wandelt sich ein Teil der fortbewegten Kationen wieder in Zwitterionen um. So verlagert sich allmählich die gesamte Aminosäureportion. Diese Wanderung läuft dann besonders schnell ab, wenn im Gleichgewicht nahezu ausschließlich Kationen vorliegen. Für einen pH-Bereich, in dem Aminosäureanionen vorliegen, gelten die Überlegungen in entsprechender Weise.

Durch die Reaktion mit Ninhydrin werden die Aminosäureportionen anschließend sichtbar gemacht.

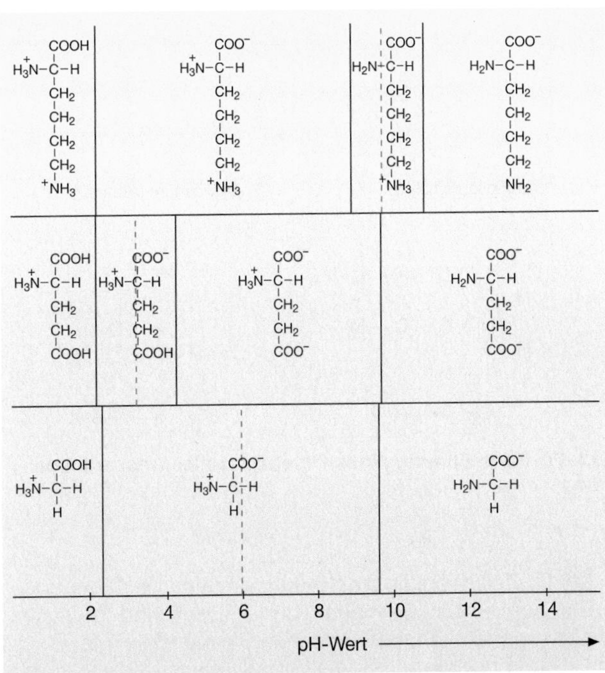

B3 pH-Bereiche der im Gleichgewicht vorherrschenden Ionen von Lysin, Glutaminsäure und Glycin. Die blaue Linie kennzeichnet den isoelektrischen Punkt

V 1 pH-Werte von Lösungen verschiedener Aminosäuren. Geben Sie auf ein gut angefeuchtetes Universalindikatorpapier einige Kristalle Glycin, Glutaminsäure oder Lysin.

V 2 Nachweis mit Ninhydrinsprühreagenz. Geben Sie Proben von Aminosäurelösungen ($w \approx 1\,\%$) auf ein Filterpapier. Trocknen Sie es kurz an der Luft, besprühen Sie es mit Ninhydrinlösung (Abzug!) und geben Sie es für ca. 3 min in den Trockenschrank (100 °C).

V 3 Elektrophorese eines Aminosäuregemisches. Man gibt Pufferlösung (pH = 6) in die Elektrophoresekammer, schneidet einige Streifen saugfähigen Papiers zurecht und markiert mit einem Bleistift die Mitte. Die mit Pufferlösung durchfeuchteten Streifen legt man in die Kammer ein. Man gibt eine kleine Portion einer Lösung, die Glycin, Glutaminsäure und Lysin enthält (jeweils $w \approx 1\,\%$), auf die Markierungen und legt eine Gleichspannung von $U \approx 300\,V$ an. Man entnimmt nach etwa 30 min den ersten Papierstreifen und weitere im Abstand von jeweils 5 min. Danach führt man den Nachweis mit Ninhydrin aus (▷ V2).

A 1 Erklären Sie mithilfe von ▷ B3 die Elektrophorese als Verfahren zur Trennung von Aminosäuren. Gehen Sie davon aus, dass die Aminosäureportionen in einem Puffergemisch (pH = 6 bzw. pH = 3) vorliegen.

16.14 Peptide

Aminosäure (Glycin) + Aminosäure (Alanin)

Glycylalanin + Wasser

B1 Formale Bildung eines Dipeptids unter Wasserabspaltung

A 1 Zeichnen Sie die Strukturformeln aller Dipeptide, die aus einem Gemisch von L-Alanin und L-Glycin hervorgehen können. Benennen Sie die Moleküle.

A 2 Wie viele verschiedene Tripeptide bzw. Tetrapeptide können entstehen, wenn 20 verschiedene Aminosäuren zur Verfügung stehen?

A 3 Ermitteln Sie mithilfe der Abbildungen ▷ B4 und ↗ Kap. 16.13, ▷ B2 die Molekülformel des Peptidhormons Ocytocin in der ungekürzten Schreibweise.

A 4 Geben Sie an, welche Stoffe bei der vollständigen Hydrolyse von Aspartam im Magen entstehen, und formulieren Sie die Reaktionsgleichung.

Bei der Hydrolyse von Proteinen in wässriger Lösung lassen sich außer den Aminosäuren keine weiteren Stoffe nachweisen. Proteine sind demnach aus miteinander verbundenen Aminosäureeinheiten aufgebaut.

Die Peptidgruppe. Formal entsteht die Bindung zwischen zwei Aminosäuremolekülen, indem die Aminogruppe des einen Moleküls mit der Carboxylgruppe des anderen Moleküls reagiert. Es handelt sich wie bei der Esterbildung um eine Kondensation (▷ B1). Die dabei entstehende Atomgruppierung −CO−NH− nennt man die *Peptidgruppe*.

Die Bildung von Peptiden aus Aminosäuren ist eine Kondensationsreaktion.

Röntgenstrukturuntersuchungen lassen erkennen, dass der C−N-Abstand in der Peptidgruppe mit 132 pm kleiner ist als der in einer C−N-Bindung in Aminen (147 pm). Außerdem liegen alle an der Peptidgruppe beteiligten Atome in einer Ebene. Es herrscht keine freie Drehbarkeit um die C−N-Achse. Diese Befunde kann man erklären, wenn man annimmt, dass eine Mesomerie vorliegt. Der Bindungszustand kann durch zwei mesomere Grenzformeln wiedergegeben werden (▷ B2). Ähnlich wie bei den Alkenen (↗ Kap. 13.12) gibt es eine *cis-trans*-Isomerie. In natürlich vorkommenden Peptiden liegt immer die *trans*-Konfiguration vor.
Die beschriebenen Bindungsverhältnisse erklären auch eine Starrheit in den Strukturen der Peptidmoleküle.

Benennung von Peptiden. Sind zwei, drei, vier usw. Aminosäuremoleküle miteinander verknüpft, spricht man von Di-, Tri-, Tetrapeptiden usw. Oligopeptide enthalten als Bausteine weniger als 10, Polypeptide (von griech. oligos, wenig; polys, viel) 10 und mehr Aminosäureeinheiten pro

B2 Mesomere Grenzformeln der Peptidgruppe. Ihre Atome liegen in einer Ebene

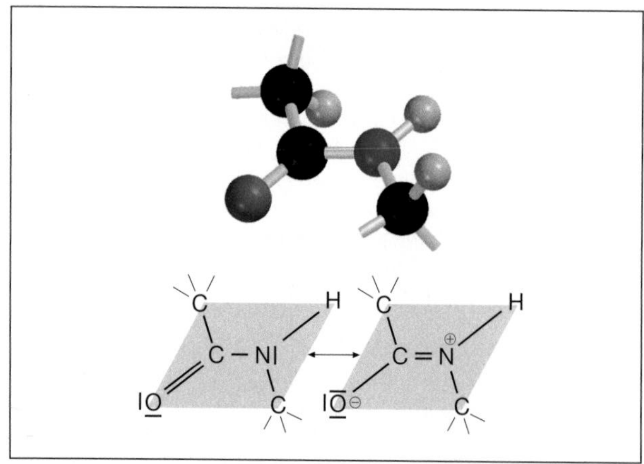

B3 Süßstoff Aspartam. Die Süßkraft ist ca. 150- bis 200-mal höher als die von Saccharose

Der Süßstoff (Zuckerersatzstoff) Aspartam ist ein synthetisch hergestelltes Dipeptid, das mit Methanol verestert ist. Um die gleiche Geschmacksintensität wie bei der Verwendung von Saccharose zu erhalten, genügt eine wesentlich kleinere Portion Aspartam. Beim Erhitzen zersetzt sich der Süßstoff und kann deshalb nicht zum Backen verwendet werden. Die Verwendung von Aspartam bei der Herstellung von Lebensmitteln muss deklariert werden.

Aspartylphenylalanin-methylester

Molekül. Polypeptide, deren Moleküle aus mehr als 100 Aminosäureeinheiten aufgebaut sind und eine biologische Funktion besitzen, werden *Proteine* genannt. Diese Einteilung wird allerdings nicht streng gehandhabt.
Der systematische Name eines Peptids wird gebildet, indem die Aminosäure, deren Molekül die Carboxylgruppe für die Peptidbindung liefert, die Endsilbe „-yl" erhält. So können beispielsweise zwei unterschiedlich gebaute Dipeptide, deren Moleküle aus Glycin- und Alanineinheiten aufgebaut sind, eindeutig benannt werden: Glycylalanin bzw. Alanylglycin.

Um lange Namen für Peptide zu vermeiden, verwendet man für die am Aufbau beteiligten Aminosäuren die aus drei Buchstaben bestehenden Kürzel (↗ Kap. 16.13, ▷ B2). Eine Peptidkette wird vereinbarungsgemäß so dargestellt, dass die Aminogruppen jeweils nach links und die Carboxylgruppen nach rechts zeigen.

Biologisch wichtige Peptide. Viele *Hormone*, die menschliche Körperfunktionen steuern, gehören zur Stoffklasse der Peptide. Darunter ist z. B. das *Ocytocin* (▷ B4), das am Geburtsvorgang beteiligt ist, indem es die Auslösung der Wehen verursacht. Es ist ein Oligopeptid, dessen Moleküle aus neun Aminosäureeinheiten aufgebaut sind.

Das bekannteste Peptidhormon ist das *Insulin*, ein Polypeptid, dessen Moleküle aus zwei Peptidketten mit insgesamt 51 Aminosäureeinheiten aufgebaut sind. Seine Funktion ist, die Einschleusung von Glucosemolekülen aus dem Blut in die Zellen zu ermöglichen. Das Fehlen von Insulin führt zu erhöhtem Blutzuckerspiegel (Diabetes).

Auch in der Krebstherapie spielen Peptide eine Rolle. Es werden cyclische Pentapeptide erprobt, die Entstehung und Entwicklung von Tochtergeschwülsten (Metastasen) unterdrücken sollen.

B4 Ocytocin, ein Wehen auslösendes Hormon. Das Molekül des Oligopeptids ist aus 9 Aminosäuren aufgebaut

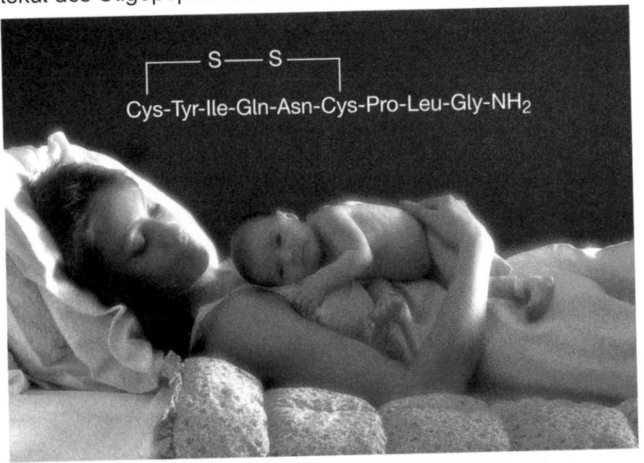

Exkurs: Peptidsynthese

Da jedes Aminosäuremolekül mindestens zwei funktionelle Gruppen besitzt, können aus einem Gemisch von zwei Aminosäuren vier verschiedene Dipeptide entstehen, z. B.: Gly-Gly, Gly-Ala, Ala-Gly, Ala-Ala.

Bei 20 verschiedenen Aminosäuren existieren sogar 20^2 verschiedene Dipeptide. Für längere Peptide gilt: Die Anzahl der Kombinationen beträgt 20^k, wobei k die Anzahl der verknüpften Aminosäuren darstellt.

Eine gezielte Synthese kann nur in Stufen erfolgen. Dabei müssen die funktionellen Gruppen, die nicht reagieren sollen, passiviert werden. Das geschieht, indem man sie mit bestimmten Schutzgruppen verbindet, die sich nach erfolgter Synthese wieder entfernen lassen, ohne die geknüpfte Peptidbindung aufzuspalten. Als Aminoschutzgruppe wird häufig die tertiäre Butyloxycarbonylgruppe (BOC) eingesetzt. Um die Knüpfung der Peptidbindung zu ermöglichen, muss außerdem die jeweilige Carboxylgruppe aktiviert werden. Das kann z.B. dadurch geschehen, dass diese in die energiereichere Säurechloridgruppe überführt wird, die mit einer Aminogruppe zu einer Peptidgruppe reagiert.

Bei der **Festphasenpeptidsynthese** werden Moleküle der ersten Aminosäure mit der Carboxylgruppe z. B. durch Veresterung an ein körniges Kunstharz gebunden. Dann werden Moleküle einer aktivierten und an der Aminogruppe geschützten zweiten Aminosäure zugeführt (1), um die Bindung zu knüpfen (2). Anschließend werden die Schutzgruppen abgespalten (3). Zug um Zug kann durch wechselnde Abfolge der Schritte (2) und (3) eine Peptidbindung nach der anderen geknüpft werden.

Notwendige Reinigungsschritte können durch Auswaschen vorgenommen werden. Zum Schluss werden die gebildeten Peptidketten von den Kunstharzpartikeln abgespalten.

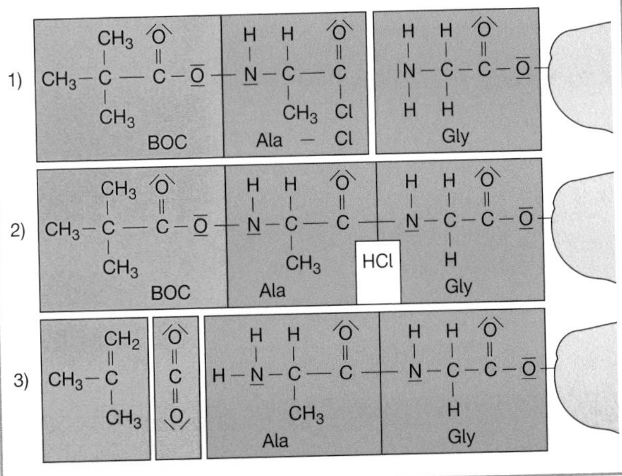

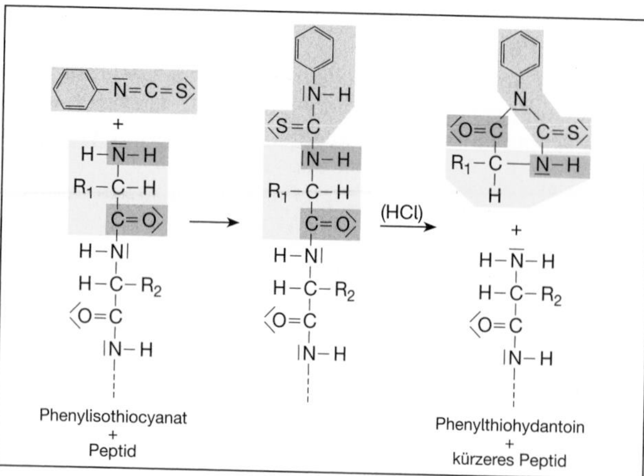

B1 Edman-Abbau zur Bestimmung der N-terminalen Aminosäure eines Peptids

A 1 Erläutern Sie die in ▷ B 1 dargestellten Schritte des Edman-Abbaus zur Bestimmung der N-terminalen Aminosäure eines Peptids.

A 2 Ein Polypeptid wird mit Trypsin (a) und mit Chymotrypsin (b) hydrolysiert. Folgende Fragmente werden gefunden:
a) Trp-Phe-Arg, Ala-Leu-Gly-Met-Lys, Leu-Gly-Leu-Leu-Phe, Ala-Ala-Ser-Met-Ala-Phe-Lys;
b) Phe, Ala-Leu-Gly-Met-Lys-Trp, Arg-Ala-Ala-Ser-Met-Ala-Phe, Lys-Leu-Gly-Leu-Leu-Phe.
Ermitteln Sie die Sequenz des Polypeptids.

A 3 Beschreiben Sie die Anordnung von Proteinmolekülen in Faltblattstruktur (▷ B3) und α-Helix (▷ B4).

B2 Feststellung der Aminosäuresequenz mithilfe von enzymatischer Fragmentierung

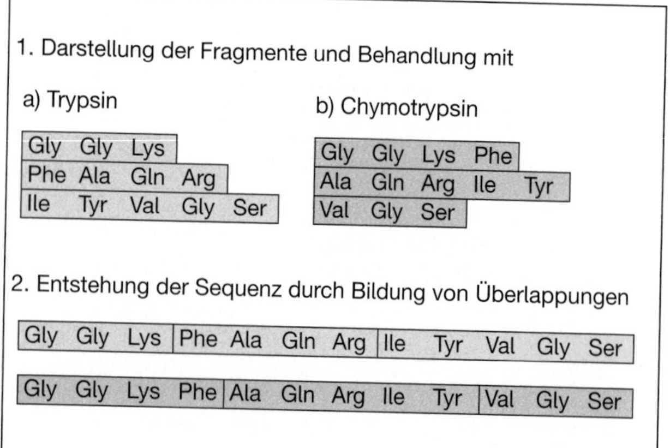

Die Kenntnis der Struktur von Proteinmolekülen ist eine notwendige Voraussetzung, wenn man ihre physiologische Funktion erklären will.

Ermittlung der Primärstruktur eines Peptids. Um zu erfahren, welche Aminosäuren am Bau eines Moleküls beteiligt sind, wird die Substanz vollständig durch saure Hydrolyse zerlegt. Das Hydrolysat wird anschließend in einem *Aminosäureanalysator* chromatografisch untersucht. Die Auswertung des Chromatogramms gestattet Rückschlüsse auf Art und Anzahl der Aminosäureeinheiten, die das Molekül aufbauen. Damit ist das betreffende Molekül aber noch nicht eindeutig beschrieben. Der nächste Schritt zur Strukturaufklärung ist deshalb die Ermittlung der **Aminosäuresequenz** (Primärstruktur). Für die Bestimmung der N-terminalen bzw. C-terminalen Aminosäure – das sind die endständigen Aminosäureeinheiten mit der freien Amino- bzw. Carboxylgruppe – stehen mehrere Verfahren zur Verfügung.
Zur Identifizierung der N-terminalen Aminosäure wird häufig der **Edman-Abbau** eingesetzt (▷ B1). Dabei reagiert die Aminogruppe mit einem Phenylisothiocyanatmolekül. Die auf diese Weise chemisch veränderte N-terminale Aminosäureeinheit kann abgespalten und chromatografisch identifiziert werden.
Die Bestimmung der C-terminalen Aminosäure wird häufig mithilfe des Enzyms **Carboxypeptidase** vorgenommen. Das Enzym katalysiert ausschließlich die Hydrolyse der Peptidbindung, mit der diese endständige Aminosäure an das restliche Peptid gebunden ist. Sie lässt sich nach Zusatz des Enzyms als erste abgespaltene Aminosäure nachweisen. Im Laufe der Zeit folgen weitere Aminosäuren, die vom C-terminalen Ende her nach und nach abgespalten werden.

Fragmentierung durch enzymatischen Abbau. Zur Aufklärung der Aminosäuresequenz langer Peptidketten ist es notwendig, diese vorher zu fragmentieren, d. h. hydrolytisch in kleinere Stücke zu spalten. Dazu können bestimmte Enzyme, Proteasen, eingesetzt werden, die eine Spaltung der Peptidketten nur an ganz bestimmten Stellen katalysieren. Trypsin spaltet z. B. nur Peptidbindungen, deren Carbonylgruppen von Lysin oder Arginin stammen. Chymotrypsin hydrolysiert die Peptidbindung hinter Phenylalanin, Tryptophan oder Tyrosin; Pepsin spaltet hinter Phenylalanin, Tryptophan, Tyrosin, Asparaginsäure oder Glutaminsäure. Die verschiedenen Peptidbruchstücke werden voneinander isoliert, anschließend wird ihre Aminosäuresequenz bestimmt.
Wird das zu untersuchende Protein parallelen Fragmentierungen durch verschiedene Enzyme unterworfen, erhält man Bruchstücke mit teilweise überlappender Aminosäuresequenz, mit deren Hilfe die vollständige Aminosäuresequenz des ganzen Proteinmoleküls ermittelt werden kann (▷ B2).

16.17 Praktikum: Enzyme

Versuch 1 Hydrolytische Spaltung von Stärke durch Amylase

Durch Amylase werden Stärkemoleküle in kleinere Untereinheiten zerlegt. Die Tätigkeit des Enzyms wird dadurch sichtbar gemacht, dass in Zeitabständen Proben entnommen werden, mit denen der Iod-Stärke-Test durchgeführt wird.

Damit nach der Entnahme der Probe die enzymatische Katalyse nicht weiterläuft und das Ergebnis nachträglich verändert wird, werden die Proben in verdünnte Salzsäure gegeben. Wichtig ist, dass vor Beginn des Experimentes alle Vorbereitungen getroffen sind, da nach der Zugabe des Enzyms die Zeiten genau eingehalten werden müssen.

Geräte und Chemikalien:
Becherglas (250 ml), Kristallisierschale ($d \approx 10$ cm), Erlenmeyerkolben (50 ml), 20 Reagenzgläser, Pipetten (1 ml), Messzylinder (10 ml, 25 ml), Pipettierhilfe, Gasbrenner, Dreifuß, Thermometer, Stärkelösung ($w = 1$ %), Amylaselösung ($w = 0{,}1$ %), Salzsäure ($c = 1$ mol/l), Iodlösung, Pufferlösungen (z. B. mit den pH-Werten 2, 4, 6, 7, 8, 10), Kupfer(II)-sulfat-Lösung, Eiswürfel, Wasserbad, Isoliermaterial (z. B. Styropor)

Durchführung:
a) *Basisexperiment.* Versetzen Sie etwa 100 ml Salzsäure tropfenweise mit Iodlösung, sodass ein hellbraunes Gemisch entsteht. Geben Sie von dem Gemisch jeweils 4 ml in bereitstehende Reagenzgläser.

Geben Sie in den Erlenmeyerkolben
10 ml Wasser,
3 ml Pufferlösung pH = 7,
1 ml Stärkelösung und
1 ml Amylaselösung.

Fügen Sie die Enzymlösung erst zum Schluss zu. Schütteln Sie das Gemisch um und starten Sie die Zeitmessung. Entnehmen Sie mit der Pipette sofort eine Probe (1 ml) und geben Sie diese in eines der vorbereiteten Reagenzgläser mit Iodlösung. Schütteln Sie danach das Reagenzglas.
Entnehmen Sie nun im Abstand von je einer Minute weitere Proben und behandeln Sie diese entsprechend. Bestimmen Sie auch die Temperatur im Reaktionsgemisch.

b) *Veränderung des pH-Wertes.* Wiederholen Sie den Versuch mit anderen Puffern. Bewahren Sie alle zum Nachweis benutzten Reagenzgläser auf und ordnen Sie die Gläser übersichtlich an, um die Enzymaktivität bei verschiedenen pH-Werten vergleichen zu können.

c) *Veränderung der Temperatur.* Wiederholen Sie den Enzymtest bei verschiedenen Temperaturen, z. B. bei 10 °C, 20 °C, 30 °C, 40 °C, 50 °C. Wählen Sie einen Puffer aus, der sich in Versuch (b) als günstig erwiesen hat. Bringen Sie das Gemisch aus Wasser, Pufferlösung, Stärkelösung und – getrennt davon – die Enzymlösung im Wasserbad auf die gewünschte Temperatur. Vereinigen Sie beide Lösungen und stellen Sie den Erlenmeyerkolben mit dem reagierenden Gemisch in die mit Isoliermaterial gefüllte Kristallisierschale.

d) *Einfluss von Schwermetallionen.* Bereiten Sie den Enzymtest vor wie in (a) beschrieben, fügen Sie jedoch vor Zugabe des Enzyms einige Tropfen der Kupfer(II)-sulfat-Lösung zu. Überprüfen Sie anschließend die Enzymtätigkeit.

Versuch 2 Extrazelluläre Biosynthese von Stärke

Bei der Knüpfung glycosidischer Bindungen handelt es sich um einen endergonischen Vorgang. Deshalb ist eine Kopplung mit einem exergonischen Prozess erforderlich. Hierzu dient die Spaltung von ATP (Adenosintriphosphat, ↗ Kap. 16.21). Als Substrat dient Glucose-1-phosphat.

Zur Kettenverlängerung müssen Moleküle vorliegen, die aus mindestens zwei Glucoseeinheiten aufgebaut sind und im Verlauf der Reaktion schrittweise verlängert werden.

Diese Akzeptormoleküle sowie ATP- und Enzymmoleküle werden im Experiment mit dem Kartoffelsaft bereitgestellt.

Geräte und Chemikalien:
Kartoffel, Küchenreibe, Geschirrtuch, Kristallisierschale, Filterpapier, Glastrichter, Filtriergestell, Becherglas (50 ml), Reagenzgläser, Iodlösung, Glucose-1-phosphat-Lösung ($w = 1$ %), Pipetten (10 ml, 1 ml)

Durchführung:
a) Kleiden Sie die Kristallisierschale mit dem Küchentuch aus. Zerreiben Sie darüber die Kartoffel. Fügen Sie etwas Wasser zu dem Kartoffelmus hinzu und pressen Sie die Flüssigkeit mit dem Küchentuch ab.
Filtrieren Sie den Kartoffelsaft anschließend. Prüfen Sie, ob er stärkefrei ist, indem Sie eine Probe davon mit Iodlösung versetzen.
b) Vermischen Sie 9 ml des stärkefreien Kartoffelsaftes mit 1 ml der Glucose-1-phosphat-Lösung.
c) Entnehmen Sie nach 10 min und evtl. nach einigen weiteren Minuten eine Probe und geben Sie etwas Iodlösung hinzu.

16.18 Nucleinsäuren – vom Gen zum Protein

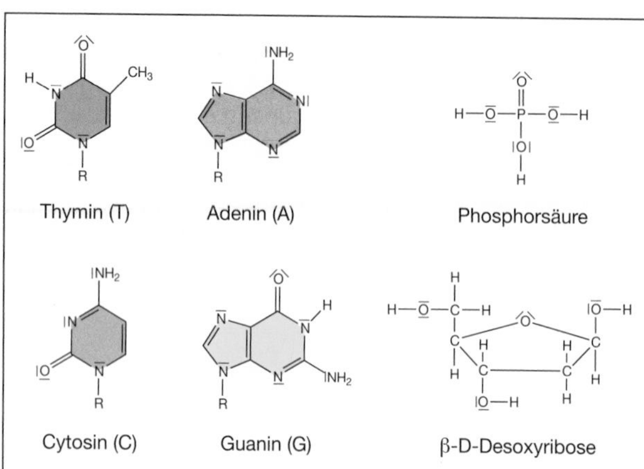

B1 Die Bauelemente der DNA-Moleküle

B2 Basenpaarungen der DNA

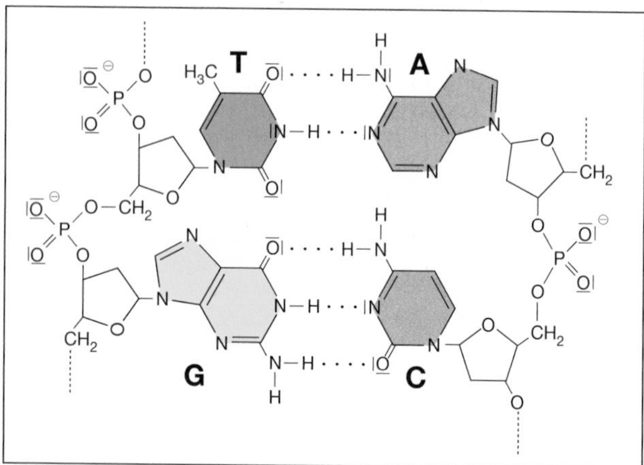

B3 Gewundener Doppelstrang der DNA. Die beiden Stränge laufen antiparallel

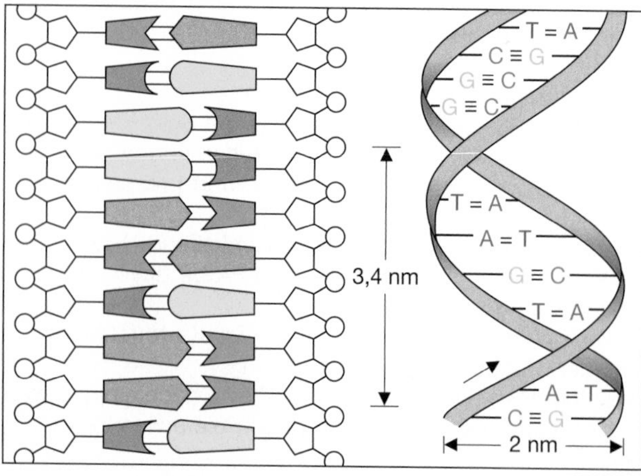

In den Zellen der Organismen liegen alle Erbinformationen gespeichert vor. Protein- und Nucleinsäuremoleküle (von lat. nucleus, Kern) bringen durch ihren Bau die Voraussetzungen zur Speicherung von Informationen mit.

Desoxyribonucleinsäure. Die Zellkerne aller Organismen enthalten *Desoxyribonucleinsäure* (DN**A**, von engl. **a**cid, Säure). Es handelt sich um Makromoleküle, die ausgestreckt eine Länge von bis zu 1 m erreichen können. Sie sind in spiralisierter Form in den Chromosomen enthalten. Bei Zerlegung der Moleküle zeigt sich, dass DNA aus lediglich sechs verschiedenen Bausteinen aufgebaut ist: Phosphorsäure, 2-Desoxyribose (eine Pentose, ↗ Kap. 16.6) und vier verschiedenen organischen Basen, Adenin, Cytosin, Guanin und Thymin (▷ B 1).
Die DNA-Moleküle sind leiterartig aufgebaut und bestehen aus zwei gegenläufigen Strängen. Jeder ist aus abwechselnd angeordneten Desoxyribose- und Phophorsäureeinheiten aufgebaut. Diese sind durch Esterbindung miteinander verknüpft, woran das 3′- und das 5′-C-Atom des Pentosemoleküls beteiligt sind. Die Kennzeichnung der Ziffern mit einem Strich wird vorgenommen, um die C-Atome der Moleküle der Pentose von denen der Moleküle der Basen unterscheiden zu können. Jedes Pentosemolekül ist außerdem mit einem der vier Basenmoleküle verbunden.
Eine Baueinheit, zusammengesetzt aus Pentose, Phosphorsäure und Base, wird Nucleotid genannt. Die Basen der Nucleotide sind im DNA-Molekül paarweise über Wasserstoffbrücken miteinander verbunden und wie die Sprossen einer Leiter angeordnet. Dabei sind aufgrund des Molekülbaus nur ganz bestimmte Basenpaarungen (Cytosin-Guanin und Adenin-Thymin) möglich (▷ B 2). Das DNA-Molekül ist schraubenförmig zu einer Doppelhelix verdreht. Es kann aus bis zu $3 \cdot 10^9$ Paaren von Nucleotiden aufgebaut sein (▷ B 3).

Ribonucleinsäure (RNA). Neben der DNA kommt in den Zellen noch eine weitere Nucleinsäureart, die RNA, vor. Sie ähnelt im Bau der DNA, weist aber einige Unterschiede auf. Die Moleküle sind einsträngig, statt 2-Desoxyribose kommt Ribose vor und statt der Base Thymin wird Uracil gefunden. Bis auf die fehlende CH_3-Gruppe im Uracilmolekül sind beide, DNA und RNA, gleich gebaut. RNA-Moleküle sind jedoch wesentlich kürzer als die der DNA und können abschnittsweise unter Basenpaarung Schlaufen bilden.

Die Ein-Gen-ein-Polypeptid-Hypothese. Die Merkmale eines jeden Lebewesens sind in seinen Genen gespeichert. Diese Informationen können nur durch Stoffwechselreaktionen mithilfe von Enzymen realisiert werden. Gene enthalten die Information zur Bildung von Enzymen. Die Aminosäuresequenz von Enzymen und anderen Peptiden ist in der Basensequenz der DNA codiert. An der Informationsübertragung ist die RNA beteiligt.

Der Abschnitt eines DNA-Moleküls, der die vollständige Information zur Ausbildung eines Polypeptides enthält, wird als ein Gen bezeichnet.

Transkription und Translation. In einem ersten Schritt, der zur Verwirklichung der genetischen Information führt, wird das DNA-Molekül unter Entspiralisierung in einem Teilbereich in die beiden Teilstränge zerlegt. Einer von beiden – er heißt codogener Strang – dient als Vorlage zur Bildung eines RNA-Moleküls mit komplementärer Basenfolge *(Transkription)* durch das Enzym RNA-Polymerase. Dieses m-RNA-Molekül (Messenger-RNA, Boten-RNA) tritt aus dem Kern heraus ins Cytoplasma.

Der zweite Schritt *(Translation)* läuft im Cytoplasma an speziellen Syntheseorten, den Ribosomen, ab. Er führt zur Bildung spezifischer Peptidmoleküle. Hierzu treten weitere RNA-Moleküle, t-RNA-Moleküle (Transfer-RNA-Moleküle), in Funktion. Sie sind an einem Ende mit einem Aminosäuremolekül verbunden und besitzen ein als Anticodon bezeichnetes Basentriplett, das sich mit einem komplementären Triplett der m-RNA (Codon) verbindet. Dadurch, dass es für jede Sorte von Aminosäuremolekülen mindestens eine Sorte von spezifischen t-RNA-Molekülen gibt, können die Aminosäuren in einer durch die Basensequenz der DNA codierten Reihenfolge angeordnet werden (▷ B5), in der sie enzymatisch zu Peptiden verknüpft werden.

Genetischer Code. Die Abfolge von drei Nucleotiden (Triplett) auf der DNA codiert eine bestimmte Aminosäure; es stehen 64 Codeworte zur Verfügung. Zu den meisten Aminosäuren gehören mehrere codierende Tripletts. Drei der möglichen Tripletts sind keiner Aminosäure zugeordnet, sie kennzeichnen als Stop-Signale das Ablesungsende. Der genetische Code gilt allgemein und wird üblicherweise als Basensequenz der m-RNA angegeben (▷ B4).

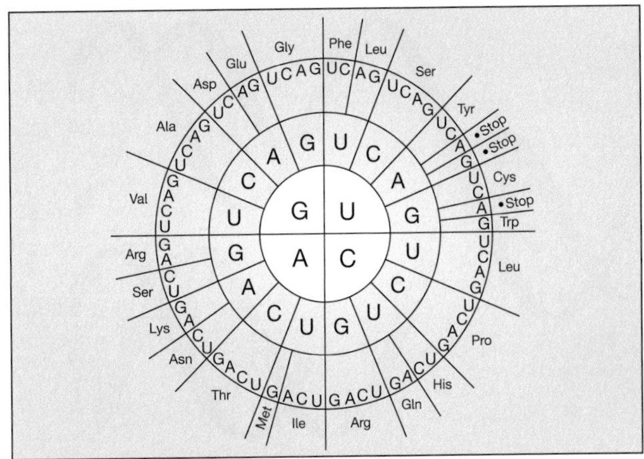

B4 Der genetische Code. Die Codesonne gibt die Nucleotidsequenz für die m-RNA an und ist von innen nach außen zu lesen

A 1 Vergleichen Sie die Ihnen bekannten, in lebenden Zellen vorkommenden, verschiedenen Arten von Makromolekülen hinsichtlich ihrer Eignung als Informationsträger.

A 2 Stellen Sie tabellarisch Gemeinsamkeiten und Unterschiede von DNS und RNS dar.

A 3 Erläutern Sie das in ▷ B5 dargestellte Prinzip der Proteinbiosynthese.

A 4 Ermitteln Sie mit der Codesonne (▷ B4), welches Peptid durch die folgende Basenfolge der RNA codiert wird: UUACGUGAAGAGUAA. Geben Sie auch die Basensequenz der DNA an, aus der dieser RNA-Abschnitt hervorgegangen ist.

B5 Biosynthese der Proteine. Die Reihenfolge der Aminosäuren ist durch die Basensequenz der DNA codiert

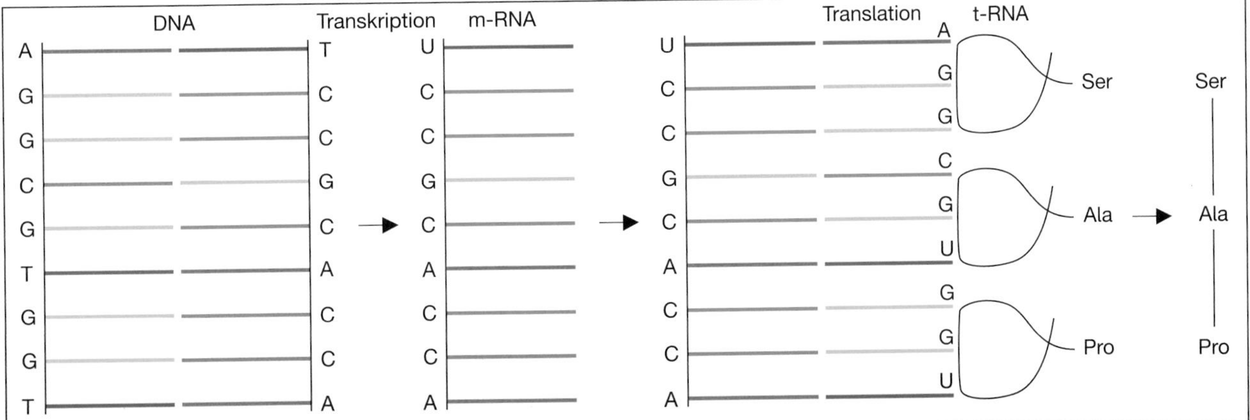

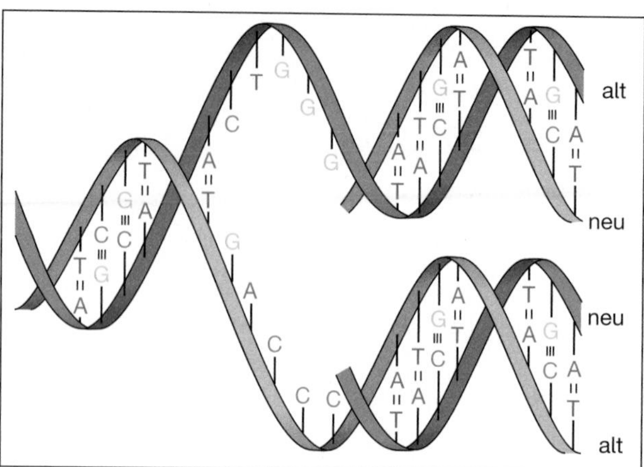

B 6 Prinzip der Replikation der DNA. Die entstehenden Moleküle sind exakte Kopien

A 5 Die Weitergabe der genetischen Information muss einerseits exakt sein und Kontinuität gewährleisten, andererseits aber auch Variabilität ermöglichen. Nehmen Sie zu dieser Forderung Stellung.

A 6 Erläutern Sie folgende Sachverhalte:
a) den in ▷ B 6 dargestellten Prozess der Replikation der DNA und
b) das Prinzip der im Exkurs dargestellten Sequenzanalyse.

A 7 Erläutern Sie die grundlegenden Vorgänge bei gentechnischen Eingriffen. Nennen Sie einige Argumente für oder gegen die Erzeugung gentechnisch veränderter Organismen.

Replikation der DNA. Bei jeder Zellteilung wird die komplette Erbinformation auf die Tochterzellen übertragen. Dazu ist eine *identische Verdopplung* der DNA notwendig. Sie wird *Replikation* genannt.

An diesem Vorgang sind mehrere Enzyme beteiligt. Zuerst wird ein Einzelstrang an einer Stelle aufgeschnitten, dann wird ein Abschnitt des Doppelstrangs entspiralisiert und in Einzelstränge aufgespalten. Entsprechend den spezifischen Basenpaarungen werden nun komplementäre Nucleotide, die durch den Zellstoffwechsel bereitgestellt werden, angefügt und miteinander verknüpft (▷ B 6).

Jeder Halbstrang liefert somit die Information zur Bildung eines neuen komplementären Stranges.

So entstehen zwei identische DNA-Moleküle, die jeweils aus einem alten und einem neu synthetisierten Strang bestehen.

Mutationen. Durch den Einfluss von energiereichen Strahlen oder von mutagenen Stoffen können Veränderungen der Basen der DNA (Mutationen) hervorgerufen werden. Als Folge werden bei der nächsten Replikation andere als die komplementären Basen eingebaut. Die dadurch bedingte *Variabilität* der DNA und die Erprobung der genetisch veränderten Organismen in der Umwelt, die natürliche *Selektion*, sind Voraussetzungen für den Ablauf der *Evolution*.

Ein großer Teil der durch Mutagene erworbenen Schäden kann durch Reparaturenzyme wieder beseitigt werden. Diese entfernen geschädigte Abschnitte und ersetzen sie durch neu synthetisierte. Als Vorlage dient die Basensequenz des anderen Halbstranges, der somit als Sicherungskopie dient.

B 7 Gentechnik. Mithilfe der Gentechnik ist es möglich, genetische Informationen verschiedener Organismen miteinander zu kombinieren

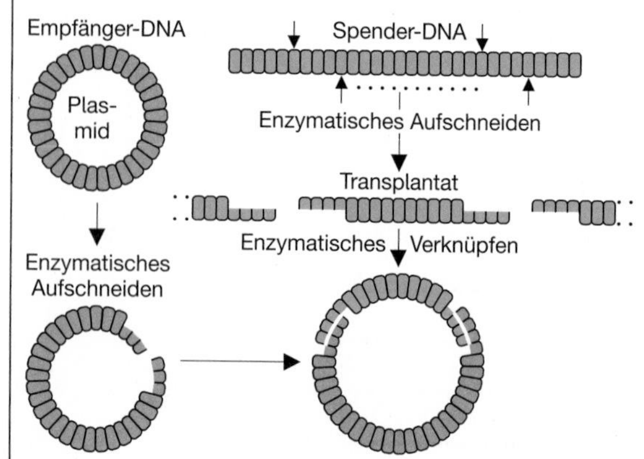

Werkzeuge der Gentechnik sind Enzyme, die DNA-Moleküle an besonderen Stellen zerschneiden. Dabei entstehen bei DNA-Molekülen verschiedener Organismen identisch gebaute Schnittstellen, die auf beiden Halbsträngen um einige Nucleotideinheiten versetzt sind. Die zerschnittenen DNA-Moleküle können enzymatisch zusammengefügt und anschließend in lebende Zellen eingeschleust werden. Vermischt man Bruchstücke aus DNA-Molekülen verschiedener Arten und verknüpft sie anschließend miteinander, können DNA-Moleküle entstehen, die aus Teilen unterschiedlicher Herkunft zusammengesetzt sind. Häufig werden Verbindungen mit kleinen DNA-Molekülen von Bakterien (Plasmide) ausgeführt. Sie dienen als Transportsystem und können die integrierten fremden DNA-Abschnitte („Passagier-DNA") durch die Membran in das Innere einer Bakterienzelle einschleusen. Durch mehrfache Zellteilung entstehen erbgleiche Bakterien, die einen Klon bilden. Durch **Klonierung** entstehen zahlreiche identische DNA-Moleküle. Die Empfängerzellen verwirklichen die fremde Erbinformation und führen z. B. Synthesen von Humaninsulin aus.

16.19 Exkurs: DNA-Sequenzanalyse

Das Prinzip der Sequenzanalyse beruht darauf, dass von einem DNA-Abschnitt, der als Halbstrang vorliegt, der komplementäre Strang nachgebaut wird. Jedes dabei eingebaute Nucleotid wird der Reihe nach identifiziert.

Prinzip der Synthese eines DNA-Halbstranges. Das zu untersuchende DNA-Stück wird mithilfe des Enzyms DNA-Polymerase an einer bestimmten Stelle in eine halbsträngige Empfänger-DNA eingesetzt. Durch Klonierung werden zahlreiche identische Kopien erzeugt.
Der Beginn der Synthese ist davon abhängig, dass bestimmte Oligonucleotide *(Primer)* des komplementären Stranges bereits vorhanden sind, an die die weiteren Nucleotide angefügt werden. Verwendet werden künstlich hergestellte Primer, deren Bindungsstelle unmittelbar vor dem Beginn des eingebauten zu untersuchenden DNA-Stückes liegt. Daran werden die weiteren zu diesem DNA-Stück komplementären Nucleotide angefügt.

Synthese unterschiedlich langer Teilstücke. DNA-, Enzym- und die zur Synthese benötigten Nucleotidmoleküle (A, T, C, G) werden in vier Reaktionsgefäße gegeben. Jedem Gefäß wird ein spezieller Primer zugefügt. Er ist mit einem fluoreszierenden Molekülteil verbunden und lässt sich bei entsprechender Anregung durch die Wellenlänge der Fluoreszenzstrahlung von den anderen unterscheiden. Die vier unterschiedlich fluoreszierenden Primer besitzen eine identische Nucleotidsequenz und werden an dieselbe Stelle der Empfänger-DNA gebunden.
Jedem Reaktionsansatz wird in geringen Mengen außerdem ein chemisch verändertes Nucleotid zugesetzt (2,3-Didesoxynucleotid, A′, T′, C′ oder G′). Ihm fehlt die zur weiteren Veresterung notwendige OH-Gruppe. Deswegen ist es nicht in der Lage, die Phosphorsäureeinheit des folgenden Nucleotidmoleküls zu binden. Der Einbau erfolgt nach statistischen Regeln und bedeutet das Ende der Synthese. Deshalb werden die 2,3-Didesoxynucleotide auch *Terminatoren* genannt. Jedem Primer in einem Reaktionsansatz ist somit ein spezieller Terminator zugeordnet. In jedem Reaktionsgefäß entstehen auf diese Weise *unterschiedlich lange komplementäre DNA-Stücke*, die alle mit einem charakteristisch fluoreszierenden Primer beginnen und mit einem dadurch zu identifizierenden Nucleotid enden.

Analyse. Die Syntheseprodukte werden von dem ursprünglich vorgelegten Halbstrang gelöst und miteinander vermischt gemeinsam der Elektrophorese (↗ Kap. 16.13) unterzogen. Kürzere Abschnitte wandern hierbei im elektrischen Feld schneller als längere. Durch Bestrahlung mit Laserlicht können die fluoreszierenden Zonen erkannt werden. Die Bezifferung gibt an, aus wie vielen angefügten Nucleotiden das entsprechende DNA-Stück besteht. Die Wellenlänge des Fluoreszenzlichtes zeigt an, welcher Primer vorliegt, und damit, welches Nucleotid jeweils als letztes angefügt wurde.

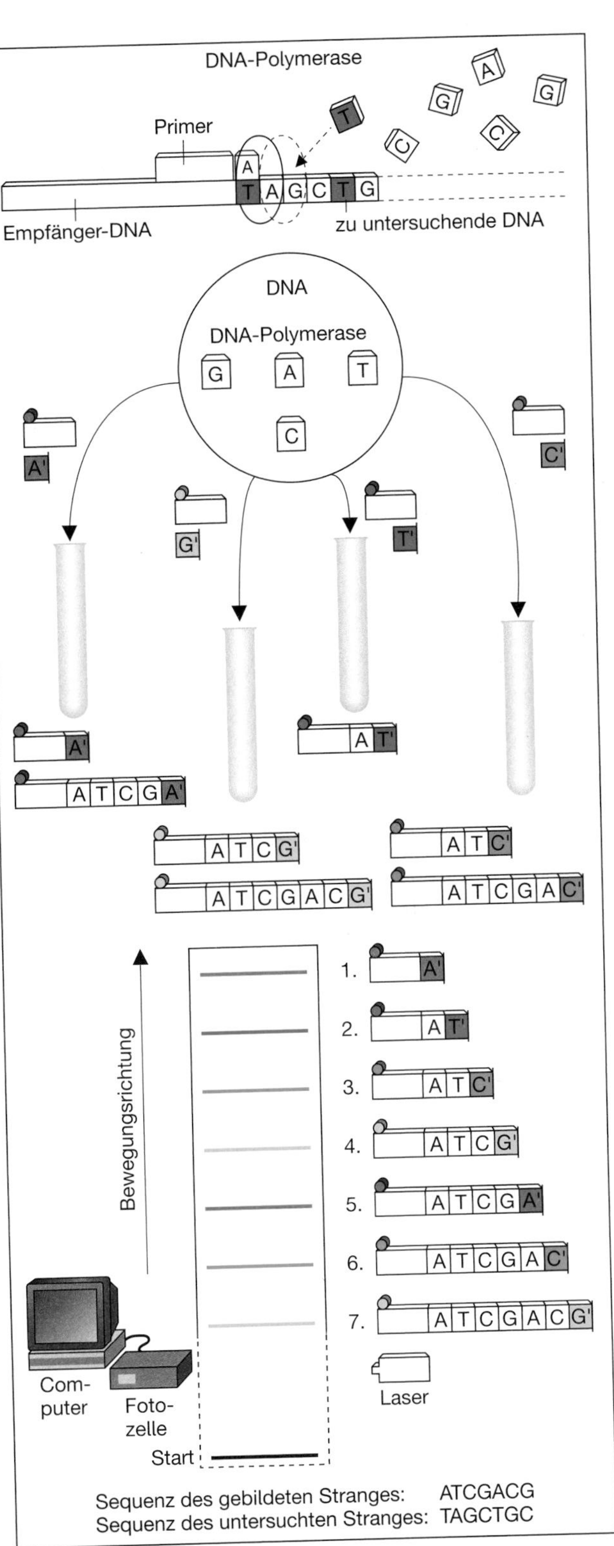

B1 DNA-Sequenzanalyse

16.20 Exkurs: Die Entstehung des Lebens

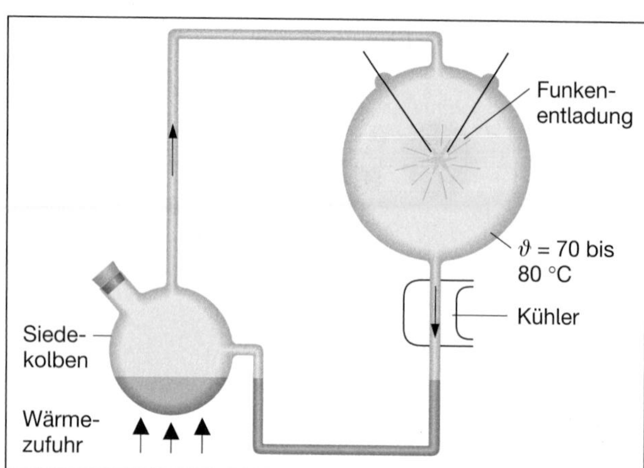

B 1 Apparatur nach Miller. Synthese organischer Moleküle unter postulierten Bedingungen der Uratmosphäre

Glycin	α-Hydroxybuttersäure
Alanin	Bernsteinsäure
β-Alanin	Harnstoff
α-Aminobuttersäure	Ribose
Asparaginsäure	Desoxyribose
Glutaminsäure	Adenin und andere Basen
Ameisensäure	Nucleotide
Essigsäure	ATP
Glykolsäure	Peptide
Milchsäure	

B 2 Einige organische Verbindungen, die bei Simulationsexperimenten entstanden sind

B 3 Entstehung von Aminosäuren. Dargestellt ist ein möglicher Reaktionsweg

$$NH_3 + HCN \longrightarrow NH_4CN$$

$$NH_4CN + R-\overset{\overset{\large O}{\|}}{C}-H \longrightarrow H_2N-\overset{\overset{\large R}{|}}{C}H-CN + H_2O$$

$$H_2N-\overset{\overset{\large R}{|}}{C}H-CN + 2\,H_2O \longrightarrow H_2N-\overset{\overset{\large R}{|}}{C}H-COOH + NH_3$$

Über die Entstehung des Lebens gibt es keine gesicherten naturwissenschaftlichen Erkenntnisse, sondern nur Theorien, die auf der Auslegung von Simulationsexperimenten beruhen. Bis in die zweite Hälfte des 19. Jahrhunderts galt die Meinung, dass Leben durch ständige Neuschöpfung („generatio spontanea") entstehen kann. Man beobachtete, dass sich z. B. aus Erde Würmer und andere Lebewesen entwickeln konnten, ohne dass derartige Organismen vorher dort zu finden waren. Seit den Experimenten von L. PASTEUR (1822–1895) gilt: Lebewesen entstehen nur aus Lebewesen. Mit diesem Satz ist aber die Frage nach der ursprünglichen Entstehung des Lebens nicht beantwortet.

Chemische Evolution. Das Alter der Erde wird mit etwa 4,6 Milliarden Jahren angegeben. Als Ergebnis vulkanischer Aktivitäten entstand eine Uratmosphäre, die in der Zusammensetzung mit der heutigen nicht identisch ist, sondern wahrscheinlich H_2-, CH_4-, N_2-, NH_3-, H_2O- und H_2S-Moleküle enthielt. Diese Atmosphäre war nahezu frei von elementarem Sauerstoff. Das belegen Sedimente, die zu dieser Zeit entstanden sind und in denen Metallkationen mit niedrigen Oxidationszahlen, z. B. Fe^{2+}-Ionen, vorherrschen. Andernfalls müssten Fe^{3+}-Ionen vorliegen.

Die heutigen Vorstellungen von der Entstehung des Lebens gehen auf Hypothesen zurück, die der russische Biologe A. OPARIN und der englische Biologe J. HALDANE in den Jahren 1922 und 1929 veröffentlichten. Ihre damals wenig beachteten Hypothesen gewannen an Aktualität durch die Experimente von H. UREY und ST. MILLER aus dem Jahr 1953 (▷ B 1). Sie bewiesen, dass unter den postulierten Bedingungen einer Uratmosphäre organische Verbindungen entstehen können, die im Stoffwechsel der heutigen Lebewesen eine große Bedeutung besitzen (▷ B 2). In späteren Varianten des Experimentes konnte eine immer größer werdende Zahl biologisch wichtiger Moleküle erzeugt und nachgewiesen werden, bis hin zu ATP-Molekülen, den universellen Energieüberträgern der Lebewesen. Wurde elementarer Sauerstoff zugegeben, verliefen die Experimente negativ.

Die Verbindungen sammelten sich in Urozeanen, denen der anschauliche Name „Ursuppe" verliehen wurde. Die Einwirkung von energiereichen Strahlen ermöglichte einerseits die Bildung von größeren Molekülen, z. B. von Aminosäuren, andererseits konnten gebildete Moleküle auch durch die Strahlung wieder zerstört werden.

Entstehung von Makromolekülen. Es wird als sicher angenommen, dass Nucleotide und Aminosäuren, die Bauelemente von Nucleinsäuren und Proteinen, vorhanden waren. Die Entstehung von Makromolekülen aus Nucleotiden (Polynucleotide) ist experimentell nachvollziehbar. Dagegen erscheinen die Theorien unsicher, die eine Bildung von Proteinen ohne Beteiligung lebender Organismen erklären sollen. In wässrigen Lösungen entstehen aus Aminosäuren spontan keine Peptide. Vielleicht sind Polypeptide durch Einwirkung von Wärme auf vulkanischem Gestein entstanden und dann durch Regen ausgewaschen worden. Diskutiert wird auch eine katalytische Wirkung bestimmter Tonmineralien auf die Peptidsynthese.

Hyperzyklus. Von einigen dieser zufällig gebildeten Polypeptide ist anzunehmen, dass sie als Vorläufer von Enzymen eine katalytische Funktion ausübten. Von ihnen konnte aber keine Entwicklung ausgehen. Das Gleiche gilt für Polynucleotide mit Informationsgehalt, aber ohne katalytische Wirkung. Erst eine Kombination von Informationsträgern (Polynucleotiden) und katalytisch wirksamen Molekülen (Polypeptiden) konnte ein sich selbst regulierendes und optimierendes System mit der Fähigkeit zur Weiterentwicklung und Optimierung ergeben. Ein solches System heißt *Hyperzyklus* und verknüpft die Polynucleotidreplikation mit der Proteinsynthese. Diese Vorstellung wurde von dem Chemiker M. EIGEN entwickelt. In ▷ B4 ist ein Hyperzyklus dargestellt, in dem Polynucleotide (DNA-Vorläufer) die Information zur Bildung spezifischer Polypeptide (Enzymvorläufer) enthalten, die wiederum die Replikation anderer Polynucleotide katalysieren. Die Enzyme 4 und 5 katalysieren nicht die Replikation, sondern andere Reaktionen. Durch Veränderungen der Basensequenz (Mutation) konnten möglicherweise schneller arbeitende Enzyme entstehen, die im Konkurrenzkampf untereinander mehr Substratmoleküle umsetzen konnten als andere.

Die Entstehung von Zellen. Ein Hyperzyklus kann dann besonders effektiv arbeiten, wenn alle seine Elemente sich in einem engen, umgrenzten Raum beieinander befinden. Aus dem Bau der Membranen der heutigen Zellen lässt sich eine hypothetische Vorstellung ableiten, wie solche, von Membranen umgrenzte Räume entstanden sein können (▷ B5). Dazu mussten Moleküle mit hydrophoben und hydrophilen Molekülenden vorhanden sein. Die Permeabilität der von ihnen gebildeten Membran bot die Voraussetzung zu einem selektiven Stoffaustausch mit der Umgebung. Die eingeschlossenen Moleküle des Hyperzyklus ermöglichten chemische Reaktionen im Inneren. Ein solches System zeigt zwei wichtige Attribute lebender Organismen: *Stoffwechsel* und die Fähigkeit zur *Entwicklung*. Auf welche Weise aber der Schritt zu lebenden Zellen vollzogen wurde, ist nicht belegt und völlig ungeklärt.

Fotosynthese und Atmung. Mit der Fähigkeit zur Synthese von Molekülen, die Sonnenlicht absorbieren, konnte die Energie der Sonne direkt genutzt werden. Der dabei freigesetzte Sauerstoff reicherte sich allmählich an. So erreichte die Atmosphäre ihre heutige Zusammensetzung. Andere Organismen entwickelten die Fähigkeit, den freigesetzten Sauerstoff zur Energieumsetzung (Atmung) zu nutzen.

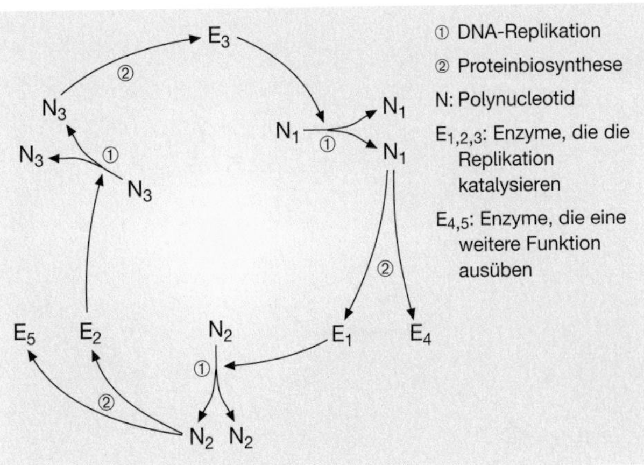

B4 Hyperzyklus. Die Kombination aus DNA-Replikation und Proteinsynthese stellt ein entwicklungsfähiges Modell dar

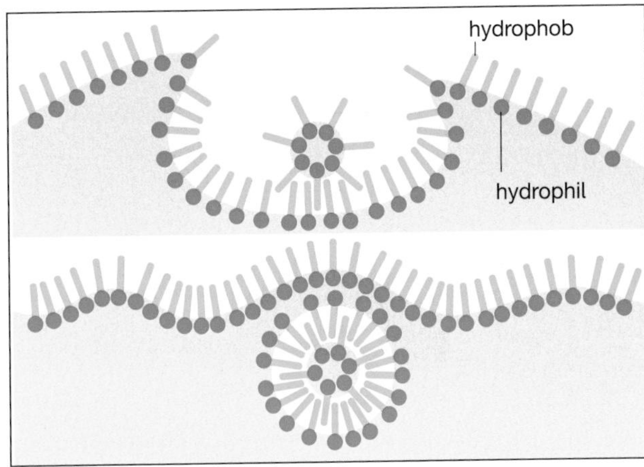

B5 Hypothetische Entstehung von Zellen. Die membranbildenden Moleküle haben hydrophile und hydrophobe Enden

A 1 Erläutern Sie die Beziehungen des Simulationsexperimentes von Miller (▷ B1) zu den in der Uratmosphäre ablaufenden Vorgängen.

A 2 Verdeutlichen Sie die in ▷ B3 dargestellten chemischen Reaktionen am Beispiel der abiotischen Synthese der Aminosäure Alanin in der Uratmosphäre.

A 3 Wie interpretieren Sie die folgende Aussage: „Die auf der Erde entstandenen lebenden Zellen haben die Bedingungen zu einer erneuten Entstehung des Lebens selbst zerstört."

A 4 Erläutern Sie die Reaktionen des in ▷ B4 abgebildeten Hyperzyklus.

16.21 Exkurs: Die Zelle als Energiewandler

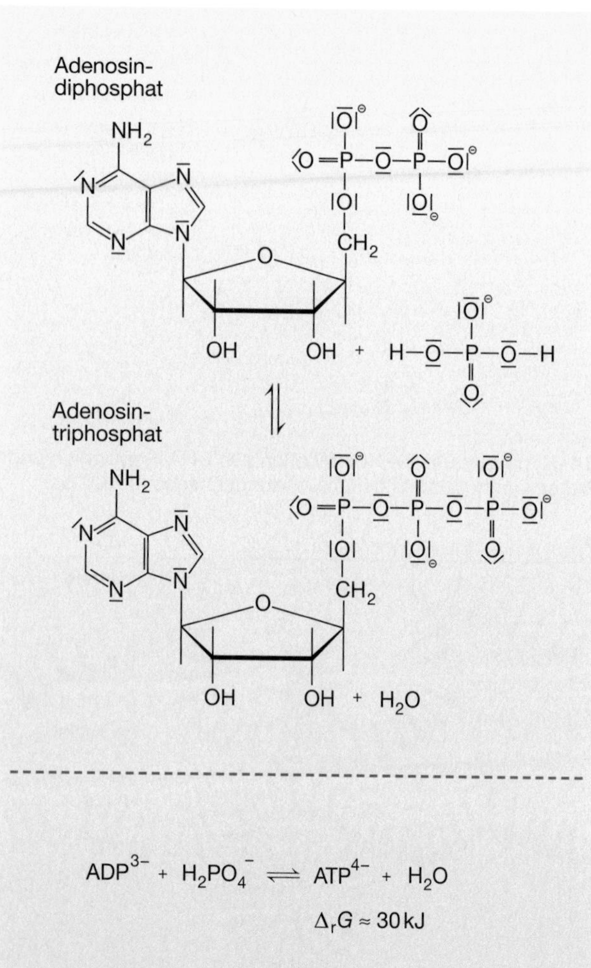

B1 ATP-Moleküle als Energiespeicher. Bildung und hydrolytischer Zerfall

Die Aufrechterhaltung des Stoffaustausches kann als eine der wichtigsten Funktionen lebender Organismen angesehen werden. Im Mittelpunkt soll hier nicht die exakte Darstellung der vielen, z.T. sehr komplizierten biochemischen Prozesse stehen, sondern ihre Funktion im Dienst der Energieumwandlung.

ATP als Energiewährung. Die wichtigste Energiequelle ist Glucose, die oxidativ abgebaut wird.

$$C_6H_{12}O_6 + 6\,O_2 \longrightarrow 6\,CO_2 + 6\,H_2O \quad | \quad \Delta_r G^\circ = -2870\,kJ$$

Der Betrag der freien Enthalpie ist sehr groß. Um sie für endergonische chemische Reaktionen in der Zelle nutzen zu können, muss sie in kleinere Portionen aufgeteilt und in Form energiereicher, transportfähiger Moleküle vorübergehend gespeichert werden.

Diese Funktion übernimmt bei allen Organismen Adenosintriphosphat (ATP). Es wird aus einer Vorstufe, Adenosindiphosphat (ADP) in einem endergonischen Prozess synthetisiert. Die Moleküle liegen bei dem in den Zellen vorherrschenden pH-Wert als mehrfach negativ geladene Ionen vor (▷ B1).

In den meisten Fällen geschieht die ATP-Synthese in einer zweistufigen Reaktionsfolge. In der ersten Stufe werden in einem Redoxprozess Überträgermoleküle reduziert. Das wichtigste unter ihnen ist Nicotinamid-adenin-dinucleotid (NAD) (▷ B2). Außerdem spielt ein weiteres Überträgermolekül eine Rolle, Flavin-adenin-dinucleotid (FAD). Es besitzt einen ähnlichen Molekülbau wie NAD. In einer zweiten Stufe werden dann die reduzierten Moleküle mit Sauerstoff unter Bildung von Wasser oxidiert. Die freie Enthalpie dieser Reaktion ist die Grundlage zur Synthese von ATP.

B2 NAD$^+$ und FAD. Dargestellt ist nur der Molekülteil, der an der Redoxreaktion teilnimmt

$NAD^+ + 2\,H^+ + 2\,e^- \rightleftharpoons NADH + H^+$

$FAD + 2\,H^+ + 2\,e^- \rightleftharpoons FADH_2$

A 1 Ermitteln Sie aus einem Biologiebuch die einzelnen Reaktionsschritte, die der Glykolyse, dem Citratzyklus und der Atmungskette zugrunde liegen.

A 2 Bestimmen Sie auf der Basis von ▷ B3 die Stoffmenge an ATP, die beim Abbau von 1 mol Glucose entsteht, und berechnen Sie den Wirkungsgrad der Energieübertragung bei der Oxidation von Glucose.

A 3 Bei der vollständigen Oxidation von 1 mol Glucose lässt sich die freigesetzte Wärme im Kalorimeter mit $\Delta_r H^\circ = 2816\,kJ$ bestimmen. Vergleichen Sie den Zahlenwert mit dem der freien Enthalpie. Deuten Sie den Unterschied!

A 4 Erläutern Sie die in ▷ B2 dargestellten Redoxreaktionen mit Bezug zum Glucosestoffwechsel (▷ B3).

An einigen Stellen des Glucoseabbaus entstehen auch ATP-Moleküle ohne Beteiligung der Elektronenüberträgermoleküle (▷ B3).

Glykolyse. Die im Cytoplasma ablaufenden Reaktionen beginnen mit endergonischen Teilschritten. In ihrem Verlauf werden zwei Phosphatreste von ATP-Molekülen auf ein Glucosemolekül übertragen. Außerdem wird das Glucosemolekül in das isomere Fructosemolekül umgewandelt. Das so gebildete Fructose-1,6-diphosphat-Molekül wird in zwei Fragmente mit gleicher Atomanzahl zerlegt, die dann in mehreren Schritten in die Anionen der Brenztraubensäure (Pyruvationen) umgewandelt werden. Bei diesen Reaktionen werden vier ATP-Moleküle pro Glucosemolekül synthetisiert, also zwei mehr als die beiden eingesetzten. Außerdem werden zwei Moleküle NADH gebildet.

Citratzyklus. Die folgenden Schritte des Glucoseabbaus finden in besonderen Organellen der Zelle, den Mitochondrien, statt und stellen einen zyklisch verlaufenden Prozess dar. Nach der Abspaltung eines CO_2-Moleküls von einem Pyruvation wird der verbleibende aus zwei C-Atomen aufgebaute Molekülrest (Acetylrest) auf ein Akzeptormolekül übertragen. Dabei entsteht ein Anion der Citronensäure, ein Citration, das dem Prozess den Namen gegeben hat. In weiteren Reaktionsschritten erfolgt unter Bildung von Kohlenstoffdioxid der vollständige Abbau des Acetylrestes und die Rückbildung des Akzeptors. Außerdem entstehen ATP- und durch Reduktion NADH- und $FADH_2$-Moleküle.
Neben seiner Funktion im Energiestoffwechsel kann der Citratzyklus als eine *Drehscheibe zur Synthese vieler wichtiger Verbindungen*, z. B. Aminosäuren, verstanden werden.

Atmungskette. An keiner der dargestellten Reaktionen waren die für die Oxidation der Glucose notwendigen Sauerstoffmoleküle beteiligt. Die bisher verlaufenden Prozesse sind also anaerob. Sie können aber nur so lange ablaufen, wie Elektronenüberträgermoleküle in oxidierter Form, also NAD^+ und FAD, zur Verfügung stehen. Ihre notwendige Regeneration geschieht im letzten Abschnitt der biochemischen Energieübertragung unter Beteiligung von Sauerstoffmolekülen (▷ B3).

$$2\,NADH + 2\,H^+ + O_2 \longrightarrow 2\,NAD^+ + 2\,H_2O \quad | \; \Delta_r G^0 = -441\,kJ$$

$$2\,FADH_2 + O_2 \longrightarrow 2\,FAD + 2\,H_2O \quad | \; \Delta_r G^0 = -303\,kJ$$

Die Übertragung der diesen Reaktionen zugeordneten freien Enthalpien verläuft in einem mehrstufigen Prozess, in dessen Folge miteinander gekoppelte Redoxreaktionen in einer Reaktionskette (Atmungskette) durchlaufen werden. Dabei werden pro NADH-Molekül 3 ATP-Moleküle (pro $FADH_2$-Molekül 2 ATP-Moleküle) gebildet.

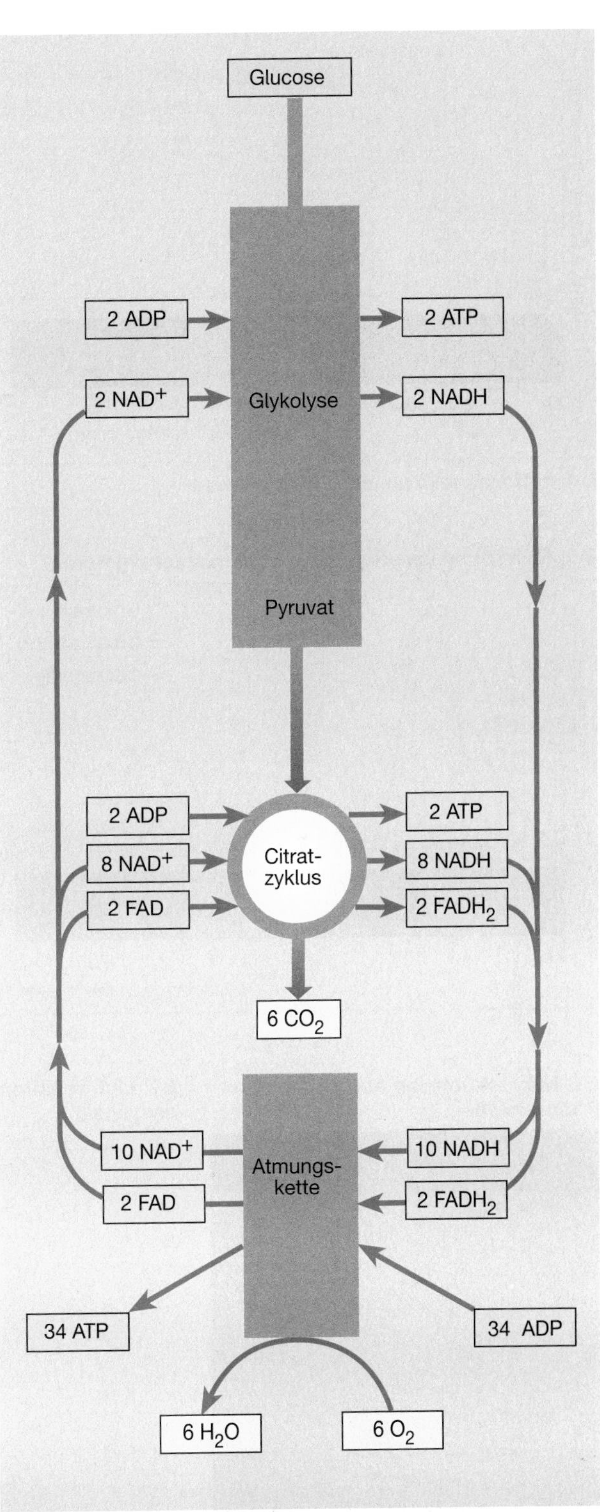

B3 Abbau von Glucosemolekülen. Schematische Darstellung

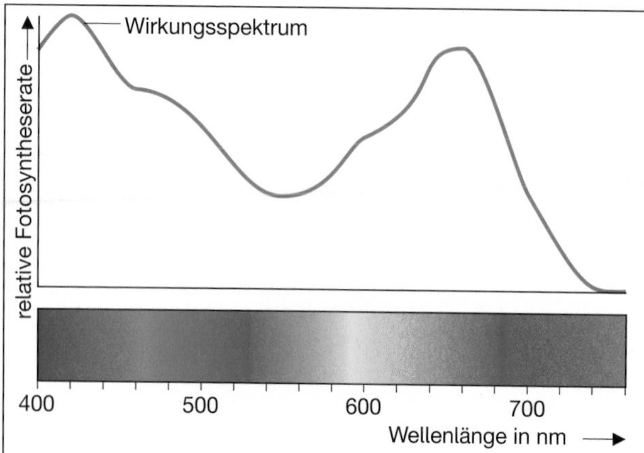

B4 Aktionsspektrum der Fotosynthese

B5 Absorptionsspektren der Chloroplastenpigmente

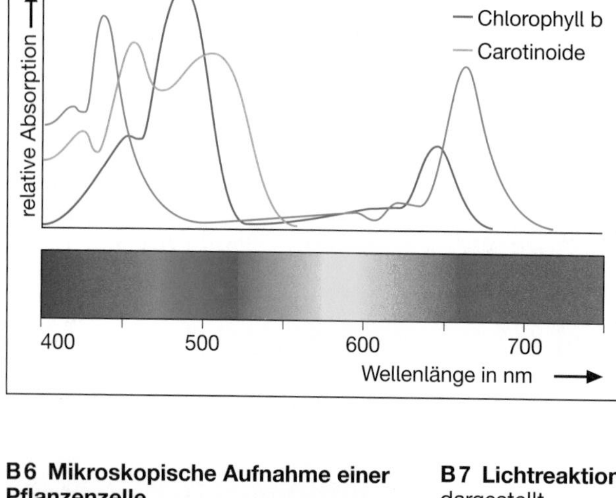

Die Fotosynthese bietet die Möglichkeit, die Energie der Sonne für Synthesen von organischen Substanzen zu nutzen. Organismen, die zur Fotosynthese befähigt sind, nehmen anorganische energiearme Substanzen auf und produzieren unter Aufnahme von Lichtenergie organische energiereiche Stoffe. Sie schaffen damit die Grundlage für die Organismen, die auf die Aufnahme energiereicher organischer Stoffe angewiesen sind. Jede Nahrungskette beginnt mit Fotosynthese treibenden Organismen.

Die Gleichung der Gesamtreaktion entspricht der Umkehrung des oxidativen Glucoseabbaus:

$$6\,CO_2 + 6\,H_2O \longrightarrow C_6H_{12}O_6 + 6\,O_2 \quad | \; \Delta_r G^o = 2870\,kJ$$

Die Fotosynthese findet in speziellen Organellen von Pflanzenzellen, den *Chloroplasten*, statt. Die Produktion von Sauerstoff ist auf eine fotochemische Reaktion zurückzuführen, an der die Licht absorbierenden Pigmente der Chloroplasten beteiligt sind. Der Bildung von Glucose liegen enzymatische Reaktionen zugrunde. Fotochemische und enzymatische Reaktionen laufen räumlich getrennt voneinander ab, sind aber durch Wechselbeziehungen miteinander verknüpft.

Herkunft des Sauerstoffs. Als Quelle des fotosynthetisch gebildeten Sauerstoffs kommen sowohl Wasser- als auch Kohlenstoffdioxidmoleküle infrage. Experimente mit Wassermolekülen, die das Sauerstoffisotop ^{18}O enthalten, zeigen, dass die produzierten Sauerstoffatome ausschließlich dem Wasser entstammen. Das allerdings ist der Grundgleichung der Fotosynthese nicht zu entnehmen. Es liegt ein mehrstufiger Prozess vor, in dessen Verlauf Wassermoleküle sowohl als Edukte als auch als Produkte auftreten, sodass die angegeben Anzahl von 6 Wassermolekülen einer Bilanzierung entstammt.

B6 Mikroskopische Aufnahme einer Pflanzenzelle

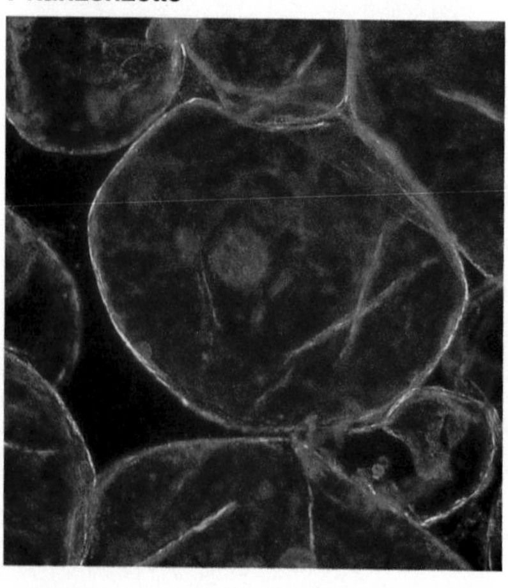

B7 Lichtreaktionen in schematischer Darstellung. Einzelheiten sind nicht dargestellt

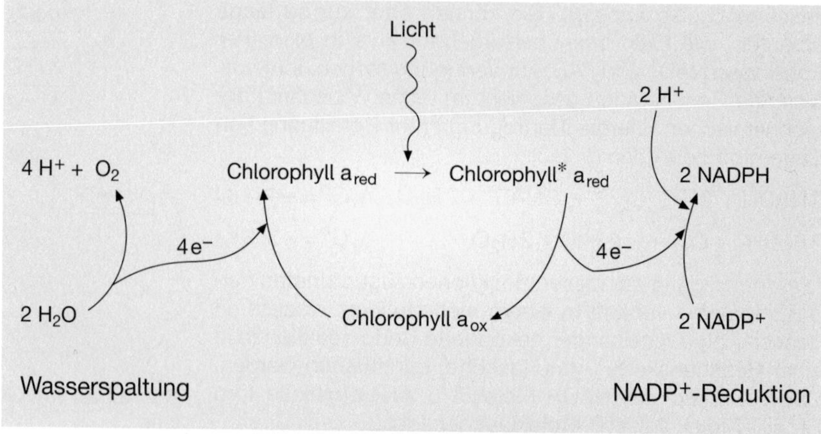

Bedeutung der Chloroplastenpigmente. Prüft man die Aktivität der Fotosynthese in Abhängigkeit von der Wellenlänge des Lichtes, stellt man eine eindeutige Beziehung zwischen der Sauerstoffentwicklung (▷ B4) und der Absorption der Chloroplastenpigmente (▷ B5) fest. Zu den an der Fotosynthese beteiligten Chloroplastenpigmenten gehören neben Chlorophyll a und b (↗ Kap. 9.5) weitere Farbstoffe (Carotinoide).

Den Molekülen des Chlorophylls a kommt eine besondere Bedeutung zu. Sie bilden das fotosynthetische Zentrum, dem die anderen Moleküle als Hilfspigmente („Antennenpigmente") Energie zuführen können. Sie absorbieren Licht in solchen Bereichen, in denen Chlorophyll a unwirksam ist.

Lichtreaktionen. Durch Absorption von Lichtquanten werden einige Elektronen der Moleküle des Chlorophylls a auf ein höheres Energieniveau angehoben (↗ Kap. 19.2). Das Molekül geht in einen angeregten Zustand über (Chlorophyll*a, ▷ B7). Diese Moleküle haben ein sehr niedriges Redoxpotential, d. h., sie besitzen eine große Neigung, Elektronen zu spenden. Diese werden an Moleküle übergeben, die in unmittelbarer Nachbarschaft angeordnet sind und die jeweils schwächere Reduktionsmittel sind. Ein Teil der dabei frei werdenden Energie wird zur Synthese von ATP genutzt.

Endstufe dieser Kette bilden Nicotinamid-adenin-dinucleotidphosphat-Moleküle ($NADP^+$-Moleküle). Sie weisen eine große Ähnlichkeit zu den NAD^+-Molekülen auf, die als Elektronenüberträger bei der Atmung eine wichtige Rolle spielen. Sie unterscheiden sich lediglich durch eine zusätzliche Phosphatgruppe am 2'-C-Atom eines Ribosemoleküls.

Die oxidierten Moleküle des Chlorophylls a werden von Wassermolekülen wieder reduziert (▷ B7) und können erneut Lichtquanten absorbieren.

$$2\,H_2O \longrightarrow O_2 + 4\,H^+ + 4\,e^-$$

Die schrittweise erfolgenden Elektronenübertragungen, die zur Reduktion von $NADP^+$-Molekülen (▷ B8) führen, werden als Lichtreaktionen bezeichnet, obwohl im engeren Sinne nur die Moleküle des Chlorophylls a an einer Lichtreaktion teilnehmen.

Lichtunabhängige Reaktionen. Die Synthese von Glucose verläuft in einer zyklischen, von Enzymen gesteuerten Reaktionsfolge, die nach ihrem Entdecker Calvin-Zyklus genannt wird. Der Zyklus benötigt neben Kohlenstoffdioxid die als Ergebnis der Lichtreaktionen hergestellten Moleküle ATP und NADPH (▷ B8). Als Akzeptor dient ein aus 5 C-Atomen aufgebautes Molekül, das im Verlauf des Zyklus wieder regeneriert wird. Dem Zyklus können in Form von Glucosemolekülen genauso viele C-Atome entnommen werden, wie CO_2-Moleküle fixiert werden.

Bilanz der Fotosynthese:

Lichtreaktionen:

$$12\,NADP^+ + 12\,H_2\mathbf{O} \longrightarrow 12\,NADPH + 12\,H^+ + 6\,\mathbf{O_2}$$

Lichtunabhängige Reaktionen:

$$6\,CO_2 + 12\,NADPH + 12\,H^+ \longrightarrow C_6H_{12}O_6 + 12\,NADPH^+ + 6\,H_2O$$

Gesamtreaktion:

$$6\,CO_2 + 12\,H_2O \longrightarrow C_6H_{12}O_6 + 6\,H_2O + 6\,O_2$$

$$6\,CO_2 + 6\,H_2O \longrightarrow C_6H_{12}O_6 + 6\,O_2$$

B8 Lichtreaktionen und lichtunabhängige Reaktionen sind durch Wechselbeziehungen miteinander verbunden

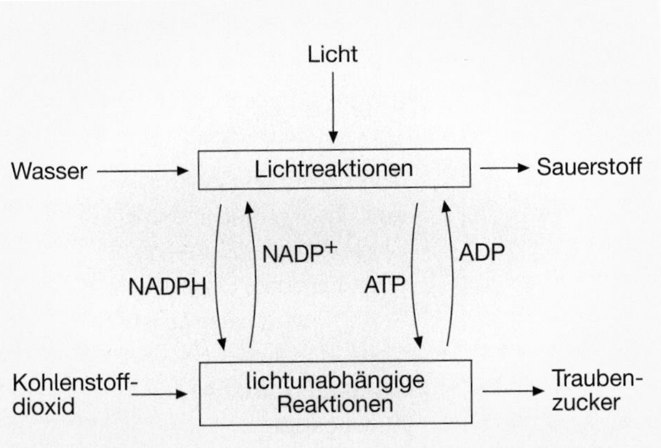

A 5 Erläutern Sie ▷ B4 (Aktionsspektrum der Fotosynthese) und ▷ B5 (Absorptionsspektrum der Chloroplastenpigmente) und stellen Sie eine Beziehung zwischen beiden Spektren her.

A 6 Die Spaltung von Wassermolekülen ist ein Prozess, der nicht spontan abläuft. Erklären Sie durch Auswertung von ▷ B7 die Vorgänge bei der fotosynthetischen Wasserspaltung.

A 7 Aus mechanisch zerstörten Chloroplasten kann man einen farblosen Extrakt gewinnen. Mit ihm lässt sich bei Dunkelheit nach Zugabe von Kohlenstoffdioxid, ATP und NADPH Glucose herstellen. Deuten Sie den Befund.

16.22 Überprüfung und Vertiefung

Vitamin		Mangelerkrankung
A	Retinol	Nachtblindheit
D	Calciol	Rachitis
E	Tocopherol	Anämie
K	Menachinon	Verzögerte Blutgerinnung
B_1	Thiamin	Beri-Beri
B_2	Riboflavin	Anämie
	Nicotinamid	Pellagra
	Folsäure	Anämie
	Panthotensäure	—
B_6	Pyridoxol	Gewichtsabnahme
B_{12}	Cobalamin	Anämie
C	Ascorbinsäure	Skorbut
H	Biotin	Dermatitis

Vitamine sind Substanzen, die wichtige, z.T. sogar lebenswichtige Funktionen im menschlichen Stoffwechsel ausüben und in geringen Mengen mit der Nahrung aufgenommen werden müssen. Geschieht das nicht in genügendem Maße, treten Mangelerkrankungen auf, die jedoch durch Zugabe des Vitamins wieder behoben werden können.

Üblicherweise werden die Vitamine mit den Buchstaben des Alphabets gekennzeichnet, evtl. mit Indexzahl. Vitamin B_2 wurde ursprünglich für eine einheitliche Substanz gehalten. Genauere Untersuchungen zeigten aber, dass es sich um ein Gemisch verschiedener Vitamine handelt.

Auf vielen Lebensmittelpackungen wird der Gehalt an Vitaminen noch in internationalen Einheiten (I.E.) angegeben. Die Verwendung geht auf die Zeit zurück, als Vitamine noch nicht als Reinstoffe zur Verfügung standen. Ihre Wirkung wurde deshalb in Tierversuchen quantitativ erfasst. Z.B. entsprechen 1000 I.E. von Vitamin A einer Portion von 0,3 µg des Vitamins. Vitamine werden häufig nach ihrer Löslichkeit eingeteilt. So sind die Vitamine A, D, E und K fettlöslich, die anderen sind wasserlöslich.

Nicht alle Lebewesen müssen die als Vitamine bezeichneten Substanzen mit der Nahrung aufnehmen. Ascorbinsäure ist z.B. nur für Menschen, Affen und Meerschweinchen ein Vitamin, andere Organismen können diesen Stoff selbst synthetisieren.

1 Durch Oxidation von Glycerin (Propantriol) können verschiedene Kohlenhydrate gewonnen werden, die alle die Summenformel $C_3H_6O_3$ besitzen. Geben Sie die Strukturformeln in der Fischer-Projektion an. Nehmen Sie eine Zuordnung zu D- und L-Verbindungen sowie zu Aldosen und Ketosen vor.

2 12 g Saccharose werden in Wasser aufgelöst, sodass 100 ml Lösung entstehen. Anschließend werden einige Tropfen Salzsäure zugegeben.

a) Berechnen Sie den zu erwartenden Drehwinkel α(Saccharose) bei Normbedingungen und einer Rohrlänge des Polarimeters von 20 cm vor Zugabe der Salzsäure.

b) Stellen Sie die Reaktionsgleichung für die nach Zugabe von Salzsäure ablaufende chemische Reaktion dar und berechnen Sie die Masse der entstehenden Reaktionsprodukte.

c) Bestimmen Sie rechnerisch den zu erwartenden Drehwinkel α(Reaktionsprodukt) unter den gleichen Bedingungen wie in (a) und unter der Voraussetzung, dass durch die Zugabe der Säure das Volumen nicht merklich verändert wurde.

3 Eine Portion Asparaginsäure wird in Natronlauge gelöst und tropfenweise mit Salzsäure versetzt. Geben Sie an, in welcher Form das Asparaginsäuremolekül in stark alkalischer Lösung vorliegt, und formulieren Sie die Säure-Base-Reaktionen, die bei Zugabe von Salzsäure ablaufen. Welche Moleküle liegen bei pH = 2,8 überwiegend vor?

4 Erklären Sie, indem Sie sich auf den Bau der Proteinmoleküle beziehen, die Abhängigkeit der Enzymtätigkeit vom pH-Wert (▷ B1).

5 Unter Verwendung der Elektrophorese können Proteinlösungen, z.B. menschliches Blutserum, aufgetrennt werden.
Erläutern Sie die Grundlagen des Verfahrens. Wovon hängen Laufrichtung und -geschwindigkeit der verschiedenen Proteinfraktionen ab?

6 Erläutern Sie die Begriffe Primär-, Sekundär-, Tertiär- und Quartärstruktur von Proteinen.

7 Stellen Sie tabellarisch die Bausteine von DNA- und RNA-Molekülen einander gegenüber.

8 Informieren Sie sich über Vitaminmangelkrankheiten und über den Tagesbedarf an den verschiedenen Vitaminen. Aus welchem Grund kann für Pantothensäure keine Mangelerkrankung angegeben werden?

B1 Zu Aufgabe 4

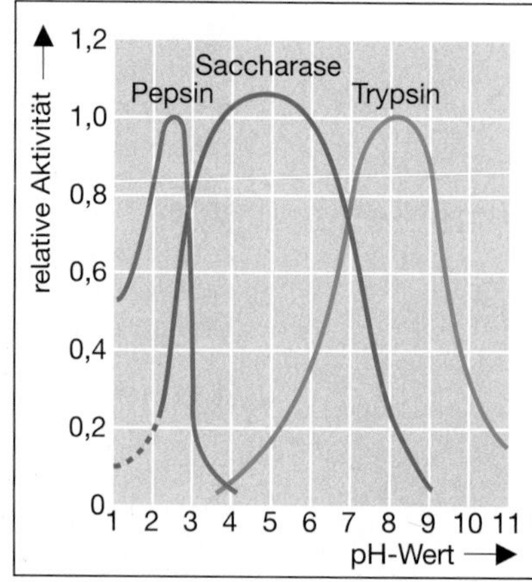

Wichtige Begriffe

Fette, Fettsäuren, glycosidische Bindung, Mutarotation, Keto-Enol-Tautomerie, Fischer-Projektion, optische Aktivität, Enantiomere, Diastereomere, Zwitterion, Peptidbindung, Elektrophorese, Proteinbiosynthese, genetischer Code, Nucleotide, Fotosynthese, Glykolyse, Citratzyklus, Atmungskette

Kunststoffe

Kunststoffe gehören heute zu unserem Alltag. Sie sind nicht mehr nur Ersatz für andere Werkstoffe wie Holz, Leder, Wolle, Glas und Metalle, sondern haben durch ihre besonderen Eigenschaften neue Verwendungsmöglichkeiten eröffnet.

Die Produktion der zur Zeit über 30 verschiedenen Kunststoffarten nimmt stetig zu. So verzehnfachte sich die weltweite Kunststoffproduktionsrate im Zeitraum zwischen 1965 und 1995 von 15 Millionen auf 150 Millionen Tonnen pro Jahr. Sie wächst jährlich weiter mit ca. 3 Millionen Tonnen pro Jahr.

Das weite Anwendungsspektrum der Kunststoffe reicht heute von Spielzeugformteilen über Verpackungsfolien bis zu Konstruktionselementen im Fahrzeugbau. Spezialkunststoffe für besondere Anwendungen gewinnen auch im Freizeitbereich und in der Medizin zunehmend an Bedeutung.

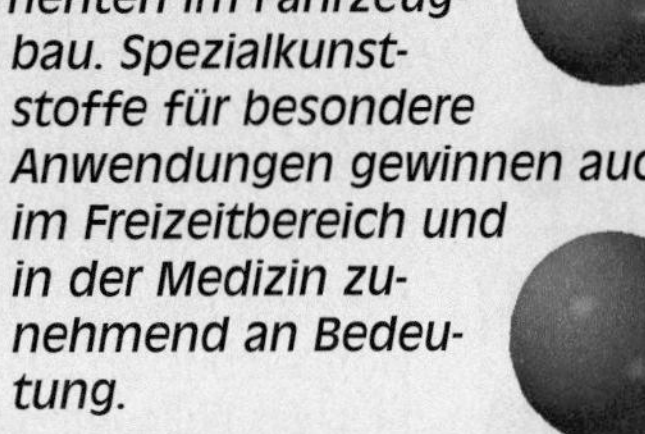

Fasern aus Kunststoffen sind aus unserer Bekleidung nicht mehr wegzudenken. Synthesefasern werden u. a. auch beim Wassersport, für künstlerische „Verpackungen" und im Flugzeugbau verwendet.

Der große Verbrauch von Kunststoffen schafft jedoch Probleme bei ihrer Entsorgung. Die Ablagerung auf Deponien wird künftig nicht mehr erlaubt sein; außerdem würden die Kunststoffe wegen ihres Abfallvolumens und ihrer Verrottungsfestigkeit auch zu viel Deponieraum einnehmen. Mithilfe verschiedener Recyclingverfahren können Kunststoffe sowohl rohstofflich als auch energetisch wieder verwertet werden.

17.1 Geschichte der Kunststoffe

B 1 Radiogehäuse aus Bakelit

Bis etwa zur Mitte des 19. Jahrhunderts standen zur Herstellung von Werkzeugen und Gebrauchsgegenständen nur in der Natur vorhandene Stoffe wie z. B. Holz, Tierhorn, Elfenbein, Wolle oder Leinen zur Verfügung. Die Herstellung von Leder, Glas, Keramik sowie Metallen und ihren Legierungen zeigt, dass man schon früh begann, Werkstoffe mit erwünschten Eigenschaften zu erzeugen. Immer geschah dies auf der Basis von „Naturstoffen“.

Die Anfänge. Mit der aufkommenden Industrialisierung suchte man nach Ersatz für bereits bekannte Werkstoffe. Man verwendete natürlich vorkommende Faserstoffe, die man mithilfe chemischer Prozesse modifizierte. So wurde ab 1859 durch Pergamentieren von Papier (Cellulose) *Vulkanfiber* für Dichtungen und Maschinenteile erzeugt, ein lederartiger Stoff, der vorwiegend aus Cellulose-Hydrat besteht. 1869 entwickelte J. W. HYATT aus Cellulosenitrat und Campher *Celluloid* als Elfenbeinersatz für Billardkugeln. 1884 setzte G. EASTMAN Celluloid als Trägermaterial für Rollfilme ein. Auch heute noch werden z. B. Kämme, Brillengestelle und Tischtennisbälle aus Celluloid hergestellt.

1892 begann in England die Produktion der Textilfaser *Viskose*. Durch Umsetzung von Cellulose mit Natronlauge und Kohlenstoffdisulfid erhielt man eine sirupartige, „viskose“ Masse, aus der sich nach einem weiteren Arbeitsschritt flexible Fäden aus reiner Cellulose („Reyon“-Fäden) ziehen ließen. Aus Viskose wurde in der Folgezeit auch eine sehr dünne, transparente Verpackungsfolie, das *Cellophan*, hergestellt. Ab 1897 produzierte man aus Casein (Milcheiweiß) und Formaldehyd einen weiteren halbsynthetischen Werkstoff, das *Kunsthorn (Galalith)*, das z. B. für Knöpfe und Messergriffe verwendet wurde.

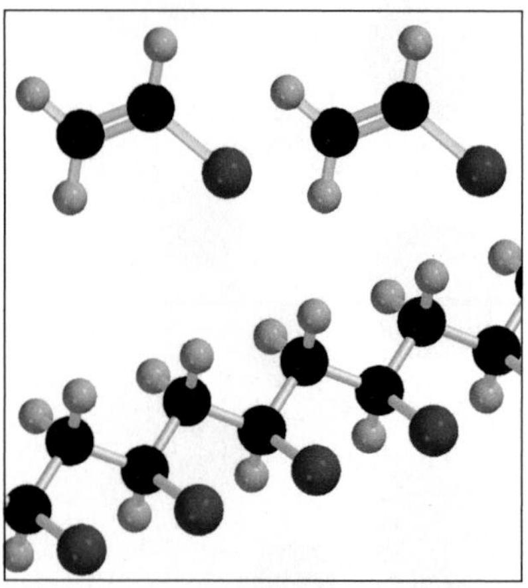

B 2 Monomer und Polymer: Chlorethen (Vinylchlorid) und Polyvinylchlorid
B 3 Haushaltsgegenstände aus Polyethen und Polypropen

Mit dem *Bakelit*, das 1907 von L. H. BAEKELAND aus Phenol und Methanal gewonnen und ab 1910 als Massenkunststoff produziert wurde, stand zum ersten Mal ein vollsynthetischer Werkstoff mit einem breiten Anwendungsspektrum zur Verfügung. Man verwendete ihn u. a. für die Herstellung von Gehäusen, z. B. für Radios (▷ B 1). Da es sich als guter Stromisolator erwies, wurde Bakelit zum Universalwerkstoff in der Elektroindustrie.

Makromoleküle. Die Entwicklung der Petrochemie, die Kohle und Erdöl als Grundstoffe verwendete, brachte auch die Suche nach weiteren Kunststoffen voran. H. STAUDINGER zeigte 1920, dass Kunststoffe vorwiegend aus langen Kettenmolekülen bestehen, die als Bausteine die Struktureinheiten der Moleküle enthalten, aus denen sie entstanden sind (▷ B 2). Er prägte für diese Moleküle den Begriff **Makromoleküle** oder **Polymere** (von griech. polys, viel; meros, Teil). Die Moleküle, aus denen sie entstehen, bezeichnet man als **Monomere**.

Als Kunststoffe bezeichnet man synthetisch erzeugte makromolekulare Verbindungen.

Kunststoffe heute. Auf der Grundlage der Erkenntnisse H. STAUDINGERS entwickelte man ab etwa 1930 viele neue Kunststoffe. 1933 erhielt O. RÖHM eine glasklare Platte aus einem Kunststoff, den er *Plexiglas* nannte: das erste „unzerbrechliche Glas“. W. H. CAROTHERS erzeugte 1935 aus Adipinsäure und 1,6-Diaminohexan eine Kunststoffmasse, aus der man Fäden ziehen konnte: *Nylon*, die erste echte Synthesefaser. 1938 entwickelte P. SCHLACK in Deutschland ein ähnliches Produkt aus Caprolactam: *Perlon*, eine Textilfaser, die der Nylonfaser ebenbürtig ist. *Polystyrol*, ein Kunststoff, der ab 1936 aus Styrol erzeugt wurde, stand lange Zeit im Zentrum der Forschungsarbeiten STAUDINGERS.

Das bereits 1912 entdeckte *Polyvinylchlorid* (PVC) wurde ab 1937 in großem Maßstab hergestellt. Die Geschichte des *Polyethens* begann 1933 mit der Synthese des Hochdruckpolyethens (PE-LD) in England. Dieses Polyethen, ab 1939 großtechnisch produziert, hat eine geringere Dichte (daher LD für low density) und ist weicher als das 1953 entdeckte Niederdruckpolyethen (PE-HD). K. ZIEGLER und G. NATTA synthetisierten 1953 Niederdruckpolyethen bei normalem Druck mithilfe von Katalysatoren.

Nach dem Zweiten Weltkrieg begann der rasante Anstieg der Kunststoffproduktion. Die Polymere erwiesen sich als universell einsetzbare Werkstoffe, die meist einfach und in großen Mengen hergestellt werden konnten. Auch die bereits 1941 von O. BAYER entdeckten *Polyurethane* (PU) wurden wie Polyethen, Polystyrol und PVC zu Massenkunststoffen. Aus Polyurethanen erhält man u.a. Schuhsohlen, Lacke und wasserundurchlässige Beschichtungen für Textilien. 1953 wurden die *Polycarbonate* entwickelt, aus denen heute Compact-Discs und schlagzähe transparente Platten hergestellt werden. Seit 1957 wird einer der zurzeit wichtigsten Kunststoffe produziert, das *Polypropen* (PP), aus dem z.B. Verpackungen und Haushaltsgegenstände hergestellt werden (▷ B3). 1976 entdeckte man in Japan, dass Polymere den elektrischen Strom leiten können. Außer dem damals verwendeten *Polyacetylen* kennt man heute weitere Kunststoffe mit dieser Eigenschaft, die bereits industriell eingesetzt werden.

Die Entwicklung ständig neuer Polymere erweitert den Anwendungsbereich der Kunststoffe. Sie werden je nach Bedarf „maßgeschneidert“.

Exkurs: Unterscheiden von Kunststoffen

Gebräuchliche Kunststoffe lassen sich häufig bereits mit wenigen Untersuchungen unterscheiden. Man nutzt dazu das unterschiedliche Verhalten der meisten Kunststoffe beim Verbrennen bzw. Verschwelen aus. Auch der Vergleich ihrer Dichte mit der von Wasser oder wässrigen Salzlösungen ist beim Bestimmen der Kunststoffe hilfreich. Weiterhin verhalten sich viele Kunststoffe unterschiedlich im Kontakt mit organischen Lösungsmitteln.

Zum **Dichtevergleich** gibt man die Kunststoffproben in Wasser bzw. gesättigte Kochsalzlösung (ϱ = 1,18 g/cm^3) oder Natriumthiosulfatlösung (w = 40 %, ϱ = 1,38 g/cm^3) und bestimmt die Dichtebereiche (▷ Tabelle).

Ein **Test mit Essigsäureethylester** kann zur Unterscheidung von Polystyrol (und Polycarbonat) von anderen Kunststoffen führen. Ein Tropfen Essigsäureethylester wird dazu auf die Kunststoffprobe gegeben und mit einem Wattestäbchen verrieben. Bei einer Polystyrolprobe klebt das Wattestäbchen, da durch das Lösungsmittel die Oberfläche der Probe angelöst wird.

Zur **Untersuchung des Brennverhaltens** entzündet man die Kunststoffprobe in der Brennerflamme unter dem Abzug über einer feuerfesten Unterlage. Ein Vergleich der Beobachtungen mit der Tabelle gibt erste Hinweise auf die Kunststoffart. (Abzug!)

Zur **Bestimmung des Schwelverhaltens** füllt man 50 bis 150 mg der Kunststoffprobe in ein Reagenzglas und legt ein angefeuchtetes Indikatorpapier in das obere Drittel. Dann verschließt man das Reagenzglas locker mit einem Wattebausch und erhitzt es so lange, bis der entstehende Qualm das Indikatorpapier erreicht hat. (Abzug!)

Kunststoff	Dichte in g/cm^3	Brennverhalten	Schwelverhalten	Indikatorprobe
Polyethen PE	0,91 bis 0,96	brennt mit leuchtender Flamme, tropft	schmilzt, wirft Blasen, weißer Qualm	neutral
Polystyrol PS	1,05	brennt mit stark rußender Flamme	schmilzt, wirft Blasen, weißer Qualm	neutral
Polyamid PA	1,04 bis 1,15	blaue Flamme mit gelblichem Rand, tropft	schmilzt, wird braun, brauner Qualm	alkalisch
Polyvinylchlorid PVC	1,38 bis 1,40	schwer entflammbar, erlischt außerhalb der Flamme	schmilzt, wird braun, brauner Qualm	sauer
Polymethylmethacrylat PMMA	1,18 bis 1,32	brennt mit gelbbläulicher Flamme, tropft	schmilzt, wirft Blasen, knistert, weißer Qualm	neutral
Melamin-Formaldehydharz MF	1,40	brennt mit leuchtender Flamme	wird braun, verkohlt, braune Dämpfe	alkalisch

V 1 Polymerisation von Styrol. 10 ml Styrol werden in einem großen Reagenzglas mit 2 g Dibenzoylperoxid vermischt und 30 min in ein Becherglas mit heißem Wasser (ca. 80 °C) gestellt. (Abzug! Schutzbrille! Keine Flammen!)

V 2 Herstellen von Acrylglas. 15 ml Methacrylsäuremethylester werden in einem großen Reagenzglas mit ca. 1 g Dibenzoylperoxid gut verrührt. Nach 30 min Erhitzen im Wasserbad bei ca. 80 °C lässt man den erhaltenen Kunststoff aushärten. (Schutzbrille! Abzug!)

B 1 Wichtige Polymere, die durch Polymerisation erhalten werden

Monomerbaustein	Ausschnitt aus der Polymerkette
$H_2C{=}CH_2$ Ethen	Polyethen (PE)
$H_2C{=}CH(CH_3)$ Propen	CH_3 CH_3 CH_3 Polypropen (PP)
$H_2C{=}CHCl$ Chlorethen, Vinylchlorid	Cl Cl Cl Polyvinylchlorid (PVC)
$H_2C{=}CH(C_6H_5)$ Styrol	Polystyrol (PS)
$H_2C{=}CH(CN)$ Acrylnitril	CN CN CN Polyacrylnitril (PAN)
$H_2C{=}C(CH_3)COOCH_3$ Methacrylsäuremethylester	CH_3 $COOCH_3$ CH_3 $COOCH_3$ Polymethylmethacrylat (PMMA)
$F_2C{=}CF_2$ Tetrafluorethen	F F F F F F / F F F F F F F F Polytetrafluorethen (PTFE, Teflon®)

Die Synthesen von Kunststoffen beruhen auf der Verknüpfung vieler kleiner Moleküle, den *Monomermolekülen*, zu ketten- oder netzförmigen Makromolekülen, den *Polymermolekülen*. Je nachdem, welche funktionellen Gruppen die Monomermoleküle besitzen, erfolgt die Verknüpfung durch drei unterschiedliche Reaktionstypen, durch *Polymerisation*, durch *Polykondensation* oder durch *Polyaddition*.

Polymerisation. Makromoleküle, deren Molekülkette nur aus Kohlenstoffatomen besteht, erhält man durch Polymerisation. Die reagierenden Monomere müssen mindestens eine Doppelbindung im Molekül besitzen. Man erhält die Monomere meist durch Cracken aus einer Benzinfraktion des Erdöls, dem Naphtha (↗ Kap. 13.10). Bei der Polymerisationsreaktion, die durch Zufuhr von Wärme, Licht, erhöhtem Druck im Reaktionsgefäß oder durch Katalysatoren ausgelöst wird, brechen die Doppelbindungen der Monomermoleküle auf. Sie verbinden sich miteinander unter Ausbildung von C–C-Einfachbindungen. Durch die Verknüpfung lauter gleichartiger Moleküle entstehen lineare Kettenmoleküle, die sich in Nebenreaktionen verzweigen können. Die entstandenen Polymere kann man sich vom Ethen oder von Ethenderivaten abgeleitet denken (▷ B 1).

Bei einer Polymerisation werden Moleküle mit Doppelbindungen zu Polymeren verknüpft.

Je nach der Art des Reaktionsmechanismus kann man dabei zwischen radikalischen und ionischen Polymerisationen unterscheiden.

B 2 Ablauf der radikalischen Polymerisation

Erzeugung von Startradikalen:

$$R{-}R \longrightarrow R\cdot + \cdot R$$

Beispiel: $R{=}C_6H_5{-}COO$ Dibenzoylperoxid

1. Kettenstart (Erzeugung von Monomer-Radikalen):

$$R\cdot + >C{=}C< \longrightarrow R{-}\overset{|}{\underset{|}{C}}{-}\overset{|}{\underset{|}{C}}\cdot$$

2. Kettenwachstum (Verlängerung der „Radikalkette"):

$$R{-}\overset{|}{\underset{|}{C}}{-}\overset{|}{\underset{|}{C}}\cdot + >C{=}C< \longrightarrow R{-}\overset{|}{\underset{|}{C}}{-}\overset{|}{\underset{|}{C}}{-}\overset{|}{\underset{|}{C}}{-}\overset{|}{\underset{|}{C}}\cdot$$

3. Kettenabbruch (Vernichtung von Radikalen):

$$R{-}[C{-}C]_n{-}C{-}C\cdot + \cdot C{-}C{-}[C{-}C]_m{-}R \longrightarrow R{-}[C{-}C]_n{-}C{-}C{-}C{-}C{-}[C{-}C]_m{-}R$$

Kettenverzweigung (Nebenreaktion)

$$R{-}\overset{|}{\underset{|}{C}}{-}\overset{|}{\underset{|}{C}}\cdot + H{-}C\text{(in Kette }{-}C{-}\text{)} \longrightarrow R{-}\overset{|}{\underset{|}{C}}{-}\overset{|}{\underset{|}{C}}{-}H + \cdot C\text{(in Kette }{-}C{-}\text{)}$$

Das gebildete Radikal kann wie in 2. mit dem Monomer reagieren.

Radikalische Polymerisation. Zu Beginn einer *radikalischen Polymerisation* (▷ B2) erfolgt die Bildung der Radikale – Atome oder Moleküle, die jeweils mindestens ein ungepaartes Elektron besitzen. Sie werden meist aus organischen Peroxiden hergestellt. Im ersten Schritt der Reaktion spaltet ein Radikal die Doppelbindung eines Monomermoleküls auf, wobei ein um zwei C-Atome verlängertes Radikal entsteht.
Dieses Radikal reagiert mit einem weiteren Monomermolekül unter Kettenverlängerung. Die *Kettenreaktion* setzt sich fort, bis zwei Radikale in einer Abbruchreaktion miteinander reagieren oder ihre Radikaleigenschaft durch Abgabe oder Aufnahme von Elektronen, z. B. durch Zusammenstöße mit der Wand des Reaktionsgefäßes, verlieren. Da die *Abbruchreaktionen* statistisch erfolgen, sind die gebildeten Makromoleküle unterschiedlich lang. Allerdings ermöglichen Zusatzstoffe eine Steuerung des Kettenwachstums und der Kettenverzweigungen. Die Startradikale verbleiben als Bestandteil im entstandenen Makromolekül.

Polymerisationen sind exotherme Reaktionen. Bei der Herstellung von Polymeren muss die entstehende Wärme ständig abgeführt werden, um eine Zersetzung der Makromoleküle zu vermeiden. Man führt solche Reaktionen daher meist in Flüssigkeiten durch, in denen die Verbindungen gelöst, emulgiert oder dispergiert sind.

Ionische Polymerisation. Eine Polymerisationsreaktion kann auch durch Ionen ausgelöst werden. Bei einer *kationischen Polymerisation* wird aus einem Alkenmolekül z. B. durch elektrophile Addition eines Protons ein Carbokation erzeugt. Dieses kann mit einem weiteren Alkenmolekül reagieren und so die Kettenreaktion in Gang setzen. Bei der *anionischen Polymerisation* entstehen durch Addition einer starken Base an ein Alkenmolekül Anionen, die die Kettenreaktion auslösen können (▷ B3).

Polymerisation an Katalysatoren. Die Polymerisation von Ethen konnte lange Zeit nur bei einem Druck von 20 MPa und einer Temperatur von 200 °C durchgeführt werden. Sie führt zu Hochdruckpolyethen, dessen Moleküle stark verzweigt sind. Ethen kann aber auch in Gegenwart eines Mischkatalysators aus Zirconium- und Titanverbindungen bei Zimmertemperatur und Normdruck polymerisiert werden. Man erhält mit dieser Technologie Kunststoffe mit Molekülen genau definierter Struktur. Dieses „Maßschneidern" von Makromolekülen gelingt heute noch besser mithilfe spezieller Katalysatoren, den *Metallocenen*, organischen Komplexverbindungen (↗ Kap. 9.5) der Metalle Titan, Zirconium oder Vanadium. Mithilfe von Metallocenen lassen sich auch Ketten bilden, die aus verschiedenen Monomeren entstanden sind. So erhält man z. B. aus Ethen und 2-Buten bzw. 2-Hexen als Comonomere Polyethene sehr niedriger Dichte.

Kationische Polymerisation

1. Kettenstart:

$$\mathrm{A{-}H} + \mathrm{{>}C{=}C{<}} \longrightarrow \mathrm{A^-} + \mathrm{H{-}\overset{|}{\underset{|}{C}}{-}\overset{|}{\underset{|}{C}}{^+}}$$

starke Säure

2. Kettenwachstum:

$$\mathrm{H{-}\overset{|}{\underset{|}{C}}{-}\overset{|}{\underset{|}{C}}{^+}} + \mathrm{{>}C{=}C{<}} \longrightarrow \mathrm{H{-}\overset{|}{\underset{|}{C}}{-}\overset{|}{\underset{|}{C}}{-}\overset{|}{\underset{|}{C}}{-}\overset{|}{\underset{|}{C}}{^+}}$$

3. Kettenabbruch:

$$\mathrm{H}{-}\left[\mathrm{\overset{|}{\underset{|}{C}}{-}\overset{|}{\underset{|}{C}}}\right]_n{-}\mathrm{\overset{|}{\underset{|}{C}}{-}\overset{|}{\underset{|}{C}}{^+}} + \mathrm{A^-} \longrightarrow \mathrm{H}{-}\left[\mathrm{\overset{|}{\underset{|}{C}}{-}\overset{|}{\underset{|}{C}}}\right]_n{-}\mathrm{\overset{|}{\underset{|}{C}}{-}\overset{|}{\underset{|}{C}}{-}A}$$

Anionische Polymerisation

1. Kettenstart:

$$\mathrm{A|^-} + \mathrm{{>}C{=}C{<}} \longrightarrow \mathrm{A{-}\overset{|}{\underset{|}{C}}{-}\overset{|}{\underset{|}{C}}|^-}$$

starke Base

2. Kettenwachstum:

$$\mathrm{A{-}\overset{|}{\underset{|}{C}}{-}\overset{|}{\underset{|}{C}}|^-} + \mathrm{{>}C{=}C{<}} \longrightarrow \mathrm{A{-}\overset{|}{\underset{|}{C}}{-}\overset{|}{\underset{|}{C}}{-}\overset{|}{\underset{|}{C}}{-}\overset{|}{\underset{|}{C}}|^-}$$

3. Kettenabbruch:

$$\mathrm{A}{-}\left[\mathrm{\overset{|}{\underset{|}{C}}{-}\overset{|}{\underset{|}{C}}}\right]_n{-}\mathrm{\overset{|}{\underset{|}{C}}{-}\overset{|}{\underset{|}{C}}|^-} + \mathrm{H^+} \longrightarrow \mathrm{A}{-}\left[\mathrm{\overset{|}{\underset{|}{C}}{-}\overset{|}{\underset{|}{C}}}\right]_n{-}\mathrm{\overset{|}{\underset{|}{C}}{-}\overset{|}{\underset{|}{C}}{-}H}$$

B3 Ionische Polymerisationen

Exkurs: Copolymere – verschiedene Monomere bilden ein Polymer

Lässt man zwei oder mehr unterschiedliche Monomere zu einem Polymer reagieren, erhält man Copolymere. Die Verknüpfung der Monomere kann auf unterschiedliche Weise erfolgen. *Statistische Copolymere* erhält man, wenn die Sequenz der in der Molekülkette enthaltenen Monomere willkürlich ist, in *alternierenden Copolymeren* wechseln die Monomerensorten ab, in *Blockpolymeren* sind Segmente von einheitlichen Molekülkettenteilen miteinander verknüpft. Von *Pfropfpolymeren* spricht man, wenn bei einem verzweigten Polymer die Seitenketten aus anderen Monomeren aufgebaut sind als die Hauptkette. Über die Art und die verschiedene Anordnung der Monomere im Polymermolekül lassen sich die Eigenschaften der entsprechenden Kunststoffe gezielt beeinflussen.

Einige technisch wichtige Kunststoffe sind Copolymere. So ist der Werkstoff für die bekannten Lego®-Steine ein Copolymer aus **A**crylnitril, 1,3-**B**utadien und **S**tyrol. Dieser als *ABS* bezeichnete Kunststoff ist extrem formstabil und lässt sich dauerhaft einfärben. Da er zudem sehr hart und fast unzerbrechlich ist, wird er z. B. auch für Staubsaugergehäuse und für Karosserieteile im Auto verwendet. *Styrol-Butadien-Copolymere* (SBR, R für rubber) sind die wichtigsten Synthesekautschuke. In den Polymermolekülen sind lange Polybutadienketten mit Styrolmolekülen verknüpft. Aus SBR werden z. B. Reifen, Schuhsohlen, Förderbänder und Schläuche hergestellt.

V 3 Polyester. Geben Sie zu 1 ml Glycerin 3,5 g Bernsteinsäure (Butandisäure) und erhitzen Sie die Mischung vorsichtig etwa 30 s lang. Schütteln Sie das Reagenzglas ein wenig; dabei sollte es fast waagerecht sein. Halten Sie zwischendurch ein Wasserindikatorpapier an die Mündung des Reagenzglases. Erhitzen Sie mit kurzen Unterbrechungen vorsichtig weiter, bis eine deutliche Veränderung zu beobachten ist.

V 4 „Der Nylonseiltrick“. (Abzug! Schutzhandschuhe!)
1 g 1,6-Diaminohexan wird in 10 ml verd. Natronlauge gelöst und in einem Becherglas (50 ml) vorsichtig mit einer Lösung von 1 ml Sebacinsäuredichlorid in 10 ml Heptan überschichtet. Aus der Grenzfläche wird das Produkt herausgezogen und aufgewickelt.

V 5 Phenoplast. (Abzug! Schutzbrille! Schutzhandschuhe!)
2 g Resorcin werden in 5 ml Formaldehydlösung ($w = 30\,\%$) gegeben und vorsichtig erwärmt, bis sich der Feststoff gelöst hat. Die Lösung wird mit etwa 10 Tropfen Natronlauge ($w = 30\,\%$) versetzt. (Vorsicht, die Reaktion kann heftig verlaufen!)

B4 Polykondensation. Nylon, Perlon und ihre Monomere

$H_2N(-CH_2)_6-NH_2$	1,6-Diaminohexan
$HOOC(-CH_2)_4-COOH$	Adipinsäure
$+NH(-CH_2)_6-NH-CO(-CH_2)_4-CO+_n$	Nylon
(Strukturformel)	ε-Caprolactam
$+NH(-CH_2)_5-CO+_m$	Perlon

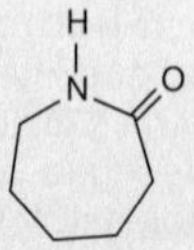

Polykondensation. In einer Kondensationsreaktion werden Moleküle, die reaktionsfähige Gruppen besitzen, unter Austritt kleiner Moleküle wie z. B. Wasser oder Chlorwasserstoff zu größeren Molekülen verknüpft. Die Veresterung ist ein Beispiel für eine Kondensationsreaktion. Besitzen die an der Reaktion beteiligten Moleküle mindestens zwei zur Reaktion fähige funktionelle Gruppen, können Makromoleküle entstehen. So reagieren bifunktionelle Monomere zu linearen Polymeren, während aus Monomermolekülen mit mehr als zwei funktionellen Gruppen verzweigte oder vernetzte Makromoleküle entstehen können (▷ B5).

Lineare **Polyester** entstehen, wenn eine Dicarbonsäure mit einem Diol reagiert. Aus äquivalenten Mengen von 1,4-Butandisäure (Bernsteinsäure) und 1,2-Ethandiol (Glykol) wird so Polybutansäureethylester gebildet. Setzt man statt Glykol einen dreiwertigen Alkohol wie Glycerin ein, kann man verzweigte Polyester erhalten (▷ V3). Ein sehr wichtiger Gebrauchskunststoff ist Polyterephthalsäureethylester (Polyethylenterephthalat, PET), den man aus 1,4-Benzoldicarbonsäure (Terephthalsäure) und 1,2-Ethandiol erhalten kann.

Aus Dicarbonsäuren und Diaminen entstehen **Polyamide**. Die Monomere sind in ihnen wie in Proteinen über Peptidbindungen (–CO–NH–) verbunden. *Nylon*, das erste synthetische Polyamid, entsteht aus 1,6-Diaminohexan (Hexamethylendiamin) und Hexandisäure (Adipinsäure); es ist ein Polyamid 6,6.
Zur Herstellung von Polyamiden können auch die reaktiveren Säurechloride eingesetzt werden. So erhält man Polyamid 6,10 aus 1,6-Diaminohexan und Decandisäuredichlorid (Sebacinsäuredichlorid, $Cl-CO-(CH_2)_8-CO-Cl$, ▷ V4). Auch *Perlon*, das aus ε-Caprolactam hergestellt wird, ist ein Polyamid mit je 6 aufeinanderfolgenden C-Atomen in der Polymerkette (Polyamid 6). Es unterscheidet sich von Nylon in der Abfolge der CO- und NH-Gruppen (▷ B4).

B5 Bildung von Polymeren durch Polykondensation

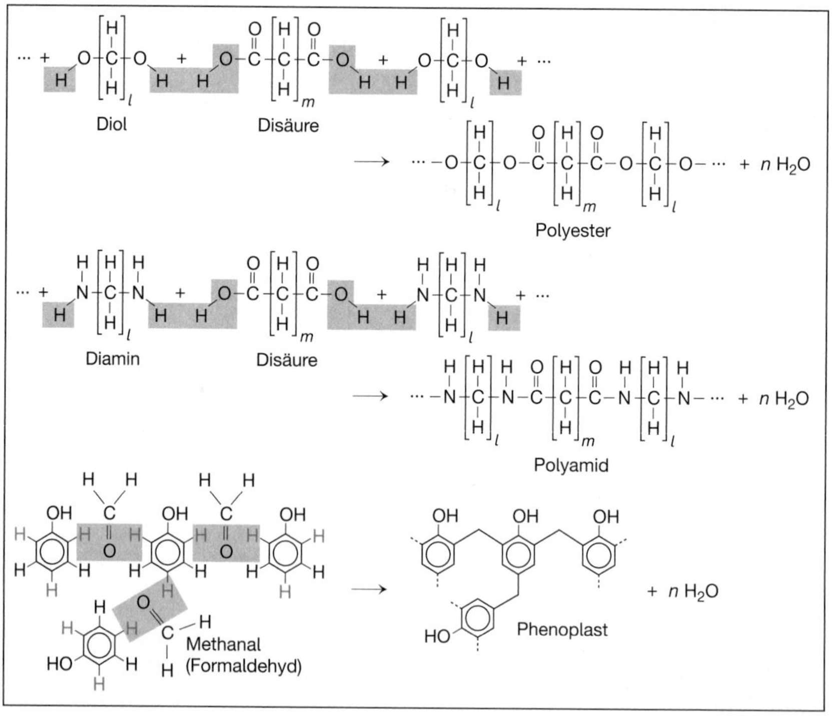

Durch Polykondensation von Hydroxybenzolen (↗ Kap. 15.4) mit Methanal (Formaldehyd) erhält man die harzartigen **Phenoplaste** (▷ V5). Das Hydroxybenzolmolekül kann an den Positionen 2, 4 und 6 des Benzolringes mit Methanal reagieren. Die gebildeten Makromolekülnetze bestehen aus Phenolringen, die über CH_2-Brücken verknüpft sind. Methanal reagiert mit Harnstoff (Kohlensäurediamid) zu **Aminoplasten**. Im ersten Schritt entstehen Molekülketten:

$$(n+1)\ H_2N{-}CO{-}NH_2 + n\ H{-}CHO \longrightarrow H{-}\left[NH{-}CO{-}NH{-}CH_2\right]_n{-}NH{-}CO{-}NH{-}H + n\ H_2O$$

Durch weitere Reaktionen an den Stickstoffatomen der Molekülketten können diese dreidimensional vernetzt werden.

Bei einer Polykondensation werden Monomere, die mindestens zwei funktionelle Gruppen besitzen, unter Abspaltung kleiner Moleküle zu Polymeren verknüpft.

Polyaddition. Im Gegensatz zur Polykondensation entstehen bei der Polyaddition keine Nebenprodukte. Die Bildung von Polymermolekülen erfolgt vielmehr wie bei der Polymerisation durch fortgesetzte Addition. Es werden aber keine gleichen, sondern verschiedenartige, mindestens bifunktionelle Moleküle umgesetzt. Kennzeichnend für Polyadditionsreaktionen ist die Übertragung von Protonen im entstehenden Polymermolekül von einer Monomerenart zur anderen. Zu den wichtigsten Kunststoffen, die durch Polyaddition hergestellt werden, gehören die **Polyurethane**. Man erhält sie aus Polyalkoholen und Polyisocyanaten (▷ B6). Nach der Anlagerung der Hydroxylgruppe eines Alkoholmoleküls an das Kohlenstoffatom einer Isocyanatgruppe wird je ein Proton vom Alkohol- zum Isocyanatmonomer übertragen. Da Isocyanate mit Wasser u. a. zu Kohlenstoffdioxid reagieren, kann man durch Zugabe von Wasser zum Reaktionsgemisch ein Aufblähen der Polymermasse erreichen. Je nach eingesetzten Monomeren erhält man Hart- oder Weichschaumstoffe (▷ B7, ▷ V6).

Bei einer Polyaddition werden Monomere, die mindestens zwei funktionelle Gruppen besitzen, unter Übertragung von Protonen zu Polymeren verknüpft.

V 6 Ein Hartschaum aus Polyurethan. (Abzug! Schutzhandschuhe!) In einen großen (Joghurt-) Becher gibt man etwa 1 cm hoch Desmophen®/Aktivator-Gemisch, dann etwa 1 cm hoch Desmodur®. Die Mischung wird mit einem Holzstab gerührt, bis die Reaktion einsetzt.

A 1 Formulieren Sie die Polykondensationsreaktion von 1,4-Benzoldicarbonsäure und 1,2-Ethandiol.
Zeichnen Sie einen Ausschnitt aus der Molekülkette des Polyesters.

A 2 1,4-Butendisäure (z. B. Maleinsäure) kann mit 1,2-Ethandiol zu einem Polymer reagieren. Die entstandenen Polymermoleküle können in einer weiteren Reaktion vernetzt werden. Formulieren Sie jeweils die Reaktionen zu den Polymeren und bestimmen Sie die Reaktionstypen.

A 3 Das Polycarbonat Makrolon® wird aus Bisphenol A und Phosgen hergestellt. Formulieren Sie die Polykondensationsreaktion.

$$HO{-}C_6H_4{-}C(CH_3)_2{-}C_6H_4{-}OH \qquad Cl{-}CO{-}Cl$$

Bisphenol A — Phosgen

B6 Bildung eines Polyurethans durch Polyaddition

a) Diisocyanat $O{=}C{=}N{-}[CH_2]_m{-}N{=}C{=}O$

$H{-}O{-}[CH_2]_n{-}O{-}H$ Diol — $H{-}O{-}[CH_2]_n{-}O{-}H$ Diol

↓

$$\cdots{-}O{-}[CH_2]_n{-}O{-}C({=}O){-}NH{-}[CH_2]_m{-}NH{-}C({=}O){-}O{-}[CH_2]_n{-}O{-}\cdots$$

Polyurethan

b) Wasserzugabe führt zur Bildung von Kohlenstoffdioxid:
$R{-}NCO + H_2O \longrightarrow R{-}NH_2 + CO_2$

B7 Polyaddition. Herstellung eines Polyurethanschaumstoffs

17.3 Struktur und Eigenschaften

	Polymerisate	Polykondensate	Polyaddukte
Thermoplaste	Polyethen PE Polypropen PP Polystyrol PS Polyvinylchlorid PVC	Polyamide Polyester Polycarbonate	lineare Polyurethane
Duroplaste		Phenolharze Melaminharze Polyesterharze Silikone	vernetzte Polyurethane Epoxidharze
Elastomere	Synthese-kautschuk	Silikon-kautschuk	vernetzte Polyurethane

B1 Einteilung wichtiger Kunststoffe nach ihrer Synthese und ihren Eigenschaften

hartelastischer Zustand „Glaszustand"	**plastischer Zustand**	**Zersetzung**
die Makromoleküle sind miteinander verbunden	die Makromoleküle sind gegeneinander beweglich	Abbau der Makromoleküle

Erweichungs-temperatur-bereich — Fließ-temperatur-bereich — Zersetzungs-temperatur-bereich

zunehmende Temperatur →

B2 Verhalten thermoplastischer Kunststoffe beim Erwärmen

B3 Konfiguration und Eigenschaften. Möglichkeiten der Verknüpfung der Monomeren bei Polypropen

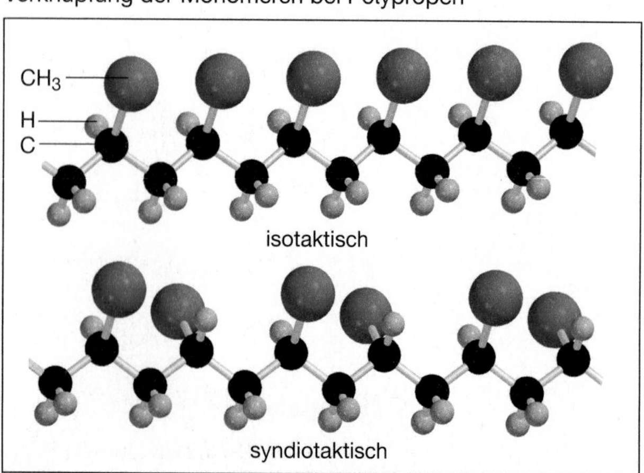

Nach der Art ihrer Synthese kann man die Kunststoffe einteilen in Polymerisate, Polykondensate und Polyaddukte. Für Industrie und Verbraucher ist es jedoch sinnvoller, eine Einteilung nach den Eigenschaften der Kunststoffe vorzunehmen (▷ B1). So sind einige Kunststoffe bei Temperaturerhöhung verformbar und können erweichen, andere zersetzen sich ohne weich zu werden. Nimmt man die Elastizität als weiteres Unterscheidungsmerkmal hinzu, kann man die Kunststoffe in drei Gruppen einteilen: die Thermoplaste, die Duroplaste und die Elastomere.

Thermoplaste. Kunststoffe, die beim Erwärmen weich werden können und daher warmverformbar sind, bestehen aus linearen oder verzweigten Makromolekülen, die nicht miteinander vernetzt sind. Die sehr langen Moleküle (10^{-6} bis 10^{-3} mm) können verknäuelt, aber auch geordnet vorliegen. Statt bei einer bestimmten Temperatur zu schmelzen werden diese Kunststoffe beim Erwärmen zunächst weich, bis sie in einem weiten Temperaturbereich nahezu flüssig werden (▷ B2). Das Fehlen einer definierten Schmelztemperatur zeigt, dass sich diese *Thermoplaste* aufgrund der unterschiedlichen Länge der Makromoleküle wie ein Gemisch verhalten. So kann man auch lediglich eine mittlere molare Masse angeben; sie liegt bei den meisten Thermoplasten zwischen 10^4 und 10^6 g/mol.

Als Thermoplaste bezeichnet man Kunststoffe, die beim Erwärmen plastisch verformbar werden.

Die zwischenmolekularen Kräfte in Thermoplasten können besonders gut wirksam werden, wenn die Moleküle parallel ausgerichtet sind. Solche Bereiche nennt man kristallin. Liegen die Moleküle verknäuelt vor, können die zwischenmolekularen Kräfte weniger gut wirksam werden. Diesen Zustand nennt man amorph (▷ B4).

B4 Thermoplaste. Die linearen oder verzweigten Molekülketten können verknäuelt (a) oder teilkristallin (b) vorliegen

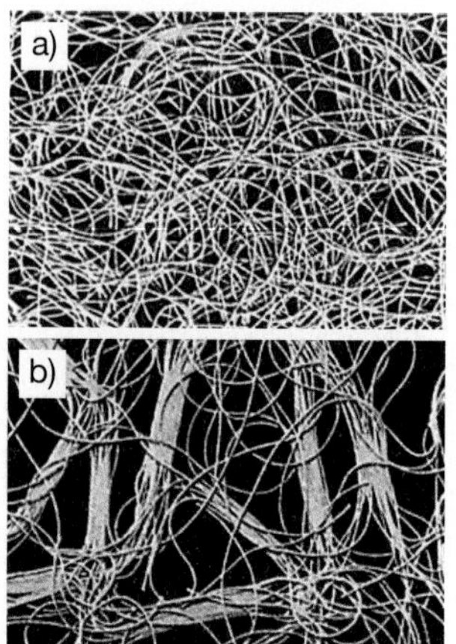

Im Polypropen können bei gleicher Orientierung der Propenmonomere die Methylgruppen an jedem zweiten C-Atom unterschiedlich angeordnet sein. Diese Anordnung prägt die Eigenschaften des Kunststoffs ganz entscheidend. Im *isotaktischen Polypropen* befinden sich alle Methylgruppen auf einer Seite der Polymerkette. Sind sie gleichgerichtet alternierend, liegt *syndiotaktisches Polypropen* vor (▷ B3). Im *ataktischen Polypropen* sind die Methylgruppen unregelmäßig angeordnet. Da sich im isotaktischen Polypropen die Polymermoleküle besser parallel anordnen können, hat der Kunststoff mehr kristalline Bereiche und besitzt eine hohe mechanische Festigkeit.

Duroplaste sind bei Zimmertemperatur hart und spröde. Im Gegensatz zu den Thermoplasten erweichen sie beim Erwärmen nicht, sie können demnach nicht mehr verformt werden. Bei hohen Temperaturen zersetzen sie sich. Die *engmaschig vernetzten* Makromoleküle entstehen durch die Verknüpfung von mehr als zwei Bindungsstellen pro Monomer (▷ B5). Die Bestandteile des Molekülnetzes können sich nur wenig bewegen, Energiezufuhr über den Zersetzungstemperaturbereich hinaus führt zum Bruch von Atombindungen.
In Verbundwerkstoffen (Composites) wird das ungünstige mechanische Verhalten der duroplastischen Harze meist durch Füllstoffe wie Gesteinspulver, Holzmehl oder Fasern verbessert.

Als Duroplaste bezeichnet man Kunststoffe, die sich nicht verformen lassen. Bei Temperaturerhöhung zersetzen sie sich ohne zu erweichen.

Elastomere sind bei niedrigen Temperaturen spröde und hart, bei Zimmertemperatur elastisch, d. h., sie verändern ihre Form bei mechanischer Einwirkung, nehmen sie anschließend aber wieder ein. Sie können in Lösungsmitteln nur quellen, sind jedoch nicht löslich. Elastomere sind nicht schmelzbar. Die *weitmaschig vernetzten* Makromoleküle liegen verknäuelt vor, können jedoch beim Einwirken einer äußeren Kraft aneinander abgleiten und sich strecken. Die Wärmebewegung lässt sie nach der Krafteinwirkung in den verknäuelten Zustand zurückkehren (▷ B6).

Als Elastomere bezeichnet man Kunststoffe, die bei mechanischer Belastung ihre Form verändern, sie anschließend jedoch wieder einnehmen.

V 1 Untersuchung von Thermoplasten. Halten Sie ein Stück eines thermoplastischen Kunststoffs (PE, PP oder PS z. B. aus Verpackungsbechern) mit einer Tiegelzange etwa 5 cm über ein Blech, das Sie mit einer rauschenden Brennerflamme erhitzen. Beenden Sie das Erwärmen, sobald eine deutliche Formveränderung eintritt (spätestens nach 3 min).

A 1 Warum sind unter den Duroplasten keine Polymerisate zu finden (▷ B1)?

A 2 Die Eigenschaften von Kunststoffen lassen sich durch Beimischungen beeinflussen. So werden harte Thermoplaste wie PVC durch Zugabe von langkettigen Estern wie z. B. Phthalsäureoctylester als Weichmacher flexibel. Erklären Sie dies auf der Molekülebene.

A 3 Werden manche Elastomere sehr stark gedehnt, lässt sich diese Formveränderung durch schnelles Abkühlen („Abschrecken") fixieren. Beim Erwärmen nehmen sie wieder die ursprüngliche Form an. Was geschieht beim „Einfrieren" des gedehnten Zustands?

B5 Duroplaste bestehen aus räumlich eng vernetzten Makromolekülen und sind spröde

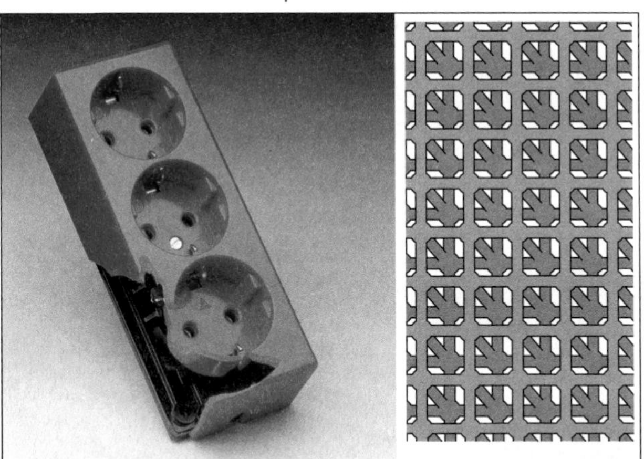

B6 Elastomere bestehen aus räumlich weitmaschig vernetzten Makromolekülen und sind gummielastisch

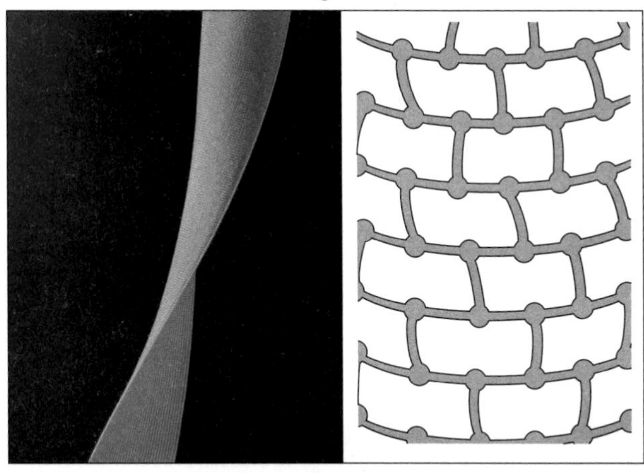

17.4 Verarbeitung von Kunststoffen

Die Polymerisate, Polykondensate und Polyaddukte fallen bei der chemischen Großproduktion als Feststoffe, Pasten, Flüssigkeiten, Lösungen oder Emulsionen an. Sie stellen bis auf wenige Ausnahmen „Rohstoffe“ dar, welche in Abhängigkeit von der jeweiligen Struktur der Makromoleküle weiterverarbeitet werden.

Thermoplaste. Der Verarbeitung von *Thermoplasten* geht die Aufbereitung voraus. In diesem Verfahrensschritt werden die pulverförmigen Kunststoffe mit Zusatzstoffen (Stabilisatoren, Flammschutzmittel, Farbstoffe, Weichmacher u. a.) möglichst homogen vermischt, aufgeschmolzen und zu Granulat (zylinderförmige Körner, ▷ B1) oder Pulver zerkleinert. Alle Verarbeitungsverfahren von Thermoplasten beginnen mit dem Wiederaufschmelzen des Kunststoffgranulats oder -pulvers im Extruder (von lat. extrudere, heraustreiben), der im Prinzip wie ein Fleischwolf funktioniert. Im beheizten Zylinder des Extruders dreht sich eine Schnecke, welche die Kunststoffmasse nach vorn fördert und verdichtet. Das Material wird auf dem Weg durch den Zylinder bis zum plastischen Fließen erhitzt und tritt durch ein der Schnecke nachgeschaltetes, formgebendes Werkzeug (Düse) aus. Durch sofortige Kühlung bleibt der Kunststoff in der geplanten Form. Art und Ausführung des Werkzeugs, in dem die Formgebung erfolgt, sind jeweils typisch für das Verarbeitungsverfahren (▷ B3).

Beim **Extrudieren** wird die Kunststoffschmelze kontinuierlich durch ein Werkzeug mit formgebender Öffnung gedrückt. Durch Breitschlitzdüsen werden bis zu 2,50 m breite Bänder, durch Ringdüsen Rohre und Schläuche erzeugt. Auch Fensterprofile werden durch Extrusion hergestellt. Ummantelte Kupferdrähte erhält man, wenn man während des Vorgangs den Draht kontinuierlich durch die Mitte einer Ringdüse zuführt.

Als **Spritzgießen** bezeichnet man das diskontinuierliche Extrudieren. Dem Extruder als „Spritzeinheit“ ist hier eine „Schließeinheit“ nachgeschaltet. Die Schließeinheit öffnet und schließt das Werkzeug, in dessen Hohlraum die plastische Masse vom Schneckenkolben der Spritzeinheit, der sich hin- und herbewegen kann, über ein Anguss-System eingespritzt wird. Das Spritzgießen eignet sich zur Herstellung von Massenartikeln oder komplizierten Formteilen wie z. B. Schraubverschlüssen, Schüsseln, Spielfiguren oder Staubsaugergehäusen.

Durch **Hohlkörperblasen** können Flaschen, Kanister und Fässer hergestellt werden. Dabei wird ein zunächst extrudiertes Schlauchstück im Werkzeug mithilfe von Druckluft aufgeblasen. Der plastifizierte Kunststoff wird dabei an die vorgeformten Innenwände des Werkzeugs und so in die gewünschte Form gepresst.

Das **Folienblasen** ist ein ähnliches Verarbeitungsverfahren. Die Kunststoffschmelze wird dabei durch eine Ringdüse zu einem dünnwandigen Schlauch geformt, der dann mithilfe der durch das Werkzeug strömenden Druckluft aufgeblasen wird. Diese „Blasfolien“ verarbeitet man zu Beuteln oder schneidet sie zu Folien auf.

Beim **Pressen** wird der plastifizierte Kunststoff in ein offenes Werkzeug gespritzt, das sich daraufhin schließt. Unter hohem Druck wird dann das Werkstück geformt. Mit diesem Verfahren stellt man häufig Teile her, die mit Matten oder Vliesen verstärkt werden.

Kunststoffplatten, die man durch Extrudieren erhalten kann, werden meist noch weiterverarbeitet. Beim **Warmformen** und **Vakuum-Tiefziehen** werden Folien oder Platten bis zum Weichwerden erwärmt und über eine Form

B1 Kunststoffgranulat

B2 Herstellung von Folien durch Kalandrieren

Lacke. Ein großer Teil der duroplastischen Kunststoffe wird in Lacken verarbeitet. Hauptkomponenten eines Lacks sind *Bindemittel* zum Erzeugen eines Oberflächenfilms, *Lösungsmittel*, *Farbpigmente*, *Füllstoffe* und *Lackhilfsmittel*, z. B. Emulgatoren. Als Bindemittel dienen meist Harze, also vernetzte Polymere, oder deren Vorprodukte.

In **„Kunstharzlacken"** sind z. B. Phenolharze (Phenol/Formaldehyd), Polyurethanharze oder Alkydharze (vernetzte Polyester) enthalten. Die Harze werden sehr fein gemahlen und gelöst oder im Lösungsmittel suspendiert. Nach dem Auftrag des Lacks verdampft das Lösungsmittel und es bildet sich eine durchgehende Harzschicht aus. Bei der „Einbrennlackierung" mit Alkydharzen erfolgt die Lackhärtung bei Temperaturen zwischen 80 und 200 °C. Ziel heutiger Forschung sind emissionsarme Lacke; man setzt daher immer häufiger Wasser als Lösungsmittel ein. In „Wasserlacken" befinden sich nur noch geringe Anteile organischer Lösungsmittel; Tenside bewirken eine homogene Mischung der Lackrohstoffe. In Pulverlacken verzichtet man völlig auf das Lösungsmittel. Die Oberflächenbeschichtung durch die in Pulverform aufgebrachten Polymere (▷ B 10) wird hier bei höheren Temperaturen erreicht.

Die Lackharze in **Reaktionslacken** enthalten polymerisierbare Verbindungen oder vernetzbare Polymere. In diesen Lacken kann durch eine Vernetzung des Bindemittels eine sehr widerstandsfähige Polymerdeckschicht erhalten werden. Reaktionslacke enthalten z. B. ungesättigte Polyester und Styrol, die polymerisieren können. Die Startradikale werden aus Radikalbildnern durch UV- oder weiche Röntgenstrahlung erzeugt. Polyurethanlacke enthalten Polyalkohole und Polyisocyanate, die nach dem Lackauftrag polyaddiert werden.

B 10 Pulverlackierung. Das Kunststoffpulver wird nach dem Aufsprühen bei hohen Temperaturen aufgeschmolzen

Exkurs: Kautschuk und Gummi

Natürlich vorkommender **Kautschuk** (Naturkautschuk) wird fast ausschließlich aus Latex gewonnen, einem Milchsaft, der beim Anritzen der Rinde des Kautschukbaums ausfließt. Ein mittelgroßer Kautschukbaum liefert täglich etwa 7 g Latex. 100 g Latex enthalten etwa 30 bis 35 g Kautschuk. Durch Zugabe von Essigsäure oder Ameisensäure gerinnt der Latex; der Kautschuk kann dann in fester Form von der Restflüssigkeit abgetrennt werden. Nach dem Reinigen, das mit Wasser unter wiederholtem Zerreißen und Kneten zwischen zwei Walzen erfolgt, erhält man etwa 1 mm dicke „Felle" von weißem Crepekautschuk, die anschließend getrocknet werden. Kautschuk hat eine Dichte von 0,93 g/cm^3, er kann auf das Fünffache seiner Länge auseinandergezogen werden; unterhalb 4 °C wird er spröde, oberhalb 145 °C klebrig, bei 170 bis 180 °C zerfließt er.

Kautschuk besteht aus Polyisopren, das aus Isoprenmonomeren (2-Methyl-1,3-butadien) entsteht und daher noch Doppelbindungen in der Molekülkette enthält.

H_3C C—CH H_2C CH_2
Isopren

Polyisopren

An diesen Doppelbindungen können weitere Verknüpfungen erfolgen; Rohkautschuk ist daher oxidationsempfindlich und nicht lagerbeständig.

Die Möglichkeit der Weiterreaktion der Makromoleküle nutzt man bei der **Vulkanisation** aus. Bei diesem Verfahren, das bereits 1840 von dem amerikanischen Chemiker CH. GOODYEAR entwickelt wurde, wird Kautschuk nach Verkneten mit Schwefel etwa eine Stunde lang auf 130 bis 140 °C erhitzt. Bei dieser Heißluftvulkanisation entsteht **Gummi**, je nach Massenanteil des Schwefels Weichgummi (1 bis 4 %) oder Hartgummi (über 20 %). Da die Vulkanisation mit Schwefel selbst bei höherer Temperatur langsam vor sich geht, setzt man organische Verbindungen als Vulkanisationsbeschleuniger sowie z. B. Zinkoxid als Aktivator zu. Man kann so Vulkanisationszeiten von wenigen Minuten erreichen. Die Eigenschaften des erhaltenen Gummis können durch weitere Zusätze beeinflusst werden. So fügt man als Füllstoffe z. B. Ruß (für Reifen), Kaolin und Kreide zu. Diese setzen sich in die Hohlräume der Polymernetze und bewirken so beispielsweise eine höhere Abriebfestigkeit und Hitzebeständigkeit. Weitere Zusatzstoffe können Weichmacher, Alterungsschutzmittel, Flammschutzmittel, Antistatika, Haftmittel und Trennmittel sein, je nach Verwendungszweck des Gummis.

Synthesekautschuke ersetzen einen großen Teil des Naturkautschuks. Zu den am meisten produzierten Synthesekautschuken gehören Polymerisate aus Styrol und polymerisiertem 1,3-Butadien (z. B. „Buna S", von **Bu**tadien-**Na**trium-**S**tyrol – früher wurde metallisches Natrium als Katalysator für die Polymerisation des 1,3-Butadiens eingesetzt).

17.6 Praktikum: Kunststoffe

Versuch 1 Schmelzspinnen von Polyamid

Geräte und Chemikalien: Reagenzglas, Glasstab, Brenner; Polyamidgranulat oder -pulver

Durchführung: (Abzug!) Geben Sie etwa 4 cm hoch Polyamidgranulat in ein Reagenzglas und schmelzen Sie es vorsichtig. (Der Kunststoff kann bei starkem Erhitzen in die Monomere zerfallen und sich durch Oxidation braun färben.) Lassen Sie die Schmelze bis in den oberen Teil des Reagenzglases laufen. Tauchen Sie nun den Glasstab in die Schmelze und ziehen Sie langsam Polyamidfäden. Die Fäden sind „unverstreckt", Sie können sie noch durch Recken verlängern.

Aufgaben: a) Zeichen Sie einen Formelausschnitt eines Polyamidmoleküls (z. B. Polyamid 6,6).
b) Beschreiben Sie die Vorgänge beim Verstrecken.
c) Die verstreckten Fäden sind reißfest. Erklären Sie diese Eigenschaft mithilfe der Molekülstruktur des Polyamids.

Versuch 2 Folien aus PVC

Geräte und Chemikalien: Becherglas (100 ml), Holzstab, Heizplatte, Bügeleisen, Aluminiumfolie; PVC-Pulver, Phthalsäuredioctylester (Dioctylphthalat, DOP)

Durchführung: (Abzug!) a) Streuen Sie PVC-Pulver auf eine mit Aluminiumfolie abgedeckte 150 bis 160 °C heiße Heizplatte. Decken Sie das Pulver mit einem weiteren Stück Aluminiumfolie ab und drücken Sie es mit einer Metallplatte (Bügeleisen) fest an. Lösen Sie den entstandenen Kunststofffilm vorsichtig von der Aluminiumfolie.
b) Wiegen Sie in das Becherglas je etwa 5 g PVC-Pulver und DOP ein und verrühren Sie das Gemisch sorgfältig, z. B. mit einem Holzstab. Gießen Sie die erhaltene Flüssigkeit vorsichtig auf eine mit Aluminiumfolie abgedeckte 110 °C heiße Heizplatte, und verfahren Sie wie in (a) beschrieben. Ziehen Sie die entstandene Folie von der Aluminiumfolie ab.

Aufgaben: a) Beschreiben Sie die unterschiedlichen Eigenschaften der Folien bei Versuch (a) und (b).
b) Erklären Sie die Vorgänge, die zur Bildung der Folie in Versuch (b) führen.

Versuch 3 Die Herstellung von SLIME

Geräte und Chemikalien: Becherglas (1 l), Becherglas (250 ml), Messzylinder (500 ml), Glasstab, Magnetrührer mit Heizung; Polyvinylalkohol (PVA; *M* mind. 100 000 g/mol, z. B. PVA 100 000), Boraxlösung (2 g Natriumtetraborat in 50 ml Wasser), Lebensmittelfarbstoff

Durchführung: Füllen Sie das 1-l-Becherglas mit 500 ml dest. Wasser und stellen Sie es auf den Magnetrührer. Erwärmen Sie das Wasser auf maximal 70 °C. Streuen Sie nun unter ständigem Rühren 15 g PVA-Pulver zur Vermeidung von Klumpenbildung langsam und vorsichtig auf die Wasseroberfläche (das Auflösen kann 20 bis 30 min dauern). Wenn sich aller PVA gelöst hat, kühlen Sie die Lösung auf Zimmertemperatur ab. Sie können die Lösung dann anfärben. Fügen Sie nun unter starkem Rühren mit dem Glasstab die Boraxlösung zu, rühren Sie kräftig weiter, bis sich das Gel gebildet hat.

Aufgaben: a) Erklären Sie die Wasserlöslichkeit von Polyvinylalkohol.
b) Man nimmt an, dass die Gelbildung auf Wasserstoffbrücken zwischen den Borat-Komplexen $[B(OH)_4]^-$ und verschiedenen Polymerketten zurückzuführen ist. Formulieren Sie eine solche „Borat-Klammer" zwischen zwei Formelausschnitten von Polyvinylalkohol.

Versuch 4 Ein Alleskleber

Geräte und Chemikalien: Reagenzglas, Glasstab; Polystyrolgranulat (Styropor®-Stücke), Essigsäureethylester

Durchführung: (Abzug!) Geben Sie in ein Reagenzglas 1 bis 2 ml Essigsäureethylester. Lösen Sie darin so viel Polystyrolgranulat, bis sich ein zäher Brei bildet. Führen Sie mit diesem Klebeversuche durch.

Aufgabe: Erklären Sie unter Verwendung der Begriffe Adhäsion und Kohäsion die Klebewirkung des Kunststoffs (↗ Kap. 17.5, ▷ B9).

Versuch 5 Kalthärtung eines Epoxidharzes

Geräte und Chemikalien: Aluminiumdose eines Teelichts, Holzstab, (Spatel-)Löffel; Lekutherm® E 320 (Epoxidharz-Vorprodukt), Kalthärter® T 3 (Polyamin)
(Abzug! Schutzhandschuhe! Schutzbrille!)

Durchführung: Wiegen Sie in ein sauberes Aluminiumschälchen 10 g Lekutherm® und 2 g Kalthärter® ein und verrühren Sie die Mischung sorgfältig, bis keine Schlieren mehr zu sehen sind. Überlassen Sie den Versuchsansatz dann sich selbst (Abzug!). Innerhalb von 30 bis 40 min verfestigt sich die Mischung, die Temperatur kann dabei bis auf 230 °C ansteigen.

Aufgabe: Formulieren Sie den ersten Schritt der Reaktion zwischen Bisphenol A und Epichlorhydrin (▷ Epoxidharze), die zum Vorprodukt dieses Experiments führt.

Biologisch abbaubare Kunststoffe

Für biologisch abbaubare, d. h. im Wesentlichen kompostierbare Kunststoffe eignen sich neben den natürlichen Polymeren wie Cellulose und Stärke solche mit Sauerstoff- oder Stickstoffatomen als „Sollbruchstellen" in der Molekülkette. Beispiele für derartige Polymere sind Polymilchsäure (Polylactid, PLA) oder Polyhydroxybuttersäure (Biopol, PHB). Polymilchsäure z. B. wird unter standardisierten Kompostbedingungen ($\vartheta > 55\,°C$) innerhalb von 60 Tagen zu über 90 % abgebaut.

Versuch 6 Synthese von Polymilchsäure

Geräte und Chemikalien: Becherglas (50 ml), Trockenschrank; Milchsäure (w = 90 %)

Durchführung: Geben Sie 10 g Milchsäure in ein Becherglas und stellen Sie es ca. 24 Stunden lang in den 200 °C heißen Trockenschrank. Die Produktschmelze können Sie gleich in Formen gießen. Sie können die abgekühlte Masse aber auch durch Erhitzen auf etwa 150 °C wieder verflüssigen und weiterverarbeiten.

Aufgaben: a) Formulieren Sie die Reaktionsgleichung für die Polymilchsäuresynthese.
b) Um welche „Polyreaktion" handelt es sich?
c) Warum ist außer Milchsäure kein weiteres Edukt nötig?

Versuch 7 Hydrolyse von Biopol

Geräte und Chemikalien: Rundkolben (250 ml), Zweihalsaufsatz, Rückflusskühler, Heizhaube, Rührer, Messzylinder (100 ml); Natriumhydroxid, Ethanol, Wasser, Joghurtbecher oder Flasche aus Biopol

Durchführung: Stellen Sie im Rundkolben eine Lösung von 10 g Natriumhydroxid, 50 ml Wasser und 25 ml Ethanol her. Erhitzen Sie die Lösung bis zum Sieden. Fügen Sie nun 3 g fein zerkleinerte Kunststoffproben durch die seitliche Öffnung des Zweihalsaufsatzes hinzu. Nach dem vollständigen Auflösen (etwa 15 min) der Proben lassen Sie die Lösung auf Zimmertemperatur abkühlen. Gießen Sie anschließend den Kolbeninhalt in 100 ml Wasser. In der mit Salzsäure neutralisierten Lösung können Sie das Monomer des Biopol, die 3-Hydroxybutansäure, durch vergleichende Dünnschichtchromatografie (↗ Kap. 1.9) nachweisen.

Aufgaben: a) Zeichnen Sie einen Formelausschnitt der Polyhydroxybutansäure.
b) Formulieren Sie die Reaktionsgleichung für die Hydrolyse des Polymers (Ethanol dient im Experiment als Lösungsvermittler).

Epoxidharze

Die duroplastischen Epoxidharze finden u. a. Verwendung in Lacken, als Gießharze, Bindemittel für Pressmassen, als Zweikomponenten-Klebstoffe und zur Herstellung glasfaserverstärkter Kunststoffe (GFK). In der Elektroindustrie werden z. B. Isolatoren und Bauteile von Elektromotoren aus ihnen gegossen. Als Autoreparaturharze helfen sie Unfallschäden zu beseitigen.

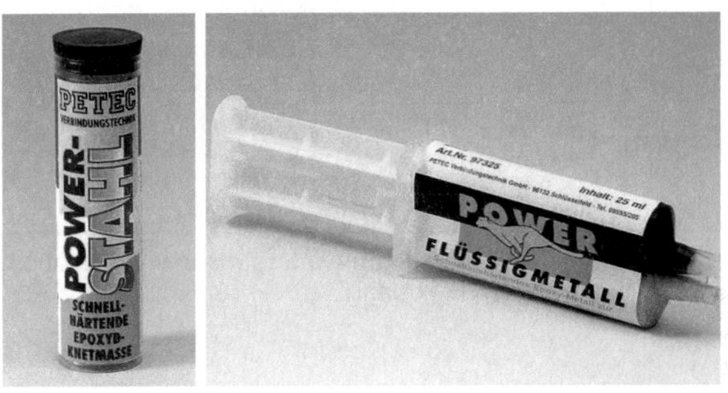

Zur Erzeugung der Epoxidharze werden in einer Vorreaktion Polyepoxide gebildet. So reagiert Bisphenol A (2,2-Bis-(4-hydroxyphenyl)propan) mit Epichlorhydrin zu einem Bis-Epoxid.

$$H_2C(-O-)CH-CH_2Cl + HO-C_6H_4-C(CH_3)_2-C_6H_4-OH + ClH_2C-CH(-O-)CH_2$$

Epichlorhydrin; Bisphenol A

$$\downarrow \; +NaOH,\; -NaCl,\; -H_2O$$

$$H_2C(-O-)CH-CH_2-O-C_6H_4-C(CH_3)_2-C_6H_4-O-CH_2-CH(-O-)CH_2$$

Die als Härtung bezeichnete Reaktion mit einem mindestens bifunktionellen Polyamin, einem Polyalkohol oder einer Polycarbonsäure ist eine **Polyaddition**. Je nach der Anzahl der funktionellen Gruppen können lineare oder vernetzte Polymere entstehen.

$$-CH_2-CH(-O-)CH_2 \;(\text{Epoxidring}) + H-N(H)-$$

$$\downarrow$$

$$-CH_2-CH(OH)-CH_2-N(H)-$$

17.7 Verwertung von Kunststoffabfall

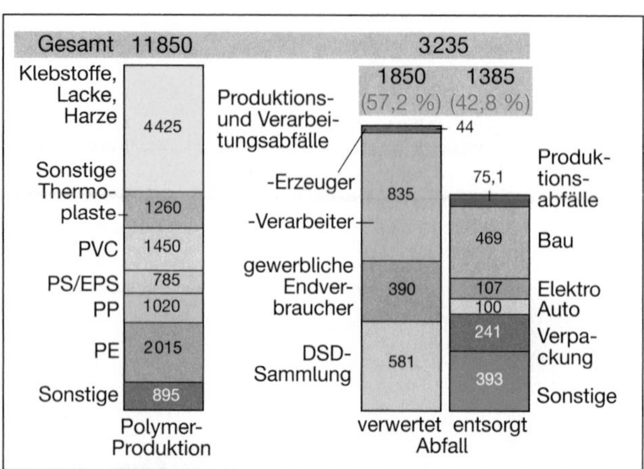

B1 Produktion und Abfall von Kunststoffen in Deutschland 1997 (Zahlenangaben in kt/Jahr)

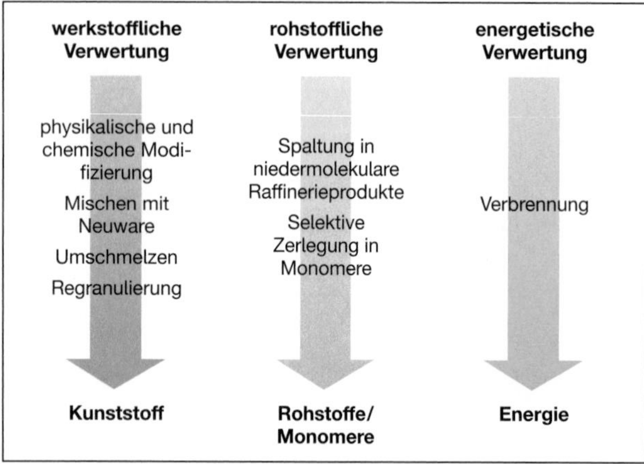

B2 Verwertungswege für Kunststoffabfall

V 1 Trennen von Kunststoffverpackungen aus Polypropen (PP) und Polystyrol (PS). Legen Sie saubere Verpackungen von Joghurt, Quark etc. etwa 10 min lang in einen auf 120 °C vorgeheizten Ofen (Trockenschrank). Verpackungen aus PS verlieren bei 100 °C ihre Form, während solche aus PP auch bei kurzzeitigem Erhitzen auf 140 °C noch formstabil bleiben.

A 1 Überlegen Sie, wie man das in ▷ V1 beobachtete Verhalten der beiden Kunststoffe zu ihrer Trennung am Fließband ausnutzen könnte.

A 2 Eine Möglichkeit Kunststoffabfälle sortenrein zu trennen, ist das Schwimm-Sink-Verfahren. Entwickeln Sie einen Ablaufplan zur Trennung der Kunststoffe PE, PS, PVC und PMMA (s. a. ↗ Kap. 17.1, Exkurs).

Kunststoffe werden erst seit etwa 1950 in größerem Umfang als Werkstoffe genutzt. Der Kunststoffabfall stammt daher, neben direkt in der Verarbeitung entstehenden Abfällen, vorwiegend aus mittel- bis kurzfristigen Anwendungen. Unter kurzfristigen Anwendungen versteht man vorwiegend Verpackungen und „Wegwerfartikel". Da Kunststoffe im Allgemeinen sehr geringe Dichten haben, beträgt ihr Volumenanteil am Abfallaufkommen ca. 20 %, während ihr Massenanteil bei nur ca. 8 % liegt. Fehlender Deponieraum für die meist langlebigen Kunststoffe zwingt zur Verwertung des Abfalls. Man kann hierbei drei Verfahrenswege unterscheiden: die werkstoffliche, die rohstoffliche und die energetische Verwertung (▷ B2).

Werkstoffliche Verwertung. Sortenreine, nicht oder nur gering verschmutzte Abfälle von *Thermoplasten*, die in der Produktion von Kunststofffertigteilen anfallen, lassen sich problemlos wieder verwerten. Die Aufarbeitung beschränkt sich meist auf das Zerkleinern und Wiederaufschmelzen zur erneuten Formgebung. Kunststoffe, die bereits gebraucht wurden, lassen sich weniger gut wieder verwerten. Wärmebelastung bei der Verarbeitung und Oxidation haben die Makromoleküle meist geschädigt, sodass ein neues Produkt nicht mehr dieselben Eigenschaften aufweist wie ein Produkt aus neuem Kunststoff. Hinzu kommen die Zuschläge, die den Polymeren zum Beeinflussen ihrer Eigenschaften zugesetzt werden. Nicht zu unterschätzen ist auch der Aufwand für das Sammeln, Sortieren, Reinigen und Vorbereiten für die Weiterverarbeitung, der die „Altkunststoffe" – bei Qualitätseinbußen – teurer macht als „Neukunststoffe". Die Produkte sind somit häufig teurer, aber minderwertig.

Duroplaste lassen sich nur im „Partikelrecycling" werkstofflich wieder verwerten. Sie werden dazu zerkleinert oder aufgemahlen und Neuprodukten als Füllstoff zugesetzt. Schaumstoffe können durch Klebpressen unter Zugabe eines Binders zu Platten oder Formkörpern verpresst werden.

Vermischte Altkunststoffe lassen sich nur schlecht werkstofflich verwerten. „Unverträglichkeiten" der verschiedenen Kunststoffe untereinander führen zu Inhomogenitäten im Produkt und damit zur Qualitätsminderung.

Rohstoffliche Verwertung. Kleinteilige, verschmutzte und nicht sortenreine Kunststoffe lassen sich besser rohstofflich verwerten. Man versteht hierunter die Umwandlung der makromolekularen Stoffe in niedermolekulare, d. h. in Monomere oder in Stoffgemische aus Alkanen und Alkenen oder Aromaten. Diese Verwertungsprodukte können entweder wieder zur Erzeugung von Monomeren dienen oder in anderen Syntheseprozessen eingesetzt werden. Man unterscheidet im Wesentlichen drei Verfahrenswege (▷ B3): die *petrochemischen Verfahren* wie die Pyrolyse oder die Hydrierung, die zu erdölartigen Produkten führen, die *solvolytischen Verfahren*, in denen vorwiegend Polykondensate und Polyaddukte in Monomere gespalten werden, und die *Nutzung der Altkunststoffe in Hochöfen* als Ersatz für Schweröl zur Reduktion von Eisenerz.

Energetische Verwertung. Kunststoffabfälle, die sich ökonomisch nicht nach den bereits beschriebenen Verfahren verwerten lassen, kann man zur Energieerzeugung verbrennen. Da die meisten Kunststoffe einen ähnlich hohen Heizwert wie Heizöl oder Kohle haben, kann man die beim Verbrennen frei werdende Energie zum Betrieb von Heizkraftwerken oder zur Stromerzeugung nutzen. In Hausmüllverbrennungsanlagen (MVA) erhöht die Zugabe von Kunststoffabfall den Heizwert des Brennmaterials. Vorrangig ist bei der energetischen Nutzung die Absorption von Schadstoffen aus den Verbrennungsgasen (↗ Kap. 12.5). Filteranlagen absorbieren nicht nur den bei der Verbrennung von PVC entstehenden Chlorwasserstoff; auch die Konzentration von Dioxinen kann in modernen Anlagen auf 0,1 ng Dioxin pro Kubikmeter Abgas begrenzt werden.

Abbaubare Kunststoffe. Polymere, die nach dem Gebrauch unter natürlichen Bedingungen zerfallen, bezeichnet man als abbaubare Kunststoffe. Je nach der Art der Zersetzungsreaktion unterscheidet man zwischen biologisch, d. h. durch Mikroorganismen, und fotochemisch durch UV-Strahlen abbaubaren Kunststoffen. In beiden Fällen darf die den Abbau einleitende Reaktion nicht schon während des Gebrauchs einsetzen. Erste Entwicklungen sind thermoplastische Kunststoffe auf der Basis von Cellulose und anderen Kohlenhydraten (↗ Kap. 12.11), die als Verpackungsmaterial eingesetzt werden können.

Wirtschaftliche Aspekte. Die Entscheidung, nach welchem Verfahren Altkunststoffe verwertet werden, hängt zum großen Teil von den Kosten der Aufarbeitung ab. Die werkstofflichen Verwertungskosten erhöhen sich, je komplexer die Strukturen der Bauteile bei technischen Produkten und je kleinteiliger die Kunststoffabfälle z. B. bei Verpackungen sind. Wirtschaftlich ist die Aufbereitung nur, wenn der Verkaufserlös nach Abzug der Recyclatherstellungskosten (Aufbereitungs- und Verwertungskosten) einen ausreichenden Gewinn ermöglicht. Zunehmend bemüht man sich um Materialeinsparung, denn nicht benutztes Material muss nicht verwertet werden. Für die werkstoffliche Verwertung von Kunststoffen eignen sich vor allem Verpackungskunststoffe wie Flaschen und Folien sowie Kunststoffprofile. Schwierig ist das Recycling bei Geräten wie z. B. Computern, die aus vielen Teilen unterschiedlicher Materialien zusammengesetzt sind. Kunststoffbauteile an Autos werden bereits demontagefreundlich konstruiert und eingesetzt. Damit erhöht sich die Möglichkeit, sortenreine Produkte zu vertretbaren Kosten zusammenzutragen und werkstofflich zu verwerten.

Aufbereitungsverfahren	Kunststoffabfall	Produkte
Pyrolyse: Erhitzen der Polymere unter Luftabschluss (Verschwelung, Verkokung)	gemischte Altkunststoffe	gesättigte und ungesättigte Bruchstücke
Hydrierung: Spaltung der Polymere bei $\vartheta < 500\,°C$ und $p < 400\,hPa$ in Gegenwart von Wasserstoff	gemischte Altkunststoffe	Kohlenwasserstoffgemische (Benzinfraktionen)
Synthesegaserzeugung: Erhitzen in Gegenwart von Sauerstoff und Wasserdampf	gemischte Altkunststoffe	Kohlenstoffmonooxid, Wasserstoff
Solvolyse: Umkehrung der Kondensationsreaktion	Polykondensate, Polyaddukte	Monomere
Hochofenverfahren: Zerkleinerte Altkunststoffe werden dem Schweröl im Hochofen zur Reduktion von Eisenerz zugesetzt	gemischte Altkunststoffe	Kohlenstoffmonooxid, Kohlenstoffdioxid

B3 Aufbereitungsverfahren bei der rohstofflichen Verwendung

B4 Schema einer Pyrolyseanlage zur Verwertung von Kunststoffabfall

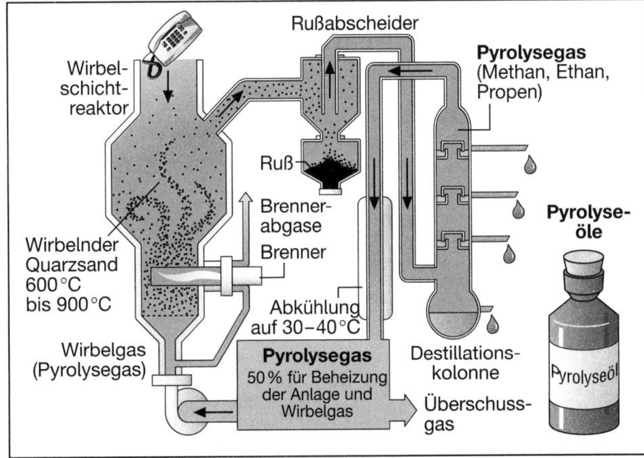

17.8 Überprüfung und Vertiefung

B 1 Zu Aufgabe 4

1 Ungesättigte Polyesterharze (z. B. Palatal®) sind meist Mischkondensate von gesättigten und ungesättigten Dicarbonsäuren mit zweiwertigen Alkoholen. Die Harze werden in einer polymerisierbaren Verbindung (meist Styrol) aufgelöst und nach Zusatz eines Polymerisationsstarters (Peroxid) erfolgt eine als Pfropfpolymerisation bezeichnete Reaktion des Styrols mit dem ungesättigten Polyester. Das Produkt ist z. B. als Gießharz bekannt. Zeichnen Sie einen charakteristischen Ausschnitt aus der Molekülkette des Polyesters aus Maleinsäure (*cis*-Butendisäure) und 1,2-Ethandiol sowie des „Pfropfpolymers" mit Styrol.

2 Naturkautschuke sind Polyisoprene. Im hauptsächlich gewonnenen Hevea-Kautschuk liegen diese in der *cis*-Konfiguration vor, im Guttapercha, einem anderen Naturkautschuk, dagegen in der *trans*-Konfiguration. Zeichnen Sie einen Ausschnitt aus der Molekülkette eines Guttapercha-Polymermoleküls.

3 Die Beobachtung, dass Polyacetylen nach einer Dotierung mit Iod Strom leitend wird, kann man mit dem Bau des Polyacetylenmoleküls erklären. In dessen Molekülkette wechseln Einfachbindungen mit Doppelbindungen ab. Gibt man nun Iod zu Polyacetylen, entstehen in den Makromolekülketten Kohlenstoffatome mit positiver Ladung unter Bildung von I_3^-. Dadurch wird die Stromleitung möglich. Beschreiben Sie die Vorgänge in den Molekülketten bei der Stromleitung.

4 Fasern aus **ar**omatischen Poly**amid**en (Aramidfasern) wie z. B. Poly-1,4-phenylenterephthalamid (Kevlar®) sind extrem reißfest. Kevlarschnüre werden z. B. bei Hochleistungslenkdrachen, Kevlarfasern als Verstärkungsfasern im Flugzeugbau verwendet. Die Makromoleküle sind „kettensteif", ihre Struktur ist durch die aromatischen Ringe und die Amidgruppen festgelegt. Wird die Polymerschmelze beim Verspinnen durch eine Düse gedrückt, ordnen sich die stäbchenförmigen Makromoleküle wie Baumstämme beim Flößen vor einer Schleuse parallel an (▷ B 1).

a) Erklären Sie die große Festigkeit der Aramidfasern.
b) Formulieren Sie den ersten Schritt der Polykondensationsreaktion zwischen 1,4-Diaminobenzol (Phenylendiamin) und 1,4-Benzoldicarbonsäure (Terephthalsäure).
c) Erklären Sie die Kettensteifheit der Aramidmoleküle.

5 Keramikfüllungen in Zähnen werden mit der „Adhäsivtechnik" eingeklebt. Als Kleber verwendet man einen als Composite bezeichneten Zementierkunststoff. Bevor der Kunststoff auf den Zahn aufgebracht wird, muss der glatte Zahnschmelz angeätzt werden. Dazu wird unter Feuchtigkeitsausschluss der vorbereitete Zahn mit Phosphorsäure oberflächlich angeätzt, es entsteht eine raue Schmelzoberfläche. Hier hinein lässt man das dünnflüssige „Bondingmaterial", das z. B. Maleinsäure (2-Buten-1,4-disäure) oder Methacrylsäure (2-Methylpropensäure) als Monomere enthält, einfließen. Das eigentliche Compositematerial, der Kleber, ist zähflüssiger, er wird erst kurz vor dem Auftragen angemischt. Nach dessen Auftrag wird das vorbereitete Keramikinlay eingesetzt. Die Polymerisation des Composites zu einem Polymerharz und die Copolymerisation mit dem Bondingmaterial wird durch UV-Licht initiiert.
a) Erklären Sie die Wirkung der UV-Strahlen beim Aushärten.
b) Formulieren Sie die Polymerisation der Methacrylsäure im Bondingmaterial.

6 Superabsorber (SAP, **s**uper**a**bsorbierende **P**olymere), z. B. in Höschenwindeln, sind quellbare Sustanzen, die unter Bildung eines Gels das Mehrfache ihrer eigenen Masse an wässrigen Lösungen aufnehmen können. In den als Absorber eingesetzten Natriumpolyacrylaten verhindert ein Polymernetzwerk das Auseinanderfließen der gebundenen Flüssigkeit. In den Makromolekülen liegen negativ geladene Carboxylatgruppen vor, die von eindringenden Wassermolekülen hydratisiert werden können. Die Vernetzung der Polymerstränge verhindert, dass sich die Absorber in Wasser lösen. Die gleichartig geladenen Carboxylatgruppen werden lediglich in die Lage versetzt, sich voneinander zu entfernen.
Erklären Sie, warum Lösungen mit höherer Konzentration an Salzen die Absorbereigenschaften des Materials verringern, Harnstoff die Wirksamkeit jedoch nicht beeinflusst.

7 Schreiben Sie möglichst alle Kunststoffe auf, mit denen Sie an einem Tag in Berührung kommen. Schätzen Sie ihre Verwendungsdauer und die Möglichkeiten ihrer Wiederverwertung ab.

Wichtige Begriffe

Monomer, Polymer, Makromolekül, Thermoplast, Duroplast, Elastomer, Polymerisation, Polykondensation, Polyaddition, Extrudieren, Spritzgießen, Kalandrieren, Schmelzspinnen, Recyclingverfahren

Die Grenzflächenspannung ist bei Wasser wegen der Wasserstoffbrückenbindungen besonders groß. Sie kann durch Seifen und andere Tenside verringert werden (▷ V2).
Zwischen Wasser und beispielsweise Benzin, Öl oder Fett entsteht ebenfalls eine Grenzfläche. Die hier wirkenden Kräfte sind denen an der Grenzfläche Wasser/Luft vergleichbar.

Grenzflächenaktivität von Seifenanionen. Das Herabsetzen der Grenzflächenspannung kann mit der Struktur der Seifenanionen erklärt werden. Sie besitzen einen langen, unpolaren, hydrophoben Alkylrest und eine polare, hydrophile bzw. lipophobe Carboxylatgruppe. Diese wird von Wassermolekülen umhüllt, während der hydrophobe Alkylrest von der Wasseroberfläche weg weist (▷ B4). Ist die Grenzfläche zwischen Wasser und einer hydrophoben Phase wie z. B. Öl mit Seifenanionen besetzt, werden an vielen Stellen Wasserstoffbrückenbindungen aufgebrochen und die Grenzflächenspannung des Wassers sinkt. Die Seifenanionen verringern also die Grenzflächenspannung zwischen zwei nicht ineinander löslichen Flüssigkeiten (▷ B1). Sie stellen eine Verknüpfung zwischen den polaren Wassermolekülen und den unpolaren Fettmolekülen her, sie sind wie alle Tenside *grenzflächenaktiv*.

Tenside sind grenzflächenaktive, d. h. die Grenzflächenspannung verringernde Verbindungen. Die Tensidteilchen besitzen einen hydrophilen und einen hydrophoben (lipophilen) Teil. Seifen sind spezielle Tenside.

Die Seifenanionen, die an Grenzflächen keinen Platz finden, bilden im Wasser Teilchenverbände verschiedenster Form, sog. **Micellen**. Dabei sind die Carboxylatgruppen nach außen, die Alkylreste nach innen gerichtet. Diese „Micelllösung" zeigt im Unterschied zu einer echten Lösung den **Tyndall-Effekt**: Ein Lichtkegel, der im abgedunkelten Raum durch eine Seifenlösung geschickt wird, ist deutlich abgegrenzt sichtbar (▷ V4, ▷ B5). Die Lichtstreuung wird durch die ca. 5 bis 150 nm großen Micellen verursacht. Dieser Effekt tritt bei allen Lösungen mit Teilchenverbänden von 1 bis 1000 nm Größe auf. Sie heißen **kolloidale Lösungen** (von griech. kolla, Leim und eidos, Form, Aussehen).

V 4 Tyndall-Effekt. Füllen Sie Wasser, eine Kochsalzlösung sowie eine Lösung von 0,1 g Seifenflocken in 100 ml dest. Wasser in je einen passenden Standzylinder. Fertigen Sie aus gefaltetem Papier (mind. 4 Lagen) oder Pappe eine Lochmaske an (Lochdurchmesser ca. 0,5 cm) und befestigen Sie diese am Zylinder. Durchstrahlen Sie die drei Flüssigkeiten im abgedunkelten Raum mit dem Lichtstrahl eines Diaprojektors.

A 1 Wässrige Seifenlösungen leiten den elektrischen Strom. Erklären Sie diese Tatsache.

A 2 Weshalb hat Wasser eine größere Grenzflächenspannung als z. B. Heptan?

A 3 Wie lässt sich erklären, dass eine Seifenlösung die Grenzflächenspannung von Wasser verringert?

A 4 Was ist Schaum? Erläutern Sie den Bau einer Schaumblase mithilfe des Modells in ▷ B4.

A 5 Stellen Sie die Kohäsionskräfte zwischen den Teilchen an der Grenzfläche Wasser/Öl bildlich dar. Wie lässt sich deren unterschiedliche Stärke erklären?

B4 Grenzflächenaktivität von Seifenlösungen

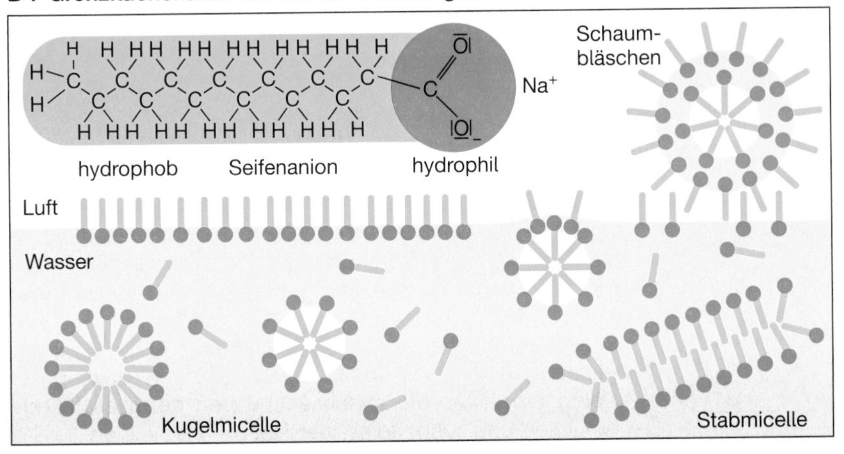

B5 Tyndall-Effekt bei einer Seifenlösung (rechts)

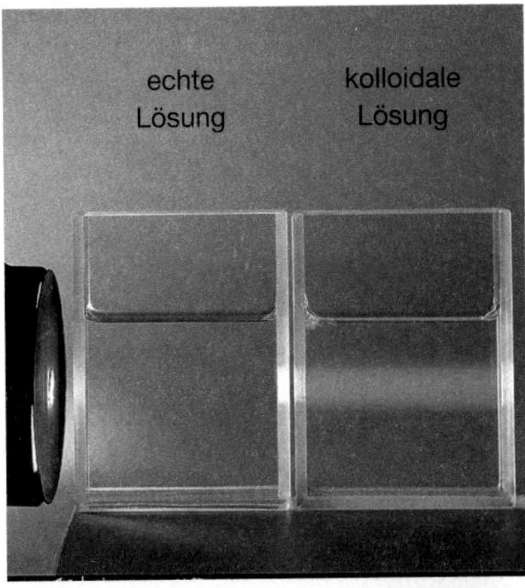

V 5 Dispergiervermögen von Seifen. a) Füllen Sie ein Reagenzglas mit ca. 3 ml Seifenlösung und 0,5 ml Olivenöl und schütteln Sie kräftig. Bestimmen Sie die ungefähre Zeitspanne bis zur Entmischung.
Wiederholen Sie den Versuch auf die gleiche Weise mit einem Öl-Wasser-Gemisch ohne Seifenzusatz.

b) Bewegen Sie einen mit Holzkohlepulver eingeriebenen Wollfaden oder ein entsprechend behandeltes Stück Baumwolltuch in einer Seifenlösung bzw. nur in Wasser.

c) Schütteln Sie etwas Seifenlösung bzw. Wasser mit Kohlepulver oder Eisen(III)-oxid-Pulver kräftig und filtrieren Sie anschließend.

B6 Der Waschvorgang

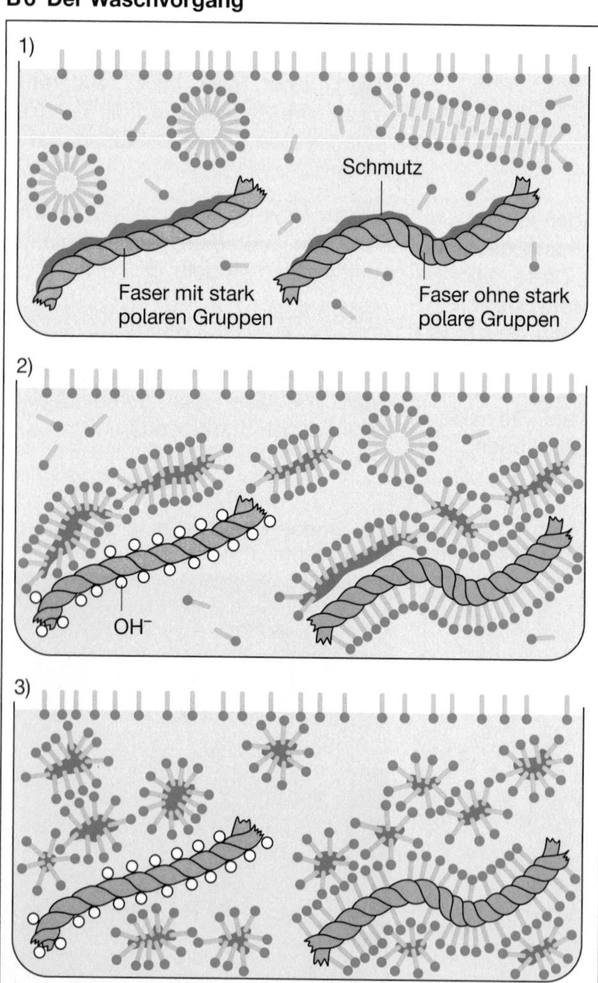

Charakteristisch für eine Seifenlösung ist die Schaumbildung. Luftblasen werden von Membranen aus Seifenlösung umhüllt. Diese erhalten ihre Stabilität sowohl durch die Anziehungskräfte zwischen den polaren Teilchen innerhalb der Membran als auch durch die Van-der-Waals-Kräfte zwischen den in die Luft ragenden Alkylresten der Seifenanionen (▷ B4).

Dispergiervermögen von Seifen. Schüttelt man Öl kräftig mit Wasser, so bilden sich im Wasser schwebende Öltröpfchen, die sich nach dem Schütteln bald wieder an der Oberfläche zu einer homogenen, öligen Phase vereinigen. Ersetzt man das Wasser durch eine Seifenlösung, so entstehen beim Schütteln kleinere Tröpfchen, die im Wasser in der Schwebe gehalten werden. Die Seifenlösung bildet mit dem Öl eine **Dispersion** (von lat. dispersio, Zerteilung), d.h. ein System aus zwei Phasen, von denen eine in der anderen, dem Dispersionsmittel, fein verteilt ist. Im Falle von zwei nicht ineinander löslichen Flüssigkeiten spricht man genauer von einer **Emulsion**.

Die Öltröpfchen werden von den Seifenanionen so eingehüllt, dass deren hydrophober Teil dem Öl, der hydrophile Teil dem Wasser zugewandt ist. Die Öltröpfchen bleiben im Wasser in der Schwebe, da die Oberflächen der Öl-Seifen-Micellen gleichsinnig aufgeladen sind und sie sich gegenseitig abstoßen (▷ B4).
Ähnlich können auch feste Stoffe im Wasser durch Seifen in feiner Verteilung gehalten werden. Es entsteht eine **Suspension** (von lat. suspendere, aufhängen).

Dispersionen sind Systeme aus zwei Phasen, von denen eine in der anderen fein verteilt ist. Bei nicht ineinander löslichen Flüssigkeiten spricht man von Emulsionen, bei fest-flüssigen Systemen von Suspensionen.

Waschen mit Seifen. Das Ablösen von Schmutz durch Seife vollzieht sich in folgenden Schritten (▷ B6):

1. Seifenanionen setzen die Grenzflächenspannung des Wassers herab, sodass dieses leicht ins Gewebe eindringt und die Fasern gut benetzt. Es entstehen Micellen.
2. Die Seifenanionen dringen mit ihrem hydrophoben Teil in die Schmutzpartikel ein und umhüllen diese. Auch an unpolaren Fasermolekülen lagern sich die Seifenanionen an. Fasern mit polaren Gruppen binden Hydroxidionen über Wasserstoffbrücken. Deshalb wäscht man meist in schwach alkalischer Lösung. Dadurch werden die Fasermoleküle negativ aufgeladen und erleichtern das Ablösen der ebenfalls negativ geladenen Schmutzteilchen.
3. Die thermische Bewegung bei höherer Temperatur begünstigt sowohl das Ablösen als auch die Zerteilung der Schmutzpartikel, die anschließend von der Waschlauge emulgiert und suspendiert werden.

Nachteile der Seifen. Wässrige Seifenlösungen sind *alkalisch*. Sie können bei einer genügend hohen Konzentration, die z. B. beim Händewaschen leicht erreicht wird, einen pH-Wert von über 9 annehmen (▷ V6a), da die Seifenanionen mit Wassermolekülen eine Säure-Base-Reaktion eingehen:

$$R{-}COO^-(aq) + H_2O \rightleftharpoons R{-}COOH\,(s) + OH^-(aq)$$

Die Hydroxidionen erleichtern zwar das Ablösen von fettigem Schmutz, greifen aber viele Textilien an. So verfilzt Wolle durch das Waschen mit Seife stark (▷ B7 unten). Vor allem aber wird die menschliche Haut angegriffen. Diese besitzt einen „natürlichen Säureschutzmantel", der einen durchschnittlichen pH-Wert von 5,6 bei Frauen bzw. 4,9 bei Männern hat. In diesem Medium wird das Wachstum vieler Bakterien gehemmt.

Nach jedem Waschen mit alkalischen Reinigungsmitteln benötigt die Haut etwa zwei bis drei Stunden zur Wiederherstellung des Säureschutzmantels. Während dieser Zeit und besonders im Neutralbereich ist die Haut einer erhöhten Infektionsgefahr ausgesetzt. Durch häufiges Waschen wird außerdem Fett herausgelöst, die Haut „trocknet aus". Besonders empfindliche Haut kann Reizerscheinungen zeigen.

Zu diesem Nachteil von Seife kommen zwei weitere. Einerseits hat Seife im sauren Medium nur eine sehr geringe Reinigungskraft, da in saurer Lösung die schwer löslichen Fettsäuren ausfallen (▷ V6b, ▷ V7):

$$R{-}COO^-(aq) + H_3O^+(aq) \rightleftharpoons R{-}COOH(s) + H_2O$$

Zum anderen führt das Waschen in hartem Wasser zu einem erhöhten Seifenverbrauch, da die Härtebildner, vor allem Calcium- und Magnesiumionen, mit Seifenanionen schwer lösliche Salze, die **Kalkseifen**, bilden (▷ V6c, ▷ V7):

$$2\,R{-}COO^-(aq) + Ca^{2+}(aq) \longrightarrow (R{-}COO)_2Ca(s)$$

Kalkseifen lagern sich auf den Gewebefasern als harte Krusten ab (▷ B7 oben), sodass das Gewebe im Laufe der Zeit vergraut, verfilzt und brüchig wird, denn die kristallinen Ablagerungen zerschneiden einzelne Fasern eines Fadens. Auch Hautreizungen können auftreten. Der Wäscheverschleiß ist deutlich erhöht. Außerdem zersetzen sich die Ablagerungen langsam und die Wäsche verströmt einen ranzigen Geruch, der von niederen Carbonsäuren und Aldehyden herrührt. Schließlich führt der Niederschlag von Kalkseife auf den Gewebefasern dazu, dass die Wäsche an Saugfähigkeit verliert.

Die genannten Nachteile haben zur Entwicklung der „synthetischen" Tenside geführt, die die Seife beim Waschprozess weitgehend abgelöst haben.

V 6 Nachteile von Seife. a) Geben Sie zu einer ethanolischen Seifenlösung einige Tropfen Phenolphthaleinlösung und anschließend in kleinen Portionen dest. Wasser.
b) Geben Sie etwas Speiseessig (w = 5 %) in Ihre Hände und waschen Sie sie dann mit Seife.
c) Reiben Sie sich die Hände mit Tafelkreide ein und waschen Sie sie dann mit Seife.

V 7 Schaumentwicklung von Seifenlösungen.
a) Lösen Sie ca. 0,5 g fein geschabter Kernseifeflocken in 50 ml dest. Wasser. Geben Sie in ein Reagenzglas 5 ml, in vier weitere jeweils 4 ml dieser Lösung. Füllen Sie letztere mit Kalkwasser, Magnesiumchloridlösung (w = 5 %), Kochsalzlösung (w = 3 %, „Meerwasser") bzw. Speiseessig auf 5 ml auf. Füllen Sie in ein sechstes Reagenzglas 5 ml einer Lösung von 0,5 g Kernseife in 50 ml Leitungswasser.
b) Verschließen Sie alle Reagenzgläser mit einem Stopfen, stellen Sie diese in ein Gestell und schütteln Sie alle Gläser gleichzeitig etwa 10 Sekunden.
c) Messen Sie die Schaumhöhen unmittelbar nach dem Schütteln und dann im Abstand von jeweils einer Minute. Tragen Sie grafisch die Schaumhöhe in Abhängigkeit von der Zeit auf.

B 7 Ablagerung von Kalkseife (oben rechts) in hartem Wasser; Seifenlösung verfilzt Wollgewebe (unten links: vor dem Waschen, unten rechts: nach dem Waschen)

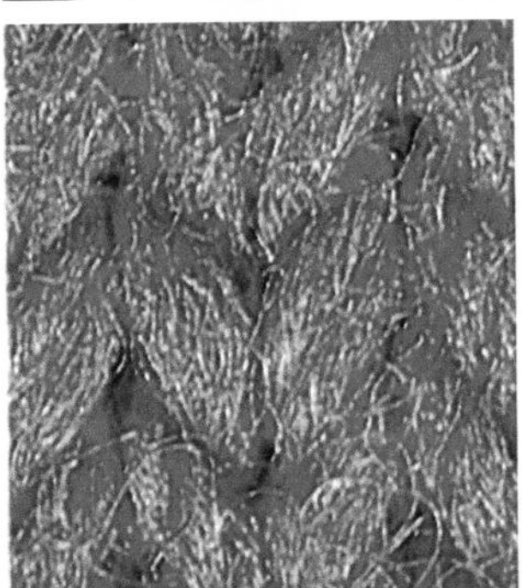
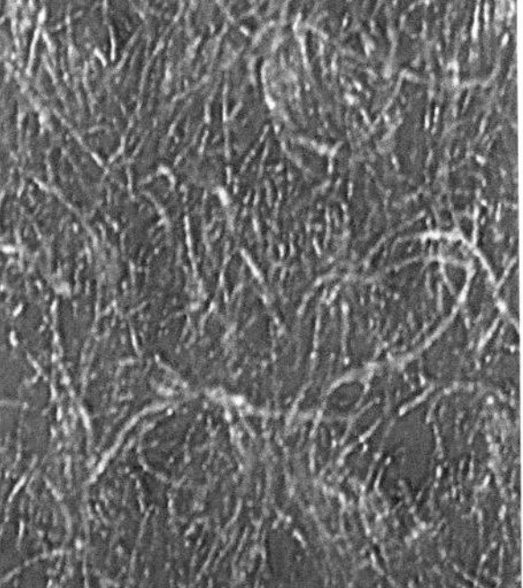

18.4 Tenside als waschaktive Substanzen

V 1 Herstellung eines Alkylsulfats. In einem Reagenzglas wird etwa 1 g Cetylalkohol (Hexadecanol) bis zum Schmelzen erwärmt. Zu der Schmelze gibt man tropfenweise konzentrierte Schwefelsäure (Vorsicht! Schutzbrille!). Bei jeder Zugabe wird gut geschüttelt, um eine örtliche Überhitzung zu vermeiden. Sobald eine Gelbfärbung auftritt, wird gekühlt und mit verdünnter Natronlauge neutralisiert (Prüfung mit Indikatorpapier).

V 2 Eigenschaften eines Alkylsulfats. Versetzen Sie je eine Probe eines Feinwaschmittels bzw. eines Alkylsulfats (▷ V 1)
a) mit Phenolphthaleinlösung,
b) mit Kalkwasser,
c) mit verdünnter Salzsäure. Schütteln Sie die Lösungen kräftig.
Führen Sie entsprechende Versuche auch mit einer wässrigen Seifenlösung durch.

A 1 Formulieren Sie die Reaktionsgleichung zur Herstellung von Hexadecylsulfat (▷ V 1).

A 2 Ein Alken mit der Formel $CH_3(-CH_2)_n-HC=CH(-CH_2)_m-CH_3$ wird unter Wirkung eines Katalysators (H^+) mit Benzol zum entsprechenden Alkylbenzol umgesetzt (↗ Kap. 15.3). Formulieren Sie die Reaktionsgleichung.
Durch welche Reaktionen kann die Verbindung in das entsprechende Natriumalkylbenzolsulfonat überführt werden?

A 3 Welche der folgenden Verbindungen sind Tenside? Begründen Sie jeweils ihre Entscheidung und ordnen Sie die gefundenen Tenside einer Tensidklasse zu.
a) $CH_3(-CH_2)_{16}-COOCH_3$
b) $CH_3(-CH_2)_3-OSO_3^-Na^+$
c) $CH_3(-CH_2)_{16}-C_6H_4-OH$
d) $CH_3(-CH_2)_{44}-COO^-K^+$
e) $CH_3(-CH_2)_{12}-O(-CH_2-CH_2-O)_6-H$

Alle Tenside haben ein gemeinsames Strukturprinzip: Ihre Teilchen besitzen sowohl einen polaren als auch einen unpolaren Teil. Dabei bestimmt der polare Teil die Zuordnung zu einer der folgenden Tensidklassen.

Anionische Tenside bestehen aus Teilchen mit einer negativ geladenen Gruppe, z. B. einer Carboxylat-, Sulfonat- oder Sulfatgruppe. Die ersten Aniontenside, die die Seifen als waschaktive Substanzen ablösten, waren die *Alkylbenzolsulfonate.* Sie dominieren auch heute noch als Komponente in Wasch- und Reinigungsmitteln, obwohl sie in einigen Eigenschaften von anderen Tensiden übertroffen werden (▷ Tabelle).
Das erste Alkylbenzolsulfonat, das um 1950 entwickelt wurde, war das *Tetrapropylenbenzolsulfonat (TPS).* Die Alkylseitenkette des TPS ist stark verzweigt, was eine geringe biologische Abbaubarkeit bedeutet und zu starken Umweltbelastungen führt.

Nichtionische Tenside. Die Wasserlöslichkeit der *nichtionischen Tenside* wird durch mehrere Ethergruppen sowie eine endständige Hydroxylgruppe in den Molekülen bewirkt. Diese Tenside haben vor allem zwischen 30 und 60 °C eine gute Waschkraft. Sie ist deutlich besser als die der Alkylbenzolsulfonate und unabhängig vom pH-Wert und der Wasserhärte der Lösung. Auch neigen nichtionische Tenside weit weniger zur Schaumbildung. Deshalb werden sie in Wasch- und Spülmaschinen eingesetzt, meist in Kombination mit anionischen Tensiden, da die Waschkraft der nichtionischen Tenside mit steigender Temperatur abnimmt. Gegen einen stärkeren Einsatz nichtionischer Tenside sprechen zur Zeit vor allem der relativ hohe Preis und Probleme bei der Verarbeitung zu pulverförmigen Waschmitteln.

Kationische Tenside bestehen aus Teilchen, die eine positiv geladene quartäre Ammoniumgruppe enthalten, d. h. ein positiv geladenes Stickstoffatom mit vier Substituenten, das dem NH_4^+-Ion strukturell ähnlich ist. Als Waschmittel haben *kationische Tenside* keine Bedeutung, da die Ablösung der von Tensidkationen umhüllten Schmutzpartikel von der meist negativ geladenen Faser erschwert ist. Wenn sich jedoch solche Tensidkationen an die Faser anlagern, ragt der hydrophobe Rest nach außen. Durch diese Hydrophobierung der Gewebeoberfläche „verkleben" die Textilfasern nicht, die Wäsche bleibt weich.

Solche **Weichspüler** auf der Wäsche besitzen jedoch auch Nachteile. Die mit einem kationischen Tensid als Weichspüler behandelte Wäsche benötigt beim nächsten Waschgang mehr anionische Tenside, da diese mit den Kationtensiden der „Faserbeschichtung" schwer lösliche Salze bilden. Der Waschmittelverbrauch wird also erhöht. Außerdem wird die Saugfähigkeit von Geweben durch Weichspüler um etwa 20 % verringert. Weiterhin verstärkt sich der Verdacht, dass sie Allergien und Hautreizungen auslösen.

Amphotenside sind Zwitterionen. Sie besitzen sehr gute waschtechnische Eigenschaften und lassen sich gut mit anderen Tensiden kombinieren, sind aber sehr teuer. Daher kommen sie nur in wenigen Spezialreinigungsmitteln vor. Wegen ihrer guten Haut- und Schleimhautverträglichkeit sowie einer antimikrobiellen Wirkung ist ihr Hauptanwendungsgebiet die Herstellung kosmetischer Produkte. Meist werden sie aus pflanzlichen Rohstoffen wie Kokos- und Palmölen hergestellt (↗ Kap. 12.11).

Tenside in Waschmitteln, Verwendung und Eigenschaften			
Tensidklasse	**Beispiele**	**Verwendung**	**Vor- und Nachteile**
Anionische Tenside (Aniontenside)		Toilettenseifen, Flüssigwaschmittel, Schauminhibitoren für Waschmittel	biologisch gut abbaubar, preiswerte Herstellung, aber in Wasser stark alkalisch, härteempfindlich, ungeeignet in saurem Milieu
Seifen $10 \le n \le 20$	$H_3C(-CH_2)_n-COO^-Na^+$		
Lineare Alkylbenzolsulfonate (LAS) $n = 4; 5$ $7 \le m \le 9$	$H_3C(-CH_2)_n$ und $H_3C(-CH_2)_m$ an $CH-C_6H_4-SO_3^-Na^+$	Waschmittel, Geschirrspülmittel, Haushaltsreiniger	geringer Preis, gute Waschwirkung, daher wichtigstes Waschmitteltensid, aber härteempfindlich
Sekundäre Alkansulfonate (SAS) $4 \le n \le 7$ $5 \le m \le 10$	$H_3C(-CH_2)_n$ und $H_3C(-CH_2)_m$ an $CH-SO_3^-Na^+$	Waschmittel, Geschirrspülmittel, Haushaltsreiniger	ähnliche Eigenschaften wie LAS
Fettalkoholsulfate (FAS, auch Fettalkoholpolyglykolsulfate genannt) $11 \le n \le 15$	$H_3C(-CH_2)_n-O-SO_3^-Na^+$	Waschmittel, Feinwaschmittel, Schaumbäder, Shampoos	gut wasserlöslich, beständig in alkal. Medium bis 95 °C, aber hydrolyse-, härte- und säureempfindlich
Fettalkoholethersulfate (FES) $11 \le n \le 17$ $3 \le m \le 15$	$H_3C(-CH_2)_n-O(-CH_2-CH_2-O)_m-SO_3^-Na^+$	Feinwaschmittel, Schaumbäder, Shampoos, Geschirrspülmittel	bessere Löslichkeit und Hautverträglichkeit als FAS, aber starkes Schäumen bei höheren Temperaturen, teuer in der Herstellung
Sekundäre Estersulfonate (SES) $13 \le n \le 15$	$H_3C(-CH_2)_n-CH(SO_3^-Na^+)-COOCH_3$	Waschmittel (alle Temp.), Reinigungsmittel	gut biologisch abbaubar, gute Hautverträglichkeit, unempfindlich gegen hartes Wasser
Nichtionische Tenside (Niotenside)		Wasch- und Reinigungsmittel, Emulgatoren	völlig unempfindlich gegen hartes Wasser, sehr gute Waschwirkung bei niedrigen Temperaturen, schaumarm, aber abnehmende Löslichkeit bei steigender Temperatur
Fettalkoholethoxylate (FAEO, auch Fettalkoholpolyglykolether genannt) $11 \le n \le 17$ $3 \le m \le 15$	$H_3C(-CH_2)_n-O(-CH_2-CH_2-O)_m-H$		
Alkylpolyglucoside (APG) $11 \le n \le 13$ $0 \le m \le 6$	$H-[O-C_6H_{10}O_4(CH_2OH)]_m-O-C_6H_{10}O_4(CH_2OH)-O(-CH_2)_n-CH_3$ (Glucose-Ringe mit CH_2OH, H, OH)	Waschmittel, Geschirrspülmittel, Reinigungsmittel	hydrolysebeständig, gutes Schmutzlöse- und Schmutztragevermögen, preiswert in der Herstellung
Kationische Tenside (Kationtenside)		Wäscheweichmacher	biologisch abbaubar, daher als Ersatz für andere quartäre Ammoniumsalze (Quats)
Quartäre Dialkylammoniumester (Esterquats)	$H_3C(-CH_2)_{16}-CO-O-CH_2-CH_2-N^+(-CH_3)(-CH_2-CH_2-OH)(-CH_2-CH_2-O-CO-(CH_2)_{16}-CH_3)\ Cl^-$		
Amphotere Tenside (Amphotenside)		Shampoos, Badepräparate, Spezialreinigungsmittel, Körperpflegemittel	sehr gute Waschwirkung, wenig toxisch, gute Hautverträglichkeit, aber sehr teuer in der Herstellung
Alkylbetaine (Betaine) $11 \le n \le 17$	$H_3C(-CH_2)_n-N^+(CH_3)_2-CH_2-COO^-$		

18.5 Zusammensetzung von Waschmitteln

V 1 Gewinnung von Sasil® aus pulverförmigen Vollwaschmitteln. Rühren Sie etwa 10 g eines Vollwaschmittels in ca. 250 ml warmes dest. Wasser ein. Filtrieren Sie diese Suspension durch eine Nutsche, die über eine Saugflasche an eine Wasserstrahlpumpe angeschlossen ist. Waschen Sie den Filterrückstand so lange mit warmem Wasser, bis das Filtrat in der Saugflasche klar ist.

V 2 Wasserenthärtung. Stellen Sie sich „hartes Wasser" durch Lösen von etwas Calciumchlorid in Wasser her. Geben Sie in drei Reagenzgläser jeweils 3 ml dest. Wasser, hartes Wasser und hartes Wasser mit etwas Sasil® (▷ V 1). Fügen Sie zu jeder Flüssigkeit 3 ml einer Seifenlösung hinzu. Verschließen Sie die Gläser und schütteln Sie diese gemeinsam.

A 1 Welche Aufgabe hat Seife in Waschmitteln?

A 2 Begründen Sie, warum Bleichmittel nur in Vollwaschmitteln enthalten sind.

A 3 Welche Funktion hat der Zusatz von Silicaten in einem Vollwaschmittel?

B 1 Zusammensetzung von pulverförmigen Waschmitteln

	Massenanteil in %		
Inhaltsstoff	Vollwaschmittel	Colorwaschmittel	Feinwaschmittel
Anionische Tenside	5 bis 10	5 bis 30	15 bis 30
Nichtionische Tenside	4 bis 10	5 bis 15	< 5
Bleichmittel	10 bis 20	—	—
Bleichaktivatoren	3 bis 8	—	—
Phosphonate	0,2 bis 1,0	0,2 bis 1,0	0,2 bis 1,0
Polycarboxylate	1,0 bis 8,0	1,0 bis 8,0	1,0 bis 8,0
Seife	0,4 bis 2,0	0,4 bis 2,0	5,0 bis 15,0
Enzyme	0,5 bis 2,0	0,5 bis 2,0	0,5 bis 2,0
Citrat	—	5 bis 6	—
Zeolith A (Sasil®)	15 bis 35	15 bis 35	15 bis 35
Optische Aufheller	0,2 bis 0,5	—	—
Parfümöle	0,2 bis 0,5	0,2 bis 0,5	0,2 bis 0,5
Silicate	3 bis 5	—	—
Soda oder Hydrogencarbonat	6 bis 15	—	—
Verfärbungsinhibitoren	—	0,5 bis 2,0	—
Vergrauungsinhibitoren	0,5 bis 2,0	0,5 bis 2,0	0,5 bis 2,0
Natriumsulfat	Ergänzung bis 100		

Das Waschen von Wäsche ist ein sehr komplexer Vorgang. Der Waschvorgang wird von vier Faktoren bestimmt: der *Zusammensetzung* des Waschmittels, der *Mechanik* und der *Temperatur* beim Waschen sowie der *Zeit*. Damit wird deutlich, dass moderne Waschmittel eine Reihe von Bestandteilen haben müssen, die jeweils verschiedene Aufgaben beim Waschvorgang erfüllen (▷ B 1).

Gerüststoffe (Builder) in Waschmitteln dienen neben einer Erhöhung des pH-Wertes der Waschlauge vor allem zur Enthärtung des Wassers. Da in Deutschland in 50 % aller Haushalte hartes Wasser mit dem Härtebereich 3 (↗ Kap. 9.4, ▷ B 2) verwendet wird, muss das Wasser für optimale Waschergebnisse enthärtet werden. Die in hartem Wasser immer vorhandenen Hydrogencarbonationen stehen mit Carbonationen in einem Gleichgewicht, das bei erhöhter Temperatur durch Entweichen von Kohlenstoffdioxid zur Seite der Carbonationen verschoben ist:

$$2\,HCO_3^- \rightleftharpoons H_2O + CO_2\uparrow + CO_3^{2-}$$

Die Carbonationen bilden mit Calcium- und Magnesiumionen, aber auch mit den in Spuren vorhandenen Mangan- und Eisenionen schwer lösliche Metallcarbonate (Kesselstein), wobei die zuletzt genannten die gelbbraune Farbe der Ablagerungen bewirken. Kesselstein lagert sich besonders auf den Heizstäben ab und hemmt dadurch die Wärmeübertragung.

Durch Builder werden die Härte bildenden Ionen während des Waschvorganges aufgenommen und in Lösung gehalten (▷ V 2). In den ersten Waschmitteln erfüllte *Soda* diese Aufgabe. Später wurde Soda durch *Triphosphate* (Pentanatriumtriphosphat) abgelöst. Dieses Triphosphat wurde als idealer Gerüststoff angesehen. Es komplexiert die Härtebildner und sein pH-Wert liegt im für den Waschvorgang günstigsten Bereich von pH = 9,5. Dadurch wurde die Waschwirkung der anderen Waschmittelbestandteile verbessert.

Allerdings trug die Verwendung dieser Substanz mit zu einer *Eutrophierung* (Überdüngung; ↗ Kap. 12.9, ▷ B2) stehender Gewässer bei. Triphosphate werden enzymatisch zu Phoshaten hydrolysiert und sind Nährsalze für die im Wasser lebenden Pflanzen, z. B. für Algen. Die große Zufuhr an Nährstoffen führt zu einem verstärkten Pflanzenwachstum. Nach ihrem Absterben wird diese Biomasse durch **aerobe** Bakterien, die für ihren Stoffwechsel Sauerstoff benötigen, abgebaut. Durch den damit verbundenen Verbrauch von Sauerstoff vermehren sich **anaerobe** Bakterien, die im Tiefenwasser Faulschlamm produzieren. Die dabei gebildeten Gase wie Methan und Schwefelwasserstoff können ein Absterben aller Lebensformen bewirken. Das Gewässer „kippt" um. Dies führte in der Folge dazu, dass nach einem Phosphatersatz gesucht werden musste.

Zusammensetzung von Waschmitteln

Seit 1991 sind Waschmittel in Deutschland phosphatfrei. Als Enthärter dienen **Zeolithe** (↗ Kap. 11.7), die als umweltverträglich gelten. Alternativ wird auch eine Kombination von Schichtsilicaten und Citraten als Builder verwendet.

Zeolithe sind wasserunlöslich (▷ V1) und wirken als Ionenaustauscher. Um sie wieder auswaschen zu können, müssen sie sehr fein pulverisiert sein.
Damit eine optimale Enthärtung erfolgen kann, muss dem Waschmittel eine Substanz zugesetzt werden, die die Calciumionen zum Zeolith transportiert. Als solche Carrier (von engl. to carry, bringen, tragen) werden **Polycarboxylate** verwendet. Außerdem wird zum Erreichen eines alkalischen Mediums Soda zugesetzt, da Zeolithe den pH-Wert kaum beeinflussen.

Bleichmittel. Eine Reihe farbiger Verschmutzungen, z. B. Obst-, Gemüse-, Kakao- oder Rotweinflecken lassen sich durch Waschen mit Tensiden allein nicht entfernen (▷ B2). Sie müssen durch „Bleichen", d. h. durch oxidative Zerstörung, in farblose Stoffe überführt werden. Früher benutzte man dafür die „Rasenbleiche". Die Weißwäsche wurde auf dem Rasen ausgelegt, mit Wasser besprengt und der Sonne ausgesetzt.

Heute wird Vollwaschmitteln **Natriumperborat** zugesetzt. Dieses zerfällt im Waschprozess zu Natriumdihydrogenborat und Wasserstoffperoxid (▷ B3), das als Oxidationsmittel in wässriger Lösung ein geeignetes Bleichmittel ist (▷ V3, ▷ V5). Eine erkennbare Bleichwirkung setzt bei ca. 60 °C ein und nimmt mit steigender Temperatur zu. Spuren von Schwermetallionen wie Kupfer-, Eisen- oder Manganionen setzen die Zerfallstemperatur deutlich herab, sodass durch zu starke Bleichwirkung Faserschädigungen auftreten können. Um das zu verhindern, werden einem Vollwaschmittel Silicate zugesetzt. Diese binden die Schwermetallionen und wirken als Bleichmittelstabilisatoren. Soll umgekehrt eine Bleichwirkung bei Wassertemperaturen unter 60 °C eintreten, müssen Bleichmittelaktivatoren zugesetzt werden. Alle Bleichmittel können aufgrund ihrer oxidierenden Wirkung Bakterien und andere Mikroorganismen abtöten. Sie tragen somit auch zur Wäschehygiene bei.

Um den Eintrag von Bor in Oberflächengewässern zu verringern, wird Natriumperborat teilweise durch **Natriumpercarbonat** (genauer Natriumcarbonat-Peroxohydrat), ein H_2O_2-Addukt mit der ungefähren Zusammensetzung $2\,Na_2CO_3 \cdot 3\,H_2O_2$, ersetzt. Es zerfällt in wässriger Lösung leicht in Natriumcarbonat und bleichaktiven Sauerstoff. Allerdings ist die Lagerung von percarbonathaltigen Waschmitteln schwierig, da sich Percarbonat in Verbindung mit anderen Waschmittelbestandteilen in recht kurzer Zeit zersetzt.

Art	Anteil in %	Beispiele	Entfernbarkeit
Fett	5 – 10	Hauttalg, Speisefett, Wachse, Kosmetika	wasserunlöslich, daher schwer entfernbar
Pigmentschmutz	25 – 30	Straßenstaub, Ruß, Asche, Pflanzenreste	
farbstoffhaltige Flecken	< 1	Obst, Gemüse, Tee, Rotwein, Gras	
eiweißhaltige Flecken	20 – 25	Hühnereiweiß, Kakao, Bratensoße, Kondensmilch, Blut, Hautschuppen, Bakterien	
Kohlenhydrate	ca. 20	Zucker, Stärke Faserreste	leicht entfernbar
wasserlöslicher Schmutz	15 – 20 5 – 7	Schweißrückstände, Harnstoff	

B2 Wichtige Bestandteile von Wäscheschmutz. Viele von ihnen sind schwer entfernbar

B3 Zerfall von Natriumperborat

```
 ┌                        ┐2−
 │H—O̅| |O̅—O̅| |O̅—H│
 │     \ /      \ /      │
 │      B        B       │     2 Na⁺ + 2 H₂O ⟶
 │     / \      / \      │
 │H—O̲| |O̲—O̲| |O̲—H│
 └                        ┘
```

$$2\,Na^+ + 2\,H_2BO_3^- + 2\,H_2O_2$$

(Oxidationsmittel)

V 3 Wirkung von Bleichmitteln. Geben Sie kleine Stoffreste mit Tinten-, Obst- oder Grasflecken
a) in eine Wasserstoffperoxidlösung (w = 3 %),
b) in Natriumperboratlösung,
c) in die Lösung von etwa 20 g eines Vollwaschmittels in 100 ml Wasser.
Erhitzen Sie unter Rühren zum Sieden (Schutzbrille!).

V 4 Nachweis von Perboraten. Versetzen Sie je ca. 5 g Natriumperborat, Voll- bzw. Feinwaschmittel in Porzellanschalen mit 2 ml Methanol und einigen Tropfen konz. Schwefelsäure. Erhitzen Sie das Reaktionsgemisch vorsichtig und entzünden Sie die Dämpfe (Abzug! Schutzbrille!). *Hinweis:* Mit Schwefelsäure wird aus Perboraten Borsäure freigesetzt, die mit Methanol Borsäuretrimethylester bildet. Dessen Dämpfe verbrennen mit grüner Flamme (↗ Kap. 14.2, ▷ V2).

V 5 Perborat als Oxidationsmittel. Lösen Sie unter leichtem Erwärmen (nicht Kochen!) in drei Reagenzgläsern jeweils etwa 0,5 g Natriumperborat, Voll- bzw. Feinwaschmittel in etwa 2 ml verd. Schwefelsäure (w = 10 %). Versetzen Sie mit einer Kaliumiodid-Stärke-Lösung. Vergleichen Sie mit einer Wasserstoffperoxidlösung (w = 3 %) und Kaliumiodid-Stärke-Lösung.

V 6 Enzyme in Waschmitteln. Schneiden Sie aus einem gekochten Ei ein dünnes Stückchen Eiweiß. Geben Sie das Eiweiß in ca. 50 °C heißes Wasser, welches ein Vollwaschmittel enthält. Prüfen Sie den Reagenzglasinhalt nach einer Stunde.

V 7 Nachweis von optischen Aufhellern.
a) Lösen Sie verschiedene Waschmitteltypen in heißem Wasser. Betrachten Sie die Lösungen im abgedunkelten Raum unter einer UV-Lampe.
b) Betrachten Sie ebenso unbehandelte bzw. mit Vollwaschmittellösung getränkte Streifen eines Papiertaschentuchs und einer Mullbinde.

V 8 Schaumregulierung durch Seife. Geben Sie in einem Kolben etwas Schaumbademittel in Wasser. Schütteln Sie die Lösung. Fügen Sie etwas Seifenlösung hinzu und schütteln Sie erneut.

V 9 Nachweis von Natriumsulfat in Waschmitteln. Kochen Sie ca. 5 g eines Waschmittels (kein Kompaktwaschmittel) mit etwa 10 ml dest. Wasser auf und filtrieren Sie. Verdünnen Sie das Filtrat stark, säuern Sie mit verd. Salzsäure an und versetzen Sie mit Bariumchloridlösung.

A 4 Formulieren Sie die Reaktionsgleichungen für die Bildung von Borsäure aus Natriumperborat und die Entstehung des Borsäuretrimethylesters (▷ V 4).

Exkurs: Waschmitteldosierung

Die Dosierung eines Waschmittels wird im Wesentlichen von der Wasserhärte bestimmt. Deutschland gehört zu den Gebieten mit relativ hoher durchschnittlicher Wasserhärte (Härtebereich 3; ↗ Kap. 9.4, ▷ B 2).
Je nachdem, bei welcher Temperatur gewaschen wird, welche Textilien gewaschen werden und welches Wasser verwendet wird, werden Waschmittel unterschiedlicher Zusammensetzung benötigt. Um Überdosierungen zu vermeiden, sind die Dosierempfehlungen auf den Waschmittelverpackungen zu beachten. Eine Alternative wäre Waschen im Baukastensystem. Dabei werden verschiedene Einzelkomponenten – entsprechend den jeweiligen Erfordernissen – miteinander gemischt und können genau dosiert werden. Der Einsatz solcher Baukastensysteme ist jedoch aufwändiger als die Verwendung eines Vollwaschmittels.
Eine einfachere Möglichkeit zu umweltfreundlicherem Waschen besteht darin, dass stets nur nach der geringsten Härte und nach dem Verschmutzungsgrad dosiert wird. Durch Zugabe eines Enthärtungsmittels entsprechend dem Wasserhärtebereich kann für weicheres Wasser gesorgt werden, ohne dass alle anderen Inhaltsstoffe überdosiert werden.

Enzyme. Eiweiß- und stärkehaltige Verschmutzungen wie Blut, Milch, Kakao, Eigelb lassen sich nur schwer auswaschen. Waschmittel werden daher mit Enzymen versetzt. Verwendet werden Eiweiß abbauende Proteasen, Stärke abbauende Amylasen und Fett abbauende Lipasen, die die Hydrolyse der Makromoleküle zu kleinen, wasserlöslichen Bausteinen katalysieren (▷ B 5). Enzyme sind nur unterhalb 60 °C wirksam (▷ V 6), da sie bei hohen Temperaturen zerstört werden.

Industriell werden die Enzyme hauptsächlich aus Bakterienkulturen gewonnen und dem Waschmittel in verkapselter Form (Enzymprills, ▷ B 4) beigemischt. Zur Herstellung der Prills werden die Enzymkonzentrate an der Spitze eines Turmes in definierter Tropfengröße eingesprüht und erstarren beim Fallen zu Granulat. Durch die Prills werden allergische Atembeschwerden beim Einatmen von enzymhaltigem Staub vermieden. Auch die Lagerfähigkeit enzymhaltiger Waschmittel wird durch dieses Verfahren erhöht. Im auf der Waschmittelpackung angegebenen Temperaturbereich werden die Enzyme dann wieder freigesetzt.

Optische Aufheller (Weißtöner). Weiße Wäsche zeigt nach häufigem Waschen einen Gelbstich, der u. a. durch freie Fettsäuren verursacht wird, die an der Faser haften. Durch Ablagerungen auf der Faser wird das einfallende Tageslicht von der Wäsche nicht vollständig reflektiert, ein Teil des blauen Lichtes wird vom Wäschestück absorbiert. Das reflektierte Restlicht erscheint dem menschlichen Auge in der Komplementärfarbe Gelb (↗ Kap. 1.11).

Früher benutzte man beim Waschen in einem getrennten Behandlungsgang „Wäscheblau", weil ein blau nuanciertes Weiß dem menschlichen Auge weißer erscheint als das normalerweise an gewaschener und gebleichter Wäsche zu erzielende gelblich nuancierte Weiß. Um den fehlenden Blauanteil des Lichtes zu ersetzen, fügt man dem Waschmittel heute *optische Aufheller* zu, die die Fähigkeit besitzen, ultraviolettes Licht zu absorbieren und dafür blaues Licht auszusenden (▷ V 7, ▷ B 6). Der Gelbstich der Wäsche wird dadurch kompensiert, meist sogar überkompensiert. Die Wäsche bekommt ein bläulich-weißes Aussehen, welches vom Auge weißer als andere Weißnuancen empfunden wird. Optische Aufheller sind nur in Vollwaschmitteln enthalten (▷ B 1).

Da Weißtöner beim Waschen direkt auf die Faser aufziehen, können sie beim Tragen der Wäsche in direkten Kontakt mit der Haut kommen. Bei empfindlichen bzw. allergieanfälligen Personen können durch Dauereinwirkung Hautreizungen und -erkrankungen auftreten. Der Einsatz von optischen Aufhellern bei der Herstellung oder Reinigung von Verbandsmaterial ist verboten, da die Weißtöner nachweislich die Wundheilung verzögern.

18.8 Praktikum: Kosmetika selbst gemacht

Bei den folgenden Versuchen kommt es darauf an, eine dauerhafte Emulsion herzustellen. Dies gelingt nur, wenn die Bestandteile der Fettphase und das Wasser unter Zugabe eines Emulgators lange und kräftig bei der angegebenen Temperatur verrührt werden.

Herstellung reinigender Produkte. Grundsätzlich bestehen Duschgels und Shampoos aus vier Komponenten: *Tensiden*, *Wasser*, *Hilfsstoffen* wie Stabilisatoren und Verdickungsmitteln sowie *Zusatzstoffen* (Rückfetter, Parfümöle, Pflanzenextrakte). Außerdem werden verschiedene Alkohole, z. B. Ethanol, Propanol oder Glycerin, als Lösungsmittel für Fett und Wasser eingesetzt.

Versuch 1 Herstellung von Shampoo und Sportgel

Geräte für jedes Produkt: 2 Bechergläser (400 ml), 4 Messzylinder (50, 100 ml), Glasstab, Dreifuß, Drahtnetz, Brenner (Achtung, die Geräte müssen sorgfältig gereinigt sein!)

Materialien für ca. 200 ml Shampoo bzw. 150 ml Gel:

Shampoo	Sportgel
Tenside für jedes Produkt:	
(1) 40 ml *Lamepon S* (besonders mildes Niotensid)	
(2) 40 ml *Zetesol 856 T* (Aniontensid, FES)	
(3) 5 ml *Rewoderm Li 420*	
(4) 110 ml dest. Wasser	(4) 60 ml dest. Wasser + 1,5 ml Ethanol
(5) jeweils 2,5 ml *Croquat L*	
(6) 20 Tr. *Nutrilan* oder Rosmarinöl	(6) 2 g Menthol
(7) 20 Tr. Parfümöl	(7) 12 Tr. Pfefferminzöl
(8) 10 Tr. Zitronensaftkonzentrat	
(9) 2 Tr. Lebensmittelfarbe	

Durchführung:
a) Kochen Sie das Wasser ab und lassen Sie es abkühlen.
b) Füllen Sie inzwischen die drei Tensidportionen (1) bis (3) in ein Becherglas und verrühren Sie diese zu einem homogenen Gemisch. (Nicht zu viel Luft unterrühren!)
c) Geben Sie die wässrige Phase (4) in kleinen Portionen dazu und vermischen Sie alles intensiv.
d) Geben Sie dann die Substanzen (5) bis (8) bzw. (5) bis (7) dazu und verrühren Sie diese intensiv miteinander.
e) Färben Sie Ihr Produkt nach Wunsch an, z. B. mit einem Lebensmittelfarbstoff (↗ Kap. 19.7).

Zusatzinformation:
Die obigen Produkte sind nach der Herstellung etwa zwei Monate haltbar. Durch Zugabe eines Konservierungsmittels, z. B. 10 Tr. *Paraben K*, kann die Haltbarkeit auf drei Monate verlängert werden.

Herstellung pflegender Produkte. Cremes bestehen aus drei Komponenten: der Fettphase (1), der wässrigen Phase (2) und den Zusatzstoffen (3).

Versuch 2 Herstellung von Cremes

Geräte für jede Creme: 3 Bechergläser (100 ml, 250 ml, 600 ml), Messzylinder, Thermometer, Glasstab, Dreifuß, Drahtnetz, Brenner

Materialien, geordnet nach den Komponenten (1), (2), (3):

Tagescreme für normale Haut	
(1) Fettphase:	5 g *Tegomuls 90 S* 12 g Mandel- oder Erdnussöl 4 g Walratersatz
(2) Wässrige Phase:	60 ml dest. Wasser
(3) Zusatzstoffe: *Treffen Sie eine sinnvolle Auswahl*	2-4 Tr. *Heliozimt K* 12 Tr. *α-Bisabolol* 22 Tr. Aloe Vera 20 Tr. D-Panthenol 4 g Calendulaextrakt 4 Tr. Vitamin E 4 g Hamamelisextrakt 4-8 Tr. Parfümöl

Tagescreme für trockene Haut	Tagescreme für fettige Haut
(1) 5 g *Tegomuls 90 S* 12 g Mandel-, Distel- oder Maiskeimöl	(1) 5 g *Tegomuls 90 S* 11 g Distelöl 4 g Cetylalkohol
(2) 60 ml dest. Wasser	(2) 100 ml dest. Wasser
(3) Zusatzstoffe wie oben	(3) 20 Tr. *α-Bisabolol* 4 g Calendulaextrakt 4 Tr. *Heliozimt K*
Nachtcreme	**Handcreme**
(1) 4 g *Lamecreme ZEM* 14 g Erdnuss- oder Maiskeimöl 1 g Bienenwachs	(1) 5 g *Tegomuls 90 S* 12 g Sojaöl 3 g Bienenwachs 1 g Cetylalkohol
(2) 40 ml dest. Wasser	(2) 60 ml dest. Wasser
(3) 14 Tr. D-Panthenol 16 Tr. Aloe Vera 4-8 Tr. Parfümöl 2-4 Tr. *Heliozimt K*	(3) 24 Tr. Aloe Vera 4-8 Tr. Parfümöl 2-4 Tr. *Heliozimt K*

Durchführung für jede Creme:
a) Kochen Sie das Wasser ab und lassen Sie es abkühlen.
b) Wiegen Sie die Bestandteile der Fettphase nacheinander in ein 250-ml-Becherglas ein und vermischen Sie alles vorsichtig im Wasserbad (bis max. $\vartheta = 70\ °C$).
c) Geben Sie das dest. Wasser tropfenweise unter Rühren zu der Fettphase.
d) Rühren Sie so lange weiter, bis das Gemisch handwarm und homogen ist. (Nicht zu viel Luft unterrühren!)
e) Rühren Sie die Zusatzstoffe vorsichtig unter!

18.9 Überprüfung und Vertiefung

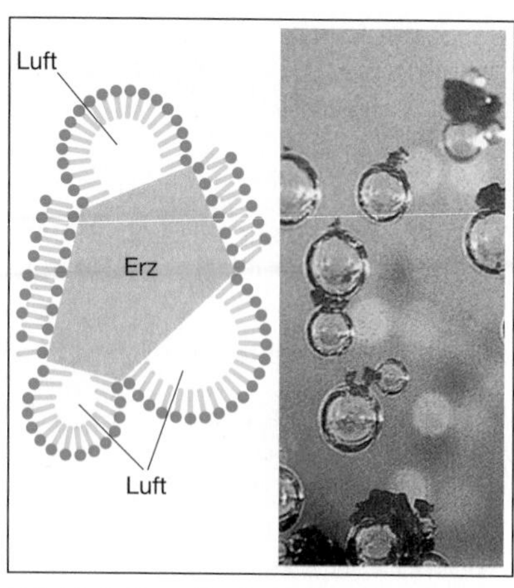

B1 Flotation. Zu Aufgabe 1

1 Zur Anreicherung des Erzes beim Ausbeuten von erzarmen Lagerstätten mit uneinheitlichem Gestein wird das Verfahren der **Flotation** (von franz. flot, Flut) angewendet.
Dabei wird das pulverisierte erzhaltige Gestein mit tensidhaltigem Wasser und Luft verwirbelt. Die Erzteilchen bleiben an den Schaumblasen haften und können mit diesen abgeschöpft werden (▷ B1).

Erklären Sie, warum das Erz trotz größerer Dichte auf dem Wasser schwimmt.

2 Zum Löschen von Bränden wird anstelle von reinem Wasser bzw. Kohlenstoffdioxid häufig ein Schaum aus tensidhaltigem Wasser und Kohlenstoffdioxid eingesetzt. Nennen Sie Vorteile dieser Löschmethode und begründen Sie Ihre Aussagen.

3 Dampft man hartes Leitungswasser vollständig ein, so bildet sich ein weißer Rand auf dem Glas, der mit Essigsäure entfernt werden kann. Erklären Sie diese Tatsache und formulieren Sie dazu zwei Reaktionsgleichungen.

4 Als Bestandteil der Zellmembranen aller Lebewesen, und im Eidotter finden sich **Lecithine** (↗ Kap. 18.6, ▷ B2). Sie begünstigen die Durchlässigkeit der Zellmembranen und die Verdauung der Fette.
Welche Funktion haben Lecithine bei der Fettverdauung, welcher Stoffklasse sind sie verwandt und welche Stoffe entstehen bei vollständiger Hydrolyse?

5 Warum werden reinigenden Kosmetika in zunehmendem Maße „rückfettende" Stoffe beigefügt?

6 Machen Sie begründete Aussagen über lipophile oder hydrophile Eigenschaften der Bestandteile von Heliozimt K (↗ Kap. 18.7, ▷ B5).

7 Gießt man geschmolzene Stearinsäure auf warmes Wasser und lässt erkalten, so entsteht eine Stearinsäureplatte, die auf der Unterseite durch Wasser benetzbar ist, auf der Oberseite aber nicht.
Geben Sie eine Erklärung.

Sonnenschutz

Sonnenbräune macht attraktiv und wirkt sportlich, sie ist ein Eigenschutz der Haut vor zu viel Sonne. Durch die UV-A-Strahlung (380 bis 320 nm) wird die Bildung des braunen Hautfarbstoffs *Melanin* angeregt. Diese Pigmentierung der Haut soll vor dem schädlichen Teil der ultravioletten Strahlung, der kürzerwelligen Strahlung schützen (UV-B: 320 bis 280 nm, UV-C: 280 bis 200 nm). Diese UV-Strahlung verursacht Sonnenbrand und fördert die vorzeitige Hautalterung sowie nachweislich das Hautkrebsrisiko. Die Schutzmechanismen der Haut sind individuell sehr verschieden. Sie werden vom Hauttyp bestimmt. Bis zum Auftreten von Hautrötung dauert es bei sehr hellen Hauttypen nur 5 bis 10 Minuten, bei dunklen bis zu 30 Minuten. Man kann den Eigenschutz der Haut aber von außen unterstützen.
Sonnenschutzmittel enthalten Wirkstoffe, die UV-Strahlung aus dem Sonnenlicht absorbieren (↗ Kap. 12.3, ▷ B7). *Parsun*, ein Ester der *Zimtsäure*, wandelt die Energie der UV-Strahlen in Wärme um. Auch das weiße Farbpigment *Titandioxid* lässt UV-Strahlen kaum durch. Da die Pigmentteilchen nur noch eine Größe von 0,01 µm bis 0,5 µm haben, wirkt die Sonnenmilch auf der Haut transparent. Das UV-Licht wird aber reflektiert. Manche der in Sonnenschutzmitteln verwendeten „Lichtfilter" können im Zusammenwirken mit Sonnenlicht bei empfindlichen Menschen Allergien auslösen.

Der äußerst schädliche UV-B-Anteil des Sonnenlichts ist abhängig von der geografischen Breite, der Tageszeit und dem Ausmaß der Luftverschmutzung. Die Verringerung der Ozonschicht lässt die UV-Strahlung vor allem in diesem Bereich ansteigen.

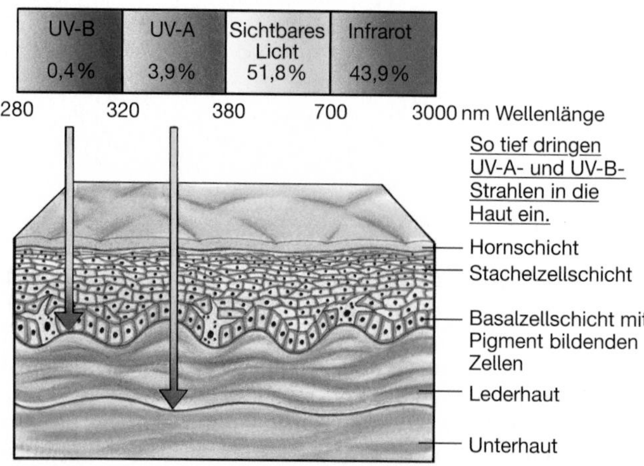

Wichtige Begriffe

Grenzflächenspannung, Seife, Kalkseife, Tyndall-Effekt, hydrophil, hydrophob, lipophil, Tensid, Emulgator, Emulsionstypen, Suspension, Tensidklassen, Inhaltsstoffe von Waschmitteln, Kosmetik, Klassen von Kosmetika

Farbstoffe und Pigmente

Farben üben seit jeher auf Menschen eine große Faszination aus. Vielleicht gebrauchte man Farbmittel zuerst zum Schmücken der menschlichen Haut. Man nimmt an, dass Teilnehmer an Zeremonien in geschmückten Höhlen selbst bemalt waren. Frühe Zeugnisse für die Benutzung von Farben sind die Höhlenmalereien der Steinzeitmenschen in den Höhlen von Altamira bei Santander im Norden Spaniens oder auch in Lascaux in Südwest-Frankreich. Dort finden sich an den Decken und Wänden Tierdarstellungen, die mit farbiger Erde angefertigt wurden. Die Farbpigmente wurden zum Teil mit härtenden Ölen angerührt. Aus solchen Anfängen entwickelten sich die Ölfarben.

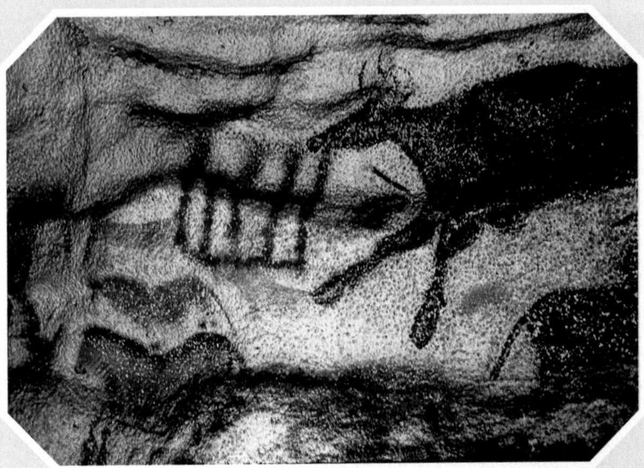

Zum Einfärben von Textilien eigneten sich diese anorganischen Pigmente jedoch nicht, da sie auf Naturfasern nicht haften. Als erste Textilfarben dienten daher Farbstoffe aus Pflanzen- und Tiersäften. Der blaue Indigo der Waidpflanze und der rote Kermes der Schildlaus waren schon vor 4000 Jahren in China bekannt. Im Altertum wurden für den aus der Purpurschnecke gewonnenen roten Farbstoff sehr hohe Preise bezahlt. Bis ins Mittelalter war der Purpurmantel Zeichen weltlicher und geistlicher Macht. Färberwaid und Krapp, aus dessen Wurzeln der rote Farbstoff Alizarin gewonnen wurde, gehörten bis ins 19. Jahrhundert zu den wichtigsten Kulturpflanzen Europas.

Mit der Entdeckung des leuchtend rotvioletten Anilinfarbstoffs Mauvein durch den englischen Chemiestudenten William Henry Perkin (1838 – 1907) begann Mitte des 19. Jahrhunderts der Siegeszug der synthetischen, bald auch für jedermann bezahlbaren Farbstoffe.

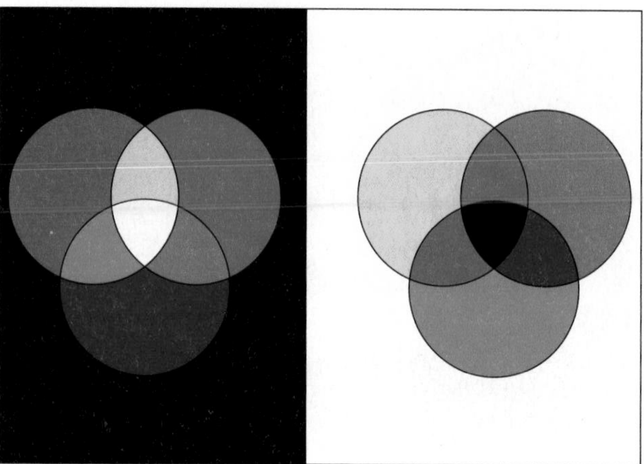

B 1 Additive (links) und subtraktive (rechts) Farbmischung

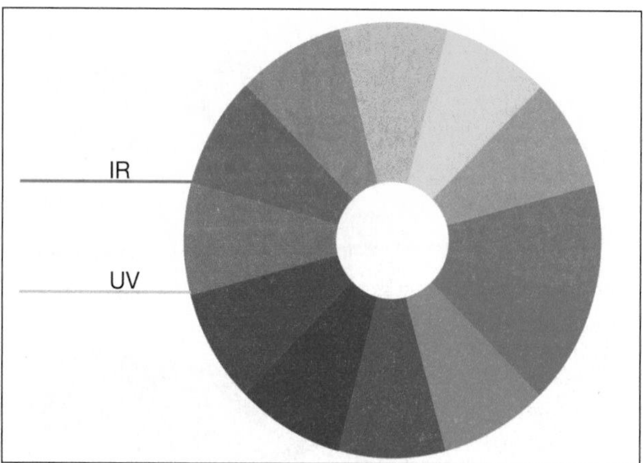

B 2 Komplementärfarben in einem Farbkreis. Er enthält zusätzlich zu den Spektralfarben die Farbe Purpur

B 3 Absorbierte Farbe und Komplementärfarbe

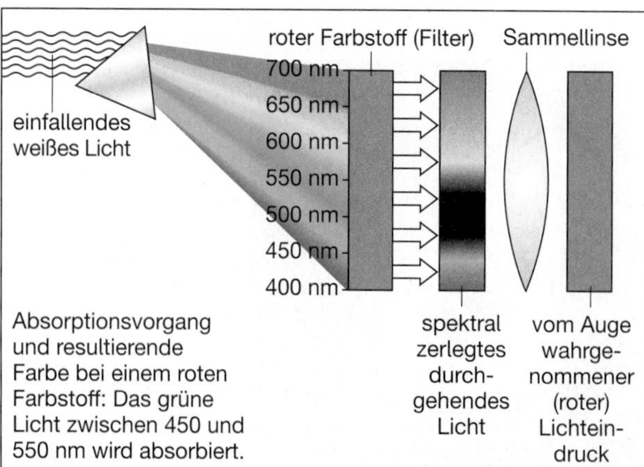

Die Blätter eines Laubbaumes verdanken ihre Farbe der chemischen Verbindung Chlorophyll (↗Kap. 9.5, ▷ B 7), mit deren Hilfe die Pflanze die Energie des Sonnenlichts nutzt, um die für das Pflanzenwachstum notwendigen Substanzen zu erzeugen. Die Farbe der Blätter nimmt das menschliche Auge als Grün wahr.

Entstehung von Farbe. Ein Gegenstand kann nur dann farbig wahrgenommen werden, wenn er mit Licht bestrahlt wird. Farbigkeit kommt dadurch zustande, dass die Teilchen eines Stoffes mit dem Licht in Wechselwirkung treten. Wenn das vom Gegenstand emittierte oder reflektierte Licht im **sichtbaren Bereich** der elektromagnetischen Strahlung liegt, erscheint der Gegenstand farbig. Nur dieser Bereich mit einer Wellenlänge zwischen ca. 380 nm und 780 nm (↗ Kap. 1.11, ▷ B 2) wird vom menschlichen Auge als Licht einer bestimmten Farbe wahrgenommen: Aus dem physiologischen Reiz auf der Netzhaut des Auges entsteht im Gehirn eine Farbempfindung. Der einfachste Fall liegt bei spektralreinem Licht *einer* Wellenlänge vor; dieses monochromatische Licht erzeugt bereits einen Farbeindruck.

Lichtquellen, die dem menschlichen Auge gleichfarbig erscheinen, können eine völlig unterschiedliche spektrale Zusammensetzung haben. So erscheint z. B. das monochromatische Licht einer Natriumdampflampe ebenso gelb wie die Mischfarbe, die auf einer Wand von zwei Projektoren bei gleichzeitiger Ausstrahlung von Rot und Grün erzeugt wird. Farbe kann also nicht allein physikalisch erklärt werden, sondern ist vor allem eine Sinnesempfindung.

Farbmischung und Komplementärfarben. Ein normalsichtiger Mensch kann ca. 150 Farbtöne voneinander unterscheiden. Mithilfe von drei Grundfarben kann man durch Farbmischung beliebige Farben erzeugen.

Bei der **additiven Farbmischung** werden die verschiedenen Farben übereinandergelagert (▷ B 1 links) oder die Flächenelemente der Farben erscheinen wie beim Farbfernsehen unter so kleinem Gesichtswinkel, dass sie vom Auge nicht mehr getrennt werden können. Projiziert man drei Grundfarben – in der Regel Rot, Grün und Blau – übereinander, entsteht Weiß.

Werden die Farben eines Malkastens miteinander gemischt oder druckt man beim Mehrfarbendruck die Grundfarben Cyan (Blau), Gelb und Magenta (Rot) übereinander, so entstehen neue Farben durch **subtraktive Farbmischung** (▷ B 1 rechts). Hierbei wird ein Teil des weißen Lichts absorbiert, d. h., es werden ein einzelner oder mehrere Spektralbereiche herausgefiltert, und das Restlicht erscheint durch additive Mischung als einheitliche Farbe.

Weißes Licht lässt sich durch ein Prisma in Spektralfarben zerlegen und umgekehrt kann man durch Mischen der Spektralfarben wieder weißes Licht erzeugen. Entfernt man aus dem weißen Licht eine Spektralfarbe, z. B. Blau, so ergibt das Restlicht die Farbe Gelb. Dieses Gelb entsteht durch additive Mischung der verbliebenen Spektralanteile. Zusammen mit dem ausgeblendeten Blau ergibt sich wieder weißes Licht. Entfernt man den gelben Spektralbereich aus dem weißen Licht, entsteht die Mischfarbe Blau, aus der durch Hinzufügen von Gelb wieder Weiß wird. Die ausgeblendete Farbe und die durch Mischung des Restlichts entstandene Farbe heißen deshalb *Komplementärfarben* (↗ Kap. 1.11, ▷ B3).

Die verschiedenen Paare von Komplementärfarben kann man in einer kreisförmigen Anordnung so darstellen, dass sie sich diametral gegenüber stehen. In solch einen Farbkreis (▷ B2) muss allerdings zwischen die Spektralfarben Rot und Violett die Farbe Purpur, die es im Spektrum des weißen Tageslichts nicht gibt, als Komplementärfarbe zu Grün eingefügt werden.

Ein Farbstoff, der z. B. blaugrünes und grünes Licht im Bereich zwischen 450 und 550 nm absorbiert, erscheint in der Komplementärfarbe Rot (▷ B3). Wird alles Licht absorbiert, entsteht die Farbempfindung Schwarz.

Nicht selbst leuchtende Körper absorbieren aus dem einfallenden Licht bestimmte Farben und reflektieren die restlichen Anteile. Beleuchtet man z. B. einen blauen Körper mit monochromatisch gelbem Licht, so erscheint er schwarz, da vom eingestrahlten Licht nichts reflektiert werden kann. Die Lichtfarbe einer Lichtquelle hat maßgeblichen Einfluss auf die Farbe eines mit dieser Lichtquelle bestrahlten Gegenstandes (▷ B4).

V 1 Lichtabsorption durch farbige Lösungen. Stellen Sie eine durchscheinende Suspension von Chlorophyll in Wasser bzw. wässrige Lösungen von Kupfer(II)-sulfat und Methylrot her. Füllen Sie diese Lösungen jeweils in eine Küvette und stellen Sie mit einem Fotometer die Absorption dieser Substanzen bei verschiedenen Wellenlängen fest. Gehen Sie dabei in Schritten von 20 nm vor und messen Sie gegen eine Vergleichsküvette mit Wasser.

A 1 Tragen Sie die Werte von ▷ V1 in Wertetabellen ein und erstellen Sie für jede Farbstofflösung ein Diagramm (Abszisse: Wellenlänge λ in nm; Ordinate: Absorption in %). Vergleichen Sie die Absorptionsmaxima mit den Farben der Lösungen.

B4 Farbige Gegenstände bei unterschiedlichem Licht

Exkurs: Sehprozess und Sehpigmente

In der Netzhaut des menschlichen Auges befinden sich etwa 130 Mio. Sinneszellen für Licht: 7 Mio. Zapfen, die das farbige Sehen bei heller Beleuchtung übernehmen, und 123 Mio. Stäbchen, die Helligkeitsstufen vermitteln und das schwarzweiße Sehen bei schlechter Beleuchtung ermöglichen. Die Stäbchen sind vor allem in der Netzhautperipherie angeordnet, während die zentrale Sehgruppe oder Fovea ausschließlich Zapfen besitzt; sie ist tagsüber die Stelle des schärfsten Sehens. Zapfen und Stäbchen enthalten Sehpigmente, die die Umwandlung von Lichtreizen in elektrische Erregung der Zellen ermöglichen. Nach der trichromatischen Theorie des Farbensehens gibt es drei Arten von Zapfen, deren Sehpigmente jeweils nur Licht eines engen Wellenlängenbereiches der Farben Rot, Grün und Blau absorbieren. In der Zellmembran der Stäbchen befindet sich der sog. Sehpurpur, das Rhodopsin, das Strahlung des gesamten sichtbaren Wellenlängenbereichs absorbiert; deshalb ist mit den Stäbchen kein Farbensehen möglich. Rhodopsin wird aus einem Aldehyd, dem 11-*cis*-Retinal, und einem Proteinanteil, dem Opsin, gebildet. Die Sehpigmente der Zapfen unterscheiden sich im Opsinanteil vom Sehpurpur der Stäbchen, der Aldehyd ist ebenfalls 11-*cis*-Retinal. Die Absorption des Photons führt zunächst zu einer Umlagerung in die *trans*-Form des Aldehyds; es entsteht Bathorhodopsin. Dieses kann entweder durch ein zweites Photon sofort wieder zu Rhodopsin reagieren oder es erfolgt eine Trennung des Opsins vom *trans*-Retinal, und Rhodopsin wird durch Dunkelreaktionen rückgebildet. Die Zersetzung und Regeneration der Sehpigmente bewirkt eine Änderung des Ruhepotentials der Sinneszellen. Die Erregung wird über verschiedene Zellen ins Gehirn weitergeleitet, wo in der Großhirnrinde die Verarbeitung der Signale stattfindet.

19.2 Struktur und Farbe

Exkurs: Erklärung der Lichtabsorption mit dem Kastenmodell

Für die Energiestufen eines Elektrons im linearen Kasten (↗ Kap. 2.15) gilt:

$$E_n = \frac{h^2}{8m \cdot l^2} \cdot n^2 \quad (n = 1, 2, 3, \ldots)$$

Befinden sich mehrere Elektronen im Kasten, werden die Energiestufen nacheinander von jeweils zwei Elektronen besetzt. Für Moleküle mit konjugierten Doppelbindungen (↗ Kap. 13.12) lässt sich die Anwendung des Modells auf die delokalisierten Elektronen beschränken.

Durch Zufuhr eines bestimmten Energiebetrags ΔE kann ein Elektron aus dem höchsten besetzten Energieniveau (Quantenzahl n_{max}) in das niedrigste unbesetzte (Quantenzahl $n_{max} + 1$) überführt werden. Damit ist

$$\Delta E = \frac{h^2}{8m \cdot l^2}((n_{max} + 1)^2 - n_{max}^2) = \frac{h^2}{8m \cdot l^2}(2n_{max} + 1)$$

Da jedes Energieniveau doppelt besetzt ist, gilt:

$$n_{max} = \frac{z}{2} \quad (z = \text{Anzahl der Elektronen})$$

und

$$\Delta E = \frac{h^2}{8m \cdot l^2}(z + 1)$$

Mit

$$\Delta E = h \cdot \frac{c}{\lambda}$$

ergibt sich die Wellenlänge des Absorptionsmaximums

$$\lambda_{max} = \frac{8m \cdot l^2 \cdot c}{h\,(z + 1)}$$

Bei bekannter Kastenlänge l kann die Wellenlänge λ_{max} berechnet werden. Zur Ermittlung der Kastenlänge muss die Länge des delokalisierten Elektronensystems ermittelt werden.

Beispiel: Cyaninmolekül mit 8 delokalisierten Elektronen

$R_2\overline{N}-CH=CH-CH=CH-CH=\overset{\oplus}{N}R_2$ (Kastenlänge l)

Unter Berücksichtigung der Bindungslängen und der Bindungswinkel erhält man $l = 1{,}07 \cdot 10^{-9}\,m$.
Mit m(Elektron) $= 9{,}11 \cdot 10^{-31}$ kg, $c = 3 \cdot 10^8$ m/s und $h = 6{,}63 \cdot 10^{-34}\,kg \cdot m^2/s$ ergibt sich:

$$\lambda_{max} = \frac{8 \cdot 9{,}11 \cdot 1{,}07^2 \cdot 3}{6{,}63\,(8 + 1)} \cdot 10^{-7}\,m \approx 4{,}20 \cdot 10^{-7}\,m = 420\,nm$$

Experimentell erhält man für die Wellenlänge des Absorptionsmaximums $\lambda_{max} = 416$ nm (▷ B1).

Aus der experimentell erhaltenen Wellenlänge des Absorptionsmaximums kann umgekehrt auch die Länge des delokalisierten Elektronensystems berechnet werden.

Untersucht man farbige organische Verbindungen, so zeigt sich ein Zusammenhang zwischen der Farbe der Verbindung und der Struktur ihrer Moleküle.

Farbe und Molekülstruktur. Bei der Absorption von Licht bestimmter Wellenlänge werden Elektronen der Moleküle einer Verbindung von einem Grundzustand mit der Energie E_1 in einen angeregten Zustand mit der höheren Energie E_2 gebracht (↗ Kap. 2.2). Die dazu nötige Energie $\Delta E = E_2 - E_1$ ist gleich der Energie eines Strahlungsquants: $\Delta E = h \cdot f = h \cdot c \cdot \lambda^{-1}$.
Die Elektronen nicht bindender Elektronenpaare, besonders aber Elektronen in *Doppelbindungen*, sind durch Lichtquanten geringer Energie ΔE anregbar. So liegt z. B. das Absorptionsmaximum von Ethen bei der Wellenlänge $\lambda_{max} = 190$ nm, dasjenige von 1,3-Butadien bei $\lambda_{max} = 217$ nm. Strahlung dieser Wellenlängen liegt nicht im sichtbaren Bereich; daher sind diese Verbindungen farblos. Je länger das konjugierte Doppelbindungssystem (▷ B3) eines Moleküls wird, desto mehr verschiebt sich das Absorptionsmaximum in den Bereich des sichtbaren Lichtes (▷ B1). Die Ursache dafür liegt darin, dass mit steigender Molekülgröße die Abstände zwischen den Energieniveaus der Doppelbindungselektronen immer kleiner werden. Damit nimmt die Energiedifferenz zwischen dem höchsten mit Elektronen besetzten Energieniveau und dem energetisch niedrigsten unbesetzten Energieniveau ab, sodass die Energie der zur Anregung von Elektronen benötigten Strahlung geringer wird. (Im Orbitalmodell (↗ Kap. 2.15) spricht man von π-π*-Übergängen.)

Je ausgedehnter das konjugierte Doppelbindungssystem eines Moleküls ist, desto größer ist die Wellenlänge des absorbierten Lichtes.

B1 Größte Wellenlänge der Lichtabsorption zweier Farbstoffklassen

Polyene $H_3C(-HC{=}CH)_m-CH_3$: λ_{max} der absorbierten Farbe	Komplementärfarbe	m	symmetrische Cyanine $R_2\overline{N}(-HC{=}CH)_{m-1}-CH{=}\overset{\oplus}{N}R_2\,X^{\ominus}$: λ_{max} der absorbierten Farbe	Komplementärfarbe
217 nm	UV (farblos)	2	313 nm	UV (farblos)
257 nm	UV (farblos)	3	416 nm	
300 nm	UV (farblos)	4	519 nm	
317 nm	UV (farblos)	5	625 nm	
344 nm	UV (farblos)	6	735 nm	
368 nm	UV (farblos)	7	848 nm	IR (farblos)
386 nm		8	—	IR (farblos)
413 nm		9	—	IR (farblos)

Vergleicht man die Wellenlängen des absorbierten Lichtes bei Polyenen und Cyaninen (▷ B 1), so zeigen letztere eine deutlich zu längerwelligem Licht verschobene Absorption. Ursache dieses Effektes können nur die Gruppen an den Enden der Cyaninmoleküle sein.

Chromophor. Die längerwellige Absorption der Cyanine beruht auf der Vergrößerung des Doppelbindungselektronensystems der Polyene durch die freien Elektronenpaare der Stickstoffatome in den Dimethylaminogruppen der Cyaninmoleküle. Ein solches Elektronensystem nennt man *Chromophor* (von griech. chroma, Farbe; phoros, Träger).

Ein Chromophor ist das konjugierte Doppelbindungselektronensystem eines Moleküls, dessen Elektronen für die Absorption des Lichtes verantwortlich sind und damit dem Stoff Farbe verleihen.

Das Maximum der Absorption liegt umso mehr im längerwelligen Bereich, je ausgedehnter das delokalisierte Elektronensystem ist. Das Ausmaß der Delokalisierung ist stark, wenn die mesomeren Grenzformeln energetisch ähnlich sind (▷ B 2).

Bathochromie. Ein konjugiertes Doppelbindungselektronensystem kann auch durch Hydroxylgruppen, Aminogruppen, Carbonylgruppen, Nitrogruppen oder Azogruppen erweitert werden (▷ B 3). Diese Molekülgruppen haben entweder einen *Elektronen liefernden +M-Effekt* oder einen *Elektronen ziehenden −M-Effekt* (↗ Kap. 15.7). Sie vergrößern den Chromophor und ihre Elektronen beteiligen sich an der Mesomerie des Elektronensystems. Dadurch verursachen sie eine zu längerwelligem Licht verschobene Absorption. Man spricht von einer **bathochromen** (farbvertiefenden) **Verschiebung**. Eine Verstärkung der bathochromen Verschiebung tritt dann ein, wenn eine Gruppe mit einem +M-Effekt mit einer solchen mit −M-Effekt am entgegengesetzten Ende eines Chromophors zusammenwirkt.

Ein einfaches Beispiel hierfür ist der Vergleich zwischen Benzol und einigen seiner Derivate (▷ B 4). Benzol absorbiert im UV-Bereich. Die Aminogruppe des Anilins erweitert das Doppelbindungselektronensystem durch ihren +M-Effekt:

Durch den −M-Effekt einer Nitrogruppe in p-Stellung zur Aminogruppe wird die Delokalisierung der Elektronen verstärkt: 4-Nitroanilin ist gelborange.

Die Vergrößerung des Chromophors im 4-Nitrophenylhydrazin führt zu einer weiteren Farbvertiefung.

Die zweite, energiereichere Grenzformel hat nur einen geringen Anteil bei der Beschreibung des Moleküls.

Die beiden – energiegleichen – Grenzformeln haben gleichen Anteil bei der Beschreibung des Moleküls.

B 2 Mesomere Grenzformeln eines Polyens und eines Cyanins

B 3 Beispiele für Strukturelemente in Farbstoffmolekülen

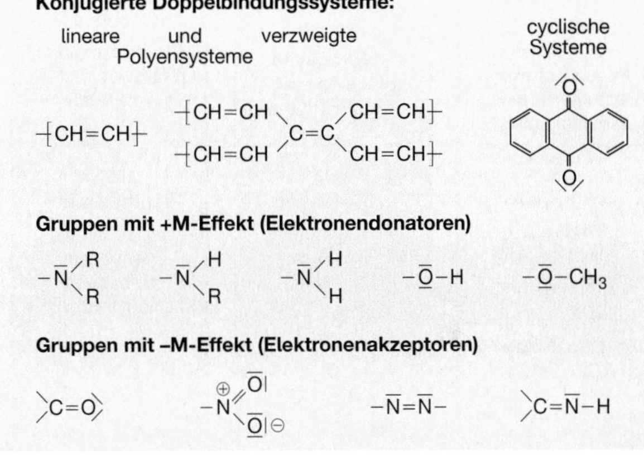

B 4 Farben von Benzol und Benzolderivaten

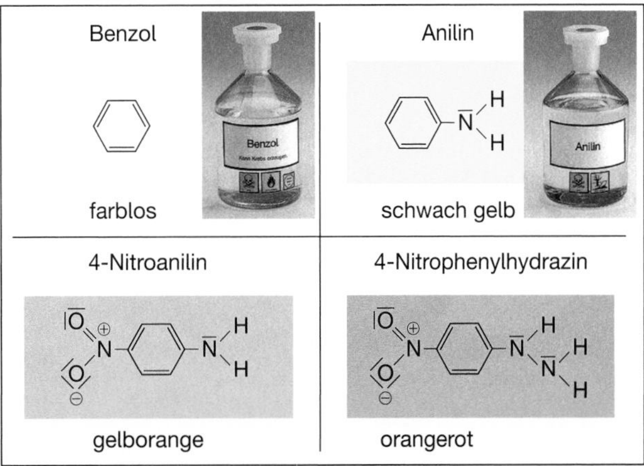

19.3 Farbmittel

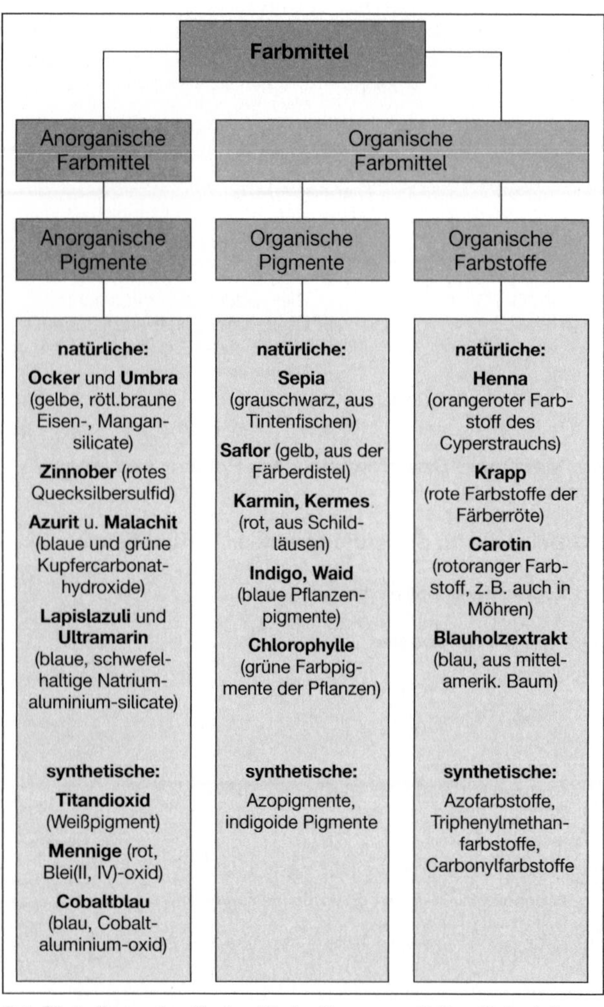

B 1 Einteilung der Farbmittel mit ausgewählten Beispielen

B 2 Weltmarkt organischer Pigmente Ende des 20. Jahrhunderts

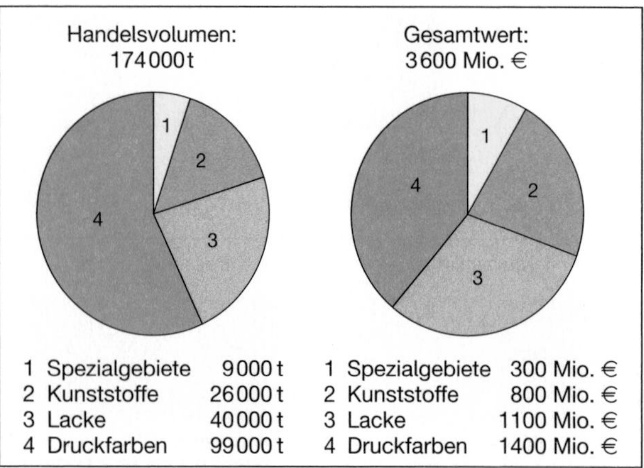

Schon im Altertum war der Bedarf an schönen Farben die Basis für das Entstehen eines wichtigen Wirtschafts- und Handelszweiges, der Färberei. Dazu wurden Substanzen benötigt, die auf dem Färbegut haften.

Farbmittel. Alle farbgebenden Stoffe bezeichnet man als *Farbmittel*. Diese werden in zwei Stoffklassen unterteilt: **Farbstoffe** sind im Anwendungsmedium, d.h. im verwendeten Lösungs- oder Bindemittel löslich, **Pigmente** sind Substanzen, die im Anwendungsmedium unlöslich sind (▷ B 1).

Historische Farbmittel. Die Erdfarben, wie sie für die Höhlenmalereien in der Zeit zwischen 40000 und 10000 v. Chr. verwendet wurden, waren zum Teil schon mit härtenden Ölen angerührt. Diese anorganischen Pigmente (von lat. pigmentum, Malerfarbe) waren ungeeignet zum Einfärben von Textilien, da sie auf Naturfasern nicht hafteten. So waren wohl Pflanzensäfte die ersten Textilfarben. Die Analyse der Farbstoffe auf erhalten gebliebenen Stoffresten zeigte, dass schon am Ausgang der Steinzeit die Farben Gelb, Rot, Braun und Schwarz verwendet wurden.

Anorganische Pigmente. Elemente (z.B. Aluminium, Kupfer, Kohlenstoff), Metalloxide und -sulfide werden als *anorganische Pigmente* eingesetzt. Dazu gehören z.B. die häufig verwendeten Weißpigmente Titan- und Zinkoxid. Cadmiumsulfid liefert gelbe bis rote Farbtöne; Eisen(III)-oxid wird für rotbraune Farbtöne verwendet, Chrom(III)-oxid für grüne. Unter den Buntpigmenten gibt es auch Siliciumverbindungen wie z.B. Ultramarinblau, -rot und -violett sowie Komplexsalze wie das Berliner Blau (↗ Kap. 9.5).

Organische Pigmente (▷ B 2) können künstlich, aber auch aus Pflanzen oder Tieren hergestellt werden, wie z.B. Indigo aus Färberwaid oder Sepia aus Tintenfischen.
Anders als die Naturstoffe besitzen synthetische Verbindungen wie die *Azopigmente* große Witterungs- und Lichtechtheit. Sie werden als Orange- und Rottöne in Lacken eingesetzt.

Farbstoffe. Zur großen Palette der **organischen Farbstoffe** gehören v.a. spezielle aromatische bzw. heterocyclische Verbindungen (↗ Kap. 15). Natürliche organische Farbstoffe sind z.B. Henna, Krapp und Blauholzextrakt (▷ B 1). Synthetische organische Farbstoffe führten ab der Mitte des 19. Jahrhunderts zu einer völligen Umwälzung der Färbeverfahren und einer stürmischen Entwicklung der Farbstoffchemie. Fast alle Unternehmen, die heute zur chemischen Großindustrie gehören, begannen als Farbstofffabriken.
Im Gegensatz zu den organischen Farbstoffen haben **anorganische Farbstoffe** praktisch keine Bedeutung.

19.4 Farbstoffklassen

Die Einteilung der Farbstoffe kann einerseits nach strukturellen Merkmalen, andererseits nach der Färbetechnik (↗ Kap. 19.5) vorgenommen werden. Im erstgenannten Fall werden Farbstoffe mit denselben Strukturmerkmalen zu einer Farbstoffklasse zusammengefasst. Solche Farbstoffklassen sind z. B. die Azofarbstoffe, die Triphenylmethan- und die Carbonylfarbstoffe.

Azofarbstoffe. Die wichtigste Klasse ausschließlich synthetischer Farbstoffe ist die der *Azofarbstoffe* (von franz. azote, Stickstoff; dieses von griech. azotikos, das Leben nicht unterhaltend). Alle Moleküle der Azofarbstoffe lassen sich von der folgenden Formel ableiten:

$$R-\overline{N}=\overline{N}-R'$$

Dabei verknüpft die **Azogruppe** $-\overline{N}=\overline{N}-$ als Teil eines Chromophors zwei meist aromatische Systeme R und R′ miteinander. Die große Vielfalt von über 2000 technisch verwendeten Azofarbstoffen erklärt sich dadurch, dass R und R′ Substituenten ($-R$, $-OR$, $-SO_3H$, $-NH_2$, $-COOH$) enthalten können, die das chromophore System noch erweitern.

Die Farbigkeit der Azofarbstoffe kommt durch die Ausbildung eines mesomeren Doppelbindungselektronensystems zustande, das sich über Benzolkerne und Azogruppe erstreckt. Dieses wird hier am Beispiel des bereits 1861 synthetisierten 4-Aminoazobenzols (Anilingelb) dargestellt:

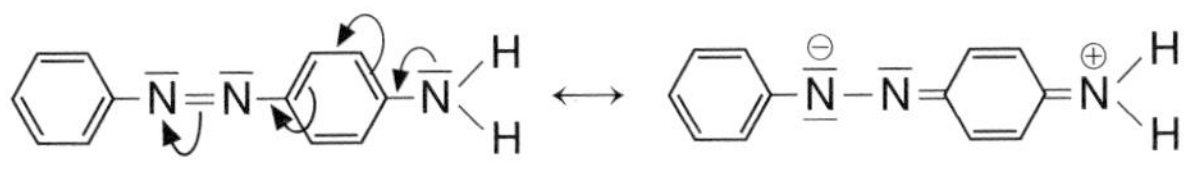

$$C_6H_5-\overline{N}=\overline{N}-C_6H_4-\overline{N}H_2 \longleftrightarrow C_6H_5-\overset{\ominus}{\underline{\overline{N}}}-\overline{N}=C_6H_4=\overset{\oplus}{N}H_2$$

Ein solches System absorbiert im Bereich der Farbe Blau, es zeigt also die Komplementärfarbe Gelb als Eigenfarbe. Die Lichtabsorption lässt sich durch den gleichzeitigen Einbau von Elektronendonator- bzw. -akzeptorgruppen in das entsprechende Molekül gezielt verändern. Während Benzol, Anilin und Nitrobenzol farblos bis blassgelb sind, ist 4-Nitroanilin gelborange (↗ Kap. 19.2). Auch 4-Amino-4′-nitroazobenzol wird durch die zusätzliche Nitrogruppe orangerot gefärbt, absorbiert also im längerwelligen Bereich, denn der Chromophor ist größer geworden.

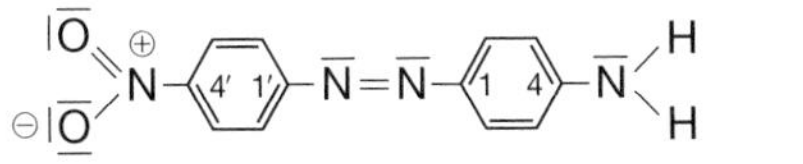

$$O_2\overset{\oplus}{N}-C_6H_4-\overline{N}=\overline{N}-C_6H_4-\overline{N}H_2$$

4-Amino-4′-nitroazobenzol

Azofarbstoffe, die wie Anilingelb oder 2,4-Diaminoazobenzol (Chrysoidin) basische Substituenten enthalten, nennt man **basische Azofarbstoffe**. Substituiert man zum Beispiel mit einer Sulfonsäuregruppe wie bei Orange II oder Kongorot, erhält man **saure Azofarbstoffe** (▷ B 1).

V 1 Herstellung von β-Naphtholorange (Orange II). Zu einer Lösung von 2 g Sulfanilsäure in 10 ml verd. Natronlauge (w = 5 %) gibt man 10 ml wässrige Natriumnitritlösung (w = 10 %) und kühlt sofort im Eisbad. Zu dieser gut gekühlten Lösung gibt man dann langsam 10 ml verdünnte Salzsäure (w = 10 %) bis zur Gelbfärbung der Lösung (ca. 10 ml). Die Temperatur soll 5 °C nicht übersteigen. Man versetzt die Diazoniumsalzlösung unter Kühlen mit einer Lösung von 1,5 g β-Naphthol (2-Naphthol) in 2 ml Ethanol und 5 ml Wasser. Dann fällt man das Produkt mit verd. Natronlauge (w = 10 %) und filtriert den Niederschlag ab.

V 2 Herstellung von Methylorange. Unter Kühlen versetzt man die wie in ▷ V 1 hergestellte Diazoniumsalzlösung mit einer Lösung von 1,5 g N,N-Dimethylanilin in 10 ml verd. Salzsäure (w = 10 %). Dann fällt man das Produkt mit verd. Natronlauge (w = 10 %) und filtriert den Niederschlag ab.

A 1 Formulieren Sie die Reaktionsgleichung für die Umsetzung der Sulfanilsäure (p-Aminobenzolsulfonsäure) mit Natronlauge.

A 2 Beschreiben Sie allgemein, wodurch die Lichtabsorption von Azofarbstoffmolekülen beeinflusst wird.

A 3 Formulieren Sie mesomere Grenzformeln für 4-Nitroanilin und für 4-Amino-4′-nitroazobenzol.

A 4 Erläutern Sie, warum 1,4-Dinitrobenzol eine farblose Substanz ist.

A 5 Erklären Sie mithilfe einer Reaktionsgleichung, warum Anilingelb ein basischer Farbstoff ist.

B 1 Basische und saure Azofarbstoffe

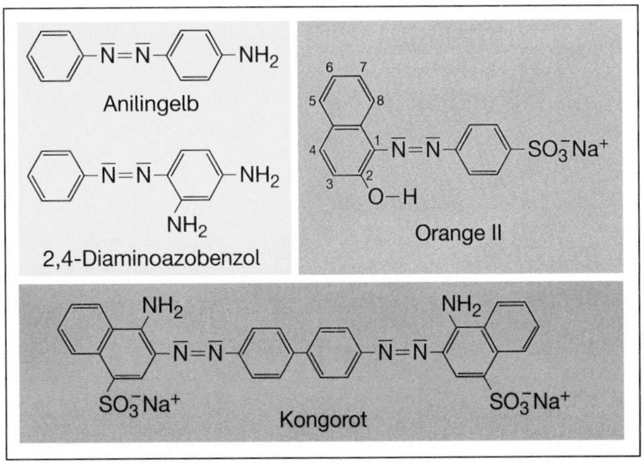

Anilingelb

2,4-Diaminoazobenzol

Orange II

Kongorot

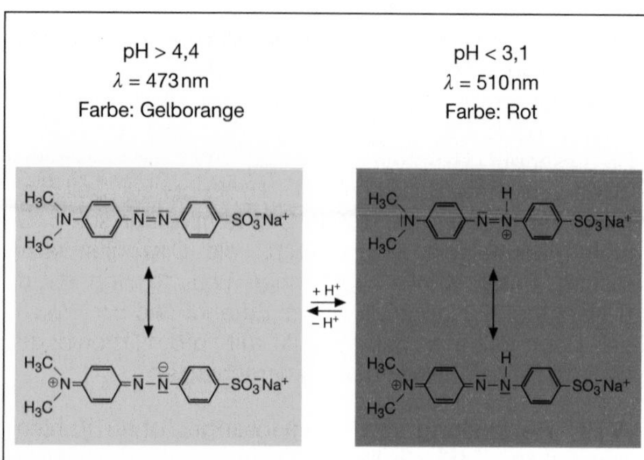

B2 Mesomere Grenzformeln von Methylorange bei verschiedenen pH-Werten

V 3 Bestimmung des Umschlagbereichs von Methylorange. Stellen Sie zuerst wässrige Lösungen mit pH = 1 bis pH = 6 her. Beginnen Sie mit Salzsäure ($c(HCl) = 0{,}1\ mol/l$). Stellen Sie daraus eine Verdünnungsreihe für die anderen ganzzahligen pH-Werte her, indem Sie jeweils 5 ml der konzentrierteren Säure nehmen und dann auf 50 ml auffüllen.

Nehmen Sie dann 15,8 ml Salzsäure ($c(HCl) = 0{,}1\ mol/l$) und füllen Sie auf 50 ml auf; Sie erhalten so eine Lösung etwa mit pH = 1,5. Stellen Sie daraus auf ähnliche Weise wieder eine Verdünnungsreihe her bis pH ≈ 5,5. Füllen Sie von jeder dieser 11 Lösungen etwa 3 ml ab und versetzen Sie diese jeweils mit einem Tropfen einer wässrigen Methylorangelösung ($w = 0{,}1\ \%$).

Azofarbstoffe als Indikatoren. Stellt man mesomere Grenzformeln für einen Azofarbstoff auf, so ergibt sich ein negativer Ladungsschwerpunkt an dem Stickstoffatom der Azogruppe, welches vom Elektronen liefernden Substituenten am weitesten entfernt ist. Dieses Stickstoffatom kann protoniert werden, wodurch es zu einer Veränderung des Chromophors und damit einer Farbänderung kommt. Daher wird z. B. Methylorange als *Säure-Base-Indikator* benutzt (▷ B2, ▷ V3).

Synthese von Azofarbstoffen. Im Allgemeinen erfolgt die Darstellung von Azoverbindungen in zwei Schritten. Im ersten Schritt, der **Diazotierung** (▷ B3), wird aus einem aromatischen Amin, z. B. Anilin oder einem Anilinderivat, das entsprechende *Diazoniumion* hergestellt. Die Endung „*-onium*" weist auf ein vierbindiges Stickstoffatom mit positiver Ladung hin, wie es ähnlich in Amm*onium*salzen vorkommt. Das Diazoniumion ist ein starkes Elektrophil. Im zweiten Reaktionsschritt, der **Azokupplung**, wird das Diazoniumion an ein weiteres aromatisches System gebunden.

Diazokomponente Elektrophil	Kupplungskomponente Nucleophil: +M-Effekt
z. B. $C_6H_5{-}N{=}N^{\oplus}$	z. B. $C_6H_5{-}N(CH_3)_2$

1. Diazotierung: Ausgangsstoffe für die Diazotierung sind primäre aromatische Amine. Diese werden in salzsaurer Lösung mit Natriumnitrit versetzt. Da das entstehende Diazoniumion schon bei Zimmertemperatur Stickstoff abspaltet, muss unterhalb einer Temperatur von 5 °C gearbeitet werden (▷ B 3, ▷ V1).

B3 Synthese des Azofarbstoffs Methylorange

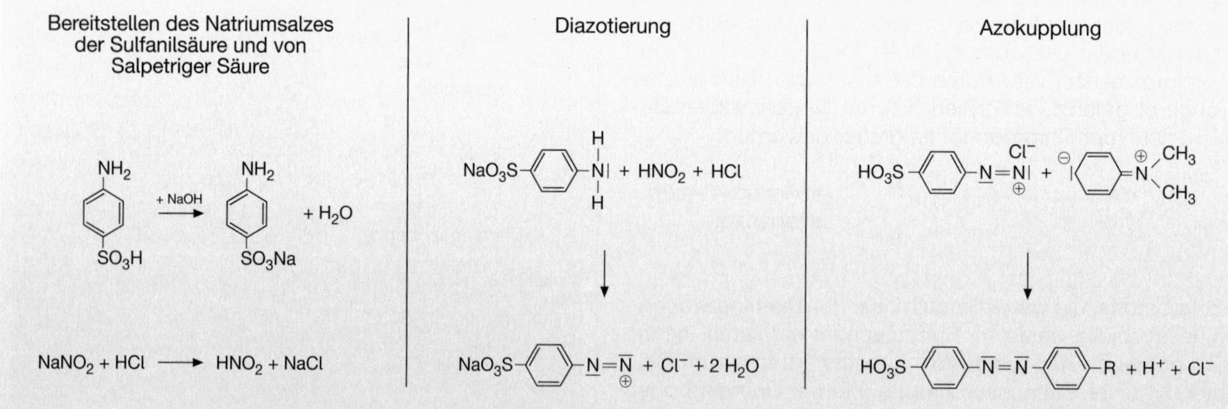

2. Azokupplung (Kupplung des Diazoniumions mit der Kupplungskomponente). Die Kupplungsreaktion verläuft nach dem Mechanismus einer *elektrophilen Substitution* (↗ Kap. 15.3). Das positiv geladene Diazoniumion kann mit einer geeigneten aromatischen Verbindung, der Kupplungskomponente, zur Reaktion gebracht werden (▷ B3). Die Azokupplung wird sowohl durch elektronenziehende Substituenten an der Diazokomponente begünstigt als auch durch Kupplungskomponenten, die Substituenten mit einem +M-Effekt besitzen, wie z. B. Phenol oder Dimethylanilin.

Verwendung von Azofarbstoffen. Azofarbstoffe zeichnen sich durch große *Farb-* und *Lichtechtheit* aus und sind daher sehr beliebte Färbemittel. Für ihre Verwendbarkeit zum Färben sind die Substituenten an den aromatischen Systemen der Farbstoffmoleküle von entscheidender Bedeutung. So wird durch das Einführen von Sulfonsäuregruppen die für die Textilfärberei erforderliche Wasserlöslichkeit der Azofarbstoffe verbessert.

Saure und basische Azofarbstoffe eignen sich besonders als **Wollfarbstoffe**, Azofarbstoffe mit Sulfonsäuregruppen als **Lederfarbstoffe** (▷ B4). Der Grund liegt darin, dass solche Azofarbstoffe sich mit den amphoteren Seitenketten der Polypeptide von tierischen Fasern (Wolle, Seide) oder von Leder durch eine Ionenbindung verbinden können (↗ Kap. 16.13).
Zum Anfärben von z. B. Kerzenwachs, Bohnerwachs, Schuhcremes, vor allem aber zum Anfärben von Heizöl werden Azofarbstoffe verwendet, die in organischen Substanzen löslich sind (*lipophile Farbstoffe*). Da Heizöl in seiner Zusammensetzung dem weitaus höher besteuerten Dieselkraftstoff entspricht, ist zur Vermeidung von Missbrauch das Anfärben gesetzlich vorgeschrieben. Dies geschieht mithilfe roter Azofarbstoffe (▷ B5), die dem Heizöl im Verhältnis 1:10 000 oder 1:25 000 zugesetzt werden.

Auch viele **Lebensmittelfarbstoffe** sind Azoverbindungen. Da jedoch nur solche Farbstoffe eingesetzt werden dürfen, die sich als toxikologisch unbedenklich erwiesen haben, ist die Verwendung von Azofarbstoffen im Lebensmittelbereich (↗ Kap. 19.7) zurückgegangen, da einige von ihnen Allergie auslösende, toxische oder cancerogene Eigenschaften haben. So wurden Butter und Margarine früher mit 4-Dimethyl-aminoazobenzol (Buttergelb) angefärbt. Dies ist inzwischen verboten, da der Farbstoff im Stoffwechselprozess in die beiden Krebs erregenden Stoffe Anilin und 4-Dimethylaminoanilin zerfällt.

Azofarbstoffe können auch als **Arzneimittel** eingesetzt werden. Bestimmte Farbstoffe färben nur krankheitserregende Zellen, reagieren dabei mit dem Zellmaterial und vernichten so die Zellen.

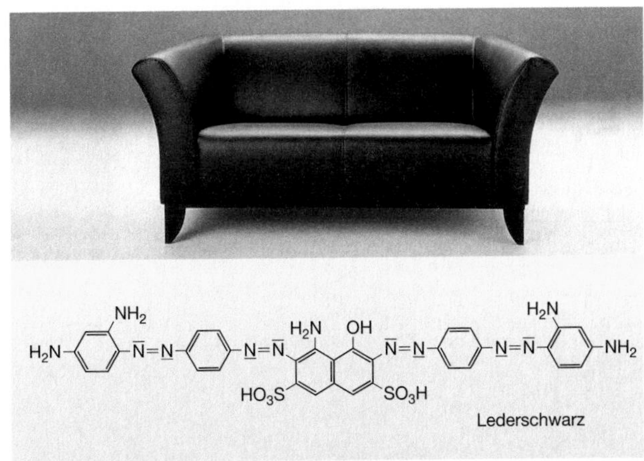

B4 Azofarbstoffe als Lederfarbstoffe

B5 Grundgerüst eines lipophilen Azofarbstoffs

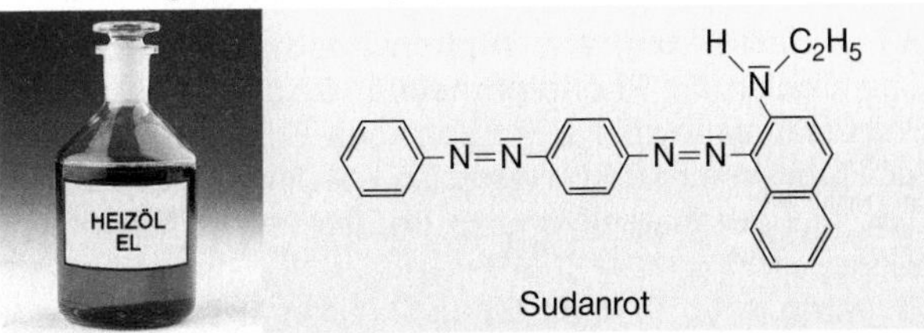

A 6 Beim Erhitzen einer salzsauren Lösung von Benzoldiazoniumchlorid ($C_6H_5-\overline{N}=\overline{N}^{\oplus}Cl^{\ominus}$) entsteht Phenol. Formulieren Sie die Reaktionsgleichung.

A 7 Begründen Sie, warum die Kupplungsreaktion durch Elektronen ziehende Substituenten am Diazoniumion begünstigt wird.

A 8 Aus Anilin und Phenol soll ein Azofarbstoff hergestellt werden. Formulieren Sie die Reaktionsgleichungen. Begründen Sie, warum die Kupplung bevorzugt in alkalischer Lösung durchgeführt wird.

A 9 Versetzt man gelbes 4-Hydroxyazobenzol mit Natronlauge, so färbt sich die Lösung rot. Formulieren Sie die Reaktionsgleichung und erklären Sie die Farbänderung.

A 10 Stickstoffdioxid reagiert mit Wasser u. a. zu Salpetriger Säure. Zum Nachweis von Stickstoffdioxid in Abgasen leitet man diese in eine saure Lösung von Sulfanilsäure und N-(1-Naphthyl)-ethendiamin ($C_{10}H_9-NH-CH_2-CH_2-NH_2$). Dabei entsteht ein roter Azofarbstoff (vgl. mit β-Naphtholorange). Formulieren Sie die Reaktionsgleichungen.

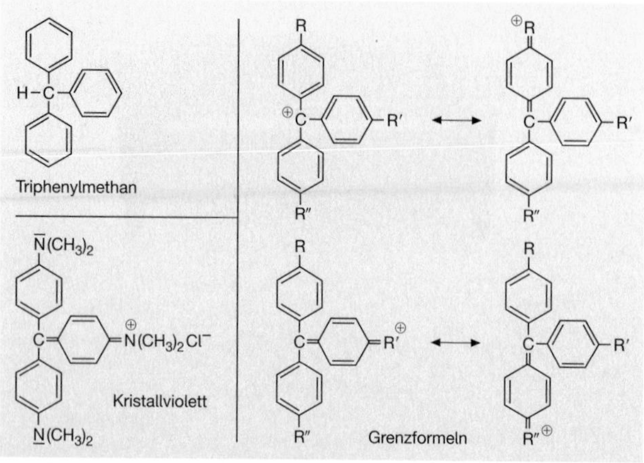

B6 **Grundstruktur, mesomere Grenzformeln und Beispiel eines Triphenylmethanfarbstoffs**

Triphenylmethanfarbstoffe. Eine große Anzahl von Farbstoffen leitet sich formal vom *Triphenylmethan* ab (▷ B6), einer farblosen, kristallinen Substanz (ϑ_{sm} = 93 °C). Diese Triphenylmethanfarbstoffe werden zur Herstellung von Tinten, Zeichen- und Kopierfarben verwendet und dienen zum Färben von Papier, Kosmetika und Lebensmitteln. Auch viele pH-Indikatoren gehören zu dieser Farbstoffklasse. In der Textilfärbung besitzen Triphenylmethanfarbstoffe nur eine sehr untergeordnete Rolle, da sie eine geringe Wasch- und Lichtechtheit besitzen.

Mindestens zwei der aromatischen Ringe eines Triphenylmethanfarbstoffs tragen in 4-Stellung elektronenliefernde Substituenten. Dadurch wird der Chromophor vergrößert und mesomere Grenzformeln sind möglich. Die Wellenlänge der Lichtabsorption und damit die Farbe des Triphenylmethanfarbstoffes hängt von der Art und der Zahl der Substituenten ab.

Das Kation von **Kristallviolett** (▷ B6) hat eine dreizählige Symmetrie und enthält daher nur *eine* Art von Chromophor. Daher gibt es auch nur *ein* starkes Absorptionsmaximum bei λ_{max} = 589 nm, der Farbstoff ist in wässriger Lösung blauviolett. Mit Salzsäure wird die Lösung erst blau, dann grün, zuletzt gelb (▷ V7).

Die Struktur von **Malachitgrün** (R, R′ = $N(CH_3)_2$; R″ = H) ähnelt der von Kristallviolett. Die Kationen des Malachitgrüns besitzen *zwei* Chromophore. Der längere Chromophor erstreckt sich über die zwei Dimethylaminogruppen, das kürzere System umfasst das zentrale C-Atom und den Benzolring mit R″ (▷ B6). Es gibt daher auch *zwei* Absorptionsmaxima bei λ_{max1} = 621 nm und λ_{max2} = 425 nm. Die Mischfarbe ist Gelbgrün, wobei Grün dominiert.

V4 Herstellung von Triphenylmethanfarbstoffen. Chemikalien für **Phenolphthalein**: 0,5 g Phenol, 0,5 g Phthalsäureanhydrid, 3 Tropfen konz. Schwefelsäure,
für **Fluorescein**: 0,5 g Resorcin (1,3-Dihydroxybenzol), 0,5 g Phthalsäureanhydrid, 3 Tropfen konz. Schwefelsäure,
für **Aurin**: 0,5 g Phenol, 50 mg Oxalsäure, 0,5 ml konz. Schwefelsäure.
Ein Gemisch der drei angegebenen Komponenten wird jeweils in einem Reagenzglas über kleiner Flamme mindestens drei Minuten lang gerade am Schmelzen gehalten (Abzug! Schutzhandschuhe! Schutzbrille!). Nach dem Abkühlen wird der Farbstoff mit Ethanol extrahiert.

V5 Herstellung von Eosin aus Fluorescein. 0,3 g Fluorescein werden in 4 ml Ethanol gelöst. Anschließend wird tropfenweise unter ständigem Rühren mit 0,4 ml Brom versetzt (Abzug! Schutzhandschuhe! Schutzbrille!). Der entstandene Farbstoff wird abfiltriert und in 100 ml verdünnte Natronlauge gegeben.

V6 Phenolphthalein als Indikator. Geben Sie zu 3 ml Salzsäure (c = 0,1 mol/l) einige Tropfen einer Lösung von Phenolphthalein in Ethanol (*w* = 0,1 %). Versetzen Sie die Lösung tropfenweise mit Natronlauge (*w* = 15 %) bis zur Farbänderung. Fügen Sie dann etwas festes Natriumhydroxid hinzu. Schütteln Sie gut. Geben Sie zu dieser Lösung Salzsäure (*w* = 15 %) bis zum erneuten Farbumschlag. (Schutzbrille!)

V7 pH-Wert-Abhängigkeit von Malachitgrün und Kristallviolett. Geben Sie zu wässrigen Lösungen von Malachitgrün bzw. Kristallviolett (jeweils *w* = 0,1 %) tropfenweise unter ständigem Rühren konz. Salzsäure bzw. konz. Natronlauge, bis keine Farbänderung mehr eintritt. (Schutzbrille!)

B7 Phenolphthaleinmolekül bei verschiedenen pH-Werten

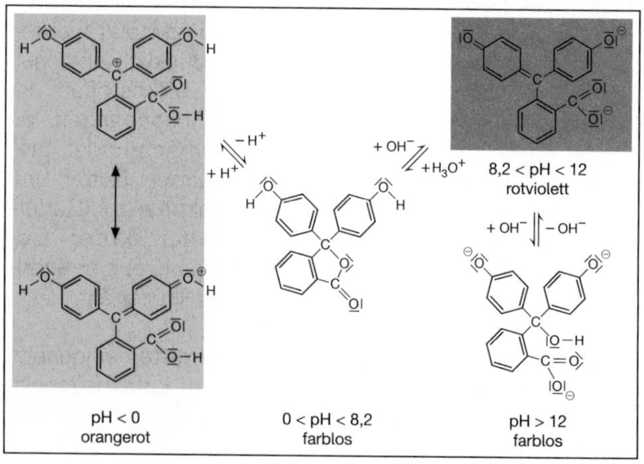

pH < 0
orangerot

0 < pH < 8,2
farblos

8,2 < pH < 12
rotviolett

pH > 12
farblos

Auch **Phenolphthalein** gehört zu den Triphenylmethanfarbstoffen, obwohl in den Molekülen das zentrale Kohlenstoffatom in einen *Lactonring* (Lactone sind intramolekulare Ester von Hydroxycarbonsäuren) eingebunden ist. Dieser Ring öffnet sich in stark saurer bzw. in alkalischer Lösung; die entstehenden Ionen sind farbig. In stark alkalischer Lösung ist Phenolphthalein wieder farblos (▷ B7, ▷ V6).

Carbonylfarbstoffe. Das allgemeine Strukturmerkmal der *Carbonylfarbstoffe* ist das Vorhandensein von Carbonylgruppen >C=O. Zu dieser Farbstoffklasse gehören **Indigo** und die **Anthrachinonfarbstoffe**.

In der Geschichte der Farbmittel spielte der *Indigo* eine große Rolle. Bis im Jahre 1878 A. v. BAEYER die Synthese von Indigo gelang, wurde er aus Blättern der asiatischen Indigopflanze (▷ B8) oder aus dem europäischen Färberwaid gewonnen. Die Pflanzen wurden in Holzkübeln, sog. Küpen (von lat. cuba, Tonne), mit Urin versetzt und einer Gärung unterworfen. Dabei bildet sich aus dem farblosen **Indican** das ebenfalls farblose **Indoxyl**, das durch Oxidation an der Luft zum blauen Indigo wird (▷ B9).

Indigo ist in Wasser unlöslich, daher kann er nicht direkt zur Färbung eingesetzt werden. Er muss zuerst durch Reduktion in alkalischer Lösung, z. B. mit Natriumdithionit ($Na_2S_2O_4$) in eine wasserlösliche Form gebracht werden. Mit diesem **Leukoindigo** (von griech. leukos, weiß) wird das Gewebe getränkt und an der Luft getrocknet. Dabei erfolgt eine Rückoxidation zu Indigo (▷ B10). Der Farbstoff ist aber nicht abriebfest, sodass das Gewebe an beanspruchten Stellen schnell verblasst. Daher haben die Blue Jeans ihr charakteristisches Aussehen. Ihren Namen haben sie von einem blau gefärbten Baumwollstoff, der von Genua aus nach Amerika kam, dem „Bleu de Genes". Die beim Indigo angewandte Färbetechnik bezeichnet man als Küpenfärbung (↗ Kap. 19.5).

Auch die *Anthrachinonfarbstoffe* (▷ B11) sind sog. Küpenfarbstoffe . Bei der Überführung in die Leukoform werden die Carbonylgruppen der Moleküle in alkalischer Lösung zu Phenolationen reduziert. Zu dieser Farbstoffklasse gehört das rote **Alizarin**, das bereits lange vor seiner Synthese im Jahre 1868 aus der Wurzel des Krapps (Färberröte, Rubia tinctorum) gewonnen wurde, einer schon vor Jahrtausenden im Mittelmeerraum, in Ostasien und Nordamerika angebauten Pflanze. 1901 gelang die Synthese von Indanthrenblau (▷ B11), des ersten **Indanthrenfarbstoffs** (von **Ind**igo-**Anthr**achinon). Danach wurden weitere Indanthrenfarbstoffe in allen möglichen Farbtönen hergestellt. Sie besitzen eine hervorragende Wasch- und Lichtechtheit bei Baumwollfärbungen.

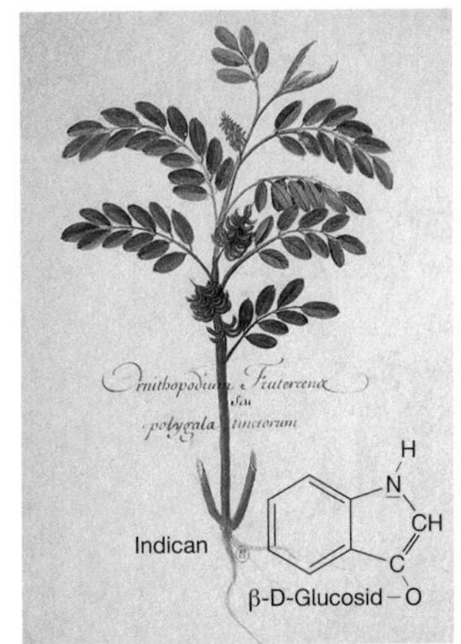

B8 Indigopflanze

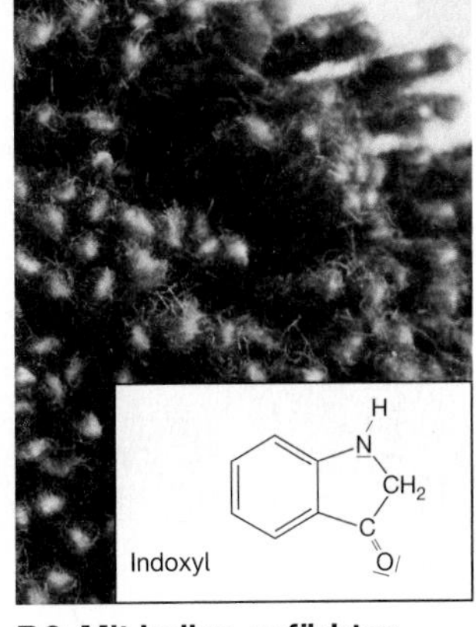

B9 Mit Indigo gefärbtes Baumwollgarn

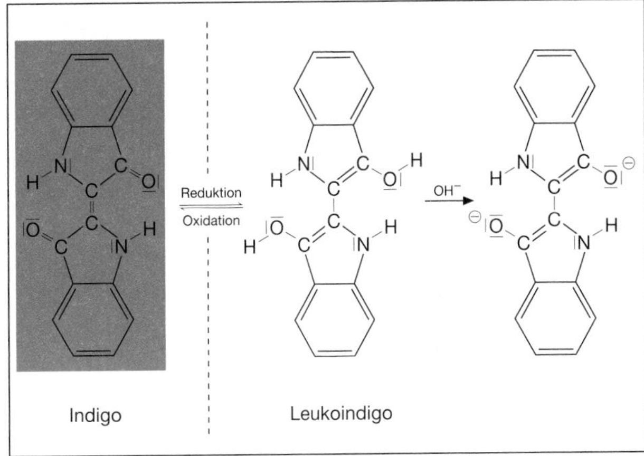

B10 Strukturformeln des Indigos und des Leukoindigos

B11 Strukturformeln einiger Anthrachinonfarbstoffe

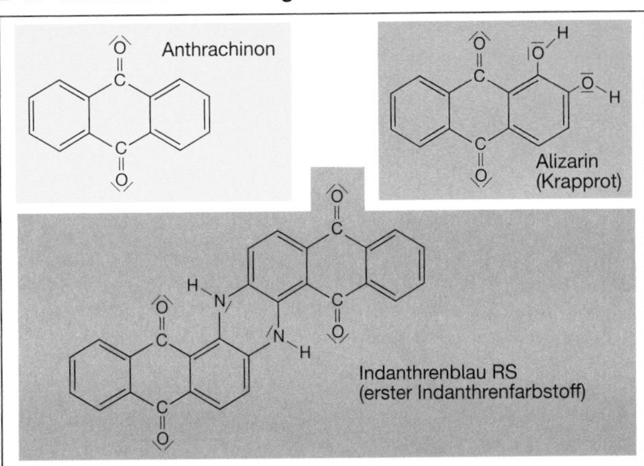

19.5 Färbeverfahren

B 1 Textilfärbung in der Industrie

B 2 Türkischrot, ein Aluminium-Alizarinkomplex

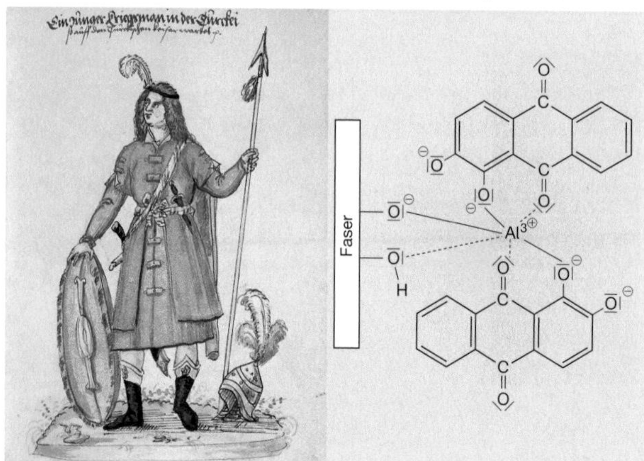

Das wichtigste Einsatzgebiet von Farbmitteln ist das Färben von Textilien. Die Entwicklung der Farbstoffindustrie ist deshalb sehr eng mit der Entwicklung der Textilfasern verbunden.

Textilfärbung. Allgemeines Ziel des Färbens ist es, das Farbmittel mit der Faser so zu verbinden, dass es weder durch Waschen noch durch Reiben wieder abgelöst wird. Neben dieser Wasch- und Abreibeechtheit wird auch Bügel- und Trageechtheit gefordert. So sollte das Farbmittel seine Farbe auch nach längerem Einwirken von Luft und Licht nicht ändern (Lichtechtheit). Auch gegenüber sauren und alkalischen Lösungen sollte es beständig sein. So ist beispielsweise Kongorot (↗ Kap. 19.4, ▷ B 1) für die Textilfärbung ungeeignet, da seine Farbe beim pH-Wert des Schweißes von Rot nach Blau umschlägt. Da die verschiedenen Textilfasern ein breites Spektrum an physikalischen und chemischen Eigenschaften aufweisen, setzt man zur Textilfärbung (▷ B 1) unterschiedliche Färbemethoden für die unterschiedlichsten Farbmittel ein.

Entwicklungsfärbung. *Entwicklungsfarbstoffe* werden erst auf der Faser hergestellt. Dies erfolgt in zwei Stufen: Einer Vorbehandlung mit einer wasserlöslichen Komponente, z. B. einem Naphthol, folgt die Behandlung mit einem Diazoniumsalz. Dabei tritt Kupplung zu einem Azofarbstoff ein. Die Faserhaftung beruht auf Van-der-Waals-Kräften und Wasserstoffbrückenbindungen sowie auf Coulombkräften zwischen polarisierten Molekülgruppen. Diese Färbemethode wird vor allem bei Cellulosefasern angewandt.

Direktfärbungen werden meist bei Baumwolle bzw. bei Mischfasern aus Synthesefasern und Cellulose durchgeführt. Einige *Direktfarbstoffe* färben jedoch auch Wolle, Seide und Polyamidfasern. Die Farbstoffe sind in Wasser kolloidal (↗ Kap. 18.3) löslich und haften direkt auf der Faser. Die Farbstoffmoleküle werden in Faserzwischenräumen eingelagert und dort durch Ausbildung von Van-der-Waals-Kräften und Wasserstoffbrückenbindungen festgehalten (▷ B 3a). Ein Zusatz von z. B. Kochsalz vermindert die Löslichkeit des Farbstoffes in der Färbeflotte, wodurch die Aufnahmefähigkeit der Faser verbessert wird. Direktfarbstoffe sind nicht sehr waschecht.

Färbung mit ionischen Farbstoffen. *Anionische Farbstoffe* enthalten Carboxyl-, Hydroxyl- und vor allem Sulfonsäuregruppen. Es werden Wolle und Seide im sauren Medium direkt gefärbt, indem die Farbstoffe mit den protonierten Aminogruppen der Fasern zu einer salzähnlichen Verbindung reagieren (▷ B 3b). Die Bindung zwischen Faser und Farbstoff kann bei pH > 7 hydrolytisch gespalten werden. Im alkalischen Medium lassen sich die Farbstoffe also leicht wieder abziehen.

A 1 Erklären Sie, warum es nicht ein „Universalfarbmittel" für die verschiedenen Fasern, wie Baumwolle, Wolle, Polyester oder Polyamid geben kann.

A 2 Erklären Sie, warum Cellulose anders als Wolle nicht mit ionischen Farbstoffen gefärbt werden kann.

A 3 Geben Sie eine Begründung dafür an, weshalb die Indikatorfarben nicht für das Färben von Textilfasern verwendet werden können.

A 4 Begründen Sie, weshalb Direktfarbstoffe nicht sehr waschecht sind.

Färbeverfahren

Kationische Farbstoffe enthalten Aminogruppen und sind daher im sauren Medium positiv geladen. Bedeutung besitzen sie nur zur Färbung von Polyacrylnitrilfasern, deren Moleküle anionische Gruppen tragen.

Reaktivfärbung. *Reaktivfarbstoffe* werden hauptsächlich zur Färbung von Cellulosefasern verwendet. Das Farbstoffmolekül besteht aus einer Farbkomponente und einer Reaktivkomponente. Letztere reagiert in alkalischem Medium mit den OH-Gruppen der Cellulose unter Ausbildung von Atombindungen (▷ B3c). Reaktivfärbungen besitzen eine gute Waschechtheit.

Färbung mit Metallkomplexen. *Metallkomplexfarbstoffe* eignen sich für die Woll- bzw. Baumwollfärbung. An die Aminogruppen der Proteinmoleküle der Wolle bzw. die Hydroxylgruppen der Cellulose werden zunächst Metallionen wie z. B. Cr^{3+}, Al^{3+} oder Cu^{2+} gebunden (Beizen, ↗ Kap. 9.6). Bei der anschließenden Färbung wird die Koordinationszahl des Zentralions durch Liganden des Farbstoffmoleküls vervollständigt. Man erhält sehr licht- und waschechte, brillante Färbungen. So ergeben z. B. Aluminiumionen mit Alizarin eine sehr stabile rote Komplexverbindung, das so genannte „Türkischrot" (▷ B2).

Küpenfärbung. *Küpenfarbstoffe* sind in Wasser unlöslich und müssen vor dem Färben durch Reduktion in alkalischem Medium löslich gemacht werden. Die meist farblose Färbeflotte wird *Küpe* genannt. In der Küpe zieht die Leukoform des Farbmittels auf die Faser auf. Nach dem Herausnehmen des Färbeguts wird durch Oxidation mit dem Luftsauerstoff das Farbpigment auf der Faser wieder hergestellt (▷ B4). Die Bildung wasserunlöslicher Moleküle, die an der Oberfläche der Fasermoleküle adsorbiert sind, verhilft den Küpenfärbungen zu einer hervorragenden Waschechtheit.

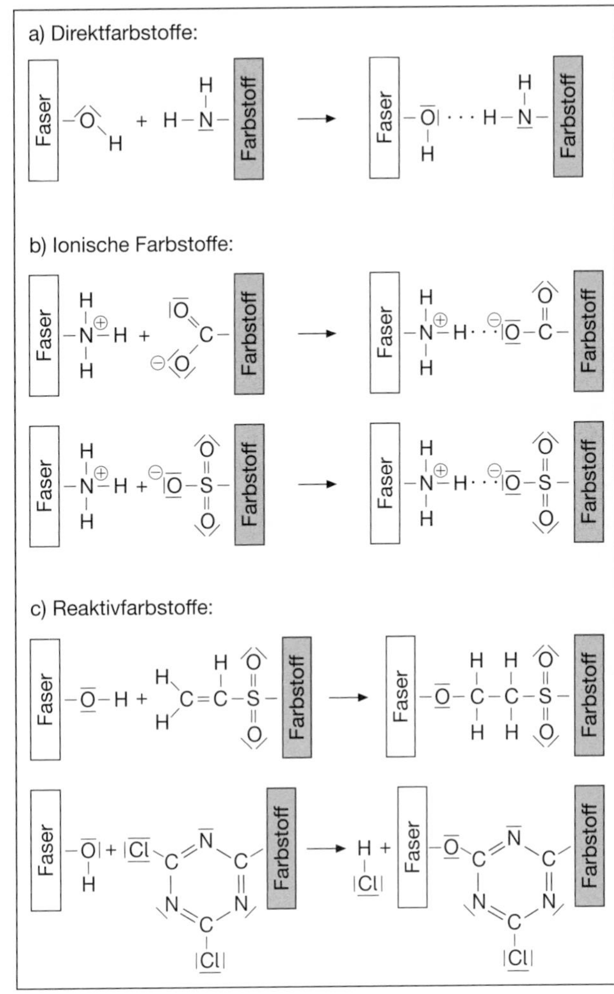

B3 Bindung zwischen Faser und Farbstoff bei verschiedenen Färbeverfahren

B4 Arbeitsgänge bei der Küpenfärbung

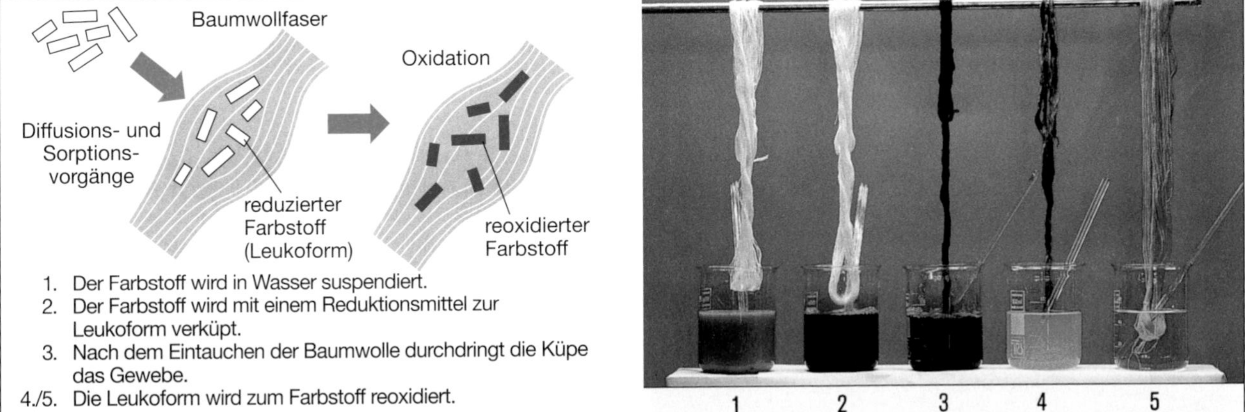

Baumwollfaser
Oxidation
Diffusions- und Sorptionsvorgänge
reduzierter Farbstoff (Leukoform)
reoxidierter Farbstoff
1. Der Farbstoff wird in Wasser suspendiert.
2. Der Farbstoff wird mit einem Reduktionsmittel zur Leukoform verküpt.
3. Nach dem Eintauchen der Baumwolle durchdringt die Küpe das Gewebe.
4./5. Die Leukoform wird zum Farbstoff reoxidiert.
1
2
3
4
5

19.6 Praktikum: Farbstoffe und Färben

Carotinoide sind natürlich vorkommende oder auch mikrobiologisch bzw. synthetisch herstellbare Farbstoffe, die sich vom β-Carotin ableiten (▷ B 1). Dabei unterscheidet man reine Kohlenwasserstoffe, die *Carotine*, von sauerstoffhaltigen Derivaten des Carotins, den *Xanthophyllen*. Die Farben der Carotinoide reichen von Gelb über Orange bis Rot. Das Grundgerüst ihres Chromophors ist aus acht Isopreneinheiten aufgebaut (Isopren: 2-Methyl-1,3-butadien). Es ist ein Polyen mit meist elf konjugierten Doppelbindungen (▷ B 1).

Carotinoide kommen u.a. als *Provitamin A* (β-Carotin) oder als Lebensmittelfarbstoffe in den Handel. Carotine (E 160 a) dienen zum Anfärben vieler Lebensmittel, etwa von Margarine, Butter, Käse, Teig- und Eiprodukten sowie Kosmetika. Synthetisches *Astaxanthin* und *Canthaxanthin* (▷ B 1) werden dem Tierfutter zugesetzt, um z. B. bei Zuchtlachsen die typische Rotfärbung des Fleisches zu erzeugen. Füttert man Hähnchen mit Mais, so werden Haut und Fett der Hähnchen („Maishähnchen") durch das im Mais enthaltene Carotinoid *Zeaxanthin* (▷ B 1) gelb.

B 1 Strukturformeln einiger Carotinoide

α-Carotin

β-Carotin

Astaxanthin

Canthaxanthin

Zeaxanthin

Die gelbe Färbung der Maishähnchen lässt sich aber auch durch Beimischen von synthetischen Carotinoiden (z. B. Canthaxanthin) zum Aufzuchtfutter erzeugen. Durch Extraktion und Chromatografie der gelben Farbstoffe lässt sich nachweisen, ob die Hähnchen wirklich mit Mais gefüttert wurden.

Versuch 1 Extraktion von Carotinoiden aus Lebensmitteln

Geräte und Chemikalien:
Schere oder Messer, Mixer oder Mörser mit Pistill, Spatel, Glasstab, Becherglas (100 ml), Reagenzglas mit Stopfen, carotinoidhaltige Lebensmittel (geeignet sind Möhren, Lachsfleisch, frischer Mais, fettarme Haut eines Maishähnchens); Seesand, Aceton, Benzin (Petrolether, Siedetemperaturbereich 60 bis 80 °C)

Durchführung:
a) Zerkleinern Sie kleine Stücke des jeweiligen Lebensmittels im Mixer oder zerreiben Sie einen Teil davon mithilfe von Seesand im Mörser zu einem Brei.
b) Verrühren Sie einen Teil des Breis im Becherglas mit etwa der doppelten Menge Aceton.
c) Dekantieren Sie etwa 5 ml der Lösung nach etwa fünf Minuten in ein Reagenzglas.
d) Geben Sie zu der Lösung maximal 1 ml Petrolether, schütteln Sie kräftig. Tropfen Sie dann so lange Wasser hinzu, bis der Farbstoff aus dem Aceton in den Petrolether überführt ist und sich oben im Reagenzglas eine klare gelbe Phase gebildet hat.

Versuch 2 Chromatografische Untersuchung der Carotinoidgemische

Geräte und Chemikalien:
Dünnschichtfolie Kieselgel 60 F_{254} (ca. 5 cm × 10 cm), kleine Chromatografiekammer oder passendes Becherglas mit Aluminiumfolie zum Verschließen, feiner Pinsel, Föhn; 2-Propanol, Benzin (Siedetemperaturbereich 100 bis 140 °C)

Durchführung:
a) Füllen Sie das Chromatografiegefäß ca. 0,5 cm hoch mit einem Gemisch aus Benzin und 2-Propanol (Volumenverhältnis 10 : 1).
b) Tragen Sie mit dem Pinsel den Farbstoffextrakt mehrmals entlang der Startlinie (1,5 cm vom unteren Rand) auf. Trocknen Sie nach jedem Auftragen mit dem Föhn.
c) Stellen Sie die Folie in das Chromatografiegefäß, verschließen Sie dieses.
d) Nehmen Sie die Folie aus dem Gefäß, bevor die Fließmittelfront den oberen Rand erreicht hat.

Praktikum: Farbstoffe und Färben

Färben mit Naturfarbstoffen. Die Qualität einer Färbung und der erzielte Farbton werden bei Naturfarbstoffen durch *Beizen* und *Entwickeln* bestimmt. Dabei versteht man unter **Beizen** die Behandlung des Färbeguts mit einer Salzlösung, um die Farbstoffe dauerhaft an die Faser zu binden. Nach der Färbung kann die Farbe des Färbegutes durch eine weitere Behandlung mit einer anderen Salzlösung verändert werden **(Entwicklung)**, wobei sich anders gefärbte Metallkomplexe bilden.

Versuch 3 Färben von verschiedenen Gewebeproben oder Garnen mit Naturfarbstoffen

Geräte und Materialien:
Dreifuß mit Drahtnetz, Brenner, Thermometer, Glasstäbe, Waage, Bechergläser (600 ml, zweimal 1000 ml), Filtriertuch

Färbepflanzen und Färbegut:
Jeweils etwa 10 g Goldrute, Kastanienblätter, Krapp, Schafgarbe, grüne Walnussschalen oder -blätter, Naturwolle, Rohseide (Tuch oder Garn), Polyestergewebe, Baumwolle (Gewebe oder Garn)

Chemikalien für Beizlösungen (jeweils für 300 ml):
Beize 1: 2,5 g Kalium-aluminium-sulfat (Alaun, $KAl(SO_4)_2 \cdot 12\,H_2O$)
Beize 2: 1,5 g Alaun und 0,6 g Kaliumhydrogentartrat (Weinstein, $KOOC{-}(HCOH)_2{-}COOH$)
Beize 3: 0,6 g Kupfer(II)-sulfat ($CuSO_4 \cdot 5\,H_2O$)

Chemikalien für Entwickler (jeweils für 300 ml):
Lösung A: 0,3 g Zinn(II)-chlorid ($SnCl_2 \cdot 2\,H_2O$)
Lösung B: 0,4 g Eisen(II)-sulfat ($FeSO_4 \cdot 7\,H_2O$)
Lösung C: 0,5 g Kupfer(II)-sulfat ($CuSO_4 \cdot 5\,H_2O$)

Durchführung:
a) Herstellen der Färbeflotte: Je nach gewünschter Intensität der Färbung benötigen Sie 10 bis 20 g getrocknete und fein zerschnittene Färbepflanzen (bei frischen Pflanzen etwa die vierfache Menge), die 6 bis 24 h lang in 0,5 bis 1 l Wasser eingeweicht werden. Kochen Sie dann die Pflanzenteile etwa 2 h lang im Einweichwasser und filtrieren Sie die Färbeflotte nach dem Abkühlen durch ein Tuch. Pressen Sie die Färbepflanzen im Tuch aus (Handschuhe!).
b) Waschen: Waschen Sie das Färbegut (10 g) mit Wollwasch- oder Feinwaschmittel in etwa 300 ml Wasser bei 40 °C und spülen Sie es sorgfältig mit warmem Wasser aus.
c) Beizen: Erhitzen Sie das gewaschene und gespülte Färbegut in etwa 300 ml der gewünschten Beizlösung langsam bis zum Kochen (bei Seide und Polyester nur bis maximal 60 °C) und halten Sie die Temperatur 30 bis 40 min lang konstant. Nehmen Sie das Färbegut aus der Beizlösung, lassen Sie es auf 20 °C abkühlen und drücken Sie das Wasser von Hand aus (Handschuhe!).
d) Färben: Geben Sie das feuchte Färbegut in die auf 40 °C erwärmte Färbeflotte. Erhitzen Sie die Färbeflotte etwa eine Stunde lang auf die beim Beizen (c) angegebene Temperatur, entnehmen Sie das Färbegut und lassen Sie es über der Färbeflotte abtropfen.
e) Entwicklungsfärben: Lösen Sie das gewünschte Entwicklersalz in wenig Wasser und gießen Sie die Lösung in die noch heiße Färbeflotte. Lassen Sie diese auf 40 °C abkühlen. Legen Sie danach das vorgefärbte Material ein und erhitzen Sie die Färbeflotte etwa 20 min lang auf die beim Beizen angegebene Temperatur. Spülen Sie das gefärbte Material gründlich mit warmem Wasser und lassen Sie es trocknen.

Färbepflanze	Beize	Entwicklerlösung	Erzielte Farbe
Goldrute	2 2 2	keine B C	Gelb Oliv Beige/Braun
Krapp (mit Weizenkleie)	2 2	keine B	Ziegelrot Braunrot
Schafgarbe mit 1 g Krapp	1 1 1	keine B keine	Gelb dunkles Grün Orange
Walnussblätter	1 keine 3	keine C keine	Messinggelb dunkles Oliv Bronzebraun

B2 Beispiele für Färbungen von Wolle

B3 Goldrute (links) und Schafgarbe (rechts)

Alizarin. Hauptbestandteil der beim Trocknen rot werdenden Krapp- oder Färberwurzel ist das Alizarin, ein Anthrachinonfarbstoff. Alizarin lässt sich in drei Schritten aus Anthracen, einer aromatischen Verbindung, herstellen (▷ B4). Zuerst wird Anthracen zu Anthrachinon oxidiert, welches im zweiten Schritt zu Anthrachinon-2-sulfonsäure sulfoniert wird (↗ Kap. 15.3). Im letzten Schritt wird durch Schmelzen mit einem Gemisch aus Natriumhydroxid und Kaliumnitrat die Sulfonsäuregruppe durch die Hydroxylgruppe substituiert und gleichzeitig in 1-Stellung oxidativ eine zweite OH-Gruppe eingeführt. In der Schmelze liegt das Natriumsalz des Alizarins vor; mit Salzsäure kann der Farbstoff ausgefällt werden. Er bildet rhombische Nadeln mit einer Schmelztemperatur von ϑ_{sm} = 289 °C.

Versuch 4 Entstehung und Zersetzung des Natriumsalzes von Alizarin

Geräte und Chemikalien:
Reagenzglas, Alizarin, Natronlauge (w = 10 %), konz. Salzsäure

Durchführung:
Lösen Sie im Reagenzglas etwa 0,1 g Alizarin in 2 ml Natronlauge. Versetzen Sie mit konz. Salzsäure, bis die Lösung deutlich sauer ist. Kontrollieren Sie mit Indikatorpapier. (Abzug! Schutzbrille!)

Aufgaben:
a) Formulieren Sie den Reaktionsmechanismus für die Sulfonierung von Anthrachinon.
b) In welchem Wellenbereich absorbieren das Natriumsalz bzw. Alizarin selbst? Erklären Sie den Farbunterschied beider Substanzen.

B4 Darstellung von Alizarin aus Anthracen

Alizarin bildet mit Metallionen licht- und waschechte **Alizarin- bzw. Krapplacke**. Die durch Beizen erzeugten Farbpigmente haften auf dem zu färbenden Gewebe besonders gut, da sich auch reaktionsfähige Molekülgruppen der Faser an der Lackbildung beteiligen können. So entstehen mit Aluminiumionen leuchtend rote (↗ Kap. 19.5, ▷ B2), mit Eisenionen violette und mit Chromionen braunrote Farbtöne.

Versuch 5 Bildung von Alizarinkomplexen (Krapplacke)

Geräte und Chemikalien:
3 Bechergläser (50 ml), 2 Reagenzgläser, Messzylinder (10 ml), Glasstäbe; Alizarin, Aluminiumsulfat, Eisen(III)-chlorid, Natriumacetat, Kalkwasser

Durchführung:
a) Lösen Sie in je einem Becherglas jeweils 1 g eines der drei Salze in 10 ml Wasser.
b) Geben Sie im Reagenzglas zu 3 ml Aluminiumsulfatlösung 3 ml Acetatlösung und einige Tropfen Kalkwasser. Kochen Sie die Lösung unter ständigem Schütteln mit einigen Kristallen Alizarin (Schutzbrille!).
c) Wiederholen Sie den Versuch (b) mit 3 ml Eisen(III)-chlorid-Lösung.

Aufgabe:
Welche Bedeutung hat das Zugeben von Natriumacetat bzw. Kalkwasser?

Versuch 6 Beizenfärbung von Baumwolle mit Alizarin

Geräte und Chemikalien:
6 Bechergläser (400 ml), Glasstäbe, Brenner, Dreifuß mit Drahtnetz, Waage; Baumwolle, Alizarin, Aluminiumsulfat, Eisen(III)-chlorid, Natriumacetat

Durchführung:
a) Waschen: 5 g Baumwolle werden etwa 1,5 Stunden in 200 ml Sodalösung (w = 3 %) gekocht, danach gespült, getrocknet und in drei Teile zerlegt.
b) Beizen: Lösen Sie 1,5 g Aluminiumsulfat bzw. 1,5 g Eisen(III)-chlorid jeweils in 150 ml Wasser. Kochen Sie zwei der drei Teilproben etwa 10 min lang in je einer der Salzlösungen und lassen Sie die Proben dann über einem Glasstab abtropfen.
c) Färben: Kochen Sie die eine unbehandelte Probe sowie die beiden gebeizten Proben etwa 5 min lang in einer Suspension von etwa 2 g Alizarin und 1 g Natriumacetat in 200 ml Wasser. Waschen Sie die Baumwollproben gründlich in heißem Wasser aus (Schutzhandschuhe!) und trocknen Sie diese.
d) Prüfen Sie die drei gefärbten Proben auf Abriebfestigkeit durch Reiben auf weißem Papier.

Praktikum: Farbstoffe und Färben

Im Jahre 1800 setzte Napoleon I eine Million Francs für die Herstellung von synthetischem **Indigo** aus. Frankreich sollte von dem durch England beherrschten Markt mit indischem Indigo unabhängig werden. Aber erst ein Jahrhundert später gelang bei der BASF die erste großtechnische Synthese von Indigo, nachdem 1870 die Struktur durch A. v. BAEYER ermittelt worden war.

Versuch 7 Indigosynthese nach A. v. BAEYER (1878)

Geräte und Chemikalien:
Waage, Becherglas (50 ml), Spatel, Glasstab, 2 Messzylinder (10 ml), 2 Tropfpipetten, Thermometer, Saugflasche mit Büchnertrichter, Rundfilter, Wasserstrahlpumpe, Föhn, Reagenzglas, Filterpapier; 2-Nitrobenzaldehyd, Aceton, Natronlauge (w = 5 %), Ethanol

Durchführung:
a) Herstellung: Lösen Sie 1 g 2-Nitrobenzaldehyd in einem Becherglas in 4 bis 5 ml Aceton und 3 bis 4 ml Wasser, sodass eine klare Lösung entsteht. Versetzen Sie diese Lösung in kleinen Portionen tropfenweise mit etwa 5 ml Natronlauge. Schütteln Sie nach jeder Zugabe und kühlen Sie mit Wasser auf Zimmertemperatur ab. Beenden Sie das Zutropfen, wenn keine Erwärmung der Lösung mehr festzustellen ist.
b) Waschen: Filtrieren Sie den ausgefallenen Farbstoff ab, waschen Sie ihn zuerst einmal mit wenig Wasser, dann dreimal mit jeweils 3 bis 4 ml Ethanol.
c) Reinigen durch Sublimation: Trocknen Sie Ihren Farbstoff mit einem Föhn. Geben Sie etwa 0,1 g davon in ein Reagenzglas, das in der Mitte mit feuchtem Filterpapier umwickelt ist, und erwärmen Sie das Reagenzglas vorsichtig mit kleiner Flamme.

Versuch 8 Färben mit Indigo

Geräte und Chemikalien:
Mörser mit Pistill, Becherglas (250 ml), Thermometer, Messzylinder (10 ml), Glasstab; Indigo, Natriumdithionit, Ethanol, Natronlauge (w = 10 %)

Durchführung:
a) Herstellen der Küpe: Verreiben Sie im Mörser etwa 0,2 g Indigo mit 2 ml Ethanol und 10 ml Natronlauge. Geben Sie diese Suspension zu 100 ml Wasser von etwa 70 °C und fügen Sie ca. 1 g Natriumdithionit ($Na_2S_2O_4$) hinzu.
b) Färben: Bewegen Sie eine gewaschene Woll- oder Baumwollprobe (▷ Versuch 3b) in der Lösung. Nehmen Sie das Gewebe nach 5 min heraus und lassen Sie es an der Luft trocknen.
c) Prüfen Sie die gefärbte Probe auf Abriebfestigkeit durch Reiben auf weißem Papier.

Versuch 9 Färbeverhalten unterschiedlicher Textilien

Geräte und Materialien:
Brenner, Dreifuß mit Drahtnetz, je Färbeversuch zwei Bechergläser (400 ml), Thermometer, Glasstäbe,
a) Eisbad, Natronlauge (w = 10 %), β-Naphthol, Natriumnitrit, Sulfanilsäure, Salzsäure (w = 10 %)
b) Orange II, Natriumsulfat, Schwefelsäure ($w \approx 1$ %)
c) Kristallviolett, Natriumacetat, Essigsäure (w = 25 %)
d) moderner Textilfarbstoff, z. B. LEVAFIX® (Reaktivfarbstoff), Natriumsulfat, Natriumcarbonat, Seifenflocken

Durchführung:
Allgemeine Hinweise: Vergleichen Sie das Färbeverhalten von gewaschenen Textilproben (▷ Versuch 3b), z. B. von Wolle, Baumwolle, Polyester, Polyamid. Die Proben können gleichzeitig gefärbt werden, sollten dann aber zusammen nicht mehr als 2 g wiegen. Das gefärbte Material muss gut in warmem Wasser gespült und anschließend getrocknet werden. (Schutzhandschuhe!)

a) Färben mit einem Entwicklungsfarbstoff:
Stellen Sie zwei Lösungen her (Abzug! Schutzbrille!):

Lösung A: 50 ml Wasser, 10 ml verd. Natronlauge, eine Spatelspitze β-Naphthol.
Geben Sie das Färbegut in diese Lösung.

Lösung B: 25 ml Wasser, etwas Natriumnitrit, eine Spatelspitze Sulfanilsäure, 10 ml verd. Natronlauge. Kühlen Sie die Lösung im Eisbad auf 5 °C ab und fügen Sie so lange verd. Salzsäure hinzu, bis eine Gelbfärbung eintritt (↗ Kap. 19.4, ▷ V1).
Geben Sie das Färbegut aus Lösung A in Lösung B.

b) Färben mit einem anionischen Farbstoff:
Lösen Sie 5 g Natriumsulfat in 100 ml verd. Schwefelsäure ($w \approx 1$ %). Lösen Sie 0,2 g Orange II in 10 ml kochendem Wasser und geben Sie beide Lösungen zusammen. Legen Sie das Färbegut in die Färbeflotte und erhitzen Sie diese allmählich bis zum Sieden. Färben Sie insgesamt etwa 30 min lang.

c) Färben mit einem kationischen Farbstoff:
Lösen Sie 1 g Kristallviolett, 10 ml Essigsäure und 2 g Natriumacetat in 125 ml heißem Wasser. Legen Sie das Färbegut in diese Färbeflotte und färben Sie etwa 30 min lang bei 100 °C.

d) Färben mit einem Reaktivfarbstoff:
Geben Sie 0,1 g des Reaktivfarbstoffs in 180 ml Wasser (ϑ = 40 °C) und legen Sie das Färbegut ein. Geben Sie nach ca. 2 min 7,5 g Natriumsulfat hinzu und färben Sie weitere 15 min lang. Fügen Sie 20 ml einer Natriumcarbonatlösung (w = 10 %) hinzu. Färben Sie 50 min lang weiter bei 40 °C. Spülen Sie die Probe zuerst kalt, dann heiß und schließlich in 200 ml siedender Seifenlösung ($w \approx 0,5$ %). Spülen Sie die Probe noch einmal in heißem Wasser.

19.7 Exkurs: Farbstoffe in Lebensmitteln

E-Nr.	Name	Farbe	Farbmittelklasse
E 100	Curcumin	orange	Polyen
E 102	Tartrazin	gelb	Azofarbstoff
E 104	Chinolingelb S	gelb	Carbonylfarbstoff
E 110	Gelborange S	orange	Azofarbstoff
E 120	Karminsäure (Cochenille)	rot	Anthrachinon-farbstoff
E 122	Azorubin	rot	Azofarbstoff
E 123	Amaranth S	rot	Azofarbstoff
E 124	Cochenillerot A	rot	Azofarbstoff
E 127	Erythrosin	blaurot	Anthrachinon-farbstoff
E 129	Allurarot AC	rot	Azofarbstoff
E 131	Patentblau 5	blau	Triphenylmethan-farbstoff
E 132	Indigotin I	rotblau	Carbonylfarbstoff
E 140	Chlorophylle	grün	Porphyrine
E 151	Brillantschwarz BN	schwarz	Azofarbstoff
E 160	Carotinoide	orange bis rot	Polyene
E 161	Xanthophylle	gelb	Polyene
E 162	Betanin, Betenrot	rotviolett	Betacyane
E 171	Titandioxid	weiß	Anorganisches Pigment

B1 E-Nummern einiger Lebensmittelfarbstoffe

B2 Strukturformeln von Tartrazin (links) **und Amaranth S** (rechts)

V 1 Chromatografische Trennung von Paprikagewürzpulver. Füllen Sie in ein 100-ml-Becherglas ca. 5 mm hoch ein Gemisch aus zehn Teilen Petroleumbenzin und einem Teil 2-Propanol.

Stellen Sie aus einer Spatelspitze roten Paprikapulvers und Aceton einen klaren Farbextrakt her. Ziehen Sie mit einem Bleistift auf einer Kieselgel-Dünnschichtfolie im Abstand von 1,5 cm vom unteren Rand eine Startlinie und tragen Sie mit einem feinen Pinsel den Farbextrakt mehrmals entlang der Startlinie auf. Stellen Sie die Folie nach dem Trocknen in das vorbereitete Becherglas und verschließen Sie es mit einer Aluminiumfolie. Nehmen Sie die Dünnschichtfolie aus dem Becherglas heraus, bevor die Fließmittelfront den oberen Rand erreicht hat.

Lebensmittelfärbung. Vielen Lebens- und Genussmitteln werden Farbstoffe zugesetzt. Schon seit dem Altertum wurden Lebensmittel angefärbt. Man verwendete dafür meist Pflanzenfarbstoffe. Im Mittelalter wurden auch Mineralfarben wie Ultramarin (schwefelhaltiges Natriumaluminiumsilicat) oder Bleipigmente benutzt. Erst Ende des 19. Jahrhunderts wurde der Einsatz solcher Farbmittel verboten.

Das verstärkte Auftreten von Vergiftungsfällen führte 1887 zur ersten gesetzlichen Regelung über die Verwendung von Lebensmittelfarben. Heute gelten Rechtsverordnungen, die das Verwenden und Kenntlichmachen von Zusatzstoffen in Lebensmitteln regeln. Innerhalb der Europäischen Union erfolgt die Kennzeichnung durch E-Nummern (▷ B 1). Grundnahrungsmittel wie z. B. Milch und Fleisch dürfen prinzipiell nicht gefärbt werden.

Von ca. 50 in diesen Verordnungen aufgeführten Farbmitteln dürfen nur wenige, z. B. Riboflavin oder Vitamin B_2 (gelb, E 101), β-Carotin (rot, E 160a), Zuckercouleur (braun, E 150) für alle Lebensmittel verwendet werden. Für alle anderen Farbmittel gelten Einschränkungen. Diese Farbmittel unterliegen auch der Deklarationspflicht.

Lebensmittelfarbstoffe. Es werden natürliche und synthetische Farbstoffe unterschieden. Zu den *natürlichen Lebensmittelfarbstoffen* gehören u. a. Chlorophylle, Anthocyane (von griech. anthos, Blüte und kyanos, blau) und Carotinoide (↗ Kap. 19.6).

Die meisten *synthetischen Lebensmittelfarbstoffe* sind Azofarbstoffe, die durch Einfügen von Sulfonsäuregruppen an beiden aromatischen Resten (↗ Kap. 19.4) gut wasserlöslich gemacht worden sind. Man nimmt an, dass die Farbstoffe an sich in den geringen zugesetzten Mengen für den Menschen gesundheitlich wohl unbedenklich sind; ihre Abbauprodukte werden über die Ausscheidungsorgane mit dem Harn ausgeschieden. Teilweise werden die Farbstoffe aber im Darm durch Spaltung und Reduktion zu Aminen abgebaut, wodurch dann Überempfindlichkeitsreaktionen ausgelöst werden können. Dies gilt besonders für *Tartrazin* (E 102) und *Amaranth S* (E 123, ▷ B 2).

Für die Bewertung der *Toxizität* von Lebensmittelzusatzstoffen wie Farbstoffen, Konservierungsstoffen oder Rückständen aus z. B. Pestiziden gibt es den **ADI-Wert** (von engl. **a**cceptable **d**aily **i**ntake). Der ADI-Wert ist definiert als „die tägliche Aufnahme während des ganzen Lebens, die nach dem Stand allen verfügbaren Wissens kein erkennbares Risiko, auch nicht für die Nachkommen, darstellt".

19.8 Farbfotografie

Die *Farbfotografie* beruht auf der *Dreifarbentheorie*. Danach kann man jede beliebige Farbe des sichtbaren Lichtes durch additive oder subtraktive Mischung von drei Farben herstellen.

Farbfilme. Für die Farbfotografie werden so genannte Mehrschichtenfilme (▷ B 1) verwendet, auf denen die Farben Gelb, Purpur und Blaugrün *subtraktiv* gemischt werden. Das einfallende Licht muss nacheinander eine bis drei Filterschichten passieren, die jeweils die *Komplementärfarbe* (↗ Kap. 19.1) absorbieren. Die erste Schicht ist gelb (blauabsorbierend), die zweite purpur (grünabsorbierend) und die dritte blaugrün (rotabsorbierend). Um z. B. Rot zu bekommen, müssen die Filter Gelb und Purpur, bei Schwarz alle drei Filter wirksam sein. Alle drei Schichten enthalten *Silberhalogenide*, die die von der Schwarz-Weiß-Fotografie her bekannten Eigenschaften zeigen, d. h., sie bilden in Abhängigkeit von der Belichtungsstärke eine unterschiedliche Menge an Silberkeimen (▷ B 3a).

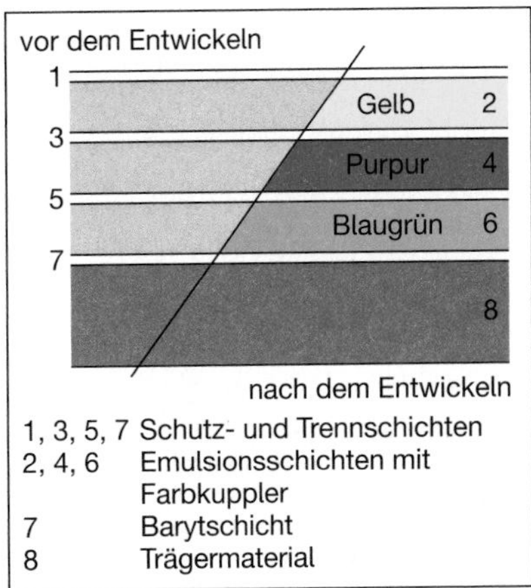

B 1 Prinzipieller Aufbau von Colorpapier vor und nach der Entwicklung

Entwicklung von Farbfotos. Die Entwicklung des belichteten Materials beginnt mit einer Schwarz-Weiß-Entwicklung. Bei der Erzeugung der Farbstoffe in den Schichten werden zwei Wege beschritten.
Bei der **chromogenen Entwicklung** werden die Farbstoffe *aufgebaut*. Das geschieht bei der chemischen Reaktion zwischen einem *Entwickler*, der vorher Silberhalogenid zu Silber reduziert hat, und *Kupplungskomponenten*, die in den Schichten eingelagert waren oder zusammen mit dem Entwickler zugeführt werden. Die entstehenden Farbstoffe sind im Allgemeinen Azomethine (▷ B 2). In der blauempfindlichen Schicht entsteht ein gelber Farbstoff, in der grünempfindlichen ein roter und in der rotempfindlichen Schicht entsteht ein blaugrüner Farbstoff (▷ B 3b). Die Farben des Farbnegativs sind somit komplementär zu denen des Originals (▷ B 3c). Beim **Fixieren** werden die Silberhalogenidreste entfernt, wonach die aus jeweils drei aufeinanderliegenden Einzelbildern in den Farben Gelb, Purpur und Blaugrün durch subtraktive Farbmischung zusammengesetzten Bilder fertig sind (▷ B 3d).
Bei der **chromolytischen Entwicklung** werden die in den Schichten eingelagerten Azofarbstoffe durch das bei der Entwicklung freigesetzte Silber reduziert bzw. gebleicht, also *abgebaut*. Deshalb heißt dieses Verfahren auch **Silberbleichverfahren**.

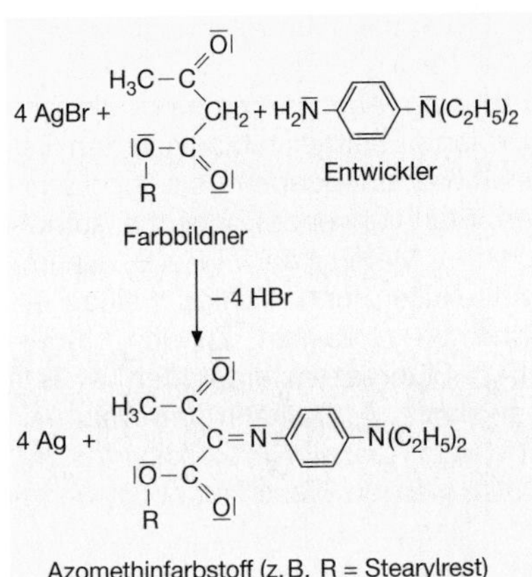

B 2 Chemische Reaktionen bei der chromogenen Farbentwicklung

B 3 Entwicklung eines Farbfotos

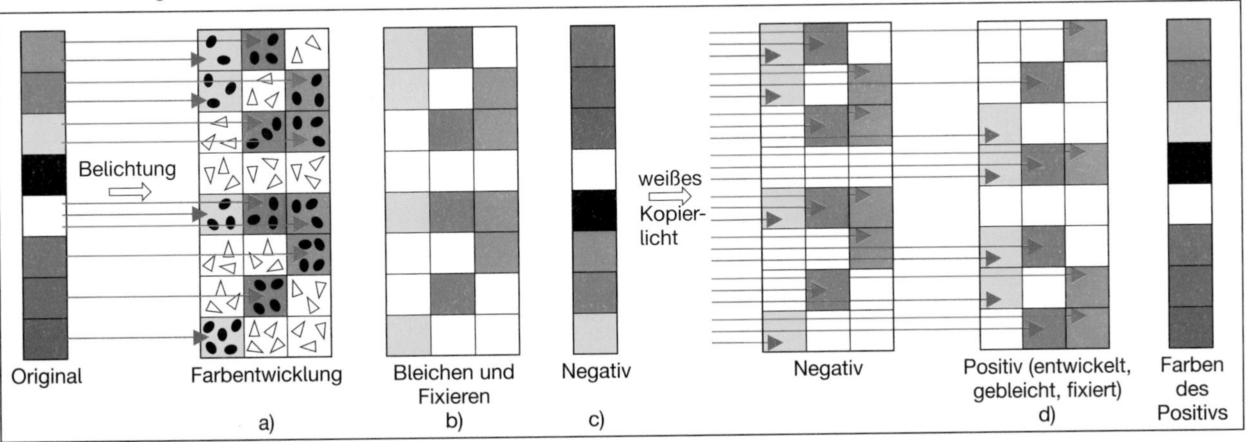

19.9 Überprüfung und Vertiefung

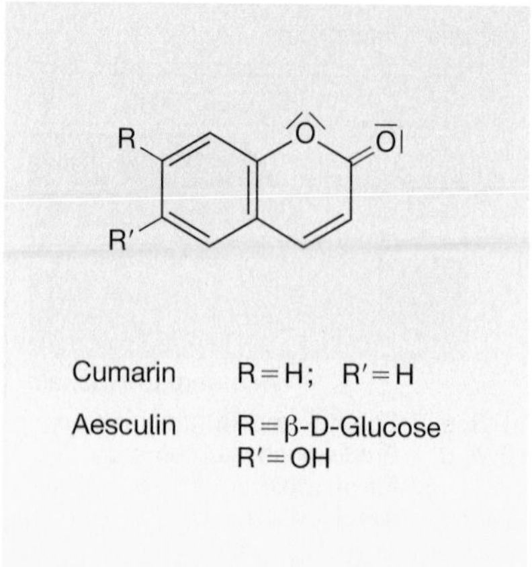

B1 Zu Aufgabe 1

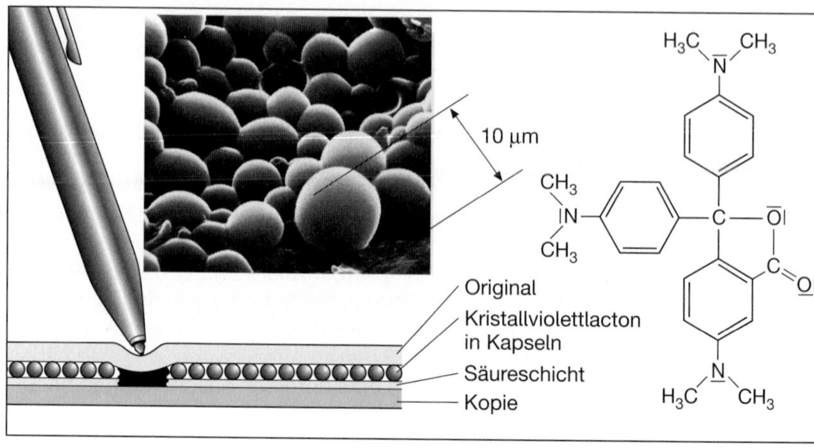

B2 Funktion des kohlefreien Durchschreibepapiers. Zu Aufgabe 3

1 **Optische Aufheller** sind chemische Verbindungen, die ultraviolette Strahlung absorbieren und die absorbierte Energie im blauvioletten Bereich wieder abgeben – sie *fluoreszieren*. Man verwendet optische Aufheller, um Materialien wie z. B. Baumwolltextilien und Papier weißer erscheinen zu lassen. Zu den natürlichen Fluoreszenzfarbstoffen (▷ B1) gehören z. B. Cumarin (im Waldmeister) und Aesculin (in Rosskastanien). Diese werden Waschmitteln in geringen Mengen zugesetzt (↗ Kap. 18.5) und ziehen direkt auf die Faser auf.
Die Wirkungsweise der optischen Aufheller unterscheidet sich vom traditionellen „Bläuen" der Wäsche. Bei dieser Methode entsteht durch Zugabe geringer Mengen eines blauen Farbstoffs durch „Auslöschung" aus Gelb und Blau ein heller Grauton.
Erklären Sie, warum beim Einsatz von optischen Aufhellern kein Grauton entsteht.

2 **Sonnenschutzmittel** sollen die menschliche Haut schützen, indem sie schädigende UV-Strahlen absorbieren. Solche *UV-Absorber* oder *Lichtfilter*, z. B. Zimtsäureester (3-Phenyl-2-propensäureester), wandeln die UV-Strahlung in Wärme um. Allen UV-Absorbern ist gemeinsam, dass ihre Moleküle Doppelbindungen enthalten.
Sonnenschutzmittel auf natürlicher Basis sind u. a. Avocado-, Mandel-, Sesam-, Erdnuss- und Olivenöle. Ein körpereigenes Sonnenschutzmittel ist die Urocansäure:

(Imidazolring mit N und N–H)–CH=CH–C(=O)–O–H

Sie wird durch UV-Strahlung in die *cis*-Form umgewandelt.
Die auf Sonnenschutzmitteln nach deutschen Richtlinien angegebenen *Lichtschutzfaktoren* geben an, um welchen Faktor der Aufenthalt in der Sonne verlängert werden kann, bis eine erste Rötung der Haut auftritt. Die Wahl des richtigen Lichtschutzfaktors hängt vom Hauttyp des Benutzers ab.
a) Formulieren Sie die Reaktionsgleichung zur Bildung eines Zimtsäureesters.
b) Formulieren Sie *cis/trans*-Isomere von Zimt- und Urocansäure.
c) Warum sind die natürlichen Öle als Sonnenschutzmittel geeignet?

3 Von auszufüllenden Formularen benötigt man häufig einen Durchschlag. Dazu benutzte man früher Kohlepapier. Heute sind kohlefreie Durchschreibepapiere an die Formulare angeheftet. Diese Papiere enthalten auf ihrer Oberfläche z. B. eine Schicht mit einer festen Säure und darüber eine zweite Schicht mit kleinen Kapseln, die in einem Bindemittel eingelagert sind. Die Kapseln enthalten das farblose Kristallviolettlacton (▷ B2). Werden die Kapseln durch den Druck des Schreibgerätes zerstört, fließt das Kristallviolettlacton auf die Säureschicht und es bildet sich der blauviolette Triphenylmethanfarbstoff.
Erläutern Sie diese Reaktion und formulieren Sie dazu die Reaktionsgleichung.

Wichtige Begriffe

Farbmittel, Farbstoff, Pigment, Komplementärfarbe, additive und subtraktive Farbmischung, Chromophor, Bathochromie, Azofarbstoffe, Diazotierung, Azokupplung, Triphenylmethanfarbstoffe, Carbonylfarbstoffe, Küpenfärbung, Entwicklungsfärbung, Direktfärbung, Lebensmittelfarbstoffe, ADI-Wert, Farbfotografie

Chemische Elemente

Die Elemente mit den Ordnungszahlen 60 bis 71 und ab 93 sind nicht aufgeführt.
Eine Zusammenstellung aller Elemente befindet sich im Periodensystem am Ende des Buches.

Elementname	Zeichen	Ord-nungs-zahl	Atommasse in u	Dichte[1] in g/cm³ (Gase: g/l)	Schmelz-temperatur in °C	Siede-temperatur in °C
Actinium	Ac	89	227,0277	10,1	1050	3200
Aluminium	Al	13	26,981538	2,70	660	2467
Antimon	Sb	51	121,760	6,68	630	1750
Argon	Ar	18	39,948	1,66	−189	−186
Arsen	As	33	74,92160	5,72	817 p	613 s
Astat	At	85	209,9871	—	302	337
Barium	Ba	56	137,327	3,51	725	1640
Beryllium	Be	4	9,012182	1,85	1278	2970
Bismut	Bi	83	208,98038	9,8	271	1560
Blei	Pb	82	207,2	11,4	327	1740
Bor	B	5	10,811	2,34	2180	2550 s
Brom	Br	35	79,904	3,12	−7	59
Cadmium	Cd	48	112,411	8,65	321	765
Caesium	Cs	55	132,90545	1,88	28	669
Calcium	Ca	20	40,078	1,54	839	1484
Cer	Ce	58	140,116	6,65	799	3426
Chlor	Cl	17	35,4527	2,95	−101	−35
Chrom	Cr	24	51,9961	7,20	1857	2672
Cobalt	Co	27	58,933200	8,9	1495	2870
Eisen	Fe	26	55,845	7,87	1535	2750
Fluor	F	9	18,9984032	1,58	−219	−188
Francium	Fr	87	223,0197	—	27	677
Gallium	Ga	31	69,723	5,90	30	2403
Germanium	Ge	32	72,64	5,32	937	2830
Gold	Au	79	196,96655	19,32	1064	3080
Hafnium	Hf	72	178,49	13,3	2227	4602
Helium	He	2	4,002602	0,17	−272 p	−269
Indium	In	49	114,818	7,30	156	2080
Iod	I	53	126,90447	4,93	113	184
Iridium	Ir	77	192,217	22,41	2410	4130
Kalium	K	19	39,0983	0,86	63	760
Kohlenstoff	C	6	12,0107	2,25 [2]	3650 [2]	4827
Krypton	Kr	36	83,798	3,48	−157	−152
Kupfer	Cu	29	63,546	8,92	1083	2567
Lanthan	La	57	138,9055	6,17	921	3457
Lithium	Li	3	6,941	0,53	180	1342
Magnesium	Mg	12	24,3050	1,74	649	1107
Mangan	Mn	25	54,938049	7,20	1244	1962
Molybdän	Mo	42	95,94	10,2	2610	5560
Natrium	Na	11	22,989770	0,97	98	883
Neon	Ne	10	20,1797	0,84	−249	−246
Nickel	Ni	28	58,6934	8,90	1455	2730
Niob	Nb	41	92,90638	8,57	2468	4742
Osmium	Os	76	190,23	22,5	2700	5300
Palladium	Pd	46	106,42	12,0	1554	2970
Phosphor	P	15	30,973761	1,82 [3]	44 [3]	280
Platin	Pt	78	195,078	21,4	1772	3827
Polonium	Po	84	208,9824	9,4	254	962
Praseodym	Pr	59	140,90765	6,77	931	3512
Protactinium	Pa	91	231,03588	15,4	—	—
Quecksilber	Hg	80	200,59	13,55	−39	356
Radium	Ra	88	226,0254	5,0	700	1140
Radon	Rn	86	222,0176	9,23	−71	−62
Rhenium	Re	75	186,207	20,5	3180	5627
Rhodium	Rh	45	102,90550	12,4	1966	3727
Rubidium	Rb	37	85,4678	1,53	39	686
Ruthenium	Ru	44	101,07	12,3	2310	3900
Sauerstoff	O	8	15,9994	1,33	−219	−183
Scandium	Sc	21	44,955910	3,0	1541	2831
Schwefel	S	16	32,065	2,07 (rh)	119	444
Selen	Se	34	78,96	4,81	217	685
Silber	Ag	47	107,8682	10,5	962	2212
Silicium	Si	14	28,0855	2,32	1410	2355
Stickstoff	N	7	14,00674	1,17	−210	−196
Strontium	Sr	38	87,62	2,60	769	1384
Tantal	Ta	73	180,9479	16,6	2996	5425
Technetium	Tc	43	97,9072	11,5	2172	4877
Tellur	Te	52	127,60	6,0	449	990
Thallium	Tl	81	204,3833	11,8	303	1457
Thorium	Th	90	232,0381	11,7	1750	4790
Titan	Ti	22	47,867	4,51	1660	3287
Uran	U	92	238,02891	19,0	1132	3818
Vanadium	V	23	50,9415	5,96	1890	3380
Wasserstoff	H	1	1,00794	0,084	−259	−253
Wolfram	W	74	183,84	19,3	3410	5660
Xenon	Xe	54	131,293	5,49	−112	−107
Yttrium	Y	39	88,90585	4,47	1522	3338
Zink	Zn	30	65,409	7,14	419	907
Zinn	Sn	50	118,710	7,30	232	2270
Zirconium	Zr	40	91,224	6,49	1852	4377

1) Dichteangaben für 20 °C und 1013 hPa

2) Angaben gelten für Graphit; Diamant: Schmelztemp. 3550, Dichte 3,51

3) Angaben gelten für weißen Phosphor; Roter Phosphor: Schmelztemp. 590 p, Dichte 2,34

s = sublimiert
p = unter Druck
— = Werte nicht bekannt

Dezimale Vielfache und Teile von Einheiten

Vorsatz		Faktor
a	Atto	10^{-18}
f	Femto	10^{-15}
p	Piko	10^{-12}
n	Nano	10^{-9}
µ	Mikro	10^{-6}
m	Milli	10^{-3}
c	Zenti	10^{-2}
d	Dezi	10^{-1}
da	Deka	10
h	Hekto	10^{2}
k	Kilo	10^{3}
M	Mega	10^{6}
G	Giga	10^{9}
T	Tera	10^{12}
P	Peta	10^{15}
E	Exa	10^{18}

Griechische Zahlwörter

(nach chemischer Nomenklatur)

$\frac{1}{2}$	hemi	11	undeca
1	mono	12	dodeca
2	di	13	trideca
3	tri	14	tetradeca
4	tetra	15	pentadeca
5	penta	16	hexadeca
6	hexa	17	heptadeca
7	hepta	18	octadeca
8	octa	19	enneadeca
9	nona	20	icosa
10	deca		

Griechisches Alphabet

Α	α	Alpha	Ν	ν	Ny
Β	β	Beta	Ξ	ξ	Xi
Γ	γ	Gamma	Ο	ο	Omikron
Δ	δ	Delta	Π	π	Pi
Ε	ε	Epsilon	Ρ	ϱ	rho
Ζ	ζ	Zeta	Σ	σ (ς)	Sigma
Η	η	Eta	Τ	τ	Tau
Θ	ϑ (θ)	Theta	Υ	υ	Ypsilon
Ι	ι	Jota	Φ	φ	Phi
Κ	ϰ	Kappa	Χ	χ	Chi
Λ	λ	Lambda	Ψ	ψ	Psi
Μ	μ	My	Ω	ω	Omega

Naturkonstanten

Universelle Gaskonstante	$R = 8{,}314510\ \text{J} \cdot \text{K}^{-1} \cdot \text{mol}^{-1}$
Faraday-Konstante	$F = 96485{,}309\ \text{C} \cdot \text{mol}^{-1}$
Planck-Konstante	$h = 6{,}6260755 \cdot 10^{-34}\ \text{J} \cdot \text{s}$

Größen und Einheiten

Größe: Name	Zeichen	Beziehung	Erläuterungen	Einheit(en): Name	Zeichen
Masse	m			Gramm Kilogramm	g kg
Volumen	V		Produkt aus drei Längen	Kubik[zenti]meter Liter Milliliter	$[\text{c}]\text{m}^3$ $1\,\text{l} = 1\,\text{dm}^3$ $1\,\text{ml} = 1\,\text{cm}^3$
Anzahl	N			Eins	1
Stoffmenge	n	$n = \frac{N}{N_A}$	$N_A = 6{,}022 \cdot 10^{23}/\text{mol}$ (AVOGADRO-Konstante)	Mol	mol
Dichte	ϱ	$\varrho = \frac{m}{V}$	m: Masse der Stoffportion V: Volumen der Stoffportion		g/cm^3 $1\,\text{g/l} = 0{,}001\,\text{g/cm}^3$
molare Masse	M	$M = \frac{m}{n}$	m: Masse der Reinstoffportion n: Stoffmenge der Reinstoffportion		g/mol
molares Volumen	V_m	$V_m = \frac{V}{n}$	V: Volumen der Reinstoffportion n: Stoffmenge der Reinstoffportion		l/mol
Stoffmengen-konzentration	c	$c = \frac{n}{V}$	n: Stoffmenge einer Teilchenart V: Volumen der Mischung		mol/l
Massenanteil	w	$w_1 = \frac{m_1}{m_s}$	m_1: Masse des Bestandteils 1 m_S: Summe aller Massen (Gesamtmasse)	Prozent	1 $1\,\% = \frac{1}{100}$
Volumenanteil	φ	$\varphi_1 = \frac{V_1}{V_s}$	V_1: Volumen des Bestandteils 1 V_S: Summe aller Volumina vor dem Mischen	Prozent	1 $1\,\% = \frac{1}{100}$
Kraft	F	$F = m \cdot a$	a: Beschleunigung	Newton	$1\,\text{N} = 1\,\frac{\text{kg} \cdot \text{m}}{\text{s}^2}$
Druck	p	$p = \frac{F}{A}$	A: Flächeninhalt	Pascal Bar Millibar	$1\,\text{Pa} = 1\,\frac{\text{N}}{\text{m}^2}$ $1\,\text{bar} = 10^5\,\text{Pa}$ mbar
Energie	E	$W = F \cdot s$	Energie ist die Fähigkeit zur Arbeit W s: Weglänge	Joule Kilojoule	$1\,\text{J} = 1\,\text{N} \cdot \text{m}$ kJ
Celsiustemperatur	t, ϑ			Grad Celsius	°C
thermodynamische Temperatur	T	$T = t + 273{,}15\,\text{K}$		Kelvin	K
elektrische Ladung	Q			Coulomb	C
elektrische Stromstärke	I	$I = \frac{Q}{t}$	Q: Ladung t: Zeit	Ampere	$1\,\text{A} = 1\,\frac{\text{C}}{\text{s}}$

Elektrochemische Spannungsreihe

Red	⇌	Ox + $z \cdot e^-$	Standardpotential E^0 (in Volt)
$2\,F^-$	⇌	$F_2 + 2\,e^-$	+2,87
$2\,SO_4^{2-}$	⇌	$S_2O_8^{2-} + 2\,e^-$	+2,00
$4\,H_2O$	⇌	$H_2O_2 + 2\,H_3O^+ + 2\,e^-$	+1,78
$PbSO_4 + 5\,H_2O$	⇌	$PbO_2 + HSO_4^- + 3\,H_3O^+ + 2\,e^-$	+1,69
$MnO_2 + 6\,H_2O$	⇌	$MnO_4^- + 4\,H_3O^+ + 3\,e^-$	+1,68
$Mn^{2+} + 12\,H_2O$	⇌	$MnO_4^- + 8\,H_3O^+ + 5\,e^-$	+1,49
$Pb^{2+} + 6\,H_2O$	⇌	$PbO_2 + 4\,H_3O^+ + 2\,e^-$	+1,46
Au	⇌	$Au^{3+} + 3\,e^-$	+1,42
$2\,Cl^-$	⇌	$Cl_2 + 2\,e^-$	+1,36
$2\,Cr^{3+} + 21\,H_2O$	⇌	$Cr_2O_7^{2-} + 14\,H_3O^+ + 6\,e^-$	+1,33
$6\,H_2O$	⇌	$O_2 + 4\,H_3O^+ + 4\,e^-$	+1,23
$Mn^{2+} + 6\,H_2O$	⇌	$MnO_2 + 4\,H_3O^+ + 2\,e^-$	+1,21
Pt	⇌	$Pt^{2+} + 2\,e^-$	+1,20
$I_2 + 18\,H_2O$	⇌	$2\,IO_3^- + 12\,H_3O^+ + 10\,e^-$	+1,20
$2\,Br^-$	⇌	$Br_2 + 2\,e^-$	+1,07
$NO + 6\,H_2O$	⇌	$NO_3^- + 4\,H_3O^+ + 3\,e^-$	+0,96
Hg	⇌	$Hg^{2+} + 2\,e^-$	+0,85
Ag	⇌	$Ag^+ + e^-$	+0,80
$2\,Hg$	⇌	$Hg_2^{2+} + 2\,e^-$	+0,80
Fe^{2+}	⇌	$Fe^{3+} + e^-$	+0,77
$H_2O_2 + 2\,H_2O$	⇌	$O_2 + 2\,H_3O^+ + 2\,e^-$	+0,68
$MnO_2 + 4\,OH^-$	⇌	$MnO_4^- + 2\,H_2O + 3\,e^-$	+0,59
$2\,I^-$	⇌	$I_2 + 2\,e^-$	+0,54
Cu	⇌	$Cu^+ + e^-$	+0,52
$4\,OH^-$	⇌	$O_2 + 2\,H_2O + 4\,e^-$	+0,40
$2\,Ag + 2\,OH^-$	⇌	$Ag_2O + H_2O + 2\,e^-$	+0,34
Cu	⇌	$Cu^{2+} + 2\,e^-$	+0,34
$2\,Hg + 2\,Cl^-$	⇌	$Hg_2Cl_2 + 2\,e^-$	+0,27
$Ag + Cl^-$	⇌	$AgCl + e^-$	+0,22
$H_2SO_3 + 5\,H_2O$	⇌	$SO_4^{2-} + 4\,H_3O^+ + 2\,e^-$	+0,20
Cu^+	⇌	$Cu^{2+} + e^-$	+0,16
$H_2S + 2\,H_2O$	⇌	$S + 2\,H_3O^+ + 2\,e^-$	+0,14
$Ag + Br^-$	⇌	$AgBr + e^-$	+0,07
$H_2 + 2\,H_2O$	⇌	$2\,H_3O^+ + 2\,e^-$	0
Fe	⇌	$Fe^{3+} + 3\,e^-$	−0,04
Pb	⇌	$Pb^{2+} + 2\,e^-$	−0,13
Sn	⇌	$Sn^{2+} + 2\,e^-$	−0,14
$H_2O_2 + 2\,OH^-$	⇌	$O_2 + 2\,H_2O + 2\,e^-$	−0,15
$Ag + I^-$	⇌	$AgI + e^-$	−0,15
Ni	⇌	$Ni^{2+} + 2\,e^-$	−0,23
$Pb + SO_4^{2-}$	⇌	$PbSO_4 + 2\,e^-$	−0,36
Cd	⇌	$Cd^{2+} + 2\,e^-$	−0,40
Fe	⇌	$Fe^{2+} + 2\,e^-$	−0,41
Zn	⇌	$Zn^{2+} + 2\,e^-$	−0,76
$H_2 + 2\,OH^-$	⇌	$2\,H_2O + 2\,e^-$	−0,83
$SO_3^{2-} + 2\,OH^-$	⇌	$SO_4^{2-} + H_2O + 2\,e^-$	−0,92
$N_2H_4 + 4\,OH^-$	⇌	$N_2 + 4\,H_2O + 4\,e^-$	−1,16
Al	⇌	$Al^{3+} + 3\,e^-$	−1,66
Mg	⇌	$Mg^{2+} + 2\,e^-$	−2,38
Na	⇌	$Na^+ + e^-$	−2,71
Ca	⇌	$Ca^{2+} + 2\,e^-$	−2,76
Ba	⇌	$Ba^{2+} + 2\,e^-$	−2,90
K	⇌	$K^+ + e^-$	−2,92
Li	⇌	$Li^+ + e^-$	−3,02

Zunahme der Stärke des Reduktionsmittels (↓)

Zunahme der Stärke des Oxidationsmittels (↑)

Atomorbitale

Atomorbitale zu $n = 3$

(Orbitale zu $n = 1$ und $n = 2$ sind auf S. 61 dargestellt.)

Orbitaldarstellung	Name des Orbitals
	$3\,p_x$
	$3\,p_y$
	$3\,p_z$
	$3\,d_{x^2-y^2}$
	$3\,d_{xy}$
	$3\,d_{yz}$
	$3\,d_{zx}$
	$3\,d_{z^2}$

Gefahrstoffe

In der nachfolgenden Liste werden Gefahrstoffe aufgeführt, die in den Versuchsanleitungen des vorliegenden Buches vorkommen. Die in der zweiten Spalte stehenden Kennbuchstaben sind den Gefahrensymbolen zugeordnet. Die Bedeutung der Kurzdarstellungen der R- und S-Sätze sind im Anschluss aufgeführt. Aus der Nichterwähnung eines Stoffes darf nicht auf seine Unbedenklichkeit geschlossen werden. Vielmehr ist mit Chemikalien grundsätzlich besonnen umzugehen.

Bezeichnung des Stoffes	Kennbuchstabe	Gefahrenhinweise (R-Sätze)	Sicherheitsratschläge (S-Sätze)
Acetaldehyd	F+, Xn	12-36/37-40	(2)-16-33-36/37
Acetanhydrid	C	10-20/22-34	(1/2)-26-36/37/39-45
Aceton	F, Xi	11-36-66-67	(2)-9-16-26
Acetylsalicylsäure	Xn	22	
Alizarin			22-24/25
Aluminiumbromid (wasserfrei)	C	22-34	7/8-26-36/37/39-45
Aluminiumsulfat -Octadecahydrat			(2)-22-24/25
Ameisensäure	C	35	(1/2)-23-26-45
10 % $\leq w <$ 90%	C	34	(1/2)-23-26-45
2 % $\leq w <$ 10 %	Xi	36/38	(1/2)-23-26-45
Ammoniak	T, N	10-23-34-50	(1/2)-9-16-26-36/37/39-45-61
Ammoniaklösung			
$w \geq$ 25 %	C, N	34-50	(1/2)-26-36/37/39-45-61
10 % $\leq w <$ 25	C	34	(1/2)-26-36/37/39-45-61
5 % $\leq w <$ 10 %	Xi	36/37/38	(1/2)-26-36/37/39-45-61
Ammoniumchlorid	Xn	22-36	(2)-22
Ammoniumnitrat	O	8-9	(1/2)-15-16-41
Ammoniumoxalat (Diammoniumoxalat -Monohydrat)	Xn	21/22	(2)-24/25
Ammoniumthiocyanat	Xn	20/21/22-32	(2)-13
Bariumchlorid	T	20-25	(1/2)-45
Bariumhydroxid	C	20/22-34	(2)-26-36/37/39-45
Bariumhydroxid -Octahydrat	C	20/22-34	(2)-26-36/37/39-45
Bariumnitrat	Xn	20/22	(2)-28
Benzaldehyd	Xn	22	(2)-24
Bernsteinsäure	Xi	36	24-26
Bleiacetatpapier (bioverfügbar durch Kontamination)			
Brom	T+, C, N	26-35-50	(1/2)-7/9-26-45-61
Bromwasser gesättigt, $w \approx$ 3,5 %	Xi	36/37/38	(1/2)-7/9-26-45
Butan	F+	12	(2)-9-16
1-Butanol	Xn	10-22-37/38-41-67	(2)-7/9-13-26-37/39-46
Butansäure (Buttersäure)	C	34	(1/2)-26-36-45
Calciumcarbid	F	15	(2)-8-43
Calciumchlorid (wasserfrei)	Xi	36	(2)-22-24
Citronensäure	Xi	36	26
Cobalt(II)-chlorid	T, N	49-22-42/43-50/53	(2)-22-53-45-60-61
Cyclohexan	F, Xn, N	11-38-50/53-65-67	(2)-9-16-33-60-61-62
Cyclohexanol	Xn	20/22-37/38	(2)-24/25
Cyclohexen	Xn, F	11-21/22	16-23-33-36/37
L-Cystein	Xn	22	
Desmodur®	Xn	20-36/37/38-42	(2)-46-26-28-38
1,6-Diaminohexan (1,6-Hexandiamin)	C	21/22-34-37	(1/2)-22-26-36/37/39-45
Dibenzoylperoxid	E, Xi	2-36-43	(2)-3/7-14-36/37/39
Diethylether	F+, Xn	12-19-22-66-67	(2)-9-16-29-33
N,N-Dimethylanilin	T, N	23/24/25-40-51/53	(1/2)-28-36/37-45-61
Dimethylglyoxim (Diacetyldioxim)	Xn	22	

Bezeichnung des Stoffes	Kennbuchstabe	Gefahrenhinweise (R-Sätze)	Sicherheitsratschläge (S-Sätze)
Eisen(III)-chlorid	Xn	22-38-41	(2)-26-39
Eisen (reduziert)	F	11	
Eisen(II)-oxalat -Dihydrat	Xn	21/22	(2)-24/25
Eisen(II)-sulfat -Heptahydrat	Xn	22	24/25
Eisen(III)-nitrat	Xi, O	8-36/38	(2)-26
Eosin G (Eosin, gelblich)	Xi	36	(2)-22-26
Eriochromschwarz T	Xi, N	36-51/52	26-61
Essigsäure			
$w \geq$ 90 %	C	10-35	(1/2)-23-26-45
25 % $\leq w <$ 90 %	C	34	(1/2)-23-26-45
10 % $\leq w <$ 25%	Xi	36/38	(1/2)-23-26-45
Ethandiol	Xn	22	(2)
Ethanol	F	11	(2)-7-16
Ethansäureethylester	F, Xi	11-36-66-67	(2)-16-26-33
Ethen	F+	12	(2)-9-16-33
Ethylendiamin	C	10-21/22-34-42/43	(1/2)-23-26-36/37/39-45
Fluorescein (Resorcinphthalat)		22-24/25	
Formaldehyd			
$w \geq$ 25 %	T	23/24/25-34-40-43	(1/2)-26-36/37/39-45-51
5 % $\leq w <$ 25 %	Xn	20/21/22-36/37/38-40-43	(1/2)-26-36/37/39-45-51
1 % $\leq w <$ 5 %	Xn	40-43	(1/2)-26-36/37/39-45-51
Fuchsinschweflige Säure			(1/2)-22-24-15
Heptan	F, Xn, N	11-38-50/53-65-67	(2)-9-16-29-33-60-61-62
Hexan	F, Xn, N	11-38-48/20-51/53-62-65-67	(2)-9-16-29-33-36/37-61-62
1-Hexanol	Xn	22	(2)-24/25
1-Hexen	F, Xn	11-65	9-16-29-33-62
Hydrochinon (1,4-Dihydroxybenzol)	Xn, N	20-40-41-43-50-68	(2)-26-36/37/39-61
Iod	Xn, N	20/21-50	(2)-23-25-61
Kaliumhydroxid	C	22-35	(1/2)-26-36/37/39-45
$w \geq$ 25 %	C	22-35	(1/2)-26-36/37/39-45
5 % $\leq w <$ 25 %	C	35	(1/2)-26-36/37/39-45
2 % $\leq w <$ 5 %	C	34	(1/2)-26-36/37/39-45
Kaliumcarbonat	Xi	36/37/38	22-26
Kaliumiodat	O, Xi	8-41	17-26-39
Kaliumnitrat	O	8	16-41
Kaliumpermanganat	O, Xn, N	8-22-50/53	(2)-60-61
Kaliumthiocyanat	Xn	20/21/22-32	(2)-13
Kalkwasser			(2)
Kohlenstoffmonooxid	F+, T	61-12-23-48/23	53-45
Kristallviolett	Xn, N	22-40-41-50/53	22-26-36/37/39-61
Kupfer(II)-bromid	C, N	22-34-50/53	(2)-26-36/37/39-45-61
Kupfer(II)-carbonat (basisch)	Xn	20/22	20
Kupfer(II)-oxid	Xn	22	(2)-22
Kupfer(II)-sulfat, wasserfrei	Xn, N	22-36/38-50/53	(2)-22-60-61
Kupfer(II)-sulfat -Pentahydrat	Xn, N	22-36/38-50/53	(2)-22-60-61
Lithiumcarbonat	Xn	22-36	24
Lithiumchlorid	Xn	22-36/38	

Gefahrstoffe

Bezeichnung des Stoffes	Kenn-buch-stabe	Gefahren-hinweise (R-Sätze)	Sicherheits-ratschläge (S-Sätze)
DL-Lysin			(2)-24/25
Magnesiumband	F	11-15	(2)-7/8-43
Magnesiumpulver (phlegmatisiert)	F	11-15	(2)-7/8-43
Magnesiumspäne	F	11-15	(2)-7/8-43
Malachitgrün-Oxalat Diamantgrün B, Echtgrün	Xn	21/22	(2)-24/25
Mangan(II)-chlorid	Xn	22	
Mangan(II)-sulfat	Xn, N	48/20/22-51/53	(2)-22-61
Mangan(IV)-oxid	Xn	20/22	(2)-25
Methacrylsäuremethylester	F, Xi	11-37/38-43	(2)-24-37-46
Methan	F+	12	(2)-9-16-33
Methanol	F, T	11-23/24/25-39/23/24/25	(1/2)-7-16-36/37-45
Methansäuremethylester	F+, Xn	12-20/22-36/37	(2)-9-16-24-26-33
Methylenblau	Xn	22	(2)-22-24/25
4-Methyl-2-pentanon (Isobutylmethylketon)	F, N	11-20-36/37-66	(2)-9-16-29
2-Methyl-2-propanol	F, Xn	11-20	(2)-9-16
Methylorange	T	25	37-45
DL-Milchsäure	Xi	36/38	(2)-26-36
β-Naphthol (2-Naphthol)	Xn, N	20/22-50	(2)-24/25-61
Natrium	C, F	14/15-34	(1/2)-5-8-43-45
Natriumcarbonat	Xi	36	(2)-22-26
Natriumcarbonat -Decahydrat	Xi	36	(2)-22-26
Natriumdithionit	Xn	7-22-31	(2)-7/8-26-28-43
Natriumfluorid	T	25-32-36/38	(1/2)-22-36-45
Natriumhydrogensulfat	Xi	41	(2)-24-26
Natriumhydroxid	C	35	(1/2)-26-37/39-45
5 % $\leq w$	C	35	(1/2)-26-37/39-45
2 % $\leq w <$ 5 %	C	34	(1/2)-26-37/39-45
0,5 % $\leq w <$ 2%	Xi	36/38	(1/2)-26-37/39-45
Natriumnitrat	O, Xn	8-22-36	22-24-41
Natriumnitrit	O, T, N	8-25-50	(1/2)-45-61
Natriumperborat (Natriumperoxoborat-Trihydrat)	Xi	36	26
Natriumsulfid	C, N	31-34-50	(1/2)-26-45-61
Natriumsulfit	Xi	31	
Dinatriumtetraborat (Borax)			24/25
Nickel(II)-bromid	Xi, N	43-50/53	24-37-61
Nickel(II)-sulfat	Xn, N	22-40-42/43-50/53	(2)-22-36/37-60-61
Ninhydrin	Xn	22-36/37/38	22
2-Nitrobenzaldehyd			24/25
Oxalsäure	Xn	21/22	(2)-24/25
Oxalsäurediethylester	Xn	22-36	(2)-23
Pentan	F+, Xn, N	12-51/53-65-66-67	(2)-9-16-29-33-61-62
1-Pentanol	Xn	10-20	(2)-24/25
1-Propanol	F, Xi	11-41-67	(2)-7-16-24-26-39
2-Propanol	F, Xi	11-36-67	(2)-7-16-24/25-26
Pentansäure (Valeriansäure)	C	34-52/53	(1/2)-26-36-45-61
Petrolether Siedebereich ca. 50-75 °C	F, Xn	11-52/53-65	9-16-23-24-33-62
Petroleumbenzine Siedebereich ca. 40-60 °C	F, Xn, N	11-52/53-65	9-16-23-24-33-61-62
Petroleumbenzin Siedebereich ca. 100-140 °C	F, Xn, N	11-52/53-65	9-16-23-24-33-61-62

Bezeichnung des Stoffes	Kenn-buch-stabe	Gefahren-hinweise (R-Sätze)	Sicherheits-ratschläge (S-Sätze)
Phenol	T	24/25-34	(1/2)-28-45
Phosphorsäure	C	34	(1/2)-26-36/37/39-45
Phthalsäureanhydrid	Xn	22-37/38-41-42/43	(2)-23-24/25-26-37/39-46
Phthalsäuredioctylester	T	60-61	53-45
Propanon, siehe Aceton			
Propen	F+	12	(2)-9-16-33
Resorcin (1,3-Dihydroxybenzol)	Xn, N	22-36/38-50	(2)-26-61
Salicylsäure	Xn	22-41	22-24-26-39
Salpetersäure			
$w \geq$ 70 %	O, C	8-35	(1/2)-23-26-36-45
$w \geq$ 20 %	C	35	(1/2)-23-26-36-45
5 % $\leq w <$ 20 %	C	34	(1/2)-23-26-36-45
Salzsäure			
$w \geq$ 25 %	C	34-37	(1/2)-26-36/37/39-45
10 % $\leq w <$ 25 %	Xi	36/37/38	(1/2)-26-36/37/39-45
Sauerstoff	O	8	(2)-17
Schwefelsäure			
$w \geq$ 15 %	C	35	(1/2)-26-30-45
5 % $\leq w <$ 15 %	Xi	36/38	(1/2)-26-30-45
Sebacinsäuredichlorid	C	22-34	(1/2)-26-36/37/39-45
Silbernitrat	C, N	34-50/53	(1/2)-26-45-60-61
Sorbinsäure	Xi	36/37	(2)-22-24/25
Stickstoffdioxid	T+	26-34	(1/2)-9-26-28-36/37/39-45
Stickstofftetraoxid	T+	26-34	(1/2)-9-26-28-36/37/39-45
Styrol	Xn	10-20-36/38	(2)-23
Sudanrot B			22-24/25
Sulfanilsäure (4-Aminobenzosulfonsäure)	Xi	36/38-43	(2)-24-37
Toluol	F, Xn	11-20	(2)-16-25-29-33
Wasserstoff	F+	12	(2)-9-16-33
Wasserstoffperoxid			
$w \geq$ 60 %	O, C	8-34	(1/2)-3-28-36/39-45
$w \geq$ 20 %	C	34	(1/2)-3-28-36/39-45
5 % $\leq w <$ 20 %	Xi	36/38	(1/2)-3-28-36/39-45
DL-Weinsäure	Xi	36/37/38	(2)-26-36
Zinkbromid	C	34	(1/2)-7/8-26-36/37/39-45
Zinkchlorid	C, N	34-50/53	(1/2)-7/8-28-45-60-61
Zinkpulver (phlegmatisiert)		10-15	(2)-7/8-43
Zinksulfat	Xi, N	36/38-50/53	(2)-22-25-60-61
Zinn(II)-chlorid-Dihydrat	Xn	22-36/37/38-43	(2)-24-26-37

Kennbuchstaben und Gefahrenbezeichnungen

T+	Sehr giftig	E	Explosionsgefährlich
T	Giftig	O	Brand fördernd
Xn	Gesundheitsschädlich	F+	Hoch entzündlich
Xi	Reizend	F	Leicht entzündlich
C	Ätzend	N	Umweltgefährlich

Gefahrenhinweise: R-Sätze

R 1 In trockenem Zustand explosionsgefährlich

R 2 Durch Schlag, Reibung, Feuer oder andere Zündquellen explosionsgefährlich

R 3 Durch Schlag, Reibung, Feuer oder andere Zündquellen besonders explosionsgefährlich

Gefahrstoffe

R-Sätze (Fortsetzung)	
R 4	Bildet hoch empfindliche explosionsgefährliche Metallverbindungen
R 5	Beim Erwärmen explosionsfähig
R 6	Mit und ohne Luft explosionsfähig
R 7	Kann Brand verursachen
R 8	Feuergefahr bei Berührung mit brennbaren Stoffen
R 9	Explosionsgefahr bei Mischung mit brennbaren Stoffen
R 10	Entzündlich
R 11	Leicht entzündlich
R 12	Hoch entzündlich
R 14	Reagiert heftig mit Wasser
R 15	Reagiert mit Wasser unter Bildung hoch entzündlicher Gase
R 16	Explosionsgefährlich in Mischung mit Brand fördernden Stoffen
R 17	Selbstentzündlich an der Luft
R 18	Bei Gebrauch Bildung explosionsfähiger/leicht entzündlicher Dampf-Luft-Gemische möglich
R 19	Kann explosionsfähige Peroxide bilden
R 20	Gesundheitsschädlich beim Einatmen
R 21	Gesundheitsschädlich bei Berührung mit der Haut
R 22	Gesundheitsschädlich beim Verschlucken
R 23	Giftig beim Einatmen
R 24	Giftig bei Berührung mit der Haut
R 25	Giftig beim Verschlucken
R 26	Sehr giftig beim Einatmen
R 27	Sehr giftig bei Berührung mit der Haut
R 28	Sehr giftig beim Verschlucken
R 29	Entwickelt bei Berührung mit Wasser giftige Gase
R 30	Kann bei Gebrauch leicht entzündlich werden
R 31	Entwickelt bei Berührung mit Säure giftige Gase
R 32	Entwickelt bei Berührung mit Säure sehr giftige Gase
R 33	Gefahr kumulativer Wirkungen
R 34	Verursacht Verätzungen
R 35	Verursacht schwere Verätzungen
R 36	Reizt die Augen
R 37	Reizt die Atmungsorgane
R 38	Reizt die Haut
R 39	Ernste Gefahr irreversiblen Schadens
R 40	Verdacht auf Krebs erzeugende Wirkung
R 41	Gefahr ernster Augenschäden
R 42	Sensibilisierung durch Einatmen möglich
R 43	Sensibilisierung durch Hautkontakt möglich
R 44	Explosionsgefahr bei Erhitzen unter Einschluss
R 45	Kann Krebs erzeugen
R 46	Kann vererbbare Schäden verursachen
R 48	Gefahr ernster Gesundheitsschäden bei längerer Exposition
R 49	Kann Krebs erzeugen beim Einatmen
R 50	Sehr giftig für Wasserorganismen
R 51	Giftig für Wasserorganismen
R 52	Schädlich für Wasserorganismen
R 53	Kann in Gewässern längerfristig schädliche Wirkung haben
R 54	Giftig für Pflanzen
R 55	Giftig für Tiere
R 56	Giftig für Bodenorganismen
R 57	Giftig für Bienen
R 58	Kann längerfristig schädliche Wirkungen auf die Umwelt haben
R 59	Gefährlich für die Ozonschicht
R 60	Kann die Fortpflanzungsfähigkeit beeinträchtigen
R 61	Kann das Kind im Mutterleib schädigen
R 62	Kann möglicherweise die Fortpflanzungsfähigkeit beeinträchtigen
R 63	Kann das Kind im Mutterleib möglicherweise schädigen
R 64	Kann Säuglinge über die Muttermilch schädigen
R 65	Gesundheitsschädlich: Kann beim Verschlucken Lungenschäden verursachen
R 66	Wiederholter Kontakt kann zu spröder und rissiger Haut führen
R 67	Dämpfe können Schläfrigkeit und Benommenheit verursachen
R 68	Irreversibler Schaden möglich

Sicherheitsratschläge: S-Sätze	
S 1	Unter Verschluss aufbewahren
S 2	Darf nicht in die Hände von Kindern gelangen
S 3	Kühl aufbewahren
S 4	Von Wohnplätzen fern halten
S 5	Unter … aufbewahren (geeignete Flüssigkeit vom Hersteller anzugeben)
S 6	Unter … aufbewahren (inertes Gas vom Hersteller anzugeben)
S 7	Behälter dicht geschlossen halten
S 8	Behälter trocken halten
S 9	Behälter an einem gut gelüfteten Ort aufbewahren
S 12	Behälter nicht gasdicht verschließen
S 13	Von Nahrungsmitteln, Getränken und Futtermitteln fern halten
S 14	Von … fern halten (inkompatible Substanzen vom Hersteller anzugeben)
S 15	Vor Hitze schützen
S 16	Von Zündquellen fern halten – Nicht rauchen
S 17	Von brennbaren Stoffen fern halten
S 18	Behälter mit Vorsicht öffnen und handhaben
S 20	Bei der Arbeit nicht essen und trinken
S 21	Bei der Arbeit nicht rauchen
S 22	Staub nicht einatmen
S 23	Gas/Rauch/Dampf/Aerosol nicht einatmen (geeignete Bezeichnung[en] vom Hersteller anzugeben)
S 24	Berührung mit der Haut vermeiden
S 25	Berührung mit den Augen vermeiden
S 26	Bei Berührung mit den Augen gründlich mit Wasser abspülen und Arzt konsultieren
S 27	Beschmutzte, getränkte Kleidung sofort ausziehen
S 28	Bei Berührung mit der Haut sofort abwaschen mit viel … (vom Hersteller anzugeben)
S 29	Nicht in die Kanalisation gelangen lassen
S 30	Niemals Wasser hinzugießen
S 33	Maßnahmen gegen elektrostatische Aufladung treffen
S 35	Abfälle und Behälter müssen in gesicherter Weise beseitigt werden
S 36	Bei der Arbeit geeignete Schutzkleidung tragen
S 37	Geeignete Schutzhandschuhe tragen
S 38	Bei unzureichender Belüftung Atemschutzgerät anlegen
S 39	Schutzbrille/Gesichtsschutz tragen
S 41	Explosions- und Brandgase nicht einatmen
S 42	Beim Räuchern/Versprühen geeignetes Atemschutzgerät anlegen (geeignete Bezeichnung[en] vom Hersteller anzugeben)
S 43	Zum Löschen … (vom Hersteller anzugeben) verwenden (wenn Wasser die Gefahr erhöht, anfügen: „Kein Wasser verwenden“)
S 44	Bei Unwohlsein ärztlichen Rat einholen (wenn möglich, dieses Etikett vorzeigen)
S 45	Bei Unfällen oder Unwohlsein sofort Arzt zuziehen (wenn möglich, dieses Etikett vorzeigen)
S 46	Bei Verschlucken sofort ärztlichen Rat einholen und Verpackung oder Etikett vorzeigen
S 47	Nicht bei Temperaturen über … °C aufbewahren (vom Hersteller anzugeben)
S 48	Feucht halten mit … (geeignetes Mittel vom Hersteller anzugeben)
S 49	Nur im Originalbehälter aufbewahren
S 50	Nicht mischen mit … (vom Hersteller anzugeben)
S 51	Nur in gut belüfteten Bereichen verwenden
S 52	Nicht großflächig für Wohn- und Aufenthaltsräume zu verwenden
S 53	Exposition vermeiden. Vor Gebrauch besondere Anweisung einholen
S 56	Diesen Stoff und seinen Behälter der Problemabfallentsorgung zuführen
S 57	Zur Vermeidung einer Kontamination der Umwelt geeigneten Behälter verwenden
S 59	Informationen zur Wiederverwendung/Wiederverwertung beim Hersteller/Lieferanten erfragen
S 60	Dieser Stoff und/oder sein Behälter sind als gefährlicher Abfall zu entsorgen
S 61	Freisetzung in die Umwelt vermeiden. Besondere Anweisungen einholen/Sicherheitsdatenblatt zu Rate ziehen
S 62	Bei Verschlucken kein Erbrechen herbeiführen. Sofort ärztlichen Rat einholen und Verpackung oder dieses Etikett vorzeigen
S 63	Bei Unfall durch Einatmen: Verunfallten an die frische Luft bringen und ruhig stellen
S 64	Bei Verschlucken Mund mit Wasser ausspülen (nur wenn Verunfallter bei Bewusstsein ist)

Stichwortregister

A
α-Aminocarbonsäuren 360
α-Helix 365
α-Strahlen 217, 218
α-Zerfall 218
Abfall 268, 269
Abscheidungspotential 170
Absorptionsgrad 28
Abwasserreinigung 260, 261
Acetale 308
Acetation 311
Aceton 306, 307
Acetylen 293
Acetylsalicylsäure 331
Acrolein 307
Acetaldehyd 306, 307
Acylglycerine 338
Additionsreaktionen 289
– nucleophile 308
additive Farbmischung 420, 421
Adenin 370
Adenosindiphosphat 376
Adenosintriphosphat 376
ADI-Wert 436
ADP 376
Adsorption 20
Aesculin 438
Akkumulator 175, 176
Aktivierungsenergie 76, 77, 84
Aktivität 104
Albumine 356
Aldehyde 306–308
Aldehydnachweis 306
Aldosen 349
Alizarin 429, 434
Alkalichloridelektrolyse 173, 174
Alkali-Mangan-Batterie 175
Alkanale 306
Alkane 277–283
Alkanoate 314
Alkanolate 302
Alkanole, homologe Reihe 300, 301
Alkanone 306
Alkansäuren 313
Alkene 288, 289
Alkine 293
Alkoholate 302
alkoholische Gärung 298
Alkoholismus 299
Alkylbenzole 334
Allgemeine Gasgleichung 14
Altpapierrecycling 269
Aluminium, Gewinnung 188, 189
Amalgamverfahren 174
Amaranth S 436
Ameisensäure 313
Aminoplaste 387
Aminosäuren 358–361
Aminosäuresequenz 364
Ammoniaksynthese 98, 99
Ammoniumnachweis 8, 9
Ampholyte 133
Amphotenside 408
Amylopektin 354
Amylose 354
Anilin 329
Anionenaustauscher 25
anionische Tenside 408
Anode 158
Anomalie des Wassers 49
Anomere 347
Anthracen 324
Anthrachinonfarbstoffe 429
Antioxidantien 315
Äpfelsäure 315
Äquivalentdosis 224, 225
Äquivalentleitfähigkeit 166
Äquivalenzpunkt 144,145
Aramidfasern 400
Arrhenius, S. 130
Arrhenius-Gleichung 84
Arzneimittel 330
Asbest 240
Ascorbinsäure 315
Aspartam 362
Aspirin® 331
Atmosphäre 242
Atmungskette 377
atomare Masseneinheit u 10
Atombombe 229
Atomgitter 50
Atomkern 34
Atomradien 40, 44
Atomspektren 36
ATP 376
Austenit 200
Autoabgaskatalsator 254, 255
Autobatterie 177
Autokatalyse 80
Autoprotolyse des Wassers 134
Avogadro-Hypothese 13
Avogadro-Konstante 11
Azofarbstoffe 425–427
– als Indikatoren 426
– Synthese 426
– Verwendung 427
Azogruppe 425
Azokupplung 426

B
β 15
β⁻-Strahlen 217
β⁻-Zerfall 218
β⁺-Zerfall 222
Backprozess 357
Baeyers Reagenz 289
Bakelit 382
Balmer-Serie 36
Basekonstante 137
Bathochromie 423
Batterien 175, 176
Batterietypen 178
Baumsterben 256
Bauxit 188
Becquerel, H. 217
Beilsteinprobe 17
Benzaldehyd 334
Benzine 279
Benzoesäure 315, 334
Benzol 322
Benzolcarbonsäure 334
Benzolmolekül 322, 323, 325
Benzpyren 324
Benzylalkohol 334
Beton 238
Bildungsenthalpie 112–117
bimolekulare Reaktion 74
Bindungsenergie 44
Bindungsenthalpie 117
Bindungslänge 44
Bioabfall 269
Biodiesel 266
Biogas 275
Biokatalysatoren 81
Biopol 397
Biosynthese der Proteine 371
Biuretreaktion 356
Blausucht 259
Bleiakkumulator 176, 177
Bleichmittel 411
Bleikristallglas 235
Blutalkoholgehalt 299
Bodenart 262
Bosch, C. 98
Boudouard-Gleichgewicht 193, 194
Boyle, R. 130
Brauneisenstein 192
Brennelemente 227
Brennspiritus 298
Brennstäbe 227
Brennstoffzelle 179
– in Kraftfahrzeugen 181
Bromidnachweis 8, 9
Bromoniumion 290
Brønsted, J. N. 131
Brønstedbase 131
Brønstedsäure 131
Buckminsterfulleren 50
Builder 410
Butansäure 313
Butansäureester 318
Buttersäure 313

C
γ-Strahlen 217
Caesiumchloridgitter 40
Calciumcarbid 293
Calvin-Zyklus 379
Carbonatnachweis 8, 9
Carbonsäureester 318
Carbonsäuren 310, 313–315
Carbonylfarbstoffe 429
Carbonylgruppe 306
Carboxylatgruppe 311
Carboxylgruppe 310
Carotinoide 432
Castor 228
Cellophan 382
Celluloid 382
Cellulose 355
CFKW-Ausstieg 286
Chelatkomplexe 207
Chemische Evolution 374
Chemisches Gleichgewicht 88
Chiralität 342
Chlor-Alkali-Elektrolyse 173, 174
Chlorfluorkohlenwasserstoffe 286
Chloridnachweis 8, 9
Chlormethylsilane 240
Chlorophyll 213
Chromatografie 20–26
Chromophor 423
Cisplatin 212
Cis-trans-Isomerie 292
– bei Komplexen 204
Citratzyklus 377
Citronensäure 315
Claus-Prozess 295
Cluster 49
CO_2-Bilanz nachwachsender Rohstoffe 264
Compact-Disc 392
Copolymere 385
Coulomb-Gesetz 41
Crackverfahren 288, 294
Cumarin 438
Curie, M. u. P. 217
Cyanine 422, 423
Cycloalkane 287
Cystein 360, 361
Cytosin 370

D
Dampfdruck 102
Daniell-Element 158
DNA-Sequenzanalyse 373
Dauerwelle 367
DDT 336
De-Broglie-Beziehung 58
Dehydratisierung 302
De-inken, von Zeitungspapier 269
demineralisiertes Wasser 25
Denaturierung von Proteinen 366
DENOX-Anlage 253
Derivate 283
Desoxyribonucleinsäuren 370
Destillation 103
– fraktionierende 103, 279
Dewargefäß 106
Dextrin 355
Diamant 50
diamantartige Stoffe 51
Diaphragmaverfahren 173
Diastereomere 349
Diazotierung 426
Dicarbonsäuren 314, 315
– aromatische 334
dichteste Kugelpackung 54
Dieselöl 279, 280
Diethylether 305
Diffusionsstrom 169
Dioxin 272
Dipeptide 362
Dipol-Dipol-Wechselwirkungen 48
Dipolmolekül 46, 52
Dipolmoment 52
Direktfärbung 430
Direktreduktion 200
Disaccharide 352, 353
Dispersion 406
Dissoziationskonstante, für Komplexe 207
DNA 370
Dobson-Einheiten 249
Dodecansäure 315
Donator-Akzeptor-Prinzip 165
Doppelbindung 44
– isolierte, konjugierte, kumulierte 292
Doppelkontaktverfahren 101
Doppelstrahlspektrometer 30
Dotierung 55
Dreifachbindung 44
Dreiweg-Katalysator 254
Druckwasserreaktor 227
Duktilität 55
Dünnschichtchromatografie 23
Duroplaste **388**, 391
dynamisches Gleichgewicht 88

E
ε-Zerfall 220
Edelgaskonfiguration 39
Edelstahl 198
Edman-Abbau 364
effektive Äquivalentdosis 224
Eigenleitfähigkeit 55
Einstabmesskette 165
Einstein, A. 216
Eisenerze 192
Eisenionennachweis 8, 9
Eisenkies 192
Eisessig 311
Eiweiß 356
Elasthan 394
Elastomere 388
Elektrochemische Korrosion 182–184
Elektrochemische Spannungsreihe 159–161
Elektrode 158
Elektrolichtbogenverfahren 197
Elektrolyse 168
Elektrolytische Raffination 174
Elektron 34
– als stehende Welle 59
Elektronegativität 46
Elektronengasmodell 55, 422
Elektronenhülle 34
Elektronenkonfiguration 62
Elektronenpaar 44
Elektronenpaarabstoßungsmodell 45
Elektronenpaarbindungstheorie bei Komplexen 205
Elektronenübergänge 150, 151
Elektronenwelle 59–61
elektrophile Addition 290, 291
elektrophile Substitution 326
Elektrophorese 361
Elektrostahl 197
Elementaranalyse 18
elementare Stoffe 50
Elementarreaktion 74
Eliminierung 302
Eloxalverfahren 189
Emission 250
Emulgatoren 414
– in Kosmetika 416

Stichwortregister

Emulsion 406, 414
Enantiomere 342, 344, 345
endergonisch 127
Energiediagramm einer Reaktion 285
Energieerhaltungssatz 112
Energiestufen 35
Enthalpie 109
Entropie 122–125
Entschwefelung 253, 295
Entstickung 253
Entwicklung von Fotos 437
Entwicklungsfärbung 430
E-Nummern einiger Lebensmittelfarbstoffe 436
Enzyme 81, **368**
– in Waschmitteln 413
Epoxidharze 397
Erde, Energiebilanz 243
Erdgas 274
Erlenmeyer-Regel 304
Erster Hauptsatz der Energetik 112
Erzanreicherung 192
essenzielle Fettsäuren 340
Essig 310
essigsaure Tonerde 311
Essigsäureethylester 318
Ester 318, 319
Ethanal 306, 307
Ethandiol 304
Ethanmolekül, Struktur 276
Ethanoation 311
Ethanol 298
Ethansäure 310
Ethansäureester 318
Ethen 288
Ether 305
Ethin 293
Ethylen 288
Eutrophierung 26, 410
exergonisch 127
Exosphäre 242
Explosionsgrenze 282
Extinktion 29
Extrudieren 390

F
FAD 376
Fallout 229
FARADAY, M. 171
Faraday-Gesetze 171, 172
Farbe
– und Licht 27, 420, 421
– und Struktur 422, 423
Färbepflanzen 433
Färbeverfahren 430, 431
Farbfotografie 437
Farbkreis 420
Farbmittel 424
Farbstoffe 424
Farbstoffklassen 425–429
Fehling-Probe 346
Feldspäte 240
Fermente 368
Fette 338–340
Fettextraktion 341
Fettsäuren 313
– gesättigte 414
– ungesättigte 314
Feuerverzinken 184
Fibrille 366, 367
FISCHER, E. 344
Fischer-Projektion 344, 346
Flachglas 235
Fließgleichgewicht 94
Floatverfahren 235
Flotation 418
Föhnfrisur 367
Folienblasen 390
Formaldehyd 307
Formalin 307
Formeln von Ionenverbindungen 40
Fotochemische Smogreaktionen 247
Fotometrie 27–29
Fotooxidantien in der Atmosphäre 246
Fotosmog 246
Fotosynthese 378, 379
Fotovoltaik 181, 237
fraktionierende Destillation **103**, 279
Freie Enthalpie 126, 127
Frequenz 36
Friedel-Crafts-Alkylierung 327
Frischen von Roheisen 196
Frostschutzmittel 304
Fruchtsäuren 315
Fructose 348
Fullerene 51
Fullerit 50, 51
funktionelle Gruppe 300
Furan 324
Furanose 348

G
Galvanisches Element 157
Gaschromatografie 22
Gasgesetze 14
Gehaltsangaben 15
Geiger-Müller-Zählrohr 217
Gel-Chromatografie 25
Gen 371
Genetischer Code 371
Gentechnik 372
Geruchsschwellen 251
Gerüsteiweiß 356
Gesamthärte des Wassers 209
Geschwindigkeitsgesetz 73
Gesetz von BOYLE und MARIOTTE 14
Gesetz von GAY-LUSSAC 12
Gesteinskorrosion 256
Getränkeverpackung 393
Gibbs-Helmholtz-Gleichung 126
Gichtgas 195
Gitterenergie 42
– und Hydratisierung 43
Gittermodell
– von Magnesiumchlorid 56
– von Kalkspat 41
– von Caesiumchlorid 40
– von Natriumchlorid 39
Gittertyp 40, 41
Glas 234, 235
Glaselektrode 165
Glaskeramik 238
Gleichgewicht 88
– Beeinflussung 90–94
– dynamisches 88
– und Aggregatzustände 102, 103
Gleichgewichtskonstante 89
– Temperaturabhängigkeit 92
Glimmer 240
Globuline 356
Glockenboden 103, 279
Glockenbodenkolonne 103, 279
Glucose 346, 347
Glucotest 351
Gluten 357
Glycerin 304
Glycin 358, 359
glycosidische Bindung 352
Glykol 304
Glykolyse 377
Goldrute 433
Graphit 50, 51
Grenzflächenspannung 404
Grenzformeln 312, 324
Grubengas 275
Grundgesetz des radioaktiven Zerfalls 219
Grünspan 311
Guanin 370
Gummi 395
Gusseisen 196
Gussstahl 198

H
Haarformung 367
HABER, F. 98
Haber-Bosch-Verfahren 98, 99
HAHN, O. 226
Halbacetal 308
Halbketal 308
Halbleiter 55
Halbstrukturformel 278
Halbwertszeit 220
Halbwertszeit von Reaktionen 68
Halogenalkane 286
Hämatit 192
Hämoglobin 213
Härtebereiche des Wassers 209
Hauptgruppen 62
Hauptquantenzahl 60
Hausmüll, Zusammensetzung 268
Haworth-Formel 347
Heizwert 296
Heliozimt K 416
Henderson-Hasselbalch-Gleichung 142
Heteroaromaten 324
heterogene Katalyse 79
Hexadecansäure 315
hexagonal dichteste Kugelpackung 54
Hexan, Isomere 280
Hexanhexol 304
2-Hexenal 307
HIPPOKRATES 331
Hochdruck-Flüssigkeits-Chromatografie 24, 25
Hochofen 192–194
Hock-Synthese 329
HOFFMANN, F. 331
Hohlglas 235
Hohlkörperblasen 390
homogene Katalyse 80
homologe Reihe 277
– der Alkanole 300
– der Alkene 289
– der Alkansäuren 313, 315
HPLC 24, 25
Hückel-Regel 324, 325
Hund'sche Regel 62
Hybridisierung 65
Hydrathülle 43
Hydratisierungsenergie 43
Hydrierung von Fetten 340
Hydrocracken 295
Hydrolyse 239
Hydroniumion 131
hydrophil 281
hydrophob 281
Hydroxycarbonsäuren 314, 315
Hydroxylgruppe 298, 300
Hyperzyklus 375

I
IEP 359
Immisionen 251, 256
Indanthrenfarbstoffe 429
Indigo 429
induktiver Effekt 291, 332
Industriepflanzen 265
induzierte Dipole 48
Inertelektrode 159
Infrarotspektroskopie 30, 31
Inhibitor 81
innere Energie 108
Insulin 363
Interferenz 57
Inversion 352, 353
Inversionswetterlage 247
Invertzucker 353
Iodidnachweis 8, 9
Iodometrie 154, 155
Iodzahl 339
Ionenäquivalentleitfähigkeit 166
Ionenaustausch-Chromatografie 25
Ionenaustauscher 25
Ionenbindung 37
Ionengitter 38, 40
Ionenprodukt des Wassers 134
Ionenradien 40
Ionenverbindungen 42
ionische Polymerisation 385
Ionisierungsenergie 35
Isobare 226
isoelektrischer Punkt 359
isolierte Doppelbindung 292
Isomerie 277, 278
– bei Komplexen 204
Isomeriearten 292
Isopropylalkohol 301
Isotope 34
ITER 229
IUPAC-Nomenklatur 278

K
Kalandrieren 391
Kalkgehalt des Bodens 263
Kalkseife 407
Kalorimeter 106, 107
Kaolin 238
Kapazität einer Batterie 176
Karamell 352
Katalyse 78–81
Kathode 158
Kationenaustauscher 25
kationische Tenside 408
Kationtenside 408
Kautschuk 395
KEKULÉ, A. 321, 323
Kelvin-Temperaturskala 14
Kernbindungsenergie 216
Kernbrennstoff 227
kernchemische Gleichungen 218
Kernfotoeffekt 230
Kernfusion 229
Kern-Hülle-Modell 34
Kernkräfte 216
Kernladungszahl 34
Kernreaktor 227
Kernseifen 402
Kernspaltung 226–228
Kernspintomografie 32
Kernumwandlung 222
Kernwaffen 229
Kerosin 279, 280
Kesselstein 410
Ketale 308
Keto-Enol-Tautomerie 348
Ketone 306–308
Ketosen 349
Kettenreaktion 226, 227
Kevlar® 400
Kieselsäuren 232
Kläranlage 260
Klebereiweiß 357
Klebstoffe 394
Klonierung 372
Klopfen des Motors 282
Knopfbatterien 176
kohlefreies Durchschreibepapier 438
Kohlenstoffdioxid 232
– als Treibhausgas 244
Kohlenstoffdioxidgleichgewicht 92, 94
Kohlenstoffdioxid-Hydrogencarbonat-System 148
Kohlenstoffdioxidkreislauf 245
Kohlenstoffdioxidzunahme 245
Kohlenwasserstoffe, ungesättigte 289
Kollisionsmodell 74
kolloidale Lösung 405
Kolorimetrie 27
Komplementärfarbe 27, 420
Komplexverbindungen 201–214
Kondensation 305
Kondensationsreaktion 318
konduktometrische Titration 167
Konformation 276, 287

Stichwortregister

Konjugierte Doppelbindung 292
Konservierungsstoffe 315
Konstitutionsisomerie 292
Kontaktverfahren 100, 101
kontinuierliches Spektrum 36
Konverter 196
Konzentrationselemente 162
Koordinationspolyeder 204
Koordinationstheorie 202
Koordinationszahl 38, 204
Korrosion 182
Korrosionsinhibitoren 413
Korrosionsschutz 184
Kosmetika 415, 416
kosmische Strahlung 224
Krapplacke 434
Kristallfeldtheorie 205
Kristallviolett 428
kritische Masse 229
Kronenether 214
Kryolith 189
kubisch dichteste Kugelpackung 54
kubisch flächenzentriertes Gitter 54
Kugelpackung, dichteste 54
kumulierte Doppelbindung 292
Kunstharzlacke 395
Kunsthonig 353
Kunsthorn 382
Kunststoffverpackungen 392, 293
Kunststoffverwertung 398, 399
Küpenfärbung 431

L

Lacke 395
Lactose 353
Lambdasonde 255
Lambert-Beer-Gesetz 29
Laurinsäure 315
LAVOISIER, A.L. 130
Lebensmittelfarbstoffe 436
Lecithin 414
Leclanchèelement 175
Lego® 385
Leichtbenzin 279, 280
leichtes Heizöl 279, 280
Leitfähigkeitstitration 166, 167
Lewisbase 214
Lewis-Formel 44
Lewissäure 214
Lewis-Säure-Base-Theorie 214
Lewis-Schreibweise 44
Licht, sichtbares 27
– monochromatisches 28
Lichtbogenofen 197
Lichtgeschwindigkeit 36
Lichtquant 36
Lichtreaktionen 378, 379
LIEBIG, J. VON 311
Ligand 202
Ligandenfeldtheorie 205
Limonit 192
Lindan 286
Linienspektrum 36
Linolensäure 339
Linolsäure 339
lipophil/lipophob 281
Lithium-Ion-Batterie 178
Lithium-Mangan-Batterie 176
Lokalelement 182, 183
Löslichkeitsprodukt 96, 97
Lösungsgleichgewichte 96, 97
Lösungstension 158
Lösungswärme 43
Luftschadstoffe 250, 251
Lymen-Serie 36

M

Magnesiumchlorid, Gittermodell 56
Magneteisenstein 192
Magnetit 192
Magnetquantenzahl 61
MAK 250
Makromoleküle 382
Malachitgrün 428
Malate 315
Maltose 353
Margarine 340, 341
Massenanteil 15
Massendefekt 216
Massenkonzentration 15
Massenspektrometrie 26
Massenwirkungsgesetz 88, 89
Mehrbereichsöl 281
Mehrfachsubstitutionen 284
mehrwertige Alkohole 304
Membranfiltration 261
Membranverfahren 173
mesomerer Effekt 332
Mesomerie 312, 324, 325
Mesosphäre 242
Metallgitter 54
Metallocene 211
Metallorganische Verbindungen 210
metastabil 78
Methan, Vorkommen und Eigenschaften 275
Methanal 307
Methanmolekül, Struktur 276
Methanol 301
Methanolyse 239
Methansäure 313
Methylbenzol 334
Methylorange, Grenzformeln 426
Methyl-tertiär-butylether 305
Micellen 405
MIK 250
Mikrozustände und Makrozustände 122
Milchsäure 314, 315, 342
Miller-Experiment 374
Mischungsentropie 125
Mittelbenzin 279, 280
mobile Phase 21
Moderatoren 227
Modifikation 50
modifizierte Stärke 354
Mol 11
molare Masse 11
molares Normvolumen 13
molares Volumen 13
Molekularsieb-Chromatografie 25
Molekülgitter 48
Molekülorbital 63, 64
Möller 193
Momentangeschwindigkeit 69
MO-Modell 64
monochromatisches Licht 28
Monomere 382
Monosaccharide 349
MTBE 305
multiplikative Verteilung 21
Mutationen 372

N

Nachwachsende Rohstoffe 264–267
Nachweisreaktionen für
– Ammoniumionen 8, 9
– Bromid 8, 9
– Carbonat 8, 9
– Chlorid 8, 9
– Eisenionen 8, 9
– Iodid 8, 9
– Halogenatome in organischen Verbindungen 17
– Kohlenstoffatome in organischen Verbindungen 16
– Kohlenstoffdioxid 16
– Phosphoratome in organischen Verbindungen 17
– Sauerstoffatome in organischen Verbindungen 16
– Schwefelatome in organischen Verbindungen 17
– Sulfat 8, 9
– Stärke 355
– Stickstoffatome in organischen Verbindungen 17
– Wasser 16
– Wasserstoffatome in organischen Verbindungen 16
NAD 376
NADH 377
Naphtha 280, 288, 295
Naphthalin 324
Natriumchloridgitter 38, 39
Natron-Wasserglas 234
Nebelkammer 217
Nebenquantenzahl 60
NERNST, W. 163
Nernst-Gleichung 163–165
Neutron 34
Neutronenstrahlen 223
nichtionische Tenside 408
Nickel-Cadmium-Akkumulator 177
Nickel-Metallhydrid-Akkumulator 178
Niotenside 409
Nitrat im Trinkwasser 259
Nitrierung von Benzol 327
Nitrifizierung 261
Nitrit 259
Nitroglycerin 319
Nitrosamine 259
n-Leiter 55
NMR-Spektroskopie 32
Nomenklatur
– der Alkane 278
– der Benzolderivate 335
Nucleinsäuren 370–372
nucleophil 291
nucleophile Addition 308
nucleophile Substitution 303
Nukleonen **34**, 216
Nukleonenzahl 34
Nuklid 216
Nylon® 382, 394

O

Oberflächenspannung 404
Octadecansäure 315
Octanzahl 282, 283
Ocytocin 362, 363
Ökobilanzen 270, 271
Oktetterweiterung 45
Oktettregel 44
Oligopeptide 362
Ölsäure 339
Omega-3-Fettsäuren 340
Opferanode 184
optische Aktivität 343
optische Aufheller 412, 438
Orbital 61
Ordnung in Systemen 120, 121
Ordnungszahl 34
organische Chemie 16
Orthokieselsäure 232
Ottomotor, Verbrennung im 282
Oxalate 315
Oxalsäure 315
Oxidation 150, 151
Oxidationsmittel 151
Oxidationszahl 152
Oxoniumion 131
Ozon 246
– Schwellenwerte 247
Ozonloch 248, 249

P

π-Bindung 66
Palmitinsäure 315
Papierchromatografie 23, 24
Papierherstellung 355
Paraffine 282
Partialladung 46
Paschen-Serie 36
PASTEUR, L. 344
Pauli-Prinzip 61
PE 382, 384
Peak 22, 23
Pentanpentol 304
Pentansäurepentylester 318
Peptide 362, 363
Perlit 200
Perlon® 382, 394
permanente Dipole 49
Permanganometrie 155
PET 386
Petrochemie 295
Petroleum 279, 280
Pharmaka 330
pH-Elektrode 165
Phenanthren 324
Phenol 328, 329
Phenolphthalein 428
Phenoplaste 387
Phenylmethan 334
pH-Wert 134, 135
Pigmente 424
pK_B-Wert 137
pK_S-Wert 137
Planck-Konstante 36, 58
p-Leiter 55
Plexiglas 382
PMMA 384
polare Atombindung 46, 47
Polarimeter 343
Polarisationsspannung 169
polarisiertes Licht 342, 343
Polyaddition 387
Polyamide 386
Polycarbonate 382
Polyene 292, 422, 423
Polyester 386, 394
Polyethen 382, 384
Polykieselsäuren 232
Polykondensation 239, 386
Polymere 382
Polymerisation 384, 385
Polymethylmethacrylat 384
Polypeptide 362, 363
Polypropen 382, 384
Polysaccharide 354, 355
Polysiloxane 239
Polystyrol 382, 384
Polytetrafluorethen 384
Polyurethane 387
Polyvinylchlorid 382, 394
Porzellan 238
Positron 222
Potential 161
Pressen von Kunststoffen 390
primäre Alkanole 300
Primärelemente 175
Prinzip von LE CHATELIER und BRAUN 93
2-Propanol 301
Propanon 306, 307
Propansäure 313
Propansäurebutylester 318
Propantriol 304
Propen 288
Propenal 307
Propionsäure 313
Prostaglandine 340
Proteide 367
Proteine 363–367
Protolysegleichgewicht 136, 137
Protolysegrad 148
Protolysen 132
Proton 34
Protonenakzeptor 131
Protonendonator 131
Protonenübertragungsreaktionen 132
Pufferlösungen 142, 143
PVC 382, 384, 394
Pyranose 348
Pyridin 324
Pyrit 192
Pyrolyse von Kunststoffen 399
Pyrrol 324

Stichwortregister

Q

qualitative Analyse 16, 18
Quanten 59, 60
Quantenzahlkombinationen 60
quantitative Analyse 16, 18, 19
quantitative Elementaranalyse 18
Quarz 51
– Kristallgittermodell 232

R

Racemat 344, 345
Radikale 284
radikalische Polymerisation 385
radikalische Substitution 284, 285
radioaktive Verschiebungsgesetze 219
radioaktiver Zerfall 218–221
radioaktives Gleichgewicht 230
Radioaktivität 217
Radiokohlenstoffmethode 223
Radionuklide 218
Rapsölmethylester 266
Rauchgasentschwefelung 253
Reaktion 1./2. Ordnung 73
Reaktionsenthalpie 112–117
Reaktionsentropie 124
Reaktionsgeschwindigkeit 68, 69
Reaktionslack 395
Reaktionsmechanismus 284
Reaktionsordnung 74
Reaktionswärme 106, 107
Reaktivfärbung 431
Reaktorkern 227
Realisierungszahl 122
Redoxgleichungen 152, 153
Redoxpaar 151
Redoxreaktionen 151
– gehemmte 161
Redoxreihe 156, 441
Redoxtitrationen 154, 155
Reduktion 150, 151
Reduktionsmittel 151
Reformieren 283
Reformingverfahren 295
Regel von HUND 62
Reinstsilicium 236, 237
Replikation 372
R_f-Wert 24
RGT-Regel 77
Ribonucleinsäure (RNA) 370
Rochow-Synthese 239
Roheisen 196
Rohölfraktionen 279
Rost 183
Roteisenstein 192
RUTHERFORD, E. 217, 222
Rutherford-Streuversuch 34

S

σ-Bindung 64
Salicylsäure 331
Sättigungsdampfdruck 102
Satz von der Erhaltung der Energie 106
Satz von Hess 112
Sauerstoffbestimmung in Gewässerproben 154, 155
Sauerstoffblasverfahren 196, 197
Sauerstoffkorrosion 183
Säulenchromatografie 24
Säure-Base-Indikatoren 146
Säure-Base-Paare 132
Säure-Base-Reaktionen 132
– in Salzlösungen 140, 141
Säurekonstante 137
Säurekorrosion 183
Saurer Regen 256
Säurestärke 136, 137
Säurezahl 339
Schafgarbe 433
Schalenmodell 35
Schaumregulatoren 413
Schaumstabilisatoren 416
Schaumstoffe 391
Schießbaumwolle 319
schlagende Wetter 282
Schlüssel-Schloss-Prinzip 368
Schmelzenthalpie 110
Schmelzflusselektrolyse 188
Schmelzspinnen 394
Schmelztauchen 184
Schmieden von Stahl 199
Schmieröle 279, 281
Schmierseifen 402
schwache Säure 138
Schwefelsäure
– Herstellung 100, 101
– Recycling 101
Schwerbenzin 279, 280
schweres Heizöl 279, 280
Sehpigmente 421
Seife 402, 403
– Geschichte 403
– Herstellung 402
– Nachteile 407
– Waschwirkung 404–407
Seifenanion 405
sekundäre Alkanole 300
Sekundärelemente 175, 176
Sekundenkleber 394
Seliwanow-Reaktion 348
Sequenzanalyse 373
Siderit 192
Siedediagramm 103
Silane 236
Silberbleichverfahren 437
Silberspiegelprobe 308
Silicate 232
Siliciumcarbid 51
Siliciumdioxid 232
Silikone 239
Silikonöle 239
Skleroproteine 356, 367
S_N-Reaktion 303
Solarzelle 237
Sonnenschutz 418, 438
Sorbit 304
sp^2-Hybridisierung 66
sp^3-Hybridisierung 65
Spaltstoff 227
Spannung und Potential 161
Spannungsreihe 159–161, 441
Spateisenstein 192
Spektralfarbe 27
spezifische Drehung 343
Sphäroproteine 367
sp-Hybridisierung 66
Spiegelbildisomere 205, 342–345
Spinquantenzahl 61
Spiritus 298
spontane Reaktion 120
Spritzgießen 390
Spurengase 243
Stahl 196
Stahlbeton 238
Stahlveredlung 198
Stalagmiten 94
Stalaktiten 94
Standardbedingungen 159
Standard-Bildungenthalpie 113
Standard-Bindungsenthalpie 117
Standardpotential 159
Standard-Reaktionsenthalpie 115
Standardwasserstoffelektrode 159
starke Base/Säure 138
Stärke 354, 355
– für Verpackungsmaterialien 267
– modifizierte 354
stationäre Phase 21
STAUDINGER, H. 382
Steamcracken 295
Stearin 313
Stearinsäure 315
stehende Wellen 58, 59
Stellmittel 413
Stoffmenge 10, 11
Stoffmengenkonzentration 15
Strahlenmessung 224
Strahlenschutz 225
STRASSMANN, F. 226
Stratosphäre 242
Strukturformel 16
Strukturisomerie 278
Substitution 283
– elektrophile 326
– nucleophile 302, 303
– radikalische 284
Substratspezifität 81
subtraktive Farbmischung 420, 421
Sulfatnachweis 8, 9
Sulfonamide 336
Sulfonierung von Benzol 327
Summenformel 19
Sumpfgas 275
Superabsorber 400
Super-Gau 228
Suspension 406
Süßwasservorräte 258
Synthesefasern 394
Synthesekautschuk 395
System 106
Szintillationszähler 217

T

TA Luft 250
Tartrate 315
Tartrazin 436
Teflon 384
Teilchenanzahl 10, 11
Tenside 402, 405, **408, 414**
Terephthalsäure 334
terrestrische Strahlung 224
tertiäre Alkanole 300
Teststäbchen 8
Textilfärbung 430
thermische Neutronen 226
Thermochromie 212
Thermoplaste **388**, 390
Thermosphäre 242
Thiophen 324
Thymin 370
Titration 144, 145
Titrationskurve 144, 145
TNT 334
Tollens-Probe 308
Toluol 334, 335
Tonerde 188
Tonwaren 238
Transkription 371
Translation 371
Transmissionsgrad 28
Transurane 223
Treibhauseffekt 243–245
Tricarbonsäuren 314, 315
Trichlorsilan 236
Triglyceride 338
Trinkwasser 258, 259
Tripeptide 362
Triphenylmethanfarbstoffe 428
TRK 250
Trockenelement 175
Troposphäre 242
Tschernobyl 228
Türkischrot 430, 431
Tyndall-Effekt 354, 356, 357, **405**

U

Übergangszustand 76
Überpotential 170
umkehrbare Reaktion 86
Umsatzgeschwindigkeit 69
Umsatzvariable 125
ungesättigte Kohlenwasserstoffe 289
Uran-Radium-Zerfallsreihe 221
Ursuppe 374

V

Vakuum-Tiefziehen von Kunststoffen 390, 391
Van-der-Waals-Kräfte 48, 280
Vanillin 307
Vaseline 280
Verbrenungsenthalpie 111
Verbundverpackungen 393
Verdampfungsenthalpie 110
Veresterung, Mechanismus 318
Verfärbungsinhibitoren 413
Verhältnisformel 19
Verseifung 318, 402
Verteilungsgleichgewicht 20, 21
Viskose 382
Viskosität 281
Vitamin C 315
Vitamine 380
VOLTA, A. 149
Voltaelement 158, 180
Volumengesetz von GAY-LUSSAC 12
Vulkanfiber 382
Vulkanisation 395

W

Wachse 319
Wafer 237
Waldschäden 256
Walzen von Stahl 199
Wärmekapazität 106, 107
Warmformen von Kunststoffen 390, 391
Wäscheschmutz, Zusammensetzung 411
Waschmittel 410–413
Waschmitteldosierung 412
Wasserenthärter 210
Wasserglas 232
Wasserhärte 209
Wasserstoffbombe 229
Wasserstoffbrücken 48, 49
Wasserstoff-Sauerstoff-Brennstoffzelle 179, 181
Weichspüler 408
Weinsäure 315, 345
Weißtöner 412
Wellenlänge 36
Wellenzahl 30, 31
WERNER, A. 201, 202
Winderhitzer 195
Winkler-Methode 154
Wirbelschichtfeuerung 75, 253
Wirkungsspezifität 81

X

Xantoproteinreaktion 356
Xylit 304

Z

Zeigerpflanzen 262
Zellstoff 355
Zement 238
Zementit 200
Zentralteilchen 202
Zeolithe 210, **240**, 411
Zerfallskonstante 219
Zerfallsreihen 220, 221
Zersetzungsspannung 169
Zimtaldehyd 307
Zink-Batterien 175, 176
Zuckeraustauschstoff 304
Zuckergewinnung 353
Zweikomponentenkleber 394
Zweitsubstitution an Aromaten 332, 333
Zwitterion 358

Bildquellen

7 b) Okapia (CNRI) Frankfurt/M.; **7 c)** Horst Friebolin, Ein- und zweidimensionale NMR-Spektroskopie, WILEY-VCH Verlag GmbH, Weinheim, 2. Aufl. 1992; **32.4** Okapia (CNRI) Frankfurt/M.; **33 a)** AKG Archiv für Kunst und Geschichte, Berlin; **33 b), c), d), e), f)** Deutsches Museum, München; **41.10** Florian Karly, München; **48.3** Grimmel, Stuttgart; **51.5** TeCe Technical Ceramics GmbH & Co. KG, Selb; **53.2** FOCUS (Jonathan Walts), Hamburg; **55.2, 56.2** Grimmel, Stuttgart; **61.12** Martin Bauer, Villingen-Schwenningen; **67 a)** Mauritius (Hennig), Mittenwald; **67 c), d)** Deutsches Museum, München; **77.4** Phywe Systeme GmbH; Braunschweig; **79.3** diGraph, Lahr; **85 a)** Mauritius, Mittenwald; **85 b)** BASF AG, Ludwigshafen; **98.2, 98.3** Deutsches Museum, München; **102.3** Mauritius (Phototake), Mittenwald; **105 a)** Helga Lade Fotoagentur (Photri), Frankfurt/M.; **105 b)** Tony Stone, München; **129 a)** Silvestris (Voß) Kastl/Obb.; **129 b)** Okapia (Hans Reinhard), Frankfurt/M.; **130 a)** Archiv Dr. Wilhelm Strube, Naunhof; **103 b)** AKG, Berlin; **130 c), d)** Deutsches Museum, München; **131.1** Det Kongelige Bibliotek Fotografisk Atelier, København; **145.2** ibK electronic + informatic, Bernau am Chiemsee; **146.4** Grimmel, Stuttgart; **149 a)** AKG, Berlin; **149 b)** Varta AG, Hannover; **156.1** Harald Kaiser, Alfdorf; **163.3, 171.6** Deutsches Museum, München; **173.2** Bayer AG (MS Mediastock), Leverkusen; **174.5** Norddeutsche Affinerie, Hamburg; **175.1, 175.2, 176.4, 177.5, 178.6,** Varta AG, Hannover; **181 Mitte** heliocentris Energiesysteme GmbH, Berlin; **182.1** Grimmel, Stuttgart; **184.5 links** Degussa Galvanotechnik, Schwäbisch Gmünd; **184.6** DaimlerChrysler, Stuttgart; **189.3** VAW Aluminium-Technologie (Helmut Stahl), Bonn; **191 a), b)** Helga Lade Fotoagentur (BAV), Frankfurt/M.; **191 c)** dpa (Tschauner), Frankfurt/M. **191 d)** dpa, Stuttgart; **192.2 links oben** Hermann Eisenbeiss, Egling; **197.4** SMS DEMAG AG, Düsseldorf; **199.8** Helga Lade Fotoagentur (H. R. Bramaz), Frankfurt/M. **200.2** DK Recycling und Roheisen GmbH, Duisburg; **201 b)** Commserv GmbH, Frankfurt/M.; **201 c)** Deutsches Museum, München; **205** Martin Bauer, Villingen-Schwenningen; **212.2** Atotech, Berlin; **212.3** Rhône-Poulenc Rorer, Köln; **212.4** Grimmel, Stuttgart; **215 a)** Deutsches Museum, München; **215 b)** Siemens AG, Erlangen; **215 c)** Helga Lade Fotoagentur (D. Rose), Frankfurt/M.; **219.6** Leybold Didactic GmbH, Hürth; **222.1** Pergamon Press, London, Gentner, An Atlas of Typical Expansion Chamber Photographs; **222.4** Deutsches Museum, München; **227.2** Siemens AG, München; **229.1** Max-Planck-Institut für Plasmaphysik, Garching b. München; **231 a)** Wacker-Chemie GmbH, München; **231b)** Helga Lade Fotoagentur (Ott) Frankfurt/M.; **232c)** Helga Lade Fotoagentur (LTF Michler), Frankfurt/M.; **232d)** Helga Lade Fotoagentur (R. Cramm), Frankfurt/M.; **234.1** Helga Lade Fotoagentur (Ott), Frankfurt/M.; **237.2** Wacker-Chemie GmbH, München: **238.1** Sigrid Schmidt, Gerichshain; **240.1 links** Helga Lade Fotoagentur (LTF Michler), Frankfurt/M. **240.1 rechts, 240.2** Ulrike Medenbach (Dr. Olaf Medenbach), Witten; **241 a)** Helga Lade Fotoagentur (BAV), Frankfurt/M.; **241 b)** Mauritius (SST), Mittenwald; **241 c)** Thomas Raubenheimer, Stuttgart; **241 d)** Trimedia Communications GmbH, Düsseldorf; **247.5 links** Karl-Günther Krauter, Esslingen; **249.8, 249.9** DLR Deutsches Fernerkundungsdatenzentrum, Oberpfaffenhofen; **251.3** Mauritius (Benelux Press), Mittenwald; **252.1** Stadt- und Bergbaumuseum, Freiberg; **255.10** Degussa AG, Frankfurt/M.; **256.2** Landesdenkmalamt BW, Stuttgart; **259 unten** BRITA Wasser-Filter-Systeme GmbH, Taunusstein; **265 a)** Thomas Raubenheimer, Stuttgart; **265 b)** CMA (wpr communication, Königswinter), Bonn; **265 c)** (FAL) Institut für Pflanzenbau, Braunschweig; **265 d)** BASF AG, Landwirtschaftliche Versuchsstation, Limburgerhof; **265 e)** Okapia (Lothar Lenz), Frankfurt/M.; **265 f)** UFOP wpr communication (Elisabeth Rechenburg), Königswinter; **265 g)** Blaser Swisslube AG, Hasle-Rüegsau/CH; **265 h)** Montedison Deutschland GmbH, Eschborn; **265 i)** Lohmann Animal Health GmbH & Co. KG, Cuxhaven; **265 j)** Ferodo Beral GmbH, Marienheide; **265 k)** Kneipp Werke, Würzburg; **265 l)** Mauritius (Kuchlbauer), Mittenwald; **266.4** BASF AG, Landwirtschaftl. Versuchsstation, Limburgerhof; **267.7** Storopack GmbH, Metzingen; **269.4** Kohtes & Klewes, Bonn; **271.3** Mauritius, Mittenwald; **273 a)** dpa, Frankfurt/M.; **274.1** Ruhrgas AG, Essen; **289 Exkurs links** Mauritius (Grafica), Mittenwald; **Exkurs rechts** Mauritus (cash), Mittenwald; **293.1** Das Fotoarchiv (Henning Christoph), Essen; **297 a)** Anthony (Fischer), Eurasburg; **297 b)** Mauritius (Rosenbach), Mittenwald; **297c)** Haarmann & Reimer, Holzminden; **297 d)** Mauritius, Mittenwald; **313.1** Karl-Heinz Baumann, Gomadingen; **313.2** Alfred Kemper, Sindelfingen; **321 a)** Deutsches Museum, München; **321 b)** IBM, Stuttgart; **321 c)** BASF AG, Ludwigshafen; **321 d)** Bayer AG, Leverkusen; **322.1** Grimmel, Stuttgart; **331.1** Bayer AG, Leverkusen; **337 a)** StockFood (Karl Newedel), München; **337 b)** Okapia (M. D. Philipps/ PR Science Sc), Frankfurt/M.; **337 c)** Mauritius (AGE), Mittenwald; **337 d)** Helga Lade Fotoagentur (THF), Frankfurt/M.; **340** StockFood (S. & P. Eising), München; **352.1** ZEFA (Halin), Düsseldorf; **352.2** SMC-GmbH, Pinneberg-Waldenau; **363.4** Mauritius (ACE), Mittenwald; **378.6** Okapia (Lond. Sc. Films/ OSF), Frankfurt/M.; **381 a)** Bavaria (TCL), Gauting; **381 b)** Christo und Jeanne-Claude, Wrapped Reichstag, Berlin 1971-1995, W. Volz, Bilderberg, Hamburg; **381 c)** BASF AG, Ludwigshafen; **382.1** Thomas & Thomas Design, Heidesheim; **382.3** Helga Lade Fotoagentur; Frankfurt/M.; **385** Mauritius (G. Schuster), Mittenwald; **387.7** Harald Kaiser, Alfdorf; **388.4 links** Eberhard Theophel, Gießen; **388.4 rechts** Arbeitsgemeinschaft Dt. Kunststoffindustrie, Frankfurt/M.; **389.5, 389.6** Ralph Grimmel, Stuttgart; **390.1** Elf Atochem, Düsseldorf; **390.2** Berstorff GmbH, Hannover; **391.3 a)** Hoechst AG, Frankfurt/M.; **391.3 b)** BASF AG, Ludwigshafen; **391.3 c)** Thomas & Thomas Design, Heidesheim; **391.3 d)** Windmöller & Hölscher, Lengerich/Westfalen; **391.3 e)** BASF AG, Ludwigshafen; **392.1** Verband der Kunststofferzeugenden Industrie e.V., Frankfurt/M.; **392.2** Helga Lade Fotoagentur (BAV), Frankfurt/M.; **392.3** DaimlerChrysler, Stuttgart; **393.5** Aesculap AG & Co.KG, Tuttlingen; **394.6** Bayer AG, Leverkusen; **394.7** Institut für Chemiefasern, Denkendorf; **394.9** Henkel KGaA, Düsseldorf; **395.10** BASF Coatings AG, Münster; **397** PETEC Verbindungstechnik GmbH, Schlüsselfeld; **400.1** Helga Lade Fotoagentur (Tetzlaft) Frankfurt/M.; **401 a)** Henkel KGaA, Düsseldorf; **401 b)** FOCUS (Dr. Jeremy Burgess), Hamburg; **401 c)** Superbild (Erich Bach), Grünwald/München; **401 d), 403.1** Henkel KGaA, Düsseldorf; **403.2** Deutsches Museum, München; **403.3** Mauritius (Visa Image), Mittenwald; **404.3** Bayer AG, Leverkusen; **407.7, 413.5** Henkel KGaA, Düsseldorf; **413.6** Gottfried Quinzler, Sindelfingen; **415.1 links** AKG, Berlin; **415.1 rechts** dpa, Frankfurt/M.; **416.6** Reinhard, Heiligkreuzsteinach; **418.1** Fonds der Chemischen Industrie, Frankfurt/M.; **419 a), c)** AKG, Berlin; **419 b)** Okapia (Helmut Göthel), Frankfurt/M.; **419 d)** BASF AG, Ludwigshafen; **427** IKEA Deutschland, Verkaufs-GmbH & Co. München, **429.8** AKG, Berlin; **429.9** BASF AG, Ludwigshafen; **430.1** Mauritius (Rosenfeld), Mittenwald; **430.2** Bildarchiv Preußischer Kulturbesitz, Berlin; **431.4** Verband der chemischen Industrie e.V. (Folienserie des Fonds der chemischen Industrie Nr. 15), Frankfurt/M.; **433.3 links** Das Fotoarchiv (Andreas Riedmiller), Essen; **433.3 rechts** Okapia (Ernst Schacke), Frankfurt/M.; **438.2** Mitsubishi HiTec Paper GmbH, Bielefeld; **441** Martin Bauer, Villingen-Schwenningen;

Werkstatt Fotografie Neumann und Zörlein, Stuttgart: 7 d), 20.2, 27.1, 53.3, 71.2, 83.3, 119.2, 133.7, 136.1, 141.6, 149 c), 153.2, 154.1, 171.7; 180.2, 186.3, 186.4, 186.5, 187.6, 187.7, 187.8, 190.1 links und rechts, 199.9, 206.1, 233.1, 281, 283.4, 308.6, 309.1, 311.2, 315.7, 316.1, 317.2, 317.3, 338.1; 341, 342.2, 344.4, 413.4, 421.4

Alle weiteren Fotos stammen von Ralph Grimmel, Stuttgart oder sind aus dem Archiv des Ernst Klett Verlages, Stuttgart

Umschlagsgestaltung: E. König, Stuttgart

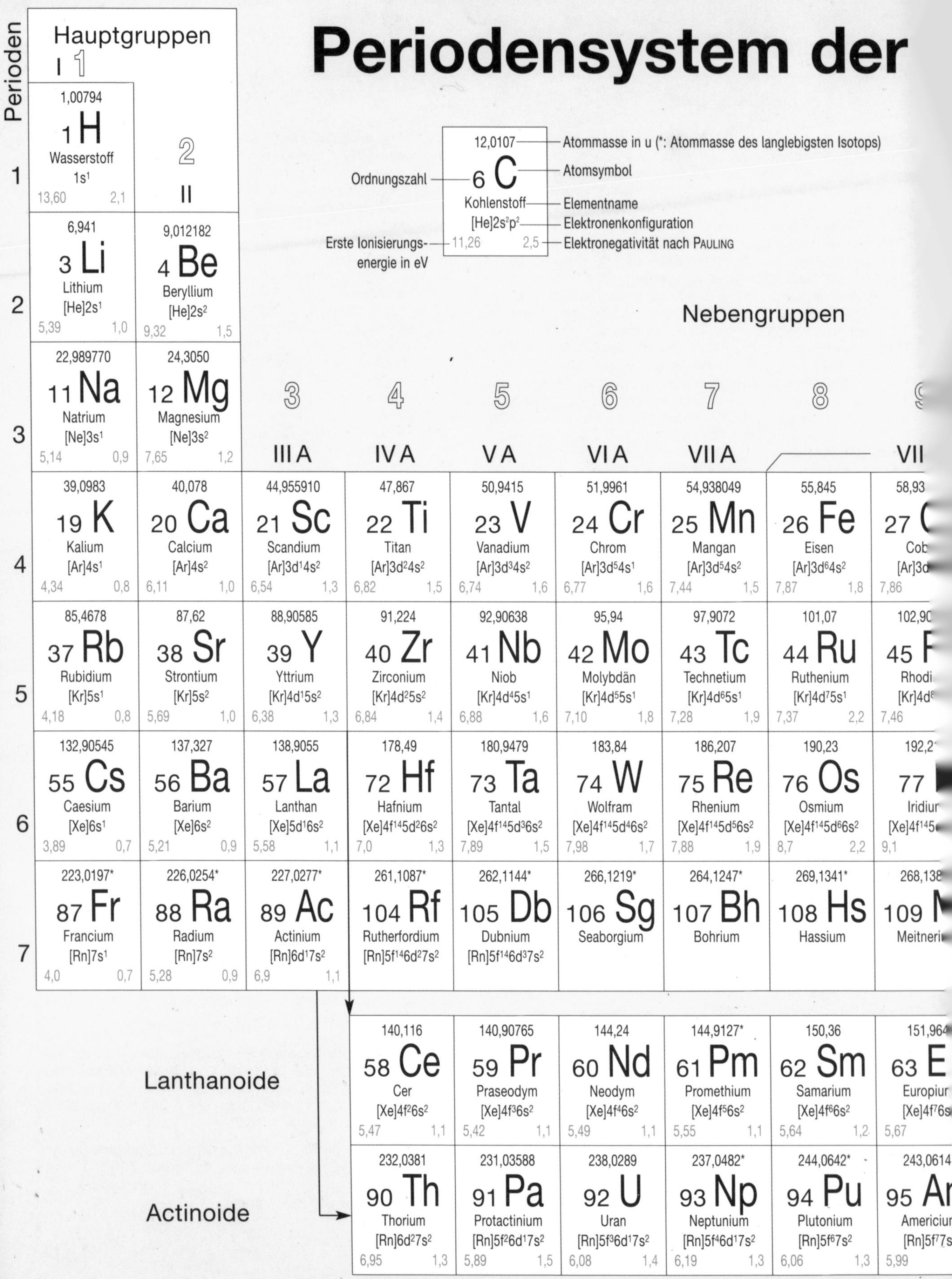

Periodensystem der

Perioden	Hauptgruppen I 1	II 2	3 III A	4 IV A	5 V A	6 VI A	7 VII A	8	9 VII
1	1,00794 1 H Wasserstoff $1s^1$ 13,60 2,1								
2	6,941 3 Li Lithium $[He]2s^1$ 5,39 1,0	9,012182 4 Be Beryllium $[He]2s^2$ 9,32 1,5							
3	22,989770 11 Na Natrium $[Ne]3s^1$ 5,14 0,9	24,3050 12 Mg Magnesium $[Ne]3s^2$ 7,65 1,2							
4	39,0983 19 K Kalium $[Ar]4s^1$ 4,34 0,8	40,078 20 Ca Calcium $[Ar]4s^2$ 6,11 1,0	44,955910 21 Sc Scandium $[Ar]3d^14s^2$ 6,54 1,3	47,867 22 Ti Titan $[Ar]3d^24s^2$ 6,82 1,5	50,9415 23 V Vanadium $[Ar]3d^34s^2$ 6,74 1,6	51,9961 24 Cr Chrom $[Ar]3d^54s^1$ 6,77 1,6	54,938049 25 Mn Mangan $[Ar]3d^54s^2$ 7,44 1,5	55,845 26 Fe Eisen $[Ar]3d^64s^2$ 7,87 1,8	58,93 27 Cob [Ar]3d 7,86
5	85,4678 37 Rb Rubidium $[Kr]5s^1$ 4,18 0,8	87,62 38 Sr Strontium $[Kr]5s^2$ 5,69 1,0	88,90585 39 Y Yttrium $[Kr]4d^15s^2$ 6,38 1,3	91,224 40 Zr Zirconium $[Kr]4d^25s^2$ 6,84 1,4	92,90638 41 Nb Niob $[Kr]4d^45s^1$ 6,88 1,6	95,94 42 Mo Molybdän $[Kr]4d^55s^1$ 7,10 1,8	97,9072 43 Tc Technetium $[Kr]4d^65s^1$ 7,28 1,9	101,07 44 Ru Ruthenium $[Kr]4d^75s^1$ 7,37 2,2	102,90 45 Rhodi [Kr]4d 7,46
6	132,90545 55 Cs Caesium $[Xe]6s^1$ 3,89 0,7	137,327 56 Ba Barium $[Xe]6s^2$ 5,21 0,9	138,9055 57 La Lanthan $[Xe]5d^16s^2$ 5,58 1,1	178,49 72 Hf Hafnium $[Xe]4f^{14}5d^26s^2$ 7,0 1,3	180,9479 73 Ta Tantal $[Xe]4f^{14}5d^36s^2$ 7,89 1,5	183,84 74 W Wolfram $[Xe]4f^{14}5d^46s^2$ 7,98 1,7	186,207 75 Re Rhenium $[Xe]4f^{14}5d^56s^2$ 7,88 1,9	190,23 76 Os Osmium $[Xe]4f^{14}5d^66s^2$ 8,7 2,2	192,2 77 Iridiu $[Xe]4f^{14}5$ 9,1
7	223,0197* 87 Fr Francium $[Rn]7s^1$ 4,0 0,7	226,0254* 88 Ra Radium $[Rn]7s^2$ 5,28 0,9	227,0277* 89 Ac Actinium $[Rn]6d^17s^2$ 6,9 1,1	261,1087* 104 Rf Rutherfordium $[Rn]5f^{14}6d^27s^2$	262,1144* 105 Db Dubnium $[Rn]5f^{14}6d^37s^2$	266,1219* 106 Sg Seaborgium	264,1247* 107 Bh Bohrium	269,1341* 108 Hs Hassium	268,138 109 Meitneri

Atommasse in u (*: Atommasse des langlebigsten Isotops) · Atomsymbol · Elementname · Elektronenkonfiguration · Elektronegativität nach PAULING · Ordnungszahl · Erste Ionisierungsenergie in eV

Beispiel: 12,0107 · 6 C · Kohlenstoff · $[He]2s^2p^2$ · 11,26 · 2,5

Nebengruppen

Lanthanoide	140,116 58 Ce Cer $[Xe]4f^26s^2$ 5,47 1,1	140,90765 59 Pr Praseodym $[Xe]4f^36s^2$ 5,42 1,1	144,24 60 Nd Neodym $[Xe]4f^46s^2$ 5,49 1,1	144,9127* 61 Pm Promethium $[Xe]4f^56s^2$ 5,55 1,1	150,36 62 Sm Samarium $[Xe]4f^66s^2$ 5,64 1,2	151,964 63 E Europiur $[Xe]4f^76s$ 5,67
Actinoide	232,0381 90 Th Thorium $[Rn]6d^27s^2$ 6,95 1,3	231,03588 91 Pa Protactinium $[Rn]5f^26d^17s^2$ 5,89 1,5	238,0289 92 U Uran $[Rn]5f^36d^17s^2$ 6,08 1,4	237,0482* 93 Np Neptunium $[Rn]5f^46d^17s^2$ 6,19 1,3	244,0642* 94 Pu Plutonium $[Rn]5f^67s^2$ 6,06 1,3	243,0614 95 Ar Americiun $[Rn]5f^77s^2$ 5,99